met [met] *pt. pp of* **meet.**

fetus ['fiːtəs] *n (US) see* **foetus.**

clerk [klɑːk, *US* klɜːk] *n (in office)* Büroangestellte(r) *mf; (US: salesperson)* Verkäufer(in *f*) *m.*

fix [fiks] **1.** *vt* befestigen; *(settle)* festsetzen; *(repair)* richten, reparieren; *(drink)* zurechtmachen; **2.** *n:* **in a ~** in der Klemme; **fixed** *adj* repariert; *(time)* abgemacht; **it was ~** *(dishonest)* das war Schiebung; **fixer** *n (drug addict)* Fixer(in *f*) *m;* **fixture** ['fikstʃə˙] *n* Installationsteil *m; (SPORT)* Spiel *nt.*

serve [sɜːv] **1.** *vt* dienen + *dat; (guest, customer)* bedienen; *(food)* servieren; *(writ)* zustellen *(on sb jdm);* **2.** *vi* dienen, nützen; *(at table)* servieren; *(TENNIS)* geben, aufschlagen; **it ~s him right** das geschieht ihm recht; **that'll ~ the purpose** das reicht; **that'll ~ as a table** das geht als Tisch; **serve out** *vt (also: ~ up) (food)* auftragen, servieren.

print [print] **1.** *n* Druck *m; (made by feet, fingers)* Abdruck *m; (FOT)* Abzug *m;* **2.** *vt* drucken; *(COMPUT)* ausdrucken; *(name)* in Druckbuchstaben schreiben; *(photo)* abziehen; **is the book still in ~?** wird das Buch noch gedruckt?; **out of ~** vergriffen; **printed matter** *n* Drucksache *f;* **printer** *n* Drucker *m;* **printing** *n* Drucken *nt; (of photos)* Abziehen *nt; ~ press* Druckerpresse *f;* **printout** *n (COMPUT)* Ausdruck *m.*

blimey ['blaimi] *interj (Brit fam)* verflucht.

refer [ri'fɜː˙] **1.** *vt:* t̲ an jdn/etw verweise̲ weisen auf + *akk;* (in + *dat; (mention) akk.*

Unregelmäßige **Verbformen** sind am alphabetischen Ort aufgeführt und zur Grundform verwiesen.

Auf abweichende **amerikanische Schreibweisen** und **amerikanische Bedeutungsvarianten** wird hingewiesen.

Es werden zahlreiche Hinweise für die Verwendung des Stichworts und seiner Übersetzung im Satzzusammenhang gegeben, z. B. durch

● **Erklärungen** zur Unterscheidung mehrerer Übersetzungen,

● **typische Kollokationen** (Verbindungen),

● Angabe des **Fachgebiets** bei fachsprachlichen Begriffen,

● **K**ennze̲ **'**schichten, die weichen *(fam,*

Präpositio̲

PONS Standardwörterbuch Englisch

Bearbeitet von:
Veronika Schnorr, Peter Terrell, Sean McLaughlin, Ute Nicol,
Anne Dickinson
Kurzgrammatik:
Bruce Pye
sowie:
Büro für Lexikographie
unter Mitarbeit von Beate Wengel
Raimund Drewek, text & tools (Sprachdatenverarbeitung)

Unter Mitwirkung und Leitung
der Verlagsredaktion Wörterbücher
Leiter: Wolfgang H. Kaul, M. A.;
Mitarbeit: Manfred Zellinger, Verlagsredakteur

Warenzeichen
Wörter, die unseres Wissens eingetragene Warenzeichen
darstellen, sind als solche gekennzeichnet.
Es ist jedoch zu beachten, daß weder das Vorhandensein
noch das Fehlen derartiger Kennzeichnungen
die Rechtslage hinsichtlich eingetragener Warenzeichen
berührt.

CIP-Titelaufnahme der Deutschen Bibliothek

Pons-Standardwörterbuch. – Stuttgart : Klett, Verlag für Wissen
und Bildung, 1990
Englisch-deutsch, deutsch-englisch / [bearb. von: Veronika
    Schnorr...]. – 1. Aufl. – 1989 – Nachauflage 1991
    ISBN 3-12-517251-9
NE: Schnorr, Veronika [Bearb.]

1. Auflage 1989 – Nachauflage 1991

Einbandentwurf: Erwin Poell, Heidelberg
Druck: Clausen & Bosse, Leck
Printed in Germany
ISBN 3-12-517251-9

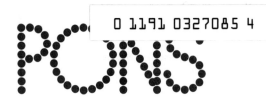

Englisch – Deutsch
Deutsch – Englisch

Standardwörterbuch

Ernst Klett Verlag für Wissen und Bildung

Stuttgart · Dresden

Inhalt

Hinweise zur Benutzung des Wörterbuchs

Sie werden dieses Wörterbuch benutzen, entweder weil Sie die Bedeutung eines englischen Wortes wissen wollen, oder aber die englische Entsprechung für ein deutsches Wort suchen. Das sind zwei ganz verschiedene Vorgänge, und entsprechend verschieden sind die Probleme bei der Benutzung der beiden Teile des Wörterbuchs. Um Ihnen dabei zu helfen, Ihr Wörterbuch richtig zu nutzen, werden die Hauptmerkmale dieses Buches im folgenden erläutert.

Die „Wortliste" ist eine alphabetisch angeordnete Auflistung aller fettgedruckten Wörter, nämlich der „Stichwörter". Das Stichwort steht am Anfang eines „Eintrags". Ein Eintrag kann weitere Untereinträge, wie z. B. Wendungen in halbfettem Druck, Ableitungen und zusammengesetzte Wörter in Fettdruck enthalten. In Absatz 1. wird beschrieben, wie diese Untereinträge angeordnet sind.

Im ganzen Wörterbuch stehen wahlweise mögliche Buchstaben oder Wortteile in eckigen Klammern. Beim Stichwort **öd[e]** bedeutet das, daß man sowohl öde als auch öd sagen kann, ohne den Sinn zu verändern. Beim Stichwort **abridge** steht die Übersetzung [ab]kürzen. Das heißt, daß man abridge sowohl mit abkürzen als auch mit kürzen übersetzen kann.

Drei verschiedene Schriftarten werden verwendet, um die drei verschiedenen Arten von Text im Wörterbuch zu unterscheiden. Alle **fett** und **halbfett** gedruckten Wörter gehören der „Ausgangssprache" an. Sie haben eine Entsprechung in der anderen Sprache, der „Zielsprache". Diese Übersetzungen in der Zielsprache sind mager gedruckt. *Kursiv* Gedrucktes gibt nähere Auskunft über das zu übersetzende Wort in Form einer Abkürzung, eines „Wegweisers" zur richtigen Übersetzung, einer Erklärung.

1. Wo findet man das gesuchte Wort?

1.1 Ableitungen

Aus Platzersparnisgründen wurden einige Ableitungen eines Stichworts im selben Eintrag abgehandelt, soweit sie in der alphabetischen Reihenfolge direkt im Anschluß an das Stichwort kommen. So finden sich in der englischen Wortliste die Wörter **failing, failure** im Eintrag **fail.** In der deutschen Wortliste findet man die Wörter

entschlußfreudig und **Entschlußkraft** unter dem Stichwort **Entschluß.** Die Ableitungen sind im Anschluß an den Artikel des (Haupt)stichworts aufgeführt und erscheinen in fettem Druck.

1.2 Homographen

Homographen sind zwei verschiedene Wörter, die genau gleich geschrieben werden, wie z. B. die englischen Wörter **fine** (fein) und **fine** (Geldstrafe) oder die deutschen Wörter **Bau** (das Bauen) und **Bau** (von Tier). Im allgemeinen sind diese Wörter in einem Eintrag unter einem einzigen Stichwort abgehandelt und mit arabischen Ziffern voneinander unterschieden.

1.3 Beispiele und Wendungen

In einem Wörterbuch der vorliegenden Größe kann aus Platzgründen nur eine begrenzte Anzahl idiomatischer Wendungen gegeben werden. Besonderes Gewicht wurde bei der Auswahl auf verbale Wendungen wie **to go to sleep, to feel at ease, to make an effort, to turn nasty** etc. gelegt und auf Anwendungsbeispiele, die Aufschluß über die Konstruktion geben (siehe Einträge für **berufen, greifen, agree, assortment**).

Verbale Wendungen für die etwa zehn elementaren Verben wie *set, do, get, take, put, make* etc. sind im Eintrag des Substantivs abgehandelt. Alle anderen Beispielsätze und idiomatischen Wendungen sind unter dem ersten bedeutungstragenden Element aufgeführt (z. B. nicht unter einer Präposition). So ist also die Wendung **to take advantage of** unter **advantage** zu finden, der Ausdruck **on edge** unter **edge.**

In Beispielsätzen und Wendungen steht die Tilde (~) für das unveränderte Stichwort.

1.4 Abkürzungen und Eigennamen

Um das Auffinden zu erleichtern, wurden Abkürzungen, Kurzwörter und Eigennamen an der entsprechenden alphabetischen Stelle in der Wortliste aufgeführt und nicht in einer gesonderten Liste im Anhang abgehandelt. Der **TÜV** wird im Deutschen genauso als Wort gebraucht wie der **Führerschein** oder die **Zulassung,** im Englischen **TV** genauso wie **television,** und daher werden diese Wörter entsprechend abgehandelt.

1.5 Zusammengesetzte Wörter

Großeltern, Liebesbrief, liebgewinnen, housewife, high-pitched, holiday maker sind zusammengesetzte Wörter. Im Deutschen werden die meisten davon zusammengeschrieben und stellen daher bei der Suche weniger Probleme dar, da sie an der entsprechenden Stelle in der alphabetischen Reihenfolge zu finden sind. In anderen Sprachen jedoch bestehen zusammengesetzte Wörter oft aus einzelnen Elementen, die nicht oder mit einem Bindestrich verbunden sind. Sie sind schwieriger zu finden.

1.5.1 Zusammengesetzte Wörter im Englischen

Es gibt viele zusammengesetzte Wörter, die aus zwei Elementen bestehen, wobei es nicht leicht vorherzusehen ist, ob sie zusammen, mit einem Bindestrich oder auseinander geschrieben werden. Um das Auffinden zu erleichtern wurden alle zusammengesetzten Wörter an ihrer entsprechenden alphabetischen Stelle in der Wortliste aufgeführt. So finden Sie z. B. **car wash** zwischen den Stichwörtern **carving** und **cascade.** Aus Platzgründen wurden diejenigen zusammengesetzten Wörter, die alphabetisch direkt im Anschluß an das erste Element kommen, in einem fortlaufenden Block abgehandelt.

1.5.2 Englische „phrasal verbs"

Unter „phrasal verbs" versteht man zusammengesetzte Verben wie **go off, blow up, cut down** etc. Man kann sie vergleichen mit zusammengesetzten Verben im Deutschen wie **losrennen, mitsingen, weggehen** usw. Sie sind als eigenständige Verben zu betrachten, da sie oft eine vom Grundverb abweichende Bedeutung haben. Sie sind unmittelbar im Anschluß an das Stichwort des Verbs (z. B. **go, blow, cut**) fortlaufend im Eintrag abgehandelt, wobei sie alphabetisch nach den Partikeln (z. B. **back, down, up** etc.) angeordnet sind. Sie stehen als Einheit vor den zusammengesetzten Substantiven und Ableitungen (siehe den Eintrag **hold**).

1.5.3 Zusammengesetzte Wörter im Deutschen

Alle zusammengesetzten Wörter befinden sich an ihrer entsprechenden alphabetischen Stelle in der deutschen Wortliste. Sie sind in den Fällen in einem fortlaufenden Block angeordnet, wo die alphabetische Reihenfolge es zuläßt. Vergleichen Sie die Wörter **Schlafanzug, Schlafgelegenheit, schlafwandeln.**

1.6 Unregelmäßige Formen

Unregelmäßige Formen von Verben und Substantiven sind als eigene Stichwörter aufgeführt, wenn sie in der alphabetischen Reihenfolge nicht unmittelbar vor oder nach der Grundform kommen. Sie werden auf die Grundform verwiesen. Elementare grammatische Grundkenntnisse über Verb- und Pluralformen werden allerdings vorausgesetzt. Es wird also vorausgesetzt, daß Sie wissen, daß „tries" eine Form des Verbs **try,** „babies" der Plural von **baby** usw. ist.

Beim Partizip Perfekt kann es vorkommen, daß dieses auch als Adjektiv gebraucht wird, wie z. B. **said** oder **spent.** Diese Adjektive werden als eigenständige Stichwörter in einem vollständigen Eintrag behandelt.

2. Wie sind die Einträge aufgebaut?

Alle Einträge, egal wie lang oder komplex sie sind, sind äußerst systematisch aufgebaut. Verschiedene Wortarten sind mit arabischen Ziffern numeriert. Die Beispielsätze zu allen Wortarten folgen im Anschluß. Zu Anfang mag es wohl etwas schwierig sein, sich in langen Einträgen wie **back, round, run, richten** oder **können** zurechtzufinden, weil Homographen zusammen behandelt werden (siehe 1.2) und zusammengesetzte Wörter und Ableitungen oft fortlaufend im gleichen Abschnitt aufgeführt sind (siehe 1.5). Mit der Zeit wird Ihnen jedoch Ihr Wörterbuch vertraut werden. Die folgenden Informationen werden Ihnen helfen, das jedem Eintrag zugrundeliegende System zu verstehen.

2.1 „Wegweiser" zur richtigen Übersetzung

Wenn Sie ein englisches Wort nachschlagen und eine Reihe sehr unterschiedlicher deutscher Übersetzungen vorfinden, wird es Ihnen nicht schwerfallen, diejenige auszusuchen, die für Ihren Sinnzusammenhang die passende ist, denn Sie wissen ja, was die deutschen Wörter bedeuten, und in dem gegebenen Zusammenhang werden sich die unpassenden automatisch ausschließen.

Anders jedoch, wenn Sie das passende englische Wort für z. B.

Bahn in dem Zusammenhang „auf Bahn 5 läuft das Pferd mit Namen Sternschnuppe" suchen und einen Eintrag vorfinden, der Ihnen folgendes anbietet: „**Bahn** railway, railroad (*US*); road, way; lane; track; orbit; length". Natürlich könnten Sie jetzt im anderen Teil des Wörterbuchs nachschlagen um herauszufinden, was jedes dieser englischen Wörter bedeutet. Das braucht jedoch viel Zeit und gibt außerdem nicht immer den gewünschten Aufschluß. Aus diesem Grunde finden Sie in diesem Wörterbuch „Wegweiser", die zur richtigen Übersetzung führen. Im Falle von **Bahn** finden Sie dann folgenden Eintrag: railway, railroad (*US*); (*Weg*) road, way; (*Spur*) lane; (*Renn~*) track; (ASTR) orbit; (*Stoff~*) length.

„Wegweiser", die auf ein bestimmtes Sachgebiet hinweisen, stehen in kleinen Großbuchstaben (KAPITÄLCHEN). Sie sind zusammen mit anderen im Wörterbuch benutzten Abkürzungen in einer alphabetisch angeordneten Liste vorn im Wörterbuch erläutert.

In dem von Ihnen gesuchten Zusammenhang handelt es sich um eine Rennbahn, und daher wissen Sie, daß „track" die richtige Übersetzung ist. Bei diesen erklärenden Zusätzen steht für das Stichwort eine Tilde.

2.2 Grammatische Kategorisierung und Bedeutungsunterscheidung

Komplexe Einträge werden zuallererst in grammatische Kategorien unterteilt, z. B. **richten 1.** *vt* und **2.** *vr.* Zur Unterteilung werden arabische Ziffern benutzt. Lesen Sie den ganzen Eintrag für Wörter wie **halten** oder **gehen** durch, und Sie werden feststellen, wie nützlich die „Wegweiser" sind. Jede einzelne grammatische Kategorie ist, wo nötig, in verschiedene Bedeutungen unterteilt:

richten 1. *vt* direct (*an + akk* at); (*Waffe*) aim (*auf + akk* at); (*einstellen*) adjust; (*instand setzen*) repair; (*zurechtmachen*) prepare; (*bestrafen*) pass judgement on; **2.** *vr*: **sich ~ nach** go by.

Die „Wegweiser" führen Sie direkt zur richtigen Übersetzung von Zusammenhängen wie „er hat die Waffe auf das Tier gerichtet" (he aimed the weapon at the animal) oder „der Mechaniker kam, um die Maschine zu richten" (the mechanic came in order to repair the machine).

3. Wie wird die Übersetzung im Satz verwendet?

3.1 Das Geschlecht

Da es im Englischen meist nur eine Form gibt, die eine männliche oder weibliche Person bezeichnet, sind im englisch-deutschen Teil alle Femininformen von Substantiven aufgeführt, um den Benutzer darauf hinzuweisen, daß z. B. **teacher** nicht nur „der Lehrer", sondern auch „die Lehrerin" sein kann. Wenn Sie im Englischen darauf hinweisen wollen, daß es sich um eine Lehrerin und nicht um einen Lehrer handelt, müssen Sie ein "female" oder "woman" oder "lady" einfügen. Also z. B. "I prefer female teachers to male ones".

3.2 Der Plural

Die Kenntnis der regelmäßigen Pluralbildung von englischen Substantiven wird vorausgesetzt (vgl. Kurzgrammatik im Anhang). In den Fällen, in denen Unregelmäßigkeiten auftreten, wird beim Stichwort darauf hingewiesen, wie z. B. **woman** *n, pl* **women.** Diese unregelmäßigen Plurale sind auch an ihrer alphabetischen Stelle in der Wortliste aufgeführt und auf ihre Singularform verwiesen.

3.3 Das Verb

Im deutsch-englischen Teil werden unregelmäßige englische Verben nicht besonders gekennzeichnet, im englisch-deutschen Teil sind die unregelmäßigen Formen von past tense und past participle bei der Grundform mit angegeben. Wo sie nicht unmittelbar vor oder nach der Grundform kommen, sind sie an der entsprechenden alphabetischen Stelle aufgeführt und zur Grundform verwiesen. Bei zusammengesetzten unregelmäßigen Verben steht *irr*, vgl. **fortell** *irr vt.* Dies bedeutet, daß foretell dieselben unregelmäßigen Formen aufweist wie **tell.** Im Anhang befindet sich außerdem eine Liste der unregelmäßigen Verben, die der Benutzer im Zweifelsfall konsultieren kann.

3.4 Umgangssprachliche Wörter

Grundsätzlich sollten Sie beim Benutzen von umgangssprachlichen englischen Wörtern sehr vorsichtig sein. Wenn ein deutsches Wort oder ein deutscher Beispielsatz mit (*fam*), d. h. familiär, umgangssprachlich, gekennzeichnet ist, können Sie davon ausgehen, daß die englische Übersetzung ebenso umgangssprachlich ist, und daher in manchen Situationen genauso unangebracht wäre wie das Deutsche.

3.5 „Grammatische Wörter"

Es ist äußerst schwierig, in einem so kleinen Wörterbuch Wörter wie **für, weg, der, wer** oder **for, away, whose, which** etc. ausführlich genug zu behandeln. Es wurde versucht, möglichst viel nützliche Information über die häufigsten Anwendungsfälle zu geben. In vielen Fällen ist es jedoch empfehlenswert, ein gutes einsprachiges Wörterbuch, vor allem eines, das für den ausländischen Benutzer erstellt wurde, und eine gute englische Grammatik hinzuzuziehen.

3.6 „Ungefähre" Übersetzungen und kulturell bedingte Unterschiede

Es ist nicht immer möglich, eine genaue Entsprechung in der anderen Sprache anzugeben, wenn z. B. ein deutsches Wort einen Gegenstand oder eine Einrichtung bezeichnet, die es in Großbritannien oder Amerika in der Form nicht gibt. Hier kann nur eine ungefähre Übersetzung oder aber eine Erklärung gegeben werden. Siehe z. B. die Einträge für **Abitur, Polterabend,** oder im englisch-deutschen Teil **muffin, graduate.**

3.7 Mehrere Übersetzungen

Übersetzungen, die durch ein Komma getrennt nebeneinanderstehen, können im allgemeinen austauschbar verwendet werden. Durch Strichpunkte getrennte Übersetzungen können nicht gegeneinander ausgetauscht werden, da ein Bedeutungsunterschied zwischen den beiden besteht. Sollte dieser Bedeutungsunterschied nicht hinlänglich klar sein, sollten Sie sich in einem einsprachigen Wörterbuch oder einem größeren zweisprachigen oder im anderen Teil Ihres Wörterbuchs vergewissern. Bei Ableitungen, z. B. der Substantivierung eines Adjektivs oder Verbs, können Sie sich an den „Wegweisern" des Adjektivs bzw. des Verbs orientieren. Sie werden allerdings äußerst selten Fälle finden, in denen ein Strichpunkt steht, dem nicht ein „Wegweiser" folgt und so den Bedeutungsunterschied deutlich macht.

In den Wendungen bedeutet ein Schrägstrich, daß es sich um parallele, aber nicht gleichbedeutende Aussagen handelt. Vgl. im Eintrag **gelten: jdm viel/wenig gelten** mean a lot/not mean much to sb. Hier sind zwei gegensätzliche Aussagen zusammengefaßt, nämlich **jdm viel gelten** mean a lot to sb und **jdm wenig gelten** not mean much to sb.

Ein in Klammern stehender, mit *o* eingeleiteter Ausdruck in den Wendungen gibt eine teilweise austauschbare Alternative an. Vgl. im Eintrag **gelten: jdm gelten** (*gemünzt sein auf*) be meant for (*o* aimed at) sb. Die beiden Übersetzungsmöglichkeiten heißen also: be meant for sb und be aimend at sb.

Im Text verwendete Abkürzungen

Adjektiv	adj	adjective
Abkürzung	abk, abbr	abbreviation
Adverb	adv	adverb
Landwirtschaft	AGR	agriculture
Akkusativ	akk	accusative
Anatomie	ANAT	antomy
Architektur	ARCHIT	architecture
Astrologie, Astronomie	ASTR	astrology, astronomy
Auto und Verkehr	AUT	automobiles, traffic
Luftfahrt	AVIAT	aviation
besonders	bes	especially
Biologie	BIO	biology
Botanik	BOT	botany
britisch	Brit	British
Chemie	CHEM	chemistry
Film	CINE	cinema
Handel	COM	commerce
Informatik und Computer	COMPUT	computing
Konjunktion	conj	conjunction
Dativ	dat	dative
Eisenbahn	EISENB	railways
Elektrizität	ELEC	electricity
besonders	esp	especially
und so weiter	etc	et cetera
etwas	etw	
Femininum	f	feminine

umgangssprachlich	fam	familiar, informal
übertragen	fig	figurative
Finanzen und Börse	FIN	finance
Fotografie	FOT	photography
Gastronomie	GASTR	cooking, gastronomy
Genitiv	gen	genitive
Geographie, Geologie	GEO	geography, geology
Geschichte	HIST	history
unpersönlich	impers	impersonal
Interjektion, Ausruf	interj	interjection
unveränderlich	inv	invariable
unregelmäßig	irr	irregular
jemand	jd	
jemandem	jdm	
jemanden	jdn	
jemandes	jds	
Rechtsprechung	JUR	law
Sprachwissenschaft, Grammatik	LING	linguistics, grammar
Literatur	LITER	of literature
Maskulinum	m	masculine
Mathematik	MATH	mathematics
Medizin	MED	medicine
Meteorologie	METEO	meteorology
Maskulinum und Femininum	mf	masculine and feminine
Militär	MIL	military
Bergbau	MIN	mining
Musik	MUS	music
Substantiv	n	noun
Seefahrt	NAUT	nautical, naval
Neutrum	nt	neuter
Zahlwort	num	numeral
oder	o	or
abwertend	pej	pejorative
Physik	PHYS	physics
Plural	pl	plural
Politik	POL	politics
Partizip Perfekt	pp	past participle
Präfix, Vorsilbe	pref	prefix
Präposition	prep	preposition
Pronomen, Fürwort	pron	pronoun
Psychologie	PSYCH	psychology

1. Vergangenheit	pt	past tense
eingetragenes Warenzeichen	®	registered trademark
Radio	RADIO	radio
Eisenbahn	RAIL	railways
Religion	REL	religion
	sb	someone, somebody
Schule, Universität	SCH	school, university
schottisch	Scot	Scottish
Singular	sing	singular
Skisport	SKI	skiing
	sth	something
Technik	TECH	technology
Nachrichtentechnik	TEL	telecommunications
Theater	THEAT	theatre
Fernsehen	TV	television
Typographie, Buchdruck	TYP	printing
(nord)amerikanisch	US	(North) American
meist	usu	usually
Verb	vb	verb
intransitives Verb	vi	intransitive verb
reflexives Verb	vr	reflexive verb
transitives Verb	vt	transitive verb
Zoologie	ZOOL	zoology
zwischen zwei Sprechern	–	change of speaker
ungefähre Entsprechung	≈	cultural equivalent

Regelmäßige deutsche Substantivendungen

Nominativ		Genitiv	Plural	Nominativ		Genitiv	Plural
-ade	*f*	-ade	-aden	-ion	*f*	-ion	-ionen
-ant	*m*	-anten	-anten	-ist	*m*	-isten	-isten
-anz	*f*	-anz	-anzen	-ium	*nt*	-iums	-ien
-ar	*m*	-ars	-are	-ius	*m*	-ius	-iusse
-är	*m*	-ärs	-äre	-ive	*f*	-ive	-iven
-at	*nt*	-at[e]s	-ate	-keit	*f*	-keit	-keiten
-atte	*f*	-atte	-atten	-lein	*nt*	-leins	-lein
-chen	*nt*	-chens	-chen	-ling	*m*	-lings	-linge
-ei	*f*	-ei	-eien	-ment	*nt*	-ments	-mente
-elle	*f*	-elle	-ellen	-mus	*m*	-mus	-men
-ent	*m*	-enten	-enten	-nis	*f*	-nis	-nisse
-enz	*f*	-enz	-enzen	-nis	*nt*	-nisses	-nisse
-ette	*f*	-ette	-etten	-nom	*m*	-nomen	-nomen
-eur	*m*	-eurs	-eure	-rich	*m*	-richs	-riche
-eurin	*f*	-eurin	-eurinnen	-schaft	*f*	-schaft	-schaften
-euse	*f*	-euse	-eusen	-sel	*nt*	-sels	-sel
-heit	*f*	-heit	-heiten	-tät	*f*	-tät	-täten
-ie	*f*	-ie	-ien	-tiv	*nt, m*	-tivs	-tive
-ik	*f*	-ik	-iken	-tor	*m*	-tors	-toren
-in	*f*	-in	-innen	-ung	*f*	-ung	-ungen
-ine	*f*	-ine	-inen	-ur	*f*	-ur	-uren

Substantive, die mit einem, geklammerten ‚r' oder ‚s' enden (z. B.
Angestellte(r) *mf,* **Beamte(r)** *m,* **Gute(s)** *nt*) werden wie Adjektive
dekliniert:

ler Angestellte *m*	**die Angestellte** *f*	**die Angestellten** *pl*
n Angestellter *m*	**eine Angestellte** *f*	**Angestellte** *pl*
r Beamte *m*	**die Beamten** *pl*	
Beamter *m*	**Beamte** *pl*	
Gute *nt*		
Gutes *nt*		

Lautschrift

[:] *Längezeichen*   ['] *Betonung*   [*] *Bindungs-R*

alle Vokallaute sind nur ungefähre Entsprechungen

Vokale und Diphthonge

plant, arm, father	[ɑ:]	Bahn
avant (garde)	[ɑ̃:]	**En**semble
life	[aɪ]	weit
house	[aʊ]	Haut
man, sad	[æ]	
but, son	[ʌ]	Butler
get, bed	[e]	Metall
name, lame	[eɪ]	
ago, better	[ə]	bitte
bird, her	[ɜ:]	
there, care	[ɛə]	mehr
it, wish	[ɪ]	Bischof
bee, me, beat, belief	[i:]	viel
here	[ɪə]	Bier
no, low	[əʊ]	
not, long	[ɒ]	Post
law, all	[ɔ:]	Mond
restaurant	[ɔ̃:]	Champignon
boy, oil	[ɔɪ]	Heu
push, look	[ʊ]	Pult
you, do	[u:]	Hut
poor, sure	[ʊə]	

Konsonanten

been, blind	[b]	Ball
do, had	[d]	dann
jam, object	[dʒ]	
father, wolf	[f]	Faß
go, beg	[g]	Gast
house	[h]	Herr
youth, Indian	[j]	ja
keep, milk	[k]	kalt
lamp, oil, ill	[l]	Last
man, am	[m]	Mast
no, manner	[n]	Nuß
long, sing	[ŋ]	lang
paper, happy	[p]	Pakt
red, dry	[r]	rot
stand, sand, yes	[s]	Rasse
ship, station	[ʃ]	Schal
tell, fat	[t]	Tal
thank, death	[θ]	
this, father	[ð]	
church, catch	[tʃ]	Rutsch
voice, live	[v]	was
water, we, which	[w]	
loch	[x]	Bach
zeal, these, gaze	[z]	Hase
pleasure	[ʒ]	Genie

Englisch – Deutsch

A

A, a [eɪ] n A nt, a nt.

a, an [eɪ, ə; æn, ən] article ein/eine/ein; **£1 a metre** £1 pro (o das) Meter.

aback [əˈbæk] adv: **to be taken ~** verblüfft sein.

abandon [əˈbændən] **1.** vt (give up) aufgeben; (desert) verlassen; **2.** n Hingabe f.

abashed [əˈbæʃt] adj verlegen.

abate [əˈbeɪt] vi nachlassen, sich legen.

abattoir [ˈæbətwɑː*] n Schlachthaus nt.

abbey [ˈæbɪ] n Abtei f.

abbot [ˈæbət] n Abt m.

abbreviate [əˈbriːvɪeɪt] vt abkürzen; **abbreviation** [əbriːvɪˈeɪʃən] n Abkürzung f.

ABC [ˈeɪbiːˈsiː] n (also fig) Abc nt.

abdicate [ˈæbdɪkeɪt] **1.** vt aufgeben; **2.** vi abdanken; **abdication** [æbdɪˈkeɪʃən] n Abdankung f, [Amts]niederlegung f.

abdomen [ˈæbdəmən] n Unterleib m; **abdominal** [æbˈdɒmɪnl] adj Unterleibs-.

abduct [æbˈdʌkt] vt entführen; **abduction** n Entführung f.

aberration [æbəˈreɪʃən] n [geistige] Verwirrung f.

abet [əˈbet] vt see **aid**.

abeyance [əˈbeɪəns] n: **in ~** in der Schwebe; (in disuse) außer Kraft.

abhor [əbˈhɔː*] vt verabscheuen.

abide [əˈbaɪd] <abode o abided, abode o abided> vt ausstehen, leiden; **abide by** vt sich halten an + akk.

ability [əˈbɪlɪtɪ] n (power) Fähigkeit f; (skill) Geschicklichkeit f.

abject [ˈæbdʒekt] adj (liar) übel; (poverty) größte(r, s); (apology) zerknirscht.

ablaze [əˈbleɪz] adj in Flammen; **~ with lights** hell erleuchtet.

able [ˈeɪbl] adj geschickt, fähig; **to be ~ to do sth** etw tun können; **able-bodied** adj kräftig; (seaman) Voll-; (MIL) tauglich; **ably** adv geschickt.

abnormal [æbˈnɔːməl] adj regelwidrig, abnorm; **abnormality** [æbnɔːˈmælɪtɪ] n Regelwidrigkeit f; (MED) krankhafte Erscheinung.

aboard [əˈbɔːd] adv, prep an Bord + gen.

abode [əˈbəʊd] **1.** pt, pp of **abide**; **2.** n: **of no fixed ~** ohne festen Wohnsitz.

abolish [əˈbɒlɪʃ] vt abschaffen; **abolition** [æbəˈlɪʃən] n Abschaffung f.

abominable adj, **abominably** adv [əˈbɒmɪnəbl, -blɪ] scheußlich.

aborigine [æbəˈrɪdʒɪniː] n Ureinwohner(in f) m.

abort [əˈbɔːt] vt abtreiben; (miscarry) fehlgebären; **abortion** [əˈbɔːʃən] n Abtreibung f; (miscarriage) Fehlgeburt f; **abortive** adj mißlungen.

abound [əˈbaʊnd] vi im Überfluß vorhanden sein; **~ in** im Überfluß haben an + dat.

about [əˈbaʊt] **1.** adv (nearby) in der Nähe; (roughly) ungefähr; (around) umher, herum; **2.** prep (topic) über + akk; (place) um, um… herum; **to be ~** im Begriff sein zu; **I was ~ to go out** ich wollte gerade weggehen.

above [əˈbʌv] **1.** adv oben; **2.** prep über; **3.** adj obig; **~ all** vor allem; **aboveboard** adj offen, ehrlich.

abrasion [əˈbreɪʒən] n Abschürfung f.

abrasive [əˈbreɪzɪv] **1.** n Schleifmittel nt; **2.** adj Schleif-; (personality) zermürbend, aufreibend.

abreast [əˈbrest] adv nebeneinander; **to keep ~ of** Schritt halten mit.

abridge [əˈbrɪdʒ] vt [ab]kürzen.

abroad [əˈbrɔːd] adv (be) im Ausland; (go) ins Ausland.

abrupt [əˈbrʌpt] adj (sudden) abrupt, jäh; (curt) schroff.

abscess [ˈæbsɪs] n Geschwür nt.

abscond [əbˈskɒnd] vi flüchten, sich davonmachen.

abseil [ˈæbhaɪl] vi sich abseilen.

absence [ˈæbsəns] n Abwesenheit f.

absent [ˈæbsənt] adj abwesend, nicht da; (lost in thought) geistesabwesend; **absentee** [æbsənˈtiː] n Abwesende(r) mf; **absenteeism** [æbsənˈtiːɪzəm] n Fehlen nt [am Arbeitsplatz/in der Schule]; **absent-minded** adj zerstreut.

absolute [ˈæbsəluːt] adj absolut; (power) unumschränkt; (rubbish) vollkommen, rein; **absolutely** adv absolut, vollkommen; **~ !** ganz bestimmt!

absolve [əbˈzɒlv] vt entbinden; (from blame) freisprechen.

absorb [əbˈzɔːb] vt aufsaugen, absorbieren; (fig) ganz in Anspruch nehmen, fesseln; **absorbent** adj absorbierend; **~ cotton** (US) [Verbands]watte f; **absorbing** adj aufsaugend; (fig) packend.

abstain [əbˈsteɪn] vi sich enthalten (from gen).

abstemious [əbˈstiːmɪəs] adj mäßig, enthaltsam.

abstention [əbˈstenʃən] n (in vote) [Stimm]enthaltung f.

abstinence [ˈæbstɪnəns] n Enthaltsamkeit f.

abstract ['æbstrækt] **1.** adj abstrakt; **2.** n Abriß m; **3.** [æb'strækt] vt abstrahieren; (information) entnehmen (from aus).

abstruse [æb'struːs] adj verworren, abstrus.

absurd [əb'sɜːd] adj absurd; **absurdity** n Unsinnigkeit f, Absurdität f.

abundance [ə'bʌndəns] n Überfluß m (of an + dat); **abundant** adj reichlich.

abuse [ə'bjuːs] **1.** n (rude language) Beschimpfung f; (ill usage) Mißbrauch m; (bad practice) [Amts]mißbrauch m; **2.** [ə'bjuːz] vt (misuse) mißbrauchen; **abusive** [ə'bjuːsɪv] adj beleidigend, Schimpf-.

abysmal [ə'bɪzməl] adj scheußlich; (ignorance) bodenlos.

abyss [ə'bɪs] n Abgrund m.

academic [ækə'demɪk] adj akademisch; (theoretical) theoretisch.

academy [ə'kædəmɪ] n (school) Hochschule f; (society) Akademie f.

accede [æk'siːd] vi: **to ~ to** (office) antreten; (throne) besteigen; (request) zustimmen + dat.

accelerate [æk'seləreɪt] **1.** vi schneller werden, (AUT) Gas geben; **2.** vt beschleunigen; **acceleration** [ækselə'reɪʃən] n Beschleunigung f; **accelerator** [æk'seləreɪtə*] n Gas[pedal] nt.

accent ['æksent] n Akzent m; (stress) Betonung f; **accentuate** [æk'sentjʊeɪt] vt betonen.

accept [ək'sept] vt (take) annehmen; (agree to) akzeptieren; **acceptable** adj annehmbar; **acceptance** n Annahme f.

access ['ækses] **1.** n Zugang m; (COMPUT) Zugriff m; **2.** vt zugreifen auf + akk; **accessible** [æk'sesɪbl] adj (easy to approach) zugänglich; (within reach) [leicht] erreichbar; **access time** n (COMPUT) Zugriffszeit f.

accessory [æk'sesərɪ] n Zubehörteil nt; **accessories** pl Zubehör nt; **toilet accessories** pl Toilettenartikel pl.

accident ['æksɪdənt] n Unfall m; (coincidence) Zufall m; **by ~** zufällig; **accidental** [æksɪ'dentl] adj unbeabsichtigt; **accidentally** adv zufällig; **accident-prone** adj: **to be ~** zu Unfällen neigen.

acclaim [ə'kleɪm] **1.** vt zujubeln + dat; **2.** n Beifall m.

acclimatize [ə'klaɪmətaɪz] vt: **to become ~d** sich gewöhnen (to an + akk), sich akklimatisieren.

accommodate [ə'kɒmədeɪt] vt unterbringen; (hold) Platz haben für; (oblige)

[aus]helfen + dat; **accommodating** adj entgegenkommend; **accommodation** [əkɒmə'deɪʃən] n Unterkunft f.

accompaniment [ə'kʌmpənɪmənt] n Begleitung f.

accompanist [ə'kʌmpənɪst] n Begleiter(in f) m.

accompany [ə'kʌmpənɪ] vt begleiten.

accomplice [ə'kʌmplɪs] n Helfershelfer(in f) m, Komplize m, Komplizin f.

accomplish [ə'kʌmplɪʃ] vt (fulfil) durchführen; (finish) vollenden; (aim) erreichen; **accomplished** adj vollendet, ausgezeichnet; **accomplishment** n (skill) Fähigkeit f; (completion) Vollendung f; (feat) Leistung f.

accord [ə'kɔːd] **1.** n Übereinstimmung f; **2.** vt gewähren; **of one's own ~** freiwillig; **accordance** n: **in ~ with** in Übereinstimmung mit; **accordingly** adv danach, dementsprechend; **according to** prep nach, laut + gen.

accordion [ə'kɔːdɪən] n Ziehharmonika f, Akkordeon nt; **accordionist** n Akkordeonspieler(in f) m.

accost [ə'kɒst] vt ansprechen.

account [ə'kaʊnt] n (bill) Rechnung f; (narrative) Bericht m; (report) Rechenschaftsbericht m; (in bank) Konto nt; (importance) Geltung f; **on ~** auf Rechnung; **of no ~** ohne Bedeutung; **on no ~** keinesfalls; **on ~ of** wegen; **to take into ~** berücksichtigen; **account for** vt (expenditure) Rechenschaft ablegen für; **how do you ~ ~ that?** wie erklären Sie [sich] das?; **accountable** adj verantwortlich; **accountancy** n Buchhaltung f; **accountant** n Wirtschaftsprüfer(in f) m; (tax ~) Steuerberater(in f) m; **account number** n Kontonummer f.

accoutrements [ə'kuːtrəmənts] n pl Ausrüstung f.

accumulate [ə'kjuːmjʊleɪt] **1.** vt ansammeln; **2.** vi sich ansammeln; **accumulation** [əkjuːmjʊ'leɪʃən] n (act) Aufhäufung f; (result) Ansammlung f.

accuracy ['ækjʊrəsɪ] n Genauigkeit f; **accurate** ['ækjʊrɪt] adj genau; **accurately** adv genau, richtig.

accusation [ækjʊ'zeɪʃən] n Anklage f, Beschuldigung f.

accusative [ə'kjuːzətɪv] n Akkusativ m, vierter Fall.

accuse [ə'kjuːz] vt anklagen, beschuldigen; **accused** n Angeklagte(r) mf.

accustom [ə'kʌstəm] vt gewöhnen (to an + akk); **accustomed** adj gewohnt.

ace [eɪs] n As nt; (fam: person) As nt, Kanone f.

ache [eɪk] **1.** n Schmerz m; **2.** vi (be sore)

schmerzen, weh tun; **I ~ all over** mir tut es überall weh.

achieve [əˈtʃiːv] *vt* zustande bringen; (*aim*) erreichen; **achievement** *n* Leistung *f*; (*act*) Erreichen *nt*.

acid [ˈæsɪd] **1.** *n* Säure *f*; **2.** *adj* sauer, scharf; **~ rain** saurer Regen; **acidity** [əˈsɪdɪtɪ] *n* Säuregehalt *m*; **acid test** *n* (*fig*) Nagelprobe *f*.

acknowledge [əkˈnɒlɪdʒ] *vt* (*receipt*) bestätigen; (*admit*) zugeben; **acknowledgement** *n* Anerkennung *f*; (*letter*) Empfangsbestätigung *f*.

acne [ˈækni] *n* Akne *f*.

acorn [ˈeɪkɔːn] *n* Eichel *f*.

acoustic [əˈkuːstɪk] *adj* akustisch; **acoustic coupler** *n* (COMPUT) Akustikkoppler *m*; **acoustics** *n pl* Akustik *f*.

acquaint [əˈkweɪnt] *vt* vertraut machen; **acquaintance** *n* (*person*) Bekannte(r) *mf*; (*knowledge*) Kenntnis *f*.

acquiesce [ækwiˈes] *vi* sich abfinden (*in* mit).

acquire [əˈkwaɪə*] *vt* erwerben; **acquisition** [ækwiˈzɪʃən] *n* Errungenschaft *f*; (*act*) Erwerb *m*; **acquisitive** [əˈkwɪzɪtɪv] *adj* gewinnsüchtig.

acquit [əˈkwɪt] **1.** *vt* (*free*) freisprechen; **2.** *vr*: **~ oneself** sich bewähren; **acquittal** *n* Freispruch *m*.

acre [ˈeɪkə*] *n* Morgen *m*; **acreage** *n* Fläche *f*.

acrimonious [ækrɪˈməʊnɪəs] *adj* bitter.

acrobat [ˈækrəbæt] *n* Akrobat(in *f*) *m*; **acrobatics** [ækrəˈbætɪks] *n pl* akrobatische Kunststücke *pl*.

acronym [ˈækrəʊnɪm] *n* Akronym *nt* (*aus den Anfangsbuchstaben mehrerer Wörter gebildetes Wort*).

across [əˈkrɒs] **1.** *prep* über +*akk*; **2.** *adv* hinüber, herüber; über; **ten metres ~** zehn Meter breit; **he lives ~ the river** er wohnt auf der anderen Seite des Flusses; **he lives ~ from us** er wohnt uns gegenüber; **across-the-board** *adj* pauschal.

act [ækt] **1.** *n* (*deed*) Tat *f*; (JUR) Gesetz *nt*; (THEAT) Akt *m*; (THEAT: *turn*) Nummer *f*; **2.** *vi* (*take action*) handeln; (*behave*) sich verhalten; (*pretend*) vorgeben; (THEAT) spielen; **3.** *vt* (*in play*) spielen; **to get one's ~ together** (US) die Sache geregelt kriegen; **acting 1.** *adj* stellvertretend; **2.** *n* Schauspielkunst *f*; (*performance*) Aufführung *f*.

action [ˈækʃən] *n* Handlung *f*; (*deed*) Tat *f*; (*motion*) Bewegung *f*; (*way of working*) Funktionieren *nt*; (*battle*) Einsatz *m*, Gefecht *nt*; (*lawsuit*) Klage *f*, Prozeß *m*; **to take ~** etwas unternehmen; **action replay** *n* Wiederholung *f*.

activate [ˈæktɪveɪt] *vt* in Betrieb setzen, aktivieren.

active [ˈæktɪv] *adj* (*brisk*) rege, tatkräftig; (*working*) aktiv; (LING) aktiv, Tätigkeits-; **actively** *adv* aktiv, tätig.

activist [ˈæktɪvɪst] *n* Aktivist(in *f*) *m*.

activity [ækˈtɪvɪtɪ] *n* Aktivität *f*; (*doings*) Unternehmungen *pl*; (*occupation*) Tätigkeit *f*.

actor [ˈæktə*] *n* Schauspieler *m*; **actress** [ˈæktrɪs] *n* Schauspielerin *f*.

actual [ˈæktjʊəl] *adj* wirklich; **actually** *adv* tatsächlich; **~ no** eigentlich nicht.

acumen [ˈækjʊmen] *n* Scharfsinn *m*.

acupressure [ˈækjʊpreʃə*] *n* Akupressur *f*.

acupuncture [ˈækjʊpʌŋktʃə*] **1.** *n* Akupunktur *f*; **2.** *vt* durch Akupunktur behandeln.

acute [əˈkjuːt] *adj* (*severe*) heftig, akut; (*keen*) scharfsinnig; **acutely** *adv* akut.

ad [æd] *n* *abbr of* **advertisement**.

AD *abbr* nach Christi, n. Chr.

Adam [ˈædəm] *n* Adam *m*; **~'s apple** Adamsapfel *m*.

adamant [ˈædəmənt] *adj* eisern; (*stubborn*) hartnäckig.

adapt [əˈdæpt] **1.** *vt* anpassen; **2.** *vi* sich anpassen (*to* an +*akk*); **adaptable** *adj* anpassungsfähig; **adaptation** [ædəpˈteɪʃən] *n* (THEAT *etc*) Bearbeitung *f*; (*adjustment*) Anpassung *f*; **adapter** *n* (ELEC) Zwischenstecker *m*, Adapter *m*.

add [æd] *vt* (*join*) hinzufügen; (*numbers*) addieren; **add up** *vi* (*make sense*) stimmen; **add up to** *vt* ausmachen.

addendum [əˈdendəm] *n* < **addenda** > Zusatz *m*.

adder [ˈædə*] *n* Kreuzotter *f*, Natter *f*.

addict [ˈædɪkt] *n* Süchtige(r) *mf*, Suchtkranke(r) *mf*; **addicted** [əˈdɪktɪd] *adj*: **~ to** -süchtig; **addiction** [əˈdɪkʃən] *n* Sucht *f*.

adding machine [ˈædɪŋməʃiːn] *n* Addiermaschine *f*.

addition [əˈdɪʃən] *n* Zusatz *m*; (*to list*) Ergänzung *f*; (*to bill*) Aufschlag *m*; (MATH) Addition *f*, Zusammenzählen *nt*; **in ~** zusätzlich, außerdem; **additional** *adj* zusätzlich, weiter.

additive [ˈædɪtɪv] *n* Zusatz *m*.

addled [ˈædld] *adj* faul, schlecht; (*fig*) verwirrt.

add-on [ˈædɒn] *n* (US) Zusatzgerät *nt*.

address [əˈdres] **1.** *n* (*also* COMPUT) Adresse *f*; (*speech*) Ansprache *f*; **2.** *vt* (*letter*) adressieren; (*speak to*) ansprechen; (*make speech to*) eine Ansprache halten an +*akk*; **form of ~** Anredeform *f*; **addressee** [ædreˈsiː] *n* Empfänger(in

f) m, Adressat(in f) m.

adenoids ['ædənɔɪdz] n pl Polypen pl.

adept ['ædept] adj geschickt; **to be ~ at** gut sein in + dat.

adequacy ['ædɪkwəsɪ] n Angemessenheit f; **adequate** ['ædɪkwɪt] adj angemessen; **adequately** adv hinreichend.

adhere [əd'hɪə*] vi: **to ~** to haften an + dat; (fig) festhalten an + dat.

adhesion [əd'hi:ʒən] n Festhaften nt; (PHYS) Adhäsion f.

adhesive [əd'hi:zɪv] **1.** adj klebend, Kleb[e]-; **2.** n Klebstoff m.

adjacent [ə'dʒeɪsənt] adj benachbart.

adjective ['ædʒəktɪv] n Adjektiv nt, Eigenschaftswort nt.

adjoining [ə'dʒɔɪnɪŋ] adj benachbart, Neben-.

adjourn [ə'dʒɜ:n] **1.** vt vertagen; **2.** vi abbrechen.

adjust [ə'dʒʌst] vt (alter) anpassen; (put right) regulieren, richtig stellen; **adjustable** adj verstellbar; **adjustment** n (rearrangement) Anpassung f; (settlement) Schlichtung f.

ad-lib [æd'lɪb] **1.** vi improvisieren; **2.** n Improvisation f; **3.** adj, adv improvisiert.

administer [æd'mɪnɪstə*] vt (manage) verwalten; (dispense) ausüben; (justice) sprechen; (medicine) geben.

administration [ədmɪnɪs'treɪʃən] n Verwaltung f; (POL) Regierung f; **administrative** [əd'mɪnɪstrətɪv] adj Verwaltungs-; **administrator** [əd'mɪnɪstreɪtə*] n Verwaltungsbeamte(r) m, -beamtin f.

admirable ['ædmərəbl] adj bewundernswert.

admiral ['ædmərəl] n Admiral m.

admiration [ædmɪ'reɪʃən] n Bewunderung f.

admire [əd'maɪə*] vt (respect) bewundern; (love) verehren; **admirer** n Bewunderer m, Bewunderin f.

admission [əd'mɪʃən] n (entrance) Einlaß m; (fee) Eintritt[spreis] m; (confession) Geständnis nt.

admit [əd'mɪt] vt (let in) einlassen; (confess) gestehen; (accept) anerkennen; **admittance** n Zulassung f; **admittedly** adv zugegebenermaßen.

ado [ə'du:] n: **without more ~** ohne weitere Umstände.

adolescence [ædə'lesns] n Jugend[zeit] f; **adolescent** [ædə'lesnt] **1.** adj heranwachsend, jugendlich; **2.** n Jugendliche(r) mf.

adopt [ə'dɒpt] vt (child) adoptieren; (idea) übernehmen; **adoption** [ə'dɒpʃən] n (of child) Adoption f; (of

idea) Übernahme f.

adorable [ə'dɔ:rəbl] adj anbetungswürdig; (likeable) entzückend; **adoration** [ædə'reɪʃən] n Anbetung f; (for person) Verehrung f; **adore** [ə'dɔ:*] vt anbeten; (person) verehren; **adoring** adj bewundernd.

adorn [ə'dɔ:n] vt schmücken; **adornment** n Schmuck m, Verzierung f.

adrenalin [ə'drenəlɪn] n Adrenalin nt.

adrift [ə'drɪft] adj: **to be ~** treiben.

adroit [ə'drɔɪt] adj gewandt.

adulation [ædju'leɪʃən] n Lobhudelei f.

adult ['ædʌlt] **1.** adj erwachsen; **2.** n Erwachsene(r) mf.

adulterate [ə'dʌltəreɪt] vt verfälschen, mischen.

adultery [ə'dʌltərɪ] n Ehebruch m.

advance [əd'vɑ:ns] **1.** n (progress) Vorrücken nt; (money) Vorschuß m; **2.** n (move forward) vorrücken; (money) vorschießen; (argument) vorbringen; **3.** vi vorwärtsgehen, vorankommen; **in ~** im voraus; **in ~ of** vor + dat; **advance booking** n Vorbestellung f, Vorverkauf m; **advanced** adj (ahead) vorgerückt; (modern) fortschrittlich; (study) für Fortgeschrittene; **advancement** n Förderung f; (promotion) Beförderung f.

advantage [əd'vɑ:ntɪdʒ] n Vorteil m; **to have an ~ over sb** jdm gegenüber im Vorteil sein; **to be of ~** von Nutzen sein; **to take ~ of** (misuse) ausnutzen; (profit from) Nutzen ziehen aus; **advantageous** [ædvən'teɪdʒəs] adj vorteilhaft.

advent ['ædvent] n Ankunft f; **A~** Advent m.

adventure [əd'ventʃə*] n Abenteuer nt; **adventurous** [əd'ventʃərəs] adj abenteuerlich, waghalsig.

adverb ['ædvɜ:b] n Adverb nt, Umstandswort nt.

adversary ['ædvəsərɪ] n Gegner(in f) m.

adverse ['ædvɜ:s] adj widrig; **adversity** [əd'vɜ:sɪtɪ] n Widrigkeit f, Mißgeschick nt.

advert ['ædvɜ:t] n Anzeige f; **advertise** ['ædvətaɪz] **1.** vt werben für; (in newspaper) inserieren; (job) ausschreiben; **2.** vi annoncieren; **advertisement** [əd'vɜ:tɪsmənt] n Anzeige f, Annonce f, Inserat nt; **advertising** n Werbung f; **~ campaign** n Werbekampagne f.

advice [əd'vaɪs] n Rat[schlag] m.

advisable [əd'vaɪzəbl] adj ratsam.

advise [əd'vaɪz] vt raten + dat; **adviser** n Berater(in f) m; **advisory** [əd'vaɪzərɪ] adj beratend, Beratungs-.

advocate ['ædvəkeɪt] vt vertreten.

aegis ['i:dʒɪs] n: **under the ~ of** unter der Schirmherrschaft von.

aerial ['ɛərɪəl] **1.** n Antenne f; **2.** adj Luft-.
aero- ['ɛərəʊ] pref Luft-.
aerobics [ɛə'rəʊbɪks] n sing Aerobic nt.
aeroplane ['ɛərəpleɪn] n Flugzeug nt.
aerosol ['ɛərəsɒl] n Sprühdose f.
aesthetic [ɪs'θetɪk] adj ästhetisch; **aesthetics** n sing Ästhetik f.
afar [ə'fɑː] adv: **from ~** aus der Ferne.
affable ['æfəbl] adj umgänglich.
affair [ə'fɛə] n (concern) Angelegenheit f; (event) Ereignis nt; (love ~) [Liebes]verhältnis nt.
affect [ə'fekt] vt (influence) [ein]wirken auf +akk; (move deeply) bewegen; **this change doesn't ~ us** diese Änderung betrifft uns nicht; **affectation** [æfek'teɪʃən] n Affektiertheit f; **affected** adj affektiert, gekünstelt.
affection [ə'fekʃən] n Zuneigung f; **affectionate** [ə'fekʃənɪt] adj liebevoll, lieb; **affectionately** adv liebevoll; **~ yours** herzlichst Dein/Deine.
affiliated [ə'fɪlɪeɪtɪd] adj angeschlossen (to dat).
affinity [ə'fɪnɪtɪ] n (attraction) gegenseitige Anziehung; (relationship) Verwandtschaft f.
affirmation [æfə'meɪʃən] n Behauptung f; **affirmative** [ə'fɜːmətɪv] **1.** adj bestätigend; **2.** n: **in the ~** (LING) nicht verneint, bejaht; **to answer in the ~** mit Ja antworten.
affix [ə'fɪks] vt aufkleben, anheften.
afflict [ə'flɪkt] vt quälen, heimsuchen; **affliction** [ə'flɪkʃən] n Kummer m; (illness) Leiden nt.
affluence ['æflʊəns] n (wealth) Wohlstand m; **affluent** adj wohlhabend, Wohlstands-; **the ~ society** die Wohlstandsgesellschaft, die Überflußgesellschaft.
afford [ə'fɔːd] vt sich dat leisten; (yield) bieten, einbringen.
affront [ə'frʌnt] n Beleidigung f; **affronted** adj beleidigt.
Afghanistan [æf'gænɪstæn] n Afghanistan nt.
afloat [ə'fləʊt] adj: **to be ~** schwimmen.
afoot [ə'fʊt] adv: **to be ~** im Gang.
aforesaid [ə'fɔːsed] adj obengenannt.
afraid [ə'freɪd] adj ängstlich; **to be ~ of** Angst haben vor +dat; **to be ~** to sich scheuen; **I am ~ I have...** ich habe leider...; **I'm ~ so/not** leider/leider nicht.
Africa ['æfrɪkə] n Afrika nt; **African 1.** adj afrikanisch; **2.** n Afrikaner(in f) m.
afresh [ə'freʃ] adv von neuem.
aft [ɑːft] adv achtern.
after ['ɑːftə] **1.** prep nach; (following, seeking) hinter +dat... her; (in imitation)

nach, im Stil von; **2.** adv: **soon ~** bald danach; **~ all** letzten Endes; **after-effects** n pl Nachwirkungen pl; **afterlife** n Leben nt nach dem Tode; **aftermath** n Auswirkungen pl; **afternoon** n Nachmittag m; **good ~!** guten Tag!; **after-sales service** n Kundendienst m; **after-shave [lotion]** n Rasierwasser nt; **afterthought** n nachträglicher Einfall; **afterwards** adv danach, nachher.
again [ə'gen] adv wieder, noch einmal; (besides) außerdem, ferner; **~ and ~** immer wieder.
against [ə'genst] prep gegen.
age [eɪdʒ] **1.** n (of person) Alter nt; (in history) Zeitalter nt; **2.** vi altern, alt werden; **3.** vt älter machen; **to come of ~** mündig werden; **aged 1.** adj: ... Jahre alt, -jährig. **2.** ['eɪdʒɪd] adj (elderly) betagt; **the ~** pl ältere Menschen pl; **age group** n Altersgruppe f, Jahrgang m; **ageism** n Diskriminierung f einer Altersgruppe; **ageless** adj zeitlos, ewig; **age limit** n Altersgrenze f.
agency ['eɪdʒənsɪ] n Agentur f, Vermittlung f; (CHEM) Wirkung f.
agenda [ə'dʒendə] n Tagesordnung f.
agent ['eɪdʒənt] n (COM) Vertreter(in f) m; (spy) Agent(in f) m.
aggravate ['ægrəveɪt] vt (make worse) verschlimmern; (irritate) reizen; **aggravating** adj ärgerlich; **aggravation** [ægrə'veɪʃən] n Verschlimmerung f; (irritation) Verärgerung f.
aggregate ['ægrɪgɪt] n Summe f.
aggression [ə'greʃən] n Aggression f; **aggressive** adj, **aggressively** adv [ə'gresɪv, -lɪ] aggressiv; **aggressiveness** n Aggressivität f.
aghast [ə'gɑːst] adj entsetzt.
agile ['ædʒaɪl] adj flink; agil; (mind) rege.
agitate ['ædʒɪteɪt] **1.** vt rütteln; (bottle) schütteln; **2.** vi agitieren; **agitated** adj aufgeregt.
agitator ['ædʒɪteɪtə] n Agitator(in f) m; (pej) Hetzer(in f) m.
agnostic [æg'nɒstɪk] n Agnostiker(in f) m.
ago [ə'gəʊ] adv: **two days ~** vor zwei Tagen; **not long ~** vor kurzem; **it's so long ~** es ist schon so lange her.
agonizing ['ægənaɪzɪŋ] adj quälend; **agony** ['ægənɪ] n Qual f.
agree [ə'griː] **1.** vt (date) vereinbaren; **2.** vi (have same opinion, correspond) übereinstimmen (with mit); (consent) zustimmen; (be in harmony) sich vertragen; **to ~ to do sth** sich bereit erklären, etw zu tun; **garlic doesn't ~ with me** Knoblauch vertrage ich nicht; **I ~ einverstan-**

den, ich stimme zu; **to ~ on sth** sich auf etw *akk* einigen; **agreeable** *adj* (*pleasing*) liebenswürdig; (*willing to consent*) einverstanden; **agreeably** *adv* angenehm; **agreed** *adj* vereinbart; ~ **!** einverstanden!; **agreement** *n* (*agreeing*) Übereinstimmung *f*; (*contract*) Vereinbarung *f*, Vertrag *m*.

agricultural [ægrɪˈkʌltʃərəl] *adj* landwirtschaftlich, Landwirtschafts-; **agriculture** [ˈægrɪkʌltʃə*] *n* Landwirtschaft *f*.

aground [əˈgraʊnd] *adj, adv* auf Grund.

ahead [əˈhed] *adv* vorwärts; **to be ~** voraus sein.

AI *abbr of* **artificial intelligence** künstliche Intelligenz.

aid [eɪd] **1.** *n* (*assistance*) Hilfe *f*, Unterstützung *f*; (*person*) Hilfe *f*; (*thing*) Hilfsmittel *nt*; **2.** *vt* unterstützen, helfen + *dat*; ~ **and abet** Beihilfe leisten (*sb* jdm).

aids [eɪdz] *acronym of* **acquired immune deficiency syndrom** Aids *nt*, Immunschwächekrankheit *f*; **aids-infected** *adj* aidskrank.

ailing [ˈeɪlɪŋ] *adj* kränkelnd; **ailment** [ˈeɪlmənt] *n* Leiden *nt*.

aim [eɪm] **1.** *vt* (*gun, camera*) richten auf + *akk*; **2.** *vi* (*with gun*) zielen; (*intend*) beabsichtigen; **3.** *n* (*intention*) Absicht *f*, Ziel *nt*; (*pointing*) Zielen *nt*, Richten *nt*; **that was ~ed at you** das war auf dich gemünzt; **to ~ at sth** etw anstreben; **to take ~** zielen; **aimless** *adj*, **aimlessly** *adv* ziellos.

air [ɛə*] **1.** *n* Luft *f*; (*manner*) Miene *f*, Anschein *m*; (*MUS*) Melodie *f*; **2.** *vt* lüften; (*fig*) an die Öffentlichkeit bringen; **airbag** *n* (*AUT*) Luftsack *m*, Airbag *m*; **airbed** *n* (*Brit*) Luftmatratze *f*; **air-conditioned** *adj* mit Klimaanlage; **air-conditioning** *n* Klimaanlage *f*; **aircraft** *n* Flugzeug *nt*, Maschine *f*; ~ **carrier** Flugzeugträger *m*; **airdash** *vi* (*fam*) düsen; **air force** *n* Luftwaffe *f*; **airgun** *n* Luftgewehr *n*; **air hostess** *n* Stewardeß *f*; **airily** *adv* leichtfertig; **air letter** *n* Luftpost[leicht]brief *m*; **airline** *n* Fluggesellschaft *f*; **airliner** *n* Verkehrsflugzeug *nt*; **airlock** *n* Luftblase *f*; **airmail** *n*: **by ~** mit Luftpost; **air pollution** *n* Luftverschmutzung *f*; **airport** *n* Flughafen *m*, Flugplatz *m*; **air raid** *n* Luftangriff *m*; **air rescue service** *n* Luftrettungsdienst *m*; **airsick** *adj* luftkrank, reisekrank; **airstrip** *n* Landestreifen *m*; **air terminal** *n* Terminal *m o nt*; **airtight** *adj* luftdicht; **air-traffic controller** *n* Fluglotse *m*; **airy** *adj* luftig; (*manner*) leichtfertig.

aisle [aɪl] *n* Gang *m*.

ajar [əˈdʒɑ:*] *adv* angelehnt, einen Spalt offen.

alabaster [ˈæləbɑːstə*] *n* Alabaster *m*.

à la carte [ælæˈkɑːt] *adj* nach der [Speise]karte, à la carte.

alarm [əˈlɑːm] **1.** *n* (*warning*) Alarm *m*; (*bell etc*) Alarmanlage *f*; **2.** *vt* beunruhigen; **alarm clock** *n* Wecker *m*; **alarming** *adj* beängstigend, beunruhigend; **alarmist** *n* Bangemacher(in *f*) *m*.

alas [əˈlæs] *interj* ach, leider.

Albania [ælˈbeɪnjə] *n* Albanien *nt*.

album [ˈælbəm] *n* Album *nt*.

alcohol [ˈælkəhɒl] *n* Alkohol *m*; **alcoholic** [ælkəˈhɒlɪk] **1.** *adj* (*drink*) alkoholisch; **2.** *n* Alkoholiker(in *f*) *m*; **alcoholism** *n* Alkoholismus *m*.

alcove [ˈælkəʊv] *n* Alkoven *m*.

alderman [ˈɔːldəmən] *n* < **-men** > Stadtrat *m*.

ale [eɪl] *n* Ale *nt* (*dunkles englisches Bier*).

alert [əˈlɜːt] **1.** *adj* wachsam; **2.** *n* Alarm *m*; **alertness** *n* Wachsamkeit *f*.

algebra [ˈældʒɪbrə] *n* Algebra *f*.

Algeria [ælˈdʒɪərɪə] *n* Algerien *nt*.

ALGOL [ˈælgɒl] *acronym of* **algorithmic oriented language** ALGOL *nt*.

algorithm [ˈælgərɪðm] *n* Algorithmus *m*; **algorithmic** [ælgəˈrɪðmɪk] *adj* algorithmisch.

alias [ˈeɪlɪəs] **1.** *adv* alias; **2.** *n* Deckname *m*.

alibi [ˈælɪbaɪ] *n* Alibi *nt*.

alien [ˈeɪlɪən] **1.** *n* Ausländer(in *f*) *m*; **2.** *adj* (*foreign*) ausländisch; (*strange*) fremd; **alienate** *vt* entfremden; **alienation** [eɪlɪəˈneɪʃən] *n* Entfremdung *f*.

alight [əˈlaɪt] **1.** *adj, adv* brennend; (*of building*) in Flammen; **2.** *vi* (*descend*) aussteigen; (*bird*) sich setzen.

align [əˈlaɪn] *vt* (*AUT*) ausrichten; **alignment** *n* Ausrichtung *f*.

alike [əˈlaɪk] **1.** *adj* gleich, ähnlich; **2.** *adv* gleich, ebenso.

alimony [ˈælɪmənɪ] *n* Unterhalt *m*, Alimente *pl*.

alive [əˈlaɪv] *adj* (*living*) lebend; (*lively*) lebendig, aufgeweckt; (*full of*) voll (*with* von), wimmelnd (*with* von).

alkali [ˈælkəlaɪ] *n* < -[e]s > Alkali *nt*.

all [ɔːl] **1.** *adj* (*every one of*) alle; **2.** *pron* (*everything*) alles; (*everyone*) alle; **3.** *n* alles; **4.** *adv* (*completely*) vollkommen, ganz; ~ **of the books** alle Bücher; **it's ~ mine** das gehört alles mir; **it's ~ over** ist alles aus (*o* vorbei); ~ **around the edge** rund um den Rand; ~ **at once** auf einmal; ~ **but** alles außer; (*almost*) fast; ~ **in** ~ alles in allem; ~ **over town** in der ganzen Stadt; **not at ~** ganz und gar nicht; *(don't mention it)* bitte.

allegation [ælɪ'geɪʃən] n Behauptung f.

allege [ə'ledʒ] vt *(declare)* behaupten; *(falsely)* vorgeben; **allegedly** [ə'ledʒɪdlɪ] adv angeblich.

allegiance [ə'liːdʒəns] n Treue f, Ergebenheit f.

allegory ['ælɪgərɪ] n Allegorie f.

all-embracing ['ɔːlɪm'breɪsɪŋ] adj allumfassend.

allergic [ə'lɜːdʒɪk] adj allergisch *(to* gegen*)*; **allergy** ['ælədʒɪ] n Allergie f.

alleviate [ə'liːvɪeɪt] vt erleichtern, lindern.

alley ['ælɪ] n Gasse f, Durchgang m.

alliance [ə'laɪəns] n Bund m, Allianz f; **allied** ['ælaɪd] adj vereinigt; *(powers)* alliiert; *(BIO, fig)* verwandt *(to* mit*)*.

alligator ['ælɪgeɪtə*] n Alligator m.

all-important ['ɔːlɪm'pɔːtənt] adj äußerst wichtig.

all-in ['ɔːlɪn] adj, adv *(charge)* alles inbegriffen, Gesamt-; *(exhausted)* erledigt, kaputt.

alliteration [əlɪtə'reɪʃən] n Alliteration f, Stabreim m.

all-night ['ɔːlnaɪt] adj *(café, cinema)* die ganze Nacht geöffnet, Nacht-.

allocate ['æləkeɪt] vt zuweisen, zuteilen; **allocation** [ælə'keɪʃən] n Zuteilung f.

allot [ə'lɒt] vt zuteilen; **allotment** n *(share)* Anteil m; *(plot)* Schrebergarten m.

allow [ə'laʊ] vt *(permit)* erlauben, gestatten *(sb* jdm*)*; *(grant)* bewilligen; *(deduct)* abziehen; **allow for** vt berücksichtigen, einplanen; **allowance** n Beihilfe f; **to make ~s for sth** etw berücksichtigen.

alloy ['ælɔɪ] n Metallegierung f.

all right ['ɔːl'raɪt] 1. adj okay, in Ordnung; 2. adv *(satisfactorily)* ganz gut; *(certainly)* schon; 3. interj okay; **all-round** adj *(sportsman)* allseitig, Allround-; **all-rounder** n *(SPORT)* Allroundsportler(in f) m; *(general)* Allerweltskerl m; **all-time** adj *(record, high)* aller Zeiten, Höchst-.

allude [ə'luːd] vi hinweisen, anspielen *(to* auf *+akk)*.

alluring [ə'ljʊərɪŋ] adj verlockend.

allusion [ə'luːʒən] n Anspielung f, Andeutung f.

alluvium [ə'luːvɪəm] n Schwemmland nt.

all-wheel drive ['ɔːlwiːl'draɪv] n Allradantrieb m.

ally ['ælaɪ] n Verbündete(r) mf; *(POL)* Alliierte(r) mf.

almanac ['ɔːlmənæk] n Kalender m.

almighty [ɔːl'maɪtɪ] adj allmächtig; **the A~** der Allmächtige.

almond ['ɑːmənd] n Mandel f.

almost ['ɔːlməʊst] adv fast, beinahe.

alms [ɑːmz] n pl Almosen nt.

alone [ə'ləʊn] adj, adv allein.

along [ə'lɒŋ] 1. prep entlang, längs; 2. adv *(onward)* vorwärts, weiter; **~ with** zusammen mit; **~ the river** den Fluß entlang; **I knew all ~** ich wußte es die ganze Zeit; **alongside** 1. adv *(walk)* nebenher; *(come)* nebendran; *(be)* daneben; 2. prep *(walk, compared with)* neben *+dat*; *(come)* neben *+akk*; *(be)* entlang, neben *+dat*; *(of ship)* längsseits *+gen*.

aloof [ə'luːf] 1. adj zurückhaltend; 2. adv fern; **aloofness** n Zurückhaltung f.

aloud [ə'laʊd] adv laut.

alphabet ['ælfəbet] n Alphabet nt; **alphabetical** [ælfə'betɪkl] adj alphabetisch.

alpine ['ælpaɪn] adj alpin, Alpen-; **Alps** [ælps] n pl Alpen pl.

already [ɔːl'redɪ] adv schon, bereits.

Alsatian [æl'seɪʃən] 1. adj elsässisch, Elsässer; 2. n Elsässer(in f) m; *(Brit: dog)* Schäferhund m.

also ['ɔːlsəʊ] adv auch, außerdem.

altar ['ɔːltə*] n Altar m.

alter ['ɔːltə*] 1. vt ändern; *(dress)* umändern; 2. vi sich ändern; **alteration** [ɔːltə'reɪʃən] n Änderung f; Umänderung f; *(to building)* Umbau m.

alternate [ɔːl'tɜːnət] 1. adj abwechselnd; 2. ['ɔːltəneɪt] vi abwechseln *(with* mit*)*; **alternately** adv abwechselnd, wechselweise.

alternative [ɔːl'tɜːnətɪv] 1. adj andere(r, s); 2. n *[Aus]*wahl f, Alternative f; **what's the ~?** welche Alternative gibt es?; **we have no ~** uns bleibt keine andere Wahl; **alternatively** adv im anderen Falle.

although [ɔːl'ðəʊ] conj obwohl, wenn auch.

altitude ['æltɪtjuːd] n Höhe f.

alto ['æltəʊ] n <s> Alt m.

altogether [ɔːltə'geðə*] adv *(on the whole)* im ganzen genommen; *(entirely)* ganz und gar.

altruistic [æltrʊ'ɪstɪk] adj uneigennützig, altruistisch.

aluminium, aluminum *(US)* [ælju'mɪnɪəm, ə'luːmɪnəm] n Aluminium nt.

always ['ɔːlweɪz] adv immer; **it was ~ that way** es war schon immer so.

am abbr of **ante meridiem** vormittags, vorm.

amalgam [ə'mælgəm] n Amalgam nt; *(fig)* Mischung f.

amalgamate [ə'mælgəmeɪt] 1. vi *(combine)* sich vereinigen; 2. vt *(mix)* amalgamieren; **amalgamation**

[əmælgə'meɪʃən] n Verschmelzung f, Zusammenschluß m.
amass [ə'mæs] vt anhäufen.
amateur ['æmətɜː*] **1.** n Amateur(in f) m; (pej) Amateur(in f) m, Stümper(in f) m; **2.** adj Amateur-; **amateurish** adj (pej) dilettantisch, stümperhaft.
amaze [ə'meɪz] vt erstaunen, in Staunen versetzen; **amazement** n höchstes [Er]staunen; **amazing** adj höchst erstaunlich.
Amazon ['æməzən] n (also: ~ river) Amazonas m.
ambassador [æm'bæsədə*] n Botschafter m; **ambassadress** n Botschafterin f.
amber ['æmbə*] **1.** n Bernstein m; **2.** adj bernsteinfarben.
ambidextrous [æmbɪ'dekstrəs] adj beidhändig.
ambiguity [æmbɪ'gjuːtɪ] n Zweideutigkeit f, Unklarheit f; **ambiguous** [æm'bɪgjuəs] adj zweideutig; (not clear) unklar.
ambition [æm'bɪʃən] n Ehrgeiz m; **ambitious** [æm'bɪʃəs] adj ehrgeizig.
ambivalent [æm'bɪvələnt] n (attitude) zwiespältig.
ambulance ['æmbjuləns] n Krankenwagen m.
ambush ['æmbuʃ] **1.** n Hinterhalt m; **2.** vt aus dem Hinterhalt angreifen, überfallen.
ameliorate [ə'miːlɪəreɪt] vt verbessern; **amelioration** [əmiːlɪə'reɪʃən] n Verbesserung f.
amen ['ɑːmen] interj amen.
amenable [ə'miːnəbl] adj gefügig; (to reason) zugänglich (to dat); (to flattery) empfänglich (to für); (to law) unterworfen (to dat).
amend [ə'mend] **1.** vt (law etc) abändern, ergänzen; **2.** n: **to make ~s** etw wiedergutmachen; **amendment** n Abänderung f.
amenity [ə'miːnɪtɪ] n [moderne] Einrichtung f.
America [ə'merɪkə] n Amerika nt; **in ~** in Amerika; **to go to ~** nach Amerika fahren; **American 1.** adj amerikanisch; **2.** n Amerikaner(in f) m; **americanize** [ə'merɪkənaɪz] vt amerikanisieren.
amethyst ['æmɪθɪst] n Amethyst m.
amiable ['eɪmɪəbl] adj liebenswürdig, sympathisch.
amicable ['æmɪkəbl] adj freundschaftlich; (settlement) gütlich.
amid[st] [ə'mɪdst] prep mitten in (o unter).
amiss [ə'mɪs] adj verkehrt, nicht richtig; **to take sth ~** etw übelnehmen.
ammeter ['æmɪtə*] n Amperemeter m.

ammunition [æmju'nɪʃən] n Munition f.
amnesia [æm'niːzɪə] n Gedächtnisverlust m.
amnesty ['æmnɪstɪ] n Amnestie f.
amock [ə'mɒk] adv see **amuck**.
amoeba [ə'miːbə] n Amöbe f.
among[st] [ə'mʌŋst] prep unter.
amoral [æ'mɒrəl] adj unmoralisch.
amorous ['æmərəs] adj verliebt.
amorphous [ə'mɔːfəs] adj formlos, gestaltlos.
amount [ə'maunt] **1.** n (of money) Betrag m; (of time, energy) Aufwand m (of an + dat); (of water, sand) Menge f; **2.** vi: **to ~ to** (total) sich belaufen auf + akk; **this ~s to treachery** das kommt Verrat gleich; **it ~s to the same** es läuft aufs gleiche hinaus; **he won't ~ to much** aus ihm wird nie was; **no ~ of...** kein(e)...
amp, ampere [æmp, 'æmpɛə*] n Ampere nt.
amphibious [æm'fɪbɪəs] adj amphibisch, Amphibien-.
amphitheatre ['æmfɪθɪətə*] n Amphitheater nt.
ample ['æmpl] adj (portion) reichlich; (dress) weit, groß; **~ time** genügend Zeit.
amplifier ['æmplɪfaɪə*] n Verstärker m.
amply ['æmplɪ] adv reichlich.
amputate ['æmpjuteɪt] vt amputieren, abnehmen.
amuck [ə'mʌk] adv: **to run ~** Amok laufen.
amuse [ə'mjuːz] vt (entertain) unterhalten; (make smile) belustigen; (occupy) unterhalten; **I'm not ~d** das finde ich gar nicht lustig; **if that ~s you** wenn es dir Spaß macht; **amusement** n (feeling) Unterhaltung f; (recreation) Zeitvertreib m; **amusement hall** n Spielhalle f; **amusing** adj amüsant, unterhaltend.
an [æn, ən] article ein(e).
anabolic steroid [ænə'bɒlɪk'stɛrɔɪd] n Anabolikum nt.
anaemia [ə'niːmɪə] n Anämie f; **anaemic** [ə'niːmɪk] adj blutarm.
anaesthetic [ænɪs'θetɪk] n Betäubungsmittel nt; **under ~** unter Narkose.
anagram ['ænəgræm] n Anagramm nt.
analgesic [ænæl'dʒiːsɪk] n schmerzlinderndes Mittel.
analog ['ænəlɒg] adj (watch, computer) Analog-; **~ computer** Analogrechner m; **analogous** [ə'næləgəs] adj analog; **analogy** [ə'nælədʒɪ] n Analogie f.
analyse ['ænəlaɪz] vt analysieren; **analysis** [ə'næ‌lɪsɪs] n Analyse f; **analytic** [ænə'lɪtɪk] adj analytisch.
anarchist ['ænəkɪst] n Anarchist(in f) m;

anarchy ['ænəkɪ] n Anarchie f.
anathema [ə'næθɪmə] n (fig) Greuel nt.
anatomical [ænə'tomɪkəl] adj anatomisch; **anatomy** [ə'nætəmɪ] n (structure) anatomischer Aufbau; (study) Anatomie f.
ancestor ['ænsestə*] n Vorfahr m; **ancestral** [æn'sestrəl] adj angestammt, Ahnen-; **ancestry** ['ænsɪstrɪ] n Abstammung f; (forefathers) Vorfahren pl.
anchor ['æŋkə*] 1. n Anker m; 2. vi ankern, vor Anker liegen; 3. vt verankern; **anchorage** n Ankerplatz m.
anchovy ['æntʃəvɪ] n Sardelle f.
ancient ['eɪnʃənt] adj alt; (car etc) uralt.
and [ænd, ənd, ən] conj und.
Andorra [æn'dɔːrə] n Andorra nt.
anecdote ['ænɪkdəʊt] n Anekdote f.
anemia n (US) see **anaemia**.
anemone [ə'nemənɪ] n Anemone f.
anesthetic n (US) see **anaesthetic**.
anew [ə'njuː] adv von neuem.
angel ['eɪndʒəl] n Engel m; **angelic** [æn'dʒelɪk] adj engelhaft.
anger ['æŋgə*] 1. n Zorn m; 2. vt ärgern.
angina [æn'dʒaɪnə] n Angina f, Halsentzündung f.
angle ['æŋgl] 1. n Winkel m; (point of view) Standpunkt m; 2. vt stellen; to ~ **for** aussein auf +akk; **at an** ~ nicht gerade.
angler ['æŋglə*] n Angler(in f) m.
Anglican ['æŋglɪkən] adj anglikanisch.
anglicize ['æŋglɪsaɪz] vt anglisieren.
angling ['æŋglɪŋ] n Angeln nt.
Anglo- ['æŋgləʊ] pref Anglo-.
angrily ['æŋgrɪlɪ] adv ärgerlich, böse.
angry ['æŋgrɪ] adj ärgerlich, ungehalten, böse; (wound) entzündet.
anguish ['æŋgwɪʃ] n Qual f.
angular ['æŋgjʊlə*] adj eckig, winkelförmig; (face) kantig.
animal ['ænɪməl] 1. n Tier nt; (living creature) Lebewesen nt; 2. adj tierisch, animalisch.
animate ['ænɪmeɪt] 1. vt beleben; 2. ['ænɪmət] adj lebhaft; **animated** adj lebendig; (film) Zeichentrick-; **animation** [ænɪ'meɪʃən] n Lebhaftigkeit f.
animosity [ænɪ'mosɪtɪ] n Feindseligkeit f, Abneigung f.
aniseed ['ænɪsiːd] n Anis m.
ankle ['æŋkl] n Fußknöchel m.
annex ['æneks] 1. n Anbau m; 2. [ə'neks] vt anfügen; (POL) annektieren, angliedern.
annihilate [ə'naɪəleɪt] vt vernichten.
anniversary [ænɪ'vɜːsərɪ] n Jahrestag m; **wedding** ~ Hochzeitstag m.
annotate ['ænəteɪt] vt kommentieren.

announce [ə'naʊns] vt ankündigen, bekanntgeben; **announcement** n Ankündigung f; (official) Bekanntmachung f; **announcer** n Ansager(in f) m.
annoy [ə'nɔɪ] vt ärgern; **annoyance** n Ärgernis nt, Störung f; **annoying** adj ärgerlich; (person) lästig.
annual ['ænjʊəl] 1. adj jährlich; (salary) Jahres-; 2. n (plant) einjährige Pflanze; (book) Jahrbuch nt; **annually** adv jährlich.
annuity [ə'njuːɪtɪ] n Jahresrente f.
annul [ə'nʌl] vt aufheben, annullieren; **annulment** n Aufhebung f, Annullierung f.
anoint [ə'nɔɪnt] vt salben.
anomalous [ə'nomələs] adj unregelmäßig, anormal; **anomaly** [ə'noməlɪ] n Abweichung f von der Regel.
anonymity [ænə'nɪmɪtɪ] n Anonymität f; **anonymous** [ə'nonɪməs] adj anonym.
anorak ['ænəræk] n Anorak m, Windjacke f.
anorexia [ænə'reksɪə] n Magersucht f.
another [ə'nʌðə*] adj, pron (different) ein(e) andere(r, s); (additional) noch eine(r, s).
answer ['ɑːnsə*] 1. n Antwort f; 2. vi antworten; (on phone) sich melden; 3. vt (person) antworten +dat; (letter, question) beantworten; (telephone) gehen an +akk, abnehmen; (door) öffnen; **to ~ to the name of ...** auf den Namen ... hören; **answer back** vi frech sein; **answer for** vt verantwortlich sein für; **answerable** adj beantwortbar; (responsible) verantwortlich, haftbar; **answering machine** n Anrufbeantworter m.
ant [ænt] n Ameise f.
antagonism [æn'tægənɪzəm] n Antagonismus m; **antagonist** n Gegner(in f) m, Antagonist(in f) m; **antagonistic** [æntægə'nɪstɪk] adj feindselig; **antagonize** [æn'tægənaɪz] vt reizen.
anteater ['æntiːtə*] n Ameisenbär m.
antecedent [æntɪ'siːdənt] n Vorhergehende(s) nt; ~ **s** pl Vorleben nt, Vorgeschichte f.
antelope ['æntɪləʊp] n Antilope f.
antenatal [æntɪ'neɪtl] adj vor der Geburt, pränatal.
antenna [æn'tenə] n (BIO) Fühler m; (RADIO) Antenne f.
anteroom ['æntɪrʊm] n Vorzimmer nt.
anthem ['ænθəm] n Hymne f.
anthology [æn'θolədʒɪ] n Gedichtsammlung f, Anthologie f.
anthropologist [ænθrə'polədʒɪst] n Anthropologe(-login f) m; **anthropology** n Anthropologie f.

anti- ['ænti] *pref* Gegen-, Anti-; **anti-aircraft** *adj* Flugabwehr-; **antibiotic** [æntibai'ɒtik] *n* Antibiotikum *nt*; **antibody** *n* (MED) Antikörper *m*, Abwehrkörper *m*.

anticipate [æn'tisipeit] *vt* (*expect, trouble, question*) erwarten, rechnen mit; (*look forward to*) sich freuen auf + *akk*; (*do first*) vorwegnehmen; (*foresee*) ahnen, vorhersehen; **anticipation** [æntisi'peiʃən] *n* Erwartung *f*; (*foreshadowing*) Vorwegnahme *f*; **that was good ~** das war gut vorausgesehen.

anticlimax [ænti'klaimæks] *n* Ernüchterung *f*; **anticlockwise** [ænti'klɒkwaiz] *adj* entgegen dem Uhrzeigersinn.

antics ['æntiks] *n pl* Possen *pl*.

anticyclone [ænti'saikləun] *n* Hoch *nt*; (*area*) Hochdruckgebiet *nt*.

antidote ['æntidəut] *n* Gegenmittel *nt*; **antifreeze** *n* Frostschutzmittel *nt*.

antihistamine [ænti'histəmin] *n* Antihistamin *nt*.

anti-lock braking system [ænti'lɒk] *n* Antiblockiersystem *nt*; **antinuclear** *n* Kernkraftgegner(in *f*) *m*; **antinuke activist** *n* (*fam*) Kernkraftgegner(in *f*) *m*.

antipathy [æn'tipəθi] *n* Abneigung *f*, Antipathie *f*.

Antipodes [æn'tipədi:z] *n pl* Australien und Neuseeland.

antiquarian [ænti'kwɛəriən] **1.** *adj* altertümlich; **2.** *n* Antiquitätensammler(in *f*) *m*; **antiquated** ['æntikweitid] *adj* antiquiert.

antique [æn'ti:k] **1.** *n* Antiquität *f*; **2.** *adj* antik; (*old-fashioned*) altmodisch.

antiquity [æn'tikwiti] *n* Antike *f*, Altertum *nt*.

antiseptic [ænti'septik] **1.** *n* Antiseptikum *nt*; **2.** *adj* antiseptisch.

antisocial [ænti'səuʃl] *adj* (*person*) ungesellig; (*law*) unsozial; **antitechnological** *adj* technologiefeindlich.

antithesis [æn'tiθisis] *n* Gegensatz *m*, Antithese *f*.

antlers ['æntləz] *n pl* Geweih *nt*.

anus ['einəs] *n* After *m*.

anvil ['ænvil] *n* Amboß *m*.

anxiety [æŋ'zaiəti] *n* Angst *f*; (*worry*) Sorge *f*; **anxious** ['æŋkʃəs] *adj* ängstlich; (*worried*) besorgt; **to be ~ to do sth** etw unbedingt tun wollen; **anxiously** *adv* besorgt; (*keenly*) eifrig, begierig.

any ['eni] *adj, adv*: **take ~ one** nimm irgendeine(n, s)!; **do you want ~ apples?** willst du Äpfel [haben]?; **do you want ~ ?** willst du welche?; **not ~** keine; **~ faster** schneller; **anybody** *pron* irgend jemand; (*everybody*) jedermann; any-

how *adv* sowieso, ohnehin; (*carelessly*) einfach so; **anyone** *pron* irgend jemand; **anything** *pron* irgend etwas; **anytime** *adv* jederzeit; **anyway** *adv* sowieso, ohnehin; **~, let's stop** na ja (*o* sei's drum); hören wir auf; **anywhere** *adv* irgendwo; (*everywhere*) überall.

apart [ə'pɑ:t] *adv* (*parted*) auseinander; (*away*) beiseite, abseits; **~ from** außer.

apartheid [ə'pɑ:teit] *n* Apartheid *f*.

apartment [ə'pɑ:tmənt] *n* (US) Wohnung *f*.

apathetic [æpə'θetik] *adj* teilnahmslos, apathisch; **apathy** ['æpəθi] *n* Teilnahmslosigkeit *f*, Apathie *f*.

ape [eip] **1.** *n* [Menschen]affe *m*; **2.** *vt* nachahmen.

aperitif [ə'peritiv] *n* Aperitif *m*.

aperture ['æpətjuə*] *n* Öffnung *f*; (FOT) Blende *f*.

apex ['eipeks] *n* Spitze *f*, Scheitelpunkt *m*.

aphorism ['æfərizəm] *n* Aphorismus *m*.

aphrodisiac [æfrəu'diziæk] *n* Aphrodisiakum *nt*.

apiece [ə'pi:s] *adv* pro Stück; (*per person*) pro Kopf.

aplomb [ə'plɒm] *n* selbstbewußtes Auftreten.

apologetic [əpɒlə'dʒetik] *adj* entschuldigend; **to be ~** sich sehr entschuldigen; **apologize** [ə'pɒlədʒaiz] *vi* sich entschuldigen; **apology** [ə'pɒlədʒi] *n* Entschuldigung *f*.

apoplexy ['æpəpleksi] *n* Schlaganfall *m*.

apostle [ə'pɒsl] *n* Apostel *m*; (*pioneer*) Vorkämpfer(in *f*) *m*.

apostrophe [ə'pɒstrəfi] *n* Apostroph *m*.

appal [ə'pɔ:l] *vt* entsetzen; **appalling** *adj* schrecklich.

apparatus [æpə'reitəs] *n* Apparat *m*, Gerät *nt*.

apparent [ə'pærənt] *adj* offenbar; **apparently** *adv* anscheinend.

apparition [æpə'riʃən] *n* (*ghost*) Erscheinung *f*, Geist *m*; (*appearance*) Erscheinen *nt*.

appeal [ə'pi:l] **1.** *vi* dringend bitten (*for* um); (JUR) Berufung einlegen; **2.** *n* Aufruf *m*; (JUR) Berufung *f*; **to ~ to sb for sth** jdn um etw bitten; (*to public*) an jdn appellieren, etw zu tun; **appealing** *adj* ansprechend.

appear [ə'piə*] *vi* (*come into sight*) erscheinen; (*be seen*) auftauchen; (*seem*) scheinen; **appearance** *n* (*coming into sight*) Erscheinen *nt*; (*outward show*) Äußere(s) *nt*; **to put in** (*o* make) **an ~** sich zeigen.

appease [ə'pi:z] *vt* beschwichtigen.

append [ə'pend] *vt* anhängen, hinzufügen; **appendage** [ə'pendɪdʒ] n Anhang m, Anhängsel nt.

appendicitis [əpendɪ'saɪtɪs] n Blinddarmentzündung f.

appendix [ə'pendɪks] n (in book) Anhang m; (MED) Blinddarm m.

appetite ['æpɪtaɪt] n Appetit m; (fig) Lust f; **appetizing** ['æpɪtaɪzɪŋ] adj appetitanregend.

applaud [ə'plɔːd] vt, vi Beifall klatschen + dat, applaudieren; **applause** [ə'plɔːz] n Beifall m, Applaus m.

apple ['æpl] n Apfel m; **apple tree** n Apfelbaum m.

appliance [ə'plaɪəns] n Gerät nt.

applicable [ə'plɪkəbl] adj anwendbar; (on forms) zutreffend.

applicant ['æplɪkənt] n Bewerber(in f) m.

application [æplɪ'keɪʃən] n (request) Antrag m; (for job) Bewerbung f; (putting into practice) Anwendung f; (hard work) Fleiß m.

applied [ə'plaɪd] adj angewandt.

apply [ə'plaɪ] 1. vi (ask) sich wenden (to an + akk), sich melden; (be suitable) zutreffen; 2. vt (place on) auflegen; (cream) auftragen; (put into practice) anwenden; 3. vr: ~ oneself (devote oneself) sich widmen (to dat).

appoint [ə'pɔɪnt] vt (to office) ernennen, berufen; (settle) festsetzen; **appointment** n (meeting) Verabredung f; (at hairdresser, in business) Termin m; (choice for a position) Ernennung f; (SCH) Berufung f.

apportion [ə'pɔːʃən] vt zuteilen.

appreciable [ə'priːʃəbl] adj (perceptible) merklich; (able to be estimated) abschätzbar.

appreciate [ə'priːʃɪeɪt] 1. vt (value) zu schätzen wissen; (understand) einsehen; 2. vi (increase in value) im Wert steigen; **appreciation** [əpriːʃɪ'eɪʃən] n Wertschätzung f; (COM) Wertzuwachs m; **appreciative** [ə'priːʃɪətɪv] adj (showing thanks) dankbar; (showing liking) anerkennend.

apprehend [æprɪ'hend] vt (arrest) festnehmen; (understand) erfassen.

apprehension [æprɪ'henʃən] n Angst f; **apprehensive** [æprɪ'hensɪv] adj furchtsam.

apprentice [ə'prentɪs] n Lehrling m, Auszubildende(r) mf; **apprenticeship** n Lehrzeit f.

approach [ə'prəʊtʃ] 1. vi sich nähern; 2. vt herantreten an + akk; (problem) herangehen an + akk; 3. n Annäherung f; (to problem) Ansatz m; (path) Zugang m, Zufahrt f; **approachable** adj zugäng-

lich.

approbation [æprə'beɪʃən] n Billigung f.

appropriate [ə'prəʊprɪeɪt] 1. vt (take for oneself) sich dat aneignen; (set apart) bereitstellen; 2. [ə'prəʊprɪət] adj angemessen; (remark) angebracht; **appropriately** adv passend.

approval [ə'pruːvəl] n (show of satisfaction) Beifall m; (permission) Billigung f; **on** ~ (COM) bei Gefallen; **approve** [ə'pruːv] vt, vi billigen (of akk); **I don't** ~ **of it/him** ich halte nichts davon/von ihm.

approximate [ə'prɒksɪmɪt] 1. adj annähernd, ungefähr; 2. [ə'prɒksɪmeɪt] vt nahekommen + dat; **approximately** adv rund, ungefähr; **approximation** [əprɒksɪ'meɪʃən] n Annäherung f.

apricot ['eɪprɪkɒt] n Aprikose f.

April ['eɪprəl] n April m; ~ **2nd, 1989, 2nd** ~ **1989** (Datumsangabe) 2. April 1989; **on the 1st/11th of** ~ (gesprochen) am 1./11. April; **on 1st/11th** ~, **on** ~ **1st/11th** (geschrieben) am 1./11. April; **in** ~ im April.

apron ['eɪprən] n Schürze f.

apt [æpt] adj (suitable) passend; (able) begabt; (likely) geneigt; **aptitude** n Begabung f.

aqualung ['ækwəlʌŋ] n Tauchgerät nt.

aquarium [ə'kwɛərɪəm] n Aquarium nt.

Aquarius [ə'kwɛərɪəs] n (ASTR) Wassermann m.

aquatic [ə'kwætɪk] adj Wasser-.

aqueduct ['ækwɪdʌkt] n Aquädukt nt.

Arab ['ærəb] n Araber(in f) m; **Arabian** [ə'reɪbɪən] adj arabisch; **Arabic** ['ærəbɪk] n (language) Arabisch nt.

arable ['ærəbl] adj bebaubar, Kultur-.

arbiter ['ɑːbɪtə*] n [Schieds]richter(in f) m.

arbitrary ['ɑːbɪtrərɪ] adj willkürlich.

arbitrate ['ɑːbɪtreɪt] vt, vi schlichten; **arbitration** [ɑːbɪ'treɪʃən] n Schlichtung f; **to go to** ~ vor ein Schiedsgericht gehen; **arbitrator** ['ɑːbɪtreɪtə*] n Schlichter(in f) m.

arc [ɑːk] n Bogen m.

arcade [ɑː'keɪd] n Säulengang m.

arch [ɑːtʃ] 1. n Bogen m; 2. vt überwölben; (back) krumm machen; 3. vi sich wölben; 4. adj durchtrieben; **arch enemy** n Erzfeind(in f) m.

archaeologist [ɑːkɪ'ɒlədʒɪst] n Archäologe m, Archäologin f; **archaeology** n Archäologie f.

archaic [ɑː'keɪɪk] adj altertümlich.

archbishop [ɑːtʃ'bɪʃəp] n Erzbischof m.

archer ['ɑːtʃə*] n Bogenschütze(-schützin f) m; **archery** n Bogenschießen nt.

archipelago [ɑːkɪ'pelɪgəʊ] n < -[e]s >

Archipel m; (sea) Inselmeer nt.
architect ['ɑːkɪtekt] n Architekt(in f) m;
architectural [ɑːkɪ'tektʃərəl] adj architektonisch; **architecture** n Architektur f.
archives ['ɑːkaɪvz] n pl Archiv nt.
arch support ['ɑtʃəpɔːt] n Senkfußeinlage f.
archway ['ɑːtʃweɪ] n Bogen m.
ardent ['ɑːdənt] adj glühend.
ardour ['ɑːdə*] n Eifer m.
arduous ['ɑːdjuəs] adj mühsam.
are [ɑː*] see be.
area ['eərɪə] n Fläche f; (of land) Gebiet nt; (part of sth) Teil m, Abschnitt m.
arena [ə'riːnə] n Arena f.
aren't [ɑːnt] = are not.
Argentina, the Argentine [ɑːdʒən'tiːnə, 'ɑːdʒəntaɪn] n Argentinien nt.
arguable ['ɑːgjuəbl] adj (doubtful) diskutabel; **it's ~ that...** man könnte argumentieren daß...; **arguably** adv wohl.
argue ['ɑːgjuː] 1. vt (case) vertreten; (angrily) streiten; **don't ~!** keine Widerrede!; **to ~ with sb** sich mit jdm streiten; **argument** n (theory) Argument nt; (reasoning) Argumentation f; (row) Auseinandersetzung f, Streit m; **to have an ~** sich streiten; **argumentative** [ɑːgjuː'mentətɪv] adj streitlustig.
aria ['ɑːrɪə] n Arie f.
arid ['ærɪd] adj trocken; **aridity** [ə'rɪdɪtɪ] n Dürre f.
Aries ['eəriːz] n sing (ASTR) Widder m.
arise [ə'raɪz] <arose, arisen> vi aufsteigen; (get up) aufstehen; (difficulties etc) entstehen; (case) vorkommen; **to ~ out of sth** von etw herrühren.
aristocracy [ærɪs'tɒkrəsɪ] n Adel m, Aristokratie f; **aristocrat** ['ærɪstəkræt] n Adlige(r) mf, Aristokrat(in f) m; **aristocratic** [ærɪstə'krætɪk] adj adlig, aristokratisch.
arithmetic [ə'rɪθmətɪk] n Rechnen nt, Arithmetik f.
ark [ɑːk] n: **Noah's A ~** die Arche Noah.
arm [ɑːm] 1. n Arm m; (branch of military service) Zweig m; 2. vt bewaffnen.
armaments ['ɑːməmənts] n pl Waffen pl, Rüstung f.
armband ['ɑːmbænd] n Armbinde f; **armchair** n Lehnstuhl m; **armed** adj (forces) Streit-, bewaffnet; (robbery) bewaffnet.
armistice ['ɑːmɪstɪs] n Waffenstillstand m.
armour ['ɑːmə*] n (knight's) Rüstung f; (MIL) Panzerplatte f; **armoury** n Waffenlager nt; (factory) Waffenfabrik f.

armpit ['ɑːmpɪt] n Achselhöhle f; **armrest** n Armlehne f.
arms [ɑːmz] n pl (weapons) Waffen pl; **arms control** n Rüstungskontrolle f; **arms race** n Rüstungswettlauf m.
army ['ɑːmɪ] n Armee f, Heer nt; (host) Heer nt.
aroma [ə'rəumə] n Duft m, Aroma nt; **aromatic** [ærə'mætɪk] adj aromatisch, würzig.
arose [ə'rəuz] pt of **arise**.
around [ə'raund] 1. adv ringsherum; (almost) ungefähr; 2. prep um... herum; **is he ~?** ist er hier?
arouse [ə'rauz] vt wecken.
arr abbr of **arrival, arrives** Ankunft, Ank.
arrange [ə'reɪndʒ] vt (time, meeting) festsetzen; (holidays) festlegen; (flowers, hair, objects) anordnen; **I ~d to meet him** ich habe mit ihm ausgemacht, ihn zu treffen; **it's all ~d** es ist alles arrangiert; **arrangement** n (order) Reihenfolge f; (agreement) Übereinkommen nt; (plan) Vereinbarung f.
array [ə'reɪ] n Aufstellung f.
arrears [ə'rɪəz] n pl (of debts) Rückstand m; (of work) Unerledigte(s) nt; **in ~** im Rückstand.
arrest [ə'rest] 1. vt (person) verhaften; (stop) aufhalten; 2. n Verhaftung f; **under ~** in Haft; **you're under ~** Sie sind verhaftet.
arrival [ə'raɪvəl] n Ankunft f.
arrive [ə'raɪv] vi ankommen (at bei, in + dat); **to ~ at a decision** zu einer Entscheidung kommen.
arrogance ['ærəgəns] n Überheblichkeit f, Arroganz f; **arrogant** adj anmaßend, arrogant.
arrow ['ærəu] n Pfeil m.
arse [ɑːs] n (fam) Arsch m.
arsenal ['ɑːsənl] n Waffenlager nt, Zeughaus nt.
arsenic ['ɑːsnɪk] n Arsen nt.
arson ['ɑːsn] n Brandstiftung f.
art [ɑːt] n Kunst f; **~s** pl Geisteswissenschaften pl; **~ gallery** Kunstgalerie f.
artery ['ɑːtərɪ] n Schlagader f, Arterie f.
artful ['ɑːtful] adj verschlagen.
arthritis [ɑː'θraɪtɪs] n Arthritis f.
artichoke ['ɑːtɪtʃəuk] n Artischocke f.
article ['ɑːtɪkl] n (PRESS, LING) Artikel m; (thing) Gegenstand m, Artikel m; (clause) Abschnitt m, Paragraph m.
articulate [ɑː'tɪkjulɪt] 1. adj (able to express oneself) redegewandt; (speaking clearly) deutlich, verständlich; 2. [ɑː'tɪkjuleɪt] vt (connect) zusammenfügen, gliedern; **to be ~** sich gut ausdrücken können; **~d vehicle** Sattelschlepper m.

artifice [ˈɑːtɪfɪs] n (skill) Kunstgriff m; (trick) Kniff m, List f.

artificial [ɑːtɪˈfɪʃəl] adj künstlich, Kunst-; ~ **heart** Kunstherz nt; ~ **intelligence** künstliche Intelligenz; ~ **respiration** künstliche Atmung.

artillery [ɑːˈtɪlərɪ] n Artillerie f.

artisan [ˈɑːtɪsæn] n gelernter Handwerker.

artist [ˈɑːtɪst] n Künstler(in f) m; **artistic** [ɑːˈtɪstɪk] adj künstlerisch; **artistry** [ˈɑːtɪstrɪ] n künstlerisches Können.

artless [ˈɑːtlɪs] adj ungekünstelt; (character) arglos.

arty [ˈɑːtɪ] adj künstlerisch angehaucht.

as [æz, əz] adv, conj (since) da, weil; (while) als; (like) wie; (in role of) als; ~ **soon** ~ **he comes** sobald er kommt; ~ **big** ~ so groß wie; ~ **well** auch; ~ **well** ~ und auch; ~ **for him** was ihn anbetrifft; ~ **if**, ~ **though** als ob; ~ **it were** sozusagen; **old** ~ **he was** so alt er auch war.

a.s.a.p. abbr of **as soon as possible** möglichst bald.

asbestos [æzˈbestəs] n Asbest m.

ascend [əˈsend] 1. vi aufsteigen; 2. vt besteigen; **ascendancy** n Oberhand f.

ascension [əˈsenʃən] n (REL) Himmelfahrt f.

ascent [əˈsent] n Aufstieg m; (act of climbing) Besteigung f.

ascertain [æsəˈteɪn] vt feststellen.

ascetic [əˈsetɪk] adj asketisch.

ascribe [əsˈkraɪb] vt zuschreiben (to dat).

ash [æʃ] n (dust) Asche f; (tree) Esche f.

ashamed [əˈʃeɪmd] adj beschämt.

ashen [æʃən] adj (pale) aschfahl.

ashore [əˈʃɔː*] adv an Land.

ashtray [ˈæʃtreɪ] n Aschenbecher m; **Ash Wednesday** n Aschermittwoch m.

Asia [ˈeɪʃə] n Asien f; **Asian** 1. adj asiatisch; 2. n Asiat(in f) m.

aside [əˈsaɪd] 1. adv beiseite; 2. n beiseite gesprochene Worte pl; ~ **from** (US) abgesehen von.

ask [ɑːsk] vt, vi fragen; (permission) bitten um; ~ **ing price** Verkaufspreis m; ~ **him his name** frage ihn nach seinem Namen; **he** ~**ed to see you** er wollte dich sehen; **you** ~**ed for that!** da bist du selbst schuld.

askance [əsˈkɑːns] adv: **to look** ~ **at sb** jdn schief ansehen.

askew [əsˈkjuː] adv schief.

asleep [əˈsliːp] adj, adv: **to be** ~ schlafen; **to fall** ~ einschlafen.

asp [æsp] n Espe f.

asparagus [əsˈpærəgəs] n Spargel m.

aspect [ˈæspekt] n Aspekt m; (appearance) Aussehen nt.

asphalt [ˈæsfælt] n Asphalt m.

asphyxiate [əsˈfɪksɪeɪt] vt ersticken; **asphyxiation** [əsfɪksɪˈeɪʃən] n Erstickung f.

aspiration [æspəˈreɪʃən] n Trachten nt; **to have** ~ **s towards sth** etw anstreben.

aspire [əsˈpaɪə*] vi streben (to nach).

aspirin [ˈæsprɪn] n Aspirin nt.

ass [æs] n (auch fig) Esel m.

assassin [əˈsæsɪn] n Attentäter(in f) m; **assassinate** [əˈsæsɪneɪt] vt ermorden; **assassination** [əsæsɪˈneɪʃən] n Ermordung f.

assault [əˈsɔːlt] 1. n Angriff m; 2. vt überfallen; (woman) herfallen über + akk.

assemble [əˈsembl] 1. vt versammeln; (parts) zusammensetzen; 2. vi sich versammeln; **assembler** n (COMPUT) Assembler m; **assembly** n (meeting) Versammlung f; (construction) Zusammensetzung f, Montage f; **assembly line** n Fließband nt.

assent [əˈsent] 1. n Zustimmung f; 2. vi zustimmen (to dat).

assert [əˈsɜːt] vt erklären; **assertion** [əˈsɜːʃən] n Behauptung f; **assertive** adj selbstsicher.

assess [əˈses] vt schätzen; **assessment** n Bewertung f, Einschätzung f.

asset [ˈæset] n Vorteil m, Wert m; ~ **s** pl Vermögen nt; (estate) Nachlaß m; **asset stripper** n Unternehmensalthändler(in f) m; **asset stripping** n Unternehmensalthandel m.

assiduous [əˈsɪdjuəs] adj fleißig, aufmerksam.

assign [əˈsaɪn] vt zuweisen; **assignment** n Aufgabe f, Auftrag m.

assimilate [əˈsɪmɪleɪt] vt sich dat aneignen, aufnehmen; **assimilation** [əsɪmɪˈleɪʃən] n Assimilierung f, Aufnahme f.

assist [əˈsɪst] vt beistehen + dat; **assistance** n Unterstützung f, Hilfe f; **assistant** n Assistent(in f) m, Mitarbeiter(in f) m; (in shop) Verkäufer(in f) m.

assizes [əˈsaɪzɪz] n pl Landgericht nt.

associate [əˈsəʊʃɪt] 1. n (partner) Kollege m, Kollegin f, Teilhaber(in f) m; (member) außerordentliches Mitglied; 2. [əˈsəʊʃɪeɪt] vt verbinden (with mit); 3. vi (keep company) verkehren (with mit); **association** [əsəʊsɪˈeɪʃən] n Verband m, Verein m; (PSYCH) Assoziation f; (link) Verbindung f; **association football** n (Brit) Fußball m.

assorted [əˈsɔːtɪd] adj gemischt, verschieden; **assortment** n Sammlung f; (COM) Sortiment nt (of von), Auswahl f (of an + dat).

assume [ə'sjuːm] *vt* (*take for granted*) annehmen; (*put on*) annehmen, sich *dat* geben; **~d name** Deckname *m*; **assumption** [ə'sʌmpʃən] *n* Annahme *f*.

assurance [ə'ʃuərəns] *n* (*firm statement*) Versicherung *f*; (*confidence*) Selbstsicherheit *f*; (*insurance*) [Lebens]versicherung *f*; **assure** *vt* (*make sure*) sicherstellen; (*convince*) versichern + *dat*; (*life*) versichern; **assuredly** *adv* sicherlich.

asterisk ['æstərɪsk] *n* Sternchen *nt*.

astern [əs'tɜːn] *adv* achtern.

asthma ['æsmə] *n* Asthma *nt*; **asthmatic** [æs'mætɪk] **1.** *adj* asthmatisch; **2.** *n* Asthmatiker(in *f*) *m*.

astonish [əs'tɒnɪʃ] *vt* erstaunen; **astonishing** *adj* erstaunlich; **astonishment** *n* Erstaunen *nt*.

astound [əs'taund] *vt* verblüffen; **astounding** *adj* verblüffend.

astray [əs'treɪ] **1.** *adv* in die Irre; auf Abwege; **2.** *adj* irregeleitet.

astride [əs'traɪd] **1.** *adv* rittlings; **2.** *prep* rittlings auf.

astrologer [əs'trɒlədʒə*] *n* Astrologe(-login *f*) *m*; **astrology** [əs'trɒlədʒɪ] *n* Astrologie *f*.

astronaut ['æstrənɔːt] *n* Astronaut(in *f*) *m*.

astronomer [əs'trɒnəmə*] *n* Astronom(in *f*) *m*; **astronomical** [æstrə'nɒmɪkəl] *adj* astronomisch; (*numbers*) astronomisch; (*success*) riesig; **astronomy** [əs'trɒnəmɪ] *n* Astronomie *f*.

astute [əs'tjuːt] *adj* scharfsinnig; schlau; gerissen.

asunder [ə'sʌndə*] *adv* entzwei.

asylum [ə'saɪləm] *n* (*home*) Anstalt *f*; (*refuge*) Asyl *nt*.

at [æt] *prep*: **~ home** zu Hause; **~ John's** bei John; **~ table** bei Tisch; **~ school** in der Schule; **~ Easter** an Ostern; **~ 2 o'clock** um 2 Uhr; **~ [the age of] 16** mit 16; **~ £5** zu 5 Pfund; **~ 20 mph** mit 20 Meilen pro Stunde; **~ that** darauf; (*also*) dazu.

ate [et, eɪt] *pt* of **eat**.

atheism ['eɪθɪɪzəm] *n* Atheismus *m*; **atheist** [ə'taɪə*] *n* Atheist(in *f*) *m*.

athlete ['æθliːt] *n* Athlet(in *f*) *m*, Sportler(in *f*) *m*.

athletic [æθ'letɪk] *adj* sportlich, athletisch; **athletics** *n pl* Leichtathletik *f*.

Atlantic [ət'læntɪk] *n* Atlantik *m*.

atlas ['ætləs] *n* Atlas *m*.

atmosphere ['ætməsfɪə*] *n* Atmosphäre *f*.

atoll ['ætɒl] *n* Atoll *nt*.

atom ['ætəm] *n* Atom *nt*; (*fig*) bißchen *nt*; **atomic** [ə'tɒmɪk] *adj* atomar, Atom-;

atom[ic] bomb *n* Atombombe *f*; **atomic power** *n* Atomkraft *f*.

atomizer ['ætəmaɪzə*] *n* Zerstäuber *m*.

atone [ə'təun] *vi* sühnen (*for akk*).

atrocious [ə'trəuʃəs] *adj* gräßlich.

atrocity [ə'trɒsɪtɪ] *n* Scheußlichkeit *f*; (*deed*) Greueltat *f*.

attach [ə'tætʃ] *vt* (*fasten*) befestigen; (*importance etc*) legen (*to auf + akk*), beimessen (*to dat*); **to be ~ed to sb/sth** an jdm/etw hängen.

attaché [ə'tæʃeɪ] *n* Attaché *m*.

attack [ə'tæk] **1.** *vt, vi* angreifen; **2.** *n* Angriff *m*; (MED) Anfall *m*.

attain [ə'teɪn] *vt* erreichen.

attempt [ə'tempt] **1.** *n* Versuch *m*; **2.** *vt, vi* versuchen.

attend [ə'tend] **1.** *vt* (*go to*) teilnehmen an + *dat*; (*lectures*) besuchen; **2.** *vi* (*pay attention*) aufmerksam sein; **to ~ to** (*needs*) nachkommen + *dat*; (*person*) sich kümmern um; **attendance** *n* (*presence*) Anwesenheit *f*; (*people present*) Besucherzahl *f*; **good ~** gute Teilnahme; **attendant 1.** *n* (*companion*) Begleiter(in *f*) *m*; (*in car park etc*) Wächter(in *f*) *m*; (*servant*) Bediente(r) *mf*; **2.** *adj* begleitend; (*fig*) verbunden mit.

attention [ə'tenʃən] *n* Aufmerksamkeit *f*; (*care*) Fürsorge *f*; (*for machine etc*) Pflege *f*.

attentive *adj*, **attentively** *adv* [ə'tentɪv, -lɪ] aufmerksam.

attest [ə'test] *vt* bestätigen; **to ~ to** sich verbürgen für.

attic ['ætɪk] *n* Dachstube *f*, Mansarde *f*.

attire [ə'taɪə*] *n* Gewand *nt*.

attitude ['ætɪtjuːd] *n* (*position*) Haltung *f*; (*mental*) Einstellung *f*.

attorney [ə'tɜːnɪ] *n* (US: *lawyer*) Rechtsanwalt(-anwältin *f*) *m*; (*representative*) Bevollmächtigte(r) *mf*; **A~ General** Justizminister(in *f*) *m*.

attract [ə'trækt] *vt* anziehen; (*attention*) erregen; (*employees*) anlocken; **the idea ~s me** ich finde die Idee attraktiv; **attraction** [ə'trækʃən] *n* Anziehungskraft *f*; (*thing*) Attraktion *f*; **attractive** *adj* attraktiv.

attribute ['ætrɪbjuːt] **1.** *n* Eigenschaft *f*, Attribut *nt*; **2.** [ə'trɪbjuːt] *vt* zuschreiben (*to dat*).

attrition [ə'trɪʃən] *n* Verschleiß *m*; **war of ~** Zermürbungskrieg *m*.

aubergine ['əubəʒiːn] *n* Aubergine *f*.

auburn ['ɔːbən] *adj* kastanienbraun.

auction ['ɔːkʃən] **1.** *n* Versteigerung *f*, Auktion *f*; **2.** *vt* versteigern; **auctioneer** [ɔːkʃə'nɪə*] *n* Auktionator(in *f*) *m*.

audacious [ɔː'deɪʃəs] *adj* (*daring*) verwe-

gen; (*shameless*) unverfroren; **audacity**
[ɔːˈdæsɪtɪ] *n* (*boldness*) Wagemut *m*; (*impudence*) Unverfrorenheit *f*.
audible [ˈɔːdɪbl] *adj* hörbar.
audience [ˈɔːdɪəns] *n* Zuhörer *pl*, Zuschauer *pl*; (*with king etc*) Audienz *f*.
audit [ˈɔːdɪt] **1.** *n* Bücherrevision *f*; **2.** *vt* prüfen.
audition [ɔːˈdɪʃən] *n* Probe *f*.
auditorium [ɔːdɪˈtɔːrɪəm] *n* Zuschauerraum *m*.
augment [ɔːgˈment] **1.** *vt* vermehren; **2.** *vi* zunehmen.
augur [ˈɔːgə⁎] *vt*, *vi* verheißen; **this ~ s well** das ist ein gutes Omen; **augury** [ˈɔːgjurɪ] *n* Vorbedeutung *f*, Omen *nt*.
august [ɔːˈgʌst] *adj* erhaben.
August [ˈɔːgəst] *n* August *m*; **~ 2nd, 1989, 2nd ~ 1989** (*Datumsangabe*) 2. August 1989; **on the 1st/11th of ~** (*gesprochen*) am 1./11. August; **on 1st/11th ~, on ~ 1st/11th** (*geschrieben*) am 1./11. August; **in ~** im August.
aunt [ɑːnt] *n* Tante *f*; **auntie, aunty** *n* Tantchen *nt*.
au pair [əʊˈpɛə⁎] *n* (*also:* **~ girl**) Au-pair-Mädchen *nt*.
aura [ˈɔːrə] *n* Nimbus *m*.
auspices [ˈɔːspɪsɪz] *n pl*: **under the ~ of** unter der Schirmherrschaft von.
auspicious [ɔːsˈpɪʃəs] *adj* günstig; verheißungsvoll.
austere [ɔːsˈtɪə⁎] *adj* streng; (*room*) nüchtern; **austerity** [ɔːsˈterɪtɪ] *n* Strenge *f*; (*POL*) wirtschaftliche Einschränkung *f*.
Australia [ɔːˈstreɪljə] *n* Australien *nt*; **in ~** in Australien; **to go to ~** nach Australien fahren; **Australian 1.** *adj* australisch; **2.** *n* Australier(in *f*) *m*.
Austria [ˈɔːstrɪə] *n* Österreich *nt*; **in ~** in Österreich; **to go to ~** nach Österreich fahren; **Austrian 1.** *adj* österreichisch; **2.** *n* Österreicher(in *f*) *m*.
authentic [ɔːˈθentɪk] *adj* echt, authentisch; **authenticate** *vt* beglaubigen; **authenticity** [ɔːθenˈtɪsɪtɪ] *n* Echtheit *f*.
author [ˈɔːθə⁎] *n* Autor(in *f*) *m*, Schriftsteller(in *f*) *m*; (*beginner*) Urheber(in *f*) *m*, Schöpfer(in *f*) *m*.
authoritarian [ɔːˈθorɪˈtɛərɪən] *adj* autoritär.
authoritative [ɔːˈθorɪtətɪv] *adj* (*account*) maßgeblich; (*manner*) herrisch.
authority [ɔːˈθorɪtɪ] *n* (*power*) Autorität *f*; (*expert*) Autorität *f*, Fachmann *m*; **the authorities** *pl* die Behörden *pl*.
authorize [ˈɔːθəraɪz] *vt* bevollmächtigen; (*permit*) genehmigen.
autism [ˈɔːtɪzm] *n* Autismus *m*; **autistic** [ɔːˈtɪstɪk] *adj* autistisch.

auto [ˈɔːtəʊ] *n* <**-s**> (*US*) Auto *nt*, Wagen *m*.
autobiographical [ɔːtəbaɪəˈgræfɪkəl] *adj* autobiographisch; **autobiography** [ɔːtəʊbaɪˈogrəfɪ] *n* Autobiographie *f*.
autogenic training [ɔːtəʊˈdʒenɪk] *n* autogenes Training.
autograph [ˈɔːtəgrɑːf] **1.** *n* (*of celebrity*) Autogramm *nt*; **2.** *vt* mit einem Autogramm versehen.
automate [ˈɔːtəmeɪt] *vt* automatisieren, auf Automation umstellen.
automatic [ɔːtəˈmætɪk] **1.** *adj* automatisch; **2.** *n* Selbstladepistole *f*; (*car*) Automatikwagen *m*; **~ gear change** (*Brit*), **~ gear shift** (*US*) Automatikschaltung *f*; **automatically** *adv* automatisch.
automation [ɔːtəˈmeɪʃən] *n* Automation *f*.
automaton [ɔːˈtomətən] *n* Automat *m*, Roboter *m*.
automobile [ˈɔːtəməbiːl] *n* (*US*) Auto[mobil] *nt*.
autonomous [ɔːˈtonəməs] *adj* autonom; **autonomy** *n* Autonomie *f*, Selbstbestimmung *f*.
autopsy [ˈɔːtəpsɪ] *n* Autopsie *f*.
autotrain [ˈɔːtəʊtreɪn] *n* (*US*) Autoreisezug *m*.
autotransfusion [ɔːtəʊtrænsˈfjuːʒən] *n* Eigenbluttransfusion *f*.
autumn [ˈɔːtəm] *n* Herbst *m*; **in ~** im Herbst.
auxiliary [ɔːgˈzɪlɪərɪ] **1.** *adj* Hilfs-; **2.** *n* Hilfskraft *f*; (*LING*) Hilfsverb *nt*.
avail [əˈveɪl] **1.** *vr*: **~ oneself of sth** sich einer Sache bedienen; **2.** *n*: **to no ~** nutzlos; **availability** [əveɪləˈbɪlɪtɪ] *n* Erhältlichkeit *f*, Vorhandensein *nt*; **available** *adj* erhältlich; zur Verfügung stehend; (*person*) erreichbar, abkömmlich.
avalanche [ˈævəlɑːnʃ] *n* Lawine *f*.
avant-garde [ævɑ̃ˈgɑːd] **1.** *adj* avantgardistisch; **2.** *n* Avantgarde *f*.
avarice [ˈævərɪs] *n* Habsucht *f*, Geiz *m*; **avaricious** [ævəˈrɪʃəs] *adj* geizig, habsüchtig.
Ave *abbr of* **avenue** Straße, Str.
avenge [əˈvendʒ] *vt* rächen, sühnen.
avenue [ˈævənjuː] *n* Allee *f*.
average [ˈævərɪdʒ] **1.** *n* Durchschnitt *m*; **2.** *adj* durchschnittlich, Durchschnitts-; **3.** *vt* (*figures*) den Durchschnitt nehmen von; (*perform*) durchschnittlich leisten; (*in car etc*) im Schnitt fahren; **on ~** durchschnittlich, im Durchschnitt.
averse [əˈvɜːs] *adj*: **to be ~ to** eine Abneigung haben gegen; **aversion** [əˈvɜːʃən] *n* Abneigung *f*.
avert [əˈvɜːt] *vt* (*turn away*) abkehren;

(*prevent*) abwehren.

aviary ['eɪvɪərɪ] *n* Vogelhaus *nt*.

aviation [eɪvɪ'eɪʃən] *n* Luftfahrt *f*, Flugwesen *nt*.

aviator ['eɪvɪeɪtə*] *n* Flieger(in *f*) *m*.

avid ['ævɪd] *adj* gierig (*for* auf +*akk*); **avidly** *adv* gierig.

avocado [ævə'kɑːdəʊ] *n* <-s> (*also:* ~ **pear**) Avocado[birne] *f*.

avoid [ə'vɔɪd] *vt* vermeiden; **avoidable** *adj* vermeidbar; **avoidance** *n* Vermeidung *f*.

avowal [ə'vaʊəl] *n* Erklärung *f*.

AWACS ['eɪwæks] *acronym of* **airborne warning and control system** Frühwarnsystem *nt*, AWACS *nt*; (*plane*) Luftüberwachungsflugkörper *m*, AWACS-Maschine *f*.

await [ə'weɪt] *vt* erwarten, entgegensehen + *dat*.

awake [ə'weɪk] <**awoke, awoken**> 1. *vi* aufwachen; 2. *vt* [auf]wecken; 3. *adj* wach; **awakening** *n* Erwachen *nt*.

award [ə'wɔːd] 1. *n* (*judgment*) Urteil *nt*; (*prize*) Preis *m*; 2. *vt* zuerkennen.

aware [ə'weə*] *adj* bewußt; **to be** ~ sich *dat* bewußt sein (*of gen*); **awareness** *n* Bewußtsein *nt*.

away [ə'weɪ] *adv* weg, fort.

awe [ɔː] *n* Ehrfurcht *f*; **awe-inspiring, awesome** *adj* ehrfurchtgebietend; **awe-struck** *adj* von Ehrfurcht ergriffen.

awful ['ɔːfʊl] *adj* (*very bad*) furchtbar; **awfully** *adv* furchtbar, sehr.

awkward ['ɔːkwəd] *adj* (*clumsy*) ungeschickt, linkisch; (*embarrassing*) peinlich; **awkwardness** *n* Ungeschicklichkeit *f*.

awning ['ɔːnɪŋ] *n* Markise *f*.

awoke [ə'wəʊk] *pt of* **awake**; **awoken** [ə'wəʊkən] *pp of* **awake**.

awry [ə'raɪ] *adj, adv* schief; **to go** ~ (*person*) fehlgehen; (*plans*) schiefgehen.

ax (*US*), **axe** [æks] 1. *n* Axt *f*, Beil *nt*; 2. *vt* (*end suddenly*) streichen.

axiom ['æksɪəm] *n* Grundsatz *m*, Axiom *nt*; **axiomatic** [æksɪə'mætɪk] *adj* axiomatisch.

axis ['æksɪs] *n* (*MATH*) Achse *f*.

axle ['æksl] *n* (*TECH*) Achse *f*.

ay[e] [aɪ] *interj* (*yes*) ja; **the** ~ **es** *pl* die Jastimmen *pl*.

azure ['eɪʒə*] *adj* himmelblau.

B

B, b [biː] *n* B *nt*, b *nt*.

babble ['bæbl] 1. *vi* schwätzen; (*stream*) murmeln; 2. *n* Geschwätz *nt*.

babe [beɪb] *n* Baby *nt*.

baboon [bə'buːn] *n* Pavian *m*.

baby ['beɪbɪ] *n* Baby *nt*, Säugling *m*; **baby-battering** *n* Kindsmißhandlung *f*; **baby carriage** *n* (*US*) Kinderwagen *m*; **babyish** *adj* kindisch; **baby-sit** *irr vi* Kinder hüten, babysitten; **baby-sitter** *n* Babysitter(in *f*) *m*.

bachelor ['bætʃələ*] *n* Junggeselle *m*; **B** ~ **of Arts** Bakkalaureus *m* der philosophischen Fakultät; **B** ~ **of Science** Bakkalaureus *m* der Naturwissenschaften.

back [bæk] 1. *n* (*of person, horse*) Rücken *m*; (*of house*) Rückseite *f*; (*of train*) Ende *nt*; (*FOOTBALL*) Verteidiger(in *f*) *m*; 2. *vt* (*support*) unterstützen; (*wager*) wetten auf +*akk*; (*car*) rückwärts fahren; 3. *vi* (*go backwards*) rückwärts gehen (o fahren); 4. *adj* hinter(e, s); 5. *adv* zurück; (*to the rear*) nach hinten; **back down** *vi* zurückstecken; **back out** *vi* aussteigen (*of: from* aus); **back up** *vt* (*support*) unterstützen; (*COMPUT*) sichern; (*car*) zurückfahren mit; **backbiting** *n* Lästern *nt*; **backbone** *n* Rückgrat *nt*; (*support*) Rückhalt *m*; **backer** *n* Förderer *m*, Förderin *f*; **backfire** *vi* (*plan*) fehlschlagen; (*AUT*) fehlzünden; **background** *n* Hintergrund *m*; (*of person*) Verhältnisse *pl*; (*person's education*) Vorbildung *f*; (*information*) Hintergründe *pl*, Umstände *pl*; **backhand** 1. *n* (*SPORT*) Rückhand *f*; 2. *adj* Rückhand-; **backhanded** *adj* (*shot*) Rückhand-; (*compliment*) zweifelhaft; **backing** *n* (*support*) Unterstützung *f*; **backlash** *n* (*TECH*) toter Gang; (*fig*) Gegenschlag *m*; **backlog** *n* (*of work*) Rückstand *m*; **back number** *n* (*PRESS*) alte Nummer; **backpack** *n* (*US*) Rucksack *m*; **backpacker** *n* Rucksacktourist(in *f*) *m*; **backpacking** *n* Rucksacktourismus *m*; **back pay** *n* [Gehalts-/Lohn]nachzahlung *f*; **backpedal** *vi* (*on bicycle*) rückwärts treten; (*fig*) zurückstecken; **backside** *n* (*fam*) Hintern *m*; **backspace key** *n* Rücktaste *f*; **backstroke** *n* Rückenschwimmen *nt*; **backtrack** *vi* (*fig*) einen Rückzieher machen; **backup** *n* (*COMPUT*) Sicherung *f*; **backward** *adj* (*less developed*) zurückgeblieben; (*primitive*) rückständig; **backwardness** *n* (*of child*) Unterentwicklung *f*; (*of country*) Rückständigkeit *f*;

backwards adv (in reverse) rückwärts; (towards the past) zurück, rückwärts; **backwater** n (fig) Kaff nt; cultural ~ tiefste Provinz; **backyard** n Hinterhof m.

bacon ['beɪkən] n Schinkenspeck m, Frühstücksspeck m.

bacteria [bæk'tɪərɪə] n pl Bakterien pl.

bad [bæd] adj <worse, worst> schlecht, schlimm.

badge [bædʒ] n Abzeichen nt; (with pin) Button m.

badger ['bædʒə*] 1. n Dachs m; 2. vt plagen.

badly ['bædlɪ] adv schlecht, schlimm; **he is ~ off** es geht ihm schlecht.

badminton ['bædmɪntən] n Federballspiel nt.

bad-tempered ['bæd'tempəd] adj schlecht gelaunt.

baffle ['bæfl] vt (puzzle) verblüffen.

bag [bæg] 1. n (sack) Beutel m; (paper ~) Tüte f; (hand~) Tasche f; (suitcase) Koffer m; (fam: old woman) alte Schachtel; 2. vi sich bauschen.

baggage ['bægɪdʒ] n Gepäck nt; **baggage claim** n Gepäckrückgabe f.

baggy ['bægɪ] adj bauschig, sackartig.

baglady ['bæglædɪ] n (US) Wohnsitzlose f.

bagpipes ['bægpaɪps] n pl Dudelsack m.

Bahamas [bə'hɑːməz] n pl: the ~ die Bahamas pl, die Bahamainseln pl.

bail [beɪl] 1. n (money) Kaution f; 2. vt (also: ~ out) (prisoner) gegen Kaution freilassen; (boat) ausschöpfen; see also bale.

bailiff ['beɪlɪf] n Gerichtsvollzieher(in f) m.

bait [beɪt] 1. n Köder m; 2. vt mit einem Köder versehen; (fig) ködern.

bake [beɪk] vt, vi backen; **baker** n Bäcker(in f) m; ~ **'s dozen** dreizehn; **bakery** n Bäckerei f; **baking** n Backen nt; **baking powder** n Backpulver nt.

balance ['bæləns] 1. n (scales) Waage f; (equilibrium) Gleichgewicht nt; (FIN: state of account) Saldo m; (difference) Bilanz f; (amount remaining) Restbetrag m; 2. vt (weigh) abwägen; (make equal) ausgleichen; **balanced** adj ausgeglichen; **balance sheet** n Bilanz f, Rechnungsabschluß m.

balcony ['bælkənɪ] n Balkon m.

bald [bɔːld] adj kahl; (statement) knapp.

bale [beɪl] 1. n Ballen m; 2. vi: to ~ out (from a plane) abspringen.

baleful ['beɪlfʊl] adj unglückselig; (evil) böse.

balk [bɔːk] 1. vt (hinder) vereiteln; 2. vi

scheuen (at vor + dat).

ball [bɔːl] n Ball m.

ballad ['bæləd] n Ballade f.

ballast ['bæləst] n Ballast m.

ball bearing [bɔːl'bɛərɪŋ] n Kugellager nt.

ballerina [bælə'riːnə] n Ballerina f.

ballet [,'bæleɪ] n Ballett nt.

ballistics [bə'lɪstɪks] n sing Ballistik f.

balloon [bə'luːn] n [Luft]ballon m.

ballot ['bælət] n [geheime] Abstimmung f.

ball-point [pen] ['bɔːlpɔɪnt'pen] n Kugelschreiber m.

balmy ['bɑːmɪ] adj sanft; mild.

balsa ['bɔːlsə] n (also: ~ **wood**) Balsaholz nt.

Baltic ['bɔːltɪk] adj: ~ **Sea** Ostsee f.

balustrade [bæləs'treɪd] n Brüstung f.

bamboo [bæm'buː] n Bambus m.

bamboozle [bæm'buːzl] vt übers Ohr hauen.

ban [bæn] 1. n Verbot nt; 2. vt verbieten.

banal [bə'nɑːl] adj banal.

banana [bə'nɑːnə] n Banane f; **banana republic** n (pej) Bananenrepublik f.

band [bænd] n Band nt; (group) Gruppe f; (of criminals) Bande f; (MUS) Kapelle f; (of modern music) Band f; **band together** vi sich zusammentun.

bandage ['bændɪdʒ] n Verband m; (elastic) Bandage f.

Band-Aid ® ['bændeɪd] n Hansaplast ® nt.

B and B abbr of **bed and breakfast**.

bandit ['bændɪt] n Bandit m.

bandy ['bændɪ] vt wechseln; **bandy-legged** adj o-beinig.

bang [bæŋ] 1. n (explosion) Knall m; (blow) Hieb m; 2. vt, vi knallen.

bangle ['bæŋgl] n Armspange f.

banish ['bænɪʃ] vt verbannen.

banister ['bænɪstə*] n (also: ~ **s**) [Treppen]geländer nt.

banjo ['bændʒəʊ] n <-es o US -s > Banjo m.

bank [bæŋk] 1. n (raised ground) Erdwall m; (of lake etc) Ufer nt; (FIN) Bank f; 2. vt (AVIAT) in die Kurve bringen; (money) einzahlen; to ~ **on sth** mit etw rechnen; **bank account** n Bankkonto nt; **bank clerk** n (employee) Bankbeamte(r) m, Bankbeamtin f; **bank code number** n Bankleitzahl f; **bank holiday** n gesetzlicher Feiertag; **banking** n Bankwesen nt, Bankgeschäft nt; **banknote** n Banknote f; **bankrupt** 1. n Zahlungsunfähige(r) mf; 2. vt bankrott machen; to go ~ Pleite machen; **bankruptcy** n Bankrott m; **bank statement** n Kontoauszug m.

banner ['bænə*] n Banner nt.

banns [bænz] n pl Aufgebot nt.

banquet ['bæŋkwɪt] n Bankett nt, Festessen *nt*.

banter ['bæntə*] *n* scherzhaftes Geplänkel.

baptism ['bæptɪzəm] *n* Taufe *f*; **baptize** [bæp'taɪz] *vt* taufen.

bar [bɑ:*] 1. *n* (*rod*) Stange *f*; (*obstacle*) Hindernis *nt*; (*of chocolate*) Tafel *f*; (*of soap*) Stück *nt*; (*for food, drink*) Buffet *nt*, Bar *f*; (*pub*) Wirtschaft *f*; (*MUS*) Taktstrich *m*; 2. *vt* (*fasten*) verriegeln; (*hinder*) versperren; (*exclude*) ausschließen; **to be called to the B~** als Anwalt zugelassen werden; **~ none** ohne Ausnahme.

barbarian [bɑ:'bɛərɪən] *n* Barbar(in *f*) *m*; **barbaric** [bɑ:'bærɪk] *adj* primitiv, unkultiviert; **barbarity** [bɑ:'bærɪtɪ] *n* Grausamkeit *f*; **barbarous** ['bɑ:bərəs] *adj* grausam, barbarisch.

barbecue ['bɑ:bɪkju:] *n* Barbecue *m*; (*party also*) Grillfest *nt*.

barbed wire ['bɑ:bd'waɪə*] *n* Stacheldraht *m*.

barber ['bɑ:bə*] *n* Herrenfriseur *m*.

barbiturate [bɑ:'bɪtjurɪt] *n* Barbiturat *nt*, Schlafmittel *nt*.

bar code ['bɑ:kəud] *n* Strichkode *m*.

bare [bɛə*] 1. *adj* nackt; (*trees, country*) kahl; (*mere*) bloß; 2. *vt* entblößen; **bareback** *adv* ungesattelt; **barefaced** *adj* unverfroren; **barefoot** *adj* barfuß; **bareheaded** *adj* mit bloßem Kopf; **barely** *adv* kaum, knapp; **bareness** *n* Nacktheit *f*; Kahlheit *f*.

bargain ['bɑ:gɪn] 1. *n* (*sth cheap*) günstiger Kauf; (*agreement: written*) Kaufvertrag *m*; (*oral*) Geschäft *nt*; 2. *vi* handeln (*for* um); **what a ~ !** das ist aber günstig; **into the ~** obendrein; **bargain for** *vt* rechnen mit.

barge [bɑ:dʒ] *n* Lastkahn *m*; **barge in** *vi* hereinplatzen.

baritone ['bærɪtəun] *n* Bariton *m*.

bark [bɑ:k] 1. *n* (*of tree*) Rinde *f*; (*of dog*) Bellen *nt*; 2. *vi* (*dog*) bellen.

barley ['bɑ:lɪ] *n* Gerste *f*.

barmaid ['bɑ:meɪd] *n* Bardame *f*; **barman** ['bɑ:mən] *n* <-men> Barkellner *m*.

barn [bɑ:n] *n* Scheune *f*.

barnacle ['bɑ:nəkl] *n* Entenmuschel *f*.

barometer [bə'rɒmɪtə*] *n* Barometer *nt*.

baron ['bærən] *n* Baron *m*; **baroness** *n* Baronin *f*; **baronial** [bə'rəunɪəl] *adj* freiherrlich.

baroque [bə'rɒk] *adj* barock.

barracks ['bærəks] *n pl* Kaserne *f*.

barrage ['bærɑ:ʒ] *n* (*gunfire*) Sperrfeuer *nt*; (*dam*) Staudamm *m*.

barrel ['bærəl] *n* Faß *nt*; (*of gun*) Lauf *m*; **barrel organ** *n* Drehorgel *f*.

barren ['bærən] *adj* unfruchtbar.

barricade [bærɪ'keɪd] 1. *n* Barrikade *f*; 2. *vt* verbarrikadieren.

barrier ['bærɪə*] *n* (*obstruction*) Hindernis *nt*; (*fence*) Schranke *f*.

barrister ['bærɪstə*] *n* (*Brit*) Rechtsanwalt(-anwältin *f*) *m*.

barrow ['bærəu] *n* (*cart*) Schubkarren *m*.

bartender ['bɑ:tendə*] *n* (*US*) Barmann *m*.

barter ['bɑ:tə*] 1. *n* Tauschhandel *m*; 2. *vi* Tauschhandel treiben.

base [beɪs] 1. *n* (*bottom*) Boden *m*, Basis *f*; (*MIL*) Stützpunkt *m*; 2. *vt* gründen; 3. *adj* (*low*) gemein; **to be ~d on** basieren auf; **baseball** *n* Baseball *m*; **baseless** *adj* grundlos; **basement** *n* Kellergeschoß *nt*.

bash [bæʃ] *vt* (*fam*) [heftig] schlagen.

bashful ['bæʃful] *adj* schüchtern.

basic ['beɪsɪk] *adj* grundlegend; **basically** *adv* im Grunde.

BASIC ['beɪsɪk] *n acronym of* beginner's all-purpose symbolic instruction code BASIC *nt*.

basin ['beɪsn] *n* (*dish*) Schüssel *f*; (*for washing, also valley*) Becken *nt*; (*dock*) [Trocken]becken *nt*.

basis ['beɪsɪs] *n* Basis *f*, Grundlage *f*.

bask [bɑ:sk] *vi* sich sonnen.

basket ['bɑ:skɪt] *n* Korb *m*; **basketball** *n* Basketball *m*.

bass [beɪs] *n* (*MUS: instrument*) Baß *m*; (*voice*) Baßstimme *f*; **bass clef** *n* Baßschlüssel *m*.

bassoon [bə'su:n] *n* Fagott *nt*.

bastard ['bɑ:stəd] *n* Bastard *m*; (*fam*) Arschloch *nt*.

baste [beɪst] *vt* (*meat*) [mit Fett] begießen.

bastion ['bæstɪən] *n* (*fig*) Bollwerk *nt*.

bat [bæt] 1. *n* (*SPORT*) Schlagholz *nt*; (*TABLE-TENNIS*) Schläger *m*; (*ZOOL*) Fledermaus *f*; 2. *vt*: **he didn't ~ an eyelid** er hat nicht mit der Wimper gezuckt; **off one's own ~** auf eigene Faust.

batch [bætʃ] *n* (*of letters*) Stoß *m*; (*of samples*) Satz *m*.

bated ['beɪtɪd] *adj*: **with ~ breath** mit verhaltenem Atem, gespannt.

bath [bɑ:θ] 1. *n* Bad *nt*; (*tub*) Badewanne *f*; 2. *vt* baden; **bathchair** *n* Rollstuhl *m*.

bathe [beɪð] *vi, vt* baden; **bather** *n* Badende(r) *mf*; **bathing** *n* Baden *nt*; **bathing cap** *n* Badekappe *f*; **bathing costume** *n* Badeanzug *m*.

bathmat ['bɑ:θmæt] *n* Badevorleger *m*; **bathroom** *n* Bad[ezimmer] *nt*; **baths** [bɑ:ðz] *n pl* [Schwimm]bad *nt*; **bath towel** *n* Badetuch *nt*.

batman ['bætmən] *n* <-men> [Offiziers)bursche *m*.

baton ['bætən] *n* (*of police*) Gummiknüppel *m*; (*MUS*) Taktstock *m*.

batter ['bætə*] 1. *vt* verprügeln; 2. *n* [Pfannkuchen]teig *m*; (*for cake*) Biskuitteig *m*.

battery ['bætərı] *n* (*ELEC*) Batterie *f*; (*MIL*) Geschützbatterie *f*.

battle ['bætl] 1. *n* Schlacht *f*; (*small*) Gefecht *nt*; 2. *vi* kämpfen; **battle-axe** *n* (*fam*) Xanthippe *f*; **battlefield** *n* Schlachtfeld *nt*; **battlements** *n pl* Zinnen *pl*; **battleship** *n* Schlachtschiff *nt*.

batty ['bætı] *adj* (*fam*) plemplem.

Bavaria [bə'vɛərıə] *n* Bayern *nt*; **Bavarian** 1. *adj* bay[e]risch; 2. *n* Bayer(in *f*) *m*.

bawl [bɔ:l] *vi* brüllen; **to ~ sb out** jdn zur Schnecke machen.

bay [beı] *n* (*of sea*) Bucht *f*; **at ~** gestellt, in die Enge getrieben; **to keep at ~** unter Kontrolle halten.

bayonet ['beıənət] *n* Bajonett *nt*.

bay window [beı'wındəu] *n* Erkerfenster *nt*.

bazaar [bə'zɑ:*] *n* Basar *m*.

bazooka [bə'zu:kə] *n* Panzerfaust *f*.

BC *abbr of* **before Christ** vor Christi Geburt, v. Chr..

be [bi:] **<was, were, been>** *vi* sein; (*become, for passive*) werden; (*be situated*) liegen, sein; **the book is 40p** das Buch kostet 40p; **he wants to ~ a teacher** er will Lehrer werden; **how long have you been here?** wie lange sind Sie schon da?; **have you ever been to Rome?** warst du schon einmal in Rom?, bist du schon einmal in Rom gewesen?; **his name is on the list** sein Name steht auf der Liste; **there is/are** es gibt.

beach [bi:tʃ] 1. *n* Strand *m*; 2. *vt* (*ship*) auf den Strand setzen; **beachwear** *n* Strandkleidung *f*.

beacon ['bi:kən] *n* (*signal*) Leuchtfeuer *nt*; (*traffic ~*) Bake *f*.

bead [bi:d] *n* Perle *f*; (*drop*) Tropfen *m*.

beak [bi:k] *n* Schnabel *m*.

beaker ['bi:kə*] *n* Becher *m*.

beam [bi:m] 1. *n* (*of wood*) Balken *m*; (*of light*) Strahl *m*; (*smile*) strahlendes Lächeln; 2. *vi* strahlen.

bean [bi:n] *n* Bohne *f*.

bear [bɛə*] **<bore, born[e]>** 1. *vt* (*weight, crops*) tragen; (*tolerate*) ertragen; (*young*) gebären; 2. *n* Bär *m*; **bear on** *vi* relevant sein für; **bearable** *adj* erträglich.

beard [bıəd] *n* Bart *m*; **bearded** *adj* bärtig.

bearer ['bɛərə*] *n* Träger(in *f*) *m*.

bearing ['bɛərıŋ] *n* (*posture*) Haltung *f*; (*relevance*) Relevanz *f*; (*relation*) Bedeutung *f*; (*TECH*) Kugellager *nt*; **bearings** *n pl* (*direction*) Orientierung *f*.

bearskin ['bɛəskın] *n* Bärenfellmütze *f*.

beast [bi:st] *n* Tier *nt*, Vieh *nt*; (*person*) Bestie *f*; (*nasty person*) Biest *nt*; **~ of burden** Lasttier *nt*; **beastly** *adj* scheußlich.

beat [bi:t] **<beat, beaten>** 1. *vt* schlagen; 2. *n* (*stroke*) Schlag *m*; (*pulsation*) [Herz]schlag *m*; (*police round*) Runde *f*; (*police district*) Revier *nt*; (*MUS*) Takt *m*; (*type of music*) Beat *m*; **to ~ about the bush** wie die Katze um den heißen Brei herumgehen; **to ~ time** den Takt schlagen; **beat off** *vt* abschlagen; **beat up** *vt* zusammenschlagen; **beaten** 1. *pp of* **beat**; 2. *adj*: **~ track** gebahnter Weg; (*fig*) herkömmliche Art und Weise; **off the ~ track** abgelegen; **beater** *n* (*for eggs, cream*) Schneebesen *m*.

beautiful ['bju:tıful] *adj* schön; **beautifully** *adv* ausgezeichnet; **beautify** ['bju:tıfaı] *vt* verschönern; **beauty** ['bju:tı] *n* Schönheit *f*.

beaver ['bi:və*] *n* Biber *m*.

becalm [bı'ka:m] *vt*: **to be ~ed** eine Flaute haben.

became [bı'keım] *pt of* **become**.

because [bı'kɔz] 1. *adv, conj* weil; 2. *prep*: **~ of** wegen +*gen o* +*gen dat*.

beckon ['bɛkən] *vt, vi* ein Zeichen geben (*sb* jdm).

become [bı'kʌm] **<became, become>** *vt* werden; (*clothes*) stehen +*dat*; **becoming** [bı'kʌmıŋ] *adj* (*suitable*) schicklich; (*clothes*) kleidsam.

bed [bɛd] *n* Bett *nt*; (*of river*) Flußbett *nt*; (*foundation*) Schicht *f*; (*in garden*) Beet *nt*; **bed and breakfast** *n* Übernachtung *f* mit Frühstück; **bedclothes** *n pl* Bettwäsche *f*; **bedding** *n* Bettzeug *nt*.

bedeck [bı'dɛk] *vt* schmücken.

bedlam ['bɛdləm] *n* (*uproar*) tolles Durcheinander.

bedraggled [bı'drægld] *adj* ramponiert.

bedridden ['bɛdrıdn] *adj* bettlägerig.

bedroom ['bɛdrum] *n* Schlafzimmer *nt*; **bedside** *n*: **at the ~** am Bett; **bed-sitter** *n* möbliertes Zimmer; **bedtime** *n* Schlafenszeit *f*.

bee [bi:] *n* Biene *f*.

Beeb [bi:b] *n* (*fam*) BBC *f*.

beech [bi:tʃ] *n* Buche *f*.

beef [bi:f] *n* Rindfleisch *nt*.

beehive ['bi:haıv] *n* Bienenstock *m*.

beeline ['bi:laın] *n*: **to make a ~ for** schnurstracks zugehen auf +*akk*.

been [bi:n] *pp of* **be**.

beer [bɪə*] *n* Bier *nt.*

beetle ['biːtl] *n* Käfer *m.*

beetroot ['biːtruːt] *n* rote Bete.

befall [bɪ'fɔːl] *irr* **1.** *vi* sich ereignen; **2.** *vt* zustoßen + *dat.*

befit [bɪ'fɪt] *vt* sich schicken für.

before [bɪ'fɔː*] **1.** *prep* vor; **2.** *conj* bevor; **3.** *adv* (*of time*) vorher; **I've done it ~** das habe ich schon mal getan.

beg [beg] *vt, vi* (*implore*) dringend bitten; (*alms*) betteln; **beggar** *n* Bettler(in *f*) *m.*

began [bɪ'gæn] *pt of* **begin**.

begin [bɪ'gɪn] <**began, begun**> *vt, vi* anfangen, beginnen; (*found*) gründen; **to ~ with** zunächst [einmal]; **beginner** *n* Anfänger(in *f*) *m;* **beginning** *n* Anfang *m.*

begrudge [bɪ'grʌdʒ] *vt* [be]neiden; **to ~ sb sth** jdm etw mißgönnen.

begun [bɪ'gʌn] *pp of* **begin**.

behalf [bɪ'hɑːf] *n:* **on ~ of, in ~ of** (*US*) im Namen von; **on my ~** für mich.

behave [bɪ'heɪv] *vi* sich benehmen; **behaviour, behavior** (*US*) [bɪ'heɪvjə*] *n* Benehmen *nt.*

behead [bɪ'hed] *vt* enthaupten.

behind [bɪ'haɪnd] **1.** *prep* hinter; **2.** *adv* (*late*) im Rückstand; (*in the rear*) hinten; **3.** *n* (*fam*) Hinterteil *nt.*

beige [beɪʒ] *adj* beige.

being ['biːɪŋ] *n* (*existence*) [Da]sein *nt;* (*person*) Wesen *nt.*

belch [beltʃ] **1.** *n* Rülpsen *nt;* **2.** *vi* rülpsen; **3.** *vt* (*smoke*) ausspeien.

belfry ['belfrɪ] *n* Glockenturm *m.*

Belgian ['beldʒən] **1.** *adj* belgisch; **2.** *n* Belgier(in *f*) *m;* **Belgium** ['beldʒəm] *n* Belgien *nt.*

belie [bɪ'laɪ] *vt* Lügen strafen.

belief [bɪ'liːf] *n* Glaube *m* (*in an* + *akk*); (*conviction*) Überzeugung *f.*

believable [bɪ'liːvəbl] *adj* glaubhaft.

believe [bɪ'liːv] **1.** *vt* glauben + *dat;* (*think*) glauben, meinen, denken; **2.** *vi* (*have faith*) glauben; **believer** *n* Gläubige(r) *mf.*

belittle [bɪ'lɪtl] *vt* herabsetzen.

bell [bel] *n* Glocke *f.*

belligerent [bɪ'lɪdʒərənt] *adj* (*person*) streitsüchtig; (*country*) kriegführend.

bellow ['beləʊ] **1.** *vt, vi* brüllen; **2.** *n* Gebrüll *nt.*

bellows ['beləʊz] *n pl* (*TECH*) Gebläse *nt;* (*for fire*) Blasebalg *m.*

belly ['belɪ] **1.** *n* Bauch *m;* **2.** *vi* sich ausbauchen.

belong [bɪ'lɒŋ] *vi* gehören (*to sb* jdm); (*to club*) angehören + *dat;* **it does not ~ here** es gehört nicht hierher; **belongings** *n pl* Habe *f.*

beloved [bɪ'lʌvɪd] **1.** *adj* innig geliebt; **2.** *n* Geliebte(r) *mf.*

below [bɪ'ləʊ] **1.** *prep* unter; **2.** *adv* unten.

belt [belt] **1.** *n* (*band*) Riemen *m;* (*round waist*) Gürtel *m;* (*safety ~*) Gurt *m;* **2.** *vt* (*fasten*) mit Riemen befestigen; (*fam: beat*) schlagen; **3.** *vi* (*fam: go fast*) rasen, düsen; **beltway** *n* (*US*) Umgehungsstraße *f.*

bench [bentʃ] *n* (*seat*) Bank *f;* (*workshop*) Werkbank *f;* (*judge's seat*) Richterbank *f;* (*judges*) Richterstand *m.*

bend [bend] <**bent, bent**> **1.** *vt* (*curve*) biegen; (*stoop*) beugen; **2.** *n* Biegung *f;* (*in road*) Kurve *f.*

beneath [bɪ'niːθ] **1.** *prep* unter; **2.** *adv* darunter.

benefactor ['benɪfæktə*] *n* Wohltäter(in *f*) *m.*

beneficial [benɪ'fɪʃl] *adj* vorteilhaft; (*to health*) heilsam.

beneficiary [benɪ'fɪʃərɪ] *n* Nutznießer(in *f*) *m.*

benefit ['benɪfɪt] **1.** *n* (*advantage*) Nutzen *m;* **2.** *vt* fördern; **3.** *vi* Nutzen ziehen (*from* aus); **earnings-related ~** Arbeitslosengeld *nt.*

Benelux ['benɪlʌks] *n* Beneluxländer *pl.*

benevolence [bɪ'nevələns] *n* Wohlwollen *nt;* **benevolent** [bɪ'nevələnt] *adj* wohlwollend.

benign [bɪ'naɪn] *adj* (*person*) gütig; (*climate*) mild; (*MED*) gutartig.

bent [bent] **1.** *pt, pp of* **bend**; **2.** *n* (*inclination*) Neigung *f;* **3.** *adj* (*fam: dishonest*) unehrlich; **to be ~ on** versessen sein auf + *akk.*

bequeath [bɪ'kwiːð] *vt* vermachen; **bequest** [bɪ'kwest] *n* Vermächtnis *nt.*

bereaved [bɪ'riːvd] *n* (*person*) Hinterbliebene(r) *mf;* **bereavement** [bɪ'riːvmənt] *n* schmerzlicher Verlust.

beret ['berɪ] *n* Baskenmütze *f.*

Bermuda [bə'mjuːdə] **1.** *n:* **the ~s** *pl* die Bermudas *pl*, die Bermudainseln *pl;* **2.** *adj:* **~ shorts** *pl* Bermudashorts *pl.*

berry ['berɪ] *n* Beere *f.*

berserk [bə'sɜːk] *adj:* **to go ~** wild werden.

berth [bɜːθ] **1.** *n* (*for ship*) Ankerplatz *m;* (*in ship*) Koje *f;* (*in train*) Bett *nt;* **2.** *vt* am Kai festmachen; **3.** *vi* anlegen.

beseech [bɪ'siːtʃ] <**besought, besought**> *vt* anflehen.

beset [bɪ'set] *irr vt* bedrängen.

beside [bɪ'saɪd] *prep* neben, bei; (*except*) außer; **to be ~ oneself** außer sich sein (*with* vor + *dat*).

besides [bɪ'saɪdz] **1.** *prep* außer, neben; **2.** *adv* zudem, überdies.

besiege [bɪˈsiːdʒ] vt (MIL) belagern; (surround) umlagern, bedrängen.

besought [bɪˈsɔːt] pt, pp of **beseech**.

bespectacled [bɪˈspektɪkld] adj bebrillt.

best [best] < superlative of **good, well** > 1. adj beste(r, s); 2. adv am besten; **at ~** höchstens; **to make the ~ of it** das Beste daraus machen; **for the ~** zum Besten.

bestial [ˈbestɪəl] adj bestialisch.

best man n < men > Trauzeuge m.

bestow [bɪˈstəu] vt verleihen.

bestseller [ˈbestseləˈ] n Bestseller m, meistgekauftes Buch.

bet [bet] < **bet, bet** > 1. vt, vi wetten; 2. n Wette f.

beta-blocker [ˈbiːtəbləkəˈ] n (MED) Betablocker m.

betray [bɪˈtreɪ] vt verraten; **betrayal** n Verrat m.

better [ˈbetəˈ] < comparative of **good, well** > 1. adj, adv besser; 2. vt verbessern; 3. n: **to get the ~ of sb** jdn unterkriegen, jdn schaffen; **he thought ~ of it** er hat sich eines Besseren besonnen; **you had ~ leave** Sie gehen jetzt wohl besser; **better off** adj (richer) wohlhabender.

betting [ˈbetɪŋ] n Wetten pl; **betting shop** n Wettbüro nt.

between [bɪˈtwiːn] 1. prep zwischen; (among) unter; 2. adv dazwischen.

bevel [ˈbevəl] n Abschrägung f.

beverage [ˈbevərɪdʒ] n Getränk nt.

beware [bɪˈwɛəˈ] vt sich hüten vor + dat; **~ of the dog** 'Vorsicht, bissiger Hund!'

bewildered [bɪˈwɪldəd] adj verwirrt; **bewildering** adj verwirrend.

bewitching [bɪˈwɪtʃɪŋ] adj bestrickend.

beyond [bɪˈjɒnd] 1. prep (place) jenseits + gen; (time) über... hinaus; (out of reach) außerhalb + gen; 2. adv darüber hinaus; **it's ~ me** das geht über meinen Horizont.

bias [ˈbaɪəs] n (slant) Neigung f; (prejudice) Vorurteil nt; **bias[s]ed** adj voreingenommen.

bib [bɪb] n Latz m.

Bible [ˈbaɪbl] n Bibel f; **biblical** [ˈbɪblɪkəl] adj biblisch.

bibliography [bɪblɪˈɒɡrəfɪ] n Bibliographie f.

bicarbonate [baɪˈkɑːbənɪt] n: **~ of soda** Natron m.

bicentenary [baɪsenˈtiːnərɪ] n Zweihundertjahrfeier f.

biceps [ˈbaɪseps] n sing Bizeps m.

bicker [ˈbɪkəˈ] vi zanken; **bickering** n Gezänk nt, Gekeife nt.

bicycle [ˈbaɪsɪkl] n Fahrrad nt.

bid [bɪd] < **bid, bidden** > 1. vt (offer) bieten; 2. n (offer) Gebot nt; (attempt)

Versuch m; **to sb ~ farewell** jdm Lebewohl sagen; **bidden** [ˈbɪdn] pp of **bid**; **bidder** n (person) Steigerer m, Steigerin f; **bidding** n (at auction) Steigern nt; (command) Geheiß nt.

bide [baɪd] vt: **to ~ one's time** abwarten.

bifocals [baɪˈfəuklz] n pl Bifokalgläser pl, Bifokalbrille f.

big [bɪg] adj groß.

bigamy [ˈbɪgəmɪ] n Bigamie f.

bigheaded [bɪgˈhedɪd] adj eingebildet.

bigot [ˈbɪgət] n Frömmler(in f) m; **bigoted** adj bigott; **bigotry** n Bigotterie f.

bigwig [ˈbɪgwɪg] n (fam) hohes Tier.

bike [baɪk] n (fam) Rad nt.

bikini [bɪˈkiːnɪ] n Bikini m.

bilateral [baɪˈlætərəl] adj bilateral.

bile [baɪl] n Galle[nflüssigkeit] f.

bilge [bɪldʒ] n (water) Bilgenwasser nt.

bilingual [baɪˈlɪŋgwəl] adj zweisprachig.

bilious [ˈbɪlɪəs] adj (sick) gallenkrank; (peevish) verstimmt.

bill [bɪl] n (account) Rechnung f; (POL) Gesetzentwurf m; (US FIN) Geldschein m; **~ of exchange** Wechsel m; **billfold** [ˈbɪlfəuld] n (US) Brieftasche f.

billiards [ˈbɪlɪədz] n sing Billard m.

billion [ˈbɪlɪən] n Milliarde f; (old Brit) Billion f.

billy goat [ˈbɪlɪgəut] n Ziegenbock m.

bin [bɪn] n Kasten m; (dust~) Abfalleimer m.

binary [ˈbaɪnərɪ] adj binär.

bind [baɪnd] < **bound, bound** > vt (tie) binden; (tie together) zusammenbinden; (oblige) verpflichten; **binding** 1. n [Buch]einband m; 2. adj verbindlich.

binge [bɪndʒ] n (fam) Sauferei f; **to go on a ~** einen draufmachen.

bingo [ˈbɪŋgəu] n Bingo nt.

binoculars [bɪˈnɒkjuləz] n pl Fernglas nt.

biochemistry [baɪəuˈkemɪstrɪ] n Biochemie f; **biodegradable** [ˈbaɪəudɪˈgreɪdəbl] adj biologisch abbaubar; **biodynamic** adj biodynamisch; **biogas** n Biogas nt.

biographer [baɪˈɒgrəfəˈ] n Biograph(in f) m; **biographic[al]** [baɪəuˈgræfɪkl] adj biographisch; **biography** [baɪˈɒgrəfɪ] n Biographie f.

biological [baɪəˈlɒdʒɪkəl] adj biologisch; **biologist** [baɪˈɒlədʒɪst] n Biologe(-login f) m; **biology** [baɪˈɒlədʒɪ] n Biologie f.

biomass [ˈbaɪəmæs] n Biomasse f; **biorythm** n Biorhythmus m; **biotechnology** n Biotechnik f; **biotope** [ˈbaɪətəup] n Biotop nt.

biped [ˈbaɪped] n Zweifüßer m.

birch [bɜːtʃ] n Birke f.

bird [bɜːd] n Vogel m; (fam: girl) Mädchen

nt; **bird's-eye view** *n* Vogelperspektive *f*.

birth [bɜːθ] *n* Geburt *f*; **of good ~** aus gutem Hause; **birth certificate** *n* Geburtsurkunde *f*; **birth control** *n* Geburtenkontrolle *f*; **birthday** *n* Geburtstag *m*; **happy ~** herzlichen Glückwunsch zum Geburtstag; **birthmark** *n* Muttermal *nt*; **birthplace** *n* Geburtsort *m*; **birth rate** *n* Geburtenrate *f*.

Biscay ['bɪskeɪ] *n*: **the Bay of ~** der Golf von Biskaya.

biscuit ['bɪskɪt] *n* Keks *m*.

bisect [baɪ'sekt] *vt* halbieren.

bishop ['bɪʃəp] *n* Bischof *m*.

bit [bɪt] **1.** *pt of* **bite**; **2.** *n* bißchen, Stückchen *nt*; (*COMPUT*) Bit *nt*; (*horse's ~*) Gebiß *nt*; **a ~ tired** etwas müde.

bitch [bɪtʃ] *n* (*dog*) Hündin *f*; (*unpleasant woman*) Weibsstück *nt*; **son of a ~** (*US: admiring*) toller Kerl; (*nasty*) gemeiner Kerl.

bite [baɪt] <**bit, bitten**> **1.** *vt*, *vi* beißen; **2.** *n* Biß *m*; (*mouthful*) Bissen *m*; **a ~ to eat** ein Happen *m* zu essen; **to have ~** Biß haben; **biting** *adj* beißend; **bitten** ['bɪtn] *pp of* **bite**.

bitter ['bɪtə*] **1.** *adj* bitter; (*memory etc*) schmerzlich; (*person*) verbittert; **2.** *n* (*beer*) dunkles Bier; **to the ~ end** bis zum bitteren Ende; **bitterness** *f* Bitterkeit *f*.

bivouac ['bɪvʊæk] *n* Biwak *nt*.

bizarre [bɪ'zɑː*] *adj* bizarr.

blab [blæb] **1.** *vi* klatschen, tratschen; **2.** *vt* ausplaudern.

black [blæk] **1.** *adj* schwarz; (*night*) finster; **2.** *vt* schwärzen; (*shoes*) wichsen; (*eye*) blau schlagen; (*industry*) boykottieren; **B~ Forest** Schwarzwald *m*; **the B~ Sea** das Schwarze Meer; **~ sheep** (*fig*) schwarzes Schaf; **~ and blue** grün und blau; **blackberry** *n* Brombeere *f*; **blackbird** *n* Amsel *f*; **blackboard** *n* [Wand]tafel *f*; **blackcurrant** *n* schwarze Johannisbeere; **blackleg** *n* Streikbrecher(in *f*) *m*; **blacklist** *n* schwarze Liste; **blackmail 1.** *n* Erpressung *f*; **2.** *vt* erpressen; **blackmailer** *n* Erpresser(in *f*) *m*; **black market** *n* Schwarzmarkt *m*; **blackness** *n* Schwärze *f*; **blackout** *n* Verdunklung *f*; **to have a ~** (*MED*) bewußtlos werden; **blacksmith** *n* Schmied(in *f*) *m*.

bladder ['blædə*] *n* Blase *f*.

blade [bleɪd] *n* (*of weapon*) Klinge *f*; (*of grass*) Halm *m*; (*of oar*) Ruderblatt *nt*.

blame [bleɪm] **1.** *n* Tadel *m*; (*guilt*) Schuld *f*; **2.** *vt* tadeln, Vorwürfe machen +*dat*; **he is to ~** er ist daran schuld;

blameless *adj* untadelig.

blanch [blɑːntʃ] *vi* bleich werden.

blancmange [blə'mɒnʒ] *n* Pudding *m*.

bland [blænd] *adj* mild.

blank [blæŋk] **1.** *adj* leer, unbeschrieben; (*look*) verdutzt; (*cheque*) Blanko-; (*verse*) Blank-; **2.** *n* (*space*) Lücke *f*; (*TYP*) Zwischenraum *m*, Leerschlag *m*; (*cartridge*) Platzpatrone *f*.

blanket ['blæŋkɪt] *n* [Woll]decke *f*.

blankly ['blæŋklɪ] *adv* leer; (*look*) verdutzt.

blare [blɛə*] **1.** *vt*, *vi* (*radio*) plärren; (*horn*) tuten; (*MUS*) schmettern; **2.** *n* Geplärr *nt*; (*of horn*) Getute *nt*; (*MUS*) Schmettern *nt*.

blasé ['blɑːzeɪ] *adj* blasiert.

blaspheme [blæs'fiːm] *vi* (*God*) lästern; **blasphemous** ['blæsfɪməs] *adj* lästernd, lästerlich; **blasphemy** ['blæsfəmɪ] *n* [Gottes]lästerung *f*, Blasphemie *f*.

blast [blɑːst] **1.** *n* Explosion *f*; (*of wind*) Windstoß *m*; **2.** *vt* (*blow up*) sprengen; **~!** (*fam*) verflixt!; **blast furnace** *n* Hochofen *m*; **blast-off** *n* (*SPACE*) [Raketen]abschuß *m*.

blatant ['bleɪtənt] *adj* offenkundig.

blaze [bleɪz] **1.** *n* (*fire*) loderndes Feuer; **2.** *vi* lodern.

blazer ['bleɪzə*] *n* Klubjacke *f*, Blazer *m*.

bleach [bliːtʃ] **1.** *n* Bleichmittel *nt*; **2.** *vt* bleichen.

bleak [bliːk] *adj* kahl, rauh; (*future*) trostlos.

bleary-eyed ['blɪərɪaɪd] *adj* triefäugig; (*on waking up*) mit verschlafenen Augen.

bleat [bliːt] **1.** *n* (*of sheep*) Blöken *nt*; (*of goat*) Meckern *nt*; **2.** *vi* blöken; meckern.

bled [bled] *pt*, *pp of* **bleed**.

bleed [bliːd] <**bled, bled**> **1.** *vi* bluten; **2.** *vt* (*draw blood*) Blut abnehmen +*dat*; **to ~ to death** verbluten; **bleeding** *adj* blutend; (*Brit fam*) verdammt.

blemish ['blemɪʃ] **1.** *n* Makel *m*; **2.** *vt* verunstalten.

blend [blend] **1.** *n* Mischung *f*; **2.** *vt* mischen; **3.** *vi* sich mischen; **blender** *n* Mixer *m*.

bless [bles] *vt* segnen; (*give thanks*) preisen; (*make happy*) glücklich machen; **~ you!** Gesundheit!; **blessing** *n* Segen *m*; (*at table*) Tischgebet *nt*; (*happiness*) Wohltat *f*; (*fig*) Segen *m*; (*good wish*) Glück *nt*.

blew [bluː] *pt of* **blow**.

blight [blaɪt] **1.** *n* (*BOT*) Mehltau *m*; (*fig*) schädlicher Einfluß *m*; **2.** *vt* zunichte machen.

blimey ['blaɪmɪ] *interj* (*Brit fam*) verflucht.

blind [blaɪnd] 1. *adj* blind; (*corner*) unübersichtlich; 2. *n* (*for window*) Rollo *nt*; 3. *vt* blenden; **blind alley** *n* Sackgasse *f*; **blindfold** 1. *n* Augenbinde *f*; 2. *adj* mit verbundenen Augen; 3. *vt* die Augen verbinden (*sb* jdm); **blindly** *adv* blind; (*fig*) blindlings; **blindness** *n* Blindheit *f*; **blind spot** *n* (*AUT*) toter Winkel; (*fig*) schwacher Punkt.

blink [blɪŋk] *vt*, *vi* blinzeln; **blinkers** *n pl* Scheuklappen *pl*.

bliss [blɪs] *n* [Glück]seligkeit *f*; **blissfully** *adv* glückselig.

blister ['blɪstə*] 1. *n* Blase *f*; 2. *vi* Blasen werfen.

blitz [blɪts] 1. *n* Luftkrieg *m*; 2. *vt* bombardieren.

blizzard ['blɪzəd] *n* Schneesturm *m*.

bloated ['bləʊtɪd] *adj* aufgedunsen; (*fam: full*) nudelsatt.

blob [blɒb] *n* Klümpchen *nt*.

bloc [blɒk] *n* (*POL*) Block *m*.

block [blɒk] 1. *n* (*of wood*) Block *m*, Klotz *m*; (*of houses*) Häuserblock *m*; 2. *vt* hemmen.

blockade [blɒˈkeɪd] 1. *n* Blockade *f*; 2. *vt* blockieren.

blockage ['blɒkɪdʒ] *n* Verstopfung *f*.

blockbuster ['blɒkbʌstə*] *n* Knüller *m*, Renner *m*; **block capitals**, **block letters** *n pl* Blockbuchstaben *pl*.

bloke [bləʊk] *n* (*fam*) Kerl *m*, Typ *m*.

blonde [blɒnd] 1. *adj* blond; 2. *n* Blondine *f*.

blood [blʌd] *n* Blut *nt*; **blood donor** *n* Blutspender(in *f*) *m*; **blood group** *n* Blutgruppe *f*; **bloodless** *adj* blutleer; **blood poisoning** *n* Blutvergiftung *f*; **blood pressure** *n* Blutdruck *m*; **bloodshed** *n* Blutvergießen *nt*; **bloodshot** *adj* blutunterlaufen; **bloodstained** *adj* blutbefleckt; **bloodstream** *n* Blut *nt*, Blutkreislauf *m*; **blood test** *n* Blutuntersuchung *f*, Blutprobe *f*; **bloodthirsty** *adj* blutrünstig; **blood transfusion** *n* Blutübertragung *f*; **bloody** *adj* (*Brit fam*) verdammt, Scheiß-; (*literal sense*) blutig; **bloodyminded** *adj* stur.

bloom [bluːm] 1. *n* Blüte *f*; (*freshness*) Glanz *m*; 2. *vi* blühen; **in** ~ in Blüte.

blossom ['blɒsəm] 1. *n* Blüte *f*; 2. *vi* blühen.

blot [blɒt] 1. *n* Klecks *m*; 2. *vt* beklecksen; (*ink*) [ab]löschen; **blot out** *vt* auslöschen.

blotchy ['blɒtʃɪ] *adj* fleckig.

blotting paper ['blɒtɪŋpeɪpə*] *n* Löschpapier *nt*.

blouse [blaʊz] *n* Bluse *f*.

blow [bləʊ] < **blew, blown** > 1. *vt* blasen; 2. *vi* blasen; (*wind*) wehen; 3. *n* Schlag *m*; **to** ~ **one's top** [vor Wut] explodieren; **blow over** *vi* vorübergehen; **blow up** 1. *vi* explodieren; 2. *vt* sprengen; (*balloon, tyre*) aufblasen; (*enlarge*) vergrößern; **blow-dry** *vt* fönen; **blowlamp** *n* Lötlampe *f*; **blown** *pp of* **blow**; **blow-out** *n* (*AUT*) geplatzter Reifen; **blow-up** *n* (*FOT*) Vergrößerung *f*; **blowy** *adj* windig.

blubber ['blʌbə*] *n* Walfischspeck *m*.

bludgeon ['blʌdʒən] *vt* (*fig*) zwingen.

blue [bluː] *adj* blau; (*fam: unhappy*) niedergeschlagen; (*obscene*) pornographisch; (*joke*) anzüglich; **bluebell** *n* Glockenblume *f*; **blue-blooded** *adj* blaublütig; **bluebottle** *n* Schmeißfliege *f*; **blueprint** *n* (*fig*) Entwurf *m*; **blues** *n sing* (*MUS*) Blues *m*; **to have the** ~ *pl* traurig sein.

bluff [blʌf] 1. *vt* bluffen, täuschen; 2. *n* (*deception*) Bluff *m*.

bluish ['bluːɪʃ] *adj* bläulich.

blunder ['blʌndə*] 1. *n* grober Fehler, Schnitzer *m*; 2. *vi* einen groben Fehler machen.

blunt [blʌnt] 1. *adj* (*knife*) stumpf; (*talk*) unverblümt; 2. *vt* abstumpfen; **bluntly** *adv* frei heraus; **bluntness** *n* Stumpfheit *f*; (*fig*) Plumpheit *f*.

blur [blɜː*] 1. *n* Fleck *m*; 2. *vi* verschwimmen; 3. *vt* verschwommen machen.

blurb [blɜːb] *n* Waschzettel *m*.

blurt [blɜːt] *vt* (*also:* ~ **out**) herausplatzen mit.

blush [blʌʃ] 1. *vi* erröten; 2. *n* [Scham]röte *f*; **blushing** *adj* errötend.

bluster ['blʌstə*] *vi* (*wind*) brausen; (*person*) darauf lospoltern, schwadronieren; **blustery** *adj* sehr windig.

BO *n abbr of* **body odour**.

boa ['bəʊə] *n* Boa *f*.

boar [bɔː*] *n* Keiler *m*, Eber *m*.

board [bɔːd] 1. *n* (*of wood*) Brett *nt*; (*of card*) Pappe *f*; (*committee*) Ausschuß *m*; (*of firm*) Aufsichtsrat *m*; (*SCH*) Direktorium *nt*; 2. *vt* (*train*) einsteigen in + *akk*; (*ship*) an Bord + *gen* gehen; ~ **and lodging** Unterkunft und Verpflegung *f*; **to go by the** ~ flachfallen; **board up** *vt* mit Brettern vernageln; **boarder** *n* Kostgänger(in *f*) *m*; (*SCH*) Internatsschüler(in *f*) *m*; **boarding card**, **boarding pass** *n* Bordkarte *f*, Einsteigekarte *f*; **boarding house** *n* Pension *f*; **boarding school** *n* Internat *nt*; **board room** *n* Sitzungszimmer *nt*.

boast [bəʊst] 1. *vi* prahlen; 2. *n* Großtuerei *f*, Prahlerei *f*; **boastful** *adj* prahlerisch; **boastfulness** n Überheblichkeit f.

boat [bəʊt] n Boot nt; (ship) Schiff nt; **boater** n (hat) Kreissäge f; **boating** n Bootfahren nt; **boatswain** ['bəʊsn] n see **bosun**; **boat train** n Zug m mit Schiffsanschluß.

bob [bɒb] vi sich auf und nieder bewegen.

bobbin ['bɒbɪn] n Spule f.

bobsleigh ['bɒbsleɪ] n Bob m.

bodice ['bɒdɪs] n Mieder nt.

-bodied ['bɒdɪd] adj -gebaut.

bodily ['bɒdɪlɪ] adj, adv körperlich.

body ['bɒdɪ] n Körper m; (dead) Leiche f; (group) Mannschaft f; (AUT) Karosserie f; (trunk) Rumpf m; **in a** ~ in einer Gruppe; **the main** ~ **of the work** der Hauptanteil der Arbeit; **bodybuilding** n Bodybuilding nt; **bodyguard** n Leibwache f; **body odour** n Körpergeruch m; **body stocking** n Body m; **bodywork** n Karosserie f.

bog [bɒg] 1. n Sumpf m; (fam) Klo nt; 2. vi: **to get** ~ **ged down** sich festfahren.

bogey ['bəʊgɪ] n Schreckgespenst nt.

boggle ['bɒgl] vi stutzen; **the mind** ~ **s** das hält man im Kopf nicht aus.

bogus ['bəʊgəs] adj unecht, Schein-.

boil [bɔɪl] 1. vt, vi kochen; 2. n (MED) Geschwür nt; **to come to the** ~ zu kochen anfangen; **boiler** n Boiler m; **boiling point** n Siedepunkt m; **boiling water reactor** n Siedewasserreaktor m.

boisterous ['bɔɪstərəs] adj ausgelassen.

bold [bəʊld] adj (fearless) unerschrocken; (handwriting) fest und klar; **boldly** adv keck; **boldness** n Kühnheit f; (cheekiness) Dreistigkeit f.

Bolivia [bə'lɪvɪə] n Bolivien nt.

bollard ['bɒləd] n (NAUT) Poller m; (on road) Pfosten m.

bolster ['bəʊlstə*] n Polster nt; **bolster up** vt unterstützen.

bolt [bəʊlt] 1. n Bolzen m; (lock) Riegel m; 2. vt verriegeln; (swallow) verschlingen; 3. vi (horse) durchgehen.

bomb [bɒm] n Bombe f; 2. vt bombardieren; **bombard** [bɒm'bɑːd] vt bombardieren; **bombardment** n Beschießung f; **bomber** n Bomber m; **bombing** n Bombenangriff m; **bombshell** n (fig) Bombe f.

bombastic [bɒm'bæstɪk] adj bombastisch.

bona fide ['bəʊnə'faɪd] adj echt.

bond [bɒnd] n (link) Band nt; (FIN) Schuldverschreibung f.

bone [bəʊn] 1. n Knochen m; (of fish) Gräte f; (piece of ~) Knochensplitter m; 2. vt die Knochen entfernen von; (fish)

entgräten; ~ **of contention** Zankapfel m; **bone-dry** adj knochentrocken; **boner** n (US fam) Schnitzer m.

bonfire ['bɒnfaɪə*] n Feuer nt im Freien.

bonnet ['bɒnɪt] n Haube f; (for baby) Häubchen nt; (Brit AUT) Motorhaube f.

bonny ['bɒnɪ] adj (Scot) hübsch.

bonus ['bəʊnəs] n Bonus m; (annual ~) Prämie f.

bony ['bəʊnɪ] adj knochig, knochendürr.

boo [buː] vt auspfeifen.

book [bʊk] 1. n Buch nt; 2. vt (ticket etc) vorbestellen; (person) verwarnen; **bookable** adj im Vorverkauf erhältlich; **bookcase** n Bücherregal nt, Bücherschrank m; **booking office** n (RAIL) Fahrkartenschalter m; (THEAT) Vorverkaufsstelle f; **book-keeping** n Buchhaltung f; **booklet** n Broschüre f; **bookmaker** n Buchmacher(in f) m; **bookseller** n Buchhändler(in f) m; **bookshop** n Buchhandlung f; **bookstall** n Bücherstand m; (RAIL) Bahnhofsbuchhandlung f; **book token** n Büchergutschein m; **bookworm** n Bücherwurm m.

boom [buːm] 1. n (noise) Dröhnen nt; (busy period) Hochkonjunktur f; 2. vi dröhnen.

boomerang ['buːməræŋ] n Bumerang m.

boon [buːn] n Wohltat f, Segen m.

boorish ['bʊərɪʃ] adj grob.

boost [buːst] 1. n Auftrieb m; 2. vt Auftrieb geben + dat.

boot [buːt] 1. n Stiefel m; (Brit AUT) Kofferraum m; 2. vt (kick) einen Fußtritt geben + dat; (COMPUT) urladen, hochladen; **to** ~ (in addition) obendrein.

booty ['buːtɪ] n Beute f.

booze [buːz] 1. n (fam) Alkohol m; 2. vi saufen.

border ['bɔːdə*] n Grenze f; (edge) Kante f; (in garden) (Blumen)rabatte f; **border on** vt grenzen an + akk; **borderline** n Grenze f.

bore [bɔː*] 1. pt of **bear**; 2. vt bohren; (weary) langweilen; 3. n (person) langweiliger Mensch; (thing) langweilige Sache; (of gun) Kaliber nt; **boredom** n Langeweile f; **boring** adj langweilig.

born [bɔːn] adj: **to be** ~ geboren werden.

born[e] [bɔːn] pp of **bear**.

borough ['bʌrə] n Stadt[gemeinde] f, Stadtbezirk m.

borrow ['bɒrəʊ] vt borgen; **borrowing** n (FIN) Anleihe f.

bosom ['bʊzəm] n Busen m.

boss [bɒs] n Chef(in f) m, Boß m; **boss around** vt herumkommandieren; **bossy** adj herrisch.

bosun ['bəʊsn] n Bootsmann m.
botanical [bə'tænɪkəl] adj botanisch;
botany ['bɒtənɪ] n Botanik f.
botch [bɒtʃ] vt verpfuschen.
both [bəʊθ] 1. adj beide; 2. pron (people)
beide; (things) beide; 3. adv: ~ X and
Y sowohl X wie (o als) auch Y; ~ [of]
the books beide Bücher; I like them ~
ich mag [sie] beide.
bother ['bɒðə*] 1. vt (pester) ärgern, belästigen; 2. vi (fuss) sich aufregen; (take
trouble) sich dat Mühe machen; 3. n
Mühe f, Umstand m.
bottle ['bɒtl] 1. n Flasche f; 2. vt [in Fla-
schen] abfüllen; **bottle bank** n [Alt]glas-
container m; **bottleneck** n (fig) Engpaß m.
bottom ['bɒtəm] 1. n Boden m; (of person) Hintern m; (riverbed) Flußbett nt; 2.
adj unterste(r, s); **at** ~ im Grunde; **bottomless** adj bodenlos; **a** ~ **pit** ein Faß
ohne Boden.
bough [baʊ] n Zweig m, Ast m.
bought [bɔːt] pt, pp of **buy**.
boulder ['bəʊldə*] n Felsbrocken m.
bounce [baʊns] 1. vi (ball) hochspringen; (person) herumhüpfen; (cheque)
platzen; 2. vt [auf]springen lassen; 3. n
(rebound) Aufprall m; **bouncer** n Raus-
schmeißer(in f) m.
bound [baʊnd] 1. pt, pp of **bind**; 2. n
Grenze f, (leap) Sprung m; 3. vi (spring,
leap) [auf]springen; 4. adj gebunden, verpflichtet; **out of** ~ **s** Zutritt verboten; **to
be** ~ **to do sth** verpflichtet sein, etw zu
tun, etw tun müssen; **it's** ~ **to happen** es
muß so kommen; **to be** ~ **for...** nach...
fahren; **boundary** n Grenze f, Grenzlinie f; **boundless** adj grenzenlos.
bouquet [bʊ'keɪ] n Strauß m; (of wine)
Blume f.
bourgeois ['bʊəʒwɑː] adj kleinbürgerlich,
bourgeois.
bout [baʊt] n (of illness) Anfall m; (of contest) Kampf m.
bow [baʊ] 1. n (ribbon) Schleife f;
(weapon, MUS) Bogen m; 2. [baʊ] vi sich
verbeugen; (submit) sich beugen (to dat);
3. n Verbeugung f; (of ship) Bug m.
bowels ['baʊəlz] n pl Darm m; (centre)
Innere(s) nt.
bowl [bəʊl] 1. n (basin) Schüssel f; (of
pipe) [Pfeifen]kopf m; (wooden ball)
[Holz]kugel f; 2. vti vt [die Kugel] rollen;
bowls n sing (game) Bowls-Spiel m.
bow-legged ['bəʊlegɪd] adj o-beinig.
bowler ['bəʊlə*] n Werfer(in f) m; (hat)
Melone f.
bowling ['bəʊlɪŋ] n Kegeln nt; **bowling
alley** n Kegelbahn f; **bowling green** n

Rasen m zum Bowling-Spiel.
bow tie [bəʊ'taɪ] n Fliege f.
box [bɒks] 1. n Schachtel f; (bigger) Kasten m; (THEAT) Loge f; 2. vt einpacken;
3. vi boxen; **to** ~ **sb's ears** jdm eine Ohrfeige geben; **box in** vt einpferchen;
boxer n Boxer(in f) m; **boxing** n
(SPORT) Boxen nt; **Boxing Day** n zweiter Weihnachtsfeiertag; **boxing ring** n
Boxring m; **box office** n [Theater]kasse
f; **box room** n Rumpelkammer f.
boy [bɔɪ] n Junge m.
boycott ['bɔɪkɒt] 1. n Boykott m; 2. vt
boykottieren.
boyfriend ['bɔɪfrend] n Freund m;
boyish adj jungenhaft; **boy scout** n
Pfadfinder m.
bra [brɑː] n Büstenhalter m.
brace [breɪs] 1. n (TECH) Stütze f; (MED)
Klammer f; 2. vt stützen; **braces** n pl
Hosenträger pl.
bracelet ['breɪslɪt] n Armband nt.
bracing ['breɪsɪŋ] adj kräftigend.
bracken ['brækən] n Adlerfarn nt.
bracket ['brækɪt] 1. n Halterung f, Klammer f; (in punctuation) Klammer f;
(group) Gruppe f; 2. vt einklammern;
(fig) in dieselbe Gruppe einordnen.
brag [bræg] vi prahlen.
braid [breɪd] n (hair) Flechte f; (trim)
Borte f.
Braille [breɪl] n Blindenschrift f.
brain [breɪn] n (ANAT) Gehirn nt; (intellect) Intelligenz f, Verstand m; (person)
kluger Kopf; ~ **s** pl Verstand m; **brain-
less** adj dumm; **brainstorm 1.** n (Brit)
verrückter Einfall m; 2. vi (US) ein Brainstorming machen; **brainwash** vt einer
Gehirnwäsche unterziehen; **brainwave**
n guter Einfall m, Geistesblitz m; **brainy**
adj gescheit.
braise [breɪz] vt schmoren.
brake [breɪk] 1. n Bremse f; 2. vt, vi bremsen; **brake fluid** n Bremsflüssigkeit f.
branch [brɑːntʃ] 1. n Ast m; (division)
Zweig m; 2. vi (road) sich verzweigen.
brand [brænd] 1. n (COM) Marke f, Sorte
f; (on cattle) Brandmal nt; 2. vt brandmarken; (COM) mit seinem Warenzeichen versehen.
brandish ['brændɪʃ] vt [drohend] schwingen.
brand-new ['brænd'njuː] adj funkelnagel-
neu.
brandy ['brændɪ] n Weinbrand m, Kognak m.
brash [bræʃ] adj unverschämt.
brass [brɑːs] n Messing nt; **brass band**
n Blaskapelle f.
brassière ['bræsɪə*] n Büstenhalter m.

brat [bræt] n ungezogenes Kind, Gör nt.
bravado [brə'vɑːdəʊ] n <-[e]s> Tollkühnheit f.
brave [breɪv] 1. adj tapfer; 2. n indianischer Krieger; 3. vt die Stirn bieten + dat; **bravely** adv tapfer; **bravery** ['breɪvəri] n Tapferkeit f.
bravo [brɑː'vəʊ] interj bravo.
brawl [brɔːl] 1. n Rauferei f; 2. vi Krawall machen.
brawn [brɔːn] n (ANAT) Muskeln pl; (strength) Muskelkraft f; **brawny** adj muskulös, stämmig.
bray [breɪ] 1. n Eselsschrei m; 2. vi schreien.
brazen ['breɪzn] 1. adj (shameless) unverschämt; 2. vt: to ~ it out sich mit Lügen und Betrügen durchsetzen.
brazier ['breɪzɪə*] n (of workmen) offener Kohlenofen.
Brazil [brə'zɪl] n Brasilien nt.
breach [briːtʃ] 1. n (gap) Lücke f; (MIL) Durchbruch m; (of discipline) Verstoß m [gegen die Disziplin]; (of faith) Vertrauensbruch m; 2. vt durchbrechen; ~ of the peace öffentliche Ruhestörung.
bread [bred] n Brot nt; ~ and butter Butterbrot nt; **breadcrumbs** n pl Brotkrumen pl; (GASTR) Paniermehl nt; **breadline** n: to be on the ~ sich gerade so durchschlagen; **breadwinner** n Ernährer(in f) m.
breadth [bredθ] n Breite f.
break [breɪk] <broke, broken> 1. vt (destroy) [ab]brechen, zerbrechen; (promise) brechen, nicht einhalten; 2. vi (fall apart) auseinanderbrechen; (collapse) zusammenbrechen; (dawn) anbrechen; 3. n (gap) Lücke f; (chance) Chance f, Gelegenheit f; (fracture) Bruch m; (rest) Pause f; to ~ free (of prisoner) sich losreißen; **break down** vi (car) eine Panne haben; (person) zusammenbrechen; **break in** 1. vt (animal) abrichten; (horse) zureiten; 2. vi (burglar) einbrechen; **break out** vi ausbrechen; **break up** 1. vi zerbrechen; (fig) sich zerstreuen; (SCH) in die Ferien gehen; 2. vt brechen; **breakable** adj zerbrechlich; **breakage** n Bruch m, Beschädigung f; **breakdown** n (TECH) Panne f; (of nerves) Zusammenbruch m; **breakfast** ['brekfəst] n Frühstück nt; **breakthrough** n Durchbruch m; **breakwater** n Wellenbrecher m.
breast [brest] n Brust f; **breast stroke** n Brustschwimmen nt.
breath [breθ] n Atem m; **out of** ~ außer Atem; **under one's** ~ flüsternd.
breathalyze ['breθəlaɪz] vt blasen lassen.

breathe [briːð] vt, vi atmen; **breather** n Verschnaufpause f.
breathless ['breθlɪs] adj atemlos; **breath-taking** adj atemberaubend.
bred [bred] pt, pp of **breed**.
breed [briːd] <bred, bred> 1. vi sich vermehren; 2. vt züchten; 3. n (race) Rasse f, Zucht f; **breeder** n (person) Züchter(in f) m; **breeding** n Züchtung f; (upbringing) Erziehung f; (education) Bildung f.
breeze [briːz] n Brise f; **breezy** adj windig; (manner) munter.
brevity ['brevɪtɪ] n Kürze f.
brew [bruː] 1. vt brauen; (plot) anzetteln; 2. vi (storm) sich zusammenziehen; **brewery** n Brauerei f.
bribe [braɪb] 1. n Bestechungsgeld nt, Bestechungsgeschenk nt; 2. vt bestechen; **bribery** ['braɪbəri] n Bestechung f.
bric-à-brac ['brɪkəbræk] n Nippes[sachen] pl.
brick [brɪk] n Backstein m; **bricklayer** n Maurer(in f) m; **brickwork** n Mauerwerk nt; **brickworks** n pl Ziegelei f.
bridal ['braɪdl] adj Braut-, bräutlich; **bride** [braɪd] n Braut f; **bridegroom** n Bräutigam m; **bridesmaid** n Brautjungfer f.
bridge [brɪdʒ] 1. n Brücke f; (NAUT) Kommandobrücke f; (CARDS) Bridge nt; (ANAT) Nasenrücken m; 2. vt eine Brücke schlagen über + akk; (fig) überbrücken; **bridging loan** n Überbrückungskredit m.
bridle ['braɪdl] 1. n Zaum m; 2. vt (fig) zügeln; (horse) aufzäumen; **bridlepath** n Saumpfad m.
brief [briːf] 1. adj kurz; 2. n (instructions) Auftrag m; (JUR) Akten pl; 3. vt instruieren; **briefcase** n Aktentasche f; **briefing** n [genaue] Anweisung f; **briefly** adv kurz; **briefness** n Kürze f; **briefs** n pl Schlüpfer m, Slip m.
brigade [brɪ'geɪd] n Brigade f.
brigadier [brɪgə'dɪə*] n Brigadegeneral m.
bright [braɪt] adj hell; (cheerful) heiter; (idea) klug; **brighten up 1.** vt aufhellen; (person) aufheitern 2. vi sich aufheitern; **brightly** adv hell; heiter; **brightness control** n Helligkeitsregler m.
brilliance ['brɪljəns] n Glanz m; (of person) Scharfsinn m; **brilliant** ['brɪljənt] adj glänzend.
brim [brɪm] 1. n Rand m; 2. vi voll sein; **brimful** adj übervoll.
brine [braɪn] n Salzwasser nt.
bring [brɪŋ] <brought, brought> vt bringen; **bring about** vt zustande brin-

gen; (*cause*) verursachen; **bring off** *vt* davontragen; (*success*) erzielen; **bring round**, **bring to** *vt* wieder zu sich bringen; **bring up** *vt* aufziehen; (*question*) zur Sprache bringen.

brisk [brɪsk] *adj* lebhaft.

bristle ['brɪsl] **1.** *n* Borste *f*; **2.** *vi* sich sträuben; **bristling with** strotzend vor + *dat.*

Britain ['brɪtn] *n* Großbritannien *nt*; **British** ['brɪtɪʃ] **1.** *adj* britisch; **2.** *n:* **the ~** *pl* die Briten *pl*; **the ~ Isles** *pl* die Britischen Inseln *pl*; **Briton** ['brɪtn] *n* Brite *m*, Britin *f.*

brittle ['brɪtl] *adj* spröde.

broach [brəʊtʃ] *vt* (*subject*) anschneiden.

broad [brɔːd] *adj* breit; (*hint*) deutlich; (*daylight*) hellicht; (*general*) allgemein; (*accent*) stark.

broadcast ['brɔːdkɑːst] **1.** *n* Rundfunkübertragung *f*; **2.** *irr vt, vi* übertragen, senden; **broadcasting** *n* Rundfunk *m.*

broaden ['brɔːdn] **1.** *vt* erweitern; **2.** *vi* sich erweitern; **broadly** *adv* allgemein gesagt; **broad-minded** *adj* tolerant.

brocade [brəˈkeɪd] *n* Brokat *m.*

broccoli ['brɒkəlɪ] *n* Spargelkohl *m*, Brokkoli *m.*

brochure ['brəʊʃʊə*] *n* Broschüre *f.*

broiler ['brɔɪlə*] *n* Bratrost *m.*

broke [brəʊk] **1.** *pt of* **break**; **2.** *adj* (*fam*) pleite; **broken** *pp of* **break**; **brokenhearted** *adj* untröstlich.

broker ['brəʊkə*] *n* Makler(in *f*) *m.*

bronchitis [brɒŋˈkaɪtɪs] *n* Bronchitis *f.*

bronze [brɒnz] *n* Bronze *f*; **bronzed** *adj* sonnengebräunt.

brooch [brəʊtʃ] *n* Brosche *f.*

brood [bruːd] **1.** *n* Brut *f*; **2.** *vi* brüten; **broody** *adj* brütend.

brook [brʊk] *n* Bach *m.*

broom [bruːm] *n* Besen *m*; **broomstick** *n* Besenstiel *m.*

Bros [brɒs] *abbr of* **brothers** Gebr.

broth [brɒθ] *n* Suppe *f*, Fleischbrühe *f.*

brothel ['brɒθl] *n* Bordell *nt.*

brother ['brʌðə*] *n* Bruder *m*; (*COM*) Gebrüder *pl*; **brotherhood** *n* Bruderschaft *f*; **brother-in-law** < **brothers-in-law** > *m*; **brotherly** *adj* brüderlich.

brought [brɔːt] *pt, pp of* **bring.**

brow [braʊ] *n* (*eyebrow*) [Augen]braue *f*; (*forehead*) Stirn *f*; (*of hill*) Bergkuppe *f*; **browbeat** *irr vt* einschüchtern.

brown [braʊn] **1.** *adj* braun; **2.** *vt* bräunen; **brownie** *n* Wichtel *m*; **brown paper** *n* Packpapier *nt.*

browse [braʊz] *vi* (*in books*) blättern; (*in shop*) schmökern, herumschauen.

bruise [bruːz] **1.** *n* Bluterguß *m*, blauer Fleck; **2.** *vt, vi* einen blauen Fleck geben/bekommen.

brunette [bruːˈnet] *n* Brünette *f.*

brunt [brʌnt] *n* volle Wucht.

brush [brʌʃ] **1.** *n* Bürste *f*; (*for sweeping*) Handbesen *m*; (*for painting*) Pinsel *m*; (*fight*) kurzer Kampf; (*MIL*) Scharmützel *nt*; (*fig*) Auseinandersetzung *f*; **2.** *vt* (*clean*) bürsten; (*sweep*) fegen; (*touch*) streifen; **brush aside** *vt* abtun; **brush-off** *n:* **to give sb the ~** (*fam*) jdm eine Abfuhr erteilen; **brushwood** *n* Gestrüpp *nt.*

brusque [brʊsk] *adj* schroff.

Brussels sprouts [brʌsl'spraʊts] *n pl* Rosenkohl *m.*

brutal ['bruːtl] *adj* brutal; **brutality** [bruːˈtælɪtɪ] *n* Brutalität *f.*

brute [bruːt] **1.** *n* (*animal*) Tier *nt*; (*person*) Scheusal *nt*; **2.** *adj* (*force*) roh; (*violence*) nackt; **brutish** *adj* tierisch.

bubble ['bʌbl] **1.** *n* [Luft]blase *f*; (*US: for tennis etc*) Traglufthalle *f*; **2.** *vi* sprudeln; (*with joy*) übersprudeln; **bubble bath** *n* Schaumbad *nt.*

buck [bʌk] **1.** *n* Bock *m*; (*US fam*) Dollar *m*; **2.** *vi* bocken; **to earn a fast ~** (*US*) schnelles Geld machen; **buck up** *vi* (*fam*) sich zusammenreißen.

bucket ['bʌkɪt] *n* Eimer *m.*

buckle ['bʌkl] **1.** *n* Schnalle *f*; **2.** *vt* [an]schnallen, zusammenschnallen; **3.** *vi* (*bend*) sich verziehen.

bud [bʌd] **1.** *n* Knospe *f*; **2.** *vi* knospen, keimen.

Buddhism ['bʊdɪzəm] *n* Buddhismus *m*; **Buddhist** ['bʊdɪst] **1.** *n* Buddhist(in *f*) *m*; **2.** *adj* buddhistisch.

budding ['bʌdɪŋ] *adj* angehend.

buddy ['bʌdɪ] *n* (*fam*) Kumpel *m.*

budge [bʌdʒ] *vt, vi* (*sich*) von der Stelle rühren.

budgerigar ['bʌdʒərɪgɑː*] *n* Wellensittich *m.*

budget ['bʌdʒɪt] **1.** *n* Budget *nt*; (*POL*) Haushalt *m*; **2.** *vi* haushalten.

budgie ['bʌdʒɪ] *n* (*fam*) *see* **budgerigar.**

buff [bʌf] **1.** *adj* (*colour*) lederfarben; **2.** *n* (*enthusiast*) Fan *m.*

buffalo ['bʌfələʊ] *n* <-**es**> Büffel *m.*

buffer ['bʌfə*] *n* (*also COMPUT*) Puffer *m.*

buffet ['bʌfɪt] **1.** *n* (*blow*) Schlag *m*; **2.** ['bufeɪ] *n* (*bar*) Imbißraum *m*, Erfrischungsraum *m*; (*food*) [kaltes] Büffet *nt*; **3.** ['bʌfɪt] *vt* [herum]stoßen.

buffoon [bəˈfuːn] *n* Hanswurst *m.*

bug [bʌg] **1.** *n* (*fig*) Wanze *f*; **2.** *vt* verwanzen; **bugbear** *n* Schreckgespenst *nt*; **bughouse** *n* (*US*) Klapsmühle *f.*

bugle ['bju:gl] n Jagdhorn nt.
build [bɪld] <**built, built**> 1. vt bauen; 2. n Körperbau m; **builder** n Bauunternehmer(in f) m; **building** n Gebäude nt; **building society** n Baugenossenschaft f; **build-up** n Aufbau m; (publicity) Reklame f; **built** [bɪlt] 1. pt, pp of build; 2. adj: **well-~** (person) gut gebaut; **built-in** adj (cupboard) eingebaut; **built-up area** n Wohngebiet nt.
bulb [bʌlb] n (BOT) [Blumen]zwiebel f; (ELEC) Glühlampe f, Birne f; **bulbous** adj knollig.
Bulgaria [bʌl'gɛərɪə] n Bulgarien nt; **Bulgarian** adj bulgarisch.
bulge [bʌldʒ] 1. n Ausbauchung f; 2. vi sich [aus]bauchen.
bulk [bʌlk] n Größe f, Masse f; (greater part) Großteil m; **bulk-buy** irr vi in großen Mengen einkaufen; **bulkhead** n Schott nt; **bulky** adj [sehr] umfangreich; (goods) sperrig.
bull [bʊl] n (animal) Bulle m; (cattle) Stier m; (papal) Bulle f; **bulldog** n Bulldogge f.
bulldoze ['bʊldəʊz] vt planieren; (fig) durchboxen; **bulldozer** n Planierraupe f, Bulldozer m.
bullet ['bʊlɪt] n Kugel f.
bulletin ['bʊlɪtɪn] n Bulletin nt, Bekanntmachung f.
bullfight ['bʊlfaɪt] n Stierkampf m.
bullion ['bʊlɪən] n Barren m.
bullock ['bʊlək] n Ochse m.
bullring ['bʊlrɪŋ] n Stierkampfarena f; **bull's-eye** n das Schwarze.
bully ['bʊlɪ] 1. n Raufbold m, Tyrann m; 2. vt einschüchtern, schikanieren.
bum [bʌm] n (fam: backside) Hintern m; (tramp) Landstreicher(in f) m; (nasty person) fieser Kerl; **bum around** vi herumgammeln.
bumblebee ['bʌmblbi:] n Hummel f.
bump [bʌmp] 1. n (blow) Stoß m; (swelling) Beule f; 2. vt, vi stoßen, prallen; **bumper 1.** n (AUT) Stoßstange f; 2. adj (edition) dick; (harvest) Rekord-; **bumper strip** n (US) Stoßstangenaufkleber m.
bumptious ['bʌmpʃəs] adj aufgeblasen.
bumpy ['bʌmpɪ] adj holprig.
bun [bʌn] n Korinthenbrötchen nt; **to have a ~ in the oven** (fig) schwanger sein.
bunch [bʌntʃ] n (of flowers) Strauß m; (of keys) Bund m; (of people) Haufen m.
bundle ['bʌndl] 1. n Bündel n; 2. vt bündeln; **bundle off** vt fortschicken.
bung [bʌŋ] 1. n Spund m; 2. vt (fam: throw) schleudern.
bungalow ['bʌŋgələʊ] n einstöckiges

Haus, Bungalow m.
bungle ['bʌŋgl] vt verpfuschen.
bunion ['bʌnjən] n entzündeter Fußballen.
bunk [bʌŋk] n Schlafkoje f; **bunk bed** n Etagenbett nt, Stockbett nt.
bunker ['bʌŋkə*] n (coal store) Kohlenbunker m; (GOLF) Sandloch nt.
bunny ['bʌnɪ] n (fam) Häschen nt.
Bunsen burner ['bʌnsn'bɜ:nə*] n Bunsenbrenner m.
buoy [bɔɪ] n Boje f; (lifebuoy) Rettungsboje f; **buoy up** vt Auftrieb geben +dat.
buoyancy ['bɔɪənsɪ] n Schwimmkraft f; **buoyant** adj (floating) schwimmend; (fig) heiter.
burden ['bɜ:dn] 1. n (weight) Ladung f, Last f; (fig) Bürde f; 2. vt belasten.
bureau ['bjʊərəʊ] n (desk) Sekretär m; (for information etc) Büro nt.
bureaucracy [bjʊ'rɒkrəsɪ] n Bürokratie f; **bureaucrat** ['bjʊərəkræt] n Bürokrat(in f) m; **bureaucratic** [bjʊərə'krætɪk] adj bürokratisch.
burglar ['bɜ:glə*] n Einbrecher(in f) m; **burglar alarm** n Alarmanlage f; **burglarize** vt (US) einbrechen in +akk; **burglary** n Einbruch m; **burgle** ['bɜ:gl] vt einbrechen in +akk.
burial ['berɪəl] n Beerdigung f; **burial ground** n Friedhof m.
burly ['bɜ:lɪ] adj stämmig.
burn [bɜ:n] <**burnt** o **burned, burnt** o **burned**> 1. vt verbrennen; 2. vi verbrennen; 3. n Brandwunde f; **to ~ one's fingers** sich dat die Finger verbrennen; **~ing question** brennende Frage.
burnish ['bɜ:nɪʃ] vt polieren.
burnt [bɜ:nt] pt, pp of burn.
burrow ['bʌrəʊ] 1. n (of fox) Bau m; (of rabbit) Höhle f; 2. vi sich eingraben; 3. vt eingraben.
bursar ['bɜ:sə*] n Kassenverwalter(in f) m, Quästor(in f) m.
burst [bɜ:st] <**burst, burst**> 1. vt zerbrechen; 2. vi platzen; 3. n Explosion f; (outbreak) Ausbruch m; (in pipe) Bruch[stelle f] m; **to ~ into tears** in Tränen ausbrechen.
bury ['berɪ] vt vergraben; (in grave) beerdigen; **to ~ the hatchet** das Kriegsbeil begraben.
bus [bʌs] n [Auto]bus m, Omnibus m.
bush [bʊʃ] n Busch m.
bushel ['bʊʃl] n Scheffel m.
bushy ['bʊʃɪ] adj buschig.
busily ['bɪzɪlɪ] adv geschäftig.
business ['bɪznɪs] n Geschäft nt; (concern) Angelegenheit f; **it's none of your ~** es geht dich nichts an; **to mean ~** es

ernst meinen; **businessman** n <**-men**> Geschäftsmann m; **business trip** n Geschäftsreise f; **businesswoman** n <**-women**> Geschäftsfrau f.

busing ['bʌsɪŋ] n (US) Transport von Schülern an Schulen außerhalb ihres Wohngebiets zur Rassenintegration.

bus-stop ['bʌsstɒp] n Bushaltestelle f.

bust [bʌst] 1. n Büste f; 2. adj (broken) kaputt[gegangen]; (business) pleite; **to go ~** pleite machen.

bustle ['bʌsl] 1. n Getriebe nt; 2. vi hasten; **bustling** adj geschäftig.

bust-up ['bʌstʌp] n (fam) Krach m.

busy ['bɪzɪ] 1. adj beschäftigt; (road) belebt; 2. vr: **~ oneself** sich beschäftigen; **busybody** n Übereifrige(r) mf; **to be a ~** in alles seine Nase reinstecken.

but [bʌt, bət] conj aber; (only) nur; (except) außer; **not this ~ that** nicht dies, sondern das.

butane ['bju:teɪn] n Butan nt.

butcher ['bʊtʃə*] 1. n Metzger(in f) m; (murderer) Schlächter(in f) m; 2. vt schlachten; (kill) abschlachten.

butler ['bʌtlə*] n Butler m.

butt [bʌt] 1. n (cask) großes Faß; (target) Zielscheibe f; (thick end) dickes Ende; (of gun) Kolben m; (of cigarette) Stummel m; 2. vt [mit dem Kopf] stoßen.

butter ['bʌtə*] 1. n Butter f; 2. vt buttern; **butterfly** n Schmetterling m; **butter mountain** n Butterberg m.

buttocks ['bʌtəks] n pl Gesäß nt.

button ['bʌtn] 1. n Knopf m; (badge) Button m; 2. vt, vi zuknöpfen; **buttonhole** 1. n Knopfloch nt; (flower) Blume f im Knopfloch; 2. vt rankriegen.

buttress ['bʌtrɪs] n Strebepfeiler m, Stützbogen m.

buxom ['bʌksəm] adj drall.

buy [baɪ] <**bought, bought**> vt kaufen; **buy up** vt aufkaufen; **buyer** n Käufer(in f) m.

buzz [bʌz] 1. n Summen nt; 2. vi summen.

buzzard ['bʌzəd] n Bussard m.

buzzer ['bʌzə*] n Summer m.

buzz word n Schlagwort nt.

by [baɪ] prep (near) bei; (via) über + akk; (past) an + dat... vorbei; (before) bis; **~ day/night** tags/nachts; **~ train/bus** mit dem Zug/Bus; **done ~ sb/sth** von jdm/ durch etw gemacht; **~ oneself** allein; **~ and large** im großen und ganzen; **by[e]-law** n Verordnung f; **by-election** n Nachwahl f; **bygone** 1. adj vergangen; 2. n: **let ~ s be ~ s** laß[t] das Vergangene vergangen sein; **bypass** n Umgehungsstraße f; **byproduct** n Nebenprodukt

nt; **bystander** n Zuschauer(in f) m.

byte [baɪt] n (COMPUT) Byte nt.

byword ['baɪwɜːd] n Inbegriff m.

C

C, c [siː] n C nt, c nt.

cab [kæb] n Taxi nt; (of train) Führerstand m; (of truck) Führersitz m.

cabaret ['kæbəreɪ] n Kabarett nt.

cabbage ['kæbɪdʒ] n Kohl[kopf] m.

cabin ['kæbɪn] n Hütte f; (NAUT) Kajüte f; (AVIAT) Kabine f; **cabin cruiser** n Motorjacht f.

cabinet ['kæbɪnɪt] n Schrank m; (for china) Vitrine f; (POL) Kabinett nt; **cabinetmaker** n Kunsttischler(in f) m.

cable ['keɪbl] 1. n Drahtseil nt, Tau nt; (TEL) [Leitungs]kabel nt; (telegram) Kabel nt; 2. vt, vi kabeln, telegrafieren; **cable-car** n Seilbahn f; **cablegram** n [Übersee]telegramm nt; **cable railway** n [Draht]seilbahn f; **cable television**, **cablevision** (US) n Kabelfernsehen nt.

cache [kæʃ] n Versteck nt; (for ammunition) geheimes Munitionslager; (for food) geheimes Proviantlager; (supplies of ammunition) Munitionsvorrat m; (supplies of food) Lebensmittelvorrat m.

cackle ['kækl] 1. n Gegacker nt; 2. vi gackern.

cactus ['kæktəs] n Kaktus m, Kaktee f.

caddie ['kædɪ] n Golfjunge m.

caddy ['kædɪ] n Teedose f.

cadence ['keɪdəns] n Tonfall m; (MUS) Kadenz f.

cadet [kə'det] n Kadett m.

cadge [kædʒ] vt schmarotzen, nassauern.

Caesarean [siː'zɛərɪən] adj: **~ [section]** Kaiserschnitt m.

caesium, **cesium** (US) ['siːzjəm] n Cäsium nt.

café ['kæfɪ] n Café nt, Restaurant nt.

cafeteria [kæfɪ'tɪərɪə] n Cafeteria f.

caffein[e] ['kæfiːn] n Koffein nt.

cage [keɪdʒ] 1. n Käfig m; 2. vt einsperren.

cagey ['keɪdʒɪ] adj geheimnistuerisch, zurückhaltend.

cagoule [kə'guːl] n Windhemd nt.

cajole [kə'dʒəʊl] vt überreden.

cake [keɪk] n Kuchen m; (of soap) Stück nt; **caked** adj verkrustet.

calamine ['kæləmaɪn] n Galmei m (Zinklotion gegen Entzündungen).

calamitous [kə'læmɪtəs] adj katastrophal, unglückselig; **calamity** [kə'læmɪtɪ] n Unglück nt, [Schicksals]schlag m.

calcium ['kælsɪəm] n Kalzium nt.

calculate ['kælkjuleɪt] vt berechnen, kalkulieren; **calculating** adj berechnend; **calculation** [kælkju'leɪʃən] n Berechnung f; **calculator** ['kælkjuleɪtə*] n Rechner m; (pocket ~) Taschenrechner m.

calculus ['kælkjuləs] n Rechenart f.

calendar ['kælɪndə*] n [Wand]kalender m.

calf [kɑ:f] n < calves > Kalb nt; (leather) Kalbsleder nt; (ANAT) Wade f.

calibre, caliber (US) ['kælɪbə*] n Kaliber nt.

call [kɔ:l] 1. vt rufen; (summon) herbeirufen; (name) nennen; (meeting) einberufen; (awaken) wecken; (TEL) anrufen; (COMPUT. AVIAT) aufrufen; 2. vi (for help) rufen, schreien; (visit) vorbeikommen; 3. n (shout) Schrei m, Ruf m; (visit) Besuch m; (TEL) Anruf; (COMPUT. AVIAT) Aufruf m; on ~ in Bereitschaft; **to be ~ed** heißen; **call for** vt rufen [nach]; (fetch) abholen; (fig: require) erfordern, verlangen; **call off** vt (meeting) absagen; **call on** vt besuchen, aufsuchen; (request) fragen; **call up** vt (MIL) einziehen, einberufen; **callbox** n Fernsprechzelle f; **caller** n Besucher(in f) m; (TEL) Anrufer(in f) m; **call girl** n Callgirl nt; **calling** n (vocation) Berufung f.

callous adj, **callously** adv ['kæləs, -lɪ] herzlos; **callousness** n Herzlosigkeit f.

calm [kɑ:m] 1. n Stille f, Ruhe f; (NAUT) Flaute f; 2. vt beruhigen; 3. adj still, ruhig; (person) gelassen; **calm down** 1. vi sich beruhigen; 2. vt beruhigen, besänftigen; **calmly** adv ruhig, still; **calmness** n Stille f, Ruhe f; (mental) Gelassenheit f.

calorie ['kælərɪ] n Kalorie f.

calve [kɑ:v] vi kalben.

camber ['kæmbə*] n Wölbung f.

came [keɪm] pt of **come**.

camel ['kæməl] n Kamel nt.

cameo ['kæmɪəʊ] n < -s > Kamee f.

camera ['kæmərə] n Fotoapparat m, Kamera f; **in ~** unter Ausschluß der Öffentlichkeit; **cameraman** n < -men > Kameramann m.

camomile ['kæməmaɪl] n Kamille f; ~ **tea** Kamillentee m.

camouflage ['kæməflɑ:ʒ] 1. n Tarnung f; 2. vt tarnen; (fig) verschleiern, bemänteln.

camp [kæmp] 1. n Lager nt, Camp nt; (MIL) Feldlager nt; (permanent) Kaserne f; (camping place) Zeltplatz m; 2. vi zelten, campen; **to go ~ing** zelten, Cam-

ping machen.

campaign [kæm'peɪn] 1. n Kampagne f; (MIL) Feldzug m; 2. vi (MIL) Krieg führen; (participate) in den Krieg ziehen; (fig) werben, Propaganda machen; (POL) den Wahlkampf führen; **electoral ~** Wahlkampf m.

campbed ['kæmpbed] n Campingbett nt.

camper ['kæmpə*] n (person) Zeltende(r) mf, Camper(in f) m; (car) Campingbus m, Wohnmobil nt.

camping ['kæmpɪŋ] n Zelten nt, Camping nt.

campsite ['kæmpsaɪt] n Zeltplatz m, Campingplatz m.

campus ['kæmpəs] n (SCH) Schulgelände nt; (of university) Universitätsgelände nt, Campus m.

can [kæn] < could, been able > 1. n Hilfsverb (be able) können, fähig sein; (be allowed) dürfen, können; 2. n Büchse f, Dose f; (for water) Kanne f; 3. vt konservieren, in Büchsen einmachen.

Canada ['kænədə] n Kanada nt; **Canadian** [kə'neɪdjən] 1. adj kanadisch; 2. n Kanadier(in f) m.

canal [kə'næl] n Kanal m.

canary [kə'nɛərɪ] 1. n Kanarienvogel m; 2. adj hellgelb.

cancel ['kænsəl] vt (delete) durchstreichen; (COMPUT) löschen; (MATH) kürzen; (arrangement) aufheben; (meeting) absagen; (treaty) annullieren; (stamp) entwerten; **cancellation** [kænsə'leɪʃən] n Aufhebung f; Absage f; Annullierung f; Entwertung f.

cancer ['kænsə*] n (MED) Krebs m; **C~** (ASTR) Krebs m.

candid adj, **candidly** adv ['kændɪd, -lɪ] offen, ehrlich.

candidate ['kændɪdeɪt] n Bewerber(in f) m; (POL) Kandidat(in f) m.

candle ['kændl] n Kerze f; **candlelight** n Kerzenlicht nt; **candlestick** n Kerzenleuchter m.

candour ['kændə*] n Offenheit f.

candy ['kændɪ] n Kandis[zucker] m; (US) Bonbons pl; **candy-floss** n Zuckerwatte f.

cane [keɪn] 1. n (BOT) Rohr nt; (for walking, SCH) Stock m; 2. vt schlagen.

canister ['kænɪstə*] n Blechdose f.

cannabis ['kænəbɪs] n Cannabis m, Haschisch nt.

canned [kænd] adj Büchsen-, eingemacht.

cannibal ['kænɪbəl] n Menschenfresser(in f) m; **cannibalism** n Kannibalismus m.

cannon ['kænən] n Kanone f.

cannot ['kænɒt] = **can not**.

canny ['kænɪ] adj (shrewd) schlau, erfah-

ren; (*cautious*) umsichtig, vorsichtig.
canoe [kə'nu:] *n* Paddelboot *nt*, Kanu *nt*; **canoeing** *n* Kanufahren *nt*; **canoeist** *n* Kanufahrer(in *f*) *m*.
can opener ['kænəupnə'] *n* Büchsenöffner *m*.
canopy ['kænəpɪ] *n* Baldachin *m*.
can't [kɑ:nt] = **can not**.
cantankerous [kæn'tæŋkərəs] *adj* zänkisch, mürrisch.
canteen [kæn'ti:n] *n* (*in factory*) Kantine *f*; (*in university*) Mensa *f*; (*case of cutlery*) Besteckkasten *m*.
canter ['kæntə'] 1. *n* Kanter *m*, kurzer leichter Galopp; 2. *vi* in kurzem Galopp reiten.
cantilever ['kæntɪliːvə'] *n* Träger *m*, Ausleger *m*.
canvas ['kænvəs] *n* Segeltuch *nt*, Zeltstoff *m*; (*sail*) Segel *nt*; (*for painting*) Leinwand *f*; (*painting*) Ölgemälde *nt*; **under ~** (*people*) in Zelten; (*boat*) unter Segel.
canvass ['kænvəs] *vt* werben; **canvasser** *n* Wahlwerber(in *f*) *m*.
canyon ['kænjən] *n* Felsenschlucht *f*.
cap [kæp] 1. *n* Kappe *f*, Mütze *f*; (*lid*) [Verschluß]kappe *f*, Deckel *m*; 2. *vt* verschließen; (*surpass*) übertreffen.
capability [keɪpə'bɪlɪtɪ] *n* Fähigkeit *f*; **capable** ['keɪpəbl] *adj* fähig; **to be ~ of sth** zu etw fähig (*o* imstande) sein.
capacity [kə'pæsɪtɪ] *n* Fassungsvermögen *nt*; (*ability*) Fähigkeit *f*; (*position*) Eigenschaft *f*.
cape [keɪp] *n* (*garment*) Cape *nt*, Umhang *m*; (*GEO*) Kap *nt*.
caper ['keɪpə'] *n* Kaper *f*.
capital ['kæpɪtl] *n* (*FIN*) Kapital *nt*; (*letter*) Großbuchstabe *m*; **~ city** Hauptstadt *f*; **capitalism** *n* Kapitalismus *m*; **capitalist** 1. *adj* kapitalistisch; 2. *n* Kapitalist(in *f*) *m*; **capital punishment** *n* Todesstrafe *f*.
capitulate [kə'pɪtjʊleɪt] *vi* kapitulieren; **capitulation** [kəpɪtjʊ'leɪʃən] *n* Kapitulation *f*.
capricious [kə'prɪʃəs] *adj* launisch.
Capricorn ['kæprɪkɔ:n] *n* (*ASTR*) Steinbock *m*.
capsize [kæp'saɪz] *vi* kentern.
capstan ['kæpstən] *n* Ankerwinde *f*, Poller *m*.
capsule ['kæpsju:l] *n* Kapsel *f*.
captain ['kæptɪn] 1. *n* Führer(in *f*) *m*; (*NAUT*) Kapitän *m*; (*MIL*) Hauptmann *m*; (*SPORT*) [Mannschafts]kapitän *m*; 2. *vt* anführen.
caption ['kæpʃən] *n* Unterschrift *f*, Text *m*.
captivate ['kæptɪveɪt] *vt* fesseln.

captive ['kæptɪv] 1. *n* Gefangene(r) *mf*; 2. *adj* gefangen[gehalten]; **captivity** [kæp'tɪvɪtɪ] *n* Gefangenschaft *f*.
capture ['kæptʃə'] 1. *vt* fassen, gefangennehmen; (*COMPUT*) erfassen; 2. *n* Gefangennahme *f*; (*COMPUT*) Erfassung *f*.
car [kɑ:'] *n* Auto *nt*, Wagen *m*.
carafe [kə'ræf] *n* Karaffe *f*.
caramel ['kærəməl] *n* Karamelle *f*.
carat ['kærət] *n* Karat *nt*.
caravan ['kærəvæn] *n* Wohnwagen *m*; (*in desert*) Karawane *f*.
caraway ['kærəweɪ] *n* (*also:* **~ seed**) Kümmel *m*.
carbohydrate [kɑ:bəʊ'haɪdreɪt] *n* Kohle[n]hydrat *nt*.
car bomb ['kɑ:bɒm] *n* Autobombe *f*.
carbon ['kɑ:bən] *n* Kohlenstoff *m*; (*paper*) Kohlepapier *nt*; **carbon copy** *n* Durchschlag *m*; **carbon-copy crime** *n* Nachahmungstat *f*.
carburettor ['kɑ:bjʊretə'] *n* Vergaser *m*.
carcass ['kɑ:kəs] *n* Kadaver *m*.
carcinogenic [kɑ:sɪnə'dʒenɪk] *adj* krebserzeugend, karzinogen; **carcinoma** [kɑ:sɪ'nəʊmə] *n* Karzinom *nt*, Krebsgeschwulst *f*.
card [kɑ:d] *n* Karte *f*; **cardboard** *n* Pappe *f*; **~ box** Pappschachtel *f*; **card game** *n* Kartenspiel *nt*.
cardiac ['kɑ:dɪæk] *adj* Herz-.
cardigan ['kɑ:dɪgən] *n* Strickjacke *f*.
cardinal ['kɑ:dɪnl] *adj*: **~ number** Kardinalzahl *f*.
cardphone ['kɑ:dfəʊn] *n* Kartentelefon *nt*.
care [keə'] 1. *n* Sorge *f*, Mühe *f*; (*charge*) Obhut *f*, Fürsorge *f*; 2. *vi*: **I don't ~** es ist mir egal; **to ~ about sb/sth** sich um jdn/etw kümmern; **to take ~** (*watch*) vorsichtig sein; (*take pains*) darauf achten; **to take ~ of** sorgen für; **care for** *vt* (*look after*) sorgen für; (*like*) mögen, gern haben.
career [kə'rɪə'] 1. *n* Karriere *f*, Laufbahn *f*; 2. *vi* rasen.
carefree ['keəfri:] *adj* sorgenfrei; **careful** *adj*, **carefully** *adv* sorgfältig; **careless** *adj*, **carelessly** *adv* unvorsichtig; **carelessness** *n* Unachtsamkeit *f*; (*neglect*) Nachlässigkeit *f*.
caress [kə'res] 1. *n* Liebkosung *f*; 2. *vt* liebkosen.
caretaker ['keəteɪkə'] *n* Hausmeister(in *f*) *m*.
car-ferry ['kɑ:ferɪ] *n* Autofähre *f*.
cargo ['kɑ:gəʊ] *n* < **-[e]s** > Schiffsladung *f*.
caricature ['kærɪkətjʊə'] 1. *n* Karikatur *f*; 2. *vt* karikieren.

car insurance ['ka:ɪnʃuərəns] n Kraftfahrzeugversicherung f.

carnage ['ka:nɪdʒ] n Blutbad nt.

carnal ['ka:nl] adj fleischlich, sinnlich.

carnation [ka:'neɪʃən] n Nelke f.

carnival ['ka:nɪvəl] n Karneval m, Fasnacht f, Fasching m.

carnivorous [ka:'nɪvərəs] adj fleischfressend.

carol ['kærl] n [Weihnachts]lied nt.

carp [ka:p] n (fish) Karpfen m; **carp at** vt herumnörgeln an + dat.

car park ['ka:pa:k] n Parkplatz m; (multistorey ~) Parkhaus nt.

carpenter ['ka:pəntə'] n Zimmermann m; **carpentry** ['ka:pəntrɪ] n Zimmerhandwerk nt.

carpet ['ka:pɪt] 1. n Teppich m; 2. vt mit einem Teppich auslegen.

carping ['ka:pɪŋ] adj (critical) krittelnd, Mecker-.

carpool ['ka:pu:l] (US) 1. n Fahrgemeinschaft f; (vehicles) Fuhrpark m; 2. vi sich einer Fahrgemeinschaft anschließen.

carriage ['kærɪdʒ] n Wagen m; (of goods) Beförderung f; (bearing) Haltung f; **carriage return** n (on typewriter) Wagenrücklauf m; **carriageway** n (on road) Fahrbahn f; **dual ~** zweispurige Fahrbahn.

carrier ['kærɪə'] n Träger(in f) m; (COM) Spediteur(in f) m; **carrier bag** n Tragetasche m; **carrier pigeon** n Brieftaube f.

carrion ['kærɪən] n Aas nt.

carrot ['kærət] n Möhre f, Mohrrübe f, Karotte f.

carry ['kærɪ] 1. vt tragen; 2. vi wie tragen, reichen; **to be carried away** (fig) hingerissen sein; **carry on** vt, vi fortführen, weitermachen; **carry out** vt (orders) ausführen; **carrycot** n Babytragetasche f.

cart [ka:t] 1. n Wagen m, Karren m; (US: trolley) Einkaufswagen m; 2. vt schleppen.

cartilage ['ka:tɪlɪdʒ] n Knorpel m.

cartographer [ka:'tɒgrəfə'] n Kartograph(in f) m.

carton ['ka:tən] n [Papp]karton m; (of cigarettes) Stange f.

cartoon [ka:'tu:n] n (PRESS) Karikatur f; (CINE) [Zeichen]trickfilm m.

cartridge ['ka:trɪdʒ] n (for gun) Patrone f; (film, for recorder) Kassette f; (of record player) Tonabnehmer m.

carve [ka:v] vi, vi (wood) schnitzen; (stone) meißeln; (meat) schneiden, tranchieren; **carving** n (in wood etc) Schnitzerei f; **carving knife** n Tranchiermes-

ser nt.

car wash ['ka:wɒʃ] n Autowäsche f.

cascade [kæs'keɪd] 1. n Wasserfall m; 2. vi kaskadenartig herabfallen.

case [keɪs] n (box) Kasten m, Kiste f; (suit~) Koffer m; (JUR. matter) Fall m; **in ~** falls, im Falle; **in any ~** jedenfalls, auf jeden Fall.

cash [kæʃ] 1. n [Bar]geld nt; 2. vt einlösen; **in ~** bar; **~ on delivery** per Nachnahme; **cash desk** n Kasse f; **cash dispenser** n Geldautomat m; **cashier** [kæ'ʃɪə'] n Kassierer(in f) m; **cash register** n Registrierkasse f.

cashmere ['kæʃmɪə'] n Kaschmirwolle f.

casing ['keɪsɪŋ] n Gehäuse nt.

casino [kə'si:nəʊ] n <-s> Kasino nt.

cask [ka:sk] n Faß nt.

casket ['ka:skɪt] n Kästchen nt; (US: coffin) Sarg m.

casserole ['kæsərəʊl] n Kasserole f; (food) Schmortopf m.

cassette [kæ'set] 1. n Kassette f; 2. vt (US) auf Kassette aufnehmen; **cassette deck** n Kassettendeck n.

cast [ka:st < cast, cast> 1. vt werfen; (horns etc) verlieren; (metal) gießen; (THEAT) besetzen; (roles) verteilen; 2. n (THEAT) Besetzung f; **cast off** vi (NAUT) losmachen; **~ ~ clothing** abgelegte Kleidung.

castanets [kæstə'nets] n pl Kastagnetten pl.

castaway ['ka:stəweɪ] n Schiffbrüchige(r) mf.

caste [ka:st] n Kaste f.

casting ['ka:stɪŋ] adj: **~ vote** entscheidende Stimme.

castiron ['ka:st'aɪən] 1. n Gußeisen nt; 2. adj gußeisern; (alibi) hieb- und stichfest.

castle ['ka:sl] n Burg f; Schloß nt; (CHESS) Turm m.

castor ['ka:stə'] n (wheel) Laufrolle f; **castor oil** n Rizinusöl nt; **castor sugar** n Streuzucker m.

castrate [kæs'treɪt] vt kastrieren.

casual ['kæʒjʊəl] adj (arrangement) beiläufig; (attitude) nachlässig; (dress) leger; (meeting) zufällig; **casually** adv (dress) zwanglos, leger; (remark) beiläufig.

casualty ['kæʒjʊəltɪ] n Verletzte(r) mf; (dead) Tote(r) mf; (department in hospital) Unfallstation f.

cat [kæt] n Katze f.

CAT [kæt] abbr of **computerized axial tomography** Computertomographie f; **CAT scanner** n Computertomograph m.

catalog (US), **catalogue** ['kætəlɒg] 1.

n Katalog *m*; **2.** *vt* katalogisieren.

catalytic   **converter** [kætə'lıtıkən'vɜːtə*] *n* (*AUT*) Katalysator *m*.

catalyst ['kætəlıst] *n* (*also fig*) Katalysator *m*.

catapult ['kætəpʌlt] *n* Katapult *nt*; (*slingshot*) Schleuder *f*.

cataract ['kætərækt] *n* Wasserfall *m*; (*MED*) grauer Star.

catarrh [kə'tɑː*] *n* Katarrh *m*.

catastrophe [kə'tæstrəfı] *n* Katastrophe *f*; **catastrophic** [kætə'strofık] *adj* katastrophal.

catch [kætʃ] <**caught, caught**> **1.** *vt* fangen; (*train etc*) nehmen; (*not miss*) erreichen; (*surprise*) ertappen; (*understand*) begreifen; **2.** *n* (*of lock*) Sperrhaken *m*; (*of fish*) Fang *m*; **to ~ a cold** sich erkälten; **catching** *adj* (*MED,fig*) ansteckend; **catch phrase** *n* Schlagwort *nt*, Slogan *m*.

catchy ['kætʃı] *adj* (*tune*) eingängig.

catechism ['kætıkızəm] *n* Katechismus *m*.

categorical *adj*, **categorically** *adv* [kætı'gorıkl, -kəlı] kategorisch.

categorize ['kætıgəraız] *vt* kategorisieren; **category** ['kætıgərı] *n* Kategorie *f*.

cater ['keıtə*] *vi* die Speisen und Getränke liefern; **cater for** *vt* (*party*) ausrichten; (*fig*) eingestellt sein auf + *akk*; berücksichtigen; **catering** *n* Gastronomie *f*, Bewirtung *f*.

caterpillar ['kætəpılə*] *n* Raupe *f*; **caterpillar track** *n* Gleiskette *f*.

cathedral [kə'θiːdrəl] *n* Kathedrale *f*, Dom *m*.

Catholic ['kæθəlık] **1.** *adj* (*REL*) katholisch; **2.** *n* Katholik(in *f*) *m*; **c~** vielseitig.

cattle ['kætl] *n pl* Vieh *nt*.

catty ['kætı] *adj* gehässig.

caught [kɔːt] *pt, pp of* **catch**.

cauliflower ['kolıflauə*] *n* Blumenkohl *m*.

cause [kɔːz] **1.** *n* Ursache *f*; Grund *m*; (*purpose*) Sache *f*; **2.** *vt* verursachen; **in a good ~** zu einem guten Zweck.

causeway ['kɔːzweı] *n* Damm *m*.

caustic ['kɔːstık] *adj* ätzend; (*fig*) bissig.

cauterize ['kɔːtəraız] *vt* ätzen, ausbrennen.

caution ['kɔːʃən] **1.** *n* Vorsicht *f*; (*warning*) Warnung *f*; (*JUR*) Verwarnung *f*; **2.** *vt* [ver]warnen.

cautious *adj*, **cautiously** *adv* ['kɔːʃəs, -lı] vorsichtig.

cavalier [kævə'lıə*] *adj* unbekümmert.

cavalry ['kævəlrı] *n* Kavallerie *f*.

cave [keıv] *n* Höhle *f*; **cave in** *vi* einstürzen; **caveman** *n* <**-men**> Höhlenmensch *m*.

cavern ['kævən] *n* Höhle *f*; **cavernous** *adj* (*cheeks*) hohl; (*eyes*) tiefliegend.

cavil ['kævıl] *vi* kritteln (*at* an + *dat*).

cavity ['kævıtı] *n* Höhlung *f*; (*in tooth*) Loch *nt*.

CB radio *n abbr of* **Citizens' Band radio** CB-Funk *m*.

CD *n abbr of* **compact disc** CD *f*; **CD player** *n* CD-Spieler *m*.

cease [siːs] **1.** *vi* aufhören; **2.** *vt* beenden; **ceasefire** *n* Feuerpause *f*; **ceaseless** *adj* unaufhörlich.

cedar ['siːdə*] *n* Zeder *f*.

cede [siːd] *vt* abtreten.

Ceefax ® ['siːfæks] *n* ≈ Videotext *m*.

ceiling ['siːlıŋ] *n* Decke *f*; (*fig*) Höchstgrenze *f*.

celebrate ['selıbreıt] *vt, vi* feiern; **celebrated** *adj* gefeiert; **celebration** [selı'breıʃən] *n* Feier *f*.

celebrity [sı'lebrıtı] *n* gefeierte Persönlichkeit, Berühmtheit *f*.

celeriac [sə'lerıæk] *n* [Knollen]sellerie *m o f*.

celery ['selərı] *n* [Stangen]sellerie *m o f*.

celestial [sı'lestıəl] *adj* himmlisch.

celibacy ['selıbəsı] *n* Zölibat *nt o m*.

cell [sel] *n* Zelle *f*; (*ELEC*) Element *nt*.

cellar ['selə*] *n* Keller *m*.

cellist ['tʃelıst] *n* Cellist(in *f*) *m*; **cello** ['tʃeləu] *n* <**-s**> Cello *nt*.

cellophane ® ['seləfeın] *n* Cellophan *nt*.

cellular ['seljulə*] *adj* zellenförmig, zellular; **~ telephone** Funktelefon *nt*; **~ therapy** Frischzellentherapie *f*.

cellulose ['seljuləus] *n* Zellulose *f*.

Celt [kelt] *n* Kelte *m*, Keltin *f*; **Celtic** ['keltık] **1.** *adj* keltisch; **2.** *n* (*language*) Keltisch *nt*.

cement [sı'ment] **1.** *n* Zement *m*; **2.** *vt* zementieren; (*fig*) festigen.

cemetery ['semıtrı] *n* Friedhof *m*.

censor ['sensə*] *n* Zensor(in *f*) *m*; **censorship** *n* Zensur *f*.

censure ['senʃə*] *vt* rügen.

census ['sensəs] *n* Volkszählung *f*.

centenary, centennial [sen'tiːnərı, sen'tenjəl] *n* Hundertjahrfeier *f*.

center (*US*) *see* **centre**.

centigrade ['sentıgreıd] *adj*: **10 [degrees] ~** 10 Grad Celsius.

centilitre, centiliter (*US*) ['sentılitə*] *n* Zentiliter *nt o m*.

centimetre, centimeter (*US*) ['sentımiːtə*] *n* Zentimeter *m o nt*.

centipede ['sentıpiːd] *n* Tausendfüßler *m*.

central ['sentrəl] adj zentral; **central heating** n Zentralheizung f; **central [door] locking** n (AUT) Zentralverriegelung f; **centralize** vt zentralisieren; **central processing unit** n Zentraleinheit f.

centre ['sentə*] 1. n Zentrum nt; 2. vt (TYP, COMPUT) zentrieren; ~ of gravity Schwerpunkt m; **centre on** vi kreisen um.

century ['sentjʊrɪ] n Jahrhundert nt.

ceramic [sɪ'ræmɪk] adj keramisch.

cereal ['sɪərɪəl] n (any grain) Getreide nt; (at breakfast) Getreideflocken pl.

ceremonial [serɪ'məʊnɪəl] adj zeremoniell.

ceremony ['serɪmənɪ] n Feierlichkeiten pl, Zeremonie f.

certain ['sɜːtən] adj sicher; (particular) gewiß; **for** ~ ganz bestimmt; **certainly** adv sicher, bestimmt; **certainty** n Gewißheit f.

certificate [sə'tɪfɪkɪt] n Bescheinigung f; (SCH etc) Zeugnis nt.

certify ['sɜːtɪfaɪ] vt, vi bescheinigen.

cervical ['sɜːvɪkəl] adj Gebärmutterhals-; ~ **smear** Abstrich m.

cesium ['siːzjəm] n (US) see **caesium**.

cessation [se'seɪʃən] n Einstellung f, Ende nt.

Chad [tʃæd] n Tschad m.

chafe [tʃeɪf] vt, vi [wund]reiben, scheuern.

chaffinch ['tʃæfɪntʃ] n Buchfink m.

chain [tʃeɪn] 1. n Kette f; 2. vt (also: ~ **up**) anketten; mit Ketten fesseln; **human** ~ Menschenkette f; **chain reaction** n Kettenreaktion f; **chain smoker** n Kettenraucher(in f) m; **chain store** n Kettenladen m.

chair [tʃeə*] 1. n Stuhl m; (arm~) Sessel m; (SCH) Lehrstuhl m; 2. vt: **to** ~ **a meeting** in einer Versammlung den Vorsitz führen; **chairlift** n Sessellift m; **chairman** n <-**men**> Vorsitzende(r) m; (of firm) Präsident m; **chairperson** n Vorsitzende(r) mf; (of firm) Präsident(in f) m; **chairwoman** n <-**women**> Vorsitzende f; (of firm) Präsidentin f.

chalet ['ʃæleɪ] n Chalet nt.

chalice ['tʃælɪs] n [Abendmahls]kelch m.

chalk [tʃɔːk] n Kreide f.

challenge ['tʃælɪndʒ] 1. n Herausforderung f; 2. vt auffordern; (contest) bestreiten; **challenger** n Herausforderer(-fordrerin f) m; **challenging** adj (statement) herausfordernd; (work) anspruchsvoll.

chamber ['tʃeɪmbə*] n Kammer f; ~ **of commerce** Handelskammer f; **chambermaid** n Zimmermädchen nt; **chamber music** n Kammermusik f; **chamberpot** n Nachttopf m.

chameleon [kə'miːlɪən] n Chamäleon nt.

chamois ['ʃæmwɑː] n Gemse f; **chamois leather** ['ʃæmɪ'leðə*] n Sämischleder nt; (for windows) Fensterleder nt.

champagne [ʃæm'peɪn] n Champagner m.

champion ['tʃæmpɪən] n (SPORT) Sieger(in f) m, Meister(in f) m; (of cause) Verfechter(in f) m; **championship** n Meisterschaft f.

chance [tʃɑːns] 1. n (luck, fate) Zufall m; (possibility) Möglichkeit f; (opportunity) Gelegenheit f, Chance f; (risk) Risiko nt; 2. adj zufällig; 3. vt: **to** ~ **it** es darauf ankommen lassen; **by** ~ zufällig; **to take a** ~ ein Risiko eingehen; **no** ~ sicher nicht.

chancel ['tʃɑːnsəl] n Altarraum m, Chor m.

chancellor ['tʃɑːnsələ*] n Kanzler(in f) m; **C~ of the Exchequer** Schatzkanzler(in f) m.

chancy ['tʃɑːnsɪ] adj (fam) riskant.

chandelier [ʃændɪ'lɪə*] n Kronleuchter m.

change [tʃeɪndʒ] 1. vt verändern; (money) wechseln; 2. vi sich verändern; (trains) umsteigen; (colour etc) sich verwandeln; (clothes) sich umziehen; 3. n Veränderung f; (money) Wechselgeld nt; (coins) Kleingeld nt; **changeable** adj (weather) wechselhaft; **changeover** n Umstellung f, Wechsel m; **changing** adj veränderlich; **changing room** n Umkleideraum m.

channel ['tʃænl] 1. n (stream) Bachbett nt; (NAUT) Straße f, Meerenge f; (RADIO, TV) Kanal m; (fig) Weg m; 2. vt [hindurch]leiten, lenken; **through official** ~**s** durch die Instanzen; **the [English] C~** der Ärmelkanal; **C~ Islands** pl Kanalinseln pl.

chant [tʃɑːnt] 1. n liturgischer Gesang; Sprechgesang m, Sprechchor m; 2. vt intonieren.

chaos ['keɪɒs] n Chaos nt, Durcheinander nt; **chaotic** [keɪ'ɒtɪk] adj chaotisch.

chap [tʃæp] 1. n (fam) Bursche m, Kerl m; 2. vt (skin) rissig machen; 3. vi (hands etc) aufspringen.

chapel ['tʃæpəl] n Kapelle f.

chaperon ['ʃæpərəʊn] 1. n Anstandsdame f; 2. vt begleiten.

chaplain ['tʃæplɪn] n Geistliche(r) m, Pfarrer m, Kaplan m.

chapter ['tʃæptə*] n Kapitel nt.

char [tʃɑː*] 1. vt (burn) verkohlen; 2. vi (cleaner) putzen gehen.

character ['kærəktə*] n Charakter m, Wesen nt; (LITER) Figur f, Gestalt f; (THEAT) Person f, Rolle f; (peculiar person) Original nt; (in writing) Schriftzeichen nt; **characteristic** [kærəktə'rɪstɪk] **1.** adj charakteristisch, bezeichnend (of für); **2.** n Kennzeichen nt, Eigenschaft f; **characterize** ['kærəktəraɪz] vt charakterisieren, kennzeichnen.

charade [ʃə'rɑːd] n Scharade f.

charcoal ['tʃɑːkəʊl] n Holzkohle f.

charge [tʃɑːdʒ] **1.** n (cost) Preis m; (JUR) Anklage f; (of gun) Ladung f; (attack) Angriff m; **2.** vt (gun, battery) laden; (price) verlangen; (MIL) angreifen; **3.** vi (rush) angreifen, [an]stürmen; **to be in ~ of** verantwortlich sein für; **to take ~** die Verantwortung übernehmen; **charge account** n Kunden[kredit]konto nt; **charge card** n Kunden[kredit]karte f.

chariot ['tʃærɪət] n [Streit]wagen m.

charitable ['tʃærɪtəbl] adj wohltätig; (lenient) nachsichtig.

charity ['tʃærɪtɪ] n (institution) Wohlfahrtseinrichtung f, Hilfswerk nt; (attitude) Nächstenliebe f, Wohltätigkeit f.

charlady ['tʃɑːleɪdɪ] n Reinemachefrau f, Putzfrau f.

charlatan ['ʃɑːlətən] n Scharlatan m, Schwindler(in f) m.

charm [tʃɑːm] **1.** n Charme m, gewinnendes Wesen; (in superstition) Amulett nt; Talisman m; **2.** vt bezaubern; **charming** adj reizend, charmant.

chart [tʃɑːt] n Tabelle f, (NAUT) Seekarte f; **~s** pl Hitliste f.

charter ['tʃɑːtə*] **1.** vt (NAUT, AVIAT) chartern; **2.** n Schutzbrief m; (cost) Schiffsmiete f; **chartered accountant** n Bilanzbuchhalter(in f) m; **charter flight** n Charterflug m; **charter plane** n Charterflugzeug nt.

charwoman ['tʃɑːwumən] <-women> n Reinemachefrau f, Putzfrau f.

chary ['tʃɛərɪ] adj zurückhaltend (of sth mit etw).

chase [tʃeɪs] **1.** vt jagen, verfolgen; **2.** n Jagd f.

chasm ['kæzəm] n Kluft f.

chassis ['ʃæsɪ] n Chassis nt, Fahrgestell nt.

chaste [tʃeɪst] adj keusch; **chastity** ['tʃæstɪtɪ] n Keuschheit f.

chat [tʃæt] **1.** vi plaudern, sich [zwanglos] unterhalten; **2.** n Plauderei f; **chatter** ['tʃætə*] **1.** vi schwatzen; (teeth) klappern; **2.** n Geschwätz nt; **chatterbox** n Quasselstrippe f; **chatty** adj geschwät-

zig.

chauffeur ['ʃəʊfə*] n Chauffeur(in f) m, Fahrer(in f) m.

chauvinist ['ʃəʊvɪnɪst] **1.** adj chauvinistisch; **2.** n Chauvinist(in f) m; (male ~) Chauvi m.

cheap [tʃiːp] adj billig; (joke) schlecht; (of poor quality) minderwertig; **cheapen** vr: **~ oneself** sich entwürdigen; **cheaply** adv billig.

cheat [tʃiːt] **1.** vt, vi betrügen; (SCH) mogeln; **2.** n Betrüger(in f) m; **cheating** n Betrug m.

check [tʃek] **1.** vt prüfen; (look up, make sure) nachsehen; (control) kontrollieren; (restrain) zügeln; (stop) anhalten; **2.** n (examination, restraint) Kontrolle f; (restaurant bill) Rechnung f; (pattern) Karo[muster] nt; (US) see **cheque**; **check in** vt, vi (AVIAT) einchecken; **checkers** ['tʃekəz] n sing (US) Damespiel nt.

check-in desk ['tʃekɪn'desk] n Abfertigungsschalter m; **checklist** n Kontrolliste f; **checkmate** n Schachmatt nt; **checkpoint** n Kontrollpunkt m; **checkroom** n (US) Gepäckaufbewahrung f; (for clothes) Garderobe f; **checkup** n [Nach]prüfung f; (MED) [ärztliche] Untersuchung f.

cheek [tʃiːk] n Backe f, Wange f; (fig) Frechheit f, Unverschämtheit f; **cheekbone** n Backenknochen m; **cheeky** adj frech.

cheer [tʃɪə*] **1.** n Beifallsruf m, Hochruf m; **2.** vt zujubeln + dat; (encourage) ermuntern, aufmuntern; **3.** vi jauchzen, Hochrufe ausbringen; **~s!** prost!; **cheer up 1.** vt ermuntern; **2.** vi fröhlicher werden; **~ up!** Kopf hoch!

cheerful ['tʃɪəful] adj fröhlich; **cheerfulness** n Fröhlichkeit f, Munterkeit f.

cheering ['tʃɪərɪŋ] **1.** n Applaus m; **2.** adj aufheiternd.

cheerio [tʃɪərɪ'əʊ] interj tschüs.

cheerless ['tʃɪəlɪs] adj (prospect) trostlos; (person) verdrießlich.

cheese [tʃiːz] n Käse m; **cheeseboard** n [gemischte] Käseplatte f; **cheesecake** n Käsekuchen m.

cheetah ['tʃiːtə] n Gepard m.

chef [ʃef] n Küchenchef(in f) m.

chemical ['kemɪkəl] adj chemisch.

chemist ['kemɪst] n (MED) Apotheker(in f) m, Drogist(in f) m; (industrial ~) Chemiker(in f) m; **~'s** [**shop**] (MED) Apotheke f, Drogerie f; **chemistry** n Chemie f.

chemotherapy [keməʊ'θerəpɪ] n Chemotherapie f.

cheque [tʃek] n (Brit) Scheck m; **chequebook** n Scheckbuch nt; **cheque card** n Scheckkarte f.

chequered ['tʃekəd] adj (fig) bewegt.

cherish ['tʃerɪʃ] vt (person) lieben; (hope) hegen; (memory) bewahren.

cheroot [ʃə'ruːt] n Zigarillo nt o m.

cherry ['tʃerɪ] n Kirsche f.

chervil ['tʃɜːvɪl] n Kerbel m.

chess [tʃes] n Schach nt; **chessboard** n Schachbrett nt; **chessman** n <-men> Schachfigur f; **chessplayer** n Schachspieler(in f) m.

chest [tʃest] n Brust f, Brustkasten m; (box) Kiste f, Kasten m; **to get sth off one's ~** seinem Herzen Luft machen; **~ of drawers** Kommode f.

chestnut ['tʃesnʌt] n Kastanie f; ~ [tree] Kastanienbaum m.

chew [tʃuː] vt, vi kauen; **chewing gum** n Kaugummi m.

chic [ʃiːk] adj schick, elegant.

Chicano [tʃɪ'keɪnəʊ] n <-s> (US) Einwandrer(in f) m aus Mexiko.

chicanery [ʃɪ'keɪnərɪ] n Schikane f.

chick [tʃɪk] n Küken nt; (US: girl) Mädchen nt, Biene f; **chicken** n Huhn nt; (food, roast) Hähnchen nt; **chickenpox** n Windpocken pl; **chickpea** n Kichererbse f.

chicory ['tʃɪkərɪ] n Zichorie f; (plant) Chicorée f.

chief [tʃiːf] 1. n [Ober]haupt nt; Anführer(in f) m; (COM) Chef(in f) m; 2. adj höchst, Haupt-; **chiefly** adv hauptsächlich.

chieftain ['tʃiːftən] n Häuptling m.

chilblain ['tʃɪlbleɪn] n Frostbeule f.

child [tʃaɪld] n <children> Kind nt; **child abuse** n Kindesmißhandlung f; **childbirth** n Entbindung f; **childhood** n Kindheit f; **childish** adj kindisch; **childlike** adj kindlich; **child minder** n Tagesmutter f; **children** ['tʃɪldrən] pl of **child**; **child-resistant** adj kindersicher; **child's play** n (fig) Kinderspiel nt.

Chile ['tʃɪlɪ] n Chile nt.

chill [tʃɪl] n Kühle f; (MED) Erkältung f.

chilli ['tʃɪlɪ] n Pepperoni pl.

chilly ['tʃɪlɪ] adj kühl, frostig.

chime [tʃaɪm] 1. n Glockenschlag m, Glockenklang m; 2. vi ertönen, [er]klingen.

chimney ['tʃɪmnɪ] n Schornstein m, Kamin m; **chimneysweep** n Schornsteinfeger(in f) m.

chimpanzee [tʃɪmpæn'ziː] n Schimpanse m.

chin [tʃɪn] n Kinn nt.

china ['tʃaɪnə] n Porzellan nt.

China ['tʃaɪnə] n China nt; **Chinaman** n <-men> Chinese m; **Chinese** [tʃaɪ'niːz] 1. adj chinesisch; 2. n Chinese m, Chinesin f; **the ~** pl die Chinesen pl.

chink [tʃɪŋk] n (opening) Ritze f, Spalt m; (noise) Klirren nt.

chip [tʃɪp] 1. n (of wood etc) Splitter m; (COMPUT) Chip m; (US: crisp) [Kartoffel]chip m; 2. vt absplittern; ~s (Brit: potato ~) Pommes frites pl; **chip in** vi Zwischenbemerkungen machen.

chiropodist [kɪ'rɒpədɪst] n Fußpfleger(in f) m.

chirp [tʃɜːp] vi zwitschern.

chisel ['tʃɪzl] n Meißel m.

chit [tʃɪt] n Notizzettel m.

chitchat ['tʃɪttʃæt] n Plauderei f.

chivalrous ['ʃɪvəlrəs] adj ritterlich; **chivalry** ['ʃɪvəlrɪ] n Ritterlichkeit f.

chives [tʃaɪvz] n pl Schnittlauch m.

chloride ['klɔːraɪd] n Chlorid nt.

chlorine ['klɔːriːn] n Chlor nt.

chock [tʃɒk] n Keil m; **chock-a-block** adj vollgepfropft.

chocolate ['tʃɒklɪt] n Schokolade f.

choice [tʃɔɪs] 1. n Wahl f; (of goods) Auswahl f; 2. adj auserlesen, Qualitäts-.

choir ['kwaɪə*] n Chor m; **choirboy** n Chorknabe m.

choke [tʃəʊk] 1. vi ersticken; 2. vt erdrosseln; (block) [ab]drosseln; 3. n (AUT) Starterklappe f, Choke m.

cholera ['kɒlərə] n Cholera f.

cholesterol [kə'lestərɒl] n Cholesterin nt.

choose [tʃuːz] <chose, chosen> vt wählen; (decide) beschließen.

chop [tʃɒp] 1. vt [zer]hacken; (wood) spalten; 2. vi: **to ~ and change** es sich dat ständig anders überlegen; 3. n Hieb m; (meat) Kotelett nt; **choppy** adj bewegt; **chopsticks** n pl [Eß]stäbchen pl.

choral ['kɔːrəl] adj Chor-.

chord [kɔːd] n Akkord m; (string) Saite f.

chore [tʃɔː*] n Pflicht f; harte Arbeit.

choreographer [kɒrɪ'ɒgrəfə*] n Choreograph(in f) m.

chorister ['kɒrɪstə*] n Chorsänger(in f) m.

chortle ['tʃɔːtl] vi glucksen, tief lachen.

chorus ['kɔːrəs] n Chor m; (in song) Refrain m.

chose [tʃəʊz] pt of **choose**; **chosen** ['tʃəʊzn] pp of **choose**.

chow [tʃaʊ] n (dog) Chow-Chow m.

Christ [kraɪst] n Christus m.

christen ['krɪsn] vt taufen; **christening** n Taufe f.

Christian ['krɪstɪən] **1.** adj christlich; **2.** n Christ(in f) m; **Christian name** n Vorname m; **Christianity** [krɪstɪˈænɪtɪ] n Christentum nt.

Christmas ['krɪsməs] n Weihnachten pl; **Christmas card** n Weihnachtskarte f; **Christmas day** n erster Weihnachts[feier]tag; **Christmas tree** n Weihnachtsbaum m.

chrome [krəum] n see **chromium plating**.

chromium ['krəumɪəm] n Chrom nt; **chromium plating** n Verchromung f.

chronic ['krɒnɪk] adj (MED) chronisch; (terrible) scheußlich.

chronicle ['krɒnɪkl] n Chronik f.

chronological [krɒnəˈlɒdʒɪkəl] adj chronologisch.

chrysalis ['krɪsəlɪs] n [Insekten]puppe f.

chrysanthemum [krɪˈsænθɪməm] n Chrysantheme f.

chubby ['tʃʌbɪ] adj (child) pausbäckig; (adult) rundlich.

chuck [tʃʌk] **1.** vt werfen; **2.** n (TECH) Spannvorrichtung f.

chuckle ['tʃʌkl] vi in sich hinein lachen.

chum [tʃʌm] n (child) Spielkamerad(in f) m; (adult) Kumpel m.

chunk [tʃʌŋk] n Klumpen m; (of food) Brocken m.

church [tʃɜ:tʃ] n Kirche f; (clergy) Geistlichkeit f; **churchyard** n Kirchhof m.

churlish ['tʃɜ:lɪʃ] adj grob.

churn [tʃɜ:n] n Butterfaß nt; (for transport) [große] Milchkanne f; **churn out** vt (fam) produzieren.

chute [ʃu:t] n Rutsche f.

CIA n abbr of **Central Intelligence Agency** CIA f.

cicada [sɪˈkɑ:də] n Zikade f.

CID n abbr of **Criminal Investigation Department** Kripo f.

cider ['saɪdə*] n Apfelwein m.

cigar [sɪˈgɑ:*] n Zigarre f.

cigarette [sɪgəˈret] n Zigarette f; **cigarette case** n Zigarettenetui nt; **cigarette end** n Zigarettenstummel m; **cigarette holder** n Zigarettenspitze f.

Cinderella [sɪndəˈrelə] n Aschenbrödel nt.

cine-camera ['sɪnɪˈkæmərə] n Filmkamera f; **cine film** n Schmalfilm m; **cinema** ['sɪnəmə] n Kino m; **cine-projector** n Filmvorführapparat m.

cinnamon ['sɪnəmən] n Zimt m.

cipher ['saɪfə*] n (code) Chiffre f; (numeral) Ziffer f.

circle ['sɜ:kl] **1.** n Kreis m; **2.** vi kreisen; **3.** vt umkreisen; (attacking) umzingeln.

circuit ['sɜ:kɪt] n Umlauf m; (ELEC)

Stromkreis m.

circuitous [sɜ:ˈkju:ɪtəs] adj weitschweifig.

circular ['sɜ:kjulə*] **1.** adj [kreis]rund, kreisförmig; **2.** n Rundschreiben nt.

circularize ['sɜ:kjuləraɪz] vt (inform) benachrichtigen; (letter) herumschicken.

circulate ['sɜ:kjuleɪt] **1.** vi zirkulieren; **2.** vt in Umlauf setzen.

circulation [sɜ:kjuˈleɪʃən] n (of blood) Kreislauf m; (of newspaper) Auflage f; (of money) Umlauf m.

circumcise ['sɜ:kəmsaɪz] vt beschneiden.

circumference [səˈkʌmfərəns] n [Kreis]umfang m.

circumspect ['sɜ:kəmspekt] adj umsichtig.

circumstances ['sɜ:kəmstənsəz] n pl (facts connected with sth) Umstände pl; (financial condition) Verhältnisse pl.

circumvent [sɜ:kəmˈvent] vt umgehen.

circus ['sɜ:kəs] n Zirkus m.

cissy ['sɪsɪ] n Weichling m.

cistern ['sɪstən] n Zisterne f; (of W.C.) Spülkasten m.

citation [saɪˈteɪʃən] n Zitat nt; **cite** [saɪt] vt zitieren, anführen.

citizen ['sɪtɪzn] n Bürger(in f) m; (of nation) Staatsangehörige(r) mf; **citizenship** n Staatsangehörigkeit f.

citrus ['sɪtrəs] adj: ~ **fruit** Zitrusfrucht f.

city ['sɪtɪ] n [Groß]stadt f; (centre) Zentrum nt, City f; **city hall** n Rathaus nt.

civic ['sɪvɪk] adj städtisch, Bürger-.

civil ['sɪvɪl] adj (of town) Bürger-; (of state) staatsbürgerlich; (not military) zivil; (polite) höflich; **civil engineer** n Bauingenieur(in f) m; **civil engineering** n Hoch- und Tiefbau m.

civilian [sɪˈvɪlɪən] **1.** n Zivilperson f; **2.** adj zivil, Zivil-; ~ **support group** (MIL) Zivildienstbeschäftigte pl.

civilization [sɪvɪlaɪˈzeɪʃən] n Zivilisation f, Kultur f.

civilized ['sɪvɪlaɪzd] adj zivilisiert; Kultur-.

civil law n bürgerliches Recht, Zivilrecht nt; **civil rights** n pl Bürgerrechte pl; **civil servant** n [Staats]beamte(r) m, [Staats]beamtin f; **civil service** n Staatsdienst m; **civil war** n Bürgerkrieg m.

clad [klæd] adj gekleidet; ~ **in** gehüllt in + akk.

claim [kleɪm] **1.** vt beanspruchen; (have opinion) behaupten; **2.** n (demand) Forderung f, (right) Anspruch m; (assertion) Behauptung f; **claimant** n Antragsteller(in f) m.

clairvoyant [klɛəˈvɔɪənt] **1.** n Hellseher(in f) m; **2.** adj hellseherisch.

clam [klæm] n Venusmuschel f.

clamber ['klæmbə*] *vi* kraxeln.
clammy ['klæmi] *adj* feucht[kalt]; klamm.
clamorous ['klæmərəs] *adj* lärmend, laut.
clamp [klæmp] **1.** *n* Schraubzwinge; **2.** *vt* einspannen.
clan [klæn] *n* Sippe *f*, Clan *m*.
clang [klæŋ] **1.** *n* Klang *m*; (*metallic*) Scheppern *nt*; **2.** *vi* klingen; scheppern.
clap [klæp] **1.** *vi* klatschen; **2.** *vt* Beifall klatschen + *dat*; **clapping** *n* [Beifall]klatschen *nt*.
claret ['klærɪt] *n* roter Bordeaux[wein].
clarification [klærɪfɪ'keɪʃən] *n* Erklärung *f*; **clarify** ['klærɪfaɪ] *vt* klären, erklären.
clarinet [klærɪ'net] *n* Klarinette *f*.
clarity ['klærɪti] *n* Klarheit *f*.
clash [klæʃ] **1.** *n* (*fig*) Konflikt *m*, Widerstreit *m*; (*sound*) Knall *m*; **2.** *vi* zusammenprallen; (*colours*) sich beißen; (*argue*) sich streiten.
clasp [klɑːsp] **1.** *n* Klammer *f*, Haken *m*; (*on belt*) Schnalle *f*; **2.** *vt* umklammern.
class [klɑːs] **1.** *n* Klasse *f*; **2.** *vt* einordnen, einstufen; **class-conscious** *adj* klassenbewußt.
classic ['klæsɪk] **1.** *n* Klassiker(in *f*) *m*; **2.** *adj* (*traditional*) klassisch; **classical** *adj* klassisch.
classification [klæsɪfɪ'keɪʃən] *n* Klassifizierung *f*, Einteilung *f*; **classify** ['klæsɪfaɪ] *vt* klassifizieren, einteilen.
classroom ['klɑːsrʊm] *n* Klassenzimmer *nt*.
classy ['klɑːsɪ] *adj* (*fam*) todschick.
clatter ['klætə*] **1.** *n* Klappern *nt*, Rasseln *nt*; (*of feet*) Getrappel *nt*; **2.** *vi* klappern, rasseln; (*feet*) trappeln.
clause [klɔːz] *n* (*JUR*) Klausel *f*; (*LING*) Satz[teil] *m*, Satzglied *nt*.
claustrophobia [klɔːstrə'fəʊbɪə] *n* Platzangst *f*, Klaustrophobie *f*.
claw [klɔː] **1.** *n* Kralle *f*; **2.** *vt* [zer]kratzen.
clay [kleɪ] *n* Lehm *m*; (*for pots*) Ton *m*.
clean [kliːn] **1.** *adj* sauber; *fig*) schuldlos; (*shape*) ebenmäßig; (*cut*) glatt; **2.** *vt* saubermachen, reinigen, putzen; **clean out** *vt* gründlich putzen; **clean up** *vt* aufräumen; **cleaner** *n* (*person*) Putzfrau *f*, Putzmann *m*; (*for grease etc*) Putzmittel *nt*; **cleaners** *n pl* chemische Reinigung; **cleaning** *n* Reinigen *nt*, Säubern *nt*; **cleanliness** ['klenlɪnɪs] *n* Sauberkeit *f*, Reinlichkeit *f*; **cleanse** [klenz] *vt* reinigen, säubern; **clean-shaven** *adj* glattrasiert; **cleansing cream** *n* Reinigungscreme *f*; **clean-up** *n* Reinigung *f*.
clear ['klɪə*] **1.** *adj* (*water*) klar; (*glass*) durchsichtig; (*sound*) deutlich, klar, hell; (*meaning*) genau, klar; (*certain*) klar, si-

cher; (*road*) frei; **2.** *vt* (*pipe etc*) reinigen; (*road etc*) räumen; (*COMPUT: screen*) löschen; (*conscience*) erleichtern; (*table*) abräumen; (*from guilt*) freisprechen; (*clean*) reinigen; (*check*) abfertigen; (*ask*) abklären; **3.** *vi* (*weather*) aufklären; (*mist*) sich auflösen; **clear up 1.** *vi* (*weather*) sich aufklären; **2.** *vt* reinigen, säubern; (*solve*) aufklären; **clearance** ['klɪərns] *n* (*removal*) Räumung *f*; (*free space*) Lichtung *f*; (*permission*) Freigabe *f*; **clear-cut** *adj* scharf umrissen; (*case*) eindeutig; **clearing** *n* Lichtung *f*; **clearly** *adv* klar, deutlich, zweifellos; **clearway** *n* (*Brit*) [Straße *f* mit] Halteverbot *nt*.
clef [klef] *n* Notenschlüssel *m*.
clench [klentʃ] *vt* (*teeth*) zusammenbeißen; (*fist*) ballen.
clergy ['klɜːdʒi] *n* Geistliche *pl*; **clergyman** *n* <**-men**> Geistliche(r) *m*.
clerical ['klerɪkəl] *adj* (*office*) Schreib-, Büro-; (*REL*) geistlich, Pfarr[er]-; ~ **error** Schreibfehler *m*.
clerk [klɑːk, *US* klɜːk] *n* (*in office*) Büroangestellte(r) *mf*; (*US: salesperson*) Verkäufer(in *f*) *m*.
clever *adj*, **cleverly** *adv* ['klevə*, -əli] klug, geschickt, gescheit.
cliché ['kliːʃeɪ] *n* Klischee *nt*.
click [klɪk] **1.** *vi* klicken; **2.** *n* Klicken *nt*; (*of door*) Zuklinken *nt*.
client ['klaɪənt] *n* Klient(in *f*) *m*; **clientele** [kliːɑ̃ːn'tel] *n* Kundschaft *f*.
cliff [klɪf] *n* Klippe *f*.
climate ['klaɪmɪt] *n* Klima *nt*; **climatic** [klaɪ'mætɪk] *adj* klimatisch.
climax ['klaɪmæks] *n* Höhepunkt *m*.
climb [klaɪm] **1.** *vt* besteigen, klettern auf + *akk*; **2.** *vi* steigen, klettern; **3.** *n* Aufstieg *m*; **climber** *n* Bergsteiger(in *f*) *m*, Kletterer *m*, Klettrerin *f*; (*fig*) Streber(in *f*) *m*; **climbing** *n* Bergsteigen *nt*, Klettern *nt*.
clinch [klɪntʃ] **1.** *vt* (*decide*) entscheiden; (*deal*) festmachen; **2.** *n* (*boxing*) Clinch *m*.
cling [klɪŋ] <**clung, clung**> *vi* anhaften, anhängen; **cling film** *n* Frischhaltefolie *f*.
clinic ['klɪnɪk] *n* Klinik *f*; **clinical** *adj* klinisch.
clink [klɪŋk] **1.** *n* (*of coins*) Klimpern *nt*; (*of glasses*) Klirren *nt*; (*fam: prison*) Knast *m*; **2.** *vi* klimpern; **3.** *vt* klimpern mit; (*glasses*) anstoßen mit.
clip [klɪp] **1.** *n* Spange *f*; **2.** *vt* (*papers*) heften; (*hair, hedge*) stutzen; **paper ~** [Büro]klammer *f*.
clippers ['klɪpəz] *n pl* (*for hedge*) Hecken-

schere f; (for hair) Haarschneidema-
schine f.

clique [kliːk] n Clique f, Gruppe f.

cloak [kləʊk] n loser Mantel, Umhang m;
cloakroom n (for coats) Garderobe f;
(W.C.) Toilette f.

clobber [ˈklɒbəʳ] 1. n (fam) Klamotten
pl; 2. vt schlagen.

clock [klɒk] n Uhr f; **clockwise** adv im
Uhrzeigersinn; **clockwork** n Uhrwerk
nt; **like** ~ wie am Schnürchen.

clog [klɒg] 1. n Holzschuh m; 2. vt verstopfen.

cloister [ˈklɔɪstəʳ] n Kreuzgang m.

cloning [ˈkləʊnɪŋ] n Klonen nt.

close [kləʊs] 1. adj nahe[gelegen];
(march) geschlossen; (thorough) genau,
gründlich; (weather) schwül; 2. adv
knapp; 3. vt schließen, abschließen; 4. vi
sich schließen; (shop, window) schließen;
5. n (end) Ende nt, Schluß m; ~ **to** in
der Nähe +gen; **I had a** ~ **shave** das
war knapp; **close down** 1. vt (shop)
aufgeben, dichtmachen, schließen; 2. vi
eingehen; **closed** adj (road) gesperrt;
(shop etc) geschlossen; ~ **shop** Gewerk-
schaftszwang m; **closely** adv gedrängt,
dicht.

closet [ˈklɒzɪt] n Abstellraum m, Schrank
m.

close-up [ˈkləʊsʌp] n Nahaufnahme f.

closure [ˈkləʊʒəʳ] n Schließung f.

clot [klɒt] 1. n Klumpen m; (of blood)
Blutgerinnsel nt; (fool) Blödmann m; 2.
vi gerinnen.

cloth [klɒθ] n (material) Stoff m, Tuch nt;
(for washing etc) Lappen m, Tuch nt.

clothe [kləʊð] vt kleiden, bekleiden;
clothes n pl Kleider pl, Kleidung f;
clothes brush n Kleiderbürste f;
clothes line n Wäscheleine f; **clothes
peg** n Wäscheklammer f.

clothing [ˈkləʊðɪŋ] n Kleidung f.

cloud [klaʊd] n Wolke f; **cloudburst** n
Wolkenbruch m; **cloudy** adj wolkig, bewölkt.

clout [klaʊt] 1. n (fam) Schlag m; 2. vt
hauen.

clove [kləʊv] n Gewürznelke f; ~ **of garlic** Knoblauchzehe f.

clover [ˈkləʊvəʳ] n Klee m; **cloverleaf** n
< -**leaves** > Kleeblatt nt.

clown [klaʊn] 1. n Clown m, Hanswurst
m; 2. vi kaspern, sich albern benehmen.

cloy [klɔɪ] vi: **it** ~ **s** es übersättigt einen.

club [klʌb] 1. n Knüppel m; (society) Klub
m; (golf ~) Golfschläger m; (CARDS)
Kreuz nt; 2. vt prügeln; **club together**
vi (with money etc) zusammenlegen;
clubhouse n Klubhaus nt.

cluck [klʌk] vi glucken.

clue [kluː] n Anhaltspunkt m, Fingerzeig
m, Spur f; **he hasn't a** ~ er hat keine
Ahnung.

clumsy [ˈklʌmzɪ] adj (person) unbeholfen,
ungeschickt; (object, shape) unförmig.

clung [klʌŋ] pt. pp of **cling**.

cluster [ˈklʌstəʳ] 1. n Traube f; (of trees etc)
Gruppe f; **cluster round** vi sich scharen um; umschwärmen.

clutch [klʌtʃ] 1. n fester Griff; (AUT)
Kupplung f; 2. vt sich festklammern an
+dat; (book) an sich klammern.

clutter [ˈklʌtəʳ] 1. vt vollpropfen; (desk
etc) übersäen; 2. n Unordnung f.

cm abbr of **centimetre(s)** cm.

CND abbr of **Campaign for Nuclear
Disarmament** .

c/o abbr of **care of** bei.

coach [kəʊtʃ] 1. n Omnibus m, [Überland]bus m; (old) Kutsche f; (RAIL) [Personen]wagen m; (trainer) Trainer(in f) m;
2. vt (SCH) Nachhilfeunterricht geben
+dat; (SPORT) trainieren.

coagulate [kəʊˈægjʊleɪt] vi gerinnen.

coal [kəʊl] n Kohle f; ~ **power station**
Kohlekraftwerk nt.

coalesce [kəʊəˈles] vi sich verbinden.

coal face [ˈkəʊlfeɪs] n [Abbau]sohle f,
Streb m; **at the** ~ vor Ort; **coalfield** n
Kohlengebiet nt.

coalition [kəʊəˈlɪʃən] n Zusammenschluß
m; (POL) Koalition f.

coalmine [ˈkəʊlmaɪn] n Kohlenbergwerk
nt; **coalminer** n Bergarbeiter m.

coarse [kɔːs] adj grob; (fig) ordinär.

coast [kəʊst] n Küste f; **coastal** adj Küsten-; **coastguard** n Küstenwache f;
coastline n Küste f.

coat [kəʊt] 1. n Mantel m; (on animals)
Fell m, Pelz m; (of paint) Schicht f; 2. vt
überstreichen; (cover) bedecken; ~ **of
arms** Wappen nt; **coathanger** n Kleiderbügel m; **coating** n Schicht f, Überzug m; (of paint) Schicht f.

coax [kəʊks] vt beschwatzen.

cobble[stone]s [ˈkɒblstəʊnz] n pl Pflastersteine pl.

COBOL [ˈkəʊbɒl] n acronym of **common
business oriented language** COBOL nt.

cobra [ˈkəʊbrə] n Kobra f.

cobweb [ˈkɒbweb] n Spinnennetz nt.

cocaine [kəˈkeɪn] n Kokain nt.

cock [kɒk] 1. n Hahn m; 2. vt (ears) spitzen; (gun) den Hahn +gen spannen;
cockerel n junger Hahn; **cock-eyed**
adj (fig) verrückt.

cockle [ˈkɒkl] n Herzmuschel f.

cockney [ˈkɒknɪ] n echter Londoner,
echte Londonerin.

cockpit ['kɒkpɪt] n (AVIAT) Pilotenkanzel f.

cockroach ['kɒkrəʊtʃ] n Küchenschabe f.

cocktail ['kɒkteɪl] n Cocktail m; **cocktail party** n Cocktailparty f; **cocktail shaker** n Mixbecher m.

cocoa ['kəʊkəʊ] n Kakao m.

coconut ['kəʊkənʌt] n Kokosnuß f.

cocoon [kə'ku:n] n Puppe f, Kokon m.

cod [kɒd] n Kabeljau m.

COD abbr of **cash on delivery** per Nachnahme.

code [kəʊd] n Kode m; (JUR) Kodex m; **in ~** verschlüsselt, in Kode.

codeine ['kəʊdi:n] n Kodein nt.

codify ['kəʊdɪfaɪ] vt (message) verschlüsseln; (JUR) kodifizieren.

coed [kəʊ'ed] n (Brit) gemischte Schule; (US) Schülerin f einer gemischten Schule; **coeducational** [kəʊedjuːˈkeɪʃənl] adj koedukativ, gemischt.

coerce [kəʊ'ɜ:s] vt nötigen, zwingen; **coercion** [kəʊ'ɜ:ʃən] n Zwang m, Nötigung f.

coexistence [kəʊɪgˈzɪstəns] n Koexistenz f.

coffee ['kɒfɪ] n Kaffee m; **coffee bar** n Kaffeeausschank m, Café nt; **coffee break** n Kaffeepause f; **coffee machine** n Kaffeemaschine f.

coffin ['kɒfɪn] n Sarg m.

cog [kɒg] n [Rad]zahn m.

cogent ['kəʊdʒənt] adj triftig, überzeugend, zwingend.

cognac ['kɒnjæk] n Kognak m.

coherent [kəʊ'hɪərnt] adj zusammenhängend, einheitlich.

coil [kɔɪl] 1. n Rolle f; (ELEC) Spule f; (MED) Spirale f; 2. vt aufrollen, aufwickeln.

coin [kɔɪn] 1. n Münze f; 2. vt prägen; **coinage** ['kɔɪnɪdʒ] n (word) Prägung f.

coincide [kəʊɪn'saɪd] vi (happen together) zusammenfallen; (agree) übereinstimmen; **coincidence** [kəʊ'ɪnsɪdəns] n Zufall m; **by a strange ~** merkwürdigerweise; **coincidental** [kəʊɪnsɪ'dentl] adj zufällig.

coke [kəʊk] n Koks m.

Coke [kəʊk] n Cola f.

colander ['kʌləndə*] n Seiher m.

cold [kəʊld] 1. adj kalt; 2. n Kälte f; (illness) Erkältung f; **I'm ~** mir ist kalt, ich friere; **to have ~ feet** (fig) kalte Füße haben, Angst haben; **to give sb the ~ shoulder** jdm die kalte Schulter zeigen; **cold box** n Kühlbox f; **coldly** adv kalt; (fig) gefühllos; **cold sore** n Erkältungsbläschen nt; **cold start** n (COMPUT) Kaltstart m; **cold-turkey** (US) 1. vi das Rauchen/Trinken ganz aufgeben; 2. vt ganz aufgeben.

coleslaw ['kəʊlslɔ:] n Krautsalat m.

colic ['kɒlɪk] n Kolik f.

collaborate [kə'læbəreɪt] vi zusammenarbeiten; **collaboration** [kəlæbəˈreɪʃən] n Zusammenarbeit f; (POL) Kollaboration f; **collaborator** [kə'læbəreɪtə*] n Mitarbeiter(in f) m; (POL) Kollaborateur(in f) m.

collapse [kə'læps] 1. vi (people) zusammenbrechen; (things) einstürzen; 2. n Zusammenbruch m, Einsturz m.

collapsible [kə'læpsəbl] adj zusammenklappbar, Klapp-.

collar ['kɒlə*] n Kragen m; **collarbone** n Schlüsselbein nt.

collate [kɒ'leɪt] vt zusammenstellen und vergleichen.

colleague ['kɒli:g] n Kollege m, Kollegin f.

collect [kə'lekt] 1. vt sammeln; (fetch) abholen; 2. vi sich sammeln; **collect call** n (US) R-Gespräch nt; **collected** adj gefaßt; **collection** [kə'lekʃən] n Sammlung f; (REL) Kollekte f; **collective** adj gemeinsam, (POL) kollektiv; **collector** n Sammler(in f) m; (tax ~) [Steuer]einnehmer(in f) m.

college ['kɒlɪdʒ] n (SCH) College nt; (TECH) Fachschule f, Berufsschule f.

collide [kə'laɪd] vi zusammenstoßen; (interests) kollidieren, im Widerspruch stehen (with zu).

collie ['kɒlɪ] n schottischer Schäferhund, Collie m.

colliery ['kɒlɪərɪ] n [Kohlen]bergwerk nt, Zeche f.

collision [kə'lɪʒən] n Zusammenstoß m; (of opinions) Konflikt m.

colloquial [kə'ləʊkwɪəl] adj umgangssprachlich.

collusion [kə'lu:ʒən] n geheimes Einverständnis, Zusammenspiel nt.

Cologne [kə'ləʊn] n Köln nt.

colon ['kəʊlɒn] n Doppelpunkt m.

colonel ['kɜ:nl] n Oberst m.

colonial [kə'ləʊnɪəl] adj Kolonial-.

colonize ['kɒlənaɪz] vt kolonisieren.

colonnade [kɒlə'neɪd] n Säulengang m.

colony ['kɒlənɪ] n Kolonie f.

color ['kʌlə*] (US) see **colour**.

Colorado beetle [kɒlə'rɑ:dəʊ'bi:tl] n Kartoffelkäfer m.

colossal [kə'lɒsl] adj kolossal, riesig.

colour ['kʌlə*] 1. n Farbe f; 2. vt (fig) färben; 3. vi sich verfärben; **off ~** nicht wohl; **~s** pl Fahne f; **colour bar** n Rassenschranke f; **colour-blind** adj farbenblind; **coloured** adj farbig; ~ **man/wo-man** Farbige(r) mf; **colour film** n Farb-film m; **colourful** adj bunt; **colour scheme** n Farbgebung f; **colour tele-vision** n Farbfernsehen nt.

colt [kəʊlt] n Fohlen nt.

column ['kɒləm] n Säule f; (MIL) Ko-lonne f; (of print) Spalte f; **columnist** ['kɒləmnɪst] n Kolumnist(in f) m.

coma ['kəʊmə] n Koma nt.

comb [kəʊm] **1.** n Kamm m; **2.** vt käm-men; (search) durchkämmen.

combat ['kɒmbæt] **1.** n Kampf m; **2.** vt bekämpfen.

combination [kɒmbɪ'neɪʃən] n Verbin-dung f, Kombination f.

combine [kəm'baɪn] **1.** vt verbinden; **2.** vi sich vereinigen; **3.** ['kɒmbaɪn] n (COM) Konzern m, Verband m; **combine har-vester** ['kɒmbaɪn'hɑːvɪstə*] n Mähdre-scher m.

combustible [kəm'bʌstɪbl] adj brennbar, leicht entzündlich.

combustion [kəm'bʌstʃən] n Verbren-nung f.

come [kʌm] <**came, come**> vi kom-men; (reach) ankommen, gelangen; **come about** vi geschehen; **come across** vi (find) stoßen auf +akk; **come away** vi (person) weggehen; (handle etc) abgehen; **come by l.** vi vorbeikommen; **2.** vt (find) kommen zu; **come down** vi (price) fallen; **come forward** vi (volunteer) sich melden; **come from** vi (result) kommen von; where do you ~ ? wo kommen Sie her?; I ~ ~ London ich komme aus London; **come in for** vt abkriegen; **come into** vt eintreten in +akk; (inhe-rit) erben; **come of** vi: what came ~ it? was ist daraus geworden?; **come off** vi (handle) abgehen; (happen) stattfin-den; (succeed) klappen; ~ ~ **it!** laß den Quatsch!; **come on** vi (progress) voran-kommen; how's the book coming ~ ? was macht das Buch?; ~ ~ ! komm!; (hurry) beeil dich!; (encouraging) los!; **come out** vi herauskommen; **come out with** vt herausrücken mit; **come round** vi (visit) vorbeikommen; (MED) wieder zu sich kommen; **come to** vi (MED) wieder zu sich kommen; (bill) sich belaufen auf +akk; **come up** vi hoch-kommen; (problem) auftauchen; **to** ~ ~ **with sth** vt jdm dat etw einfallen lassen; **come upon** vt stoßen auf +akk; **come up to** vt (approach) zukommen auf +akk; (water) reichen bis; (expectation) entsprechen +dat; **comeback** n Wie-derauftreten nt; (of famous person)

Comeback nt.

comedian [kə'miːdɪən] n Komiker(in f) m.

comedown ['kʌmdaʊn] n Abstieg m.

comedy ['kɒmədɪ] n Komödie f.

come-on ['kʌmɒn] n: **to give sb the** ~ jdn anmachen.

comet ['kɒmɪt] n Komet m.

comfort ['kʌmfət] **1.** n Bequemlichkeit f; (of body) Behaglichkeit f; (of mind) Trost m; **2.** vt trösten; ~ **s** pl Annehmlichkeiten pl; **comfortable** adj bequem, gemüt-lich; **comfort station** n (US) öffentli-che Toilette.

comic ['kɒmɪk] **1.** n Comic[heft] nt; (co-median) Komiker(in f) m; **2.** adj (also: **comical**) komisch, humoristisch.

coming ['kʌmɪŋ] n Kommen nt, Ankunft f.

comma ['kɒmə] n Komma nt.

command [kə'mɑːnd] **1.** n Befehl m; (control) Führung f; (MIL) Kommando nt, [Ober]befehl m; **2.** vt befehlen +dat; (MIL) kommandieren; (be able to get) verfügen über +akk; **3.** vi be-fehlen; **commander** n Befehlshaber(in f) m, Kommandant(in f) m; **command-ing officer** n Kommandeur(in f) m; **commandment** n Gebot nt; **com-mando** n <-s> [Mitglied nt] einer Kommandotruppe f.

commemorate [kə'meməreɪt] vt geden-ken +gen; **commemoration** [kəmemə'reɪʃən] n: **in** ~ **of** zum Ge-dächtnis (o Andenken) an; **commem-orative** [kə'memərətɪv] adj Gedächtnis-; Gedenk-.

commence [kə'mens] vt, vi beginnen; **commencement** n Beginn m.

commend [kə'mend] vt (recommend) empfehlen; (praise) loben; **commend-able** adj empfehlenswert, lobenswert; **commendation** [kɒmen'deɪʃən] n Empfehlung f; (SCH) Lob nt.

comment ['kɒment] **1.** n (remark) Be-merkung f; (note) Anmerkung f; (opi-nion) Stellungnahme f; **2.** vi etwas sagen (on zu), sich äußern (on zu); **commen-tary** ['kɒməntrɪ] n Kommentar m; (expla-nations) Erläuterungen pl; **commenta-tor** ['kɒmenteɪtə*] n Kommentator(in f) m.

commerce ['kɒmɜːs] n Handel m; **com-mercial** [kə'mɜːʃəl] **1.** adj kommerziell, geschäftlich; (training) kaufmännisch; **2.** n (TV) Fernsehwerbung f; ~ **television** Werbefernsehen nt; ~ **vehicle** Lieferwa-gen m; **commercialize** vt kommerziali-sieren.

commiserate [kə'mɪzəreɪt] vi Mitleid haben.

commission [kə'mɪʃən] **1.** n Auftrag m; (fee) Provision f; (reporting body) Kommission f; **2.** vt bevollmächtigen, beauftragen; **out of ~** außer Betrieb.

commissionaire [kəmɪʃə'nɛə'] n Portier m.

commissioner [kə'mɪʃənə'] n [Regierungs]bevollmächtigte(r) mf.

commit [kə'mɪt] **1.** vt (crime) begehen; (entrust) übergeben, anvertrauen; **2.** vr: **~ oneself** (undertake) sich verpflichten; **I don't want to ~ myself** ich will mich nicht festlegen; **commitment** n Verpflichtung f.

committee [kə'mɪtɪ] n Ausschuß m, Komitee nt.

commodity [kə'mɒdɪtɪ] n Ware f, [Handels]artikel m, Gebrauchsartikel m.

common ['kɒmən] **1.** adj (cause) gemeinsam; (public) öffentlich, allgemein; (experience) allgemein, alltäglich; (pej) gewöhnlich; (widespread) üblich, häufig, gewöhnlich; **2.** n Gemeindeland nt; (park) öffentliche Anlage; **C~ Market** Gemeinsamer Markt; **commonly** adv im allgemeinen, gewöhnlich; **commonplace 1.** adj alltäglich; **2.** n Gemeinplatz m; **commonroom** n Gemeinschaftsraum m; **commonsense** n gesunder Menschenverstand; **Commonwealth** n Commonwealth nt.

commotion [kə'məʊʃən] n Aufsehen nt, Unruhe f.

communal ['kɒmjʊnl] adj Gemeinde-, Gemeinschafts-.

commune ['kɒmjuːn] **1.** n Kommune f; **2.** vi sich mitteilen (with dat), vertraulich verkehren.

communicate [kə'mjuːnɪkeɪt] **1.** vt (transmit) übertragen; **2.** vi (be in touch) in Verbindung stehen; (make oneself understood) sich verständlich machen; **communication** [kəmjuːnɪ'keɪʃən] n (message) Mitteilung f; (RADIO, TV etc) Kommunikationsmittel nt; (making understood) Kommunikation f; **~s** pl (transport etc) Verkehrswege pl; **communication cord** n Notbremse f.

communion [kə'mjuːnɪən] n (group) Gemeinschaft f; (REL) Religionsgemeinschaft f; **[Holy] C~** Heiliges Abendmahl, Kommunion f.

communiqué [kə'mjuːnɪkeɪ] n Kommuniqué nt, amtliche Verlautbarung.

communism ['kɒmjʊnɪzəm] n Kommunismus m; **communist** ['kɒmjʊnɪst] **1.** n Kommunist(in f) m; **2.** adj kommunistisch.

community [kə'mjuːnɪtɪ] n Gemeinschaft

f; (public) Gemeinwesen nt; **community centre** n Gemeindezentrum nt; **community chest** n (US) Wohltätigkeitsfonds m.

commutation ticket [kɒmjʊ'teɪʃəntɪkɪt] n (US) Zeitkarte f.

commute [kə'mjuːt] vi pendeln; **commuter** n Pendler(in f) m.

compact 1. adj kompakt, fest, dicht; **2.** ['kɒmpækt] n Pakt m, Vertrag m; (for make-up) Puderdose f; **compact camera** n Kompaktkamera f; **compact disc** n Compact Disc f, CD f.

companion [kəm'pænɪən] n Begleiter(in f) m; **companionship** n Gesellschaft f.

company ['kʌmpənɪ] n Gesellschaft f; (COM also) Firma f; (MIL) Kompanie f; **to keep sb ~** jdm Gesellschaft leisten.

comparable ['kɒmpərəbl] adj vergleichbar.

comparative [kəm'pærətɪv] **1.** adj (relative) verhältnismäßig, relativ; (LING) steigernd; **2.** n (LING) Komparativ m, erste Steigerungsstufe; **comparatively** adv verhältnismäßig.

compare [kəm'pɛə'] **1.** vt vergleichen (with, to mit); **2.** vi sich vergleichen lassen; **comparison** [kəm'pærɪsn] n Vergleich m; (object) Vergleichsgegenstand m; **in ~ with** im Vergleich mit (o zu).

compartment [kəm'pɑːtmənt] n (RAIL) Abteil nt; (in drawer etc) Fach nt.

compass ['kʌmpəs] n Kompaß m; **~es** pl Zirkel m.

compassion [kəm'pæʃən] n Mitleid nt; **compassionate** adj mitfühlend.

compatible [kəm'pætɪbl] adj vereinbar, im Einklang, (COMPUT) kompatibel; **we're not ~** wir vertragen uns nicht.

compel [kəm'pel] vt zwingen; **compelling** adj (argument) zwingend.

compendium [kəm'pendɪəm] n Kompendium nt.

compensate ['kɒmpenseɪt] vt entschädigen; **to ~ for** Ersatz leisten für, kompensieren; **compensation** [kɒmpen'seɪʃən] n Entschädigung f, (money) Schadenersatz m; (JUR) Abfindung f, (PSYCH) Kompensation f.

compère ['kɒmpɛə'] n Conférencier m.

compete [kəm'piːt] vi sich bewerben; (be competition) konkurrieren; (SPORT) teilnehmen.

competence ['kɒmpɪtəns] n Fähigkeit f; (JUR) Zuständigkeit f; **competent** adj kompetent, fähig; (JUR) zuständig.

competition [kɒmpɪ'tɪʃən] n Wettbewerb m; (COM) Konkurrenz f; **competitive** [kəm'petɪtɪv] adj Konkurrenz-; (COM) konkurrenzfähig; **competitor**

[kəm'petɪtə*] n Mitbewerber(in f) m;
(COM) Konkurrent(in f) m; (SPORT)
Teilnehmer(in f) m.
compile [kəm'paɪl] vt zusammenstellen.
complacency [kəm'pleɪsnsɪ] n Selbstzu-
friedenheit f, Gleichgültigkeit f; **com-
placent** [kəm'pleɪsnt] adj selbstzufrieden, gleichgültig.
complain [kəm'pleɪn] vi sich beklagen,
sich beschweren (about über + akk);
complaint n Beschwerde f; (MED) Leiden nt.
complement ['komplɪmənt] n Ergänzung f; (ship's crew etc) Bemannung f;
complementary [komplɪ'mentərɪ] adj
Komplementär-, (sich) ergänzend.
complete [kəm'pliːt] 1. adj vollständig,
vollkommen, ganz; 2. vt vervollständigen; (finish) beenden; **completely** adv
vollständig, ganz; **completion**
[kəm'pliːʃən] n Vervollständigung f; (of
building) Fertigstellung f.
complex ['kompleks] 1. adj kompliziert,
verwickelt; 2. n Komplex m.
complexion [kəm'plekʃən] n Gesichtsfarbe f, Teint m; (fig) Anstrich m, Aussehen nt.
complexity [kəm'pleksɪtɪ] n Kompliziertheit f.
compliance [kəm'plaɪəns] n Fügsamkeit
f, Einwilligung f.
complicate ['komplɪkeɪt] vt komplizieren; **complicated** adj kompliziert;
complication [komplɪ'keɪʃən] adj
Komplikation f.
compliment ['komplɪmənt] n Kompliment nt; 2. ['komplɪmənt] vt ein Kompliment machen (sb jdm); ~ s pl Grüße pl,
Empfehlung f; **complimentary**
[komplɪ'mentərɪ] adj schmeichelhaft;
(free) Frei-, Gratis-.
comply [kəm'plaɪ] vi: **to ~ with** sth etw
erfüllen, einer Sache dat entsprechen.
component [kəm'pəunənt] 1. adj Teil-;
2. n Bestandteil m.
compose [kəm'pəuz] vt (arrange) zusammensetzen; (music) komponieren; (poetry) schreiben; (thoughts) sammeln; (features) beherrschen; **composed** adj ruhig, gefaßt; **to be ~ of** bestehen aus;
composer n Komponist(in f) m.
composite ['kompəzɪt] adj zusammengesetzt.
composition [kompə'zɪʃən] n (MUS)
Komposition f; (SCH) Aufsatz m; (com-
posing) Zusammensetzung f, Gestaltung
f; (structure) Zusammensetzung f, Aufbau m.
compositor [kəm'pozɪtə*] n Schriftset-
zer(in f) m.

compos mentis ['kompos'mentɪs] adj
klar im Kopf.
compost ['kompost] n Kompost m;
compost heap n Komposthaufen m.
composure [kəm'pəuʒə*] n Gelassenheit
f, Fassung f.
compound ['kompaund] 1. n (CHEM)
Verbindung f; (mixture) Gemisch nt; (enclosure) eingezäuntes Gelände; (LING)
Kompositum nt, zusammengesetztes
Wort; 2. adj zusammengesetzt; ~ **fracture** komplizierter Bruch; ~ **interest**
Zinseszinsen pl.
comprehend [komprɪ'hend] vt begreifen; (include) umfassen, einschließen;
comprehension [komprɪ'henʃən] n
Fassungskraft f, Verständnis nt.
comprehensive [komprɪ'hensɪv] adj
umfassend; ~ **school** Gesamtschule f.
compress [kəm'pres] 1. vt zusammen-
drücken, komprimieren; 2. ['kompres] n
(MED) Kompresse f, Umschlag m.
comprise [kəm'praɪz] vt umfassen, bestehen aus.
compromise ['komprəmaɪz] 1. n Kompromiß m; 2. vt (reputation) kompromittieren; 3. vi einen Kompromiß schließen.
compulsion [kəm'pʌlʃən] n Zwang m;
compulsive [kəm'pʌlsɪv] adj Gewohn-
heits-, zwanghaft; **compulsory**
[kəm'pʌlsərɪ] adj (obligatory) obligatorisch, Pflicht-.
computer [kəm'pjuːtə*] n Computer m,
Rechner m; **computer centre** n Rechenzentrum nt; **computer-con-
trolled** adj rechnergesteuert; **computer game** n Telespiel nt, Computer-
spiel nt; **computerize** [kəm'pjuːtəraɪz]
vt computerisieren; **computerized
axial tomography** n Computertomographie f; **computer scientist** n Infor-
matiker(in f) m.
comrade ['komrɪd] n Kamerad(in f) m;
(POL) Genosse m, Genossin f; **comradeship** n Kameradschaft f.
concave [kon'keɪv] adj konkav.
conceal [kən'siːl] 1. vt (secret) verschweigen; 2. vr: ~ **oneself** sich verbergen.
concede [kən'siːd] 1. vt (grant) gewähren; (point) zugeben; 2. vi nachgeben.
conceit [kən'siːt] n Eitelkeit f, Einbildung
f; **conceited** adj eitel, eingebildet.
conceivable [kən'siːvəbl] adj vorstellbar.
conceive [kən'siːv] 1. vt (idea) sich dat
ausdenken; (imagine) sich dat vorstellen;
2. vt, vi (baby) empfangen.
concentrate ['konsəntreɪt] 1. vi sich
konzentrieren (on auf + akk); 2. vt
(gather) konzentrieren; **concentration**
[konsən'treɪʃən] n Konzentration f; **con-**

concentration camp n Konzentrationslager nt, KZ nt.

concentric [kɒn'sentrɪk] adj konzentrisch.

concept ['kɒnsept] n Begriff m; **conception** [kən'sepʃən] n (idea) Vorstellung f; (of baby) Empfängnis f.

concern [kən'sɜːn] 1. n (affair) Angelegenheit f; (COM) Unternehmen nt, Konzern m; (worry) Sorge f, Unruhe f; 2. vt (involve) angehen; (be about) handeln von; (have connection with) betreffen; **concerned** adj (anxious) besorgt; **concerning** prep betreffend, hinsichtlich + gen.

concert ['kɒnsət] n Konzert nt; **in ~ with** im Einverständnis mit; **~ hall** Konzerthalle f.

concerted [kən'sɜːtɪd] adj gemeinsam; (FIN) konzertiert.

concertina [kɒnsə'tiːnə] n Handharmonika f.

concerto [kən'tʃɜːtəʊ] n < -s > Konzert nt.

concession [kən'seʃən] n (yielding) Zugeständnis nt; (right to do sth) Genehmigung f.

conciliation [kənsɪlɪ'eɪʃən] n Versöhnung f; (official) Schlichtung f; **conciliatory** [kən'sɪlɪətrɪ] adj vermittelnd; versöhnlich.

concise [kən'saɪs] adj knapp, gedrängt.

conclude [kən'kluːd] 1. vt (end) beenden; (treaty) [ab]schließen; (decide) schließen, folgern; 2. vi (finish) schließen; **conclusion** [kən'kluːʒən] n [Ab]schluß m; (logical ~) Schlußfolgerung f; **in ~** zum Schluß, schließlich; **conclusive** [kən'kluːsɪv] adj überzeugend, schlüssig; **conclusively** adv endgültig.

concoct [kən'kɒkt] vt zusammenbrauen.

concord ['kɒŋkɔːd] n Eintracht f.

concourse ['kɒŋkɔːs] n [Bahnhofs]halle f, Vorplatz m.

concrete ['kɒŋkriːt] 1. n Beton m; 2. adj konkret.

concur [kən'kɜː*] vi übereinstimmen.

concurrently [kən'kʌrəntlɪ] adv gleichzeitig.

concussion [kɒn'kʌʃən] n Gehirnerschütterung f.

condemn [kən'dem] vt verdammen; (JUR) verurteilen; (building) für abbruchreif erklären; **condemnation** [kɒndem'neɪʃən] n Verurteilung f.

condensation [kɒnden'seɪʃən] n Kondensation f.

condense [kən'dens] 1. vi (CHEM) kondensieren; 2. vt (fig) zusammendrängen; **condensed milk** n Kondensmilch f.

condescend [kɒndɪ'send] vi sich herablassen; **condescending** adj herablassend.

condition [kən'dɪʃən] 1. n (state) Zustand m, Verfassung f; (presupposition) Bedingung f; 2. vt (hair) behandeln; (regulate) regeln; **on ~ that...** unter der Bedingung, daß...; **~s** pl (circumstances, weather) Verhältnisse pl; **conditioned** adj: **~ to** gewöhnt an + akk; **~ reflex** bedingter Reflex; **conditioner** n Weichspüler m; (for hair) Spülung f; **conditional** adj bedingt; (LING) Bedingungs-.

condo ['kɒndəʊ] n see **condominium**.

condolences [kən'dəʊlənsɪz] n pl Beileid nt.

condom ['kɒndəm] n Kondom nt.

condominium [kɒndə'mɪnɪəm] n (US) Eigentumswohnung f; (house) Gebäude nt mit Eigentumswohnungen.

condone [kən'dəʊn] vt gutheißen.

conducive [kən'djuːsɪv] adj dienlich (to dat).

conduct ['kɒndʌkt] 1. n (behaviour) Verhalten nt; (management) Führung f; 2. [kən'dʌkt] vt führen, leiten; (MUS) dirigieren; **~ed tour** Führung f; **conductor** [kən'dʌktə*] n (of orchestra) Dirigent(in f) m; (in bus) Schaffner m; **conductress** [kən'dʌktrɪs] n (in bus) Schaffnerin f.

conduit ['kɒndɪt] n (for water) Rohrleitung f; (ELEC) Isolierrohr nt.

cone [kəʊn] n (MATH) Kegel m; (for ice cream) [Waffel]tüte f; (fir ~) [Tannen]zapfen m.

confectioner [kən'fekʃənə*] n Konditor(in f) m; **~'s [shop]** Konditorei f; **confectionery** n (cakes) Konfekt nt, Konditorwaren pl; (chocolates) Konfekt nt.

confederation [kənfedə'reɪʃən] n Bund m.

confer [kən'fɜː*] 1. vt (degree) verleihen (on sb jdm); 2. vi (discuss) konferieren, verhandeln; **conference** ['kɒnfərəns] n Konferenz f.

confess [kən'fes] vt, vi gestehen; (REL) beichten; **confession** [kən'feʃən] n Geständnis nt; (REL) Beichte f; **confessional** [kən'feʃənl] n Beichtstuhl m; **confessor** n (REL) Beichtvater m.

confetti [kən'fetɪ] n Konfetti nt.

confide [kən'faɪd] vi: **to ~ in sb** sich jdm anvertrauen; (trust) jdm vertrauen; **confidence** ['kɒnfɪdəns] n Vertrauen nt; (assurance) Selbstvertrauen nt; (secret) vertrauliche Mitteilung, Geheimnis nt; **confidence trick** n Schwindel m.

confident ['kɒnfɪdənt] adj (sure) überzeugt; sicher; (self-assured) selbstsicher.

confidential [konfı'denʃəl] adj (secret) vertraulich, geheim; (trusted) Vertrauens-.

confine [kən'faın] vt (limit) begrenzen, einschränken; (lock up) einsperren; **confined** adj (space) eng, begrenzt; **confinement** n (of room) Beengtheit f; (in prison) Haft f; (MED) Wochenbett nt; **confines** ['konfaınz] n pl Grenze f.

confirm [kən'fɜːm] vt bestätigen; **confirmation** [konfə'meıʃən] n Bestätigung f; (REL) Konfirmation f; **confirmed** adj unverbesserlich, hartnäckig; (bachelor) eingefleischt.

confiscate ['konfıskeıt] vt beschlagnahmen, konfiszieren; **confiscation** [konfıs'keıʃən] n Beschlagnahme f.

conflagration [konflə'greıʃən] n Feuersbrunst f.

conflict ['konflıkt] **1.** n Kampf m; (of words, opinions) Konflikt m, Streit m; **2.** [kən'flıkt] vi im Widerspruch stehen; **conflicting** [kən'flıktıŋ] adj gegensätzlich; (testimony) sich widersprechend.

conform [kən'fɔːm] vi sich anpassen (to dat); (to rules) sich fügen (to dat); (to general trends) sich richten (to nach); **conformist** n Konformist(in f) m.

confront [kən'frʌnt] vt (enemy) entgegentreten + dat; (sb with sth) konfrontieren; **confrontation** [konfrən'teıʃən] n Gegenüberstellung f; (quarrel) Konfrontation f.

confuse [kən'fjuːz] vt verwirren; (sth with sth) verwechseln; **confusing** adj verwirrend; **confusion** [kən'fjuːʒən] n (disorder) Verwirrung f; (tumult) Aufruhr m; (embarrassment) Bestürzung f.

congeal [kən'dʒiːl] vi (freeze) gefrieren; (clot) gerinnen.

congenial [kən'dʒiːnıəl] adj (agreeable) angenehm.

congenital [kən'dʒenıtəl] adj angeboren.

conger eel ['koŋɡər iːl] n Meeraal m.

congested [kən'dʒestıd] adj überfüllt; **congestion** [kən'dʒestʃən] n Stauung f; Stau m.

conglomeration [konɡlomə'reıʃən] n Anhäufung f.

congratulate [kən'ɡrætjuleıt] vt beglückwünschen (on zu); **congratulations** [kənɡrætju'leıʃənz] n pl Glückwünsche pl; ~! gratuliere!, herzlichen Glückwunsch!.

congregate ['konɡrıɡeıt] vi sich versammeln; **congregation** [konɡrı'ɡeıʃən] n Gemeinde f.

congress ['konɡres] n Kongreß m; **congressional** [kən'ɡreʃənl] adj Kongreß-; **congressman** n < -men > (US) Mit-

glied nt des amerikanischen Repräsentantenhauses.

conical ['konıkəl] adj kegelförmig, konisch.

conifer ['konıfə*] n Nadelbaum m; **coniferous** [kə'nıfərəs] adj Nadel-.

conjecture [kən'dʒektʃə*] **1.** n Vermutung f; **2.** vt, vi vermuten.

conjugal ['kondʒuɡəl] adj ehelich.

conjunction [kən'dʒʌŋkʃən] n Verbindung f; (LING) Konjunktion f, Verbindungswort nt.

conjunctivitis [kəndʒʌŋktı'vaıtıs] n Bindehautentzündung f.

conjure ['kʌndʒə*] vt, vi zaubern; **conjure up** vt heraufbeschwören; **conjurer** n Zauberer m, Zauberin f; (entertainer) Zauberkünstler(in f) m; **conjuring trick** n Zauberkunststück nt.

conk out [koŋk aut] vi (fam) stehenbleiben, streiken.

connect [kə'nekt] vt verbinden; (train) koppeln; ~ing flight Anschlußflug m; **connection, connexion** [kə'nekʃən] n Verbindung f; (relation) Zusammenhang m; **in ~ with** in Verbindung mit.

connoisseur [konı'sɜː*] n Kenner(in f) m.

conquer ['koŋkə*] **1.** vt (overcome) überwinden, besiegen; (MIL) besiegen; **2.** vi siegen; **conqueror** n Eroberer m, Eroberin f; **conquest** ['koŋkwest] n Eroberung f.

conscience ['konʃəns] n Gewissen nt.

conscientious [konʃı'enʃəs] adj gewissenhaft; ~ **objector** Kriegsdienstverweigerer m, Wehrdienstverweigerer m.

conscious ['konʃəs] adj bewußt; (MED) bei Bewußtsein; **consciousness** n Bewußtsein nt.

conscript ['konskrıpt] n Wehrpflichtige(r) m; **conscription** [kən'skrıpʃən] n Wehrpflicht f.

consecrate ['konsıkreıt] vt weihen.

consecutive [kən'sekjutıv] adj aufeinanderfolgend.

consensus [kən'sensəs] n allgemeine Übereinstimmung f.

consent [kən'sent] **1.** n Zustimmung f; **2.** vi zustimmen (to dat).

consequence ['konsıkwəns] n Konsequenz f; (importance) Bedeutung f; (result, effect) Wirkung f; **consequently** ['konsıkwəntlı] adv folglich.

conservation [konsə'veıʃən] n Erhaltung f, Schutz m; **conservationist** n Umweltschützer(in f) m.

conservative [kən'sɜːvətıv] adj konservativ; (cautious) mäßig, vorsichtig; **Conservative 1.** adj (party) konservativ; **2.**

n Konservative(r) *mf.*

conservatory [kən'sɜ:vətrɪ] *n* (*greenhouse*) Gewächshaus *nt*; (*room*) Wintergarten *m.*

conserve [kən'sɜ:v] *vt* erhalten.

consider [kən'sɪdə*] *vt* überlegen; (*take into account*) in Betracht ziehen; (*regard*) halten für.

considerable [kən'sɪdərəbl] *adj* beträchtlich.

considerate [kən'sɪdərɪt] *adj* rücksichtsvoll, aufmerksam.

consideration [kənsɪdə'reɪʃən] *n* Rücksicht[nahme] *f*; (*thought*) Erwägung *f*; (*reward*) Entgelt *nt*; **on no** ~ unter keinen Umständen.

considering [kən'sɪdərɪŋ] **1.** *prep* in Anbetracht + *gen*; **2.** *conj* da.

consign [kən'saɪn] *vt* übergeben; **consignment** *n* (*of goods*) Sendung *f*, Lieferung *f.*

consist [kən'sɪst] *vi* bestehen (*of* aus).

consistency [kən'sɪstənsɪ] *n* (*of material*) Festigkeit *f*; (*of argument*) Folgerichtigkeit *f*; (*of person*) Konsequenz *f*; **consistent** *adj* gleichbleibend, stetig; (*argument*) folgerichtig; **she's not** ~ sie ist nicht konsequent.

consolation [kɒnsə'leɪʃən] *n* Trost *m*; ~ **prize** Trostpreis *m.*

console [kən'səʊl] **1.** *vt* trösten; **2.** ['kɒnsəʊl] *n* (*US*) Musiktruhe *f.*

consolidate [kən'sɒlɪdeɪt] *vt* festigen.

consommé [kən'sɒmeɪ] *n* Fleischbrühe *f.*

consonant ['kɒnsənənt] *n* Konsonant *m*, Mitlaut *m.*

consortium [kən'sɔ:tɪəm] *n* Gruppe *f*, Konsortium *nt.*

conspicuous [kən'spɪkjʊəs] *adj* (*prominent*) auffallend; (*visible*) deutlich, sichtbar.

conspiracy [kən'spɪrəsɪ] *n* Verschwörung *f*, Komplott *nt.*

conspire [kən'spaɪə*] *vi* sich verschwören.

constable ['kʌnstəbl] *n* Polizist(in *f*) *m.*

constabulary [kən'stæbjʊlərɪ] *n* Polizei *f.*

Constance ['kɒnstəns] *n*: **Lake** ~ der Bodensee.

constancy ['kɒnstənsɪ] *n* Beständigkeit *f*, Treue *f.*

constant ['kɒnstənt] *adj* dauernd; **constantly** *adv* (*continually*) andauernd; (*faithfully*) treu, unwandelbar.

constellation [kɒnstə'leɪʃən] *n* (*temporary*) Konstellation *f*; (*permanent*) Sternbild *nt.*

consternation [kɒnstə'neɪʃən] *n* (*dismay*) Bestürzung *f.*

constipated ['kɒnstɪpeɪtəd] *adj* verstopft; **constipation** [kɒnstɪ'peɪʃən] *n* Verstopfung *f.*

constituency [kən'stɪtjʊənsɪ] *n* Wahlkreis *m.*

constituent [kən'stɪtjʊənt] *n* (*person*) Wähler(in *f*) *m*; (*part*) Bestandteil *m.*

constitute ['kɒnstɪtju:t] *vt* ausmachen.

constitution [kɒnstɪ'tju:ʃən] *n* Verfassung *f*; **constitutional** *adj* Verfassungs-; (*monarchy*) konstitutionell.

constrain [kən'streɪn] *vt* zwingen; **constraint** *n* Zwang *m*; (*PSYCH*) Befangenheit *f.*

constrict [kən'strɪkt] *vt* zusammenziehen; **constriction** [kən'strɪkʃən] *n* Zusammenziehung *f*; (*of chest*) Zusammenschnürung *f*, Beklemmung *f.*

construct [kən'strʌkt] *vt* bauen; **construction** [kən'strʌkʃən] *n* (*action*) [Er]bauen *nt*, Konstruktion *f*; (*building*) Bau *m*; **under** ~ im Bau befindlich; **constructive** *adj* konstruktiv.

construe [kən'stru:] *vt* (*interpret*) deuten.

consul ['kɒnsl] *n* Konsul(in *f*) *m*; **consulate** ['kɒnsjʊlət] *n* Konsulat *nt.*

consult [kən'sʌlt] *vt* um Rat fragen; (*doctor*) konsultieren; (*book*) nachschlagen in + *dat*; **consultant** *n* (*MED*) Facharzt(-ärztin *f*) *m*; (*other specialist*) Gutachter(in *f*) *m*; **consultation** [kɒnsəl'teɪʃən] *n* Beratung *f*; (*MED*) Konsultation *f*; **consulting room** *n* Sprechzimmer *nt.*

consume [kən'sju:m] *vt* verbrauchen; (*food*) verzehren, konsumieren; **consumer** *n* Verbraucher(in *f*) *m*; **consumerism** *n* Konsumsteigerung *f.*

consumption [kən'sʌmpʃən] *n* Verbrauch *m*; (*of food*) Konsum *m.*

contact ['kɒntækt] **1.** *n* (*touch*) Berührung *f*; (*person*) Kontakt *m*, Beziehung *f*; **2.** *vt* sich in Verbindung setzen mit; **contact lenses** *n pl* Kontaktlinsen *pl.*

contagious [kən'teɪdʒəs] *adj* ansteckend.

contain [kən'teɪn] **1.** *vt* enthalten; **2.** *vr*: ~ **oneself** sich zügeln; **container** *n* Behälter *m*; (*for transport*) Container *m*; **containment** *n* (*in nuclear power station*) Sicherheitsbehälter *m.*

contaminate [kən'tæmɪneɪt] *vt* verunreinigen; (*germs*) infizieren; **~d by radiation** strahlenverseucht, verstrahlt; **contamination** [kəntæmɪ'neɪʃən] *n* Verunreinigung *f*; (*by radiation*) Verstrahlung *f.*

contemplate ['kɒntəmpleɪt] *vt* [nachdenklich] betrachten; (*think about*) überdenken; (*plan*) vorhaben; **contemplation** [kɒntem'pleɪʃən] *n* Betrachtung *f*; (*REL*) Meditation *f.*

contemporary [kən'tempərərı] 1. adj zeitgenössisch; 2. n Zeitgenosse(-genossin f) m.

contempt [kən'tempt] n Verachtung f; **contemptible** adj verächtlich, nichtswürdig; **contemptuous** adj voller Verachtung (of für).

contend [kən'tend] vt (fight) kämpfen [um]; (argue) behaupten; **contender** n (for post) Bewerber(in f) m; (SPORT) Wettkämpfer(in f) m.

content [kən'tent] 1. adj zufrieden; 2. vt befriedigen; 3. ['kɒntent] n (also: ~s) Inhalt m; **contented** adj zufrieden.

contention [kən'tenʃən] n (dispute) Streit m; (argument) Behauptung f.

contentment [kən'tentmənt] n Zufriedenheit f.

contest ['kɒntest] 1. n [Wett]kampf m; 2. [kən'test] vt (dispute) bestreiten; (POL: election) teilnehmen an + dat; **to ~ a seat** um einen Wahlkreis kämpfen; **contestant** [kən'testənt] n Bewerber(in f) m.

context ['kɒntekst] n Zusammenhang m.

continent ['kɒntınənt] n Kontinent m, Festland nt; **the C~** das europäische Festland, der Kontinent; **continental** [kɒntı'nentl] 1. adj kontinental; 2. n Bewohner(in f) m des Kontinents; **~ quilt** Steppdecke f.

contingency [kən'tındʒənsı] n Möglichkeit f.

contingent [kən'tındʒənt] 1. n (MIL) Kontingent nt; 2. adj abhängig (upon von).

continual [kən'tınjuəl] adj (endless) fortwährend; (repeated) immer wiederkehrend; **continually** adv immer wieder.

continuation [kəntınju'eıʃən] n Verlängerung f; Fortsetzung f.

continue [kən'tınju:] 1. vi (go on) anhalten; (last) fortbestehen; 2. vt fortsetzen; **shall we ~?** wollen wir weitermachen?; **if this ~s** wenn das so weitergeht; **the rain ~d** es regnete weiter; **to ~ doing sth** fortfahren, etw zu tun, etw weiter tun.

continuity [kɒntı'njuıtı] n Kontinuität f; (wholeness) Zusammenhang m.

continuous [kən'tınjuəs] adj ununterbrochen; **~ stationary** Endlospapier nt.

contort [kən'tɔ:t] vt verdrehen; **contortion** [kən'tɔ:ʃən] n Verzerrung f; **contortionist** [kən'tɔ:ʃənıst] n Schlangenmensch m.

contour ['kɒntuə*] n Umriß m; (height) Höhenlinie f.

contraband ['kɒntrəbænd] n Schmuggelware f.

contraception [kɒntrə'sepʃən] n Empfängnisverhütung f; **contraceptive**

[kɒntrə'septıv] 1. n empfängnisverhütendes Mittel; 2. adj empfängnisverhütend.

contract ['kɒntrækt] 1. n (agreement) Vertrag m; 2. [kən'trækt] vi (do sth) sich vertraglich verpflichten; (muscle) sich zusammenziehen; (become smaller) schrumpfen; **contraction** [kən'trækʃən] n (shortening) Verkürzung f; (MED) Wehe f; **contractor** [kən'træktə*] n Unternehmer(in f) m; (supplier) Lieferant(in f) m.

contradict [kɒntrə'dıkt] vt widersprechen + dat; **contradiction** [kɒntrə'dıkʃən] n Widerspruch m.

contralto [kən'træltəu] n < -s > [tiefe] Altstimme f.

contraption [kən'træpʃən] n (fam) komische Konstruktion, komisches Ding.

contrary ['kɒntrərı] 1. n Gegenteil nt; 2. adj entgegengesetzt; (wind) ungünstig, Gegen-; 3. [kən'trɛərı] adj (obstinate) widerspenstig, eigensinnig; **on the ~** im Gegenteil.

contrast ['kɒntrɑ:st] 1. n Kontrast m; 2. [kən'trɑ:st] vt entgegensetzen; **contrast control** n Kontrastregler m; **contrasting** [kən'trɑ:stıŋ] adj Kontrast-.

contravene [kɒntrə'vi:n] vt verstoßen gegen.

contribute [kən'trıbju:t] vt, vi beitragen; (money) spenden; **contribution** [kɒntrı'bju:ʃən] n Beitrag m; **contributor** [kən'trıbjutə*] n Mitarbeiter(in f) m.

contrite ['kɒntraıt] adj zerknirscht.

contrivance [kən'traıvəns] n Vorrichtung f, Kniff m, Erfindung f.

contrive [kən'traıv] vt zustande bringen; **to ~ to do sth** es schaffen, etw zu tun.

control [kən'trəul] 1. vt (direct, test) kontrollieren; (COMPUT) steuern; 2. n Kontrolle f; (of business) Leitung f; (COMPUT) Steuerung f; **~s** pl (of vehicle) Steuerung f; (of engine) Schalttafel f; **out of ~** außer Kontrolle; **under ~** unter Kontrolle; **control centre** n (SPACE) Kontrollzentrum nt; **control character** n (COMPUT) Steuerzeichen nt; **control point** n Kontrollstelle f; **control unit** n (COMPUT) Steuerwerk nt.

controversial [kɒntrə'vɜ:ʃəl] adj umstritten, kontrovers; **controversy** ['kɒntrəvɜ:sı] n Meinungsstreit m, Kontroverse f.

convalesce [kɒnvə'les] vi gesund werden; **convalescence** n Genesung f; **convalescent** 1. adj auf dem Wege der Besserung; 2. n Genesende(r) mf.

convection oven [kən'vekʃən'ʌvn] n Heißluftherd m.

convector [kən'vektə*] n Heizlüfter m.

convene [kən'viːn] **1.** *vt* zusammenrufen; **2.** *vi* sich versammeln.

convenience [kən'viːnɪəns] *n* Annehmlichkeit *f*; (*thing*) bequeme Einrichtung *f*; **modern ~ s** *pl* Komfort *m*; **convenient** [kən'viːnɪənt] *adj* günstig, passend.

convent ['kɒnvənt] *n* Kloster *nt*.

convention [kən'venʃən] *n* (*custom*) Brauch *m*, Konvention *f*; (*POL*) Übereinkunft *f*, Abkommen *nt*; (*conference*) Konferenz *f*; **conventional** *adj* herkömmlich, konventionell.

converge [kən'vɜːdʒ] *vi* zusammenlaufen.

conversant [kən'vɜːsənt] *adj* vertraut; (*in learning*) bewandert (*with* in + *dat*).

conversation [kɒnvə'seɪʃən] *n* Unterhaltung *f*; **conversational** *adj* Unterhaltungs-; **converse** [kən'vɜːs] **1.** *vi* sich unterhalten; **2.** ['kɒnvɜːs] *adj* gegenteilig; **conversely** [kɒn'vɜːslɪ] *adv* umgekehrt.

conversion [kən'vɜːʃən] *n* Umwandlung *f*; (*esp REL*) Bekehrung *f*; **conversion table** *n* Umrechnungstabelle *f*.

convert [kən'vɜːt] **1.** *vt* (*change*) umwandeln; (*REL*) bekehren; **2.** ['kɒnvɜːt] *n* Bekehrte(r) *mf*; **Konvertit(in** *f*) *m*.

convertible [kən'vɜːtəbl] **1.** *n* (*AUT*) Kabriolett *nt*; **2.** *adj* umwandelbar; (*FIN*) konvertierbar.

convex [kɒn'veks] *adj* konvex.

convey [kən'veɪ] *vt* (*carry*) befördern; (*feelings*) vermitteln; **conveyor belt** *n* Fließband *nt*.

convict [kən'vɪkt] **1.** *vt* verurteilen; **2.** ['kɒnvɪkt] *n* Sträfling *m*.

conviction [kən'vɪkʃən] *n* (*verdict*) Verurteilung *f*; (*belief*) Überzeugung *f*.

convince [kən'vɪns] *vt* überzeugen; **convincing** *adj* überzeugend.

convivial [kən'vɪvɪəl] *adj* festlich, froh.

convoy ['kɒnvɔɪ] *n* (*of vehicles*) Kolonne *f*; (*protected*) Konvoi *m*.

convulse [kən'vʌls] *vt* zusammenzucken lassen; **to be ~ d with laughter** sich vor Lachen krümmen; **convulsion** [kən'vʌlʃən] *n* (*esp MED*) Zuckung *f*, Krampf *m*.

coo [kuː] *vi* (*dove*) gurren.

cook [kʊk] **1.** *vt*, *vi* kochen; **2.** *n* Koch *m*, Köchin *f*; **cookbook** *n* Kochbuch *nt*; **cooker** *n* Herd *m*; **cookery** *n* Kochkunst *f*; **~ book** Kochbuch *nt*; **cookie** *n* (*US*) Plätzchen *nt*; **cooking** *n* Kochen *nt*.

cool [kuːl] **1.** *adj* kühl; **2.** *vt*, *vi* [ab]kühlen; **cool down** *vt*, *vi* (*fig*) [sich] beruhigen; **cooling-tower** *n* Kühlturm *m*; **coolness** *n* Kühle *f*; (*of temperament*) kühler Kopf.

coop [kuːp] *n* Hühnerstall *m*; **coop up** *vt*

(*fig*) einpferchen.

co-op ['kəʊɒp] *n* (*Brit*) *see* **cooperative**; (*US: building*) Apartmenthaus *nt* mit Eigentumswohnungen; (*apartment*) Eigentumswohnung *f*; **to go ~** in Eigentumswohnungen umgewandelt werden.

cooperate [kəʊ'ɒpəreɪt] *vi* zusammenarbeiten; **cooperation** [kəʊɒpə'reɪʃən] *n* Zusammenarbeit *f*.

cooperative [kəʊ'ɒpərətɪv] **1.** *adj* hilfsbereit; (*COM*) genossenschaftlich; **2.** *n* (*of farmers*) Genossenschaft *f*; (*~ store*) Konsumladen *m*.

coordinate [kəʊ'ɔːdɪneɪt] *vt* koordinieren; **coordination** [kəʊɔːdɪ'neɪʃən] *n* Koordination *f*.

coot [kuːt] *n* Wasserhuhn *nt*.

cop [kɒp] *n* (*fam: policeman*) Bulle *m*.

cope [kəʊp] *vi* fertig werden, schaffen (*with akk*).

copier ['kɒpɪə*] *n* Kopierer *m*, Kopiergerät *nt*.

co-pilot ['kəʊ'paɪlət] *n* Kopilot(in *f*) *m*.

copious ['kəʊpɪəs] *adj* reichhaltig.

copper ['kɒpə*] *n* Kupfer *nt*; (*coin*) Kupfermünze *f*; (*fam: policeman*) Bulle *m*.

coppice, copse ['kɒpɪs, kɒps] *n* Unterholz *nt*.

copulate ['kɒpjʊleɪt] *vi* sich paaren.

copy ['kɒpɪ] **1.** *n* (*imitation*) Nachahmung *f*; (*of book etc*) Exemplar *nt*; (*of newspaper*) Nummer *f*; **2.** *vt* kopieren, abschreiben; (*COMPUT*) kopieren; **copycat** *n* Nachahmer(in *f*) *m*; **copyright** *n* Copyright *nt*; **~ reserved** alle Rechte vorbehalten, Nachdruck verboten.

coral ['kɒrəl] *n* Koralle *f*; **coral reef** *n* Korallenriff *nt*.

cord [kɔːd] *n* Schnur *f*, Kordel *f*; *see also* **vocal**.

cordial ['kɔːdɪəl] **1.** *adj* freundlich; **2.** *n* Fruchtsaftkonzentrat *nt*; **cordially** *adv* freundlich; **~ yours** mit freundlichen Grüßen.

cordon ['kɔːdn] *n* Absperrkette *f*.

corduroy ['kɔːdərɔɪ] *n* Kord[samt] *m*.

core [kɔː*] **1.** *n* Kern *m*; (*COMPUT*) Zentralspeicher *m*; (*of nuclear reactor*) Reaktorkern *m*; **2.** *vt* entkernen; **core memory** *n* Kernspeicher *m*; **core time** *n* Kern[arbeits]zeit *f*.

cork [kɔːk] *n* (*bark*) Korkrinde *f*; (*stopper*) Korken *m*; **corkage** ['kɔːkɪdʒ] *n* Korkengeld *nt*; **corkscrew** ['kɔːkskruː] *n* Korkenzieher *m*.

corm [kɔːm] *n* Knolle *f*.

cormorant ['kɔːmərənt] *n* Kormoran *m*.

corn [kɔːn] *n* Getreide *nt*, Korn *nt*; (*US: maize*) Mais *m*; (*on foot*) Hühnerauge *nt*.

cornea ['kɔːnɪə] *n* Hornhaut *f*.

corned beef ['kɔːnd'biːf] n Corned beef nt.

corner ['kɔːnə*] **1.** n Ecke f; (nook) Winkel m; (on road) Kurve f; **2.** vt in die Enge treiben; **corner kick** n Eckball m; **cornerstone** n Eckstein m.

cornet ['kɔːnɪt] n (MUS) Kornett nt; (for ice cream) Eistüte f.

cornflour ['kɔːnflauə*] n Maismehl nt.

cornice ['kɔːnɪs] n Gesims f.

cornstarch ['kɔːnstɑːtʃ] n (US) Maismehl nt.

cornucopia [kɔːnjuˈkəupiə] n Füllhorn nt.

Cornwall ['kɔːnwəl] n Cornwall nt.

corny ['kɔːnɪ] adj (joke) blöd[e].

coronary ['kɔrənərɪ] **1.** adj (MED) Koronar-; **2.** n Herzinfarkt m.

coronation [kɔrəˈneɪʃən] n Krönung f.

coroner ['kɔrənə*] n Untersuchungsrichter und Leichenbeschauer m.

corporal ['kɔːpərəl] **1.** n Obergefreite(r) m; **2.** adj: ~ **punishment** Prügelstrafe f.

corporate ['kɔːpərɪt] adj gemeinschaftlich, korporativ.

corporation [kɔːpəˈreɪʃən] n Gemeinde f, Stadt f; (COM) Handelsgesellschaft f; (US) Gesellschaft f mit beschränkter Haftung.

corps [kɔː*] n [Armee]korps nt.

corpse [kɔːps] n Leiche f.

corpulent ['kɔːpjulənt] adj korpulent.

Corpus Christi ['kɔːpəsˈkrɪstɪ] n Fronleichnam[sfest] nt.

corpuscle ['kɔːpʌsl] n Blutkörperchen nt.

corral [kəˈrɑːl] n Pferch m, Korral m.

correct [kəˈrekt] **1.** adj (accurate) richtig; (proper) korrekt; **2.** vt berichtigen, korrigieren; **correction** n Korrektur f, Berichtigung f; **correction key** n Korrekturtaste f; **correction memory** n Korrekturspeicher m; **correction tape** n Korrekturband nt; **correctly** adv richtig; korrekt.

correlate ['kɔrɪleɪt] **1.** vt aufeinander beziehen; **2.** vi korrelieren; **correlation** [kɔrɪˈleɪʃən] n Wechselbeziehung f.

correspond [kɔrɪˈspɔnd] vi übereinstimmen; (exchange letters) korrespondieren; **correspondence** n (similarity) Entsprechung f; (letters) Briefwechsel m, Korrespondenz f; **correspondence course** n Fernkurs m; **correspondent** n (PRESS) Berichterstatter(in f) m; **corresponding** adj entsprechend, gemäß (to dat).

corridor ['kɔrɪdɔː*] n Gang m.

corroborate [kəˈrɔbəreɪt] vt bestätigen, erhärten.

corrode [kəˈrəud] **1.** vt zerfressen; **2.** vi

rosten; **corrosion** [kəˈrəuʒən] n Rost m, Korrosion f.

corrugated ['kɔrəgeɪtɪd] adj gewellt; ~ **cardboard** Wellpappe f; ~ **iron** Wellblech nt.

corrupt [kəˈrʌpt] **1.** adj korrupt; **2.** vt verderben; (bribe) bestechen; **corruption** [kəˈrʌpʃən] n (of society) Verdorbenheit f; (bribery) Bestechung f.

corset ['kɔːsɪt] n Korsett nt.

cortège [kɔːˈteːʒ] n Zug m; (of funeral) Leichenzug m.

cortisone ['kɔːtɪzəun] n Kortison nt.

cosh [kɔʃ] **1.** n Totschläger m; **2.** vt über den Schädel hauen.

cosine ['kəusaɪn] n Kosinus m.

cosiness ['kəuzɪnɪs] n Gemütlichkeit f.

cosmetic [kɔzˈmetɪk] **1.** n Schönheitsmittel nt, kosmetisches Mittel; **2.** adj kosmetisch.

cosmic ['kɔzmɪk] adj kosmisch.

cosmonaut ['kɔzmənɔːt] n Kosmonaut(in f) m.

cosmopolitan [kɔzməˈpɔlɪtən] adj international; (city) Welt-.

cosmos ['kɔzmɔs] n Weltall nt, Kosmos m.

cost [kɔst] <**cost, cost**> **1.** vt kosten; **2.** n Kosten pl, Preis m; **it ~ him his life/job** es kostete ihn sein Leben/seine Stelle; **at all ~s** um jeden Preis; ~ **of living** Lebenshaltungskosten pl.

co-star ['kəustɑː*] n zweiter (o weiterer) Hauptdarsteller, zweite (o weitere) Hauptdarstellerin.

costing ['kɔstɪŋ] n Kostenberechnung f.

costly ['kɔstlɪ] adj kostspielig.

cost price ['kɔst'praɪs] n Selbstkostenpreis m.

costume ['kɔstjuːm] n Kostüm nt; (for bathing) Badeanzug m; **costume jewellery** n Modeschmuck m.

cosy ['kəuzɪ] adj behaglich, gemütlich.

cot [kɔt] n Kinderbett[chen] nt; **cot death** n Krippentod m.

cottage ['kɔtɪdʒ] n kleines Haus [auf dem Land]; **cottage cheese** n Hüttenkäse m.

cotton ['kɔtn] **1.** n Baumwolle f; (fabric) Baumwollstoff m; **2.** adj (dress etc) Baumwoll-; **cotton wool** n Watte f.

couch [kautʃ] **1.** n Couch f; **2.** vt [in Worte] fassen, formulieren.

couchette [kuːˈʃet] n Liegewagen[platz] m.

cougar ['kuːgə*] n Puma m.

cough [kɔf] **1.** vi husten; **2.** n Husten m; **cough drop** n Hustenbonbon nt.

could [kud] pt of **can**; **couldn't** = **could not**.

council ['kaʊnsl] n (of town) Stadtrat m; **council estate** n Siedlung f des sozialen Wohnungsbaus; **council house** n Sozialwohnung f; **councillor** ['kaʊnsɪlə'] n Stadtrat(-rätin f) m.

counsel ['kaʊnsl] n (barrister) Anwalt m, Anwältin f, Rechtsbeistand m; (advice) Rat[schlag] m; **counsellor** n Berater(in f) m.

count [kaʊnt] 1. vt, vi zählen; 2. vi (be important) zählen, gelten; 3. n (reckoning) Abrechnung f; (nobleman) Graf m; **count on** vt zählen auf + akk; **count up** vt zusammenzählen; **countdown** n Countdown m.

counter ['kaʊntə'] 1. n (in shop) Ladentisch m; (in café) Tresen m, Theke f; (in bank, post office) Schalter m; 2. vt entgegnen + dat; 3. adv entgegen; **counteract** [kaʊntə'rækt] vt entgegenwirken + dat; **counter-attack** n Gegenangriff m; **counterbalance** vt aufwiegen; **counter-clockwise** adv entgegen dem Uhrzeigersinn; **counter-espionage** n Spionageabwehr f.

counterfeit ['kaʊntəfɪt] 1. n Fälschung f; 2. vt fälschen; 3. adj gefälscht, unecht.

counterfoil ['kaʊntəfɔɪl] n (Kontroll)abschnitt m; **counterpart** n (object) Gegenstück nt; (person) Pendant nt.

countess ['kaʊntɪs] n Gräfin f.

countless ['kaʊntlɪs] adj zahllos, unzählig.

countrified ['kʌntrɪfaɪd] adj ländlich.

country ['kʌntrɪ] n Land nt; **in the ~** auf dem Land[e]; **country dancing** n Volkstanz m; **country house** n Landhaus nt; **countryman** n < -men > (national) Landsmann m; (rural) Bauer m; **countryside** n Landschaft f.

county ['kaʊntɪ] n Landkreis m; (Brit) Grafschaft f; **county town** n Kreisstadt f.

coup [kuː] n Coup m; **coup d'état** [kuːdeɪ'tɑː] n Staatsstreich m, Putsch m.

coupé [kuː'peɪ] n (AUT) Coupé nt.

couple ['kʌpl] 1. n Paar nt; 2. vt koppeln; **a ~ of** ein paar.

couplet ['kʌplɪt] n Reimpaar nt.

coupling ['kʌplɪŋ] n Kupplung f.

coupon ['kuːpɒn] n Gutschein m.

courage ['kʌrɪdʒ] n Mut m; **courageous** [kə'reɪdʒəs] adj mutig.

courgettes [kʊə'ʒets] n pl Zucchini pl.

courier ['kʊrɪə'] n (for holiday) Reiseleiter(in f) m; (messenger) Kurier m, Eilbote m.

course [kɔːs] n (race) Strecke f, Bahn f; (of stream) Lauf m; (of action) Richtung f; (of lectures) Vortragsreihe f; (of study) Studiengang m; (NAUT) Kurs m; (in meal) Gang m; **summer ~** Sommerkurs m; **of ~** natürlich; **in the ~ of** im Laufe + gen; **in due ~** zu gegebener Zeit.

court [kɔːt] 1. n (royal) Hof m; (JUR) Gericht nt; 2. vt den Hof machen + dat.

courteous ['kɜːtɪəs] adj höflich, zuvorkommend.

courtesy ['kɜːtəsɪ] n Höflichkeit f.

courthouse ['kɔːthaʊs] n (US) Gerichtsgebäude nt.

court-martial [kɔːt'mɑːʃəl] 1. n Kriegsgericht nt; 2. vt vor ein Kriegsgericht stellen.

courtroom ['kɔːtrʊm] n Gerichtssaal m.

courtyard ['kɔːtjɑːd] n Hof m.

cousin ['kʌzn] n Cousin(e f) m, Kusine f, Vetter m, Base f.

cove [kəʊv] n kleine Bucht.

covenant ['kʌvənənt] n feierliches Abkommen.

cover ['kʌvə'] 1. vt (spread over) bedecken; (shield) abschirmen; (include) sich erstrecken über + akk; (protect) decken; 2. n (lid) Deckel m; (for bed) Decke f; (MIL) Bedeckung f.

coverage ['kʌvrɪdʒ] n (PRESS: reports) Berichterstattung f; (distribution) Verbreitung f.

cover charge ['kʌvətʃɑːdʒ] n Bedienungsgeld nt.

covering ['kʌvərɪŋ] n Bedeckung f; **covering letter** n Begleitbrief m.

cover note ['kʌvənəʊt] n Deckungszusage f, Versicherungsdoppelkarte f.

covert ['kʌvət] adj versteckt.

covet ['kʌvɪt] vt begehren.

cow [kaʊ] n Kuh f.

coward ['kaʊəd] n Feigling m; **cowardice** ['kaʊədɪs] n Feigheit f; **cowardly** adj feige.

cowboy ['kaʊbɔɪ] n Cowboy m.

cower ['kaʊə'] vi kauern; (movement) sich wappnen.

co-worker ['kəʊ'wɜːkə'] n Mitarbeiter(in f) m.

cowshed ['kaʊʃed] n Kuhstall m.

cox, coxswain [kɒks, 'kɒksn] n Steuermann m.

coy [kɔɪ] adj schüchtern; (girl) spröde.

coyote [kɔɪ'əʊtɪ] n Kojote m, Präriewolf m.

CPU n abbr of **central processing unit** Zentraleinheit f.

crab [kræb] n Krebs m; **crabapple** n Holzapfel m.

crack [kræk] 1. n Riß m, Sprung m; (noise) Knall m; 2. vt (break) springen lassen; (joke) reißen; 3. vi (noise) krachen, knallen; 4. adj erstklassig; (troops)

Elite-; **crack up** vi (fig) zusammenbrechen.

cracker ['krækə*] n (firework) Knallkörper m, Kracher m; (biscuit) Keks m; (Christmas ~) Knallbonbon nt.

crackle ['krækl] vi knistern; (fire) prasseln; **crackling** n Knistern n; (rind) Kruste f [des Schweinebratens].

cradle ['kreidl] n Wiege f.

craft [krɑːft] n (skill) Kunstfertigkeit f; (trade) Handwerk nt; (cunning) Verschlagenheit f; (NAUT) Fahrzeug nt, Schiff nt; **craftsman** n <-men> gelernter Handwerker; **craftsmanship** n (quality) handwerkliche Ausführung; (ability) handwerkliches Können.

crafty ['krɑːftɪ] adj schlau, gerieben.

crag [kræg] n Klippe f; **craggy** adj schroff, felsig.

cram [kræm] 1. vt vollstopfen; (fam: teach) pauken; 2. vi (learn) pauken.

cramp [kræmp] 1. n Krampf m; 2. vt (hinder) einengen, hemmen.

crampon ['kræmpən] n Steigeisen nt.

cranberry ['krænbərɪ] n Preiselbeere f.

crane [kreɪn] n (machine) Kran m; (bird) Kranich m.

cranium ['kreɪnɪəm] n Schädel m.

crank [kræŋk] 1. n (lever) Kurbel f; (person) Spinner(in f) m; 2. vt ankurbeln; **crankshaft** n Kurbelwelle f.

cranky ['kræŋkɪ] adj verschroben.

cranny ['krænɪ] n Ritze f.

crap [kræp] n (fam) Mist m, Scheiße f.

craps [kræps] n sing (US) Würfelspiel nt.

crash [kræʃ] 1. n (noise) Krachen nt; (with cars) Zusammenstoß m; (with plane) Absturz m; 2. vi stürzen; (cars) zusammenstoßen; (plane) abstürzen; (economy) zusammenbrechen; (noise) knallen; 3. adj (course) Schnell-; **crash helmet** n Sturzhelm m; **crash landing** n Bruchlandung f.

crass [kræs] adj kraß.

crate [kreit] n (also fig) Kiste f.

crater ['kreɪtə*] n Krater m.

cravat[e] [krə'væt] n Halstuch nt.

crave [kreɪv] vi verlangen (for nach); **craving** n Verlangen nt.

crawl [krɔːl] 1. vi kriechen; (baby) krabbeln; 2. n Kriechen nt; (swim) Kraul nt.

crayon ['kreɪən] n Buntstift m.

craze [kreɪz] n Fimmel m.

crazy ['kreɪzɪ] adj verrückt (about nach); **crazy paving** n Mosaikpflaster nt.

crèche [kreɪʃ] n Krippe f.

creak [kriːk] 1. n Knarren nt; 2. vi quietschen, knarren.

cream [kriːm] 1. n (from milk) Rahm m, Sahne f; (polish, cosmetic) Creme f; (fig:

people) Elite f; 2. adj (colour) cremefarben; **cream cake** n (small) Sahnetörtchen nt; (big) Sahnekuchen m; **cream cheese** n Doppelrahmfrischkäse m; **creamery** n Molkerei f; **creamy** adj sahnig.

crease [kriːs] 1. n Falte f; 2. vt falten; (untidy) zerknittern.

create [krɪ'eɪt] vt erschaffen; (cause) verursachen; **creation** [krɪ'eɪʃən] n Schöpfung f; **creative** [krɪ'eɪtɪv] adj schöpferisch, kreativ; **creator** [krɪ'eɪtə*] n Schöpfer(in f) m.

creature ['kriːtʃə*] n Geschöpf nt.

credibility [kredɪ'bɪlɪtɪ] n Glaubwürdigkeit f; **credible** ['kredɪbl] adj (person) glaubwürdig; (story) glaubhaft.

credit ['kredɪt] 1. n (COM) Kredit m; (money possessed) [Gut]haben nt; 2. vt Glauben schenken + dat; **to sb's ~** zu jds Ehre; **creditable** adj rühmlich; **credit card** n Kreditkarte f; **creditor** n Gläubiger(in f) m; **credit rating company** n ≈ Schufa f; **credits** n pl (of film) die Mitwirkenden.

credulity [krɪ'djuːlɪtɪ] n Leichtgläubigkeit f.

creed [kriːd] n Glaubensbekenntnis nt.

creek [kriːk] n (inlet) kleine Bucht; (US: river) Bach m.

creep [kriːp] n <crept, crept> vi kriechen; **creeper** n Kletterpflanze f.

creepy ['kriːpɪ] adj (frightening) gruselig.

cremate [krɪ'meɪt] vt einäschern; **cremation** [krɪ'meɪʃən] n Einäscherung f; **crematorium** [kremə'tɔːrɪəm] n Krematorium nt.

crepe [kreɪp] n Krepp m; **crepe bandage** n Elastikbinde f.

crept [krept] pt, pp of **creep**.

crescent ['kresnt] n (of moon) Halbmond m.

cress [kres] n Kresse f.

crest [krest] n (of cock) Kamm m; (of wave) Wellenkamm m; (coat of arms) Wappen nt; **crestfallen** adj niedergeschlagen.

cretin ['kretɪn] n Idiot(in f) m.

crevasse [krɪ'væs] n Gletscherspalte f.

crevice ['krevɪs] n Riß m; (in rock) Felsspalte f.

crew [kruː] n Besatzung f, Mannschaft f; **crew-cut** n Bürstenschnitt m; **crewneck** n runder Ausschnitt.

crib [krɪb] n (bed) Krippe f; (translation) Klatsche f, Pons m.

crick [krɪk] n Muskelkrampf m.

cricket ['krɪkɪt] n (insect) Grille f; (game) Kricket nt; **cricketer** n Kricketspieler(in f) m.

crime [kraɪm] *n* Verbrechen *nt*.
criminal ['krɪmɪnl] **1.** *n* Verbrecher(in *f*) *m*; **2.** *adj* kriminell, strafbar.
crimson ['krɪmzn] *adj* purpurrot.
cringe [krɪndʒ] *vi* schaudern.
crinkle ['krɪŋkl] **1.** *vt* zerknittern; **2.** *vi* knittern; **crinkly** *adj* (*hair*) kraus.
cripple ['krɪpl] **1.** *n* Krüppel *m*; **2.** *vt* lahmlegen; (*MED*) lähmen, verkrüppeln.
crisis ['kraɪsɪs] *n* Krise *f*.
crisp [krɪsp] **1.** *adj* knusprig; **2.** *n* (*Brit*) [Kartoffel]chip *m*.
criss-cross ['krɪskrɒs] *adj* gekreuzt, Kreuz-.
criterion [kraɪ'tɪərɪən] *n* Kriterium *nt*.
critic ['krɪtɪk] *n* Kritiker(in *f*) *m*; **critical** *adj* kritisch; **critically** *adv* kritisch; (*ill*) gefährlich; **criticism** ['krɪtɪsɪzəm] *n* Kritik *f*; **criticize** ['krɪtɪsaɪz] *vt* kritisieren; (*comment*) beurteilen.
croak [krəʊk] **1.** *vi* krächzen; (*frog*) quaken; **2.** *n* Krächzen *nt*; Quaken *nt*.
crochet ['krəʊʃeɪ] *n* Häkeln *nt*.
crockery ['krɒkərɪ] *n* Geschirr *nt*.
crocodile ['krɒkədaɪl] *n* Krokodil *nt*.
crocus ['krəʊkəs] *n* Krokus *m*.
croft [krɒft] *n* kleines Pachtgut; **crofter** *n* Kleinbauer(-bäuerin *f*) *m*.
crony ['krəʊnɪ] *n* Freund(in *f*) *m*.
crook [krʊk] *n* (*criminal*) Gauner(in *f*) *m*, Schwindler(in *f*) *m*; (*stick*) Hirtenstab *m*; **crooked** ['krʊkɪd] *adj* krumm.
crop [krɒp] *n* (*harvest*) Ernte *f*; (*fam: series*) Haufen *m*; **crop up** *vi* auftauchen; (*thing*) passieren.
croquet ['krəʊkeɪ] *n* Krocket *nt*.
croquette [krə'ket] *n* Krokette *f*.
cross [krɒs] **1.** *n* Kreuz *nt*; (*BIO*) Kreuzung *f*; **2.** *vt* (*road*) überqueren; (*legs*) übereinander legen; (*write*) einen Querstrich ziehen durch; (*cheque*) als Verrechnungsscheck kennzeichnen; (*BIO*) kreuzen; **3.** *adj* (*annoyed*) ärgerlich, böse; **to be at ~ purposes** von verschiedenen Dingen reden; **cross out** *vt* streichen; **crossbar** *n* Querstange *f*; **crossbreed** *n* Kreuzung *f*; **cross-country [race]** *n* Geländelauf *m*; **cross-country ski** *n* Langlaufski *m*; **cross-country skiing** *n* Langlauf *m*; **cross-country skier** *n* Langläufer(in *f*) *m*; **cross-examination** *n* Kreuzverhör *nt*; **cross-examine** *vt* ins Kreuzverhör nehmen; **cross-eyed** *adj:* **to be ~** schielen; **crossing** *n* (*crossroads*) [Straßen]kreuzung *f*; (*of ship*) Überfahrt *f*; (*for pedestrians*) Fußgängerübergang *m*; **cross-reference** *n* [Quer]verweis *m*; **crossroads** *n sing o pl* Straßenkreuzung *f*; (*fig*) Scheideweg *m*; **cross section** *n*

Querschnitt *m*; **crosswind** *n* Seitenwind *m*; **crosswalk** *n* (*US*) Fußgängerüberweg *m*; **crossword [puzzle]** *n* Kreuzworträtsel *nt*.
crotch [krɒtʃ] *n* Zwickel *m*; (*ANAT*) Unterleib *nt*.
crotchet ['krɒtʃɪt] *n* Viertelnote *f*.
crouch [kraʊtʃ] *vi* hocken.
crouton ['kru:tɒn] *n* gerösteter Brotwürfel.
crow [krəʊ] *vi* krähen.
crowbar ['krəʊbɑ:'] *n* Stemmeisen *nt*.
crowd [kraʊd] **1.** *n* Menge *f*, Gedränge *nt*; **2.** *vt* (*fill*) überfüllen; **3.** *vi* drängen; **crowded** *adj* überfüllt.
crown [kraʊn] **1.** *n* Krone *f*; **2.** *vt* krönen; **crown jewels** *n pl* Kronjuwelen *pl*; **crown prince** *n* Kronprinz *m*.
crow's-nest ['krəʊznest] *n* Krähennest *nt*, Ausguck *m*.
crucial ['kru:ʃəl] *adj* entscheidend.
crucifix ['kru:sɪfɪks] *n* Kruzifix *nt*; **crucifixion** [kru:sɪ'fɪkʃən] *n* Kreuzigung *f*; **crucify** ['kru:sɪfaɪ] *vt* kreuzigen.
crude [kru:d] *adj* (*raw*) roh; (*humour, behaviour*) grob, unfein; **crudely** *adv* grob; **crudeness, crudity** *n* Roheit *f*.
cruel ['kruəl] *adj* grausam; (*distressing*) schwer; (*hard-hearted*) hart, gefühllos; **cruelty** *n* Grausamkeit *f*.
cruet ['kru:ɪt] *n* Gewürzständer *m*, Menage *f*.
cruise [kru:z] **1.** *n* Kreuzfahrt *f*; **2.** *vi* kreuzen; **cruise missile** *n* (*MIL*) Marschflugkörper *m*; **cruiser** *n* (*MIL*) Kreuzer *m*; **cruising-speed** *n* Reisegeschwindigkeit *f*.
crumb [krʌm] *n* Krume *f*; (*fig*) Bröckchen *nt*.
crumble ['krʌmbl] *vt*, *vi* zerbröckeln; **crumbly** *adj* krümelig.
crumpet ['krʌmpɪt] *n* Pfannkuchen *m*.
crumple ['krʌmpl] *vt* zerknittern; **crumple zone** *n* (*AUT*) Knautschzone *f*.
crunch [krʌntʃ] **1.** *n* Knirschen *nt*; (*fig*) der entscheidende Punkt; **2.** *vt* knirschen; **crunchy** *adj* knusprig.
crusade [kru:'seɪd] *n* Kreuzzug *m*; **crusader** *n* Kreuzfahrer *m*.
crush [krʌʃ] **1.** *n* Gedränge *nt*; **2.** *vt* zerdrücken; (*rebellion*) unterdrücken, niederwerfen; **3.** *vi* (*material*) knittern; **to have a ~ on sb** für jdn schwärmen; **crushing** *adj* überwältigend.
crust [krʌst] *n* (*of bread*) Rinde *f*, Kruste *f*; (*MED*) Schorf *m*.
crutch [krʌtʃ] *n* Krücke *f*; *see also* **crotch**.
crux [krʌks] *n* (*crucial point*) der springende Punkt.
cry [kraɪ] **1.** *vi* (*call*) ausrufen; (*shout*)

schreien; (*weep*) weinen; **2.** *n* (*call*) Schrei *m*; **cry off** *vi* [plötzlich] absagen; **crying** *adj* (*fig*) himmelschreiend.

crypt [krɪpt] *n* Krypta *f*.

cryptic ['krɪptɪk] *adj* (*secret*) geheim; (*mysterious*) rätselhaft.

crystal ['krɪstl] *n* Kristall *m*; (*glass*) Kristall[glas] *nt*; (*mineral*) Bergkristall *m*; **crystal-clear** *adj* kristallklar; **crystallize** *vt*, *vi* kristallisieren; (*fig*) klären.

cub [kʌb] *n* Junge(s) *nt*; (*young boy scout*) Wölfling *m*.

Cuba ['kju:bə] *n* Kuba *nt*.

cubbyhole ['kʌbɪhəʊl] *n* Eckchen *nt*.

cube [kju:b] *n* Würfel *m*; (*MATH*) Kubikzahl *f*; **cubic** ['kju:bɪk] *adj* würfelförmig; (*centimetre etc*) Kubik-.

cubicle ['kju:bɪkl] *n* Kabine *f*.

cuckoo ['kuku:] *n* Kuckuck *m*; **cuckoo clock** *n* Kuckucksuhr *f*.

cucumber ['kju:kʌmbə*] *n* Gurke *f*.

cuddle ['kʌdl] **1.** *vi* schmusen; **2.** *vt* schmusen mit; **3.** *n* Liebkosung *f*; **cuddly** ['kʌdlɪ] *adj* anschmiegsam; (*teddy*) zum Schmusen.

cudgel ['kʌdʒəl] *n* Knüppel *m*.

cue [kju:] *n* Wink *m*; (*THEAT*) Stichwort *nt*; (*SPORT*) Billardstock *m*.

cuff [kʌf] *n* (*of shirt, coat etc*) Manschette *f*, Aufschlag *m*; **cufflink** *n* Manschettenknopf *m*.

cuisine [kwɪ'zi:n] *n* Kochkunst *f*, Küche *f*.

cul-de-sac ['kʌldəsæk] *n* (*Brit*) Sackgasse *f*.

culinary ['kʌlɪnərɪ] *adj* Koch-.

culminate ['kʌlmɪneɪt] *vi* gipfeln; **culmination** [kʌlmɪ'neɪʃən] *n* Höhepunkt *m*.

culpable ['kʌlpəbl] *adj* strafbar, schuldhaft.

culprit ['kʌlprɪt] *n* Schuldige(r) *mf*; (*fig*) Übeltäter(in *f*) *m*.

cult [kʌlt] *n* Kult *m*.

cultivate ['kʌltɪveɪt] *vt* (*AGR*) bebauen, kultivieren; (*mind*) bilden; **cultivated** *adj* (*AGR*) bebaut; (*cultured*) kultiviert; **cultivation** [kʌltɪ'veɪʃən] *n* (*AGR*) Bebauung *f*; (*of person*) Bildung *f*.

cultural ['kʌltʃərəl] *adj* kulturell, Kultur-; **culture** ['kʌltʃə*] *n* Kultur *f*; **cultured** *adj* gebildet, kultiviert.

cumbersome ['kʌmbəsəm] *adj* (*task*) beschwerlich; (*object*) unhandlich.

cumulative ['kju:mjulətɪv] *adj* gehäuft; **to be ~** sich häufen.

cunning ['kʌnɪŋ] **1.** *n* Verschlagenheit *f*; **2.** *adj* schlau.

cup [kʌp] *n* Tasse *f*; (*prize*) Pokal *m*; **cupboard** ['kʌbəd] *n* Schrank *m*; **cup final** *n* Pokalendspiel *nt*.

cupola ['kju:pələ] *n* Kuppel *f*.

curable ['kjʊərəbl] *adj* heilbar.

curb [kɜ:b] **1.** *vt* zügeln; **2.** *n* Zaum *m*; (*on spending etc*) Einschränkung *f*.

cure [kjʊə*] **1.** *n* Heilmittel *nt*; (*process*) Heilverfahren *nt*; **2.** *vt* heilen; **there's no ~ for...** es gibt kein Mittel gegen...

curfew ['kɜ:fju:] *n* Ausgangssperre *f*; Sperrstunde *f*.

curiosity [kjʊərɪ'ɒsɪtɪ] *n* Neugier *f*; (*for knowledge*) Wißbegierde *f*; (*object*) Merkwürdigkeit *f*; **curious** ['kjʊərɪəs] *adj* neugierig; (*strange*) seltsam; **curiously** *adv*: ~ **enough** merkwürdigerweise.

curl [kɜ:l] **1.** *n* Locke *f*; **2.** *vt* locken; **curler** *n* Lockenwickler *m*.

curlew ['kɜ:lju:] *n* Brachvogel *m*.

curly ['kɜ:lɪ] *adj* lockig.

currant ['kʌrənt] *n* (*dried*) Korinthe *f*; (*red, black*) Johannisbeere *f*.

currency ['kʌrənsɪ] *n* Währung *f*; (*of ideas*) Geläufigkeit *f*.

current ['kʌrənt] **1.** *n* Strömung *f*; **2.** *adj* (*expression*) gängig, üblich; (*issue*) neueste(r, s); **current account** *n* Girokonto *nt*; **current affairs** *n pl* Zeitgeschehen *nt*; **currently** *adv* zur Zeit.

curriculum [kə'rɪkjuləm] *n* Lehrplan *m*; **curriculum vitae** [kə'rɪkjuləm 'vi:taɪ] *n* Lebenslauf *m*.

curry ['kʌrɪ] *n* Currygericht *nt*; **curry powder** *n* Curry[pulver] *nt*.

curse [kɜ:s] **1.** *vi* (*swear*) fluchen (*at* auf + *akk*); **2.** *vt* verwünschen; **3.** *n* Fluch *m*.

cursor ['kɜ:sə*] *n* (*COMPUT*) Cursor *m*, Schreibstellenmarke *f*.

cursory ['kɜ:sərɪ] *adj* flüchtig.

curt [kɜ:t] *adj* kurz.

curtail [kɜ:'teɪl] *vt* abkürzen; (*rights*) einschränken.

curtain ['kɜ:tn] *n* Vorhang *m*.

curtsy ['kɜ:tsɪ] **1.** *n* Knicks *m*; **2.** *vi* knicksen.

cushion ['kʊʃən] **1.** *n* Kissen *nt*; **2.** *vt* polstern.

custard ['kʌstəd] *n* Vanillesoße *f*.

custodian [kʌs'təʊdɪən] *n* Kustos *m*, Verwalter(in *f*) *m*.

custody ['kʌstədɪ] *n* Aufsicht *f*; (*for child*) Sorgerecht *nt*; (*police*) Polizeigewahrsam *m*.

custom ['kʌstəm] *n* (*tradition*) Brauch *m*; (*business dealing*) Kundschaft *f*; *see also* **customs**.

customary ['kʌstəmərɪ] *adj* üblich.

customer ['kʌstəmə*] *n* Kunde *m*, Kundin *f*; **customized** ['kʌstəmaɪzd] *adj* kundenspezifisch, maßgeschneidert; **custom-made** *adj* speziell angefertigt.

customs ['kʌstəmz] *n pl* (*taxes*) Einfuhrzoll *m*; **C~** Zollamt *nt*; **C~ officer** Zoll-

beamte(r) m, -beamtin f.
cut [kʌt] <**cut, cut**> **1.** vt schneiden; (wages) kürzen; (prices) heruntersetzen; **2.** n Schnitt m; (wound) Schnittwunde f; (in book, income etc) Kürzung f; (share) Anteil m; **I ~ my hand** ich habe mir in die Hand geschnitten.
cute [kju:t] adj reizend, niedlich.
cuticle ['kju:tıkl] n (on nail) Nagelhaut f.
cutlery ['kʌtlərı] n Besteck nt.
cutlet ['kʌtlıt] n (pork) Kotelett nt; (veal) Schnitzel nt.
cutout ['kʌtaut] n (ELEC) Sperre f.
cut-price ['kʌtpraıs] adj sehr billig, zu Schleuderpreisen.
cutting ['kʌtıŋ] **1.** adj schneidend; **2.** n (from paper) Ausschnitt m.
CV n abbr of **curriculum vitae.**
cwt abbr of **hundredweight** ≈ Zentner, Ztr.
cyanide ['saıənaıd] n Zyankali nt.
cybernetics [saıbə'netıks] n sing Kybernetik f.
cyclamen ['sıkləmən] n Alpenveilchen nt.
cycle ['saıkl] **1.** n Fahrrad nt; (series) Reihe f; (of songs) Zyklus m; **2.** vi radfahren; **cycling** n Radfahren nt; (SPORT) Radsport m; **cyclist** ['saıklıst] n Radfahrer(in) f m.
cyclone ['saıkləun] n Zyklon m.
cygnet ['sıgnıt] n junger Schwan.
cylinder ['sılındə*] n Zylinder m; (TECH) Walze f; **cylinder block** n Zylinderblock m; **cylinder capacity** n Hubraum m; **cylinder head** n Zylinderkopf m.
cymbals ['sımbəlz] n pl Becken nt.
cynic ['sınık] n Zyniker(in f) m; **cynical** adj zynisch; **cynicism** n Zynismus m.
cypress ['saıprıs] n Zypresse f.
Cyprus ['saıprəs] n Zypern m.
cyst [sıst] n Zyste f.
czar [zɑː*] n Zar m; **czarina** [zɑ'riːnə] n Zarin f.
Czech [tʃek] **1.** adj tschechisch; **2.** n Tscheche m, Tschechin f; **Czechoslovakia** [tʃekəslə'vækıə] n die Tschechoslowakei; **Czechoslovak(ian)** adj tschechoslowakisch.

D

D, d [di:] n D nt, d nt.

dab [dæb] **1.** vt (wound, paint) betupfen; **2.** n (little bit) bißchen nt; (of paint) Tupfer m; (smear) Klecks m.
dabble ['dæbl] vi (splash) plätschern; **to ~ in sth** (fig) etw als Hobby machen.
dachshund ['dækshund] n Dackel m.
dad[dy] ['dædı] n Papa m, Vati m; **daddy-long-legs** n sing Weberknecht m.
daffodil ['dæfədıl] n Osterglocke f.
daft [dɑːft] adj (fam) verrückt.
dagger ['dægə*] n Dolch m.
dahlia ['deıljə] n Dahlie f.
daily ['deılı] **1.** adj, adv täglich; **2.** n (PRESS) Tageszeitung f; (woman) Haushaltshilfe f.
dainty ['deıntı] adj zierlich; (attractive) reizend.
dairy ['dɛərı] **1.** n (shop) Milchgeschäft nt; (on farm) Molkerei f; **2.** adj Milch-.
daisy ['deızı] n Gänseblümchen nt; **daisy wheel** n Typenrad nt; **~ typewriter** Typenradschreibmaschine f.
dam [dæm] **1.** n (Stau)damm m; **2.** vt stauen.
damage ['dæmıdʒ] **1.** n Schaden m; **2.** vt beschädigen; **~s** pl (JUR) Schaden[s]ersatz m.
dame [deım] n Dame f; (fam) Weibsbild nt.
damn [dæm] **1.** vt verdammen, verwünschen; **2.** adj (fam) verdammt; **~ it!** verflucht!; **damning** adj vernichtend.
damp [dæmp] **1.** adj feucht; **2.** n Feuchtigkeit f; **3.** vt (also: **~en**) befeuchten; (discourage) dämpfen; **dampness** n Feuchtigkeit f.
dance [dɑːns] **1.** n Tanz m; **2.** vi tanzen; **dance hall** n Tanzlokal nt; **dancer** n Tänzer(in f) m; **dancing** n Tanzen nt.
dandelion ['dændılaıən] n Löwenzahn m.
dandruff ['dændrəf] n [Kopf]schuppen pl.
Dane [deın] n Däne m, Dänin f.
danger ['deındʒə*] n Gefahr f; **~!** (sign) Achtung!; **in ~** in Gefahr; **danger-list** n: **on the ~** in Lebensgefahr; **dangerous** adj, **dangerously** adv gefährlich.
dangle ['dæŋgl] **1.** vi baumeln; **2.** vt herabhängen lassen.
Danish ['deınıʃ] adj dänisch.
Danube ['dænjuːb] n Donau f.
dapper ['dæpə*] adj elegant.
dare [dɛə*] **1.** vt herausfordern; **2.** vi: **to**

~ [to] do sth es wagen, etw zu tun; **I ~ say** ich würde sagen; **daring 1.** *adj* (*audacious*) verwegen; (*bold*) wagemutig; (*dress*) gewagt; **2.** *n* Mut *m*.

dark [dɑːk] **1.** *adj* dunkel; (*fig*) düster, trübe; (*deep colour*) dunkel-; **2.** *n* Dunkelheit *f*; **after ~** nach Anbruch der Dunkelheit; **D ~ Ages** *pl* [finsteres] Mittelalter *nt*; **darken** *vt, vi* verdunkeln; **darkness** *n* Finsternis *nt*; **darkroom** *n* Dunkelkammer *f*.

darling ['dɑːlɪŋ] **1.** *n* Liebling *m*; **2.** *adj* lieb, süß.

darn [dɑːn] *vt* stopfen.

dart [dɑːt] **1.** *n* (*leap*) Satz *m*; (*weapon*) Pfeil *m*; **2.** *vi* sausen; **~s** *sing* (*game*) Pfeilwurfspiel *nt*; **dartboard** *n* Zielscheibe *f*.

dash [dæʃ] **1.** *n* Sprung *m*; (*mark*) [Gedanken]strich *m*; **2.** *vt* schmeißen; **3.** *vi* stürzen; **dashboard** *n* Armaturenbrett *nt*; **dashing** *adj* schneidig.

data ['deɪtə] **1.** *n pl* Einzelheiten *pl*, Daten *pl*; **2.** (*US*) **data bank** *n* Datenbank *f*; **database** *n* Datenbasis *f*, Datenbestand *m*; **data capture** *n* Datenerfassung *f*; **data carrier** *n* Datenträger *m*; **data preparation** *n* Datenaufbereitung *f*; **data processing** *n* Datenverarbeitung *f*; **data protection** *n* Datenschutz *m*.

date [deɪt] **1.** *n* Datum *nt*; (*for meeting etc*) Termin *m*; (*with person*) Verabredung *f*; (*fruit*) Dattel *f*; **2.** *vt* (*letter etc*) datieren; (*person*) gehen mit; **dated** *adj* altmodisch; **date-line** *n* Datumsgrenze *f*.

dative ['deɪtɪv] *n* Dativ *m*, Wemfall *m*.

daub [dɔːb] *vt* beschmieren; (*paint*) schmieren.

daughter ['dɔːtə*] *n* Tochter *f*; **daughter-in-law** *n* <**daughters-in-law**> Schwiegertochter *f*.

daunt [dɔːnt] *vt* entmutigen.

davenport ['dævnpɔːt] *n* Sekretär *m*; (*US: sofa*) Sofa *nt*.

dawdle ['dɔːdl] *vi* trödeln.

dawn [dɔːn] **1.** *n* Morgendämmerung *f*; **2.** *vi* dämmern; (*fig*) dämmern (*on sb* jdm.).

day [deɪ] *n* Tag *m*; **~ by ~** Tag für Tag, täglich; **one ~** eines Tages; **daybreak** *n* Tagesanbruch *m*; **daydream 1.** *n* Wachtraum *m*, Träumerei *f*; **2.** *irr vi* [mit offenen Augen] träumen; **daylight** *n* Tageslicht *nt*; **daytime** *n* Tageszeit *f*.

daze [deɪz] **1.** *vt* betäuben; **2.** *n* Betäubung *f*; **dazed** *adj* benommen.

dazzle ['dæzl] *vt* blenden.

deacon ['diːkən] *n* Diakon *m*.

dead [ded] **1.** *adj* tot, gestorben; (*without*

feeling) gefühllos; (*without movement*) leer, verlassen; **2.** *adv* völlig; **~ centre** genau in der Mitte; **the ~** *pl* die Toten *pl*; **the D ~ Sea** das Tote Meer; **deaden** *vt* (*pain*) abtöten; (*sound*) ersticken; **dead end** *n* Sackgasse *f*; **dead heat** *n* totes Rennen; **deadline** *n* Frist *f*, Termin *m*; **deadlock** *n* Stillstand *m*; **deadly** *adj* tödlich; **deadpan** *adj* (*face*) unbewegt, undurchdringlich; (*humour*) trocken.

deaf [def] *adj* taub; **deaf-aid** *n* Hörhilfe *f*; **deafen** *vt* taub machen; **deafening** *adj* ohrenbetäubend; **deafness** *n* Taubheit *f*; **deaf-mute** *n* Taubstumme(r) *mf*.

deal [diːl] <**dealt, dealt**> **1.** *vt, vi* austeilen; (*CARDS*) geben; **2.** *n* Geschäft *nt*; **a great ~ of** sehr viel; **to ~ with** (*person*) behandeln; (*department*) sich befassen mit; **dealer** *n* (*COM*) Händler(in *f*) *m*; (*CARDS*) Kartengeber(in *f*) *m*; **dealings** *n pl* (*FIN*) Beziehungen *pl*, Geschäftsverkehr *m*; **dealt** [delt] *pt, pp of* **deal.**

dean [diːn] *n* (*SCH, REL*) Dekan *m*.

dear [dɪə*] **1.** *adj* lieb; (*expensive*) teuer; **2.** *n* Liebling *m*; **~ me!** du liebe Zeit!; **D ~ Sir** Sehr geehrter Herr!; **D ~ John** Lieber John!; **dearly** *adv* (*love*) [heiß und] innig; (*pay*) teuer.

death [deθ] *n* Tod *m*; (*end*) Ende *nt*; (*statistic*) Sterbefall *m*; **deathbed** *n* Sterbebett *nt*; **death certificate** *n* Totenschein *m*; **death duties** *n pl* (*Brit*) Erbschaftssteuer *f*; **deathly** *adj* (*relations*) tödlich, Toten-; **~ pale** leichenblaß; **death penalty** *n* Todesstrafe *f*; **death rate** *n* Sterblichkeitsziffer *f*.

debatable [dɪ'beɪtəbl] *adj* strittig.

debate [dɪ'beɪt] **1.** *n* Debatte *f*, Diskussion *f*; **2.** *vt* debattieren, diskutieren; (*consider*) überlegen.

debauched [dɪ'bɔːtʃt] *adj* ausschweifend.

debit ['debɪt] **1.** *n* Soll *nt*; **2.** *vt* belasten.

debris ['debriː] *n* Trümmer *pl*.

debt [det] *n* Schuld *f*; **to be in ~** verschuldet sein; **debtor** *n* Schuldner(in *f*) *m*.

decade ['dekeɪd] *n* Jahrzehnt *nt*.

decadence ['dekədəns] *n* Verfall *m*, Dekadenz *f*; **decadent** *adj* dekadent.

decaffeinated [diː'kæfɪneɪtɪd] *adj* koffeinfrei, entkoffeiniert.

decanter [dɪ'kæntə*] *n* Karaffe *f*.

decay [dɪ'keɪ] **1.** *n* Verfall *m*; **2.** *vi* verfallen; (*teeth, meat etc*) faulen; (*leaves etc*) verrotten.

decease [dɪ'siːs] *n* Tod *m*; **deceased** *adj* verstorben.

deceit [dɪ'siːt] *n* Betrug *m*; **deceitful** *adj* falsch.

deceive [dɪ'siːv] *vt* täuschen.

decelerate [di:'seləreɪt] *vi* sich verlangsamen, die Geschwindigkeit verringern.

December [dɪ'sembə*] *n* Dezember *m*; ~ **2nd, 1999, 2nd ~ 1999** (*Datumsangabe*) 2. Dezember 1999; **on the 1st/11th of ~** (*gesprochen*) am 1./11. Dezember; **on 1st/11th ~, on ~ 1st/11th** (*geschrieben*) am 1./11. Dezember; **in ~** im Dezember.

decency ['di:sənsɪ] *n* Anstand *m*; **decent** ['di:sənt] *adj* (*respectable*) anständig; (*pleasant*) annehmbar.

decentralization [di:sentrəlaɪ'zeɪʃən] *n* Dezentralisierung *f*; **decentralized** [di:'sentrəlaɪzd] *adj* dezentral.

deception [dɪ'sepʃən] *n* Betrug *m*; **deceptive** [dɪ'septɪv] *adj* täuschend, irreführend.

decibel ['desɪbel] *n* Dezibel *nt*.

decide [dɪ'saɪd] **1.** *vt* entscheiden; **2.** *vi* sich entscheiden; **to ~ on** etw zu beschließen; (*choose*) etw [aus]wählen; **decided** *adj* bestimmt, entschieden; **decidedly** *adv* entschieden.

deciduous [dɪ'sɪdjʊəs] *adj* Laub-.

decimal ['desɪməl] **1.** *adj* dezimal; **2.** *n* Dezimalzahl *f*; **decimal point** *n* Komma *nt* [eines Dezimalbruches]; **decimal system** *n* Dezimalsystem *nt*.

decipher [dɪ'saɪfə*] *vt* entziffern.

decision [dɪ'sɪʒən] *n* Entscheidung *f*, Entschluß *m*.

decisive [dɪ'saɪsɪv] *adj* entscheidend, ausschlaggebend; (*manner*) bestimmt; (*person*) entschlußfreudig.

deck [dek] *n* (*NAUT*) Deck *nt*; (*of cards*) Pack *m*; **deckchair** *n* Liegestuhl *m*; **deckhand** *n* Matrose *m*.

declaration [deklə'reɪʃən] *n* Erklärung *f*; **declare** [dɪ'kleə*] *vt* (*state*) behaupten; (*war*) erklären; (*at Customs*) verzollen.

decline [dɪ'klaɪn] **1.** *n* (*decay*) Verfall *m*; (*lessening*) Rückgang *m*, Niedergang *m*; **2.** *vt* (*invitation*) ausschlagen, ablehnen; **3.** *vi* (*strength*) nachlassen; (*say no*) ablehnen.

declutch [di:'klʌtʃ] *vi* [aus]kuppeln.

decode [di:'kəʊd] *vt* entschlüsseln; **decoder** *n* Decoder *m*.

decompose [di:kəm'pəʊz] *vi* sich zersetzen; **decomposition** [di:kɒmpə'zɪʃən] *n* Zersetzung *f*.

decontaminate [di:kən'tæmɪneɪt] *vt* entgiften, entseuchen.

décor ['deɪkɔ:*] *n* Ausstattung *f*.

decorate ['dekəreɪt] *vt* (*room*) tapezieren [und streichen]; (*adorn*) [aus]schmücken; (*cake*) verzieren; (*honour*) auszeichnen; **decoration** [dekə'reɪʃən] *n* Schmuck *m*; (*medal*) Orden *m*; **decorative** ['dekə-rətɪv] *adj* dekorativ, Schmuck-; **decorator** ['dekəreɪtə*] *n* Maler(in *f*) *m*, Anstreicher(in *f*) *m*.

decrease [di:'kri:s] **1.** *n* Abnahme *f*; **2.** *vt* vermindern; **3.** *vi* abnehmen.

decree [dɪ'kri:] *n* Verfügung *f*, Erlaß *m*.

decrepit [dɪ'krepɪt] *adj* hinfällig.

dedicate ['dedɪkeɪt] *vt* (*to God*) weihen; (*book*) widmen; **dedication** [dedɪ'keɪʃən] *n* (*devotion*) Ergebenheit *f*; (*in book*) Widmung *f*.

deduce [dɪ'dju:s] *vt* ableiten, schließen (*from* aus).

deduct [dɪ'dʌkt] *vt* abziehen; **deduction** [dɪ'dʌkʃən] *n* (*of money*) Abzug *m*; (*conclusion*) [Schluß]folgerung *f*.

deed [di:d] *n* Tat *f*; (*document*) Urkunde *f*.

deep [di:p] *adj* tief; **deepen** *vt* vertiefen; **deep-freeze** *n* Tiefkühltruhe *f*; (*upright*) Tiefkühlschrank *m*; **deep-set** *adj* tiefliegend.

deer [dɪə*] *n* Reh *nt*; (*with antlers*) Hirsch *m*.

deface [dɪ'feɪs] *vt* entstellen.

defamation [defə'meɪʃən] *n* Verleumdung *f*.

default [dɪ'fɔ:lt] **1.** *n* Versäumnis *nt*; (*TECH, COMPUT*) Fehler *m*; **2.** *vi* versäumen; **by ~** durch Nichterscheinen.

defeat [dɪ'fi:t] **1.** *n* (*overthrow*) Vernichtung *f*; (*in battle*) Niederlage *f*; **2.** *vt* besiegen; **that ~s the purpose** das bewirkt das Gegenteil; **defeatist** *adj* defätistisch, gottergeben.

defect ['di:fekt] **1.** *n* Defekt *m*, Fehler *m*; **2.** *vi* überlaufen; **defective** [dɪ'fektɪv] *adj* fehlerhaft, schadhaft.

defence [dɪ'fens] *n* (*MIL, SPORT*) Verteidigung *f*; (*excuse*) Rechtfertigung *f*; **defenceless** *adj* wehrlos.

defend [dɪ'fend] *vt* verteidigen; **defendant** *n* Angeklagte(r) *mf*; **defender** *n* Verteidiger(in *f*) *m*; **defensive** [dɪ'fensɪv] *adj* defensiv, Schutz-; **to be on the ~** sich verteidigen, in der Defensive sein.

defer [dɪ'fɜ:*] *vt* verschieben.

defiant [dɪ'faɪənt] *adj* trotzig, unnachgiebig.

deficiency [dɪ'fɪʃənsɪ] *n* Unzulänglichkeit *f*, Mangel *m*; **deficient** *adj* unzureichend.

deficit ['defɪsɪt] *n* Defizit *nt*, Fehlbetrag *m*.

define [dɪ'faɪn] *vt* bestimmen; (*explain*) definieren.

definite ['defɪnɪt] *adj* bestimmt; (*clear*) klar, eindeutig; **definitely** *adv* bestimmt.

definition [defɪ'nɪʃən] *n* Definition *f*;

(FOT) Schärfe f.

definitive [dɪˈfɪnɪtɪv] adj definitiv, endgültig.

deflate [diːˈfleɪt] vt die Luft ablassen aus.

deflect [dɪˈflekt] vt ablenken.

deform [dɪˈfɔːm] vt deformieren, entstellen; **deformity** n Verunstaltung f, Mißbildung f.

defraud [dɪˈfrɔːd] vt betrügen.

defrost [diːˈfrɒst] vt (fridge) abtauen; (food) auftauen.

defy [dɪˈfaɪ] vt (challenge) sich widersetzen + dat; (resist) trotzen + dat, sich stellen gegen.

degenerate [dɪˈdʒenəreɪt] 1. vi degenerieren; 2. [dɪˈdʒenərɪt] adj degeneriert.

degrading [dɪˈɡreɪdɪŋ] adj erniedrigend.

degree [dɪˈɡriː] n Grad m; (SCH) akademischer Grad; **by ~s** allmählich; **to take one's ~** sein Examen machen.

dehydrated [diːhaɪˈdreɪtɪd] adj getrocknet, Trocken-; (person) ausgedörrt, ausgetrocknet.

de-ice [diːˈaɪs] vt enteisen.

deign [deɪn] vi sich herablassen.

deity [ˈdiːɪtɪ] n Gottheit f.

dejected [dɪˈdʒektɪd] adj niedergeschlagen; **dejection** [dɪˈdʒekʃən] n Niedergeschlagenheit f.

delay [dɪˈleɪ] 1. vt verzögern; (hold back) aufschieben; (person) aufhalten; 2. vi zögern; 3. n Aufschub m; (lateness) Verzögerung f; (of train etc) Verspätung f; **the flight was ~ed** die Maschine hatte Verspätung; **without ~** unverzüglich.

delegate [ˈdelɪɡɪt] 1. n Delegierte(r) mf, Abgeordnete(r) mf; 2. [ˈdelɪɡeɪt] vt delegieren; **delegation** [delɪˈɡeɪʃən] n Abordnung f; (foreign) Delegation f.

delete [dɪˈliːt] vt [aus]streichen, (COMPUT) löschen.

deli [ˈdelɪ] n (US fam) Delikatessengeschäft nt.

deliberate [dɪˈlɪbərɪt] 1. adj (intentional) absichtlich; (slow) bedächtig; 2. [dɪˈlɪbəreɪt] vi (consider) überlegen; (debate) sich beraten; **deliberately** adv vorsätzlich.

delicacy [ˈdelɪkəsɪ] n Zartheit f; (weakness) Anfälligkeit f; (tact) Zartgefühl nt; (food) Delikatesse f; **delicate** [ˈdelɪkɪt] adj (fine) fein; (fragile) zart; (situation) heikel; (MED) empfindlich.

delicatessen [delɪkəˈtesn] n sing Feinkostgeschäft nt.

delicious [dɪˈlɪʃəs] adj köstlich, lecker, delikat.

delight [dɪˈlaɪt] 1. n Wonne f; 2. vt entzücken; **delightful** adj entzückend, herrlich.

delinquency [dɪˈlɪŋkwənsɪ] n Straffälligkeit f, Delinquenz f; **delinquent** 1. n Straffällige(r) mf; 2. adj straffällig.

delirious [dɪˈlɪrɪəs] adj irre, im Fieberwahn; **delirium** [dɪˈlɪrɪəm] n Fieberwahn m, Delirium f.

deliver [dɪˈlɪvə*] vt (goods) [ab]liefern; (letter) bringen, zustellen; (verdict) aussprechen; (speech) halten; **delivery** n [Ab]lieferung f; (of letter) Zustellung f; (of speech) Vortragsweise f; **delivery van** n Lieferwagen m.

delouse [diːˈlaʊs] vt entlausen.

delude [dɪˈluːd] vt täuschen.

deluge [ˈdeljuːdʒ] 1. n Überschwemmung f; (fig) Flut f; 2. vt (fig) überfluten.

delusion [dɪˈluːʒən] n [Selbst]täuschung f.

de luxe [dɪˈlʌks] adj Luxus-.

demand [dɪˈmɑːnd] 1. vt verlangen; 2. n (request) Verlangen nt; (COM) Nachfrage f; **in ~** begehrt, gesucht; **on ~** auf Verlangen; **demanding** adj anspruchsvoll.

demented [dɪˈmentɪd] adj wahnsinnig.

demi- [ˈdemɪ] pref halb-.

demo [ˈdeməʊ] n < -s > (fam) Demo f.

democracy [dɪˈmɒkrəsɪ] n Demokratie f; **democrat** [ˈdeməkræt] n Demokrat(in f) m; **democratic** adj, **democratically** adv [deməˈkrætɪk, -əlɪ] demokratisch.

demolish [dɪˈmɒlɪʃ] vt (house) abreißen; (destroy) zerstören; (fig) vernichten; **demolition** [deməˈlɪʃən] n Abbruch m.

demon [ˈdiːmən] n Dämon m.

demonstrate [ˈdemənstreɪt] vt, vi demonstrieren; **demonstration** [demənˈstreɪʃən] n Demonstration f; (proof) Beweisführung f; **demonstrative** [dɪˈmɒnstrətɪv] adj demonstrativ; **demonstrator** [ˈdemənstreɪtə*] n (POL) Demonstrant(in f) m.

demoralize [dɪˈmɒrəlaɪz] vt demoralisieren.

den [den] n (of animal) Höhle f, Bau m; (of person) Bude f; **~ of vice** Lasterhöhle f.

denial [dɪˈnaɪəl] n Leugnung f; (official ~) Dementi nt.

denigrate [ˈdenɪɡreɪt] vt verunglimpfen.

denim [ˈdenɪm] adj Denim-; **denims** n pl Denim-Jeans pl.

Denmark [ˈdenmɑːk] n Dänemark nt.

denomination [dɪnɒmɪˈneɪʃən] n (REL) Bekenntnis nt; (type) Klasse f; (FIN) Wert m.

denominator [dɪˈnɒmɪneɪtə*] n Nenner m; **common ~** gemeinsamer Nenner.

denote [dɪˈnəʊt] vt bedeuten.

dense [dens] adj dicht, dick; (stupid) schwer von Begriff; **densely** adv dicht;

density ['densɪtɪ] n Dichte f; **single/double ~ disk** (COMPUT) Diskette f mit einfacher/doppelter Schreibdichte.

dent [dent] **1.** n Delle f; **2.** vt einbeulen.

dental ['dentl] adj Zahn-; **~ floss** Zahnseide f; **~ surgeon** Zahnarzt(-ärztin f) m; **dentist** ['dentɪst] n Zahnarzt(-ärztin f) m; **dentistry** n Zahnmedizin f.

dentures ['dentʃəz] n pl Gebiß nt.

deny [dɪ'naɪ] vt leugnen; (rumour) widersprechen + dat; (knowledge) verleugnen; (help) abschlagen; **to ~ oneself sth** sich dat etw versagen.

deodorant [di:'əudərənt] n Deo[dorant] nt; **roll-on ~** Deoroller m; **~ spray** Deospray nt o m.

depart [dɪ'pɑ:t] vi abfahren.

department [dɪ'pɑ:tmənt] n (COM) Abteilung f; (SCH) Fachbereich m; (POL) Ministerium nt, Ressort nt; **departmental** [di:pɑ:t'mentl] adj Fach-; **department store** n Kaufhaus nt.

departure [dɪ'pɑ:tʃə*] n (of person) Weggang m; (on journey) Abreise f; (of train) Abfahrt f; (of plane) Abflug m; **new ~** (f) Neuerung f; **departure gate** n Flugsteig m, Ausgang m; **departure lounge** n Abflughalle f.

depend [dɪ'pend] vi: **it ~s** es kommt darauf an; **depend on** vt abhängen von; (parents etc) angewiesen sein auf + akk; **dependable** adj zuverlässig; **dependence** n Abhängigkeit f; **dependent 1.** n (person) Familienangehörige(r) mf; **2.** adj bedingt (on durch).

depict [dɪ'pɪkt] vt darstellen; (in words) schildern.

deplorable [dɪ'plɔ:rəbl] adj bedauerlich.

deplore [dɪ'plɔ:*] vt bedauern; (disapprove of) mißbilligen.

deploy [dɪ'plɔɪ] vt einsetzen.

deport [dɪ'pɔ:t] vt deportieren; **deportation** [di:pɔ:'teɪʃən] n Abschiebung f.

depose [dɪ'pəuz] vt absetzen.

deposit [dɪ'pɔzɪt] **1.** n (in bank) Guthaben nt; (down payment) Anzahlung f; (security) Kaution f; (CHEM) Niederschlag m; **2.** vt (in bank) deponieren; (put down) niederlegen; **deposit account** n Sparkonto nt; **depositor** n Kontoinhaber(in f) m.

depot ['depəu] n Depot nt.

deprave [dɪ'preɪv] vt [moralisch] verderben; **depraved** adj verworfen, verdorben; **depravity** [dɪ'prævɪtɪ] n Verworfenheit f.

depreciate [dɪ'pri:ʃɪeɪt] vi im Wert sinken; **depreciation** [dɪpri:ʃɪ'eɪʃən] n Wertminderung f.

depress [dɪ'pres] vt (press down) nieder-

drücken; (in mood) deprimieren; **depressed** adj (person) niedergeschlagen, deprimiert; **~ area** Notstandsgebiet nt; **depressing** adj deprimierend; **depression** [dɪ'preʃən] n (mood) Depression f; (in trade) Wirtschaftskrise f; (hollow) Vertiefung f; (METEO) Tief[druckgebiet] nt.

deprivation [deprɪ'veɪʃən] n Entbehrung f, Not f.

deprive [dɪ'praɪv] vt berauben (of gen); **deprived** adj (child) sozial benachteiligt; (area) unterentwickelt.

dept abbr of **department** Abteilung, Abt.

depth [depθ] n Tiefe f; **in the ~s of despair** in tiefster Verzweiflung; **to be out of one's ~** den Boden unter den Füßen verloren haben; **depth charge** n Wasserbombe f.

deputation [depju'teɪʃən] n Abordnung f.

deputy ['depjutɪ] **1.** adj stellvertretend; **2.** n [Stell]vertreter(in f) m.

derail [dɪ'reɪl] vt entgleisen lassen; **to be ~ed** entgleisen.

deranged [dɪ'reɪndʒd] adj irr, verrückt.

derby ['dɑːbɪ] n (US) Melone f.

derelict ['derɪlɪkt] adj verlassen; (building) baufällig.

derision [dɪ'rɪʒən] n Hohn m, Spott m.

derivation [derɪ'veɪʃən] n Ableitung f.

derive [dɪ'raɪv] **1.** vt (get) gewinnen; (deduce) ableiten; **2.** vi (come from) abstammen.

dermatitis [də:mə'taɪtɪs] n Hautentzündung f.

derogatory [dɪ'rɒgətərɪ] adj geringschätzig.

derrick ['derɪk] n Drehkran m; (on oil platform) Bohrturm m.

desalination [di:sælɪ'neɪʃən] n Entsalzung f.

descend [dɪ'send] vt, vi hinuntersteigen; **to ~ from** abstammen von; **descendant** n Nachkomme m; **descent** [dɪ'sent] n (coming down) Abstieg m; (origin) Abstammung f.

describe [dɪs'kraɪb] vt beschreiben; **description** [dɪs'krɪpʃən] n Beschreibung f; (sort) Art f; **descriptive** [dɪs'krɪptɪv] adj beschreibend; (word) anschaulich.

desegregation [di:segrɪ'geɪʃən] n Aufhebung f der Rassentrennung.

desert [dezət] **1.** n Wüste f; **2.** [dɪ'zə:t] vt verlassen; (temporarily) im Stich lassen; **3.** [dɪ'zə:t] vi (MIL) desertieren; **deserter** n Deserteur(in f) m; **desertion** [dɪ'zə:ʃən] n (of wife) böswilliges Verlassen; (MIL) Fahnenflucht f; **desert island** ['dezət 'aɪlənd] n einsame Insel.

deserve [dɪ'zɜːv] vt verdienen; **deserving** adj (person) würdig; (action) verdienstvoll.

design [dɪ'zaɪn] 1. n (plan) Entwurf; (drawing) Zeichnung f; (planning) Gestaltung f; (of object) Design nt; 2. vt entwerfen; (intend) bezwecken; **to have ~ s on sb/sth** es auf jdn/etw abgesehen haben.

designate ['dezɪgneɪt] 1. vt bestimmen; 2. ['dezɪgnɪt] adj designiert; **designation** [dezɪg'neɪʃən] n Bezeichnung f.

designer [dɪ'zaɪnə*] n Designer(in f) m; (THEAT) Bühnenbildner(in f) m.

desirability [dɪzaɪərə'bɪlɪtɪ] n Wünschbarkeit f; **desirable** [dɪ'zaɪərəbl] n wünschenswert; (woman) begehrenswert.

desire [dɪ'zaɪə*] 1. n Wunsch m; (esp sexual) Verlangen nt; 2. vt begehren, wünschen; (ask for) verlangen, wollen.

desk [desk] n Schreibtisch m; **desktop calculator** n Tischrechner m; **desktop publishing** n Desktop-Publishing nt.

desolate ['desəlɪt] adj öde; (sad) trostlos; **desolation** [desə'leɪʃən] n Trostlosigkeit f.

despair [dɪs'peə*] 1. n Verzweiflung f; 2. vi verzweifeln (of an + dat).

despatch [dɪs'pætʃ] see **dispatch**.

desperate ['despərɪt] adj verzweifelt; (situation) hoffnungslos; **to be ~ for sth** etw unbedingt brauchen; **desperately** adv verzweifelt; **desperation** [despə'reɪʃən] n Verzweiflung f.

despicable [dɪ'spɪkəbl] adj abscheulich.

despise [dɪ'spaɪz] vt verachten.

despite [dɪ'spaɪt] prep trotz + gen.

despondent [dɪ'spɒndənt] adj mutlos.

dessert [dɪ'zɜːt] n Nachtisch m; **dessertspoon** n Dessertlöffel m.

destination [destɪ'neɪʃən] n (of person) [Reise]ziel nt; (of goods) Bestimmungsort m.

destiny ['destɪnɪ] n Schicksal nt.

destitute ['destɪtjuːt] adj notleidend; **destitution** [destɪ'tjuːʃən] n Elend f.

destroy [dɪ'strɔɪ] vt zerstören; **destruction** [dɪ'strʌkʃən] n Zerstörung f; **destructive** [dɪ'strʌktɪv] adj zerstörerisch, destruktiv.

desulphurization [diːsʌlfjʊəraɪ'zeɪʃən] n Entschwefelung f; ~ **plant** Entschwefelungsanlage f.

detach [dɪ'tætʃ] vt loslösen; **detachable** adj abtrennbar; **detached** adj (attitude) distanziert, objektiv; (house) Einzel-.

detail ['diːteɪl, US diː'teɪl] 1. n Einzelheit f, Detail nt; (minor part) unwichtige Einzelheit; 2. vt (relate) ausführlich berichten; (appoint) abkommandieren; **in ~** ausführlich, bis ins kleinste.

detain [dɪ'teɪn] vt aufhalten; (imprison) inhaftieren.

detect [dɪ'tekt] vt entdecken; **detection** [dɪ'tekʃən] n Aufdeckung f; **detective** n Detektiv(in f) m; **detective story** n Krimi m; **detector** n Detektor m.

détente ['deɪtɒnt] n Entspannung f.

detention [dɪ'tenʃən] n Haft f; (SCH) Nachsitzen nt.

deter [dɪ'tɜː*] vt abschrecken.

detergent [dɪ'tɜːdʒənt] n Waschmittel nt, Reinigungsmittel nt.

deteriorate [dɪ'tɪərɪəreɪt] vi sich verschlechtern; **deterioration** [dɪtɪərɪə'reɪʃən] n Verschlechterung f.

determination [dɪtɜːmɪ'neɪʃən] n Entschlossenheit f; **determine** [dɪ'tɜːmɪn] vt bestimmen; (end) entschließen.

deterrent [dɪ'terənt] 1. n Abschreckungsmittel nt; 2. adj abschreckend.

detest [dɪ'test] vt verabscheuen; **detestable** adj abscheulich.

detonate ['detəneɪt] vt detonieren, explodieren lassen; **detonator** ['detəneɪtə*] n Sprengkapsel f.

detour ['diːtʊə*] n Umweg m; (on road sign) Umleitung f.

detract [dɪ'trækt] vi schmälern (from akk).

detriment ['detrɪmənt] n: **to the ~ of** zum Schaden von; **detrimental** [detrɪ'mentl] adj schädlich.

deuce [djuːs] n (TENNIS) Einstand m.

devaluation [diːvæljʊ'eɪʃən] n Abwertung f; **devalue** [diː'væljuː] vt abwerten.

devastate ['devəsteɪt] vt verwüsten; **devastating** adj verheerend.

develop [dɪ'veləp] 1. vt entwickeln; (resources) erschließen; 2. vi sich entwickeln; **developer** n (FOT) Entwickler m; (of land) Bauunternehmer(in f) m; **developing** adj (country) Entwicklungs-; **development** n Entwicklung f.

deviant ['diːvɪənt] adj abweichend; **deviate** ['diːvɪeɪt] vi abweichen; **deviation** [diːvɪ'eɪʃən] n Abweichung f.

device [dɪ'vaɪs] n Vorrichtung f, Gerät nt.

devil ['devl] n Teufel m; **devilish** adj teuflisch.

devious ['diːvɪəs] adj (route) gewunden; (means) krumm; (person) verschlagen.

devise [dɪ'vaɪz] vt entwickeln.

devoid [dɪ'vɔɪd] adj: ~ **of** ohne, bar + gen.

devote [dɪ'vəʊt] vt widmen (to dat); **devoted** adj ergeben; **devotee** [devəʊ'tiː] n Anhänger(in f) m, Verehrer(in f) m.

devotion [dɪ'vəʊʃən] n (piety) Andacht f;

(*loyalty*) Ergebenheit f.

devour [dɪˈvauə*] vt verschlingen.

devout [dɪˈvaut] adj fromm.

dew [djuː] n Tau m.

dexterity [deksˈterɪtɪ] n Geschicklichkeit f.

diabetes [daɪəˈbiːtiːz] n Zuckerkrankheit f; **diabetic** [daɪəˈbetɪk] 1. adj zuckerkrank; 2. n Diabetiker(in f) m.

diagnose [ˈdaɪəgnəuz] vt (MED) diagnostizieren, feststellen; **diagnosis** [daɪəgˈnəusɪs] n Diagnose f.

diagonal [daɪˈægənl] 1. adj diagonal, schräg; 2. n Diagonale f.

diagram [ˈdaɪəgræm] n Diagramm nt, Schaubild nt.

dial [ˈdaɪəl] 1. n (TEL) Wählscheibe f; (of clock) Zifferblatt nt; 2. vt wählen; **dial code** (US), **dialling code** (Brit) n Vorwahl f; **dial tone** (US), **dialling tone** (Brit) n Amtszeichen nt.

dialect [ˈdaɪəlekt] n Dialekt m.

dialog [ˈdaɪəlɒg] n (COMPUT) Dialog m.

dialogue [ˈdaɪəlɒg] n Gespräch nt; (LITER) Dialog m.

dialysis [daɪˈæləsɪs] n (MED) Dialyse f.

diameter [daɪˈæmɪtə*] n Durchmesser m.

diametrically [daɪəˈmetrɪkəlɪ] adv: ~ **opposed** to genau entgegengesetzt + dat.

diamond [ˈdaɪəmənd] n Diamant m; (CARDS) Karo nt.

diaper [ˈdaɪəpə*] n (US) Windel f.

diaphragm [ˈdaɪəfræm] n Zwerchfell nt; (MED) Diaphragma nt, Pessar nt.

diarrhoea [daɪəˈriːə] n Durchfall m.

diary [ˈdaɪərɪ] n [Taschen]kalender m; (account) Tagebuch nt.

dice [daɪs] 1. n pl Würfel m; 2. vt (GASTR) in Würfel schneiden.

dicey [ˈdaɪsɪ] adj (fam) riskant.

dictate [dɪkˈteɪt] 1. vt diktieren; (circumstances) gebieten; 2. [ˈdɪkteɪt] n Gebot nt; **dictation** [dɪkˈteɪʃən] n Diktat nt.

dictator [dɪkˈteɪtə*] n Diktator(in f) m; **dictatorship** n Diktatur f.

diction [ˈdɪkʃən] n Ausdrucksweise f.

dictionary [ˈdɪkʃənrɪ] n Wörterbuch nt.

did [dɪd] pt of **do**.

diddle [ˈdɪdl] vt (fam) übers Ohr hauen.

didn't [ˈdɪdnt] = **did not**.

die [daɪ] vi sterben; (end) aufhören; **die away** vi schwächer werden; **die down** vi nachlassen; **die out** vi aussterben; (fig) nachlassen.

diesel [ˈdiːzəl] n (also: ~ **engine**) Dieselmotor m.

diet [ˈdaɪət] 1. n Nahrung f, Kost f; (special food) Diät f; (slimming) Abmagerungskur f; 2. vi eine Abmagerungskur machen.

differ [ˈdɪfə*] vi sich unterscheiden; (disagree) anderer Meinung sein; **we** ~ wir sind unterschiedlicher Meinung; **difference** [ˈdɪfrəns] n Unterschied m; (disagreement) [Meinungs]verschiedenheit f; **different** adj verschieden; **that's** ~ das ist anders.

differential [dɪfəˈrenʃəl] n (AUT) Differentialgetriebe nt; (in wages) Lohngefälle nt.

differentiate [dɪfəˈrenʃɪeɪt] vt, vi unterscheiden.

differently [ˈdɪfrəntlɪ] adv verschieden, unterschiedlich.

difficult [ˈdɪfɪkəlt] adj schwierig; **difficulty** n Schwierigkeit f; **with** ~ nur schwer.

diffident [ˈdɪfɪdənt] adj schüchtern.

diffuse [dɪˈfjuːs] 1. adj langatmig; 2. [dɪˈfjuːz] vt verbreiten.

dig [dɪg] < **dug, dug** > 1. vt, vi (hole) graben; (garden) [um]graben; (claws) senken; 2. n (prod) Stoß m; **dig in** vi (MIL) sich eingraben; (to food) sich hermachen über + akk; ~ ~ ! greif zu!; **dig up** vt ausgraben; (fig) aufgabeln.

digest [daɪˈdʒest] 1. vt (also fig) verdauen; 2. [ˈdaɪdʒest] n Auslese f; **digestible** [daɪˈdʒestəbl] adj verdaulich; **digestion** n Verdauung f.

digit [ˈdɪdʒɪt] n einstellige Zahl; (finger) Finger m; (toe) Zehe f; **digital** [ˈdɪdʒɪtl] adj digital; ~ **computer** Digitalrechner m; ~ **watch/clock** Digitaluhr f.

digitization [dɪdʒɪtaɪˈzeɪʃən] n Digitalisierung f.

dignified [ˈdɪgnɪfaɪd] adj würdevoll; **dignify** vt Würde verleihen + dat.

dignitary [ˈdɪgnɪtərɪ] n Würdenträger(in f) m.

dignity [ˈdɪgnɪtɪ] n Würde f.

digress [daɪˈgres] vi abschweifen.

digs [dɪgz] n pl (Brit fam) Bude f.

dilapidated [dɪˈlæpɪdeɪtɪd] adj baufällig.

dilate [daɪˈleɪt] vt, vi [sich] weiten.

dilatory [ˈdɪlətərɪ] adj hinhaltend.

dilemma [daɪˈlemə] n Dilemma nt.

diligence [ˈdɪlɪdʒəns] n Fleiß m; **diligent** adj fleißig.

dill [dɪl] n Dill m.

dilly-dally [ˈdɪlɪdælɪ] vi (fam) herumtrödeln.

dilute [daɪˈluːt] vt verdünnen.

dim [dɪm] 1. adj trübe, matt; (stupid) schwer von Begriff; 2. vt verdunkeln; **to take a** ~ **view of sth** etw mißbilligen.

dime [daɪm] n (US) Zehncentstück n.

dimension [dɪˈmenʃən] n Dimension f; ~**s** pl Maße pl; (fig) Ausmaß nt.

diminish [dɪˈmɪnɪʃ] vt, vi verringern.

diminutive [dɪˈmɪnjʊtɪv] 1. *adj* winzig; 2. *n* Verkleinerungsform *f*.

dimly [ˈdɪmlɪ] *adv* trübe.

dimple [ˈdɪmpl] *n* Grübchen *nt*.

dim-witted [ˈdɪmˈwɪtɪd] *adj* (*fam*) dämlich.

din [dɪn] *n* Getöse *nt*.

dine [daɪn] *vi* speisen; **diner** *n* Tischgast *m*; (*RAIL*) Speisewagen *m*; (*US*) Speiselokal *nt*.

dinghy [ˈdɪŋgɪ] *n* Schlauchboot *nt*, Dinghy *nt*.

dingy [ˈdɪndʒɪ] *adj* schmuddelig.

dining car [ˈdaɪnɪŋkɑː] *n* Speisewagen *m*; **dining room** *n* Eßzimmer *nt*; (*in hotel*) Speisezimmer *nt*.

dinner [ˈdɪnə] *n* Mittagessen *nt*, Abendessen *nt*; (*public*) Festessen *nt*; **dinner jacket** *n* Smoking *m*; **dinner party** *n* Essenseinladung *f*; **to have a ~** Leute zum [Abend]essen einladen; **dinner time** *n* Essenszeit *f*.

dinkies [ˈdɪŋkɪz] *n pl acronym of* **double income no kids** Doppelverdiener *pl*.

dinosaur [ˈdaɪnəsɔː] *n* Dinosaurier *m*.

diode [ˈdaɪəʊd] *n* Diode *f*; **light-emitting ~** Leuchtdiode *f*.

dioxane [daɪˈɒkseɪn] *n* Dioxin *nt*.

dip [dɪp] 1. *n* (*hollow*) Senkung *f*; (*bathe*) kurzes Bad[en]; 2. *vt* eintauchen; (*AUT*) abblenden; 3. *vi* (*slope*) sich senken, abfallen.

diphtheria [dɪfˈθɪərɪə] *n* Diphterie *f*.

diphthong [ˈdɪfθɒŋ] *n* Diphthong *m*, Doppellaut *m*.

diploma [dɪˈpləʊmə] *n* Urkunde *f*, Diplom *nt*.

diplomat [ˈdɪpləmæt] *n* Diplomat(in *f*) *m*; **diplomatic** [dɪpləˈmætɪk] *adj* diplomatisch; **~ corps** diplomatisches Korps.

dipstick [ˈdɪpstɪk] *n* Ölmeßstab *m*.

dire [daɪə] *adj* schrecklich.

direct [daɪˈrekt] 1. *adj* direkt; 2. *vt* leiten; (*film*) die Regie führen bei; (*jury*) anweisen; (*aim*) richten, lenken; (*tell the way*) den Weg erklären + *dat*; (*order*) anweisen; **~ current** Gleichstrom *m*; **~ hit** Volltreffer *m*.

direction [dɪˈrekʃən] *n* Führung *f*, Leitung *f*; (*course*) Richtung *f*; (*CINE*) Regie *f*; **~s** *pl* (*for use*) Gebrauchsanweisung *f*; (*orders*) Anweisungen *pl*; **directional** [dɪˈrekʃənl] *adj* Richt-; **directive** *n* Anweisung *f*.

directly [dɪˈrektlɪ] *adv* (*in straight line*) gerade, direkt; (*at once*) unmittelbar, sofort.

director [dɪˈrektə] *n* Direktor(in *f*) *m*, Leiter(in *f*) *m*; (*of film*) Regisseur(in *f*) *m*.

directory [dɪˈrektərɪ] *n* Adreßbuch *nt*; (*TEL*) Telefonbuch *nt*.

dirt [dɜːt] *n* Schmutz *m*, Dreck *m*; **dirt cheap** *adj* spottbillig; **dirt road** *n* unbefestigte Straße; **dirty** 1. *adj* schmutzig, dreckig; (*trick*) gemein; 2. *vt* beschmutzen.

disability [dɪsəˈbɪlɪtɪ] *n* Körperbehinderung *f*; **disabled** [dɪsˈeɪbld] *adj* körperbehindert.

disadvantage [dɪsədˈvɑːntɪdʒ] *n* Nachteil *m*; **disadvantageous** [dɪsædvɑːnˈteɪdʒəs] *adj* ungünstig.

disagree [dɪsəˈgriː] *vi* nicht übereinstimmen; (*be of different opinion*) verschiedener Meinung sein; (*food*) nicht bekommen (*with dat*); **disagreeable** *adj* (*person*) widerlich; (*task*) unangenehm; **disagreement** *n* (*between persons*) Meinungsverschiedenheit *f*; (*between things*) Widerspruch *m*.

disallow [dɪsəˈlaʊ] *vt* nicht zulassen.

disappear [dɪsəˈpɪə] *vi* verschwinden; **disappearance** *n* Verschwinden *nt*.

disappoint [dɪsəˈpɔɪnt] *vt* enttäuschen; **disappointing** *adj* enttäuschend; **disappointment** *n* Enttäuschung *f*.

disapproval [dɪsəˈpruːvəl] *n* Mißbilligung *f*; **disapprove** *vi* mißbilligen (*of akk*); **she ~s** sie mißbilligt es.

disarm [dɪsˈɑːm] *vt* entwaffnen; (*POL*) abrüsten; **disarmament** *n* Abrüstung *f*.

disaster [dɪˈzɑːstə] *n* Unglück *nt*; Katastrophe *f*; **disastrous** [dɪˈzɑːstrəs] *adj* verhängnisvoll, katastrophal.

disbelief [dɪsbəˈliːf] *n* Ungläubigkeit *f*.

disc [dɪsk] *n* Scheibe *f*; (*record*) [Schall]platte *f*; **disc brake** *n* Scheibenbremse *f*.

discard [dɪsˈkɑːd] *vt* ausrangieren.

discern [dɪˈsɜːn] *vt* unterscheiden [können], erkennen; **discerning** *adj* scharfsinnig.

discharge [dɪsˈtʃɑːdʒ] 1. *vt* (*ship*) entladen; (*duties*) nachkommen + *dat*; (*dismiss*) entlassen; (*gun*) abschießen; 2. [ˈdɪstʃɑːdʒ] *n* (*MED*) Ausfluß *m*.

disciple [dɪˈsaɪpl] *n* Jünger *m*.

disciplinary [ˈdɪsɪplɪnərɪ] *adj* disziplinarisch.

discipline [ˈdɪsɪplɪn] 1. *n* Disziplin *f*; 2. *vt* (*train*) schulen; (*punish*) bestrafen.

disc jockey [ˈdɪskdʒɒkɪ] *n* Diskjockey *m*.

disclose [dɪsˈkləʊz] *vt* enthüllen; **disclosure** [dɪsˈkləʊʒə] *n* Enthüllung *f*.

disco [ˈdɪskəʊ] *n* < -s> Disco *f*.

discoloured [dɪsˈkʌləd] *adj* verfärbt, verschossen.

discomfort [dɪsˈkʌmfət] *n* Unbehagen *nt*; (*embarrassment*) Verlegenheit *f*.

disconcert [dɪskənˈsɜːt] *vt* aus der Fassung bringen; (*puzzle*) verstimmen.

disconnect [ˈdɪskəˈnekt] *vt* abtrennen; (*ELEC*) ausstecken.

discontent [ˈdɪskənˈtent] *n* Unzufriedenheit *f*; **discontented** *adj* unzufrieden.

discontinue [ˈdɪskənˈtɪnjuː] 1. *vt* einstellen; 2. *vi* aufhören.

discord [ˈdɪskɔːd] *n* Zwietracht *f*; (*noise*) Dissonanz *f*.

discotheque [ˈdɪskəʊtek] *n* Diskothek *f*.

discount [ˈdɪskaʊnt] 1. *n* Rabatt *m*; 2. [dɪsˈkaʊnt] *vt* außer acht lassen.

discourage [dɪsˈkʌrɪdʒ] *vt* (*dishearten*) entmutigen; (*dissuade*) abraten (*sb* jdm); (*prevent*) abhalten; **discouraging** *adj* entmutigend.

discourteous [dɪsˈkɜːtɪəs] *adj* unhöflich.

discover [dɪsˈkʌvə*] *vt* entdecken; **discovery** *n* Entdeckung *f*.

discredit [dɪsˈkredɪt] *vt* in Verruf bringen.

discreet *adj*, **discreetly** *adv* [dɪsˈkriːt, -lɪ] taktvoll, diskret.

discrepancy [dɪsˈkrepənsɪ] *n* Unstimmigkeit *f*, Diskrepanz *f*.

discretion [dɪsˈkreʃən] *n* Takt *m*, Diskretion *f*; (*decision*) Gutdünken *nt*; **to leave sth to sb's ~** etw jds Gutdünken überlassen.

discriminate [dɪsˈkrɪmɪneɪt] *vi* unterscheiden; **to ~ against sb** jdn diskriminieren; **discriminating** *adj* klug; (*taste*) anspruchsvoll; **discrimination** [dɪskrɪmɪˈneɪʃən] *n* Urteilsvermögen *nt*; (*different treatment*) Diskriminierung *f* (*against sb* jds).

discus [ˈdɪskəs] *n* Diskus *m*.

discuss [dɪsˈkʌs] *vt* diskutieren, besprechen; **discussion** [dɪsˈkʌʃən] *n* Diskussion *f*.

disdain [dɪsˈdeɪn] 1. *vt* verachten, für unter seiner Würde halten; 2. *n* Verachtung *f*; **disdainful** *adj* geringschätzig.

disease [dɪˈziːz] *n* Krankheit *f*; **diseased** *adj* erkrankt.

disembark [dɪsɪmˈbɑːk] 1. *vt* aussteigen lassen; 2. *vi* von Bord gehen.

disenchanted [ˈdɪsɪnˈtʃɑːntɪd] *adj* desillusioniert.

disengage [dɪsɪnˈgeɪdʒ] *vt* (*AUT*) auskuppeln.

disentangle [ˈdɪsɪnˈtæŋgl] *vt* entwirren.

disfigure [dɪsˈfɪgə*] *vt* entstellen.

disgrace [dɪsˈgreɪs] 1. *n* Schande *f*; (*thing*) Schandfleck *m*; 2. *vt* Schande bringen über + *akk*; (*less strong*) blamieren; **disgraceful** *adj* schändlich, unerhört; **it's ~** es ist eine Schande.

disgruntled [dɪsˈgrʌntld] *adj* verärgert.

disguise [dɪsˈgaɪz] 1. *vt* verkleiden; (*feelings*) verhehlen; (*voice*) verstellen; 2. *n* Verkleidung *f*; **in ~** verkleidet, maskiert.

disgust [dɪsˈgʌst] 1. *n* Abscheu *f*; 2. *vt* anwidern; **disgusting** *adj* abscheulich; (*terrible*) gemein.

dish [dɪʃ] *n* Schüssel *f*; (*food*) Gericht *nt*; **dish up** *vt* auftischen; **dish cloth** *n* Geschirrtuch *nt*; (*for washing-up*) Spüllappen *m*.

dishearten [dɪsˈhɑːtn] *vt* entmutigen.

dishevelled [dɪˈʃevəld] *adj* (*hair*) zerzaust; (*clothing*) ungepflegt.

dishonest [dɪsˈɒnɪst] *adj* unehrlich; **dishonesty** *n* Unehrlichkeit *f*.

dishonour [dɪsˈɒnə*] 1. *n* Unehre *f*; 2. *vt* (*cheque*) nicht einlösen; **dishonourable** *adj* unehrenhaft.

dishwasher [ˈdɪʃwɒʃə*] *n* Geschirrspülmaschine *f*.

disillusion [dɪsɪˈluːʒən] *vt* enttäuschen, desillusionieren.

disinfect [dɪsɪnˈfekt] *vt* desinfizieren; **disinfectant** *n* Desinfektionsmittel *nt*.

disinherit [ˈdɪsɪnˈherɪt] *vt* enterben.

disintegrate [dɪsˈɪntɪgreɪt] *vi* sich auflösen.

disinterested [dɪsˈɪntrɪstɪd] *adj* uneigennützig; (*fam*) uninteressiert.

disjointed [dɪsˈdʒɔɪntɪd] *adj* unzusammenhängend.

disk [dɪsk] *n* (*COMPUT*) Diskette *f*; (*hard ~*) Platte *f*; **~ drive** Diskettenlaufwerk *nt*.

diskette [dɪˈsket] *n* (*COMPUT*) Diskette *f*.

dislike [dɪsˈlaɪk] 1. *n* Abneigung *f*; 2. *vt* nicht leiden können.

dislocate [ˈdɪsləkeɪt] *vt* auskugeln; (*upset*) durcheinanderbringen.

disloyal [ˈdɪsˈlɔɪəl] *adj* illoyal.

dismal [ˈdɪzməl] *adj* trostlos, trübe.

dismantle [dɪsˈmæntl] *vt* demontieren.

dismay [dɪsˈmeɪ] 1. *n* Bestürzung *f*; 2. *vt* bestürzen.

dismiss [dɪsˈmɪs] *vt* (*employee*) entlassen; (*idea*) von sich weisen; (*send away*) wegschicken; (*JUR: complaint*) abweisen; **dismissal** *n* Entlassung *f*.

disobedience [dɪsəˈbiːdɪəns] *n* Ungehorsam *m*; **civil ~** ziviler Ungehorsam; **disobedient** *adj* ungehorsam.

disobey [ˈdɪsəˈbeɪ] *vt* nicht gehorchen + *dat*.

disorder [dɪsˈɔːdə*] *n* (*confusion*) Verwirrung *f*; (*commotion*) Aufruhr *m*; (*MED*) Erkrankung *f*.

disorderly [dɪsˈɔːdəlɪ] *adj* (*untidy*) unordentlich; (*unruly*) ordnungswidrig.

disorganized [dɪsˈɔːgənaɪzd] *adj* chaotisch.

disown [dɪsˈəʊn] *vt* (*son*) verstoßen; **I ~ you** ich will nichts mehr mit dir zu tun haben.

disparaging [dɪ'spærɪdʒɪŋ] *adj* gering-schätzig.

disparity [dɪ'spærɪtɪ] *n* Verschiedenheit *f.*

dispassionate [dɪs'pæʃnɪt] *adj* objektiv.

dispatch [dɪ'spætʃ] **1.** *vt* (*goods*) abschik-ken, abfertigen; **2.** *n* Absendung *f.*

dispel [dɪ'spel] *vt* zerstreuen.

dispensable [dɪ'spensəbl] *adj* entbehr-lich.

dispensary [dɪ'spensərɪ] *n* Apotheke *f.*

dispensation [dɪspen'seɪʃən] *n* (REL) Befreiung *f.*

dispense with [dɪ'spens wɪð] *vt* verzich-ten auf +*akk.*

dispenser [dɪ'spensə*] *n* (*container*) Spender *m.*

dispensing [dɪ'spensɪŋ] *adj:* ~ **chemist** Apotheker(in *f*) *m.*

disperse [dɪ'spɜːs] **1.** *vt* zerstreuen; **2.** *vi* sich verteilen.

dispirited [dɪ'spɪrɪtɪd] *adj* niedergeschla-gen.

displace [dɪs'pleɪs] *vt* verschieben; **dis-placed** *adj:* ~ **person** Verschleppte(r) *mf.*

display [dɪ'spleɪ] **1.** *n* (*of goods*) Auslage *f;* (*of feeling*) Zurschaustellung *f;* (COM-PUT *etc*) Anzeige *f,* Display *nt;* **2.** *vt* zei-gen; (COM) ausstellen.

displease [dɪs'pliːz] *vt* mißfallen +*dat.*

disposable [dɪ'spəuzəbl] *adj* (*container etc*) Wegwerf-.

disposal [dɪ'spəuzəl] *n* (*of property*) Ver-kauf *m;* (*throwing away*) Beseitigung *f;* **to be at sb's** ~ jdm zur Verfügung stehen; **dispose of** *vt* loswerden.

disposed [dɪ'spəuzd] *adj* geneigt.

disposition [dɪspə'zɪʃən] *n* Wesen *nt,* Na-tur *f.*

disproportionate [dɪsprə'pɔːʃnɪt] *adj* unverhältnismäßig.

disprove [dɪs'pruːv] *vt* widerlegen.

dispute [dɪs'pjuːt] **1.** *n* Streit *m;* **2.** *vt* be-streiten.

disqualification [dɪskwɒlɪfɪ'keɪʃən] *n* Disqualifizierung *f;* **disqualify** [dɪs'kwɒlɪfaɪ] *vt* disqualifizieren.

disquiet [dɪs'kwaɪət] *n* Unruhe *f.*

disregard [dɪsrɪ'gɑːd] *vt* nicht [be]achten.

disreputable [dɪs'repjutəbl] *adj* verru-fen.

disrespectful [dɪsrɪ'spektfʊl] *adj* re-spektlos.

disrupt [dɪs'rʌpt] *vt* stören; (*programme*) unterbrechen; **disruption** [dɪs'rʌpʃən] *n* Störung *f,* Unterbrechung *f.*

dissatisfaction [dɪssætɪs'fækʃən] *n* Un-zufriedenheit *f;* **dissatisfied** [dɪs'sætɪsfaɪd] *adj* unzufrieden.

dissent [dɪ'sent] **1.** *n* abweichende Mei-nung; **2.** *vi* nicht übereinstimmen.

dissident ['dɪsɪdənt] **1.** *adj* andersden-kend; **2.** *n* Dissident(in *f*) *m,* Regimekriti-ker(in *f*) *m.*

dissimilar ['dɪ'sɪmɪlə*] *adj* unähnlich (*to dat*).

dissipate ['dɪsɪpeɪt] *vt* (*waste*) verschwen-den; (*scatter*) zerstreuen; **dissipated** *adj* ausschweifend; **dissipation** [dɪsɪ'peɪʃən] *n* Ausschweifung *f.*

dissolute ['dɪsəluːt] *adj* liederlich.

dissolve [dɪ'zɒlv] **1.** *vt* auflösen; **2.** *vi* sich auflösen.

dissuade [dɪ'sweɪd] *vt* abraten +*dat.*

distance ['dɪstəns] *n* Entfernung *f;* **in the** ~ **in der Ferne;** **distant** *adj* entfernt, fern; (*with time*) fern; (*formal*) distan-ziert.

distaste ['dɪs'teɪst] *n* Abneigung *f;* **dis-tasteful** *adj* widerlich.

distil [dɪs'tɪl] *vt* destillieren; **distillery** *n* Brennerei *f.*

distinct [dɪ'stɪŋkt] *adj* (*separate*) ge-trennt; (*clear*) klar, deutlich; **distinc-tion** [dɪ'stɪŋkʃən] *n* Unterscheidung *f;* (*eminence*) Berühmtheit *f;* (*in exam*) Aus-zeichnung *f;* **distinctly** *adv* deutlich.

distinguish [dɪ'stɪŋgwɪʃ] *vt* unterschei-den; **distinguished** *adj* (*eminent*) be-rühmt.

distort [dɪs'tɔːt] *vt* verdrehen; (*misrepre-sent*) entstellen; **distortion** [dɪs'tɔːʃən] *n* Verzerrung *f.*

distract [dɪs'trækt] *vt* ablenken; (*bewil-der*) verwirren; **distracting** *adj* verwir-rend; (*annoying*) störend; **distraction** [dɪs'trækʃən] *n* Zerstreutheit *f;* (*distress*) Raserei *f;* (*diversion*) Zerstreuung *f.*

distraught [dɪs'trɔːt] *adj* verzweifelt.

distress [dɪs'tres] **1.** *n* Not *f;* (*suffering*) Qual *f;* **2.** *vt* betroffen machen; **dis-tressing** *adj* erschütternd; **distress signal** *n* Notsignal *nt.*

distribute [dɪs'trɪbjuːt] *vt* verteilen; **dis-tribution** [dɪstrɪ'bjuːʃən] *n* Verteilung *f.*

distributor [dɪs'trɪbjuːtə*] *n* (AUT) Vertei-ler *m;* (COM) Händler(in *f*) *m.*

district ['dɪstrɪkt] *n* (*of country*) Kreis *m;* (*of town*) Bezirk *m;* **district attorney** *n* (US) Oberstaatsanwalt(-anwältin *f*) *m;* **district nurse** *n* (Brit) Kreiskranken-schwester *f.*

distrust [dɪs'trʌst] **1.** *n* Mißtrauen *nt;* **2.** *vt* mißtrauen +*dat.*

disturb [dɪs'tɜːb] *vt* stören; (*agitate*) erre-gen; **disturbance** *n* Störung *f;* **dis-turbing** *adj* beunruhigend.

ditch [dɪtʃ] **1.** *n* Graben *m;* **2.** *vt* (*person*) den Laufpaß geben +*dat;* (*plan etc*) ver-werfen.

ditto ['dɪtəʊ] n dito, ebenfalls.
dive [daɪv] 1. n (into water) Kopfsprung m; (AVIAT) Sturzflug m; 2. vi tauchen; **diver** n Taucher(in f) m.
diverge [daɪ'vɜːdʒ] vi auseinandergehen.
diverse [daɪ'vɜːs] adj verschieden.
diversification [daɪvɜːsɪfɪ'keɪʃən] n Verzweigung f; (COM) Diversifikation f.
diversify [daɪ'vɜːsɪfaɪ] 1. vt [ver]ändern; 2. vi variieren.
diversion [daɪ'vɜːʃən] n Ablenkung f; (of traffic) Umleitung f.
diversity [daɪ'vɜːsɪtɪ] n Verschiedenheit f; (variety) Mannigfaltigkeit f.
divert [daɪ'vɜːt] vt ablenken; (traffic) umleiten.
divide [dɪ'vaɪd] 1. vt teilen; 2. vi sich teilen; **~ed highway** (US) vierspurige Straße, Schnellstraße f.
dividend ['dɪvɪdend] n Dividende f; (fig) Gewinn m.
divine [dɪ'vaɪn] 1. adj göttlich; 2. vt eraten.
diving board ['daɪvɪŋbɔːd] n Sprungbrett nt.
divinity [dɪ'vɪnɪtɪ] n Gottheit f, Gott m, Göttin f; (subject) Religion f.
divisible [dɪ'vɪzəbl] adj teilbar.
division [dɪ'vɪʒən] n Teilung f; (MATH) Division f, Teilung f; (MIL) Division f; (part) Teil m, Abteilung f; (in opinion) Uneinigkeit f.
divorce [dɪ'vɔːs] 1. n [Ehe]scheidung f; 2. vt scheiden; **divorced** adj geschieden; **to get ~** sich scheiden lassen; **divorcee** [dɪvɔː'siː] n Geschiedene(r) mf.
divulge [daɪ'vʌldʒ] vt preisgeben.
dizziness ['dɪzɪnəs] n Schwindelgefühl nt; **dizzy** adj schwindlig.
DJ abbr of 1. n **dinner jacket** Smoking m; 2. n **disc jockey** Diskjockey m.
DNA n abbr of **desoxyribonucleic acid** DNS f.
do [duː] vt <did, done> 1. vt machen; 2. vi (proceed) vorangehen; (be suitable) passen; (be enough) genügen; 3. n <-s> (party) Party f; **how ~ you ~?** guten Tag.
docile ['dəʊsaɪl] adj gefügig; (dog) gutmütig.
dock [dɒk] 1. n Dock nt; (JUR) Anklagebank f; 2. vi ins Dock gehen; **docker** n Hafenarbeiter m.
docket ['dɒkɪt] n Inhaltsvermerk m.
dockyard ['dɒkjɑːd] n Werft f.
doctor ['dɒktə'] n Arzt m, Ärztin f; (university degree) Doktor m.
doctrine ['dɒktrɪn] n Doktrin f.
document ['dɒkjʊmənt] 1. n Dokument nt; 2. vt (also COMPUT) dokumentieren;

documentary [dɒkjʊ'mentərɪ] 1. n Dokumentarbericht m; (film) Dokumentarfilm m; 2. adj dokumentarisch; **documentation** [dɒkjʊmen'teɪʃən] n dokumentarischer Nachweis; (esp COMPUT) Dokumentation f.
doddering, doddery ['dɒdərɪŋ, 'dɒdərɪ] adj zittrig.
dodge [dɒdʒ] 1. n Kniff m; 2. vt umgehen; ausweichen + dat.
dodgem ['dɒdʒəm] n Autoscooter m.
dodo ['dəʊdəʊ] n <-[e]s> Dronte f; **as dead as the ~** von Anno dazumal.
doe [dəʊ] n (deer) Hirschkuh f; (rabbit) Häsin f.
dog [dɒg] n Hund m; **dog biscuit** n Hundekuchen m; **dog collar** n Hundehalsband nt; (REL) Kragen m des Geistlichen; **dog-eared** adj mit Eselsohren; **dogfish** n Hundsfisch m; **dog food** n Hundefutter nt.
dogged ['dɒgɪd] adj hartnäckig.
dogma ['dɒgmə] n Dogma nt; **dogmatic** [dɒg'mætɪk] adj dogmatisch.
doings ['duːɪŋz] n pl (activities) Treiben nt.
do-it-yourself ['duːɪtjə'self] 1. n Heimwerken nt, Do-it-yourself nt; 2. adj zum Selbermachen, Heimwerker-.
dole [dəʊl] n (Brit) Stempelgeld nt; **to be on the ~** stempeln gehen; **dole out** vt austeilen.
doleful ['dəʊlful] adj traurig.
doll [dɒl] 1. n Puppe f; 2. vr: **~ oneself up** sich in Schale werfen.
dollar ['dɒlə'] n Dollar m.
dolphin ['dɒlfɪn] n Delphin m, Tümmler m.
domain [dəʊ'meɪn] n Sphäre f, Bereich m.
dome [dəʊm] n Kuppel f.
domestic [də'mestɪk] adj häuslich; (within country) Innen-, Binnen-; (animal) Haus-; **domesticated** adj (person) häuslich; (animal) zahm.
domicile ['dɒmɪsaɪl] n [ständiger] Wohnsitz m.
dominant ['dɒmɪnənt] adj vorherrschend.
dominate ['dɒmɪneɪt] vt beherrschen.
domineering [dɒmɪ'nɪərɪŋ] adj herrisch.
dominion [də'mɪnɪən] n (rule) Regierungsgewalt f; (land) Staatsgebiet nt mit Selbstverwaltung.
dominoes ['dɒmɪnəʊz] n pl Domino[spiel] nt.
don [dɒn] n akademischer Lehrer, akademische Lehrerin.
donate [dəʊ'neɪt] vt spenden; **donation** [dəʊ'neɪʃən] n Spende f.
done [dʌn] pp of **do**.
donkey ['dɒŋkɪ] n Esel m.

donor ['dəʊnə*] n Spender(in f) m.

don't [dəʊnt] = **do not**.

doom [du:m] **1.** n böses Geschick; (downfall) Verderben nt; **2.** vt: **to be** ~ed **zum Untergang verurteilt sein.**

door [dɔ:*] n Tür f; **doorbell** n Türklingel f; **door-handle** n Türklinke f; **doorman** n <-men> Türsteher m; **doormat** n Fußmatte f; **doorstep** n Türstufe f; **doorway** n Türöffnung f.

dope [dəʊp] **1.** n (drug) Aufputschmittel nt; **2.** vt (SPORT) dopen; **doping** n (SPORT) Doping nt.

dopey ['dəʊpɪ] adj (fam) bekloppt; (from drugs) benebelt.

dormant ['dɔ:mənt] adj schlafend, latent.

dormitory ['dɔ:mɪtrɪ] n Schlafsaal m; ~**town** Schlafstadt f.

dormobile ® ['dɔ:məbi:l] n Wohnwagen m.

doze [dəʊz] **1.** vi dösen; **2.** n Schläfchen nt, Nickerchen nt.

dozen ['dʌzn] n Dutzend nt.

DOS [dɒs] n acronym of **disk operating system** Diskettenbetriebssystem nt, DOS nt.

dosage ['dəʊsɪdʒ] n Dosierung f.

dose [dəʊs] **1.** n Dosis f; **2.** vt dosieren.

dossier ['dɒsɪeɪ] n Dossier m, Akten pl.

dot [dɒt] n Punkt m; **on the** ~ pünktlich.

dote [dəʊt ɒn] vt abgöttisch lieben.

dot-matrix printer ['dɒtmeɪtrɪksprɪntə*] n Matrixdrucker m.

double ['dʌbl] **1.** adj, adv doppelt; **2.** n Doppelgänger(in f) m; **3.** vt verdoppeln; (fold) zusammenfalten; **4.** vi (in amount) sich verdoppeln; ~**s** pl o sing (TENNIS) Doppel nt; **she is your absolute** ~ sie sieht dir zum Verwechseln ähnlich; **double bass** n Kontrabaß m; **double bed** n Doppelbett nt; **double-breasted** adj zweireihig; **double-cross 1.** n Betrug m; **2.** vt hintergehen; **doubledecker** n Doppeldecker m; **double glazing** n Doppelfenster pl; **double room** n Doppelzimmer nt; **doubly** adv doppelt.

doubt [daʊt] **1.** n Zweifel m; **2.** vi zweifeln; **3.** vt bezweifeln; **without** ~ zweifellos; **doubtful** adj zweifelhaft, fraglich; **doubtless** adv ohne Zweifel, sicherlich.

dough [dəʊ] n Teig m; **doughnut** n Krapfen m, Berliner [Pfannkuchen] m.

dove [dʌv] n Taube f; **dovetail 1.** n Schwalbenschwanz m; **2.** vt verzahnen, verzinken.

down [daʊn] **1.** n (feather) Daune f, Flaumfeder f; (fluff) Flaum m; **2.** adv unten; (motion) herunter; hinunter; **3.** prep: **he came** ~ **the street** er kam die Straße herunter; **to go** ~ **the street** die Straße

hinuntergehen; **he lives** ~ **the street** er wohnt unten an der Straße; **4.** vt niederschlagen; ~ **with X!** nieder mit X!; **down-and-out 1.** adj abgerissen; **2.** n Penner(in f) m; **down-at-heel** adj schäbig; **downcast** adj niedergeschlagen; **downfall** n Sturz m; **downhearted** adj niedergeschlagen, mutlos; **downhill** adv bergab; **downpour** n Platzregen m; **downright** adj völlig, ausgesprochen; **downstairs 1.** adv unten; (motion) nach unten; **2.** adj (people, flat) einen Stock tiefer; **downstream** adv flußabwärts; **downtown 1.** adv in die/der Innenstadt; **2.** adj (US) im Geschäftsviertel, City-; **downward** adj Abwärts-; **downwards** adv abwärts, nach unten.

dowry ['daʊrɪ] n Mitgift f.

DP n abbr of **data processing** DV.

drab [dræb] adj düster, eintönig.

draft [drɑ:ft] **1.** n Skizze f, Entwurf m; (FIN) Wechsel m; (US MIL) Einberufung f; **2.** vt skizzieren; (US MIL) einziehen.

drag [dræg] **1.** vt schleifen, schleppen; (river) mit einem Schleppnetz absuchen; **2.** vi sich (dahin)schleppen; **3.** n (bore) etwas Blödes; (hindrance) Klotz m am Bein; **in** ~ in Frauenkleidung; **drag on** vi sich in die Länge ziehen.

dragon ['drægən] n Drache m; **dragonfly** n Libelle f.

drain [dreɪn] **1.** n (ditch) Abflußgraben m; (fig: burden) Belastung f; **2.** vt ableiten; (exhaust) erschöpfen; **3.** vi (of water) abfließen; **drainage** ['dreɪnɪdʒ] n Kanalisation f; **drainpipe** n Abflußrohr nt.

drama ['drɑ:mə] n (also fig) Drama nt; **dramatic** [drə'mætɪk] adj dramatisch; **dramatist** ['dræmətɪst] n Dramatiker(in f) m; **dramatize** ['dræmətaɪz] vt dramatisieren, übertrieben darstellen.

drank [dræŋk] pt of **drink**.

drape [dreɪp] vt drapieren; **drapes** n pl (US) Vorhänge pl.

drastic ['dræstɪk] adj drastisch.

draught [drɑ:ft] n Zug m; (NAUT) Tiefgang m; **on** ~ (beer) vom Faß; **draughtboard** n Zeichenbrett nt; **draughts** n sing Damespiel; **draughtsman** n <-men> technischer Zeichner; **draughty** adj zugig.

draw [drɔ:] <**drew**, **drawn**> **1.** vt ziehen; (crowd) anlocken; (picture) zeichnen; (money) abheben; (water) schöpfen; **2.** vi (SPORT) unentschieden spielen;

3. n (SPORT) Unentschieden nt; (lottery) Ziehung f; **to ~ to a close** zu Ende gehen; **draw out 1.** vi (train) ausfahren; (lengthen) sich hinziehen; **2.** vt (money) abheben; **draw up 1.** vi (stop) halten; **2.** vt (document) aufsetzen; **drawback** n (disadvantage) Nachteil m; (obstacle) Haken m; **drawbridge** n Zugbrücke f.

drawer ['drɔː*] n Schublade f.

drawing ['drɔːɪŋ] n Zeichnung f; (action) Zeichnen nt; **drawing pin** n Reißzwecke f; **drawing room** n Salon m.

drawl [drɔːl] **1.** n schleppende Sprechweise; **2.** vi gedehnt sprechen.

drawn [drɔːn] **1.** pp of **draw**; **2.** adj (game) unentschieden; (face) gequält; (tired) abgespannt; (from worry) verhärmt.

dread [dred] **1.** n Furcht f, Grauen nt; **2.** vt fürchten; **dreadful** adj furchtbar.

dream [driːm] **1.** n <dreamed o **dreamt, dreamed** o **dreamt>** **1.** vt, vi träumen (about von); **2.** n Traum m; **3.** adj (house etc) Traum-; **dreamer** n Träumer(in f) m; **dreamt** [dremt] pt, pp of **dream**; **dream world** n Traumwelt f; **dreamy** adj verträumt.

dreary ['drɪərɪ] adj trostlos, öde.

dredge [dredʒ] vt ausbaggern; (with flour etc) mit Mehl etc bestreuen; **dredger** n Baggerschiff nt; (for flour) [Mehl]streuer m.

dregs [dregz] n pl Bodensatz m; (fig) Abschaum m.

drench [drentʃ] vt durchnässen.

dress [dres] **1.** n Kleidung f; (garment) Kleid nt; **2.** vt anziehen; (MED) verbinden; (AGR) düngen; (food) anrichten; **to get ~ed** sich anziehen; **dress up** vi sich fein machen; **dress circle** n erster Rang; **dresser** n (furniture) Anrichte f, Geschirrschrank m; (US) Frisierkommode f; **she's a smart ~** sie zieht sich elegant an; **dressing** n (MED) Verband m; (GASTR) Soße f; **dressing gown** n Morgenrock m; **dressing room** n (THEAT) Garderobe f; (SPORT) Umkleideraum m; **dressing table** n Toilettentisch m; **dressmaker** n Schneider(in f) m; **dressmaking** n Schneidern nt; **dress rehearsal** n Generalprobe f.

drew [druː] pt of **draw**.

dribble ['drɪbl] **1.** vi tröpfeln; **2.** vt sabbern.

drift [drɪft] **1.** n Trift f, Strömung f; (snow ~) Schneewehe f; (fig) Richtung f; **2.** vi getrieben werden; (aimlessly) sich treiben lassen; **driftwood** n Treibholz nt.

drill [drɪl] **1.** n Bohrer m; (MIL) Drill m; **2.** vt bohren; (MIL) ausbilden.

drink [drɪŋk] <drank, drunk> **1.** vt, vi trinken; **2.** n Getränk nt; (spirits) Drink m; **drinkable** adj trinkbar; **drinker** n Trinker(in f) m; **drinking water** n Trinkwasser nt.

drip [drɪp] **1.** n Tropfen m; (dripping) Tröpfeln nt; **2.** vi tropfen; **drip-dry** adj bügelfrei; **dripping** n Bratenfett nt; **dripping wet** adj triefnaß.

drive [draɪv] <drove, driven> **1.** vt (car) fahren; (animals) treiben; (nail) einschlagen; (ball) schlagen; (power) antreiben; (force) treiben; **2.** vi fahren; **3.** n Fahrt f; (road) Einfahrt f; (of house) Auffahrt f; (COMPUT) Laufwerk nt; (energy) Schwung m; (SPORT) Schlag m; **to ~ sb mad** jdn verrückt machen; **what are you driving at?** worauf willst du hinaus?; **drive-in** adj Drive-in-; **~ movie** (US) Autokino nt; **~ bank** Autoschalter m.

drivel ['drɪvl] n blödes Zeug.

driven ['drɪvn] pp of **drive**.

driver ['draɪvə*] n Fahrer(in f) m; **~'s license** (US) Führerschein m.

driving ['draɪvɪŋ] **1.** adj (rain) stürmisch; **2.** n [Auto]fahren nt; **driving instructor** n Fahrlehrer(in f) m; **driving lesson** n Fahrstunde f; **driving licence** n (Brit) Führerschein m; **driving school** n Fahrschule f; **driving test** n Fahrprüfung f.

drizzle ['drɪzl] **1.** n Nieselregen m; **2.** vi nieseln.

droll [drəʊl] adj drollig.

dromedary ['drɒmɪdərɪ] n Dromedar nt.

drone [drəʊn] n (sound) Brummen nt; (bee) Drohne f.

droop [druːp] vi [schlaff] herabhängen.

drop [drɒp] **1.** n (of liquid) Tropfen m; (fall) Fall m; **2.** vt fallen lassen; (lower) senken; (abandon) fallenlassen; **3.** vi (fall) herunterfallen; **drop off** vi (sleep) einschlafen; **drop out** vi (withdraw) aussteigen; **dropout** n Aussteiger(in f) m.

drought [draʊt] n Dürre f.

drove [drəʊv] **1.** pt of **drive**; **2.** n (crowd) Herde f.

drown [draʊn] **1.** vt ertränken; (sound) übertönen; **2.** vi ertrinken.

drowsy ['draʊzɪ] adj schläfrig.

drudge [drʌdʒ] n (person) Arbeitstier nt; **drudgery** ['drʌdʒərɪ] n Plackerei f.

drug [drʌg] **1.** n (MED) Arznei f; (narcotic) Rauschgift nt, Droge f; **2.** vt betäuben; **drug addict** n Rauschgiftsüchtige(r) mf; **druggist** n (US) Drogist(in f) m; **drug squad** n Rauschgiftdezernat nt; **drugstore** n (US) Drogerie f.

drum [drʌm] n Trommel f; **drummer** n Trommler(in f) m.

drunk [drʌŋk] 1. *pp of* **drink**; 2. *adj* betrunken; 3. *n* Betrunkene(r) *mf*; *(alcoholic)* Trinker(in *f*) *m*; **drunkard** *n* Trunkenbold *m*; **drunken** *adj* betrunken; **drunkenness** *n* Betrunkenheit *f*.

dry [draɪ] 1. *adj* trocken; 2. *vt* [ab]trocknen; 3. *vi* trocknen, trocken werden; **dry up** *vi* austrocknen; *(dishes)* abtrocknen; **dry-clean** *vt* chemisch reinigen; **dry-cleaning** *n* chemische Reinigung; **dryer** *n* Trockner *m*; **dryness** *n* Trokkenheit *f*; **dry rot** *n* Hausschwamm *m*.

dual ['djuəl] *adj* doppelt; ~ **carriageway** *n* zweispurige Fahrbahn; ~ **nationality** *n* doppelte Staatsangehörigkeit; **dual-purpose** *adj* Mehrzweck-.

dubbed [dʌbd] *adj (film)* synchronisiert.

dubious ['djuːbɪəs] *adj* zweifelhaft.

duchess ['dʌtʃɪs] *n* Herzogin *f*.

duck [dʌk] 1. *n* Ente *f*; 2. *vt* [ein]tauchen; 3. *vi* sich ducken; **duckling** *n* Entchen *nt*.

duct [dʌkt] *n* Röhre *f*, Kanal *m*.

dud [dʌd] 1. *n* Niete *f*; 2. *adj* wertlos, miserabel; *(cheque)* ungedeckt.

dude [djuːd] *n (US fam)* Typ *m*; *(from city)* Stadtmensch *m*.

due [djuː] 1. *adj* fällig; *(fitting)* angemessen; 2. *n* Gebühr *f*; *(right)* Recht *nt*; 3. *adv (south etc)* in Richtung; ~ **to** infolge +*gen*, wegen +*gen*; **the train is** ~ **der** Zug soll laut Fahrplan ankommen.

duel ['djuəl] *n* Duell *nt*.

duet [djuː'et] *n* Duett *nt*.

dug [dʌg] *pt, pp of* **dig**.

duke [djuːk] *n* Herzog *m*.

dull [dʌl] 1. *adj (colour, weather)* trübe; *(stupid)* schwer von Begriff; *(boring)* langweilig; 2. *vt* abstumpfen.

duly ['djuːlɪ] *adv* ordnungsgemäß, richtig; *(on time)* pünktlich.

dumb [dʌm] *adj* stumm; *(fam: stupid)* doof, blöde.

dummy ['dʌmɪ] 1. *n* Schneiderpuppe *f*; *(substitute)* Attrappe *f*; *(teat)* Schnuller *m*; *(fam: person)* Dummkopf *m*; 2. *adj* Schein-.

dump [dʌmp] 1. *n* Abfallhaufen *m*; *(fam: place)* Nest *nt*; 2. *vt* abladen, auskippen; **dumping** *n (COM)* Dumping *nt*, Verkauf *m* zu Schleuderpreisen; *(of rubbish)* Schuttabladen *nt*.

dumpling ['dʌmplɪŋ] *n* Kloß *m*, Knödel *m*.

dune [djuːn] *n* Düne *f*.

dung [dʌŋ] *n* Dung *m*.

dungarees [dʌŋgə'riːz] *n pl* Latzhose *f*.

dungeon ['dʌndʒən] *n* Kerker *m*.

dupe [djuːp] 1. *n* Gefoppte(r) *mf*; 2. *vt* hintergehen, anführen.

duplicate ['djuːplɪkɪt] 1. *adj* doppelt; 2. *n* Duplikat *nt*; 3. ['djuːplɪkeɪt] *vt* verdoppeln; *(make copies)* kopieren; **in** ~ in doppelter Ausführung.

durability [djuərə'bɪlɪtɪ] *n* Haltbarkeit *f*; **durable** ['djuərəbl] *adj* haltbar.

duration [djuə'reɪʃən] *n* Dauer *f*.

during ['djuərɪŋ] *prep* während +*gen*.

dusk [dʌsk] *n* Abenddämmerung *f*.

dust [dʌst] 1. *n* Staub *m*; 2. *vt* abstauben; *(sprinkle)* bestäuben; **dustbin** *n (Brit)* Mülleimer *m*; **duster** *n* Staubtuch *nt*; **dustman** *n* <**-men**> *(Brit)* Müllmann *m*; **when do the dustmen come?** wann kommt die Müllabfuhr?; **dust storm** *n* Staubsturm *m*; **dusty** *adj* staubig.

Dutch [dʌtʃ] 1. *adj* holländisch; 2. *n*: **the** ~ *pl* die Holländer *pl*; **Dutchman** *n* <**-men**> Holländer *m*; **Dutchwoman** *n* <**-women**> Holländerin *f*.

dutiable ['djuːtɪəbl] *adj* zollpflichtig.

duty ['djuːtɪ] *n* Pflicht *f*; *(job)* Aufgabe *f*; *(tax)* Einfuhrzoll *m*; **on** ~ im Dienst, diensthabend; **duty-free** *adj* zollfrei; ~ **articles** *pl* zollfreie Waren *pl*; ~ **shop** *n* Duty-free-Shop *m*.

dwarf [dwɔːf] *n* <**dwarves**> Zwerg(in *f*) *m*.

dwell [dwel] <**dwelt, dwelt**> *vi* wohnen; **dwell on** *vt* verweilen bei; **dwelling** *n* Wohnung *f*; **dwelt** [dwelt] *pt, pp of* **dwell**.

dwindle ['dwɪndl] *vi* schwinden.

dye [daɪ] 1. *n* Farbstoff *m*; 2. *vt* färben.

dying ['daɪɪŋ] *adj (person)* sterbend; *(moments)* letzte(r, s).

dynamic [daɪ'næmɪk] *adj* dynamisch; **dynamics** *n pl o sing* Dynamik *f*.

dynamite ['daɪnəmaɪt] *n* Dynamit *nt*.

dynamo ['daɪnəməʊ] *n* <**-s**> Dynamo *m*.

dynasty ['dɪnəstɪ] *n* Dynastie *f*.

dysentery ['dɪsntrɪ] *n* Ruhr *f*.

dyspepsia [dɪs'pepsɪə] *n* Verdauungsstörung *f*.

E

E, e [iː] *n* E *nt*, e *nt*.

each [iːtʃ] 1. *adj* jeder/jede/jedes; 2. *pron* [ein] jeder/[eine] jede/[ein] jedes; ~ **other** einander, sich.

eager *adj*, **eagerly** *adv* ['iːgə*, -lɪ] eifrig; **eagerness** *n* Eifer *m*.

eagle ['iːgl] *n* Adler *m*.

ear [ɪə*] *n* Ohr *nt*; *(of corn)* Ähre *f*;

earache n Ohrenschmerzen pl; **eardrum** n Trommelfell nt.

earl [ɜ:l] n Graf m.

early [ˈɜ:lɪ] adj, adv früh; ~ **retirement** vorgezogener Ruhestand; **you're** ~ du bist früh dran.

earmark [ˈɪəmɑ:k] vt vorsehen.

earn [ɜ:n] vt verdienen.

earnest [ˈɜ:nɪst] adj ernst; **in** ~ im Ernst.

earnings [ˈɜ:nɪŋz] n pl Verdienst m.

earphones [ˈɪəfəʊnz] n pl Kopfhörer m; **earplug** n Ohropax ® nt; **earring** n Ohrring m; **earshot** [ˈɪəʃɒt] n Hörweite f.

earth [ɜ:θ] **1.** n Erde f; (ELEC) Erdung f; **2.** vt erden; **earthenware** n Steingut nt; **earthquake** n Erdbeben nt.

earthy [ˈɜ:θɪ] adj roh; (sensual) sinnlich.

earwig [ˈɪəwɪg] n Ohrwurm m.

ease [i:z] **1.** n (simplicity) Leichtigkeit f; (social) Ungezwungenheit f; **2.** vt (pain) lindern; (burden) erleichtern; **at** ~ ungezwungen; (MIL) rührt euch!; **to feel at** ~ sich wohl fühlen; **ease off, ease up** vi nachlassen.

easel [ˈi:zl] n Staffelei f.

easily [ˈi:zɪlɪ] adv leicht.

east [i:st] **1.** n Osten m; **2.** adj östlich, Ost-; **3.** adv nach Osten; ~ **of** östlich von; **the E** ~ (POL, GEO) der Osten.

Easter [ˈi:stə*] n Ostern nt; **Easter egg** n Osterei nt.

easterly [ˈi:stəlɪ] adj östlich; **eastern** [ˈi:stən] adj östlich; **East Germany** n Ostdeutschland nt, die DDR; **East Indies** n pl Malaiischer Archipel; **eastward[s]** [ˈi:stwədz] adv nach Osten, ostwärts.

easy [ˈi:zɪ] **1.** adj (task) einfach; (life) bequem; (manner) ungezwungen; **2.** adv leicht.

eat [i:t] <**ate, eaten**> vt essen; (animals) fressen; (destroy) [zer]fressen; **eat away** vi (corrode) zerfressen; **eatable** adj genießbar; **eat-by date** n Haltbarkeitsdatum nt; **eaten** [ˈi:tn] pp of **eat.**

eaves [i:vz] n pl [überstehender] Dachrand m.

eavesdrop [ˈi:vzdrɒp] vi horchen, lauschen; **to** ~ **on sb** jdn belauschen.

ebb [eb] n Ebbe f.

ebony [ˈebənɪ] n Ebenholz nt.

eccentric [ɪkˈsentrɪk] **1.** adj exzentrisch, überspannt; **2.** n exzentrischer Mensch.

ecclesiastical [ɪkli:zɪˈæstɪkəl] adj kirchlich, geistlich.

echo [ˈekəʊ] **1.** n <**-es**> Echo nt; **2.** vt zurückwerfen; (fig) nachbeten; **3.** vi widerhallen.

eclipse [ɪˈklɪps] **1.** n Verfinsterung f, Fin-

sternis f; **2.** vt verfinstern.

ecology [ɪˈkɒlədʒɪ] n Ökologie f.

economic [i:kəˈnɒmɪk] adj [volks]wirtschaftlich, ökonomisch; **economical** adj wirtschaftlich; (person) sparsam; **economics** n pl o sing Volkswirtschaft f; **economist** [ɪˈkɒnəmɪst] n Volkswirt[schaftler](in f) m; **economize** [ɪˈkɒnəmaɪz] vi sparen (on an +dat); **economy** [ɪˈkɒnəmɪ] n (thrift) Sparsamkeit f; (of country) Wirtschaft f.

ecosystem [ˈi:kəʊsɪstəm] n Ökosystem nt.

ecstasy [ˈekstəsɪ] n Ekstase f; **ecstatic** [ekˈstætɪk] adj hingerissen.

ecumenical [i:kjuˈmenɪkəl] adj ökumenisch.

eczema [ˈeksɪmə] n Ekzem nt.

Eden [ˈi:dn] n: **the Garden of** ~ der Garten Eden.

edge [edʒ] n Rand m; (of knife) Schneide f; **on** ~ nervös; (nerves) überreizt; **edging** n Einfassung f; **edgy** [ˈedʒɪ] adj nervös.

edible [ˈedɪbl] adj eßbar.

edict [ˈi:dɪkt] n Erlaß m.

edifice [ˈedɪfɪs] n Gebäude nt.

edit [ˈedɪt] vt edieren, redigieren; (COMPUT) editieren, aufbereiten; **edition** [ɪˈdɪʃən] n Ausgabe f; **editor** n Redakteur(in f) m; (of book) Lektor(in f) m; (COMPUT) Editor m; **editorial** [edɪˈtɔ:rɪəl] **1.** adj Redaktions-; **2.** n Leitartikel m.

EDP n abbr of **electronic data processing** EDV f.

educate [ˈedjʊkeɪt] vt erziehen, [aus]bilden; **education** [edjʊˈkeɪʃən] n (teaching) Unterricht m; (system) Schulwesen nt; (schooling) Erziehung f; (knowledge) Bildung f; **educational** adj pädagogisch.

EEC n abbr of **European Economic Community** Europäische Gemeinschaft, EG.

eel [i:l] n Aal m.

eerie [ˈɪərɪ] adj unheimlich.

efface [ɪˈfeɪs] vt auslöschen.

effect [ɪˈfekt] **1.** n Wirkung f; **2.** vt bewirken; **in** ~ in der Tat; ~**s** pl (sound, visual) Effekte pl; **effective** adj wirksam, effektiv.

effeminate [ɪˈfemɪnɪt] adj weibisch.

effervescent [efəˈvesnt] adj (fig) sprudelnd.

efficiency [ɪˈfɪʃənsɪ] n Leistungsfähigkeit f, Effizienz f; **efficient** adj, **efficiently** adv tüchtig; (TECH) leistungsfähig; (method) wirksam, effizient.

effort [ˈefət] n Anstrengung f; **to make an** ~ sich anstrengen; **effortless** adj mühelos.

effrontery [ɪ'frʌntərɪ] n Unverfrorenheit f.

eg abbr of **for example** zum Beispiel, z.B.

egg [eg] n Ei nt; **egg on** vt anstacheln; **eggcup** n Eierbecher m; **eggplant** n Aubergine f; **eggshell** n Eierschale f.

ego ['i:gəu] n < -s > Ich nt, Selbst nt.

egotism ['egəutɪzəm] n Ichbezogenheit f; **egotist** ['egəutɪst] n Egozentriker(in f) m.

Egypt ['i:dʒɪpt] n Ägypten nt.

eiderdown ['aɪdədaun] n Daunendecke f.

eight [eɪt] num acht.

eighteen ['eɪtiːn] num achtzehn.

eighth [eɪtθ] 1. adj achte(r, s); 2. adv an achter Stelle; 3. n (person) Achte(r) mf; (part) Achtel nt.

eighty ['eɪtɪ] num achtzig.

Eire ['ɛərə] n Irland nt.

either ['aɪðə'] 1. conj: **either... or** entweder... oder; 2. pron: ~ **of the two** eine(r, s) von beiden; **I don't want** ~ ich will keins von beiden; 3. adj: **on** ~ **side** auf beiden Seiten; 4. adv: **I don't** ~ ich auch nicht.

eject [ɪ'dʒekt] vt ausstoßen, vertreiben; **ejector seat** n Schleudersitz m.

elaborate [ɪ'læbərɪt] 1. adj sorgfältig ausgearbeitet, ausführlich, kunstvoll; 2. [ɪ'læbəreɪt] vt sorgfältig ausarbeiten; **elaborately** adv genau, ausführlich; **elaboration** [ɪlæbə'reɪʃən] n Ausarbeitung f.

elapse [ɪ'læps] vi vergehen.

elastic [ɪ'læstɪk] 1. n Gummiband nt; 2. adj elastisch; ~ **band** Gummiband nt.

Elastoplast ® [ɪ'læstəuplɑːst] n Hansaplast ® nt.

elbow ['elbəu] n Ellbogen m.

elder ['eldə'] 1. adj älter; 2. n Ältere(r) mf; **eldercare** n (US) zusätzliche Krankenversicherung für ältere Menschen; **elderly** adj ältere(r, s); **the** ~ pl ältere Menschen pl.

elect [ɪ'lekt] 1. vt wählen; 2. adj zukünftig; **election** [ɪ'lekʃən] n Wahl f; **electioneering** [ɪlekʃə'nɪərɪŋ] n Wahlpropaganda f; **elective** [ɪ'lektɪv] n (US) Wahlfach nt; **elector** n Wähler(in f) m; **electoral** adj Wahl-; **electorate** [ɪ'lektərɪt] n Wähler pl, Wählerschaft f.

electric [ɪ'lektrɪk] adj elektrisch, Elektro-; ~ **blanket** Heizdecke f; ~ **chair** elektrischer Stuhl; ~ **cooker** Elektroherd m; ~ **current** Strom m; ~ **fire** elektrischer Heizofen; **electrical** adj elektrisch; **electrician** [ɪlek'trɪʃən] n Elektriker(in f) m; **electricity** [ɪlek'trɪsɪtɪ] n

Elektrizität f; **electrify** [ɪ'lektrɪfaɪ] vt elektrifizieren; (fig) elektrisieren.

electro- [ɪ'lektrəu] pref Elektro-; **electrocute** [ɪ'lektrəukjuːt] vt elektrisieren; (kill) durch elektrischen Strom töten.

electrode [ɪ'lektrəud] n Elektrode f.

electron [ɪ'lektrɒn] n Elektron nt; ~ **microscope** Elektronenmikroskop nt.

electronic [ɪlek'trɒnɪk] adj elektronisch, Elektronen-; ~ **data processing** elekronische Datenverarbeitung; ~ **data processing equipment** EDV-Anlage f; ~ **mail** elektronische Post; ~ **mailbox** Mailbox f, elektronischer Briefkasten; **electronics** n pl o sing Elektronik f.

elegance ['elɪgəns] n Eleganz f; **elegant** adj elegant.

element ['elɪmənt] n Element nt; (fig) Körnchen nt; **elementary** [elɪ'mentərɪ] adj einfach; (primary) grundlegend, Anfangs-.

elephant ['elɪfənt] n Elefant m.

elevation [elɪ'veɪʃən] n (height) Erhebung f; (of style) Niveau nt; (ARCHIT) [Quer]schnitt m.

elevator ['elɪveɪtə'] n (US) Fahrstuhl m, Aufzug m.

eleven [ɪ'levn] 1. num elf; 2. n (team) Elf f.

elf [elf] n < **elves** > Elfe f.

elicit [ɪ'lɪsɪt] vt entlocken (from sb jdm).

eligible ['elɪdʒəbl] adj wählbar; **he's not** ~ er kommt nicht in Frage; **to be** ~ **for a pension/competition** pensions-/teilnahmeberechtigt sein; ~ **bachelor** gute Partie.

eliminate [ɪ'lɪmɪneɪt] vt ausschalten; beseitigen; **elimination** [ɪlɪmɪ'neɪʃən] n Ausschaltung f; Beseitigung f.

elite [eɪ'liːt] n Elite f.

elm [elm] n Ulme f.

elocution [elə'kjuːʃən] n Sprecherziehung f; (clarity) Artikulation f.

elongated ['ɪlɒŋgeɪtɪd] adj verlängert.

elope [ɪ'ləup] vi durchbrennen.

eloquence ['eləkwəns] n Beredsamkeit f; **eloquent** adj redegewandt; **eloquently** adv beredt.

else [els] adv sonst; **who** ~ ? wer sonst?; **sb** ~ jd anders; **or** ~ sonst; **elsewhere** adv anderswo, woanders.

ELT n abbr of **English Language Teaching** .

emancipate [ɪ'mænsɪpeɪt] vt emanzipieren; (slave) freilassen; **emancipation** [ɪmænsɪ'peɪʃən] n Emanzipation f; Freilassung f.

embalm [ɪm'bɑːm] vt einbalsamieren.

embankment [ɪm'bæŋkmənt] n (of river) Uferböschung f; (of road) Straßendamm *m*.

embargo [ɪmˈbɑːgəʊ] *n* < **-es** > Embargo *nt*.

embark [ɪmˈbɑːk] *vi* sich einschiffen; **embark on** *vt* unternehmen; **embarkation** [embɑːˈkeɪʃən] *n* Einschiffung *f*.

embarrass [ɪmˈbærəs] *vt* in Verlegenheit bringen; **embarrassed** *adj* verlegen; **embarrassing** *adj* peinlich; **embarrassment** *n* Verlegenheit *f*.

embassy [ˈembəsɪ] *n* Botschaft *f*.

embed [ɪmˈbed] *vt* einbetten.

embellish [ɪmˈbelɪʃ] *vt* verschönern; (*story*) ausschmücken; (*truth*) beschönigen.

embers [ˈembəz] *n pl* Glut[asche] *f*.

embezzle [ɪmˈbezl] *vt* unterschlagen; **embezzlement** *n* Unterschlagung *f*.

embitter [ɪmˈbɪtə*] *vt* verbittern.

emblem [ˈembləm] *n* Emblem *nt*, Abzeichen *nt*.

embody [ɪmˈbɒdɪ] *vt* (*ideas*) verkörpern; (*new features*) [in sich] vereinigen.

emboss [ɪmˈbɒs] *vt* prägen.

embrace [ɪmˈbreɪs] **1.** *vt* umarmen; (*include*) einschließen; **2.** *n* Umarmung *f*.

embroider [ɪmˈbrɔɪdə*] *vt* [be]sticken; (*story*) ausschmücken; **embroidery** *n* Stickerei *f*.

embryo [ˈembrɪəʊ] *n* < **-s** > Embryo *m*; (*fig*) Keim *m*.

emerald [ˈemərəld] *n* Smaragd *m*.

emerge [ɪˈmɜːdʒ] *vi* auftauchen; (*truth*) herauskommen.

emergency [ɪˈmɜːdʒənsɪ] **1.** *n* Notfall *m*; **2.** *adj* (*action*) Not-; ~ **doctor** Notarzt *m*; ~ **exit** Notausgang *m*; ~ **stop** Vollbremsung *f*; ~ **telephone** Notrufsäule *f*.

emery [ˈemərɪ] *n*: ~ **paper** Schmirgelpapier *nt*.

emigrant [ˈemɪgrənt] *n* Auswanderer *m*, Auswanderin *f*, Emigrant(in *f*) *m*; **emigrate** [ˈemɪgreɪt] *vi* auswandern, emigrieren; **emigration** [emɪˈgreɪʃən] *n* Auswanderung *f*, Emigration *f*.

eminence [ˈemɪnəns] *n* hoher Rang; E~ Eminenz *f*; **eminent** *adj* bedeutend.

emission [ɪˈmɪʃən] *n* (*of gases*) Ausströmen *nt*; **emit** [ɪˈmɪt] *vt* von sich geben.

emotion [ɪˈməʊʃən] *n* Emotion *f*, Gefühl *nt*; **emotional** *adj* (*person*) emotional; (*scene*) ergreifend; **emotionally** *adv* gefühlsmäßig; (*behave*) emotional; (*sing*) ergreifend.

emperor [ˈempərə*] *n* Kaiser *m*.

emphasis [ˈemfəsɪs] *n* (*LING*) Betonung *f*; (*fig*) Nachdruck *m*; **emphasize** [ˈemfəsaɪz] *vt* betonen.

emphatic *adj*, **emphatically** *adv* [ɪmˈfætɪk, -əlɪ] nachdrücklich; **to be** ~

about sth etw nachdrücklich betonen.

empire [ˈempaɪə*] *n* Reich *nt*.

empirical [emˈpɪrɪkəl] *adj* empirisch.

employ [ɪmˈplɔɪ] *vt* (*hire*) anstellen; (*use*) verwenden; **employee** [emplɔɪˈiː] *n* Angestellte(r) *mf*; **employer** *n* Arbeitgeber(in *f*) *m*; **employment** *n* Beschäftigung *f*; **in** ~ beschäftigt.

empress [ˈemprɪs] *n* Kaiserin *f*.

emptiness [ˈemptɪnɪs] *n* Leere *f*; **empty 1.** *adj* leer; **2.** *vt* (*contents*) leeren; (*container*) ausleeren; **empty-handed** *adj* mit leeren Händen.

emulate [ˈemjʊleɪt] *vt* nacheifern + *dat*.

enable [ɪˈneɪbl] *vt* ermöglichen; **it** ~**s us to…** das ermöglicht es uns, zu …

enamel [ɪˈnæməl] *n* Email *nt*; (*of teeth*) [Zahn]schmelz *m*.

enamoured [ɪˈnæməd] *adj* verliebt (*of* in + *akk*).

encase [ɪnˈkeɪs] *vt* einschließen; (*TECH*) verschalen.

enchant [ɪnˈtʃɑːnt] *vt* bezaubern; **enchanting** *adj* entzückend.

enclose [ɪnˈkləʊz] *vt* einschließen; (*in letter*) beilegen (*in*, *with dat*); ~ **d** (*in letter*) beiliegend, anbei; **enclosure** [ɪnˈkləʊʒə*] *n* Einfriedung *f*; (*in letter*) Anlage *f*.

encore [ˈɒŋkɔː*] *n* Zugabe *f*.

encounter [ɪnˈkaʊntə*] **1.** *n* Begegnung *f*; (*MIL*) Zusammenstoß *m*; **2.** *vt* treffen; (*resistance*) stoßen auf + *akk*.

encourage [ɪnˈkʌrɪdʒ] *vt* ermutigen; **encouragement** *n* Ermutigung *f*, Förderung *f*; **encouraging** *adj* ermutigend, vielversprechend.

encyclop[a]edia [ensaɪkləʊˈpiːdɪə] *n* Lexikon *nt*, Enzyklopädie *f*.

end [end] **1.** *n* Ende *nt*, Schluß *m*; (*purpose*) Zweck *m*; **2.** *adj* End-; **3.** *vt* beenden; **4.** *vi* zu Ende gehen; **end up** *vi* landen.

endanger [ɪnˈdeɪndʒə*] *vt* gefährden.

endeavour [ɪnˈdevə*] **1.** *n* Bestrebung *f*; **2.** *vi* sich bemühen.

ending [ˈendɪŋ] *n* Ende *nt*; (*LING*) Endung *f*; **endless** *adj* endlos; (*plain*) unendlich.

endorse [ɪnˈdɔːs] *vt* unterzeichnen; (*approve*) unterstützen; **endorsement** *n* Bestätigung *f*; (*of document*) Unterzeichnung *f*; (*on licence*) Eintrag *m*.

endow [ɪnˈdaʊ] *vt*: **to** ~ **sb with sth** jdm etw verleihen; (*with money*) jdm etw stiften.

end product [ˈendprɒdʌkt] *n* Endprodukt *nt*.

endurable [ɪnˈdjʊərəbl] *adj* erträglich; **endurance** [ɪnˈdjʊərəns] *n* Ausdauer *f*;

(*suffering*) Ertragen *nt*; **endure** [ɪnˈdjuə*] 1. *vt* ertragen; 2. *vi* (*last*) [fort]dauern.

enemy [ˈenɪmɪ] 1. *n* Feind(in *f*) *m*; 2. *adj* feindlich.

energetic [enəˈdʒetɪk] *adj* tatkräftig.

energy [ˈenədʒɪ] *n* Energie *f*.

enervating [ˈenɜːveɪtɪŋ] *adj* nervenaufreibend.

enforce [ɪnˈfɔːs] *vt* durchsetzen; (*obedience*) erzwingen.

engage [ɪnˈgeɪdʒ] *vt* (*employ*) einstellen; (*in conversation*) verwickeln; (*TECH*) einrasten lassen, einschalten; **engaged** *adj* verlobt; (*TEL, toilet*) besetzt; (*busy*) beschäftigt, unabkömmlich; **to get ~** sich verloben; **engagement** *n* (*appointment*) Verabredung *f*; (*to marry*) Verlobung *f*; **~ ring** Verlobungsring *m*.

engaging [ɪnˈgeɪdʒɪŋ] *adj* gewinnend.

engine [ˈendʒɪn] *n* (*AUT*) Motor *m*; (*RAIL*) Lokomotive *f*; **~ failure, ~ trouble** Maschinenschaden *m*; (*AUT*) Motorschaden *m*; **engineer** [endʒɪˈnɪə*] *n* Ingenieur(in *f*) *m*; (*US RAIL*) Lokomotivführer(in *f*) *m*; **engineering** [endʒɪˈnɪərɪŋ] *n* Technik *f*; (*mechanical ~*) Maschinenbau *m*.

England [ˈɪŋglənd] *n* England *nt*; **in ~** in England; **to go to ~** nach England fahren; **English** 1. *adj* englisch; 2. *n* (*language*) Englisch *nt*; **the ~** *pl* die Engländer *pl*; **the ~ Channel** der Ärmelkanal; **to speak ~** englisch sprechen; **to learn ~** Englisch lernen; **to translate into ~** ins Englische übersetzen; **Englishman** *n* <**-men**> Engländer *m*; **Englishwoman** *n* <**-women**> Engländerin *f*.

engrave [ɪnˈgreɪv] *vt* (*carve*) einschneiden; (*fig*) tief einprägen; (*print*) eingravieren; **engraving** *n* Stich *m*.

engrossed [ɪnˈgrəust] *adj* vertieft.

enhance [ɪnˈhɑːns] *vt* steigern, heben.

enigma [ɪˈnɪgmə] *n* Rätsel *nt*; **enigmatic** [enɪgˈmætɪk] *adj* rätselhaft.

enjoy [ɪnˈdʒɔɪ] *vt* genießen; **~ yourself!** viel Spaß!, viel Vergnügen!; **enjoyable** *adj* erfreulich; **enjoyment** *n* Genuß *m*, Freude *f*.

enlarge [ɪnˈlɑːdʒ] *vt* erweitern; (*FOT*) vergrößern; **to ~ on sth** etw weiter ausführen; **enlargement** *n* Vergrößerung *f*.

enlighten [ɪnˈlaɪtn] *vt* aufklären; **enlightenment** *n* Aufklärung *f*.

enlist [ɪnˈlɪst] 1. *vt* gewinnen; 2. *vi* (*MIL*) sich melden.

enmity [ˈenmɪtɪ] *n* Feindschaft *f*.

enormity [ɪˈnɔːmɪtɪ] *n* Ungeheuerlichkeit *f*.

enormous *adj*, **enormously** *adv*

[ɪˈnɔːməs, -lɪ] ungeheuer.

enough [ɪˈnʌf] 1. *adj* genug; 2. *adv* genug, genügend; **~!** genug!; **that's ~!** das reicht!

enquire [ɪnˈkwaɪə*] *see* **inquire**.

enrich [ɪnˈrɪtʃ] *vt* bereichern.

enrol [ɪnˈrəul] 1. *vt* (*MIL*) anwerben; 2. *vi* (*register*) sich anmelden; **enrolment** *n* (*for course*) Anmeldung *f*; (*SCH*) Einschreibung *f*.

en route [ɑːnˈruːt] *adv* unterwegs.

ensue [ɪnˈsjuː] *vi* folgen, sich ergeben; **ensuing** *adj* [nach]folgend.

ensure [ɪnˈʃuə*] *vt* garantieren.

enter [ˈentə*] 1. *vt* eintreten in + *akk*, betreten; (*club*) beitreten + *dat*; (*in book*) eintragen; (*COMPUT: data*) eingeben; 2. *vi* hineinkommen, hineingehen; **enter for** *vt* sich beteiligen an + *dat*; **enter into** *vt* (*agreement*) eingehen; (*argument*) sich einlassen auf + *akk*; **enter upon** *vt* beginnen; **enter key** *n* (*COMPUT*) Eingabetaste *f*.

enterprise [ˈentəpraɪz] *n* (*in person*) Initiative *f*, Unternehmungsgeist *m*; (*COM*) Unternehmen *nt*, Betrieb *m*; **enterprising** *adj* unternehmungslustig.

entertain [entəˈteɪn] *vt* (*guest*) bewirten; (*amuse*) unterhalten; **entertainer** *n* Unterhaltungskünstler(in *f*) *m*; **entertaining** *adj* unterhaltend, amüsant; **entertainment** *n* (*amusement*) Unterhaltung *f*; (*show*) Veranstaltung *f*.

enthusiasm [ɪnˈθuːzɪæzəm] *n* Begeisterung *f*; **enthusiastic** [ɪnθuːzɪˈæstɪk] *adj* begeistert.

entice [ɪnˈtaɪs] *vt* verleiten, locken.

entire [ɪnˈtaɪə*] *adj* ganz; **entirely** *adv* ganz, völlig; **entirety** [ɪnˈtaɪərətɪ] *n*: **in its ~** in seiner Gesamtheit.

entitle [ɪnˈtaɪtl] *vt* (*allow*) berechtigen; (*name*) betiteln.

entity [ˈentɪtɪ] *n* Ding *nt*, Wesen *nt*.

entrance [ˈentrəns] 1. *n* Eingang *m*; (*entering*) Eintritt *m*; 2. [ɪnˈtrɑːns] *vt* hinreißen; **entrance examination** *n* Aufnahmeprüfung *f*; **entrance fee** *n* Eintrittsgeld *nt*.

entrancing [ɪnˈtrɑːnsɪŋ] *adj* bezaubernd.

entrant [ˈentrənt] *n* (*for exam*) Kandidat(in *f*) *m*; (*into job*) Anfänger(in *f*) *m*; (*MIL*) Rekrut(in *f*) *m*; (*in race*) Teilnehmer(in *f*) *m*.

entreat [ɪnˈtriːt] *vt* anflehen, beschwören.

entrée [ˈɒntreɪ] *n* Zwischengang *m*.

entrust [ɪnˈtrʌst] *vt* anvertrauen (*sb with sth* jdm etw).

entry [ˈentrɪ] *n* Eingang *m*; (*THEAT*) Auftritt *m*; (*in account*) Eintragung *f*; (*in dictionary*) Eintrag *m*; **'no ~'** 'Eintritt ver-

boten'; (for cars) 'Einfahrt verboten';
entry form n Anmeldeformular nt;
entry phone n Türsprechanlage f.
envelope ['envələup] n Umschlag m.
enviable ['enviəbl] adj beneidenswert.
envious ['enviəs] adj neidisch.
environment [in'vaiərənmənt] n Umgebung f; (ecology) Umwelt f; **environmental** [invaiərən'mentl] adj Umwelt-; **environmentalist** n Umweltschützer(in f) m.
envisage [in'vizidʒ] vt sich dat vorstellen; (plan) ins Auge fassen.
envoy ['envɔi] n Gesandte(r) mf.
envy ['envi] **1.** n Neid m; (object) Gegenstand m des Neides; **2.** vt beneiden (sb sth jdn um etw.).
enzyme ['enzaim] n Enzym nt.
ephemeral [i'femərəl] adj kurzlebig, vorübergehend.
epic ['epik] **1.** n Epos nt; (film) Monumentalfilm m; **2.** adj episch; (fig) heldenhaft.
epidemic [epi'demik] n Epidemie f.
epilepsy ['epilepsi] n Epilepsie f; **epileptic** [epi'leptik] **1.** adj epileptisch; **2.** n Epileptiker(in f) m.
epilogue ['epilog] n (of drama) Epilog m; (of book) Nachwort nt.
episode ['episəud] n (incident) Vorfall m; (story) Episode f.
epistle [i'pisl] n Brief m.
epitaph ['epita:f] n Grab[in]schrift f.
epitome [i'pitəmi] n Inbegriff m; **epitomize** [i'pitəmaiz] vt verkörpern.
epoch ['i:pɔk] n Epoche f.
equal ['i:kwl] **1.** adj gleich; **2.** n Gleichgestellte(r) mf; **3.** vt gleichkommen +dat; ~ **to the task** der Aufgabe gewachsen; **two times two ~s four** zwei mal zwei ist [gleich] vier; **without ~** ohne seinesgleichen; **equality** [i'kwɔliti] n Gleichheit f; (equal rights) Gleichberechtigung f; **equalize 1.** vt gleichmachen; **2.** vi (SPORT) ausgleichen; **equalizer** n (SPORT) Ausgleich[streffer] m; **equally** adv gleich; **equals sign** n Gleichheitszeichen nt.
equanimity [ekwə'nimiti] n Gleichmut m.
equate [i'kweit] vt gleichsetzen; **equation** [i'kweiʒən] n Gleichung f.
equator [i'kweitə*] n Äquator m; **equatorial** [ekwə'tɔ:riəl] adj Äquator-.
equilibrium [i:kwi'libriəm] n Gleichgewicht nt.
equinox ['i:kwinɔks] n Tag- und Nachtgleiche f.
equip [i'kwip] vt ausrüsten; **equipment** n Ausrüstung f; (TECH) Gerät nt.

equitable ['ekwitəbl] adj gerecht, billig;
equity ['ekwiti] n Billigkeit f, Gerechtigkeit f.
equivalent [i'kwivələnt] **1.** adj gleichwertig (to dat), entsprechend (to dat); **2.** n (amount) gleiche Menge; (in money) Gegenwert m; (same thing) Äquivalent nt.
equivocal [i'kwivəkəl] adj zweideutig; (suspect) fragwürdig.
era ['iərə] n Epoche f, Ära f.
eradicate [i'rædikeit] vt ausrotten.
erase [i'reiz] vt ausradieren; (tape, disk) löschen; **erase key** n Löschtaste f; **eraser** n Radiergummi m.
erect [i'rekt] **1.** adj aufrecht; **2.** vt errichten; **erection** n Errichtung f; (ANAT) Erektion f.
ergonomic [ɜ:gəu'nɔmik] adj ergonomisch; **ergonomics** n sing Ergonomie f.
ermine ['ɜ:min] n Hermelin[pelz] m.
erode [i'rəud] vt zerfressen; (land) auswaschen; **erosion** [i'rəuʒən] n Auswaschen nt, Erosion f.
erotic [i'rɔtik] adj erotisch; **eroticism** [i'rɔtisizəm] n Erotik f.
err [ɜ:*] vi sich irren.
errand ['erənd] n Besorgung f; **errand boy** n Laufbursche m.
erratic [i'rætik] adj unberechenbar.
erroneous [i'rəuniəs] adj irrig, irrtümlich.
error ['erə*] n Fehler m.
erudite ['erudait] adj gelehrt; **erudition** [eru'diʃən] n Gelehrsamkeit f.
erupt [i'rʌpt] vi ausbrechen; **eruption** [i'rʌpʃən] n Ausbruch m.
escalate ['eskəleit] **1.** vt steigern; **2.** vi sich steigern; (conflict) eskalieren.
escalator ['eskəleitə*] n Rolltreppe f.
escapade ['eskəpeid] n Eskapade f, Streich m.
escape [i'skeip] **1.** n Flucht f; (of gas) Entweichen nt; **2.** vi, vi entkommen +dat; (prisoners) fliehen; (leak) entweichen; **to ~ notice** unbemerkt bleiben; **the word ~s me** das Wort ist mir entfallen; **escape chute** n Notrutsche f; **escapism** [i'skeipizəm] n Flucht f vor der Wirklichkeit.
escort ['eskɔ:t] **1.** n (person accompanying) Begleiter(in f) m; (guard) Eskorte f; **2.** [i'skɔ:t] vt (lady) begleiten; (MIL) eskortieren.
Eskimo ['eskiməu] **1.** adj Eskimo-; **2.** n <-[e]s> Eskimo m, Eskimofrau f.
especially [i'speʃəli] adv besonders.
espionage ['espiəna:ʒ] n Spionage f.
esplanade ['espləneid] n Promenade f.
Esquire [i'skwaiə*] n: **J. Brown, Esq** (in

address) Herrn J. Brown.
essay ['eseɪ] n Aufsatz m; (*LITER*) Essay m.
essence ['esəns] n (*quality*) Wesen nt; (*extract*) Essenz f, Extrakt m.
essential [ɪ'senʃəl] **1.** adj (*necessary*) unentbehrlich; (*basic*) wesentlich; **2.** n Hauptbestandteil m; **the bare** ~ das Allernötigste; **essentially** adv in der Hauptsache, eigentlich.
establish [ɪ'stæblɪʃ] vt (*set up*) gründen, einrichten; (*prove*) nachweisen; **establishment** n (*setting up*) Einrichtung f; (*business*) Unternehmen nt; **the** ~ das Establishment.
estate [ɪ'steɪt] n Gut nt; (*housing* ~) Siedlung f; (*will*) Nachlaß m; **estate agent** n Grundstücksmakler(in f) m; **estate car** n (*Brit*) Kombiwagen m.
esteem [ɪ'stiːm] n Wertschätzung f.
estimate ['estɪmət] **1.** n (*opinion*) Meinung f; (*of price*) [Kosten]voranschlag m; **2.** ['estɪmeɪt] vt schätzen; **estimation** [estɪ'meɪʃən] n Einschätzung f; (*esteem*) Achtung f.
estuary ['estjʊərɪ] n Mündung f.
ETA abbr of **estimated time of arrival** voraussichtliche Ankunft.
etching ['etʃɪŋ] n Kupferstich m.
eternal adj, **eternally** adv [ɪ'tɜːnl, -nəlɪ] ewig; **eternity** [ɪ'tɜːnɪtɪ] n Ewigkeit f.
ether ['iːθə'] n (*MED*) Äther m.
ethical ['eθɪkəl] adj ethisch; **ethics** ['eθɪks] n pl Ethik f.
Ethiopia [iːθɪ'əʊpɪə] n Äthiopien nt.
ethnic ['eθnɪk] adj Volks-, ethnisch; (*US: restaurant etc*) folkloristisch.
etiquette ['etɪket] n Etikette f.
Eucharist ['juːkərɪst] n heiliges Abendmahl.
eulogy ['juːlədʒɪ] n Lobrede f.
eunuch ['juːnək] n Eunuch m.
euphemism ['juːfɪmɪzəm] n Euphemismus m.
euphoria [juː'fɔːrɪə] n Freudentaumel m, Euphorie f.
Eurocheque ['jʊərəʊtʃek] n Euroscheck m.
Europe ['jʊərəp] n Europa nt; **European** [jʊərə'piːən] **1.** adj europäisch; **2.** n Europäer(in f) m.
euthanasia [juːθə'neɪzɪə] n Euthanasie f; **active** ~ Sterbehilfe f.
evacuate [ɪ'vækjʊeɪt] vt (*place*) räumen; (*people*) evakuieren; (*MED*) entleeren; **evacuation** [ɪvækjʊ'eɪʃən] n Räumung f, Evakuierung f; Entleerung f.
evade [ɪ'veɪd] vt (*escape*) entkommen + dat; (*avoid*) meiden; (*duty*) sich entziehen + dat.

evaluate [ɪ'væljʊeɪt] vt bewerten; (*information*) auswerten.
evangelical [iːvæn'dʒelɪkəl] adj evangelisch; **evangelist** [ɪ'vændʒəlɪst] n Evangelist m; (*preacher*) Prediger(in f) m.
evaporate [ɪ'væpəreɪt] **1.** vi verdampfen; **2.** vt verdampfen lassen; ~**d milk** Kondensmilch f; **evaporation** [ɪvæpə'reɪʃən] n Verdunstung f.
evasion [ɪ'veɪʒən] n Umgehung f; (*excuse*) Ausflucht f; **evasive** [ɪ'veɪzɪv] adj ausweichend.
even ['iːvən] **1.** adj eben; gleichmäßig; (*score etc*) unentschieden; (*number*) gerade; **2.** vt [ein]ebnen, glätten; **3.** adv: ~ **you** selbst (o sogar) du; **he** ~ **said...** er hat sogar gesagt...; ~ **as he spoke** [gerade] da er sprach; ~ **if** sogar (o selbst) wenn, wenn auch; ~ **so** dennoch; **to get** ~ sich revanchieren; **even out, even up 1.** vi sich ausgleichen; **2.** vt ausgleichen.
evening ['iːvnɪŋ] n Abend m; **in the** ~ abends, am Abend; **evening class** n Abendschule f; **evening dress** n (*man's*) Gesellschaftsanzug m; (*woman's*) Abendkleid nt.
evenly ['iːvənlɪ] adv gleichmäßig.
evensong ['iːvənsɒŋ] n (*REL*) Abendandacht f.
event [ɪ'vent] n (*happening*) Ereignis nt; (*SPORT*) Disziplin f; (*horses*) Rennen nt; **the next** ~ der nächste Wettkampf; **in the** ~ **of** im Falle + gen; **eventful** adj ereignisreich.
eventual [ɪ'ventʃʊəl] adj (*final*) schließlich.
eventuality [ɪventʃʊ'ælɪtɪ] n möglicher Fall, Möglichkeit f.
eventually [ɪ'ventʃʊəlɪ] adv (*at last*) am Ende; (*given time*) schließlich.
ever ['evə'] adv (*always*) immer; (*at any time*) je[mals]; ~ **so big** sehr groß; ~ **so many** sehr viele; **evergreen 1.** adj immergrün; **2.** n Immergrün nt; **ever-lasting** adj immerwährend.
every ['evrɪ] adj jeder/jede/jedes; ~ **day** jeden Tag; ~ **other day** jeden zweiten Tag; ~ **so often** hin und wieder; **everybody** pron jeder, alle pl; **everyday** adj (*daily*) täglich; (*commonplace*) alltäglich, Alltags-; **everyone** see **everybody**; **everything** pron alles; **everywhere** adv überall.
evidence ['evɪdəns] n (*sign*) Spur f; (*proof*) Beweis m; (*testimony*) Aussage f; **in** ~ (*obvious*) zu sehen; **evident** adj, **evidently** adv offensichtlich.
evil ['iːvl] **1.** adj böse, übel; **2.** n Übel nt; (*sin*) Böse(s) nt.

evocative [ɪˈvɒkətɪv] *adj:* **to be ~ of sth** an etw *akk* erinnern.

evoke [ɪˈvəʊk] *vt* hervorrufen.

evolution [iːvəˈluːʃən] *n* Entwicklung *f;* (*of life*) Evolution *f.*

evolve [ɪˈvɒlv] **1.** *vt* entwickeln; **2.** *vi* sich entwickeln.

ewe [juː] *n* Mutterschaf *nt.*

ex- [eks] *pref* Ex-, Alt-, ehemalig.

exact [ɪgˈzækt] **1.** *adj* genau; **2.** *vt* (*demand*) verlangen; (*compel*) erzwingen; (*money, fine*) einziehen; (*punishment*) vollziehen, genau; **exacting** *adj* anspruchsvoll; **exactitude** *n* Genauigkeit *f;* Richtigkeit *f;* **exactly** *adv* genau; **exactness** *n* Genauigkeit *f,* Richtigkeit *f.*

exaggerate [ɪgˈzædʒəreɪt] *vt, vi* übertreiben; **exaggerated** *adj* übertrieben; **exaggeration** [ɪgzædʒəˈreɪʃən] *n* Übertreibung *f.*

exalt [ɪgˈzɔːlt] *vt* (*praise*) verherrlichen.

exam [ɪgˈzæm] *n* Prüfung *f.*

examination [ɪgzæmɪˈneɪʃən] *n* Untersuchung *f;* (*SCH*) Prüfung *f,* Examen *nt;* (*at Customs*) Kontrolle *f.*

examine [ɪgˈzæmɪn] *vt* untersuchen; (*SCH*) prüfen; (*consider*) erwägen; **examiner** *n* Prüfer(in *f*) *m.*

example [ɪgˈzɑːmpl] *n* Beispiel *nt;* **for ~** zum Beispiel.

exasperate [ɪgˈzɑːspəreɪt] *vt* zur Verzweiflung bringen; **exasperating** *adj* nervtötend; **exasperation** [ɪgzɑːspəˈreɪʃən] *n* Verzweiflung *f.*

excavate [ˈekskəveɪt] *vt* (*hollow out*) aushöhlen; (*unearth*) ausgraben; **excavation** [ekskəˈveɪʃən] *n* Ausgrabung *f;* **excavator** *n* Bagger *m.*

exceed [ɪkˈsiːd] *vt* überschreiten; (*hopes*) übertreffen; **exceedingly** *adv* in höchstem Maße.

excel [ɪkˈsel] **1.** *vi* sich auszeichnen; **2.** *vt* übertreffen; **excellence** [ˈeksələns] *n* Vortrefflichkeit *f;* **Excellency** [ˈeksələnsɪ] *n:* **His ~** Seine Exzellenz; **excellent** [ˈeksələnt] *adj* ausgezeichnet.

except [ɪkˈsept] **1.** *prep (also:* **~ for**) außer *+dat;* **2.** *vt* ausnehmen; **excepting** *prep* mit Ausnahme von, ausgenommen; **exception** [ɪkˈsepʃən] *n* Ausnahme *f;* **to take ~ to** Anstoß nehmen an *+dat;* **exceptional** *adj,* **exceptionally** *adv* [ɪkˈsepʃənl, -nəlɪ] außergewöhnlich.

excerpt [ˈeksɜːpt] *n* Auszug *m.*

excess [ekˈses] **1.** *n* Übermaß *nt* (*of* an *+dat*), Exzeß *m;* **2.** *adj* (*money*) Nach-; (*baggage*) Mehr-; **excesses** *n pl* Ausschweifungen *pl,* Exzesse *pl;* (*violent*) Ausschreitungen *pl;* **excess weight** *n* (*of thing*) Mehrgewicht *nt;* (*of person*) Übergewicht *nt;* **excessive** *adj,* **excessively** *adv* übermäßig.

exchange [ɪksˈtʃeɪndʒ] **1.** *n* Austausch *m;* (*FIN*) Wechsel *m;* (*place*) Wechselstube *f;* (*TEL*) Vermittlung *f,* Zentrale *f;* (*at Post Office*) [Fernsprech]amt *nt;* **2.** *vt* (*goods*) tauschen; (*greetings*) austauschen; (*money, blows*) wechseln; **exchange rate** *n* Wechselkurs *m.*

exchequer [ɪksˈtʃekə*] *n* Schatzamt *nt.*

excisable [ekˈsaɪzbl] *adj* [verbrauchs]steuerpflichtig; **excise** [ˈeksaɪz] *n* Verbrauchssteuer *f.*

excitable [ɪkˈsaɪtəbl] *adj* erregbar, nervös.

excite [ɪkˈsaɪt] *vt* erregen; **excited** *adj* aufgeregt; **to get ~** sich aufregen; **excitement** *n* Aufgeregtheit *f;* (*of interest*) Erregung *f;* **exciting** *adj* aufregend; (*book, film*) spannend.

exclamation [ekskləˈmeɪʃən] *n* Ausruf *m;* **exclamation mark** *n* Ausrufezeichen *nt.*

exclude [ɪksˈkluːd] *vt* ausschließen; **exclusion** [ɪksˈkluːʒən] *n* Ausschluß *m;* **exclusive** [ɪksˈkluːsɪv] *adj* (*select*) exklusiv; (*sole*) ausschließlich, Allein-; **~ of** exklusive *+gen;* **exclusively** *adv* nur, ausschließlich.

excommunicate [ekskəˈmjuːnɪkeɪt] *vt* exkommunizieren.

excrement [ˈekskrɪmənt] *n* Kot *m.*

excruciating [ɪksˈkruːʃɪeɪtɪŋ] *adj* qualvoll.

excursion [ɪksˈkɜːʃən] *n* Ausflug *m.*

excusable [ɪksˈkjuːzəbl] *adj* entschuldbar.

excuse [ɪksˈkjuːs] **1.** *n* Entschuldigung *f;* **2.** [ɪksˈkjuːz] *vt* entschuldigen; **~ me!** entschuldigen Sie!

ex-directory [eksdaɪˈrektərɪ] *adj:* **to be ~** (*Brit TEL*) nicht im Telefonbuch stehen, eine Geheimnummer haben.

execute [ˈeksɪkjuːt] *vt* (*carry out*) ausführen; (*kill*) hinrichten; **execution** [eksɪˈkjuːʃən] *n* Ausführung *f;* (*killing*) Hinrichtung *f;* **executioner** *n* Scharfrichter *m.*

executive [ɪgˈzekjʊtɪv] **1.** *n* (*COM*) leitender Angestellter, leitende Angestellte; (*POL*) Exekutive *f;* **2.** *adj* Exekutiv-, ausführend.

executor [ɪgˈzekjʊtə*] *n* Testamentsvollstrecker(in *f*) *m.*

exemplary [ɪgˈzemplərɪ] *adj* musterhaft.

exemplify [ɪgˈzemplɪfaɪ] *vt* veranschaulichen.

exempt [ɪgˈzempt] **1.** *adj* befreit; **2.** *vt* befreien; **exemption** [ɪgˈzempʃən] *n* Befreiung *f.*

exercise [ˈeksəsaɪz] **1.** *n* Übung *f;* **2.** *vt* (*power*) ausüben; (*muscle, patience*) üben; (*dog*) ausführen; **exercise book**

n [Schul]heft nt.

exert [ɪɡ'zɜːt] 1. vt (influence) ausüben; 2. vr: ~ **oneself** sich anstrengen; **exertion** n Anstrengung f.

exhaust [ɪɡ'zɔːst] 1. n (fumes) Abgase pl; (pipe) Auspuff m; 2. vt (weary) ermüden; (use up) erschöpfen; **exhausted** adj erschöpft; **exhausting** adj anstrengend; **exhaustion** n Erschöpfung f; **exhaustive** adj erschöpfend.

exhibit [ɪɡ'zɪbɪt] 1. n (ART) Ausstellungsstück nt; (JUR) Beweisstück nt; 2. vt ausstellen; **exhibition** [eksɪ'bɪʃən] n (ART) Ausstellung f; **to make an ~ of oneself** ein Theater machen; **exhibitionist** [eksɪ'bɪʃənɪst] n Exhibitionist(in f) m; **exhibitor** n Aussteller(in f) m.

exhilarating [ɪɡ'zɪləreɪtɪŋ] adj erhebend; **exhilaration** [ɪɡzɪlə'reɪʃən] n erhebendes Gefühl.

exhort [ɪɡ'zɔːt] vt ermahnen.

exile ['eksaɪl] 1. n Exil nt; (person) im Exil Lebende(r) mf; 2. vt verbannen; **in ~** im Exil.

exist [ɪɡ'zɪst] vi existieren; (live) leben; **existence** n Existenz f; (way of life) Leben nt, Existenz f; **existing** adj vorhanden, bestehend.

exit ['eksɪt] 1. n Ausgang m; (THEAT) Abgang m; 2. vi hinausgehen; (COMPUT) [das Programm] beenden.

exonerate [ɪɡ'zɒnəreɪt] vt entlasten.

exorbitant [ɪɡ'zɔːbɪtənt] adj übermäßig; (price) Phantasie-, unverschämt.

exotic [ɪɡ'zɒtɪk] adj exotisch.

expand [ɪks'pænd] 1. vt (spread) ausspannen; (operations) ausdehnen; 2. vi sich ausdehnen.

expanse [ɪks'pæns] n weite Fläche, Weite f.

expansion [ɪks'pænʃən] n Erweiterung f.

expatriate [eks'pætrɪət] 1. adj im Ausland lebend; 2. n im Ausland Lebende(r) mf; 3. [eks'pætrɪeɪt] vt ausbürgern.

expect [ɪk'spekt] 1. vt erwarten; (suppose) annehmen; 2. vi: **to be ~ing** ein Kind erwarten; **expectant** adj (hopeful) erwartungsvoll; (mother) werdend; **expectation** [ekspek'teɪʃən] n (hope) Hoffnung f; **~s** pl Erwartungen pl; (prospects) Aussicht f.

expedience, expediency [ɪks'piːdɪəns, -ənsɪ] n Zweckdienlichkeit f; **expedient** 1. adj zweckdienlich; 2. n [Hilfs]mittel nt.

expedition [ekspɪ'dɪʃən] n Expedition f.

expel [ɪk'spel] vt ausweisen; (student) [ver]weisen.

expend [ɪk'spend] vt (money) ausgeben; (effort) aufwenden; **expendable** adj entbehrlich; **expenditure** n Kosten pl,

Ausgaben pl.

expense [ɪk'spens] n (cost) Auslage f, Ausgabe f; (high cost) Aufwand m; **~s** pl Spesen pl; **at the ~ of** auf Kosten von; **expense account** n Spesenkonto nt.

expensive [ɪk'spensɪv] adj teuer.

experience [ɪk'spɪərɪəns] 1. n (incident) Erlebnis nt; (practice) Erfahrung f; 2. vt erfahren, erleben; (hardship) durchmachen; **experienced** adj erfahren.

experiment [ɪk'sperɪmənt] 1. n Versuch m, Experiment nt; 2. [ɪk'sperɪment] vi experimentieren; **experimental** [ɪksperɪ'mentl] adj versuchsweise, experimentell.

expert ['ekspɜːt] 1. n Fachmann m, Fachfrau f; (official) Sachverständige(r) mf; 2. adj erfahren; (practised) gewandt; **expertise** [ekspə'tiːz] n Sachkenntnis f.

expire [ɪk'spaɪə*] vi (end) ablaufen; (die) sterben; (ticket) verfallen; **expiry** [ɪk'spaɪərɪ] n Ablauf m.

explain [ɪk'spleɪn] vt (make clear) erklären; (account for) begründen; **explain away** vt wegerklären; **explanation** [eksplə'neɪʃən] n Erklärung f; **explanatory** [ɪk'splænətərɪ] adj erklärend.

explicable [ek'splɪkəbl] adj erklärlich.

explicit [ɪk'splɪsɪt] adj (clear) ausdrücklich; (outspoken) deutlich; **explicitly** adv deutlich.

explode [ɪk'spləʊd] 1. vi explodieren; 2. vt (bomb) zur Explosion bringen; (theory) platzen lassen.

exploit ['eksplɔɪt] 1. n [Helden]tat f; 2. [ɪk'splɔɪt] vt ausbeuten; **exploitation** [eksplɔɪ'teɪʃən] n Ausbeutung f.

exploration [eksplɔː'reɪʃən] n Erforschung f; **exploratory** [ek'splɒrətərɪ] adj sondierend, Probe-; **explore** [ɪk'splɔː*] vt (travel) erforschen; (search) untersuchen; **explorer** n Forschungsreisende(r) mf, Forscher(in f) m.

explosion [ɪk'spləʊʒən] n Explosion f; (fig) Ausbruch m; **explosive** [ɪk'spləʊzɪv] 1. adj explosiv; 2. n Sprengstoff m.

expo ['ekspəʊ] n <-s> Ausstellung f.

exponent [ek'spəʊnənt] n Exponent m.

export [ek'spɔːt] 1. vt exportieren; 2. ['ekspɔːt] n Export m; 3. adj (trade) Export-; **exportation** [ekspɔː'teɪʃən] n Ausfuhr f; **exporter** n Exporteur(in f) m.

expose [ɪk'spəʊz] vt (to danger etc) aussetzen (to dat); (imposter) entlarven; (lie) aufdecken.

exposé [ek'spəʊzeɪ] n (of scandal) Enthüllung f.

exposed [ɪk'spəʊzd] adj (position) exponiert.

exposure [ɪk'spəʊʒə*] n (MED) Unterkühlung f; (FOT) Belichtung f; **exposure meter** n Belichtungsmesser m.

expound [ɪk'spaʊnd] vt entwickeln.

express [ɪk'spres] **1.** adj ausdrücklich; (speedy) Expreß-, Eil-; **2.** n (RAIL) Schnellzug m; **3.** vt ausdrücken; **4.** vr: ~ oneself sich ausdrücken; **expression** [ɪk'spreʃən] n (phrase) Ausdruck m; (look) [Gesichts]ausdruck m; **expressive** adj ausdrucksvoll; **expressly** adv ausdrücklich, extra.

expropriate [ek'sprəʊprɪeɪt] vt enteignen.

expulsion [ɪk'spʌlʃən] n Ausweisung f.

exquisite [ek'skwɪzɪt] adj erlesen; **exquisitely** adv ausgezeichnet.

extend [ɪk'stend] vt (visit etc) verlängern; (building) vergrößern, ausbauen; (hand) ausstrecken; (welcome) bieten; **extension** [ɪk'stenʃən] n Erweiterung f; (of building) Anbau m; (TEL) Nebenanschluß m, Apparat m.

extensive [ɪk'stensɪv] adj (knowledge) umfassend; (use) weitgehend.

extent [ɪk'stent] n Ausdehnung f; (fig) Ausmaß nt.

extenuating [ek'stenjʊeɪtɪŋ] adj mildernd.

exterior [ek'stɪərɪə*] **1.** adj äußere(r, s), Außen-; **2.** n Äußere(s) nt.

exterminate [ek'stɜ:mɪneɪt] vt ausrotten; **extermination** [ekstɜ:mɪ'neɪʃən] n Ausrottung f.

external [ek'stɜ:nl] adj äußere(r, s), Außen-; **externally** adv äußerlich.

extinct [ɪk'stɪŋkt] adj ausgestorben; **extinction** [ɪk'stɪŋkʃən] n Aussterben nt.

extinguish [ɪk'stɪŋgwɪʃ] vt [aus]löschen; **extinguisher** n Löschgerät nt.

extort [ɪk'stɔ:t] vt erpressen (sth from sb etw von jdm); **extortion** [ɪk'stɔ:ʃən] n Erpressung f; **extortionate** [ɪk'stɔ:ʃənɪt] adj überhöht, Wucher-.

extra [ekstrə] **1.** adj zusätzlich; **2.** adv besonders; **3.** n (benefit) Sonderleistung f; (for car) Extra nt; (charge) Zuschlag m; (THEAT) Statist(in f) m; ~ **s** pl zusätzliche Kosten pl; (food) Beilagen pl.

extract [ɪk'strækt] **1.** vt (select) auswählen; **2.** [ekstrækt] n (from book etc) Auszug m; (GASTR) Extrakt m.

extraction [ɪk'strækʃən] n [Heraus]ziehen nt; (origin) Abstammung f.

extracurricular ['ekstrəkə'rɪkjʊlə*] adj außerhalb der normalen Schulzeit.

extradite ['ekstrədaɪt] vt ausliefern; **extradition** [ekstrə'dɪʃən] n Auslieferung f.

extraneous [ɪk'streɪnɪəs] adj unwesentlich; (influence) äußere(r, s).

extraordinary [ɪk'strɔ:dnrɪ] adj außerordentlich; (amazing) erstaunlich.

extravagance [ɪk'strævəgəns] n Verschwendung f; (lack of restraint) Zügellosigkeit f; **an** ~ eine Extravaganz; **extravagant** adj extravagant.

extreme [ɪk'stri:m] **1.** adj (edge) äußerste(r, s), hinterste(r, s); (cold) äußerste(r, s); (behaviour) außergewöhnlich, übertrieben, extrem; **2.** n Extrem nt; **to go to** ~ **s** es übertreiben; **extremely** adv äußerst, höchst; **extremist** [ɪk'stri:mɪst] **1.** adj extremistisch; **2.** n Extremist(in f) m.

extremity [ɪk'stremɪtɪ] n (end) Spitze f, äußerstes Ende; (hardship) bitterste Not; (ANAT) Extremität f.

extricate ['ekstrɪkeɪt] vt losmachen, befreien.

extrovert ['ekstrəʊvɜ:t] **1.** n Extrovertierte(r) mf; **2.** adj extrovertiert.

exuberance [ɪg'zu:bərəns] n Überschwang m; **exuberant** adj ausgelassen.

exude [ɪg'zju:d] **1.** vt absondern; **2.** vi sich absondern.

exult [ɪg'zʌlt] vi frohlocken; **exultation** [egzʌl'teɪʃən] n Jubel m.

eye [aɪ] **1.** n Auge nt; (of needle) Öhr nt; **2.** vt betrachten; (up and down) mustern; **to keep an** ~ **on** aufpassen auf + akk; **in the** ~ **s of** in den Augen + gen; **up to the** ~ **s in** bis zum Hals in; **eyeball** n Augapfel m; **eyebrow** n Augenbraue f; **eye contact** n Blickkontakt m; **eyelash** n Wimper f; **eyelid** n Augenlid nt; **eyeliner** n Eyeliner m; **eyeopener** n: that was an ~ das hat mir die Augen geöffnet; **eyeshadow** n Lidschatten m; **eyesight** n Sehkraft f; **to have good** ~ gute Augen haben, gut sehen; **eyesonly** adj (US) streng vertraulich, geheim; **eyesore** n Schandfleck m; **eyewash** n Augenwasser nt; (fig) Augenwischerei f; **eye witness** n Augenzeuge(-zeugin f) m.

F

F, f [ef] n F nt, f nt.

fable ['feɪbl] n Fabel f.

fabric ['fæbrɪk] n Stoff m, Gewebe nt; (fig) Gefüge nt.

fabricate ['fæbrɪkeɪt] vt fabrizieren.

fabulous ['fæbjʊləs] adj (imaginary) legendär, sagenhaft; (unbelievable) unglaublich; (*wonderful*) fabelhaft, unglaublich.

façade [fəˈsɑːd] *n* (*fig*) Fassade *f.*

face [feɪs] 1. *n* Gesicht *nt*; (*grimace*) Grimasse *f*; (*surface*) Oberfläche *f*; (*of clock*) Zifferblatt *nt*; 2. *vt* (*point towards*) liegen nach; (*situation*) sich konfrontiert sehen mit; (*difficulty*) mutig entgegentreten + *dat*; **in the ~ of** angesichts + *gen*; **~ to ~** direkt, Auge in Auge; **to ~ up to sth** einer Sache ins Auge sehen; **face cloth** *n* (*Brit*) Waschlappen *m*; **face cream** *n* Gesichtscreme *f*; **face powder** *n* [Gesichts]puder *m.*

facet [ˈfæsɪt] *n* Seite *f*, Aspekt *m*; (*of gem*) Kristallfläche *f*, Schliff *m.*

facetious [fəˈsiːʃəs] *adj* spöttisch; (*humorous*) witzig; **facetiously** *adv* spaßhaft, witzig.

face value [ˈfeɪs ˈvæljuː] *n* Nennwert *m*; **to take sth at its ~** (*fig*) etw für bare Münze nehmen.

facial [ˈfeɪʃəl] *adj* Gesichts-.

facile [ˈfæsaɪl] *adj* oberflächlich; (*US: easy*) leicht.

facilitate [fəˈsɪlɪteɪt] *vt* erleichtern.

facility [fəˈsɪlɪtɪ] *n* (*ease*) Leichtigkeit *f*; (*skill*) Gewandtheit *f*; **facilities** *pl* Einrichtungen *pl.*

facing [ˈfeɪsɪŋ] 1. *adj* zugekehrt; 2. *prep* gegenüber.

facsimile [fækˈsɪmɪlɪ] *n* (*TEL: machine*) Fernkopierer *m*, Telekopierer *m*, Telefaxgerät *nt*; (*document*) Telefax *nt*, Fernkopie *f*, Telekopie *f*; (*TYP*) Faksimile *nt*; **facsimile terminal** *n* Telefaxgerät *nt*, Fernkopierer *m.*

fact [fækt] *n* Tatsache *f*; **in ~** tatsächlich.

faction [ˈfækʃən] *n* Splittergruppe *f.*

factor [ˈfæktə*] *n* Faktor *m.*

factory [ˈfæktərɪ] *n* Fabrik *f.*

factual [ˈfæktjuəl] *adj* Tatsachen-, sachlich.

faculty [ˈfækəltɪ] *n* Fähigkeit *f*; (*SCH*) Fakultät *f*; (*US: teaching staff*) Lehrpersonal *nt.*

fade [feɪd] 1. *vi* (*lose colour*) verschießen, verblassen; (*grow dim*) nachlassen, schwinden; (*sound, memory*) schwächer werden; (*wither*) verwelken; 2. *vt* (*material*) verblassen lassen; **to ~ in/out** (*CINE*) ein-/ausblenden; **faded** *adj* verwelkt; (*colour*) verblichen.

fag [fæg] *n* Plackerei *f*; (*fam: cigarette*) Kippe *f*; **fagged** *adj* (*exhausted*) erschöpft.

Fahrenheit [ˈfærənhaɪt] *n* Fahrenheit.

fail [feɪl] 1. *vt* (*exam*) nicht bestehen; (*student*) durchfallen lassen; (*courage*) verlassen; (*memory*) im Stich lassen; 2. *vi*

(*supplies*) zu Ende gehen; (*student*) durchfallen; (*eyesight*) nachlassen; (*light*) schwächer werden; (*crop*) fehlschlagen; (*remedy*) nicht wirken; **to ~ to do sth** (*neglect*) es unterlassen, etw zu tun; (*be unable*) es nicht schaffen, etw zu tun; **without ~** ganz bestimmt, unbedingt; **failing** 1. *n* Fehler *m*, Schwäche *f*; 2. *prep* in Ermangelung + *gen*; **~ this** falls nicht, sonst; **failure** [ˈfeɪljə*] *n* (*person*) Versager(in *f*) *m*; (*act*) Versagen *nt*; (*TECH*) Defekt *m.*

faint [feɪnt] 1. *adj* schwach, matt; 2. *n* Ohnmacht *f*; 3. *vi* ohnmächtig werden; **faintly** *adv* schwach; **faintness** *n* Schwäche *f*; (*MED*) Schwächegefühl *m.*

fair [fɛə*] 1. *adj* schön; (*hair*) blond; (*skin*) hell; (*weather*) schön, trocken; (*just*) gerecht, fair; (*not very good*) leidlich, mittelmäßig; (*conditions*) günstig, gut; (*sizeable*) ansehnlich; 2. *adv* (*play*) ehrlich, fair; 3. *n* (*COM*) Messe *f*; (*fun~*) Jahrmarkt *m*; **fairly** *adv* (*honestly*) gerecht, fair; (*rather*) ziemlich; **fairness** *n* Schönheit *f*; (*of hair*) Blondheit *f*; (*of game*) Ehrlichkeit *f*, Fairneß *f*; **fairway** *n* (*NAUT*) Fahrrinne *f.*

fairy [ˈfɛərɪ] *n* Fee *f*; **fairyland** *n* Märchenland *nt*; **fairy tale** *n* Märchen *nt.*

faith [feɪθ] *n* Glaube *m*; (*trust*) Vertrauen *nt*; (*sect*) Bekenntnis *nt*, Religion *f*; **faithful** *adj*, **faithfully** *adv* treu; **yours faithfully** hochachtungsvoll.

fake [feɪk] 1. *n* (*thing*) Fälschung *f*; (*person*) Schwindler(in *f*) *m*; 2. *adj* vorgetäuscht; 3. *vt* fälschen.

falcon [ˈfɔːlkən] *n* Falke *m.*

Falkland Islands [ˈfɔːklənd ˈaɪləndz] *n pl* Falklandinseln *pl.*

fall [fɔːl] <**fell, fallen**> 1. *vi* fallen; (*night*) hereinbrechen; 2. *n* Fall *m*, Sturz *m*; (*decrease*) Fallen *nt*; (*of snow*) [Schnee]fall *m*; (*US: autumn*) Herbst *m*; **in ~** im Herbst; **~s** *pl* (*waterfall*) Fälle *pl*; **fall back on** *vt* in Reserve haben, zurückgreifen auf + *akk*; **fall down** *vi* (*person*) hinfallen; (*building*) einstürzen; **fall flat** *vi* platt hinfallen; (*joke*) nicht ankommen; **the plan fell ~** aus dem Plan wurde nichts; **fall for** *vt* (*trick*) hereinfallen auf + *akk*; (*person*) sich verknallen in + *akk*; **fall off** *vi* herunterfallen [von]; (*diminish*) sich vermindern; **fall out** *vi* sich streiten; **fall through** *vi* (*plan*) ins Wasser fallen.

fallacy [ˈfæləsɪ] *n* Trugschluß *m.*

fallen [ˈfɔːlən] *pp of* fall.

fallible [ˈfæləbl] *adj* fehlbar.

fallout [ˈfɔːlaʊt] *n* radioaktiver Niederschlag, Fallout *m*; **fallout shelter** *n*

Atomschutzraum m.

fallow ['fæləʊ] adj brach[liegend].

false [fɔːls] adj falsch; (artificial) ge-fälscht, künstlich; ~ **alarm** Fehlalarm m; **under** ~ **pretences** unter Vorspiege-lung falscher Tatsachen; ~ **teeth** pl Ge-biß nt; **falsely** adv fälschlicherweise.

falter ['fɔːltə*] vi schwanken; (in speech) stocken.

fame [feɪm] n Ruhm m.

familiar [fə'mɪljə*] adj vertraut, bekannt; (intimate) familiär; **to be** ~ **with** vertraut sein mit, gut kennen; **familiarity** [fəmɪlɪ'ærɪtɪ] n Vertrautheit f; **famil-iarize** vt vertraut machen.

family ['fæmɪlɪ] n Familie f; (relations) Verwandtschaft f; **family allowance** n Kindergeld nt; **family business** n Fa-milienunternehmen nt; **family doctor** n Hausarzt(-ärztin f) m; **family life** n Fa-milienleben nt; **family planning** n Ge-burtenkontrolle f.

famine ['fæmɪn] n Hungersnot f.

famished ['fæmɪʃt] adj ausgehungert.

famous ['feɪməs] adj berühmt.

fan [fæn] 1. n (folding) Fächer m; (ELEC) Ventilator m; (admirer) begeisterter An-hänger, begeisterte Anhängerin, Fan m; 2. vt fächeln; **fan out** vi sich (fächerför-mig) ausbreiten.

fanatic [fə'nætɪk] n Fanatiker(in f) m; **fanatical** adj fanatisch.

fan belt n ['fænbelt] n Keilriemen m.

fanciful ['fænsɪful] adj (odd) seltsam; (imaginative) phantasievoll.

fancy ['fænsɪ] 1. n (liking) Neigung f; (imagination) Phantasie f, Einbildung f; 2. adj schick, ausgefallen; 3. vt (like) gern haben wollen; (imagine) sich dat einbilden; [just] ~ [that]! stellen Sie sich [das nur] vor!; **fancy dress** n Verklei-dung f, Maskenkostüm nt; **fancy-dress ball** n Maskenball m.

fanfare ['fænfeə*] n Fanfare f.

fang [fæŋ] n Fangzahn m; (snake's) Gift-zahn m.

fan oven ['fænʌvn] n Heißluftherd m.

fanlight ['fænlaɪt] n Oberlicht nt.

fantastic [fæn'tæstɪk] adj phantastisch.

fantasy ['fæntəzɪ] n Phantasie f.

far [fɑː*] 1. adj <**further** o **farther**, **furthest** o **farthest**> weit; 2. adv weit entfernt; (very much) weitaus, [sehr] viel; ~ **away**, ~ **off** weit weg; **by** ~ bei wei-tem; **so** ~ soweit; bis jetzt; **the F** ~ **East** der Ferne Osten; **faraway** adj weit ent-fernt.

farce [fɑːs] n Schwank m, Posse f; (fig) Farce f; **farcical** ['fɑːsɪkəl] adj possen-haft; (fig) lächerlich.

fare [feə*] 1. n Fahrpreis m; (money) Fahrgeld nt; (food) Kost f; 2. vi: **he is faring well** es geht ihm gut; **fare reduc-tion** n Fahrpreisermäßigung f.

farewell [feə'wel] 1. n Abschied[sgruß] m; 2. interj lebe wohl; 3. adj Abschieds-.

far-fetched [fɑː'fetʃt] adj weit hergeholt.

farm [fɑːm] 1. n Bauernhof m, Farm f; 2. vt bewirtschaften; 3. vi Landwirt(in) sein; **farmer** n Bauer m, Bäuerin f, Land-wirt(in f) m; **farmhand** n Landarbei-ter(in f) m; **farmhouse** n Bauernhaus nt; **farming** n Landwirtschaft f; **farm-land** n Ackerland nt; **farmyard** n [Bau-ern]hof m.

far-reaching ['fɑːriːtʃɪŋ] adj weitgehend; **far-sighted** adj weitblickend.

fart [fɑːt] 1. n (fam) Furz m; 2. vi (fam) furzen.

farther ['fɑːðə*] adj, adv < comparative of **far**> weiter; **farthest** ['fɑːðɪst] < super-lative of **far**> 1. adj weiteste(r, s), fern-ste(r, s); 2. adv am weitesten.

fascinate ['fæsɪneɪt] vt faszinieren, be-zaubern; **fascinating** adj faszinierend, spannend; **fascination** [fæsɪ'neɪʃən] n Faszination f, Zauber m.

fascism ['fæʃɪzəm] n Faschismus m; **fas-cist** ['fæʃɪst] 1. n Faschist(in f) m; 2. adj faschistisch.

fashion ['fæʃən] 1. n (of clothes) Mode f; (manner) Art und Weise f; 2. vt machen, gestalten; **in** ~ in Mode; **out of** ~ un-modisch; **fashionable** adj (clothes) mo-dern, modisch; (place) elegant; **fashion show** n Mode[n]schau f.

fast [fɑːst] 1. adj schnell; (firm) fest; (dye) waschecht; 2. adv schnell; (firmly) fest; 3. n Fasten nt; 4. vi fasten; **to be** ~ (clock) vorgehen; **fast-breeder** [reac-tor] n schneller Brüter.

fasten ['fɑːsn] 1. vt (attach) befestigen; (with rope) zuschnüren; 2. vi sich schlie-ßen lassen; **to** ~ **one's seat belt** sich an-schnallen; **fastener, fastening** n Ver-schluß m.

fast food n Schnellimbiß m, Fast Food nt; ~ **restaurant** Schnellgaststätte f.

fastidious [fæ'stɪdɪəs] adj wählerisch, pingelig.

fat [fæt] 1. adj dick, fett; 2. n (on person) Fett nt, Speck m; (on meat) Fett nt; (for cooking) [Braten]fett nt.

fatal ['feɪtl] adj tödlich; (disastrous) ver-hängnisvoll; **fatalism** n Fatalismus m, Schicksalsglaube m; **fatality** [fə'tælɪtɪ] n (road death etc) Todesopfer nt; **fatally** adv tödlich.

fate [feɪt] n Schicksal nt; **fateful** adj (pro-phetic) schicksalsschwer; (important) schicksalhaft.

father ['fɑːðə*] *n* Vater *m*; (*REL*) Pater *m*; **father-in-law** *n* <fathers-in-law> Schwiegervater *m*; **fatherly** *adj* väterlich.

fathom ['fæðəm] **1.** *n* Klafter *m*; **2.** *vt* ausloten; (*fig*) ergründen.

fatigue [fə'tiːg] **1.** *n* Ermüdung *f*; **2.** *vt* ermüden.

fatness ['fætnɪs] *n* Dicke *f*.

fatten ['fætn] **1.** *vt* dick machen; (*animals*) mästen; **2.** *vi* dick werden.

fatty ['fætɪ] *adj* (*food*) fettig.

fatuous ['fætjʊəs] *adj* albern, affig.

faucet ['fɔːsɪt] *n* (*US*) Wasserhahn *m*.

fault [fɔːlt] **1.** *n* (*failing*) Defekt *m*; (*ELEC*) Störung *f*; (*blame*) Fehler *m*, Schuld *f*; (*GEO*) Verwerfung *f*; **2.** *vt*: **to ~ sth** etwas an etw *dat* auszusetzen haben; **it's your ~** du bist [daran] schuld; **at ~** schuldig, im Unrecht; **faultless** *adj* fehlerfrei, tadellos; **fault-tolerant** *adj* (*COMPUT*) störunanfällig; **faulty** *adj* fehlerhaft, defekt.

fauna ['fɔːnə] *n* Fauna *f*.

favour, favor (*US*) ['feɪvə*] **1.** *n* (*approval*) Wohlwollen *nt*; (*kindness*) Gefallen *m*; **2.** *vt* (*prefer*) vorziehen; **in ~ of** für; zugunsten + *gen*; **favourable** *adj*, **favourably** *adv* günstig; **favourite** ['feɪvərɪt] **1.** *adj* Lieblings-; **2.** *n* (*child*) Liebling *m*; (*SPORT*) Favorit(in *f*) *m*; **favouritism** *n* (*SCH*) Bevorzugung *f*, Schätzchenwirtschaft *f*; (*POL*) Günstlingswirtschaft *f*.

fawn [fɔːn] **1.** *adj* beige; **2.** *n* (*animal*) [Reh]kitz *nt*.

fawning ['fɔːnɪŋ] *adj* kriecherisch.

fax [fæks] **1.** *vt* [tele]faxen, fernkopieren; **2.** *n* (*system*) Telefax *nt*; (*copy*) Fernkopie *f*, Telekopie *f*, Telefax *nt*.

FBI *n abbr of* **Federal Bureau of Investigation**.

fear [fɪə*] **1.** *n* Furcht *f*; **2.** *vt* fürchten; **no ~!** keine Angst!; **fearful** *adj* (*timid*) furchtsam; (*terrible*) fürchterlich; **fearless** *adj*, **fearlessly** *adv* furchtlos; **fearlessness** *n* Furchtlosigkeit *f*.

feasibility [fiːzə'bɪlɪtɪ] *n* Durchführbarkeit *f*; **feasible** ['fiːzəbl] *adj* durchführbar, machbar.

feast [fiːst] **1.** *n* Festmahl *nt*; (*REL*) Kirchenfest *nt*; **2.** *vi* sich gütlich tun (*on an* + *dat*); **feast day** *n* kirchlicher Feiertag.

feat [fiːt] *n* Leistung *f*.

feather ['feðə*] *n* Feder *f*.

feature ['fiːtʃə*] **1.** *n* (*important part*) Grundzug *m*; (*CINE, PRESS*) Feature *nt*; **2.** *vt* darstellen; (*advertising etc*) groß herausbringen; **3.** *vi* vorkom-

men; **featuring X** mit X; **feature film** *n* Spielfilm *m*; **featureless** *adj* nichtssagend.

February ['februərɪ] *n* Februar *m*; **~ 21st, 1953, 21st ~ 1953** (*Datumsangabe*) 21. Februar 1953; **on the 24th of ~** (*gesprochen*) am 24. Februar; **on 24th ~, on ~ 24th** (*geschrieben*) am 24. Februar; **in ~** im Februar.

fed [fed] *pt, pp of* **feed**.

federal ['fedərəl] *adj* Bundes-; **the F~ Republic of Germany** die Bundesrepublik Deutschland.

federation [fedə'reɪʃən] *n* (*society*) Verband *m*; (*of states*) Staatenbund *m*.

fed-up [fed'ʌp] *adj*: **to be ~ with sth** etw satt haben; **I'm ~** ich habe die Nase voll.

fee [fiː] *n* Gebühr *f*.

feeble ['fiːbl] *adj* (*person*) schwach; (*excuse*) lahm; **feeble-minded** *adj* etwas dumm.

feed [fiːd] <fed, fed> **1.** *vt* füttern; (*support*) ernähren; **2.** *n* (*for baby*) Essen *nt*; (*for animals*) Futter *nt*; (*COMPUT: paper ~*) Vorschub *m*; **to ~ on** leben von, fressen; **feedback** *n* (*TECH*) Rückkopplung *f*; (*information*) Feedback *nt*.

feel [fiːl] <felt, felt> **1.** *vt* (*sense*) fühlen; (*touch*) anfassen; (*think*) meinen; **2.** *vi* (*person*) sich fühlen; (*thing*) sich anfühlen; **3.** *n*: **it has a soft ~** es fühlt sich weich an; **to get the ~ of sth** sich an etw *akk* gewöhnen; **I ~ cold** mir ist kalt; **I ~ like a cup of tea** ich habe Lust auf eine Tasse Tee; **feeler** *n* Fühler *m*; **feeling** *n* Gefühl *nt*; (*opinion*) Meinung *f*.

feet [fiːt] *pl of* **foot**.

feign [feɪn] *vt* vortäuschen; **feigned** *adj* vorgetäuscht, Schein-.

feint [feɪnt] *n* Täuschungsmanöver *nt*.

feline ['fiːlaɪn] *adj* Katzen-, katzenartig.

fell [fel] **1.** *pt of* **fall**; **2.** *vt* (*tree*) fällen; **3.** *n* (*hill*) kahler Berg; **3.** *adj*: **with one ~ swoop** mit einem Schlag; auf einen Streich.

fellow ['feləʊ] *n* (*companion*) Gefährte *m*, Gefährtin *f*, Kamerad(in *f*) *m*; (*man*) Kerl *m*, Typ *m*; **~ citizen** Mitbürger(in *f*) *m*; **~ countryman** Landsmann *m*; **~ feeling** Mitgefühl *nt*; **~ men** *pl* Mitmenschen *pl*; **~ worker** Mitarbeiter(in *f*) *m*; **fellowship** *n* (*group*) Körperschaft *f*; (*friendliness*) Gemeinschaft *f*, Kameradschaft *f*; (*scholarship*) Forschungsstipendium *nt*.

felony ['felənɪ] *n* schweres Verbrechen *nt*.

felt [felt] **1.** *pt, pp of* **feel**; **2.** *n* Filz *m*; **felt tip**, **felt[-tip] pen** *n* Filzschreiber *m*, Filzstift *m*.

female ['fiːmeɪl] **1.** n (of animals) Weibchen nt; **2.** adj weiblich.

feminine ['femɪnɪn] adj (LING) weiblich; (qualities) fraulich; **femininity** [femɪ'nɪnɪtɪ] n Weiblichkeit f; (quality) Fraulichkeit f.

feminism ['femɪnɪzəm] n Feminismus m; **feminist** ['femɪnɪst] **1.** adj feministisch; **2.** n Feminist(in f) m.

fence [fens] **1.** n Zaun m; (crook) Hehler(in f) m; **2.** vi fechten; **fence in** vt einzäunen; **fence off** vt absperren; **fencing** n Zaun m; (SPORT) Fechten nt.

fend [fend] vi: to ~ for oneself sich [allein] durchschlagen.

fender ['fendə*] n Kamingitter nt; (US AUT) Kotflügel m.

ferment [fə'ment] **1.** vi (CHEM) gären; **2.** ['fɜːment] n (excitement) Unruhe f; **fermentation** [fɜːmen'teɪʃən] n Gärung f.

fern [fɜːn] n Farn m.

ferocious [fə'rəuʃəs] adj wild, grausam; **ferociously** adv wild; **ferocity** [fə'rɒsɪtɪ] n Wildheit f, Grimmigkeit f.

ferry ['ferɪ] **1.** n Fähre f; **2.** vt übersetzen.

fertile ['fɜːtaɪl] adj fruchtbar; **fertility** [fə'tɪlɪtɪ] n Fruchtbarkeit f.

fertilization [fɜːtɪlaɪ'zeɪʃən] n Befruchtung f; **fertilize** [fɜː'tɪlaɪz] vt (AGR) düngen; (BIO) befruchten; **fertilizer** n [Kunst]dünger m.

fervent ['fɜːvənt] adj (admirer) glühend; (hope) innig.

festival ['festɪvəl] n (REL etc) Fest nt; (ART, MUS) Festspiele pl; (of modern music) Festival nt.

festive ['festɪv] adj festlich; **the ~ season** (Christmas) die Festtage pl.

festivity [fes'tɪvɪtɪ] n Festlichkeit f.

fetch [fetʃ] vt holen; (COMPUT) abrufen, aufrufen; (in sale) einbringen, erzielen; **fetching** adj einnehmend, reizend.

fête [feɪt] n Fest nt.

fetish ['fiːtɪʃ] n Fetisch m.

fetters ['fetəz] n pl (also fig) Fesseln pl.

fetus ['fiːtəs] n (US) see **foetus**.

feud [fjuːd] **1.** n Fehde f; **2.** vi sich befehden.

feudal ['fjuːdl] adj lehnsherrlich, Feudal-; **feudalism** n Lehenswesen nt, Feudalismus m.

fever ['fiːvə*] n Fieber nt; **feverish** adj (MED) fiebrig, Fieber-; (fig) fieberhaft; **feverishly** adv (fig) fieberhaft.

few [fjuː] **1.** adj wenig; **2.** pron pl weniger pl; **a ~** pl einige pl; **a good ~** pl ziemlich viele pl; **fewer** adj weniger; **fewest** adj wenigste(r, s).

fiancé [fɪ'ɒːnseɪ] n Verlobte(r) m; **fiancée** n Verlobte f.

fiasco [fɪ'æskəu] n <-s o US -[e]s> Fiasko nt, Reinfall m.

fib [fɪb] **1.** n Flunkerei f; **2.** vi flunkern.

fibre, fiber (US) ['faɪbə*] n Faser f, Fiber f; (material) Faserstoff m; **fibreglass** n Fiberglas nt.

fickle ['fɪkl] adj unbeständig, wankelmütig; **fickleness** n Unbeständigkeit f, Wankelmut m.

fiction ['fɪkʃən] n (novels) Romanliteratur f; (story) Erdichtung f; **fictional** adj erfunden.

fictitious [fɪk'tɪʃəs] adj erfunden.

fiddle ['fɪdl] **1.** n Geige f, Fiedel f; (trick) Schwindelei f; **2.** vt (accounts) frisieren; **to ~ with** herumfummeln an +dat; **fiddler** n Geiger(in f) m.

fidelity [fɪ'delɪtɪ] n Treue f; (RADIO) Klangtreue f.

fidget ['fɪdʒɪt] **1.** vi zappeln; **2.** n Zappelphilipp m; **fidgety** adj nervös, zappelig.

field [fiːld] n Feld nt; (range) Gebiet nt; **field day** n (gala) Paradetag m; **Manfred had his ~** da hatte Manfred seinen großen Tag; **field marshal** n Feldmarschall m; **fieldwork** n (MIL) Schanze f; (SCH) Feldforschung f.

fiend [fiːnd] n Teufel m; (beast) Unhold m; (fan) Fanatiker(in f) m; **fiendish** adj teuflisch.

fierce adj, **fiercely** adv [fɪəs, -lɪ] wild; **fierceness** n Wildheit f.

fiery ['faɪərɪ] adj glühend; (blazing) brennend; (hot-tempered) hitzig, heftig.

fifteen [fɪf'tiːn] num fünfzehn.

fifth [fɪfθ] **1.** adj fünfte(r, s); **2.** adv an fünfter Stelle; **3.** n (person) Fünfte(r) mf; (part) Fünftel nt.

fifty ['fɪftɪ] num fünfzig; ~-~ halbe, fifty fifty.

fig [fɪg] n Feige f.

fight [faɪt] <**fought, fought**> **1.** vt kämpfen gegen; sich schlagen mit; (fig) bekämpfen; **2.** vi kämpfen; sich schlagen; streiten; **3.** n Kampf m; (brawl) Schlägerei f; (argument) Streit m; **fighter** n Kämpfer(in f) m; (plane) Jagdflugzeug nt; **fighting** n Kämpfen nt; (war) Kampfhandlungen pl.

figment ['fɪgmənt] n: ~ **of imagination** reine Einbildung.

figurative ['fɪgərətɪv] adj bildlich, übertragen.

figure ['fɪgə*] **1.** n Form f; (of person) Figur f; (person) Gestalt f; (illustration) Zeichnung f; (number) Ziffer f; **2.** vt (US: imagine) glauben; **3.** vi (appear) erscheinen; (make sense) stimmen, hinhauen; **that ~s** das hätte ich mir denken können; **figure out** vt verstehen, herausbekommen; **figurehead** n (NAUT, fig) Galionsfigur f; **figure skating** n Eiskunstlauf m.

filament ['fɪləmənt] n Faden m; (ELEC) Glühfaden m.

file [faɪl] **1.** n (tool) Feile f; (dossier) Akte f; (COMPUT) Datei f; (folder) Aktenordner m; (row) Reihe f; **2.** vt (metal, nails) feilen; (papers) abheften, ablegen; (claim) einreichen; (COMPUT) abspeichern; **3.** vi: **to ~ in/out** hintereinander hereinkommen/hinausgehen; **in single ~** einer hinter dem anderen; **filing cabinet** Aktenschrank m; **file name** n Dateiname m.

filing ['faɪlɪŋ] n Feilen nt; **~s** pl Feilspäne pl.

fill [fɪl] **1.** vt füllen; (occupy) ausfüllen; (satisfy) sättigen; **2.** n: **to eat one's ~** sich richtig satt essen; **to have had one's ~** genug haben; **fill in** vt (hole) [auf]füllen; (form) ausfüllen; **fill up** vt (container) auffüllen; (form) ausfüllen.

fillet ['fɪlɪt] **1.** n Filet nt; **2.** vt filetieren.

filling ['fɪlɪŋ] **1.** n (GASTR) Füllung f; (for tooth) [Zahn]plombe f; **2.** adj sättigend; **filling station** n Tankstelle f.

film [fɪlm] **1.** n Film m; **2.** vt (scene) filmen; **film star** n Filmstar m; **filmstrip** n Filmstreifen m.

filter ['fɪltə*] **1.** n Filter m; (for traffic) Abbiegerspur f; **2.** vt filtern; **3.** vi durchsickern; **filter tip** n Filter m, Filtermundstück m; **filter-tipped [cigarette]** n Filterzigarette f.

filth [fɪlθ] n Dreck m; (fig) Unflat m; **filthy** adj dreckig; (behaviour) gemein; (weather) scheußlich.

fin [fɪn] n Flosse f.

final ['faɪnl] **1.** adj letzte(r, s); End-; (conclusive) endgültig; **2.** n (FOOTBALL etc) Endspiel nt; **~s** pl (SCH) Abschlußexamen nt; (SPORT) Schlußrunde f; **finale** [fɪ'nɑːlɪ] n (THEAT) Schlußszene f; (MUS) Finale nt; **finalist** n (SPORT) Schlußrundenteilnehmer(in f) m; **finalize** vt endgültige Form geben +dat; abschließen; **finally** adv (lastly) zuletzt; (eventually) endlich; (irrevocably) endgültig.

finance [faɪ'næns] **1.** n Finanzwesen nt; **2.** vt finanzieren; **~s** pl Finanzen pl; (income) Einkünfte pl.

financial [faɪ'nænʃəl] adj Finanz-; finanziell; **financially** adv finanziell.

find [faɪnd] (**found, found**) **1.** vt finden; **2.** vi (realize) erkennen; **3.** n Fund m; **to ~ sb guilty** für schuldig erklären; **find out** vt herausfinden; **findings** n pl (JUR) Ermittlungsergebnis nt; (of report) Feststellung f, Befund m.

fine [faɪn] **1.** adj fein; (thin) dünn, fein; (good) gut; (clothes) elegant; (weather) schön; **2.** adv (well) gut; (small) klein; **3.** n (JUR) Geldstrafe f, Bußgeld nt; **4.** vt (JUR) mit einer Geldstrafe belegen; **to cut it ~** (fig) knapp rechnen; **fine arts** n pl die schönen Künste pl; **fineness** n Feinheit f.

finesse [fɪ'nes] n Finesse f.

finger ['fɪŋgə*] **1.** n Finger m; **2.** vt befühlen; **fingernail** n Fingernagel m; **fingerprint** n Fingerabdruck m; **fingerstall** n Fingerling m; **fingertip** n Fingerspitze f; **to have sth at one's ~** etw parat haben.

finicky ['fɪnɪkɪ] adj pingelig.

finish ['fɪnɪʃ] **1.** n Ende nt; (SPORT) Ziel nt; (of object) Verarbeitung f; (of paint) Oberflächenwirkung f; **2.** vt beenden; (book) zu Ende lesen; **3.** vi aufhören; (SPORT) ans Ziel kommen; **to be ~ed with** mit etw fertig sein; **finishing line** n Ziellinie f; **finishing school** n Mädchenpensionat nt.

finite ['faɪnaɪt] adj endlich, begrenzt; (LING) finit.

Finland ['fɪnlənd] n Finnland nt; **Finn** n Finne m, Finnin f; **Finnish** adj finnisch.

fiord [fjɔːd] n Fjord m.

fir [fɜː*] n Tanne f, Fichte f.

fire [faɪə*] **1.** n Feuer nt; (damaging) Brand m, Feuer nt; (of rocket) zünden; (gun) abfeuern; (pottery) brennen; (furnace) befeuern; (fig: imagination) beflügeln; (dismiss) hinauswerfen, feuern; **2.** vi (AUT) zünden; **to ~ at sb** auf jdn schießen; **to ~ away!** schieß los!; **to set ~ to sth** etw in Brand stecken; **to be on ~** brennen; **fire alarm** n Feueralarm m; **firearm** n Schußwaffe f; **fire brigade** n Feuerwehr f; **fire engine** n Feuerwehrauto nt; **fire escape** n Feuerleiter f; **fire extinguisher** n Löschgerät nt; **fireman** n <-**men**> Feuerwehrmann m; **fireplace** n offener Kamin m; **fireproof** adj feuerfest; **fireside** n Kamin m; **firestation** n Feuerwehrwache f; **firewood** n Brennholz nt; **fireworks** n pl Feuerwerk nt.

firing ['faɪərɪŋ] n Schießen nt; **~ squad** Exekutionskommando nt.

firm [fɜːm] **1.** adj fest; (determined) entschlossen; **2.** n Firma f; **firmness** n Festigkeit f; Entschlossenheit f; **firmly** adv fest.

first [fɜːst] **1.** adj erste(r, s); **2.** adv zuerst; (arrive) als erste(r); (happen) zum erstenmal; (travel) erster Klasse; **3.** n (person) Erste(r) mf; (SCH) Eins f; (AUT) erster Gang; **at ~** zuerst, anfangs; **~ of all**

zuallererst; **first aid** n Erste Hilfe f; **first-aid kit** n Verbandskasten m; **first-class** adj erstklassig; (travel) erster Klasse; **first-hand** adj aus erster Hand; **first lady** n (US) First Lady f, Frau f des Präsidenten; **firstly** adv erstens; **first name** n Vorname m; **first night** n Premiere f; **first-rate** adj erstklassig.

fiscal [ˈfɪskəl] adj fiskalisch, Finanz-.

fish [fɪʃ] 1. n Fisch m; 2. vt (river) angeln in + dat; (sea) fischen in + dat; 3. vi fischen; angeln; **to ~ out** herausfischen; **to go ~ing** angeln gehen; (in sea) fischen gehen; **fisherman** n <-men> Fischer m; **fish finger** n Fischstäbchen nt; **fish hook** n Angelhaken m; **fishing boat** n Fischerboot nt; **fishing line** n Angelschnur f; **fishing rod** n Angel[rute] f; **fishing tackle** n Angelzeug nt; **fish market** n Fischmarkt m; **fishmonger** n Fischhändler(in f) m; **fish slice** n Bratenwender m; **fishy** adj (fam: suspicious) faul.

fission [ˈfɪʃən] n Spaltung f; **fission material** n Spaltmaterial nt.

fissure [ˈfɪʃə*] n Riß m.

fist [fɪst] n Faust f.

fit [fɪt] 1. adj (MED) gesund; (SPORT) in Form, fit; (suitable) geeignet; 2. vt (~ onto) passen auf + akk; (~ into) passen in + akk; (clothes) passen + dat; (insert, attach) einsetzen in + akk; 3. vi (correspond) passen [zu]; (clothes) passen; (in space, gap) hineinpassen; 4. n (of clothes) Sitz m; (MED. of anger) Anfall m; (of laughter) Krampf m; **fit in 1.** vi sich einfügen; 2. vt einpassen; **fit out, fit up** vt ausstatten; **fitment** n Einrichtungsgegenstand m; **fitness** n (suitability) Eignung f; (MED) Gesundheit f; (SPORT) Fitneß f; **fitted** adj (shirt) tailliert; **~ carpet** Teppichboden m; **~ kitchen** Einbauküche f; **~ sheet** Spannbettuch nt; **fitter** n (TECH) Monteur(in f) m; **fitting 1.** adj passend; 2. n (of dress) Anprobe f; (piece of equipment) [Ersatz]teil nt; **~s** pl Zubehör nt; **fitting room** n Anproberaum m; (cubicle) Anprobekabine f.

five [faɪv] num fünf; **fiver** n (Brit) Fünf-Pfund-Note f.

fix [fɪks] 1. vt befestigen; (settle) festsetzen; (repair) richten, reparieren; (drink) zurechtmachen; 2. n: **in a ~** in der Klemme; **fixed** adj repariert; (time) abgemacht; **it was ~** (dishonest) das war Schiebung; **fixer** n (drug addict) Fixer(in f) m; **fixture** [ˈfɪkstʃə*] n Installationsteil m; (SPORT) Spiel nt.

fizz [fɪz] vi sprudeln.

fizzle [ˈfɪzl] vi zischen; **fizzle out** vi verpuffen.

fizzy [ˈfɪzɪ] adj Sprudel-, sprudelnd; **~ drink** Brause f.

fjord [fjɔːd] n see **fiord**.

flabbergasted [ˈflæbəgɑːstɪd] adj (fam) platt.

flabby [ˈflæbɪ] adj wabbelig.

flag [flæg] 1. n Fahne f; 2. vi (strength) nachlassen; (spirit) erlahmen; **~ of necessity** Billigflagge f; **flag down** vt stoppen, abwinken; **flagpole** n Fahnenstange f.

flagrant [ˈfleɪɡrənt] adj offenkundig; (offence) schamlos; (violation) flagrant.

flagstone [ˈflæɡstəʊn] n Steinplatte f.

flair [fleə*] n (talent) Talent nt; (style) Flair nt.

flake [fleɪk] 1. n (of snow) Flocke f; (of rust) Schuppe f; 2. vi (also: ~ off) abblättern.

flamboyant [flæmˈbɔɪənt] adj extravagant; (colours) brillant; (gesture) großartig.

flame [fleɪm] n Flamme f.

flaming [ˈfleɪmɪŋ] adj (fam) verdammt; (row) irre.

flamingo [fləˈmɪŋɡəʊ] n <-[e]s> Flamingo m.

flan [flæn] n Obstkuchen m.

flank [flæŋk] 1. n Flanke f; 2. vt flankieren.

flanken [ˈflɑːŋkən] n pl (US) gekochte Rinderrippchen pl.

flannel [ˈflænl] n Flanell m; (face ~) Waschlappen m; (fam) Geschwafel nt; **~s** pl Flanellhose f.

flap [flæp] 1. n Klappe f; (fam: crisis) [helle] Aufregung f; 2. vt (wings) schlagen mit; 3. vi lose herabhängen; flattern; (fam: panic) sich aufregen.

flare [fleə*] n (signal) Leuchtsignal nt; **flare up** vi aufflammen; (fig) aufbrausen; (revolt) [plötzlich] ausbrechen; **flared** adj (trousers) ausgestellt.

flash [flæʃ] 1. n Blitz m; (news ~) Kurzmeldung f; (FOT) Blitzlicht nt; 2. vt aufleuchten lassen; (message) durchgeben; 3. vi aufleuchten; **in a ~** im Nu; **to ~ by** (o past) vorbeirasen; **flashback** n Rückblende f; **flash bulb** n Blitzlichtbirne f; **flash cube** n Blitz[licht]würfel m; **flash light** n Blitzlicht nt; (US: torch) Taschenlampe f.

flashy [ˈflæʃɪ] adj (pej) knallig.

flask [flɑːsk] n Reiseflasche f, Flachmann m; (CHEM) Kolben m; (vacuum ~) Thermosflasche f.

flat [flæt] 1. adj flach; (dull) matt; (beer) schal; (tyre) platt; 2. adv (MUS) zu tief; 3. n (rooms) Wohnung f; (MUS) b nt, Er-

niedrigungszeichen nt; (AUT) Reifenpanne f, Platte(r) m; **A ~** (MUS) as;
flatfooted adj plattfüßig; **flatly** adv glatt; **flatness** n Flachheit f; **flatten** vt (also: ~ **out**) platt machen, [ein]ebnen.

flatter [ˈflætəˀ] vt schmeicheln +dat; **flatterer** n Schmeichler(in f) m; **flattering** adj schmeichelhaft; **flattery** n Schmeichelei f.

flatulence [ˈflætjʊləns] n Blähungen pl.

flaunt [flɔːnt] vt prunken mit.

flavour, flavor (US) [ˈfleɪvəˀ] 1. n Geschmack m; 2. vt würzen; **flavouring** n Würze f.

flaw [flɔː] n Fehler m; (in argument) schwacher Punkt; **flawless** adj einwandfrei.

flax [flæks] n Flachs m.

flea [fliː] n Floh m.

fled [fled] pt. pp of **flee**.

flee [fliː] <**fled, fled**> 1. vi fliehen; 2. vt fliehen vor +dat; (country) fliehen aus.

fleece [fliːs] 1. n Schaffell nt, Vlies nt; 2. vt (fam) schröpfen.

fleet [fliːt] n Flotte f.

fleeting [ˈfliːtɪŋ] adj flüchtig.

flesh [fleʃ] n Fleisch nt; (of fruit) Fruchtfleisch nt; **flesh wound** n Fleischwunde f.

flew [fluː] pt of **fly**.

flex [fleks] 1. n [Leitungs]kabel nt; 2. vt beugen, biegen.

flexibility [fleksɪˈbɪlɪtɪ] n Biegsamkeit f; (fig) Flexibilität f; **flexible** adj biegsam; (plans, person) flexibel; ~ **working hours** pl gleitende Arbeitszeit; **flex[i]-time** n gleitende Arbeitszeit, Gleitzeit f.

flick [flɪk] 1. n Schnippen nt; (blow) leichter Schlag; 2. vt leicht schlagen; **to ~ sth off** etw wegschnippen; **flick through** n durchblättern.

flicker [ˈflɪkəˀ] 1. n Flackern nt; (of emotion) Funken m; 2. vi flackern.

flier [ˈflaɪəˀ] n Flieger(in f) m; (US: train) Schnellzug m; (bus) Expreßbus m.

flight [flaɪt] n Flug m; (journey) Flug m; (fleeing) Flucht f; ~ **of stairs** Treppe f; **to take ~** die Flucht ergreifen; **to put to ~** in die Flucht schlagen; **flight attendant** n Flugbegleiter(in f) m; **flight controller** n Fluglotse m; **flight deck** n (NAUT) Flugdeck nt; (AVIAT) Cockpit nt; **flight recorder** n Flugdatenschreiber m.

flimsy [ˈflɪmzɪ] adj nicht stabil, windig; (thin) hauchdünn; (excuse) fadenscheinig.

flinch [flɪntʃ] vi zurückschrecken (away from vor +dat).

fling [flɪŋ] <**flung, flung**> vt schleu-

dern.

flint [flɪnt] n (in lighter) Feuerstein m.

flip [flɪp] vt werfen; **he ~ped the lid off** er klappte den Deckel auf; **Wolfgang ~ped his lid** (fam) Wolfgang hat durchgedreht (o ist ausgerastet).

flippancy [ˈflɪpənsɪ] n Leichtfertigkeit f; **flippant** [ˈflɪpənt] adj schnippisch, leichtfertig; **to be ~ about sth** etw nicht ernst nehmen.

flippers [ˈflɪpəz] n pl [Schwimm]flossen pl.

flirt [flɜːt] 1. vi flirten; 2. n: **he/she is a ~** er/sie flirtet gern; **flirtation** [flɜːˈteɪʃən] n Flirt m.

flit [flɪt] vi flitzen.

float [fləʊt] 1. n (FISHING) Schwimmer m; (esp in procession) Festwagen m; (milk ~) Lieferwagen m; 2. vi schwimmen; (in air) schweben; 3. vt schwimmen lassen; (COM) gründen; (currency) floaten; **floating** adj schwimmend; (fig: votes) unentschieden; ~ **decimal point** Fließkomma nt.

flock [flɒk] n (of sheep, REL) Herde f; (of birds) Schwarm m; (of people) Schar f.

flog [flɒg] vt prügeln; (with whip) peitschen; (fam: sell) verkaufen, verscherbeln.

flood [flʌd] 1. n Überschwemmung f; (fig) Flut f; 2. vt überschwemmen; **to be in ~** Hochwasser haben; **the F~** die Sintflut; **flooding** n Überschwemmung f; **floodlight** 1. n Flutlicht nt; 2. vt anstrahlen; **floodlighting** n Beleuchtung f.

floor [flɔːˀ] 1. n (Fuß)boden m; (storey) Stock m; 2. vt (person) zu Boden schlagen; **ground ~** (Brit), **first ~** (US) Erdgeschoß nt; **first ~** (Brit), **second ~** (US) erster Stock m; **floorboard** n Diele f; **floor leader** n (US) Fraktionsführer(in f) m; **floor show** n Kabarettvorstellung f; **floorwalker** n (COM) Ladenaufsicht f.

flop [flɒp] 1. n Plumps m; (failure) Reinfall m; 2. vi (fail) durchfallen; **the project ~ped** aus dem Plan wurde nichts.

floppy [ˈflɒpɪ] adj hängend; **floppy disk** n Diskette f; **floppy hat** n Schlapphut m.

flora [ˈflɔːrə] n Flora f; **floral** adj Blumen-.

florid [ˈflɒrɪd] adj (style) blumig.

florist [ˈflɒrɪst] n Blumenhändler(in f) m; ~**'s [shop]** Blumengeschäft nt.

flotsam [ˈflɒtsəm] n Strandgut nt.

flounce [flaʊns] 1. n (on dress) Besatz m; 2. vi: **to ~ in/out** hinein-/hinausstürmen.

flounder [ˈflaʊndəˀ] 1. n (fish) Flunder f; 2. vi herumstrampeln; (fig) ins Schleudern kommen.

flour ['flauə*] n Mehl nt.

flourish ['flʌrɪʃ] 1. vi blühen; (boom) gedeihen; 2. vt (wave) schwingen; 3. n (waving) Schwingen nt; (of trumpets) Tusch m, Fanfare f; **flourishing** adj blühend.

flow [fləu] 1. n Fließen nt; (of sea) Flut f; 2. vi fließen; **flow chart**, **flow diagram** n Flußdiagramm nt.

flower ['flauə*] 1. n Blume f; 2. vi blühen; **flower bed** n Blumenbeet nt; **flowerpot** n Blumentopf m; **flowery** adj (style) blumenreich.

flowing ['fləuɪŋ] adj fließend; (hair) wallend; (style) flüssig.

flown [fləun] pp of **fly**.

flu [flu:] n Grippe f.

fluctuate ['flʌktjueɪt] vi schwanken; **fluctuation** [flʌktjuˈeɪʃən] n Schwankung f.

fluency ['flu:ənsɪ] n Flüssigkeit f; **his ~ in English** seine Fähigkeit, fließend Englisch zu sprechen; **fluent** adj, **fluently** adv (speech) flüssig; **to be ~ in German** fließend Deutsch sprechen.

fluff [flʌf] n Fussel f; **fluffy** adj flaumig; (pastry) flockig.

fluid ['flu:ɪd] 1. n Flüssigkeit f; 2. adj flüssig; (fig: plans) ungewiß.

fluke [flu:k] n (fam) Dusel m.

flung [flʌŋ] pt, pp of **fling**.

fluorescent [fluəˈresnt] adj fluoreszierend, Leucht-; (light) Neon-.

fluoride ['fluəraɪd] n Fluorid nt.

flurry ['flʌrɪ] n (of activity) Aufregung f; (of snow) Gestöber m.

flush [flʌʃ] 1. n Erröten nt; (of excitement) Glühen nt; (CARDS) Sequenz f; 2. vt [aus]spülen; 3. vi erröten; 4. adj glatt; **flushed** adj rot.

fluster ['flʌstə*] n Verwirrung f; **flustered** adj verwirrt.

flute [flu:t] n Querflöte f.

fluted ['flu:tɪd] adj gerillt.

flutter ['flʌtə*] 1. n (of wings) Flattern nt; (of excitement) Beben nt; 2. vi flattern; (person) rotieren.

flux [flʌks] n: **in a state of ~** im Fluß.

fly [flaɪ] < **flew**, **flown** > 1. vt fliegen; 2. vi fliegen; (flee) fliehen; (flag) wehen; 3. n (insect) Fliege f; (on trousers: also: **flies**) pl [Hosen]schlitz m; **~ open** auffliegen; **let ~** (shoot) losschießen; (verbally) loswettern; (insults) loslassen; **flying** n Fliegen nt; **with ~ colours** mit fliegenden Fahnen; **flying saucer** n fliegende Untertasse f; **flying start** n guter Start; **flying visit** n Stippvisite f; **flyover** n (Brit) Überführung f; **flypaper**

n Fliegenfänger m; **flypast** n Luftparade f; **flysheet** n (for tent) Regendach nt; **flywheel** n Schwungrad nt.

foal [fəul] n Fohlen nt.

foam [fəum] 1. n Schaum m; (plastic etc) Schaumgummi m; 2. vi schäumen.

fob off [fɔb ɔf] vt andrehen (sb with sth jdm etw); (with promise) abspeisen.

focal ['fəukəl] adj im Brennpunkt [stehend], Brennpunkt-.

focus ['fəukəs] 1. n Brennpunkt m; (fig) Mittelpunkt m; 2. vt (attention) konzentrieren; (camera) scharf einstellen; 3. vi sich konzentrieren (on auf + akk); **in ~** scharf [eingestellt]; **out of ~** unscharf [eingestellt].

fodder ['fɔdə*] n Futter nt.

foetus ['fi:təs] n Fötus m.

fog [fɔg] 1. n Nebel m; 2. vt (issue) vernebeln, verwirren; **foggy** adj neblig, trüb; **fog lamp**, **foglight** n Nebellampe f; **rear ~** Nebelschlußleuchte f.

foible ['fɔɪbl] n Schwäche f, Faible nt.

foil [fɔɪl] 1. vt vereiteln; 2. n Folie f.

fold [fəuld] 1. n (bend, crease) Falte f; (AGR) Pferch m; 2. vt falten; **fold up** 1. vt (map etc) zusammenfalten; 2. vi (business) eingehen; **folder** n (pamphlet) Broschüre f; (portfolio) Aktenmappe f; **folding** adj (chair etc) zusammenklappbar, Klapp-.

foliage ['fəulɪɪdʒ] n Laubwerk nt.

folk [fəuk] 1. n Volk nt; 2. adj Volks-; **~s** pl Leute pl; **folklore** ['fəuklɔ:*] n (study) Volkskunde f; (tradition) Folklore f; **folksong** n Volkslied nt; (modern) Folksong m.

follow ['fɔləu] 1. vt folgen + dat; (obey) befolgen; (fashion) mitmachen; (profession) nachgehen + dat; (understand) folgen können + dat; 2. vi folgen; (result) sich ergeben; **as ~s** wie im folgenden; **follow up** vt [weiter] verfolgen; **follower** n Anhänger(in f) m; **following** 1. adj folgend; 2. n Folgende(s) nt; (people) Gefolgschaft f.

folly ['fɔlɪ] n Torheit f.

fond [fɔnd] adj: **to be ~ of** gern haben; **fondly** adv (with love) liebevoll; (foolishly) törichterweise; **fondness** n Vorliebe f; (for people) Liebe f.

font [fɔnt] n Taufbecken nt; (TYP) Schriftart f.

food [fu:d] n Essen nt, Nahrung f; (for animals) Futter nt; **food mixer** n Küchenmixer m; **food poisoning** n Lebensmittelvergiftung f; **food processor** n Küchenmaschine f; **foodstuffs** n pl Lebensmittel pl.

fool [fu:l] 1. n Narr m, Närrin f; (jester)

[Hof]narr *m*, Hanswurst *m*; (*food*) Mus *nt*, Obstpüree *nt* mit Sahne; **2.** *vt* (*deceive*) hereinlegen; **3.** *vi*: **behave like a ~** [herum]albern; **foolhardy** *adj* tollkühn; **foolish** *adj*, **foolishly** *adv* dumm; albern; **foolishness** *n* Dummheit *f*; **foolproof** *adj* idiotensicher.

foot [fut] **1.** *n* <**feet**> Fuß *m*; (*measure*) (*30,48 cm;*) (*of animal*) Pfote *f*; **2.** *vt* (*bill*) bezahlen; **to put one's ~ in it** ins Fettnäpfchen treten; **on ~** zu Fuß; **foot-and-mouth** [**disease**] *n* Maul- und Klauenseuche *f*; **football** *n* Fußball *m*; **footballer** *n* Fußballer(in *f*) *m*; **footbrake** *n* Fußbremse *f*; **footbridge** *n* Fußgängerbrücke *f*; **foothills** *n pl* Ausläufer *pl*; **foothold** *n* Halt *m*, Stand *m*; **footing** *n* Halt *m*; (*fig*) Verhältnis *nt*; **to get a ~ in society** in der Gesellschaft Fuß fassen; **to be on a good ~ with sb** mit jdm auf gutem Fuß stehen; **footlight** *n* Rampenlicht *nt*; **footnote** *n* Fußnote *f*; **footpath** *n* Fußweg *m*; **footrest** *n* Fußstütze *f*; **footsore** *adj* fußkrank; **footstep** *n* Schritt *m*; **in his father's ~** in den Fußstapfen seines Vaters; **footwear** *n* Schuhzeug *nt*.

for [fɔː'] **1.** *prep* für; **2.** *conj* denn; **what ~?** wozu?

forage ['fɔrɪdʒ] **1.** *n* [Vieh]futter *nt*; **2.** *vi* Nahrung suchen.

forbade [fə'bæd] *pt of* **forbid**.

forbearing [fə'bɛərɪŋ] *adj* geduldig.

forbid [fə'bɪd] <**forbade, forbidden**> *vt* verbieten; **forbidding** *adj* furchterregend.

force [fɔːs] **1.** *n* Kraft *f*, Stärke *f*; (*compulsion*) Zwang *m*; (MIL) Truppen *pl*; **2.** *vt* zwingen; (*lock*) aufbrechen; (*plant*) treiben; **in ~** (*rule*) gültig; (*group*) in großer Stärke; **the F~s** *pl* die Armee; **forced** *adj* (*smile*) gezwungen; (*landing*) Not-; **force feeding** *n* Zwangsernährung *f*; **forceful** *adj* (*speech*) kraftvoll; (*personality*) resolut.

forceps ['fɔːseps] *n pl* Zange *f*.

forcible ['fɔːsəbl] *adj* (*convincing*) wirksam, überzeugend; (*violent*) gewaltsam; **forcibly** *adv* unter Zwang, zwangsweise.

ford [fɔːd] **1.** *n* Furt *f*; **2.** *vt* durchwaten.

fore [fɔː'] **1.** *adj* vordere(r, s), Vorder-; **2.** *n*: **to the ~** in den Vordergrund.

forearm ['fɔːrɑːm] *n* Unterarm *m*.

foreboding [fɔː'bəudɪŋ] *n* Vorahnung *f*.

forecast ['fɔːkɑːst] **1.** *n* Vorhersage *f*; **2.** *irr vt* voraussagen.

forecourt ['fɔːkɔːt] *n* (*of garage*) Vorplatz *m*.

forefathers ['fɔːfɑːðəz] *n pl* Vorfahren *pl*.

forefinger ['fɔːfɪŋə'] *n* Zeigefinger *m*.

forefront ['fɔːfrʌnt] *n* Spitze *f*.

forego [fɔː'gəu] *irr vt* verzichten auf +*akk*; **foregoing** *adj* vorangehend; **foregone** [fɔː'gɒn] *adj*: **~ conclusion** ausgemachte Sache.

foreground ['fɔːgraund] *n* Vordergrund *m*.

forehead ['fɒrɪd] *n* Stirn *f*.

foreign ['fɒrɪn] *adj* Auslands-; (*country, accent*) ausländisch; (*trade*) Außen-; (*body*) Fremd-; **foreigner** *n* Ausländer(in *f*) *m*; **foreign exchange** *n* Devisen *pl*; **foreign minister** *n* Außenminister(in *f*) *m*.

foreman ['fɔːmən] *n* <**-men**> Vorarbeiter *m*.

foremost ['fɔːməust] *adj* erste(r, s).

forensic [fə'rensɪk] *adj* gerichtsmedizinisch.

forerunner ['fɔːrʌnə'] *n* Vorläufer(in *f*) *m*.

foresee [fɔː'siː] *irr vt* vorhersehen; **foreseeable** *adj* absehbar.

foresight ['fɔːsaɪt] *n* Voraussicht *f*.

forest ['fɒrɪst] *n* Wald *m*.

forestall [fɔː'stɔːl] *vt* zuvorkommen +*dat*.

forestry ['fɒrɪstrɪ] *n* Forstwirtschaft *f*; **F~ Commission** (*Brit*) Forstverwaltung *f*.

foretaste ['fɔːteɪst] *n* Vorgeschmack *m*.

foretell [fɔː'tel] *irr vt* vorhersagen.

forever [fə'revə'] *adv* für immer.

foreword ['fɔːwɜːd] *n* Vorwort *nt*.

forfeit ['fɔːfɪt] **1.** *n* Einbuße *f*; (*in game*) Pfand *nt*; **2.** *vt* verwirken.

forge [fɔːdʒ] **1.** *n* Schmiede *f*; **2.** *vt* fälschen; (*iron*) schmieden; **forge ahead** *vi* Fortschritte machen; **forger** *n* Fälscher(in *f*) *m*; **forgery** *n* Fälschung *f*.

forget [fə'get] <**forgot, forgotten**> *vt, vi* vergessen; **forgetful** *adj* vergeßlich; **forgetfulness** *n* Vergeßlichkeit *f*; **forget-me-not** *n* Vergißmeinnicht *nt*.

forgive [fə'gɪv] *irr vt* verzeihen (*sb for sth* jdm etw); **forgiveness** [fə'gɪvnəs] *n* Verzeihung *f*.

forgo *see* **forego**.

forgot [fə'gɒt] *pt of* **forget**; **forgotten** *pp of* **forget**.

fork [fɔːk] **1.** *n* Gabel *f*; (*in road*) Gabelung *f*; **2.** *vi* (*road*) sich gabeln; **fork out** *vt, vi* (*fam: pay*) blechen; **forked** *adj* (*lightning*) zickzackförmig.

forlorn [fə'lɔːn] *adj* (*person*) verlassen; (*hope*) vergeblich.

form [fɔːm] **1.** *n* Form *f*; (*type*) Art *f*; (*figure*) Gestalt *f*; (SCH) Klasse *f*; (*bench*) [Schul]bank *f*; (*document*) Formular *nt*; **2.** *vt* formen; (*be part of*) bilden.

formal ['fɔːməl] *adj* förmlich, formell; (*occasion*) offiziell; **formality** [fɔː'mælɪtɪ] *n*

Förmlichkeit *f*; (*of occasion*) offizieller Charakter; **formalities** *pl* Formalitäten *pl*; **formally** *adv* (*ceremoniously*) formell; (*officially*) offiziell.

format ['fɔːmæt] **1.** *n* Format *nt*; **2.** *vt* (*COMPUT*) formatieren.

formation [fɔː'meɪʃən] *n* Bildung *f*; Gestaltung *f*; (*AVIAT*) Formation *f*.

formative ['fɔːmətɪv] *adj* (*years*) formend, entscheidend.

former ['fɔːmə*] *adj* früher; (*opposite of latter*) erstere(r, s); **formerly** *adv* früher.

Formica ® [fɔː'maɪkə] *n* Resopal ® *nt*.

formidable ['fɔːmɪdəbl] *adj* furchtbar; gewaltig.

formula ['fɔːmjʊlə] *n* Formel *f*.

formulate ['fɔːmjʊleɪt] *vt* formulieren.

forsake [fə'seɪk] < **forsook, forsaken** > *vt* im Stich lassen, verlassen; (*habit*) aufgeben; **forsaken** *pp of* **forsake**; **forsook** [fə'sʊk] *pt of* **forsake**.

fort [fɔːt] *n* Fort *nt*; **to hold the ~** die Stellung halten.

forte ['fɔːtɪ] *n* Stärke *f*, starke Seite.

forth [fɔːθ] *adv*: **and so ~** und so weiter; **forthcoming** [fɔːθ'kʌmɪŋ] *adj* kommend; (*character*) entgegenkommend; **forthright** ['fɔːθraɪt] *adj* offen, gerade heraus.

fortification [fɔːtɪfɪ'keɪʃən] *n* Befestigung *f*; **fortify** ['fɔːtɪfaɪ] *vt* [ver]stärken; (*protect*) befestigen.

fortitude ['fɔːtɪtjuːd] *n* Seelenstärke *f*, Mut *m*.

fortnight ['fɔːtnaɪt] *n* zwei Wochen *pl*, vierzehn Tage *pl*; **fortnightly 1.** *adj* zweiwöchentlich; **2.** *adv* alle vierzehn Tage.

FORTRAN ['fɔːtræn] *n acronym of* **formula translation** FORTRAN *nt*.

fortress ['fɔːtrɪs] *n* Festung *f*.

fortuitous [fɔː'tjuːɪtəs] *adj* zufällig.

fortunate ['fɔːtʃənɪt] *adj* glücklich; **fortunately** *adv* glücklicherweise, zum Glück.

fortune ['fɔːtʃən] *n* Glück *nt*; (*money*) Vermögen *nt*; **fortuneteller** *n* Wahrsager(in *f*) *m*.

forty ['fɔːtɪ] *num* vierzig.

forward ['fɔːwəd] **1.** *adj* vordere(r, s); (*movement*) vorwärts; (*person*) vorlaut, dreist; (*planning*) Voraus-; **2.** *adv* vorwärts; **3.** *n* (*SPORT*) Stürmer(in *f*) *m*; **4.** *vt* (*send on*) schicken, nachsenden; (*help*) fördern; **forwards** *adv* vorwärts.

fossil ['fɒsl] *n* Fossil *nt*, Versteinerung *f*.

foster ['fɒstə*] *vt* (*talent*) fördern; **foster child** *n* < **children** > Pflegekind *nt*; **foster mother** *n* Pflegemutter *f*.

fought [fɔːt] *pt, pp of* **fight**.

foul [faʊl] **1.** *adj* schmutzig; (*language*) gemein, ordinär; (*weather, smell*) schlecht; **2.** *n* (*SPORT*) Foul *nt*; **3.** *vt* (*mechanism*) blockieren; (*SPORT*) foulen.

found [faʊnd] **1.** *pt, pp of* **find**; **2.** *vt* (*establish*) gründen; **foundation** [faʊn'deɪʃən] *n* (*act*) Gründung *f*; (*fig*) Fundament *nt*; **~ s** *pl* Fundament *nt*.

founder ['faʊndə*] **1.** *n* Gründer(in *f*) *m*; **2.** *vi* sinken.

foundry ['faʊndrɪ] *n* Gießerei *f*, Eisenhütte *f*.

fountain ['faʊntɪn] *n* [Spring]brunnen *m*; **fountain pen** *n* Füllfederhalter *m*.

four [fɔː*] *num* vier; **on all ~ s** auf allen vieren; **four-letter word** *n* Vulgärausdruck *m*, unanständiges Wort; **fourplex** *n* (*US*) Vierfamilienhaus *nt*; **foursome** *n* Quartett *nt*; **to go out in a ~** zu viert ausgehen.

fourteen ['fɔːtiːn] *num* vierzehn.

fourth [fɔːθ] **1.** *adj* vierte(r, s); **2.** *adv* an vierter Stelle; **3.** *n* (*person*) Vierte(r) *mf*; (*part*) Viertel *nt*.

fowl [faʊl] *n* Huhn *nt*; (*food*) Geflügel *nt*.

fox [fɒks] *n* Fuchs *m*; **foxed** *adj* verblüfft; **foxhunting** *n* Fuchsjagd *f*; **foxtrot** *n* Foxtrott *m*.

foyer ['fɔɪeɪ] *n* Foyer *nt*, Vorhalle *f*.

fracas ['fræka:] *n* Radau *m*.

fraction ['frækʃən] *n* (*MATH*) Bruch *m*; (*part*) Bruchteil *m*.

fracture ['fræktʃə*] **1.** *n* (*MED*) Bruch *m*; **2.** *vt* brechen.

fragile ['frædʒaɪl] *adj* zerbrechlich.

fragment ['frægmənt] *n* Bruchstück *nt*, Fragment *nt*; (*small part*) Stück *nt*, Splitter *m*; **fragmentary** [fræg'mentərɪ] *adj* bruchstückhaft, fragmentarisch.

fragrance ['freɪgrəns] *n* Duft *m*; **fragrant** *adj* duftend.

frail [freɪl] *adj* schwach, gebrechlich.

frame [freɪm] **1.** *n* Rahmen *m*; (*body*) Gestalt *f*; **2.** *vt* einrahmen; (*make*) gestalten, machen; **to ~ sb** (*fam: incriminate*) jdm etw anhängen; **~ of mind** Verfassung *f*; **framework** *n* Rahmen *m*; (*of society*) Gefüge *nt*.

France [frɑːns] *n* Frankreich *nt*.

franchise ['fræntʃaɪz] *n* (*POL*) [aktives] Wahlrecht *nt*; (*COM*) Konzession *f*.

frank [fræŋk] *adj* offen.

frankfurter ['fræŋkfɜːtə*] *n* Saitenwürstchen *nt*.

frankly ['fræŋklɪ] *adv* offen gesagt; **frankness** *n* Offenheit *f*.

frankincense ['fræŋkɪnsens] *n* Weihrauch *m*.

frantic ['fræntɪk] *adj* (*effort*) verzweifelt; **~ with worry** außer sich vor Sorge;

frantically adv verzweifelt.
fraternal [frə'tɜːnl] adj brüderlich;
fraternity [frə'tɜːnɪtɪ] n (club) Vereinigung f; (spirit) Brüderlichkeit f; (US SCH) Studentenverbindung f.
fraternization [frætənaɪ'zeɪʃən] n Verbrüderung f; **fraternize** ['frætənaɪz] vi fraternisieren.
fraud [frɔːd] n (trickery) Betrug m; (trick) Schwindel m, Trick m; (person) Schwindler(in f) m; **fraudulent** ['frɔːdjʊlənt] adj betrügerisch.
freak [friːk] 1. n (plant) Mißbildung f; (animal, person) Mißgeburt f; (event) Ausnahmeerscheinung f; (fam: person) ausgeflippter Typ, Freak m; (fam: fan) Fan m, Freak m; 2. adj (storm, conditions) anormal; (animal) monströs; **freak out** vi (fam) ausflippen.
freckle ['frekl] n Sommersprosse f; **freckled** adj sommersprossig.
free [friː] 1. adj (as vi) frei; (loose) lose; (liberal) freigebig; 2. vt (set free) befreien; (unblock) freimachen; **to get sth ~** etw umsonst bekommen; **you're ~ to...** es steht dir frei zu...; **freedom** n Freiheit f; **free-for-all** n allgemeiner Wettbewerb; (fight) allgemeines Handgemenge; **free kick** n Freistoß m.
freelance ['friːlɑːns] 1. adj frei; (artist) freischaffend; 2. n Freiberufler(in f) m; (with particular firm) freier Mitarbeiter, freie Mitarbeiterin f; **to work ~** freiberuflich tätig sein.
freely ['friːlɪ] adv frei; lose; (generously) reichlich; (admit) offen; **freemason** n Freimaurer(in f) m; **freemasonry** n Freimaurerei f; **free-range** adj (hen) freilaufend; (egg) Freiland-; **free trade** n Freihandel m; **freeway** n (US) gebührenfreie Autobahn; **freewheel** vi im Freilauf fahren.
freesia ['friːzə] n Freesie f.
freeze [friːz] <**froze, frozen**> 1. vi gefrieren; (feel cold) frieren; 2. vt (also fig) einfrieren; 3. n (fig. FIN) Stopp m; **freezer** n Tiefkühltruhe f; (upright) Gefrierschrank m; (in fridge) Gefrierfach nt; **freezing** adj eisig; (~ cold) eiskalt; **freezing point** n Gefrierpunkt m.
freight [freɪt] n (goods) Fracht f; (money charged) Fracht[gebühr] f; **freight car** n (US) Güterwagen m; **freighter** n (NAUT) Frachtschiff nt.
French [frentʃ] 1. adj französisch; 2. n (language) Französisch nt; **the ~** pl die Franzosen pl; **~ fried potatoes** pl Pommes frites pl; **~-speaking Switzerland** die französische Schweiz; **~ window** Verandatür f; **Frenchman** n <**-men**>

Franzose m; **Frenchwoman** n <**-women**> Französin f.
frenzy ['frenzɪ] n Raserei f, wilde Aufregung.
frequency ['friːkwənsɪ] n Häufigkeit f; (PHYS) Frequenz f; **frequent** ['friːkwənt] 1. adj häufig; 2. [frɪ'kwent] vt [regelmäßig] besuchen; **frequently** adv häufig.
fresco ['freskəʊ] n <**-[e]s**> Fresko nt.
fresh [freʃ] adj frisch; (new) neu; (cheeky) frech; **freshen** 1. vi (also: ~ up) (person) sich frisch machen; 2. vt auffrischen; **freshly** adv frisch; **freshness** n Frische f; **freshwater** adj (fish) Süßwasser-.
fret [fret] vi sich dat Sorgen machen (about über + akk); **fret-saw** n Stichsäge f.
FRG n abbr of **Federal Republic of Germany** BRD f.
friar ['fraɪə*] n Klosterbruder m.
friction ['frɪkʃən] n (also fig) Reibung f.
Friday ['fraɪdeɪ] n Freitag m; **on ~** am Freitag; **on ~s, on a ~** freitags.
fridge [frɪdʒ] n Kühlschrank m.
fried [fraɪd] adj gebraten.
friend [frend] n Bekannte(r) mf; (more intimate) Freund(in f) m.
friendliness ['frendlɪnɪs] n Freundlichkeit f; **friendly** adj freundlich; (relations) freundschaftlich.
friendship ['frendʃɪp] n Freundschaft f.
frieze [friːz] n Fries m.
frigate ['frɪgɪt] n Fregatte f.
fright [fraɪt] n Schrecken m; **you look a ~** (fam) du siehst unmöglich aus!; **frighten** vt erschrecken; **to be ~ed** Angst haben; **frightening** adj schrecklich; **frightful** adj, **frightfully** adv (fam) schrecklich, furchtbar.
frigid ['frɪdʒɪd] adj kalt, eisig; (woman) frigide; **frigidity** [frɪ'dʒɪdɪtɪ] n Kälte f; Frigidität f.
frill [frɪl] n Rüsche f.
fringe [frɪndʒ] n Besatz m; (hair) Pony m; (fig) äußerer Rand, Peripherie f; **fringe group** n Randgruppe f; **fringe theatre** n (Brit) Experimentiertheater nt.
frisky ['frɪskɪ] adj lebendig, ausgelassen.
fritter away ['frɪtə* əweɪ] vt vertun, verplempern.
fritz [frɪts] n: **to be on the ~** (US fam) im Eimer sein.
frivolity [frɪ'vɒlɪtɪ] n Leichtfertigkeit f, Frivolität f; **frivolous** ['frɪvələs] adj frivol, leichtsinnig.
frizzy ['frɪzɪ] adj kraus.
frock [frɒk] n Kleid nt.

frog [frɒg] n Frosch m; **frogman** n <-**men**> Froschmann m.

frolic ['frɒlɪk] **1.** n lustiger Streich; **2.** vi ausgelassen sein.

from [frɒm] prep von; (place) aus; (judging by) nach; (because of) wegen + gen.

front [frʌnt] **1.** n Vorderseite f; (of house) Fassade f; (promenade) Strandpromenade f; (MIL. POL. METEO) Front f; (fig: appearances) Fassade f; **2.** adj (forward) vordere(r, s), Vorder-; (first) vorderste(r, s); (page) erste(r, s); (door) Eingangs-, Haus-; **in ~** vorne; **in ~ of** vor; **up ~** (US: in advance) vorher, im voraus; (in an open manner) öffentlich.

frontage ['frʌntɪdʒ] n Vorderfront f.

frontal ['frʌntəl] adj frontal, Vorder-.

frontier ['frʌntɪə*] n Grenze f.

front-loading ['frʌntləʊdɪŋ] adj: ~ **video** Frontlader m; **front money** n (US) Vorschuß m; **front room** n (Brit) Vorderzimmer nt, Wohnzimmer nt; **front-wheel drive** n Vorderradantrieb m.

frost [frɒst] n Frost m; **frostbite** n Frostbeulen pl; (more serious) Erfrierung f; **frosted** adj (glass) Milch-; **frosty** adj frostig.

froth [frɒθ] n Schaum m; **frothy** adj schaumig.

frown [fraʊn] **1.** n Stirnrunzeln nt; **2.** vi die Stirn runzeln; **to ~ on sth** etw mißbilligen.

froze [frəʊz] pt of **freeze**; **frozen 1.** pp of **freeze**; **2.** adj (food) gefroren; (FIN: assets) festgelegt.

frugal ['fruːgəl] adj sparsam, bescheiden.

fruit [fruːt] n (particular) Frucht f; **I like ~** ich esse gern Obst; **fruiterer** n Obsthändler(in f) m; **fruitful** adj fruchtbar.

fruition [fruːˈɪʃən] n Verwirklichung f; **to come to ~** in Erfüllung gehen.

fruit machine ['fruːtməʃiːn] n Spielautomat m; **fruit salad** n Obstsalat m.

frustrate [frʌˈstreɪt] vt vereiteln; (person) frustrieren; **frustrated** adj frustriert; **frustration** [frʌˈstreɪʃən] n Behinderung f; (of person) Frustration f.

fry [fraɪ] **1.** vt braten; **2.** n: **small ~** pl kleine Leute pl; (children) die Kleinen pl; **frying pan** n Bratpfanne f.

fuchsia ['fjuːʃə] n Fuchsie f.

fuddy-duddy ['fʌdɪdʌdɪ] n altmodischer Kauz.

fudge [fʌdʒ] n Karamellen pl.

fuel [fjʊəl] n Treibstoff m; (for heating) Brennstoff m; (for cigarette lighter) Benzin nt; **fuel element** n Brennelement nt; **fuel-injection engine** n Einspritzmotor m; **fuel oil** n (diesel fuel) Heizöl

nt; **fuel rod** n Brennstab m; **fuel tank** n Tank m.

fugitive ['fjuːdʒɪtɪv] n Flüchtling m; (from prison) Flüchtige(r) mf.

fulfil [fʊlˈfɪl] vt (duty) erfüllen; (promise) einhalten; **fulfilment** n Erfüllung f; Einhaltung f.

full [fʊl] adj (box, bottle, price) voll; (person, satisfied) satt; (member, power, employment, moon) Voll-; (complete) vollständig, Voll-; (speed) höchste(r, s); (skirt) weit; **in ~** vollständig, ungekürzt; **fullback** n Verteidiger(in f) m; **full-cream milk** n Vollmilch f; **fullness** n Fülle f; **full stop** n Punkt m; **full-time 1.** adj (job) Ganztags-; **2.** adv (work) ganztags; **fully** adv völlig; **fully-fledged** adj flügge; **a ~ teacher** ein vollausgebildeter Lehrer.

fumble ['fʌmbl] vi herumfummeln (with, at an + dat).

fume [fjuːm] vi rauchen, qualmen; (fig) wütend sein, kochen; **fumes** n pl Abgase pl; (smoke) Qualm m.

fumigate ['fjuːmɪgeɪt] vt ausräuchern.

fun [fʌn] n Spaß m; **to make ~ of** sich lustig machen über + akk.

function ['fʌŋkʃən] **1.** n Funktion f; (occasion) Veranstaltung f, Feier f; **2.** vi funktionieren; ~ **character** (COMPUT) Steuerzeichen nt; ~ **key** (COMPUT) Funktionstaste f.

functional ['fʌŋkʃənəl] adj funktionell, praktisch.

fund [fʌnd] n (money) Geldmittel pl, Fonds m; (store) Schatz m, Vorrat m.

fundamental [fʌndəˈmentl] adj fundamental, grundlegend; **fundamentally** adv im Grunde; **fundamentals** n pl Grundbegriffe pl.

funeral ['fjuːnərəl] **1.** n Beerdigung f; **2.** adj Beerdigungs-.

funfair ['fʌnfɛə*] n Jahrmarkt m.

fungus ['fʌŋgəs] n <**fungi** o **funguses**> Pilz m.

funicular [fjuːˈnɪkjʊlə*] n [Draht]seilbahn f.

funnel ['fʌnl] n Trichter m; (NAUT) Schornstein m.

funnily ['fʌnɪlɪ] adv komisch; ~ **enough** merkwürdigerweise.

funny ['fʌnɪ] adj komisch; ~ **bone** Musikantenknochen m.

fur [fɜː*] n Pelz m; **fur coat** n Pelzmantel m.

furan[e] ['fjʊərən, fjʊəˈræn] n Furan nt.

furious adj, **furiously** adv ['fjʊərɪəs, -lɪ] wütend; (attempt) heftig.

furlong ['fɜːlɒŋ] n = 220 yards.

furlough ['fɜːləʊ] n (US) Urlaub m.

furnace ['fɜːnɪs] n [Brenn]ofen m.

furnish ['fɜːnɪʃ] vt einrichten, möblieren; (supply) versehen; **furnishings** n pl Einrichtung f.

furniture ['fɜːnɪtʃə*] n sing Möbel pl.

furrow ['fʌrəʊ] n Furche f.

furry ['fɜːrɪ] adj pelzartig; (tongue) pelzig, belegt; (animal) Pelz-; (toy) Plüsch-.

further ['fɜːðə*] < comparative of **far** > 1. adj weitere(r, s); 2. adv weiter; 3. vt fördern; ~ **education** Weiterbildung f, Erwachsenenbildung f; **furthermore** adv ferner.

furthest ['fɜːðɪst] < superlative of **far** >.

furtive adj, **furtively** adv ['fɜːtɪv, -lɪ] verstohlen.

fury ['fjʊərɪ] n Wut f, Zorn m.

fuse [fjuːz] 1. n (ELEC) Sicherung f; (of bomb) Zünder m; 2. vt verschmelzen; 3. vi (ELEC) durchbrennen; **fuse box** n Sicherungskasten m.

fuselage ['fjuːzəlɑːʒ] n Flugzeugrumpf m.

fusion ['fjuːʒən] n Verschmelzung f.

fuss [fʌs] n Theater nt; **fussy** adj (difficult) heikel; (attentive to detail) kleinlich.

futile ['fjuːtaɪl] adj zwecklos, sinnlos; **futility** [fjuːˈtɪlɪtɪ] n Zwecklosigkeit f.

future ['fjuːtʃə*] 1. adj zukünftig; 2. n Zukunft f; **in [the]** ~ in Zukunft, zukünftig; **futuristic** [fjuːtʃəˈrɪstɪk] adj futuristisch.

fuze [fjuːz] (US) see **fuse**.

fuzzy ['fʌzɪ] adj (indistinct) verschwommen; (hair) kraus.

G

G, g [dʒiː] n G nt, g nt.

gabble ['gæbl] vi plappern.

gable ['geɪbl] n Giebel m.

gadget ['gædʒɪt] n Vorrichtung f; **gadgetry** n Kinkerlitzchen pl.

Gaelic ['geɪlɪk] 1. adj gälisch; 2. n (language) Gälisch nt.

gaffe [gæf] n Fauxpas m.

gag [gæg] 1. vt (obtain) erhalten; (win) gewinnen; 2. vt (improve) gewinnen (in an + dat); (make progress) Vorsprung gewinnen; (clock) vorgehen; 3. n Gewinn m; **gainful employment** n Erwerbstätigkeit f.

gala ['gɑːlə] n Fest nt.

galaxy ['gæləksɪ] n Sternsystem nt.

gale [geɪl] n Sturm m.

gallant ['gælənt] adj tapfer, ritterlich; (polite) galant; **gallantry** n Tapferkeit f, Ritterlichkeit f; (compliment) Galanterie f.

gall-bladder ['gɔːlblædə*] n Gallenblase f.

gallery ['gælərɪ] n Galerie f.

galley ['gælɪ] n (ship's kitchen) Kombüse f; (ship) Galeere f.

gallon ['gælən] n Gallone f (4,546 l).

gallop ['gæləp] 1. n Galopp m; 2. vi galoppieren.

gallows ['gæləʊz] n pl Galgen m.

gallstone ['gɔːlstəʊn] n Gallenstein m.

Gambia ['gæmbɪə] n Gambia nt.

gamble ['gæmbl] 1. vi (um Geld) spielen; 2. vt (risk) aufs Spiel setzen; 3. n Risiko nt; **gambler** n Spieler(in f) m; **gambling** n Glücksspiel nt.

game [geɪm] 1. n Spiel nt; (HUNTING) Wild nt; 2. adj bereit (for zu); (brave) mutig; **gamekeeper** n Wildhüter(in f) m.

gammon ['gæmən] n geräucherter Schinken.

gander ['gændə*] n Gänserich m.

gang [gæŋ] n (of criminals, youths) Bande f; (of workmen) Kolonne f.

gangrene ['gæŋgriːn] n Brand m.

gangster ['gæŋstə*] n Gangster m.

gangway ['gæŋweɪ] n (NAUT) Laufplanke f.

gaol [dʒeɪl] n see **jail**.

gap [gæp] n (hole) Lücke f; (space) Zwischenraum m.

gape [geɪp] vi glotzen.

gaping ['geɪpɪŋ] adj (wound) klaffend; (hole) gähnend.

garage ['gærɑːʒ] 1. n Garage f; (for repair) [Auto]reparaturwerkstatt f; (for petrol) Tankstelle f; 2. vt (car) einstellen.

garbage ['gɑːbɪdʒ] n Abfall m; (nonsense) Unsinn m; **garbage can** n (US) Mülltonne f.

garbled ['gɑːbld] adj (story) verdreht.

garden ['gɑːdn] 1. n Garten m; 2. vi gärtnern; **gardener** n Gärtner(in f) m; **gardening** n Gärtnern nt; **garden party** n Gartenfest nt.

gargle ['gɑːgl] 1. vi gurgeln; 2. n Gurgelmittel nt.

gargoyle ['gɑːgɔɪl] n Wasserspeier m.

garish ['gɛərɪʃ] adj grell.

garland ['gɑːlənd] n Girlande f.

garlic ['gɑːlɪk] n Knoblauch m.

garment ['gɑːmənt] n Kleidungsstück nt.

garnish ['gɑːnɪʃ] 1. vt (food) garnieren; 2. n Garnierung f.

garret ['gærɪt] n Dachkammer f, Mansarde f.

garrison ['gærɪsən] 1. n Garnison f; 2. vt besetzen.

garrulous ['gærʊləs] adj geschwätzig.

garter ['gɑːtə*] n Strumpfband nt.

gas [gæs] 1. n Gas nt; (MED) Lachgas nt; (US: petrol) Benzin nt; 2. vt vergasen; **to step on the** ~ Gas geben; **gas cooker** n Gasherd m; **gas cylinder** n Gasflasche f; **gas fire** n Gasofen m, Gasheizung f.

gash [gæʃ] 1. n klaffende Wunde; 2. vt tief verwunden.

gasket ['gæskɪt] n Dichtungsring m.

gasmask ['gæsmɑːsk] n Gasmaske f; **gas meter** n Gaszähler m.

gasoline ['gæsəliːn] n (US) Benzin nt.

gasp [gɑːsp] 1. vi keuchen; (in astonishment) tief Luft holen; 2. n keuchen nt.

gas pump ['gæspʌmp] n (US) Zapfsäule f; **gas station** n (US) Tankstelle f; **gas stove** n Gaskocher m.

gassy ['gæsɪ] adj (drink) kohlensäurehaltig.

gastric ['gæstrɪk] adj Magen-; ~ **ulcer** Magengeschwür nt.

gastronomy [gæ'strɒnəmɪ] n Gastronomie f.

gate [geɪt] n Tor nt; (barrier) Schranke f; **gatecrash** vt (party) platzen in +akk; **gateway** n Tor nt.

gather ['gæðə*] 1. vt (people) versammeln; (things) sammeln; 2. vi (understand) annehmen; (deduce) schließen (from aus); (assemble) sich versammeln; **gathering** n Versammlung f.

gauche [gəʊʃ] adj linkisch.

gaudy ['gɔːdɪ] adj schreiend.

gauge [geɪdʒ] 1. n Normalmaß nt; (RAIL) Spurweite f; (dial) Anzeiger m; (measure) Maß nt; 2. vt [ab]messen; (fig) abschätzen.

gaunt [gɔːnt] adj hager.

gauntlet ['gɔːntlɪt] n (knight's) Fehdehandschuh m; (glove) Stulpenhandschuh m.

gauze [gɔːz] n Mull m, Gaze f.

gave [geɪv] pt of **give**.

gawk [gɔːk] vi dumm glotzen; **to** ~ **at sb/ sth** jdn/etw anglotzen.

gay [geɪ] adj (homosexual) schwul; (old: merry) lustig; (coloured) bunt.

gaze [geɪz] 1. n Blick m; 2. vi starren; **to** ~ **at sb/sth** jdn/etw anstarren.

gazelle [gə'zel] n Gazelle f.

gazetteer [gæzɪ'tɪə*] n geographisches Lexikon.

GDR n abbr of **German Democratic Republic** DDR f.

gear [gɪə*] n Getriebe nt; (equipment) Ausrüstung f; (AUT) Gang m; **to be out of/in** ~ aus-/eingekuppelt sein; **gear up** 1. vi heraufschalten; 2. vt höhertourig auslegen; **gearbox** n Getriebe[gehäuse] nt; **gear-lever** n, **gear shift** (US), **gear stick** n Schalthebel m.

geese [giːs] pl of **goose**.

gel [dʒel] n Gel nt.

gelatin[e] ['dʒelətiːn] n Gelatine f.

gem [dʒem] n Edelstein m; (fig) Juwel nt.

Gemini ['dʒeminiː] n sing (ASTR) Zwillinge pl.

gen [dʒen] n (fam: information) Infos pl (on über +akk).

gender ['dʒendə*] n (LING) Geschlecht nt.

gene [dʒiːn] n Gen nt.

general ['dʒenərəl] 1. n General(in f) m; 2. adj allgemein; ~ **election** allgemeine Wahlen pl; **generalization** [dʒenərəlaɪ'zeɪʃən] n Verallgemeinerung f; **generalize** ['dʒenərəlaɪz] vi verallgemeinern; **generally** adv allgemein, im allgemeinen.

generate ['dʒenəreɪt] vt erzeugen.

generation [dʒenə'reɪʃən] n Generation f; (act) Erzeugung f.

generator ['dʒenəreɪtə*] n Generator m.

generosity [dʒenə'rɒsɪtɪ] n Großzügigkeit f; **generous** adj, **generously** adv ['dʒenərəs, -lɪ] (noble) hochherzig; (giving freely) großzügig.

genetics [dʒɪ'netɪks] n sing Genetik f, Vererbungslehre f.

genial ['dʒiːnɪəl] adj freundlich, jovial.

genitals ['dʒenɪtlz] n pl Geschlechtsteile pl, Genitalien pl.

genitive ['dʒenɪtɪv] n Genitiv m, Wesfall m.

genius ['dʒiːnɪəs] n <-es o genii> Genie nt.

genocide ['dʒenəʊsaɪd] n Völkermord m.

genotype ['dʒenəʊtaɪp] n Erbgut nt.

genteel [dʒen'tiːl] adj (polite) wohlanständig; (affected) affektiert.

gentile ['dʒentaɪl] n Nichtjude(-jüdin f) m.

gentle ['dʒentl] adj sanft, zart; **gentleman** n <-men> Herr m; (polite) Gentleman m; **gentleness** n Zartheit f, Milde f; **gently** adv zart, sanft.

gentry ['dʒentrɪ] n Landadel m.

gents [dʒents] n: ' ~ ' (lavatory) 'Herren'.

genuine ['dʒenjʊɪn] adj echt, wahr; **genuinely** adv wirklich, echt.

geographer [dʒɪ'ɒgrəfə*] n Geograph(in f) m; **geographical** [dʒɪə'græfɪkəl] adj geographisch; **geography** [dʒɪ'ɒgrəfɪ] n Geographie f, Erdkunde f.

geological [dʒɪəʊ'lɒdʒɪkəl] adj geologisch; **geologist** [dʒɪ'ɒlədʒɪst] n Geologe(-login f) m; **geology** [dʒɪˈɒlədʒɪ] n Geologie f.

geometric[al] [dʒɪəˈmetrɪkəl] adj geometrisch; **geometry** [dʒɪˈɒmɪtrɪ] n Geometrie f.

geranium [dʒɪˈreɪnɪəm] n Geranie f.

germ [dʒɜːm] n Keim m; (MED) Bazillus m.

German [ˈdʒɜːmən] 1. adj deutsch; 2. n (person) Deutsche(r) mf; (language) Deutsch nt; the ~s pl die Deutschen pl; ~ **shepherd** (US: dog) Schäferhund m; **to speak** ~ deutsch sprechen; **to learn** ~ Deutsch lernen; **to translate into** ~ ins Deutsche übersetzen; **Germany** n Deutschland nt; **in** ~ in Deutschland; **to go to** ~ nach Deutschland fahren.

germination [dʒɜːmɪˈneɪʃən] n Keimen nt.

gesticulate [dʒeˈstɪkjʊleɪt] vi gestikulieren; **gesticulation** [dʒestɪkjʊˈleɪʃən] n Gesten pl, Gestikulieren nt.

gesture [ˈdʒestʃə*] n Geste f.

get [get] <**got**, o US **gotten**> 1. vt (receive) bekommen, kriegen; (become) werden; (go, travel) kommen; (arrive) ankommen; **to** ~ **sb to do sth** jdn dazu bringen, etw zu tun, jdn etw machen lassen; **get along** vi (people) [gut] zurechtkommen; (depart) sich auf den Weg machen; **get at** vt (facts) herausbekommen; **to** ~ **sb** (nag) an jdm herumnörgeln; **get away** vi (leave) sich davonmachen; (escape) entkommen (from dat); ~ **with you!** laß den Quatsch!; **get down** 1. vi [her]untergehen; 2. vt (depress) fertigmachen; **get in** vi (train) ankommen; (arrive home) heimkommen; **get off** vi (from train etc) aussteigen [aus]; (from horse) absteigen [von]; **get on** 1. vi (progress) vorankommen; (be friends) auskommen; (age) alt werden; 2. vt (train etc) einsteigen in +akk; (horse) aufsteigen auf +akk; **get out** 1. vi (of house) herauskommen; (of vehicle) aussteigen; 2. vt (take out) herausholen; **get over** vt (illness) sich erholen von; (surprise) verkraften; (news) fassen; (loss) sich abfinden mit; **I couldn't** ~ ~ **her** ich konnte sie nicht vergessen; **get up** vi aufstehen; **getaway** n Flucht f.

geyser [ˈgiːzə*] n Geiser m; (heater) Durchlauferhitzer m.

ghastly [ˈgɑːstlɪ] adj (horrible) gräßlich; (pale) totenbleich.

gherkin [ˈgɜːkɪn] n Gewürzgurke f.

ghetto [ˈgetəʊ] n <-[e]s> G[h]etto nt; **ghetto blaster** n tragbares Stereogerät, Ghettoblaster m.

ghost [gəʊst] n Gespenst nt, Geist m;

ghostly adj gespenstisch; **ghost story** n Gespenstergeschichte f.

giant [ˈdʒaɪənt] 1. n Riese m, Riesin f; 2. adj riesig, Riesen-.

gibberish [ˈdʒɪbərɪʃ] n dummes Geschwätz.

gibe [dʒaɪb] n spöttische Bemerkung.

giblets [ˈdʒɪblɪts] n pl Geflügelinnereien pl.

Gibraltar [dʒɪˈbrɔːltə*] n Gibraltar nt.

giddiness [ˈgɪdɪnəs] n Schwindelgefühl nt; **giddy** adj schwindlig; (frivolous) leichtsinnig.

gift [gɪft] n Geschenk nt; (ability) Begabung f; **gifted** adj begabt; **gift token**, **gift voucher** n Geschenkgutschein m.

gigantic [dʒaɪˈgæntɪk] adj riesenhaft, ungeheuer groß.

giggle [ˈgɪgl] 1. vi kichern; 2. n Gekicher nt.

gild [gɪld] vt vergolden.

gill [dʒɪl] 1. n (1/4 pint) Viertelpint nt; 2. [gɪl] n (of fish) Kieme f.

gilt [gɪlt] 1. n Vergoldung f; 2. adj vergoldet.

gimlet [ˈgɪmlɪt] n Handbohrer m.

gimmick [ˈgɪmɪk] n (for sales, publicity) Gag m; **gimmicky** adj: **it's so** ~ es ist alles nur ein Gag.

gin [dʒɪn] n Gin m.

ginger [ˈdʒɪndʒə*] n Ingwer m; **ginger ale**, **ginger beer** n Ingwerbier nt; **gingerbread** n Pfefferkuchen m; **ginger-haired** adj rothaarig.

gingerly [ˈdʒɪndʒəlɪ] adv behutsam.

gipsy [ˈdʒɪpsɪ] n Zigeuner(in f) m.

giraffe [dʒɪˈrɑːf] n Giraffe f.

girder [ˈgɜːdə*] n (steel ~) Eisenträger m; (wood ~) Tragebalken m.

girdle [ˈgɜːdl] 1. n (woman's) Hüftgürtel m; 2. vt umgürten.

girl [gɜːl] n Mädchen nt; **girlfriend** n Freundin f; **girlish** adj mädchenhaft.

girth [gɜːθ] n (measure) Umfang m; (strap) Sattelgurt m.

gist [dʒɪst] n Wesentliche(s) nt, Quintessenz f.

give [gɪv] <**gave**, **given**> 1. vt geben; 2. vt (break) nachgeben; **give away** vt (give free) verschenken; (betray) verraten; **give back** vt zurückgeben; **give in** 1. vi (yield) aufgeben; (agree) nachgeben; 2. vt (hand in) abgeben; **give up** vt, vi aufgeben; **give way** vt (traffic) die Vorfahrt achten; (to feelings) nachgeben +dat; **given** [ˈgɪvn] pp of **give**.

glacier [ˈglæsɪə*] n Gletscher m.

glad [glæd] adj froh; **I was** ~ **to hear...** ich habe mich gefreut, zu hören...;

gladden vt erfreuen.

gladiator ['glædıeɪtə*] n Gladiator m.
gladioli [glædɪ'əʊlaɪ] n pl Gladiolen pl.
gladly ['glædlɪ] adv gern[e].
glamorous ['glæmərəs] adj bezaubernd; (life) reizvoll; **glamour** n Zauber m, Reiz m.
glance [glɑːns] **1.** n flüchtiger Blick; **2.** vi schnell [hin]blicken (at auf +akk); **glance off** vi (fly off) abprallen.
gland [glænd] n Drüse f; **glandular fever** n Drüsenentzündung f.
glare [gleə*] **1.** n (light) grelles Licht; (stare) wilder Blick; **2.** vi grell scheinen; (angrily) böse ansehen (at akk); **glaring** adj (injustice) schreiend; (mistake) kraß.
glass [glɑːs] n Glas nt; (mirror) Spiegel m; ~es pl Brille f; **glasshouse** n Gewächshaus nt; **glassware** n Glaswaren pl; **glassy** adj glasig.
glaze [gleɪz] **1.** vt verglasen; **2.** n Glasur f; **finish with a ~** glasieren.
glazier ['gleɪzɪə*] n Glaser(in f) m.
gleam [gliːm] **1.** n Schimmer m; **2.** vi schimmern; **gleaming** adj schimmernd.
glee [gliː] n Frohsinn m; (malicious) Schadenfreude f; **gleeful** adj fröhlich; schadenfroh.
glen [glen] n Bergtal nt.
glib [glɪb] adj [rede]gewandt; (superficial) oberflächlich; **glibly** adv glatt.
glide [glaɪd] **1.** vi gleiten; **2.** n (AVIAT) Segelflug m; **glider** n (AVIAT) Segelflugzeug nt; **gliding** n Segelfliegen nt.
glimmer ['glɪmə*] n Schimmer m; ~ of hope Hoffnungsschimmer m.
glimpse [glɪmps] **1.** n flüchtiger Blick; **2.** vt flüchtig erblicken.
glint [glɪnt] vi glitzern.
glisten ['glɪsn] vi glänzen.
glitch [glɪtʃ] n (fam) Störung f.
glitter ['glɪtə*] vi funkeln; **glittering** adj glitzernd.
glitz [glɪts] n Pomp m, Glitzerwelt f; **glitzy** adj glamourös, Schickimicki-.
gloat over ['gləʊt əʊvə*] vt sich weiden an +dat.
global ['gləʊbl] adj global.
globe [gləʊb] n Erdball m; (sphere) Globus m; **globe-trotter** n Weltenbummler(in f) m, Globetrotter(in f) m.
gloom [gluːm] n (also: **gloominess**) (darkness) Dunkel nt, Dunkelheit f; (depression) düstere Stimmung; **gloomily** adv, **gloomy** adj düster.
glorification [glɔːrɪfɪ'keɪʃən] n Verherrlichung f; **glorify** ['glɔːrɪfaɪ] vt verherrlichen; **just a glorified café** nur ein besseres Café.
glorious ['glɔːrɪəs] adj glorreich; (splendid) prächtig.

glory ['glɔːrɪ] **1.** n Herrlichkeit f; (praise) Ruhm m; **2.** vi: **to ~ in** sich sonnen in +dat.
gloss [glɒs] n (shine) Glanz m; **gloss over** vt übertünchen; **gloss paint** n Glanzlack m.
glossary ['glɒsərɪ] n Glossar nt.
glossy ['glɒsɪ] adj (surface) glänzend.
glove [glʌv] n Handschuh m.
glow [gləʊ] **1.** vi glühen, leuchten; **2.** n (heat) Glühen nt; (colour) Röte f; (feeling) Wärme f.
glower at ['glaʊə* æt] vt finster anblicken.
glucose ['gluːkəʊs] n Traubenzucker m.
glue [gluː] **1.** n Klebstoff m, Leim m; **2.** vt leimen, kleben; **glue-sniffing** n Schnüffeln nt.
glum [glʌm] adj bedrückt.
glut [glʌt] **1.** n Überfluß m; **2.** vt überladen.
glutton ['glʌtn] n Vielfraß m; (fig) Unersättliche(r) mf; **a ~ for punishment** ein Masochist; **gluttonous** adj gierig; **gluttony** n Völlerei f; Unersättlichkeit f.
glycerin[e] ['glɪsərɪn] n Glyzerin nt.
gnarled [nɑːld] adj knorrig.
gnat [næt] n Stechmücke f.
gnaw [nɔː] vt nagen an +dat.
gnome [nəʊm] n Gnom m.
go [gəʊ] <**went, gone**> **1.** vi gehen; (travel) reisen, fahren; (depart, train) [ab]fahren; (money) ausgehen; (vision) verschwinden; (smell) verfliegen; (disappear) [fort]gehen; (be sold) kosten; (at auction) weggehen; (work) gehen, funktionieren; (fit, suit) passen (with zu); (become) werden; (break etc) nachgeben; **2.** n <**-es**> (energy) Schwung m; (attempt) Versuch m; **can I have another ~?** darf ich noch mal?; **go ahead** vi (proceed) weitergehen; **go along with** vt (agree to support) zustimmen +dat, unterstützen; **go away** vi (depart) weggehen; **go back** vi (return) zurückgehen; **go back on** vt (promise) nicht halten; **go by** vi (years, time) vergehen; **go down** vi (sun) untergehen; **go for** vt (fetch) holen [gehen]; (like) mögen; (attack) sich stürzen auf +akk; **go in** vi hineingehen; **go into** vt (enter) hineingehen in +akk; (study) sich befassen mit; **go off 1.** vi (depart) weggehen; (lights) ausgehen; (milk etc) sauer werden; (explode) losgehen; **2.** vt (dislike) nicht mehr mögen; **go on** vi (continue) weitergehen; (fam: complain) meckern; (lights) angehen; **to ~ ~ with sth** mit etw weitermachen; **go out** vi (fire, light) ausgehen; (of house) hinausgehen; **go over** vt

(*examine, check*) durchgehen; **go up** *vi* (*price*) steigen; **go without** *vt* sich behelfen ohne; (*food*) entbehren.

goad [gəʊd] *vt* anstacheln.

go-ahead [ˈgəʊəhed] **1.** *adj* zielstrebig; (*progressive*) fortschrittlich; **2.** *n* grünes Licht.

goal [gəʊl] *n* Ziel *nt*; (SPORT) Tor *nt*; **goalkeeper** *n* Torwart(in *f*) *m*; **goalpost** *n* Torpfosten *m*.

goat [gəʊt] *n* Ziege *f*.

gobble [ˈgɒbl] *vt* hinunterschlingen.

go-between [ˈgəʊbɪtwiːn] *n* Mittelsmann *m*.

goblet [ˈgɒblɪt] *n* Kelch[glas *nt*] *m*.

goblin [ˈgɒblɪn] *n* Kobold *m*.

god [gɒd] *n* Gott *m*; **godchild** *n* <-**children**> Patenkind *nt*; **goddess** *n* Göttin *f*; **godfather** *n* Pate *m*; **godforsaken** *adj* gottverlassen; **godmother** *n* Patin *f*; **godsend** *n* Geschenk *nt* des Himmels.

goggle [ˈgɒgl] *vi* (*stare*) glotzen; **to ~ at** anglotzen; **goggles** *n pl* Schutzbrille *f*.

going [ˈgəʊɪŋ] **1.** *n* Weggang *m*; **2.** *adj* (*rate*) gängig; (*concern*) gutgehend; **it's hard ~** es ist schwierig; **the ~ is good/soft** die Bahn ist gut/weich; **goings-on** *n pl* Vorgänge *pl*.

gold [gəʊld] *n* Gold *nt*; **golden** *adj* golden, Gold-; **goldfish** *n* Goldfisch *m*; **gold mine** *n* Goldgrube *f*.

golf [gɒlf] *n* Golf *nt*; **golf ball** *n* (SPORT) Golfball *m*; (*of typewriter*) Kugelkopf *m*; **golf-ball typewriter** *n* Kugelkopfschreibmaschine *f*; **golf club** *n* (*society*) Golfklub *m*; (*stick*) Golfschläger *m*; **golf course** *n* Golfplatz *m*; **golfer** *n* Golfspieler(in *f*) *m*.

gondola [ˈgɒndələ] *n* Gondel *f*.

gone [gɒn] *pp of* **go**.

gong [gɒŋ] *n* Gong *m*.

good [gʊd] **1.** *n* (*benefit*) Wohl *nt*; (*moral excellence*) Güte *f*; (*of typewriter*) **better, best** > gut; (*suitable*) passend; **a ~ deal of** ziemlich viel; **a ~ many** ziemlich viele; **~ morning!** guten Morgen!; **G~ Friday** Karfreitag *m*; **goodbye** [gʊdˈbaɪ] **1.** *n* Abschied *m*; **2.** *interj* auf Wiedersehen; **good-looking** *adj* gutaussehend; **goodness** *n* Güte *f*; (*virtue*) Tugend *f*.

goods [gʊdz] *n pl* Ware[n *pl*] *f*, Güter *pl*; **goods train** *n* Güterzug *m*.

goodwill [gʊdˈwɪl] *n* (*favour*) Wohlwollen *nt*; (COM) Firmenansehen *nt*.

goose [guːs] *n* <**geese**> Gans *f*; **gooseberry** [ˈguːzbərɪ] *n* Stachelbeere *f*; **gooseflesh** *n*, **goose pimples** *n pl* Gänsehaut *f*.

gore [gɔː'] **1.** *vt* durchbohren, aufspießen; **2.** *n* Blut *nt*.

gorge [gɔːdʒ] **1.** *n* Schlucht *f*; **2.** *vr:* **~ oneself** sich vollessen.

gorgeous [ˈgɔːdʒəs] *adj* prächtig; (*person*) bildhübsch.

gorilla [gəˈrɪlə] *n* Gorilla *m*.

gorse [gɔːs] *n* Stechginster *m*.

gory [ˈgɔːrɪ] *adj* blutig.

go-slow [ˈgəʊˈsləʊ] *n* Bummelstreik *m*.

gospel [ˈgɒspəl] *n* Evangelium *nt*.

gossamer [ˈgɒsəmə'] *n* Spinnfäden *pl*.

gossip [ˈgɒsɪp] **1.** *n* Klatsch *m*; (*person*) Klatschbase *f*; **2.** *vi* klatschen.

got [gɒt] *pt, pp of* **get**; **gotten** (US) *pp of* **get**.

goulash [ˈguːlæʃ] *n* Gulasch *nt o m*.

gout [gaʊt] *n* Gicht *f*.

govern [ˈgʌvən] *vt* regieren; verwalten; (LING) bestimmen; **governess** *n* Gouvernante *f*; **governing** *adj* regierend, Regierungs-; (*fig*) bestimmend; **~ body** Vorstand *m*; **government 1.** *n* Regierung *f*; **2.** *adj* Regierungs-; **governor** *n* Gouverneur(in *f*) *m*.

govt *abbr of* **government** Regierung *f*.

gown [gaʊn] *n* Gewand *nt*; (SCH) Robe *f*.

GP *n abbr of* **General Practitioner** praktischer Arzt.

GPO *n abbr of* **General Post Office** Britische Post; Hauptpostamt *nt*.

grab [græb] *vt* packen; an sich reißen.

grace [greɪs] **1.** *n* Anmut *f*; (*favour*) Güte *f*, Gefälligkeit *f*; (*blessing*) Gnade *f*; (*prayer*) Tischgebet *nt*; (COM) Zahlungsfrist *f*; (*delay*) Aufschub *m*; **2.** *vt* (*adorn*) zieren; (*honour*) auszeichnen; **5 days' ~** 5 Tage Aufschub; **graceful** *adj*, **gracefully** *adv* anmutig, graziös.

gracious [ˈgreɪʃəs] *adj* gnädig; (*kind, courteous*) wohlwollend, freundlich.

gradation [grəˈdeɪʃən] *n* [Ab]stufung *f*.

grade [greɪd] **1.** *n* Grad *m*; (*slope*) Gefälle *nt*; **2.** *vt* (*classify*) einstufen; **to make the ~** es schaffen; **grade crossing** *n* (US) Bahnübergang *m*.

gradient [ˈgreɪdɪənt] *n* (*upward*) Steigung *f*; (*downward*) Gefälle *nt*.

gradual [ˈgrædjʊəl] *adj*, **gradually** *adv* [ˈgrædjʊəl, -lɪ] allmählich.

graduate [ˈgrædjʊɪt] **1.** *n:* **to be a ~** ≈ das Staatsexamen haben; **2.** [ˈgrædjʊeɪt] *vi* ≈ das Staatsexamen machen (*o* bestehen); **graduation** [grædjʊˈeɪʃən] *n* Erlangung *f* eines akademischen Grades.

graft [grɑːft] **1.** *n* (*on plant*) Pfropfreis *nt*; (*hard work*) Schufterei *f*; (MED) Verpflanzung *f*; (*unfair self-advancement*) Schiebung *f*; **2.** *vt* propfen; (*fig*) aufpfropfen; (MED) verpflanzen.

grain [greɪn] n Korn nt, Getreide nt; (particle) Körnchen nt, Korn nt; (in wood) Maserung f.

grammar [ˈgræmə•] n Grammatik f; **grammatical** [grəˈmætɪkəl] adj grammatisch.

gram[me] [græm] n Gramm nt.

gramophone [ˈgræməfəʊn] n Grammophon nt.

granary [ˈgrænərɪ] n Kornspeicher m.

grand [grænd] adj großartig; **granddaughter** n Enkelin f; **grandeur** [ˈgrændjə•] n Erhabenheit f; **grandfather** n Großvater m; **grandiose** [ˈgrændɪəʊz] adj (imposing) großartig; (pompous) schwülstig; **grandmother** n Großmutter f; **grandparents** n pl Großeltern pl; **grand piano** n <-s> Flügel m; **grandson** n Enkel m; **grandstand** n Haupttribüne f; **grand total** n Gesamtsumme f.

granite [ˈgrænɪt] n Granit m.

granny [ˈgrænɪ] n Oma f.

grant [grɑːnt] **1.** vt gewähren; (allow) zugeben; **2.** n Unterstützung f; (SCH) Stipendium nt; **to take sb/sth for ~ed** jdn/etw als selbstverständlich hinnehmen.

granulated [ˈgrænjʊleɪtɪd] adj (sugar) raffiniert.

granule [ˈgrænjuːl] n Körnchen nt.

grape [greɪp] n [Wein]traube f; **grapefruit** n Pampelmuse f, Grapefruit f; **grape juice** n Traubensaft m.

graph [grɑːf] n Schaubild nt; **graphic** [ˈgræfɪk] adj (descriptive) anschaulich, lebendig; (drawing) graphisch; **graphics screen** n Grafikbildschirm m.

grapple [ˈgræpl] vi sich raufen; **to ~ with** kämpfen mit.

grasp [grɑːsp] **1.** vt ergreifen; (understand) begreifen; **2.** n Griff m; (possession) Gewalt f; (of subject) Beherrschung f; **grasping** adj habgierig.

grass [grɑːs] n Gras nt; **grasshopper** n Heuschrecke f; **grassland** n Weideland nt; **grass roots** n pl (fig) Basis f; **grass snake** n Ringelnatter f; **grassy** adj grasig, Gras-.

grate [greɪt] **1.** n Gitter nt; (in fire) Feuerrost m; (fireplace) Kamin m; **2.** vi kratzen; (sound) knirschen; (on nerves) zerren (on an + dat); **3.** vt (cheese) reiben; (carrots etc) raspeln.

grateful adj, **gratefully** adv [ˈgreɪtfʊl, -fəlɪ] dankbar.

grater [ˈgreɪtə•] n (in kitchen) Reibe f.

gratification [grætɪfɪˈkeɪʃən] n Befriedigung f; **gratify** [ˈgrætɪfaɪ] vt befriedigen; **gratifying** adj erfreulich.

grating [ˈgreɪtɪŋ] **1.** n (iron bars) Gitter nt; **2.** adj (noise) knirschend; (enervating) nervig, nervenaufreibend.

gratitude [ˈgrætɪtjuːd] n Dankbarkeit f.

gratuitous [grəˈtjuːɪtəs] adj (uncalled-for) grundlos, überflüssig; (given free) unentgeltlich, gratis.

gratuity [grəˈtjuːɪtɪ] n [Geld]geschenk nt; (COM) Gratifikation f.

grave [greɪv] **1.** n Grab nt; **2.** adj (serious) ernst, schwerwiegend; (solemn) ernst, feierlich; **gravedigger** n Totengräber(in f) m.

gravel [ˈgrævəl] n Kies m.

gravely [ˈgreɪvlɪ] adv schwer, ernstlich.

gravestone [ˈgreɪvstəʊn] n Grabstein m; **graveyard** n Friedhof m.

gravitate [ˈgrævɪteɪt] vi angezogen werden (towards von).

gravity [ˈgrævɪtɪ] n Schwerkraft f; (seriousness) Schwere f, Ernst m.

gravy [ˈgreɪvɪ] n [Braten]soße f.

gray [greɪ] adj see **grey**.

graze [greɪz] **1.** vi grasen; **2.** vt (touch) streifen; (MED) abschürfen; **3.** n (MED) Abschürfung f.

grease [griːs] **1.** n (fat) Fett nt; (lubricant) Schmiere f; **2.** vt [ein]fetten; (TECH) schmieren; **grease gun** n Schmierspritze f; **greaseproof** adj (paper) Butterbrot-; **greasy** [ˈgriːsɪ] adj fettig.

great [greɪt] adj groß; (important) groß, bedeutend; (distinguished) groß, hochstehend; (fam: good) prima; **Great Britain** n Großbritannien nt; **in ~** in Großbritannien; **to go to ~** nach Großbritannien fahren; **great-grandfather** n Urgroßvater m; **great-grandmother** n Urgroßmutter f; **greatly** adv sehr; **greatness** n Größe f.

Greece [griːs] n Griechenland nt.

greed [griːd] n (also: **greediness**) Gier f (for nach); (meanness) Geiz m; **greedily** adv gierig; **greedy** adj gefräßig, gierig; **~ for money** geldgierig.

Greek [griːk] **1.** adj griechisch; **2.** n Grieche m, Griechin f.

green [griːn] **1.** adj grün; **2.** n (village ~) Dorfwiese f; **~ card** grüne Versicherungskarte; **greengrocer** n Obst- und Gemüsehändler(in f) m; **greenhouse** n Gewächshaus nt; **greenish** adj grünlich; **Greenland** n Grönland nt; **green light** n (also fig) grünes Licht.

greet [griːt] vt grüßen; **greeting** n Gruß m, Begrüßung f; **greetings card** n Grußkarte f.

gregarious [grɪˈgɛərɪəs] adj gesellig.

grenade [grɪˈneɪd] n Granate f.

grew [gruː] pt of **grow**.

grey [greɪ] *adj* grau; **grey-haired** *adj* grauhaarig; **greyhound** *n* Windhund *m*; **greyish** *adj* gräulich; **greywater** *n* Brauchwasser *nt*.

grid [grɪd] *n* Gitter *nt*; (*ELEC*) Leitungsnetz *nt*; (*on map*) Gitternetz *nt*; **gridiron** ['grɪdaɪən] *n* Bratrost *m*; (*US SPORT*) Spielfeld *nt*.

grief [griːf] *n* Gram *m*, Kummer *m*.

grievance ['griːvəns] *n* Beschwerde *f*.

grieve [griːv] **1.** *vi* sich grämen, trauern; **2.** *vt* betrüben.

grill [grɪl] **1.** *n* (*on cooker*) Grill *m*; **2.** *vt* grillen; (*question*) in die Mangel nehmen.

grille [grɪl] *n* (*on car etc*) [Kühler]gitter *nt*.

grim [grɪm] *adj* grimmig; (*situation*) düster.

grimace [grɪ'meɪs] **1.** *n* Grimasse *f*; **2.** *vi* Grimassen schneiden.

grime [graɪm] *n* Schmutz *m*.

grimly ['grɪmlɪ] *adv* grimmig, finster.

grimy ['graɪmɪ] *adj* schmutzig.

grin [grɪn] **1.** *n* Grinsen *nt*; **2.** *vi* grinsen.

grind [graɪnd] **1.** <ground, ground> *vt* mahlen; (*sharpen*) schleifen; (*teeth*) knirschen mit; *n* (*bore*) Plackerei *f*.

grip [grɪp] **1.** *n* Griff *m*; (*mastery*) Griff *m*, Gewalt *f*; (*suitcase*) kleiner Handkoffer *m*; **2.** *vt* packen.

gripes [graɪps] *n pl* (*bowel pains*) Bauchschmerzen *pl*, Bauchweh *nt*.

gripping ['grɪpɪŋ] *adj* (*exciting*) spannend.

grisly ['grɪzlɪ] *adj* gräßlich.

gristle ['grɪsl] *n* Knorpel *m*.

grit [grɪt] **1.** *n* Splitt *m*; (*courage*) Mut *m*, Mumm *m*; **2.** *vt* (*teeth*) knirschen mit; (*road*) [mit Splitt be]streuen.

groan [grəʊn] *vi* stöhnen.

grocer ['grəʊsə*] *n* Lebensmittelhändler(in *f*) *m*; **groceries** *n pl* Lebensmittel *pl*.

grog [grɒg] *n* Grog *m*.

groggy ['grɒgɪ] *adj* benommen; (*boxing*) angeschlagen.

groin [grɔɪn] *n* Leistengegend *f*.

groom [gruːm] **1.** *n* Bräutigam *m*; (*for horses*) Pferdeknecht *m*; **2.** *vt*: **to ~ sb for a career** jdn auf eine Laufbahn vorbereiten; **3.** *vr*: **~ oneself** (*men*) sich zurechtmachen, sich pflegen; (*well*) **~ ed** gepflegt.

groove [gruːv] *n* Rille *f*, Furche *f*.

grope [grəʊp] *vi* tasten.

gross [grəʊs] **1.** *adj* (*coarse*) dick, plump; (*bad*) grob, schwer; (*COM*) brutto; Gesamt-; **2.** *n* Gros *nt*; **grossly** *adv* höchst, ungeheuerlich.

grotesque [grəʊ'tesk] *adj* grotesk.

grotto ['grɒtəʊ] *n* <-[e]s> Grotte *f*.

ground [graʊnd] **1.** *pt, pp* of **grind**; **2.** *n* Boden *m*, Erde *f*; (*land*) Grundbesitz *m*; (*reason*) Grund *m*; **3.** *vt* (*run ashore*) auf Strand setzen; (*aircraft*) stillegen; (*instruct*) die Anfangsgründe beibringen + *dat*; **4.** *vi* (*run ashore*) stranden, auflaufen; **~ s** *pl* (*dregs*) Bodensatz *m*; (*around house*) [Garten]anlagen *pl*; **ground floor** *n* (*Brit*) Erdgeschoß *nt*, Parterre *nt*; **grounding** *n* (*instruction*) Anfangsunterricht *m*; **groundsheet** *n* Zeltboden *m*; **ground swell** *n*: the **~ of opinion** die Stimmung im Volk; **groundwork** *n* Grundlage *f*.

group [gruːp] **1.** *n* Gruppe *f*; **2.** *vt, vi* [sich] gruppieren.

grouse [graʊs] **1.** *n* <-> (*bird*) schottisches Moorhuhn; (*complaint*) Nörgelei *f*; **2.** *vi* (*complain*) meckern.

grove [grəʊv] *n* Gehölz *nt*, Hain *m*.

grovel ['grɒvl] *vi* auf dem Bauch kriechen; (*fig*) kriechen.

grow [grəʊ] <grew, grown> **1.** *vi* wachsen, größer werden; (*grass*) wachsen; (*become*) werden; **2.** *vt* (*raise*) anbauen, ziehen; (*beard*) sich *dat* wachsen lassen; **it ~ s on you** man gewöhnt sich daran; **grow up** *vi* aufwachsen; (*mature*) erwachsen werden; **grower** *n* Züchter(in *f*) *m*; **growing** *adj* wachsend; (*fig*) zunehmend.

growl [graʊl] *vi* knurren.

grown [grəʊn] *pp* of **grow**; **grown-up** [grəʊn'ʌp] *adj* erwachsen; **2.** *n* Erwachsene(r) *mf*.

growth [grəʊθ] *n* Wachstum *nt*, Wachsen *nt*; (*increase*) Anwachsen *nt*, Zunahme *f*; (*of beard etc*) Wuchs *m*.

grub [grʌb] *n* Made *f*, Larve *f*; (*fam: food*) Futter *nt*.

grubby ['grʌbɪ] *adj* schmutzig, schmuddelig.

grudge [grʌdʒ] **1.** *n* Groll *m*; **2.** *vt* mißgönnen (*sb sth* jdm etw); **to bear sb a ~** einen Groll gegen jdn hegen; **grudging** *adj* neidisch; (*unwilling*) widerwillig.

gruelling ['grʊəlɪŋ] *adj* (*climb, race*) mörderisch.

gruesome ['gruːsəm] *adj* grauenhaft.

gruff [grʌf] *adj* barsch.

grumble ['grʌmbl] **1.** *vi* murren, schimpfen; **2.** *n* Brummen *nt*.

grumpy ['grʌmpɪ] *adj* verdrießlich.

grunt [grʌnt] **1.** *vi* grunzen; **2.** *n* Grunzen *nt*.

G-string ['dʒiːstrɪŋ] *n* ≈ Tanga *m*.

guarantee [gærən'tiː] **1.** *n* (*promise to pay*) Gewähr *f*; (*promise to replace*) Garantie *f*; **2.** *vt* gewährleisten, garantieren.

guard [gɑːd] **1.** *n* (*defence*) Bewachung *f*; (*sentry*) Wache *f*; (*RAIL*) Zugbegleiter(in *f*) *m*; **2.** *vt* bewachen, beschützen; ~ **'s van** (*Brit RAIL*) Dienstwagen *m*; **to be on** ~ Wache stehen; **to be on one's** ~ aufpassen; **guarded** *adj* vorsichtig, zurückhaltend.

guardian [ˈgɑːdɪən] *n* Vormund *m*; (*keeper*) Hüter(in *f*) *m*; ~ **angel** Schutzengel *m*.

guerrilla [gəˈrɪlə] *n* Guerilla *mf*; **guerrilla warfare** *n* Guerillakrieg *m*.

guess [ges] **1.** *vt, vi* [er]raten, schätzen; **2.** *n* Vermutung *f*; **good** ~ gut geraten; **guesswork** *n* Raterei *f*.

guest [gest] *n* Gast *m*; **guest-house** *n* Pension *f*; **guest room** *n* Gästezimmer *nt*.

guffaw [gʌˈfɔː] **1.** *n* schallendes Gelächter; **2.** *vi* schallend lachen.

guidance [ˈgaɪdəns] *n* (*control*) Leitung *f*; (*advice*) Rat *m*, Beratung *f*.

guide [gaɪd] **1.** *n* Führer(in *f*) *m*; **2.** *vt* führen; **girl** ~ Pfadfinderin *f*; **guidebook** *n* Reiseführer *m*; **guided missile** *n* Fernlenkgeschoß *nt*; **guidelines** *n pl* Richtlinien *pl*.

guild [gɪld] *n* (*HIST*) Gilde *f*; (*society*) Vereinigung *f*; **guildhall** *n* (*Brit*) Stadthalle *f*.

guile [gaɪl] *n* Arglist *f*; **guileless** *adj* arglos.

guillotine [gɪləˈtiːn] *n* Guillotine *f*.

guilt [gɪlt] *n* Schuld *f*; **guilty** *adj* schuldig.

guise [gaɪz] *n* (*appearance*) Verkleidung *f*; **in the** ~ **of** (*things*) in Form von; (*people*) gekleidet als.

guitar [gɪˈtɑː] *n* Gitarre *f*; **guitarist** *n* Gitarrist(in *f*) *m*.

gulf [gʌlf] *n* Golf *m*; (*fig*) Abgrund *m*; **Gulf States** *n pl* Golfstaaten *pl*.

gull [gʌl] *n* Möwe *f*.

gullet [ˈgʌlɪt] *n* Schlund *m*.

gullible [ˈgʌlɪbl] *adj* leichtgläubig.

gully [ˈgʌlɪ] *n* [Wasser]rinne *f*; (*gorge*) Schlucht *f*.

gulp [gʌlp] **1.** *vi* würgen; (*eat fast*) schlingen; (*drink*) hastig trinken; (*gasp*) schlukken; **2.** *n* großer Schluck.

gum [gʌm] **1.** *n* (*around teeth*) Zahnfleisch *nt*; (*glue*) Klebstoff *m*; (*chewing* ~) Kaugummi *m*; **2.** *vt* gummieren, kleben; **gumboots** *n pl* Gummistiefel *pl*.

gumption [ˈgʌmpʃən] *n* (*fam*) Grips *m*.

gum tree [ˈgʌmtriː] *n* Gummibaum *m*; **up a** ~ (*fam*) in der Klemme.

gun [gʌn] *n* Schußwaffe *f*; **gun down** *vt* niederknallen; **gunfire** *n* Geschützfeuer *nt*; **gunman** *n* <-**men**> bewaffneter Verbrecher; **gunner** *n* Kanonier *m*, Artillerist *m*; **gunpowder** *n* Schießpulver *nt*; **gunrunner** *n* Waffenschieber(in *f*)

m; **gunshot** *n* Schuß *m*.

gurgle [ˈgɜːgl] *vi* gluckern.

guru [ˈguruː] *n* Guru *m*.

gush [gʌʃ] **1.** *n* Strom *m*, Erguß *m*; **2.** *vi* (*rush out*) hervorströmen; (*fig*) schwärmen.

gusset [ˈgʌsɪt] *n* Keil *m*, Zwickel *m*.

gust [gʌst] *n* Windstoß *m*, Bö *f*.

gusto [ˈgʌstəʊ] *n* Genuß *m*, Lust *f*.

gut [gʌt] *n* (*ANAT*) Gedärme *pl*; (*string*) Darm *m*; (*for rackets, violin*) Darmsaiten *pl*; ~ **s** *pl* (*fig*) Schneid *m*.

gutter [ˈgʌtə] *n* Dachrinne *f*; (*in street*) Gosse *f*.

guttural [ˈgʌtərəl] *adj* guttural, Kehl-.

guy [gaɪ] *n* (*rope*) Halteseil *nt*; (*man*) Typ *m*, Kerl *m*; ~ **s** *pl* (*US*) Leute *pl*; **will you** ~ **s go?** (*US*) geht ihr?

guzzle [ˈgʌzl] *vt, vi* (*drink*) saufen; (*eat*) fressen.

gym[nasium] [dʒɪmˈneɪzɪəm] *n* Turnhalle *f*; **gymnast** [ˈdʒɪmnæst] *n* Turner(in *f*) *m*; **gymnastics** [dʒɪmˈnæstɪks] **1.** *n sing* Turnen, Gymnastik *f*; **2.** *n pl* (*exercises*) Übungen *pl*.

gyn[a]ecologist [gaɪnɪˈkɒlədʒɪst] *n* Frauenarzt(-ärztin *f*) *m*, Gynäkologe(-login *f*) *m*; **gyn[a]ecology** *n* Gynäkologie *f*, Frauenheilkunde *f*.

gypsy [ˈdʒɪpsɪ] *n see* **gipsy**.

gyrate [dʒaɪˈreɪt] *vi* kreisen.

H

H, h [eɪtʃ] *n* H *nt*, h *nt*.

haberdashery [hæbəˈdæʃərɪ] *n* (*Brit*) Kurzwaren *pl*; (*US*) Herrenartikel *pl*.

habit [ˈhæbɪt] *n* [An]gewohnheit *f*; (*monk's*) Habit *nt o m*.

habitable [ˈhæbɪtəbl] *adj* bewohnbar.

habitat [ˈhæbɪtæt] *n* Lebensraum *m*.

habitation [hæbɪˈteɪʃən] *n* Bewohnen *nt*; (*place*) Wohnung *f*.

habitual [həˈbɪtjʊəl] *adj* üblich, gewohnheitsmäßig; **habitually** *adv* gewöhnlich.

hack [hæk] **1.** *vt* hacken; *n* Hieb *m*; (*writer*) Schreiberling *m*; **hacker** *n* (*COMPUT*) Hacker(in *f*) *m*.

hackneyed [ˈhæknɪd] *adj* abgedroschen.

had [hæd] *pt, pp of* **have**.

haddock [ˈhædək] *n* Schellfisch *m*.

hadn't [ˈhædnt] = **had not**.

haemorrhage, hemorrhage (*US*) [ˈheˈmərɪdʒ] *n* Blutung *f*.

haemorrhoids, hemorrhoids (*US*) [ˈheməˈrɔɪdz] *n pl* Hämorrhoiden *pl*.

haggard ['hægəd] *adj* abgekämpft.
haggle ['hægl] *vi* feilschen; **haggling** ['hæglɪŋ] *n* Feilschen *nt*.
hail [heɪl] 1. *n* Hagel *m*; 2. *vt* zujubeln; 3. *vi* hageln; **hailstorm** *n* Hagelschauer *m*.
hair [hɛə*] *n* Haar *nt*, Haare *pl*; (*one* ~) Haar *nt*; **hairbrush** *n* Haarbürste *f*; **haircut** *n* Haarschnitt *m*; **to get a** ~ sich *dat* die Haare schneiden lassen; **hairdo** *n* <-s> Frisur *f*; **hairdresser** *n* Friseur *m*, Friseuse *f*; **hair-drier** *n* Trockenhaube *f*; (*handheld*) Haartrockner *m*, Fön ® *m*; **hair grip** *n* [Haar]klemmchen *nt*; **hairnet** *n* Haarnetz *nt*; **hair oil** *n* Haaröl *nt*; **hairpiece** *n* (*lady's*) Haarteil *nt*; (*man's*) Toupet *nt*; **hairpin** *n* Haarnadel *f*; (*bend*) Haarnadelkurve *f*; **hair-raising** *adj* haarsträubend; **hair's breadth** *n* Haaresbreite *f*; **hair style** *n* Frisur *f*; **hairy** *adj* haarig.
hake [heɪk] *n* Seehecht *m*.
half [hɑːf] 1. *n* <halves> Hälfte *f*; 2. *adj* halb; 3. *adv* halb, zur Hälfte; **half-back** *n* Läufer(in *f*) *m*; **half-breed**, **half-caste** *n* Mischling *m*; **half-hearted** *adj* lustlos, unlustig; **half-hour** *n* halbe Stunde; **half-life** *n* <-lives> (*nuclear*) Halbwertzeit *f*; **halfpenny** ['heɪpnɪ] *n* halber Penny; **half price** *n* halber Preis; **half-time** *n* Halbzeit *f*; **halfway** *adv* halbwegs, auf halbem Wege.
halibut ['hælɪbət] *n* Heilbutt *m*.
hall [hɔːl] *n* Saal *m*; (*entrance* ~) Hausflur *m*; (*building*) Halle *f*.
hallmark ['hɔːlmɑːk] *n* Stempel *m*; (*fig*) Kennzeichen *nt*.
hallo [hə'ləu] *excl see* hello.
Hallowe'en [hæləu'iːn] *n* Tag *m* vor Allerheiligen (*an dem sich Kinder verkleiden und von Tür zu Tür gehen.*)
hallucination [həluːsɪ'neɪʃən] *n* Halluzination *f*.
halo ['heɪləu] *n* <-[e]s> (*of saint*) Heiligenschein *m*; (*of moon*) Hof *m*.
halt [hɔːlt] 1. *n* Halt *m*; 2. *vt, vi* anhalten.
halve [hɑːv] *vt* halbieren.
ham [hæm] *n* Schinken *m*; ~ **sandwich** Schinkenbrötchen *nt*; **hamburger** *n* Frikadelle *f*, Hamburger *m*.
hamlet ['hæmlɪt] *n* Weiler *m*.
hammer ['hæmə*] 1. *n* Hammer *m*; 2. *vt* hämmern.
hammock ['hæmək] *n* Hängematte *f*.
hamper ['hæmpə*] 1. *vt* [be]hindern; 2. *n* Picknickkorb *m*; (*as gift*) Geschenkkorb *m*.
hamster ['hæmstə*] *n* [Gold]hamster *m*.
hand [hænd] 1. *n* Hand *f*; (*of clock*) [Uhr]zeiger *m*; (*worker*) Arbeiter(in *f*) *m*;

2. *vt* (*pass*) geben; **to give sb a** ~ jdm helfen; **at first** ~ aus erster Hand; **to** ~ zur Hand; **in** ~ (*under control*) in fester Gewalt, unter Kontrolle; (*being done*) im Gange; (*extra*) übrig; **handbag** *n* Handtasche *f*; **handball** *n* Handball *m*; **handbook** *n* Handbuch *nt*; **handbrake** *n* Handbremse *f*; **hand cream** *n* Handcreme *f*; **handcuffs** *n pl* Handschellen *pl*; **handful** *n* Handvoll *f*; (*fam: person*) Plage *f*.
handicap ['hændɪkæp] 1. *n* Handikap *nt*; 2. *vt* benachteiligen.
handicraft ['hændɪkrɑːft] *n* Kunsthandwerk *nt*.
handkerchief ['hæŋkətʃɪf] *n* Taschentuch *nt*.
handle ['hændl] 1. *n* (*of door etc*) Klinke *f*; (*of cup etc*) Henkel *m*; (*for winding*) Kurbel *f*; 2. *vt* (*touch*) anfassen; (*deal with, things*) sich befassen mit; (*people*) umgehen mit; **handlebars** *n pl* Lenkstange *f*.
hand-luggage ['hændlʌgɪdʒ] Handgepäck *nt*; **handmade** *adj* handgefertigt; **handshake** *n* Händedruck *m*.
handsome ['hænsəm] *adj* gutaussehend; (*generous*) großzügig.
handwriting ['hændraɪtɪŋ] *n* Handschrift *f*.
handy ['hændɪ] *adj* praktisch; (*shops*) leicht erreichbar.
handyman ['hændɪmən] *n* <-men> Mädchen *nt* für alles; (*do-it-yourself*) Bastler(in *f*) *m*; (*general* ~) Gelegenheitsarbeiter(in *f*) *m*.
hang [hæŋ] <hung *o* hanged, hung *o* hanged> 1. *vt* aufhängen; (*execute*) hängen; 2. *vi* (*droop*) hängen; **to** ~ **on sth** etw an etw *akk* hängen; **hang about** *vi* sich herumtreiben; (*Brit fam: wait*) warten.
hangar ['hæŋə*] *n* Hangar *m*, Flugzeughalle *f*.
hanger ['hæŋə*] *n* Kleiderbügel *m*.
hanger-on ['hæŋər'ɒn] *n* <hangers-on> Anhänger(in *f*) *m*.
hang glider ['hæŋglaɪdə*] *n* [Flug]drachen *m*; (*person*) Drachenflieger(in *f*) *m*; **hang-gliding** *n* Drachenfliegen *nt*.
hangover ['hæŋəuvə*] *n* Kater *m*.
hank [hæŋk] *n* Strang *m*.
hanker ['hæŋkə*] *vi* sich sehnen (*for, after* nach).
haphazard [hæp'hæzəd] *adj* wahllos, zufällig.
happen ['hæpən] *vi* sich ereignen, passieren; **happening** *n* Ereignis *nt*; (*ART*) Happening *nt*.
happily ['hæpɪlɪ] *adv* glücklich; (*fortu-*

nately) glücklicherweise.
happiness ['hæpɪnɪs] *n* Glück *nt*.
happy ['hæpɪ] *adj* glücklich; ~ **birthday** herzlichen Glückwunsch zum Geburtstag; **happy-go-lucky** *adj* sorglos.
harass ['hærəs] *vt* bedrängen, plagen.
harbour, harbor (*US*) ['hɑːbə*] *n* Hafen *m*.
hard [hɑːd] **1.** *adj* (*firm*) hart, fest; (*difficult*) schwer, schwierig; (*physically*) schwer; (*harsh*) hart[herzig], gefühllos; **2.** *adv* (*work*) hart; (*try*) sehr; (*push, hit*) fest; ~ **by** (*close*) dicht (*o* nahe) an; **he took it** ~ er hat es schwer genommen; **hardback** *n* Hartdeckelbuch *nt*; **hard-boiled** *adj* hartgekocht; **hard disk** *n* Festplatte *f*; ~ **drive** Festplattenlaufwerk *nt*; **harden 1.** *vt* erhärten; (*fig*) verhärten; **2.** *vi* hart werden; (*fig*) sich verhärten; **hard-hearted** *adj* hartherzig; **hardliner** *n* Hardliner(in *f*) *m*, Anhänger(in *f*) *m* einer Politik der Härte; **hardly** *adv* kaum; **hard sell** *n* aggressive Verkaufsstrategie; **hardship** *n* Not *f*; (*injustice*) Unrecht *nt*; **hard shoulder** *n* Standspur *f*; **hard-up** *adj* knapp bei Kasse; **hardware** *n* Eisenwaren *pl*; (*COMPUT*) Hardware *f*.
hardy ['hɑːdɪ] *adj* (*strong*) widerstandsfähig; (*brave*) verwegen.
hare [heə*] *n* Hase *m*.
harem [hɑːˈriːm] *n* Harem *m*.
harm [hɑːm] **1.** *n* Schaden *m*; Leid *nt*; **2.** *vt* schaden + *dat*; **it won't do any** ~ es kann nicht schaden; **harmful** *adj* schädlich; **harmless** *adj* harmlos, unschädlich.
harmonica [hɑːˈmɒnɪkə] *n* Mundharmonika *f*.
harmonious [hɑːˈməʊnɪəs] *adj* harmonisch.
harmonize ['hɑːmənaɪz] **1.** *vt* abstimmen; **2.** *vi* harmonieren.
harmony ['hɑːmənɪ] *n* Harmonie *f*.
harness ['hɑːnɪs] **1.** *n* Geschirr *nt*; **2.** *vt* (*horse*) anschirren; (*fig*) nutzbar machen.
harp [hɑːp] *n* Harfe *f*; **to** ~ **on about sth** auf etw *dat* herumreiten; **harpist** *n* Harfenspieler(in *f*) *m*.
harpoon [hɑːˈpuːn] *n* Harpune *f*.
harrow ['hærəʊ] **1.** *n* Egge *f*; **2.** *vt* eggen; **harrowing** *adj* nervenaufreibend.
harsh [hɑːʃ] *adj* (*rough*) rauh, grob; (*severe*) schroff, streng; **harshly** *adv* rauh, barsch; **harshness** *n* Härte *f*.
harvest ['hɑːvɪst] **1.** *n* Ernte *f*; (*time*) Erntezeit *f*; **2.** *vt* ernten; **harvester** *n* Mähbinder *m*.
hash [hæʃ] **1.** *vt* kleinhacken; **2.** *n* (*mess*) Kuddelmuddel *m*; (*meat, cooked*) Ha-

schee *nt*; (*raw*) Gehackte(s) *nt*.
hashish ['hæʃɪʃ] *n* Haschisch *nt*.
haste [heɪst] *n* (*speed*) Eile *f*; (*hurry*) Hast *f*; **hasten** ['heɪsn] **1.** *vt* beschleunigen; **2.** *vi* eilen, sich beeilen; **hasty** *adj*, **hastily** *adv* hastig; (*rash*) vorschnell.
hat [hæt] *n* Hut *m*.
hatch [hætʃ] **1.** *n* (*NAUT*) Luke *f*; (*in house*) Durchreiche *f*; **2.** *vi* brüten; (*young*) ausschlüpfen; **3.** *vt* (*brood*) ausbrüten; (*plot*) aushecken.
hatchet ['hætʃɪt] *n* Beil *nt*.
hate [heɪt] **1.** *vt* hassen; **2.** *n* Haß *m*; **I** ~ **queuing** ich stehe nicht gern Schlange; **hateful** *adj* verhaßt; **hatred** ['heɪtrɪd] *n* Haß *m*; (*dislike*) Abneigung *f*.
hat trick ['hættrɪk] *n* Hattrick *m* (*drei Treffer hintereinander*).
haughty *adj*, **haughtily** *adv* [hɔːtɪ, -lɪ] hochnäsig, überheblich.
haul [hɔːl] **1.** *vt* ziehen, schleppen; **2.** *n* (*pull*) Zug *m*; (*catch*) Fang *m*; **haulage** ['hɔːlɪdʒ] *n* Transport *m*; (*COM*) Spedition *f*; **haulier** ['hɔːlɪə*] *n* Transportunternehmer(in *f*) *m*, Spediteur(in *f*) *m*.
haunch [hɔːntʃ] *n* Lende *f*; **to sit on one's** ~ **es** hocken.
haunt [hɔːnt] **1.** *vt* (*ghost*) spuken in + *dat*, umgehen in + *dat*; (*memory*) verfolgen; (*pub*) häufig besuchen; **2.** *n* Lieblingsplatz *m*; **the castle is** ~ **ed** in dem Schloß spukt es.
have [hæv] < **had, had** > *vt* haben; (*at meal*) essen, trinken; (*fam: trick*) hereinlegen; **to** ~ **sth done** etw machen lassen; **to** ~ **to do sth** etw tun müssen; **to** ~ **sb on** jdn auf den Arm nehmen.
haven ['heɪvn] *n* Hafen *m*; (*fig*) Zufluchtsort *m*.
havoc ['hævək] *n* Verwüstung *f*.
hawk [hɔːk] *n* Habicht *m*.
hay [heɪ] *n* Heu *nt*; **hay fever** *n* Heuschnupfen *m*; **haystack** *n* Heuschober *m*.
haywire ['heɪwaɪə*] *adj* (*fam*) durcheinander.
hazard ['hæzəd] **1.** *n* (*chance*) Zufall *m*; (*danger*) Wagnis *nt*, Risiko *nt*; **2.** *vt* aufs Spiel setzen; **hazardous** *adj* gefährlich, riskant; **hazard** [**warning**] **lights** *n pl* (*AUT*) Warnlichtanlage *f*.
haze [heɪz] *n* Dunst *m*; (*fig*) Unklarheit *f*.
hazelnut ['heɪzlnʌt] *n* Haselnuß *f*.
hazy ['heɪzɪ] *adj* (*misty*) dunstig, diesig; (*vague*) verschwommen.
he [hiː] *pron* er.
head [hed] **1.** *n* Kopf *m*; (*top*) Spitze *f*; (*leader*) Leiter(in *f*) *m*; **2.** *adj* Kopf-; (*leading*) Ober-; **3.** *vt* [an]führen, leiten; ~ **s** (*on coin*) Kopf *m*, Wappen *nt*; **head for**

vt Richtung nehmen auf + *akk*, zugehen auf + *akk*. **headache** ['hedeɪk] *n* Kopfschmerzen *pl*, Kopfweh *nt*; **heading** *n* Überschrift *f*; **headlamp** *n* Scheinwerfer *m*; **headland** *n* Landspitze *f*; **headlight** *n* Scheinwerfer *m*; **headline** *n* Schlagzeile *f*; **headlong** *adv* kopfüber; **headmaster** *n* (*of primary school*) Rektor *m*; (*of secondary school*) Direktor *m*; **headmistress** *n* (*of primary school*) Rektorin *f*; (*of secondary school*) Direktorin *f*; **head-on** *adj* Frontal-; **headphones** *n pl* Kopfhörer *m*; **headquarters** *n pl* Zentrale *f*; (*MIL*) Hauptquartier *nt*; **headrest** *n*, **head restraint** *n* Kopfstütze *f*; **headroom** *n* (*of bridges etc*) lichte Höhe; (*in car*) Platz *m* für den Kopf; **headscarf** *n* < -scarves > Kopftuch *nt*; **headstrong** *adj* eigenwillig; **head waiter** *n* Oberkellner *m*; **headway** *n* Fahrt *f* [voraus]; (*fig*) Fortschritte *pl*; **headwind** *n* Gegenwind *m*; **heady** *adj* (*rash*) hitzig; (*intoxicating*) stark, berauschend.

heal [hiːl] **1.** *vt* heilen; **2.** *vi* verheilen.

health [helθ] *n* Gesundheit *f*; **your ~ !** prost!; **health centre** *n* Fitneßcenter *nt*, Fitneßstudio *nt*; **healthy** *adj* gesund.

heap [hiːp] **1.** *n* Haufen *m*; **2.** *vt* häufen.

hear [hɪə*] < **heard, heard** > **1.** *vt* hören; (*listen to*) anhören; **2.** *vi* hören; **heard** [hɜːd] *pt, pp of* **hear**; **hearing** *n* Gehör *nt*; (*JUR*) Verhandlung *f*; (*of witnesses*) Vernehmung *f*; (*POL*) Anhörung *f*; **to give sb a ~** jdn anhören; **hearing aid** *n* Hörhilfe *f*; **hearsay** *n* Hörensagen *nt*.

hearse [hɜːs] *n* Leichenwagen *m*.

heart [hɑːt] *n* Herz *nt*; (*centre also*) Zentrum *nt*; (*courage*) Mut *m*; **by ~** auswendig; **the ~ of the matter** der Kern des Problems; **heart attack** *n* Herzanfall *m*; **heartbeat** *n* Herzschlag *m*, Schlagen *nt* des Herzens; **heartbreaking** *adj* herzzerbrechend; **heartbroken** *adj* [ganz] gebrochen; **heartburn** *n* Sodbrennen *nt*; **heart failure** *n* Herzversagen *nt*; **heartfelt** *adj* aufrichtig.

hearth [hɑːθ] *n* Herd *m*.

heartily ['hɑːtɪlɪ] *adv* herzlich; (*eat*) herzhaft.

heartless ['hɑːtlɪs] *adj* herzlos.

hearty ['hɑːtɪ] *adj* kräftig; (*friendly*) freundlich.

heat [hiːt] **1.** *n* Hitze *f*; (*of food, water etc*) Wärme *f*; (*SPORT*) Ausscheidungsrunde *f*; (*excitement*) Feuer *nt*; **2.** *vt* (*house*) heizen; (*substance*) heiß machen, erhitzen; **in the ~ of the moment** in der Hitze des Gefechts; **heat up 1.** *vi* warm werden;

2. *vt* aufwärmen; **heated** *adj* erhitzt; (*fig*) hitzig; **heater** *n* [Heiz]ofen *m*; **heat exchanger** *n* Wärmetauscher *m*.

heath [hiːθ] *n* (*Brit*) Heide *f*.

heathen ['hiːðən] **1.** *n* Heide *m*, Heidin *f*; **2.** *adj* heidnisch.

heather ['heðə*] *n* Heidekraut *nt*, Erika *f*.

heating ['hiːtɪŋ] *n* Heizung *f*.

heat pump ['hiːtpʌmp] *n* Wärmepumpe *f*; **heatstroke** *n* Hitzschlag *m*; **heatwave** *n* Hitzewelle *f*.

heave [hiːv] **1.** *vt* hochheben; (*sigh*) ausstoßen; **2.** *vi* wogen; (*breast*) sich heben.

heaven ['hevn] *n* Himmel *m*; (*bliss*) [der siebte] Himmel *m*; **heavenly** *adj* himmlisch; ~ **body** Himmelskörper *m*.

heavy *adj*, **heavily** *adv* ['hevɪ, -ɪlɪ] schwer.

heckle ['hekl] **1.** *vt* unterbrechen; **2.** *vi* dazwischenrufen, störende Fragen stellen.

hectic ['hektɪk] *adj* hektisch.

he'd [hiːd] = **he had; he would.**

hedge [hedʒ] **1.** *n* Hecke *f*; **2.** *vt* einzäunen; **3.** *vi* (*fig*) ausweichen; **to ~ one's bets** sich absichern.

hedgehog ['hedʒhɒg] *n* Igel *m*.

heed [hiːd] **1.** *vt* beachten; **2.** *n* Beachtung *f*; **heedful** *adj* achtsam; **heedless** *adj* achtlos.

heel [hiːl] **1.** *n* Ferse *f*; (*of shoe*) Absatz *m*; **2.** *vt* (*shoes*) mit Absätzen versehen.

hefty ['heftɪ] *adj* (*person*) stämmig; (*portion*) reichlich; (*bite*) kräftig; (*weight*) schwer.

heifer ['hefə*] *n* Färse *f*.

height [haɪt] *n* (*of person*) Größe *f*; (*of object*) Höhe *f*; (*high place*) Gipfel *m*; **heighten** *vt* erhöhen.

heir [ɛə*] *n* Erbe *m*; **heiress** ['ɛərɪs] *n* Erbin *f*; **heirloom** ['ɛəluːm] *n* Erbstück *nt*.

held [held] *pt, pp of* **hold.**

helicopter ['helɪkɒptə*] *n* Hubschrauber *m*.

heliport ['helɪpɔːt] *n* Hubschrauberlandeplatz *m*.

hell [hel] **1.** *n* Hölle *f*; **2.** *interj* verdammt.

he'll [hiːl] = **he will; he shall.**

hellish ['helɪʃ] *adj* höllisch, verteufelt.

hello [hʌ'ləʊ] *interj* (*greeting*) hallo; (*surprise*) hallo, he.

helm [helm] *n* Ruder *nt*, Steuer *nt*.

helmet ['helmɪt] *n* Helm *m*.

helmsman ['helmzmən] *n* < -men > Steuermann *m*.

help [help] **1.** *n* Hilfe *f*; **2.** *vt* helfen + *dat*; **I can't ~ it** ich kann nichts dafür; **I couldn't ~ laughing** ich mußte einfach lachen; ~ **yourself** bedienen Sie sich; **helper** *n* Helfer(in *f*) *m*; **helpful** *adj* hilfreich; **helping** *n* Portion *f*; **helpless** *adj* hilflos.

hem [hem] *n* Saum *m*; **hem in** *vt* einschließen; (*fig*) einengen.

hemisphere ['hemɪsfɪə*] *n* Halbkugel *f*, Hemisphäre *f*.

hemline ['hemlaɪn] *n* Rocklänge *f*.

hemp [hemp] *n* Hanf *m*.

hen [hen] *n* Henne *f*.

hence [hens] *adv* von jetzt an; (*therefore*) daher.

henchman ['hentʃmən] *n* < **-men** > Anhänger *m*, Gefolgsmann *m*.

henpecked ['henpekt] *adj*: **to be ~** unter dem Pantoffel stehen; **~ husband** Pantoffelheld *m*.

hepatitis [hepə'taɪtɪs] *n* Hepatitis *f*, Gelbsucht *f*.

her [hɜː*] **1.** *pron* (*adjektivisch*) ihr; **2.** *pron direct/indirect object of* **she** sie/ihr; **it's ~** sie ist es.

herald ['herəld] **1.** *n* Herold *m*; (*fig*) [Vor]bote *m*; **2.** *vt* verkünden, anzeigen.

heraldry ['herəldrɪ] *n* Wappenkunde *f*.

herb [hɜːb] *n* Kraut *nt*.

herd [hɜːd] *n* Herde *f*.

here [hɪə*] *adv* hier; (*to this place*) hierher; **hereafter 1.** *adv* hernach, künftig; **2.** *n* Jenseits *nt*; **hereby** *adv* hiermit.

hereditary [hɪ'redɪtərɪ] *adj* erblich; **heredity** [hɪ'redɪtɪ] *n* Vererbung *f*.

heresy ['herəsɪ] *n* Ketzerei *f*; **heretic** ['herətɪk] *n* Ketzer(in *f*) *m*; **heretical** [hɪ'retɪkəl] *adj* ketzerisch.

herewith ['hɪə'wɪð] *adv* hiermit; (*COM*) anbei.

heritage ['herɪtɪdʒ] *n* Erbe *nt*.

hermetically [hɜː'metɪkəlɪ] *adv* luftdicht, hermetisch.

hermit ['hɜːmɪt] *n* Einsiedler(in *f*) *m*.

hernia ['hɜːnɪə] *n* [Eingeweide]bruch *m*.

hero ['hɪərəʊ] *n* < **-es** > Held *m*; **heroic** [hɪ'rəʊɪk] *adj* heroisch, heldenhaft.

heroin ['herəʊɪn] *n* Heroin *nt*.

heroine ['herəʊɪn] *n* Heldin *f*.

heroism ['herəʊɪzəm] *n* Heldentum *nt*.

heron ['herən] *n* Reiher *m*.

herpes ['hɜːpiːz] *n* (*MED*) Herpes *m*.

herring ['herɪŋ] *n* Hering *m*.

hers [hɜːz] *pron* (*substantivisch*) ihre(r, s).

herself [hɜː'self] *pron* sich; **she ~** sie selbst; **she's not ~** mit ihr ist etwas los (*o* nicht in Ordnung).

he's [hiːz] **=** he **is**; **he has**.

hesitant ['hezɪtənt] *adj* zögernd; (*speech*) stockend.

hesitate ['hezɪteɪt] *vi* zögern; (*feel doubtful*) unschlüssig sein.

hesitation [hezɪ'teɪʃən] *n* Zögern *nt*, Schwanken *nt*.

het up [het'ʌp] *adj* (*fam*) aufgeregt.

hew [hjuː] < **hewed, hewn** *o*

hewed > *vt* hauen, hacken.

hexadecimal [heksə'desɪməl] *adj* hexadezimal.

hexagon ['heksəgən] *n* Sechseck *nt*; **hexagonal** [hek'sægənəl] *adj* sechseckig.

heyday ['heɪdeɪ] *n* Blüte *f*, Höhepunkt *m*.

hi [haɪ] *interj* he, hallo.

hibernate ['haɪbəneɪt] *vi* Winterschlaf halten; **hibernation** [haɪbə'neɪʃən] *n* Winterschlaf *m*.

hiccough, hiccup ['hɪkʌp] **1.** *vi* den Schluckauf haben; **2.** *n* (*also:* **hiccups** *pl*) Schluckauf *m*.

hid [hɪd] *pt of* **hide**; **hidden** ['hɪdn] *pp of* **hide**.

hide [haɪd] < **hid, hidden** > **1.** *vt* verstecken; (*keep secret*) verbergen; **2.** *vi* sich verstecken; **3.** *n* (*skin*) Haut *f*, Fell *nt*; **hide-and-seek** *n* Versteckspiel *n*.

hideous ['hɪdɪəs] *adj* abscheulich; **hideously** *adv* scheußlich.

hiding ['haɪdɪŋ] *n* (*beating*) Tracht *f* Prügel; **to be in ~** sich versteckt halten; **~ place** Versteck *nt*.

hierarchy ['haɪərɑːkɪ] *n* Hierarchie *f*.

hi-fi [**set**] ['haɪfaɪ] *n* Stereoanlage *f*, Hi-Fi-Anlage *f*.

high [haɪ] **1.** *adj* hoch; (*importance*) groß; (*spirits*) Hoch-; (*wind*) stark; (*living*) extravagant, üppig; **2.** *adv* hoch; **highbrow 1.** *n* Intellektuelle(r) *mf*; **2.** *adj* [betont] intellektuell; (*pej*) hochgestochen; **highchair** *n* Hochstuhl *m*, Sitzer *m*; **high-handed** *adj* eigenmächtig; **high-heeled** *adj* hochhackig; **highjack** *see* **hijack**; **Highlands** *n pl* Hochland *nt*; (*in Scotland*) schottisches Hochland; **high-level** (*meeting*) wichtig, Spitzen-; (*radioactive*) hochaktiv; **highlight** *n* (*fig*) Höhepunkt *m*; **highlighter** *n* Leuchtstift *m*; **highly** *adv* in hohem Maße, höchst; (*praise*) in hohen Tönen; **highly-strung** *adj* nervös; **High Mass** *n* Hochamt; (*nt*) **highness** *n* Höhe *f*; **your H ~** Eure Hoheit; **high-performance** *adj* Hochleistungs-; **high-pitched** *adj* (*voice*) hoch, schrill, hell; **high-resolution** *adj* hochauflösend; **high school** *n* Oberschule *f*; **high-speed** *adj* Schnell-; **~ printer** Schnelldrucker *m*; **high tech 1.** *adj* High-Tech-; **2.** *n* High Tech *nt*; **high tide** *n* Flut *f*; **highway** *n* Landstraße *f*.

hijack ['haɪdʒæk] *vt* hijacken, entführen.

hike [haɪk] **1.** *vi* wandern; **2.** *n* Wanderung *f*; **hiker** *n* Wanderer *m*, Wand[r]erin *f*; **hiking** *n* Wandern *nt*.

hilarious [hɪˈlɛərɪəs] *adj* lustig; zum Schreien komisch; **hilarity** [hɪˈlærɪtɪ] *n* Lustigkeit *f*.

hill [hɪl] *n* Berg *m*; **hillside** *n* [Berg]hang *m*; **hilltop** *n* Bergspitze *f*; **hilly** *adj* hügelig.

hilt [hɪlt] *n* (*of knife*) Heft *nt*; **up to the ~** ganz und gar.

him [hɪm] *pron direct/indirect object of* **he** ihn/ihm; **it's ~** er ist es.

himself [hɪmˈself] *pron* sich; **he ~** er selbst; **he's not ~** mit ihm ist es etwas los (*o* nicht in Ordnung).

hind [haɪnd] **1.** *adj* hintere(r, s), Hinter-; **2.** *n* Hirschkuh *f*.

hinder [ˈhɪndə*] *vt* (*stop*) hindern; (*delay*) behindern; **hindrance** [ˈhɪndrəns] *n* (*delay*) Behinderung *f*; (*obstacle*) Hindernis *nt*.

Hindu [ˈhɪnduː] *adj* hinduistisch.

hinge [hɪndʒ] **1.** *n* Scharnier *nt*; (*on door*) Türangel *f*; **2.** *vt* mit Scharnieren versehen; **3.** *vi* (*fig*) abhängen (*on* von).

hint [hɪnt] **1.** *n* Tip *m*, Andeutung *f*; (*trace*) Anflug *m*; **2.** *vi* andeuten (*at akk*), anspielen (*at auf + akk*).

hip [hɪp] *n* Hüfte *f*.

hippopotamus [hɪpəˈpɒtəməs] *n* Nilpferd *nt*.

hire [ˈhaɪə*] **1.** *vt* (*worker*) anstellen; (*car*) mieten; **2.** *n* Miete *f*; (*of taxi*) frei; **to have for ~** verleihen; **hire purchase** *n* Teilzahlungskauf *m*.

his [hɪz] **1.** *pron* (*adjektivisch*) sein; **2.** *pron* (*substantivisch*) seine(r, s).

hiss [hɪs] *vi* zischen.

historian [hɪˈstɔːrɪən] *n* Geschichtsschreiber(in *f*) *m*; Historiker(in *f*) *m*; **historic** [hɪˈstɒrɪk] *adj* historisch; **historical** [hɪˈstɒrɪkəl] *adj* historisch, geschichtlich; **history** [ˈhɪstərɪ] *n* Geschichte *f*; (*personal*) Entwicklung *f*, Werdegang *m*.

hit [hɪt] **1.** <**hit, hit**> *vt* schlagen; (*injure*) treffen, verletzen; **2.** *n* (*blow*) Schlag *m*, Stoß *m*; (*success*) Erfolg *m*, Treffer *m*; (*MUS*) Hit *m*.

hitch [hɪtʃ] **1.** *vt* festbinden; (*pull up*) hochziehen; **2.** *n* (*loop*) Knoten *m*; (*difficulty*) Schwierigkeit *f*, Haken *m*.

hitch-hike [ˈhɪtʃhaɪk] *vi* trampen, per Anhalter fahren; **hitch-hiker** *n* Tramper(in *f*) *m*.

hitherto [hɪðəˈtuː] *adv* bislang.

hive [haɪv] *n* Bienenkorb *m*; **hive off** *vi* (*fam*) sich absetzen.

HM *abbr of* **His/Her Majesty**.

hoard [hɔːd] **1.** *n* Schatz *m*; **2.** *vt* horten, hamstern.

hoarding [ˈhɔːdɪŋ] *n* Bretterzaun *m*; (*for advertising*) Reklamewand *f*.

hoarfrost [ˈhɔːˈfrɒst] *n* [Rauh]reif *m*.

hoarse [hɔːs] *adj* heiser, rauh.

hoax [həʊks] *n* Streich *m*.

hob [hɒb] *n* (*of cooker*) Kochfeld *nt*.

hobble [ˈhɒbl] *vi* humpeln.

hobby [ˈhɒbɪ] *n* Steckenpferd *nt*, Hobby *nt*.

hobo [ˈhəʊbəʊ] *n* <**-[e]s**> (*US*) Penner(in *f*) *m*.

hock [hɒk] *n* (*wine*) weißer Rheinwein.

hockey [ˈhɒkɪ] *n* Hockey *nt*.

hoe [həʊ] **1.** *n* Hacke *f*; **2.** *vt* hacken.

hog [hɒg] **1.** *n* Schlachtschwein *nt*; **2.** *vt* mit Beschlag belegen.

hoist [hɔɪst] **1.** *n* Winde *f*; **2.** *vt* hochziehen.

hold [həʊld] <**held, held**> **1.** *vt* halten; (*keep*) behalten; (*contain*) enthalten; (*be able to contain*) fassen; (*keep back*) zurück[be]halten; (*breath*) anhalten; (*meeting*) abhalten; **2.** *vi* (*withstand pressure*) halten; (*be valid*) gelten; **3.** *n* (*grasp*) Halt *m*; (*claim*) Anspruch *m*; (*NAUT*) Schiffsraum *m*; **hold back** *vt* zurückhalten; **hold down** *vt* niederhalten; (*job*) behalten; **hold out** **1.** *vt* hinhalten, bieten; **2.** *vi* aushalten; **hold up** *vt* (*delay*) aufhalten; (*rob*) überfallen; **holdall** *n* Reisetasche *f*; **holder** *n* Behälter *m*; **holding** *n* (*share*) [Aktien]anteil *m*; **holdup** *n* (*in traffic*) Stockung *f*; (*robbery*) Überfall *m*.

hole [həʊl] **1.** *n* Loch *nt*; **2.** *vt* durchlöchern.

holiday [ˈhɒlədɪ] *n* (*day*) Feiertag *m*, freier Tag; (*vacation*) Urlaub *m*; (*SCH*) Ferien *pl*; **holiday-maker** *n* Feriengast *m*, Urlauber(in *f*) *m*.

holiness [ˈhəʊlɪnɪs] *n* Heiligkeit *f*.

Holland [ˈhɒlənd] *n* Holland *nt*.

hollow [ˈhɒləʊ] **1.** *adj* hohl; (*fig*) leer; **2.** *n* Vertiefung *f*; (*in rock*) Höhle *f*; **hollow out** *vt* aushöhlen.

holly [ˈhɒlɪ] *n* Stechpalme *f*.

hologram [ˈhɒləgræm] *n* Hologramm *nt*.

holster [ˈhəʊlstə*] *n* Pistolenhalfter *nt*.

holy [ˈhəʊlɪ] *adj* heilig; (*religious*) fromm.

homage [ˈhɒmɪdʒ] *n* Huldigung *f*; **to pay ~ to sb** jdm huldigen.

home [həʊm] **1.** *n* Heim *nt*, Zuhause *nt*; (*institution*) Heim *nt*, Anstalt *f*; **2.** *adj* einheimisch; (*POL*) innere(r, s); **3.** *adv* heim, nach Hause; **at ~** zu Hause; **homecoming** *n* Heimkehr *f*; **home computer** *n* Heimcomputer *m*; **homeless** *adj* obdachlos; **homely** *adj* häuslich; (*US: ugly*) unscheinbar; **homemade** *adj* selbstgemacht; **homesick** *adj*: **to be ~** Heimweh haben; **homeward[s]** *adj* heimwärts; **homework** *n*

Hausaufgaben pl.

homicide ['hɒmɪsaɪd] n (US) Totschlag m; **culpable ~** Mord m.

homoeopathy [həʊmɪ'ɒpəθɪ] n Homöopathie f.

homogeneous [hɒmə'dʒiːnɪəs] adj homogen, gleichartig.

homosexual [hɒməʊ'seksjʊəl] **1.** adj homosexuell; **2.** n Homosexuelle(r) mf.

hone [həʊn] **1.** n Schleifstein m; **2.** vt feinschleifen.

honest ['ɒnɪst] adj ehrlich; (upright) aufrichtig; **honestly** adv ehrlich; **honesty** n Ehrlichkeit f.

honey ['hʌnɪ] n Honig m; **honeycomb** n Honigwabe f; **honeydew melon** n Honigmelone f; **honeymoon** n Flitterwochen pl, Hochzeitsreise f.

honk [hɒŋk] vi hupen.

honorary ['ɒnərərɪ] adj Ehren-.

honour, honor (US) ['ɒnə*] **1.** vt ehren; (cheque) einlösen; (debts) begleichen; (contract) einhalten; **2.** n (respect) Ehre f; (reputation) Ansehen nt, guter Ruf; (sense of right) Ehrgefühl nt; **~s** pl (titles) Auszeichnungen pl; **honourable** adj ehrenwert, rechtschaffen; (intention) ehrenhaft.

hood [hʊd] n Kapuze f; (AUT) Verdeck nt; (US AUT) Kühlerhaube f; **hoodwink** vt reinlegen.

hoof [huːf] n < -s oder hooves > Huf m.

hook [hʊk] **1.** n Haken m; **2.** vt einhaken; **hook-up** n Gemeinschaftssendung f.

hooligan ['huːlɪgən] n Rowdy m.

hoop [huːp] n Reifen m.

hoot [huːt] **1.** vi (AUT) hupen; **2.** n (shout) Johlen nt; (AUT) Hupen nt; **to ~ with laughter** schallend lachen; **hooter** n (NAUT) Dampfpfeife f; (AUT) [Auto]hupe f.

hop [hɒp] **1.** vi hüpfen, hopsen; **2.** n (jump) Hopser m; **3.** n (BOT) Hopfen m.

hope [həʊp] **1.** vi hoffen; **2.** n Hoffnung f; **I ~ that...** hoffentlich...; **hopeful** adj hoffnungsvoll; (promising) vielversprechend; **hopefully** adv (full of hope) hoffnungsvoll; (I hope so) hoffentlich; **hopeless** adj hoffnungslos; (useless) unmöglich.

horde [hɔːd] n Horde f.

horizon [hə'raɪzn] n Horizont m; **horizontal** [hɒrɪ'zɒntl] adj horizontal.

hormone ['hɔːməʊn] n Hormon nt.

horn [hɔːn] n Horn nt; (AUT) Hupe f; **horned** adj gehörnt, Horn-.

hornet ['hɔːnɪt] n Hornisse f.

horny ['hɔːnɪ] adj schwielig; (US) scharf, geil.

horoscope ['hɒrəskəʊp] n Horoskop nt.

horrible adj, **horribly** adv ['hɒrɪbl, -blɪ]

fürchterlich.

horrid adj, **horridly** adv ['hɒrɪd, -lɪ] abscheulich, scheußlich.

horrify ['hɒrɪfaɪ] vt entsetzen.

horror ['hɒrə*] n Schrecken m; (great dislike) Abscheu m (of vor + dat).

hors d'oeuvre [ɔː'dɜːvr] n Vorspeise f.

horse [hɔːs] n Pferd nt; **on ~ back** beritten; **horse chestnut** n Roßkastanie f; **horse-drawn** adj von Pferden gezogen, Pferde-; **horsepower** n Pferdestärke f, PS nt; **horse-racing** n Pferderennen nt; **horseshoe** n Hufeisen nt; **horsy** ['hɔːsɪ] adj pferdenärrisch.

horticulture ['hɔːtɪkʌltʃə*] n Gartenbau m.

hose[pipe] ['həʊzpaɪp] n Schlauch m.

hosiery ['həʊzɪərɪ] n Strumpfwaren pl.

hospice ['hɒspɪs] n Pflegeheim nt.

hospitable [hɒ'spɪtəbl] adj gastfreundlich.

hospital ['hɒspɪtl] n Krankenhaus nt.

hospitality [hɒspɪ'tælɪtɪ] n Gastlichkeit f, Gastfreundschaft f.

host [həʊst] n Gastgeber m; (innkeeper) [Gast]wirt m; (large number) Heerschar f; (REL) Hostie f.

hostage ['hɒstɪdʒ] n Geisel f.

hostel ['hɒstəl] n Herberge f.

hostess ['həʊstɛs] n Gastgeberin f; (in hotel etc) Wirtin f; (in night-club) Hostess f.

hostile ['hɒstaɪl] adj feindlich; **hostility** [hɒ'stɪlɪtɪ] n Feindschaft f; **hostilities** pl Feindseligkeiten pl.

hot [hɒt] adj heiß; (drink, food, water) warm; (spiced) scharf; (angry) hitzig; **~ line** (POL) heißer Draht; **~ news** das Neueste vom Neuen; **hot air** n (fam) Gewäsch nt; **hotbed** n Mistbeet nt; (fig) Nährboden m; **hot-blooded** adj heißblütig; **hot dog** n Hot dog m o nt (heißes Würstchen im Brot).

hotel [həʊ'tel] n Hotel nt.

hotheaded [hɒt'hedɪd] adj hitzig, aufbrausend; **hothouse** ['hɒthaʊs] n Treibhaus nt; **hotly** adv (argue) hitzig; (pursue) dicht; **hotplate** n Kochplatte f; **hot-water bottle** [hɒt'wɔːtəbɒtl] n Wärmflasche f.

hound [haʊnd] **1.** n Jagdhund m; **2.** vt jagen, hetzen.

hour ['aʊə*] n Stunde f; (time of day) [Tages]zeit f; **hourly** adj stündlich.

house [haʊs] **1.** n Haus nt; **2.** [haʊz] vt (accommodate) unterbringen; (shelter) aufnehmen; **houseboat** n Hausboot nt; **housebreaking** n Einbruch m; **household** n Haushalt m; **house-husband** n Hausmann m; **housekeeper**

Haushälter(in f) f; **housekeeping** n Haushaltung f; **housewife** n <**-wives**> Hausfrau f; **housework** n Hausarbeit f.

housing ['hauzıŋ] n (act) Unterbringung f; (houses) Wohnungen pl; (POL) Wohnungsbau m; (covering) Gehäuse nt; **housing benefit** n Wohnbeihilfe f, Wohngeld nt; **housing development** (US), **housing estate** (Brit) n [Wohn]siedlung f.

hovel ['hovəl] n elende Hütte; Loch nt.

hover ['hovə*] vi (bird) schweben; (person) wartend herumstehen; **hovercraft** n Luftkissenfahrzeug nt.

how [hau] adv wie; ~ **many** wie viele; ~ **much** wieviel; **however** [hau'evə*] adv (but) [je]doch, aber; ~ **you phrase it** wie Sie es auch ausdrücken.

howl [haul] vi heulen.

howler ['haulə*] n grober Schnitzer.

hp abbr of **1.** n (Brit) **hire purchase** Ratenkauf m; **2.** n **horse power** Pferdestärke f, PS.

hub [hʌb] n Radnabe f; (of the world) Mittelpunkt m; (of commerce) Zentrum nt.

hubbub ['hʌbʌb] n Tumult m.

hub cap ['hʌbkæp] n Radkappe f.

huddle ['hʌdl] **1.** vi sich zusammendrängen; **2.** n Grüppchen nt.

hue [hju:] n Färbung f, Farbton m; ~ **and cry** n Zetergeschrei nt.

huff [hʌf] n Eingeschnapptsein nt; **to go into a** ~ einschnappen.

hug [hʌg] **1.** vt umarmen; (fig) sich dicht halten an + akk; **2.** n Umarmung f.

huge [hju:dʒ] adj groß, riesig.

hulk [hʌlk] n (ship) abgetakeltes Schiff; (person) Koloß m; **hulking** adj ungeschlacht.

hull [hʌl] n Schiffsrumpf m.

hullo [hʌ'ləu] see **hello**.

hum [hʌm] **1.** vi summen; (bumblebee) brummen; **2.** vt summen; **3.** n Summen nt.

human ['hju:mən] **1.** adj menschlich; **2.** n (also: ~ **being**) Mensch m.

humane [hju:'meın] adj human.

humanitarian [hju:mænı'teərıən] adj humanitär.

humanity [hju:'mænıtı] n Menschheit f; (kindliness) Menschlichkeit f.

humble ['hʌmbl] **1.** adj demütig; (modest) bescheiden; **2.** vt demütigen; **humbly** adv demütig.

humdrum ['hʌmdrʌm] adj eintönig, langweilig.

humid ['hju:mıd] adj feucht; **humidity** [hju:'mıdıtı] n Feuchtigkeit f.

humiliate [hju:'mılıeıt] vt demütigen; **hu**miliation [hju:mılı'eıʃən] n Demütigung f.

humility [hju:'mılıtı] n Demut f.

humorist ['hju:mərıst] n Humorist(in f) m.

humorous ['hju:mərəs] adj humorvoll, komisch.

humour, humor (US) ['hju:mə*] **1.** n (fun) Humor m; (mood) Stimmung f; **2.** vt nachgeben + dat, bei Stimmung halten.

hump [hʌmp] n Buckel m.

hunch [hʌntʃ] **1.** n (presentiment) [Vor]ahnung f; **2.** vt (shoulders) hochziehen; **hunchback** n Bucklige(r) mf.

hundred ['hʌndrıd] num (also: **one** ~, **a** ~) [ein]hundert; **hundredweight** n Zentner m (50,8 kg).

hung [hʌŋ] pt, pp of **hang**.

Hungarian [hʌŋ'geərıən] **1.** adj ungarisch; **2.** n Ungar(in f) m; **Hungary** ['hʌŋgərı] n Ungarn m.

hunger ['hʌŋgə*] **1.** n Hunger m; (fig) Verlangen nt (for nach); **2.** vi hungern; **hungry** adj, **hungrily** adv ['hʌŋgrı, -lı] hungrig; **to be** ~ Hunger haben.

hunt [hʌnt] **1.** vt jagen; (search) suchen (for akk); **2.** vi jagen; **3.** n Jagd f; **hunter** n Jäger m; **hunting** n Jagen nt, Jagd f; **huntress** ['hʌntrıs] n Jägerin f.

hurdle ['hɜ:dl] n (also fig) Hürde f.

hurl [hɜ:l] vt schleudern.

hurrah, hurray [hu'rɑ:, hu'reı] interj hurra.

hurricane ['hʌrıkən] n Orkan m.

hurried ['hʌrıd] adj eilig; (hasty) übereilt; **hurriedly** adv übereilt, hastig.

hurry ['hʌrı] **1.** n Eile f; **2.** vi sich beeilen; **3.** vt (job) übereilen; **to be in a** ~ es eilig haben; ~! mach schnell!

hurt [hɜ:t] <**hurt, hurt**> **1.** vt weh tun + dat; (injure, fig) verletzen; **2.** vi weh tun; **hurtful** adj schädlich; (remark) verletzend.

husband ['hʌzbənd] n [Ehe]mann m, Gatte m.

hush [hʌʃ] **1.** n Stille f; **2.** vt zur Ruhe bringen; **3.** vi still sein; **4.** interj pst, still.

husk [hʌsk] n Spelze f.

husky ['hʌskı] **1.** adj (voice) rauh; (figure) stämmig; **2.** n Eskimohund m.

hustle ['hʌsl] **1.** vt (push) stoßen; (hurry) antreiben, drängen; **2.** n [Hoch]betrieb m; ~ **and bustle** Geschäftigkeit f.

hut [hʌt] n Hütte f.

hutch [hʌtʃ] n [Kaninchen]stall m.

hyacinth ['haıəsınθ] n Hyazinthe f.

hybrid ['haıbrıd] **1.** n Kreuzung f; **2.** adj Misch-.

hydrant ['haıdrənt] n Hydrant m.

hydraulic [haı'drɒlık] adj hydraulisch.

hydroelectric [ˈhaɪdrəʊɪˈlektrɪk] *adj* hydroelektrisch; ~ **power station** Wasserkraftwerk *nt*.
hydrofoil [ˈhaɪdrəʊfɔɪl] *n* Tragfläche *f*; (*ship*) Tragflächenboot *nt*.
hydrogen [ˈhaɪdrɪdʒən] *n* Wasserstoff *m*.
hydroponics [haɪdrəˈpɒnɪks] *n sing* Hydrokultur *f*.
hyena [haɪˈiːnə] *n* Hyäne *f*.
hygiene [ˈhaɪdʒiːn] *n* Hygiene *f*; **hygienic** [haɪˈdʒiːnɪk] *adj* hygienisch.
hymn [hɪm] *n* Kirchenlied *nt*.
hype [haɪp] **1.** *n* große Werbung; **2.** *vt* groß Werbung machen für.
hypermarket [ˈhaɪpəmɑːkɪt] *n* Großmarkt *m*.
hyphen [ˈhaɪfən] *n* Bindestrich *m*; Trennungszeichen *nt*.
hypnosis [hɪpˈnəʊsɪs] *n* Hypnose *f*; **hypnotism** [ˈhɪpnətɪzəm] *n* Hypnotismus *m*; **hypnotist** [ˈhɪpnətɪst] *n* Hypnotiseur(in *f*) *m*; **hypnotize** [ˈhɪpnətaɪz] *vt* hypnotisieren.
hypochondriac [haɪpəʊˈkɒndriæk] *n* eingebildeter Kranker, eingebildete Kranke.
hypocrisy [hɪˈpɒkrɪsɪ] *n* Heuchelei *f*, Scheinheiligkeit *f*; **hypocrite** [ˈhɪpəkrɪt] *n* Heuchler(in *f*) *m*, Scheinheilige(r) *mf*; **hypocritical** [hɪpəˈkrɪtɪkəl] *adj* scheinheilig, heuchlerisch.
hypothesis [haɪˈpɒθɪsɪs] *n* Hypothese *f*; **hypothetic[al]** [haɪpəʊˈθetɪkəl] *adj* hypothetisch.
hysteria [hɪˈstɪərɪə] *n* Hysterie *f*; **hysterical** [hɪˈsterɪkəl] *adj* hysterisch; **hysterics** [hɪˈsterɪks] *n pl* hysterischer Anfall; **to go into** ~ hysterisch werden; (*laugh*) sich totlachen.
idyllic [ɪˈdɪlɪk] *adj* idyllisch.

I, i [aɪ] *n* I *nt*, i *nt*.
I [aɪ] *pron* ich.
ice [aɪs] **1.** *n* Eis *nt*; **2.** *vt* (*GASTR*) mit Zuckerguß überziehen; **3.** *vi* (*also:* ~ **up**) vereisen; **ice-axe** *n* Eispickel *m*; **iceberg** *n* Eisberg *m*; **icebox** *n* (*US*) Kühlschrank *m*; **ice-cold** *adj* eiskalt; **ice-cream** *n* Eis *nt*; **ice-cube** *n* Eiswürfel *m*; **ice hockey** *n* Eishockey *nt*.
Iceland [ˈaɪslənd] *n* Island *nt*; **Icelander** *n* Isländer(in *f*) *m*; **Icelandic** [aɪsˈlændɪk] *adj* isländisch.
ice lolly [ˈaɪslɒlɪ] *n* Eis *nt* am Stiel; **ice rink** *n* [Kunst]eisbahn *f*.

icicle [ˈaɪsɪkl] *n* Eiszapfen *m*.
icing [ˈaɪsɪŋ] *n* (*on cake*) Zuckerguß *m*.
icon [ˈaɪkɒn] *n* Ikone *f*.
icy [ˈaɪsɪ] *adj* (*slippery*) vereist; (*cold*) eisig.
I'd [aɪd] = **I would; I had.**
ID *n abbr of* **identification** Ausweis *m*.
idea [aɪˈdɪə] *n* Idee *f*; **no** ~ keine Ahnung; **my** ~ **of a holiday** wie ich mir einen Urlaub vorstelle.
ideal [aɪˈdɪəl] **1.** *n* Ideal *nt*; **2.** *adj* ideal; **idealism** *n* Idealismus *m*; **idealist** *n* Idealist(in *f*) *m*; **ideally** *adv* ideal[erweise].
identical [aɪˈdentɪkəl] *adj* identisch; (*twins*) eineiig.
identification [aɪdentɪfɪˈkeɪʃən] *n* Identifizierung *f*; **identify** [aɪˈdentɪfaɪ] *vt* identifizieren; (*regard as the same*) gleichsetzen.
identikit picture [aɪˈdentɪkɪtˈpɪktʃə*] *n* (*Brit*) Phantombild *nt*.
identity [aɪˈdentɪtɪ] *n* Identität *f*; **identity card** *n* [Personal]ausweis *m*; **identity papers** *n pl* [Ausweis]papiere *pl*.
ideology [aɪdɪˈɒlədʒɪ] *n* Ideologie *f*.
idiocy [ˈɪdɪəsɪ] *n* Idiotie *f*.
idiom [ˈɪdɪəm] *n* (*expression*) Redewendung *f*; (*dialect*) Idiom *m*.
idiosyncrasy [ɪdɪəˈsɪŋkrəsɪ] *n* Eigenart *f*.
idiot [ˈɪdɪət] *n* Idiot(in *f*) *m*; **idiotic** [ɪdɪˈɒtɪk] *adj* idiotisch.
idle [ˈaɪdl] *adj* (*doing nothing*) untätig, müßig; (*lazy*) faul; (*useless*) vergeblich, nutzlos; (*machine*) still[stehend]; (*threat, talk*) leer; **idleness** *n* Müßiggang *m*; Faulheit *f*; **idler** *n* Faulenzer(in *f*) *m*.
idol [ˈaɪdl] *n* Idol *nt*; **idolize** [ˈaɪdəlaɪz] *vt* vergöttern.
i.e. *abbr of* **that means** das heißt, d.h.
if [ɪf] *conj* wenn, falls; (*whether*) ob; ~ **only ...** wenn ... doch nur; ~ **not** falls nicht.
igloo [ˈɪgluː] *n* Iglu *m o nt*.
ignite [ɪgˈnaɪt] *vt* [an]zünden.
ignition [ɪgˈnɪʃən] *n* Zündung *f*; **ignition key** *n* (*AUT*) Zündschlüssel *m*.
ignoramus [ɪgnəˈreɪməs] *n* Ignorant(in *f*) *m*.
ignorance [ˈɪgnərəns] *n* Unwissenheit *f*, Ignoranz *f*; **ignorant** *adj* unwissend.
ignore [ɪgˈnɔː*] *vt* ignorieren.
ikon [ˈaɪkɒn] *n see* **icon.**
I'll [aɪl] = **I will; I shall.**
ill [ɪl] **1.** *adj* krank; (*evil*) schlecht, böse; **2.** *n* Übel *nt*; **ill-advised** *adj* schlecht beraten, unklug; **ill-at-ease** *adj* unbehaglich.
illegal *adj*, **illegally** *adv* [ɪˈliːgəl, -ɪ] illegal.

illegible [ɪˈledʒəbl] adj unleserlich.
illegitimate [ɪlɪˈdʒɪtɪmət] adj unzulässig; (child) unehelich.
ill-fated [ˈɪlˈfeɪtɪd] adj unselig.
ill-feeling [ˈɪlˈfiːlɪŋ] n Verstimmung f.
illicit [ɪˈlɪsɪt] adj verboten.
illiterate [ɪˈlɪtərət] adj ungebildet.
ill-mannered [ˈɪlˈmænəd] adj ungehobelt.
illness [ˈɪlnəs] n Krankheit f.
illogical [ɪˈlɒdʒɪkəl] adj unlogisch.
ill-treat [ˈɪlˈtriːt] vt mißhandeln.
illuminate [ɪˈluːmɪneɪt] vt beleuchten; **illumination** [ɪluːmɪˈneɪʃən] n Beleuchtung f.
illusion [ɪˈluːʒən] n Illusion f.
illusive, illusory [ɪˈluːsɪv, ɪˈluːsəri] adj illusorisch, trügerisch.
illustrate [ˈɪləstreɪt] vt (book) illustrieren; (explain) veranschaulichen; **illustration** [ɪləˈstreɪʃən] n Illustration f; (explanation) Veranschaulichung f.
illustrious [ɪˈlʌstrɪəs] adj berühmt.
ill will [ˈɪlˈwɪl] n Groll m.
I'm [aɪm] = **I am.**
image [ˈɪmɪdʒ] n Bild nt; (likeness) Abbild nt; (public ~) Image nt; **imagery** n Symbolik f.
imaginable [ɪˈmædʒɪnəbl] adj vorstellbar.
imaginary [ɪˈmædʒɪnəri] adj eingebildet; (world) Phantasie-.
imagination [ɪmædʒɪˈneɪʃən] n Einbildung f; (creative) Phantasie f.
imaginative [ɪˈmædʒɪnətɪv] adj phantasiereich, einfallsreich.
imagine [ɪˈmædʒɪn] vt sich dat vorstellen; (wrongly) sich dat einbilden.
imbalance [ɪmˈbæləns] n Unausgeglichenheit f.
imbecile [ˈɪmbəsiːl] n Schwachsinnige(r) mf.
imitate [ˈɪmɪteɪt] vt nachmachen, imitieren; **imitation** [ɪmɪˈteɪʃən] n Nachahmung f, Imitation f; **imitator** [ˈɪmɪteɪtə*] n Nachahmer(in f) m.
immaculate [ɪˈmækjʊlɪt] adj makellos; (dress) tadellos; (REL) unbefleckt.
immaterial [ɪməˈtɪərɪəl] adj unwesentlich.
immature [ɪməˈtjʊə*] adj unreif; **immaturity** [ɪməˈtjʊərɪtɪ] n Unreife f.
immediate [ɪˈmiːdɪət] adj (instant) sofortig; (near) unmittelbar; (relatives) nächste(r, s); (needs) dringlich; **immediately** adv sofort; (in position) unmittelbar.
immense [ɪˈmens] adj unermeßlich; **immensely** adv ungeheuerlich; (grateful) unheimlich.
immerse [ɪˈmɜːs] vt eintauchen.

immersion heater [ɪˈmɜːʃənhiːtə*] n Heißwassergerät nt.
immigrant [ˈɪmɪɡrənt] n Einwanderer m, Einwand(r)erin f; **immigration** [ɪmɪˈɡreɪʃən] n Einwanderung f.
imminent [ˈɪmɪnənt] adj bevorstehend; (danger) drohend.
immobilize [ɪˈməʊbɪlaɪz] vt lähmen.
immoderate [ɪˈmɒdərət] adj maßlos, übertrieben.
immoral [ɪˈmɒrəl] adj unmoralisch; (sexually) unsittlich; **immorality** [ɪməˈrælɪtɪ] n Verderbtheit f.
immortal [ɪˈmɔːtl] 1. adj unsterblich; 2. n Unsterbliche(r) mf; **immortality** [ɪmɔːˈtælɪtɪ] n Unsterblichkeit f; (of book etc) Unvergänglichkeit f; **immortalize** vt unsterblich machen.
immune [ɪˈmjuːn] adj (secure) geschützt (from gegen), sicher (from vor + dat); (MED) immun; **immune deficiency syndrome** n Immunschwächekrankheit f; **immune system** n Immunsystem nt.
immunity [ɪˈmjuːnɪtɪ] n (MED, JUR) Immunität f.
immunization [ɪmjʊnaɪˈzeɪʃən] n Immunisierung f; **immunize** [ˈɪmjʊnaɪz] vt immunisieren.
immunodeficiency [ɪmjuːnəʊdɪˈfɪʃənsɪ] n Immunschwäche f.
impact [ˈɪmpækt] n Aufprall m; (force) Wucht f; (fig) Wirkung f.
impair [ɪmˈpɛə*] vt beeinträchtigen.
impale [ɪmˈpeɪl] vt aufspießen.
impartial [ɪmˈpɑːʃəl] adj unparteiisch; **impartiality** [ɪmpɑːʃɪˈælɪtɪ] n Unparteilichkeit f.
impassable [ɪmˈpɑːsəbl] adj unpassierbar.
impassioned [ɪmˈpæʃnd] adj leidenschaftlich.
impatience [ɪmˈpeɪʃəns] n Ungeduld f; **impatient** adj, **impatiently** adv ungeduldig; **to be ~ to do sth** es nicht erwarten können, etw zu tun.
impeccable [ɪmˈpekəbl] adj tadellos.
impede [ɪmˈpiːd] vt behindern.
impediment [ɪmˈpedɪmənt] n Hindernis nt; (in speech) Sprachfehler m.
impending [ɪmˈpendɪŋ] adj bevorstehend.
impenetrable [ɪmˈpenɪtrəbl] adj undurchdringlich; (forest) unwegsam; (theory) undurchsichtig; (mystery) unerforschlich.
imperative [ɪmˈperətɪv] 1. adj (necessary) unbedingt erforderlich; 2. n (LING) Imperativ m, Befehlsform f.
imperceptible [ɪmpəˈseptəbl] adj nicht wahrnehmbar.

imperfect [ɪm'pɜːfɪkt] *adj* (*faulty*) fehlerhaft; (*incomplete*) unvollständig; **imperfection** [ɪmpə'fekʃən] *n* Unvollkommenheit *f*; (*fault*) Fehler *m*; (*faultiness*) Fehlerhaftigkeit *f*.

imperial [ɪm'pɪərɪəl] *adj* kaiserlich; **imperialism** *n* Imperialismus *m*.

imperil [ɪm'perɪl] *vt* gefährden.

impersonal [ɪm'pɜːsnl] *adj* unpersönlich.

impersonate [ɪm'pɜːsəneɪt] *vt* sich ausgeben als; (*for amusement*) imitieren; **impersonation** [ɪmpɜːsə'neɪʃən] *n* Verkörperung *f*; (*THEAT*) Imitation *f*.

impertinence [ɪm'pɜːtɪnəns] *n* Unverschämtheit *f*; **impertinent** *adj* unverschämt, frech.

imperturbable [ɪmpə'tɜːbəbl] *adj* unerschütterlich, gelassen.

impervious [ɪm'pɜːvɪəs] *adj* undurchlässig; (*fig*) unempfänglich (*to* für).

impetuous [ɪm'petjʊəs] *adj* heftig, ungestüm.

impetus ['ɪmpɪtəs] *n* Triebkraft *f*; (*fig*) Auftrieb *m*.

impinge on [ɪm'pɪndʒ ɒn] *vt* beeinträchtigen; (*light*) fallen auf + *akk*.

implausible [ɪm'plɔːzəbl] *adj* unglaubwürdig, nicht überzeugend.

implement ['ɪmplɪmənt] **1.** *n* Werkzeug *nt*, Gerät *nt*; **2.** ['ɪmplɪment] *vt* ausführen.

implicate ['ɪmplɪkeɪt] *vt* verwickeln, hineinziehen; **implication** [ɪmplɪ'keɪʃən] *n* (*meaning*) Bedeutung *f*; (*effect*) Auswirkung *f*; (*hint*) Andeutung *f*; (*in crime*) Verwicklung *f*; **by** ~ folglich.

implicit [ɪm'plɪsɪt] *adj* (*suggested*) unausgesprochen; (*utter*) vorbehaltlos.

implore [ɪm'plɔː*] *vt* anflehen.

imply [ɪm'plaɪ] *vt* (*hint*) andeuten; (*be evidence for*) schließen lassen auf + *akk*; **what does this** ~ ? was bedeutet das?

impolite [ɪmpə'laɪt] *adj* unhöflich.

imponderable [ɪm'pɒndərəbl] *adj* unwägbar.

import 1. [ɪm'pɔːt] *vt* einführen, importieren; **2.** ['ɪmpɔːt] *n* Einfuhr *f*, Import *m*; (*meaning*) Bedeutung *f*, Tragweite *f*.

importance [ɪm'pɔːtəns] *n* Bedeutung *f*; (*influence*) Einfluß *m*; **important** *adj* wichtig; (*influential*) bedeutend, einflußreich.

import duty ['ɪmpɔːtdjuːtɪ] *n* Einfuhrzoll *m*.

importer [ɪm'pɔːtə*] *n* Importeur(in *f*) *m*.

import licence ['ɪmpɔːtlaɪsəns] *n* Einfuhrgenehmigung *f*.

impose [ɪm'pəʊz] *vt*, *vi* auferlegen (*on dat*); (*penalty, sanctions*) verhängen (*on gegen*); **to** ~ **[oneself] on sb** sich jdm aufdrängen; **to** ~ **on sb's kindness** jds

Liebenswürdigkeit ausnützen.

imposing [ɪm'pəʊzɪŋ] *adj* eindrucksvoll.

imposition [ɪmpə'zɪʃən] *n* (*of burden, fine*) Auferlegung *f*; (*SCH*) Strafarbeit *f*.

impossibility [ɪmpɒsə'bɪlɪtɪ] *n* Unmöglichkeit *f*; **impossible** *adj*, **impossibly** *adv* [ɪm'pɒsəbl, -blɪ] unmöglich.

impostor [ɪm'pɒstə*] *n* Betrüger(in *f*) *m*, Hochstapler(in *f*) *m*.

impotence ['ɪmpətəns] Impotenz *f*; **impotent** *adj* machtlos; (*sexually*) impotent.

impound [ɪm'paʊnd] *vt* beschlagnahmen.

impoverished [ɪm'pɒvərɪʃt] *adj* verarmt.

impracticable [ɪm'præktɪkəbl] *adj* undurchführbar.

impractical [ɪm'præktɪkəl] *adj* unpraktisch.

imprecise [ɪmprə'saɪs] *adj* ungenau.

impregnate ['ɪmpregneɪt] *vt* (*saturate*) sättigen; (*fertilize*) befruchten; (*fig*) durchdringen.

impresario [ɪmpre'sɑːrɪəʊ] *n* <-s> Impresario *m*.

impress [ɪm'pres] *vt* (*influence*) beeindrucken; (*imprint*) [auf]drücken; **to** ~ **sth on sb** jdm etw einschärfen; **impression** [ɪm'preʃən] *n* Eindruck *m*; (*on wax, footprint*) Abdruck *m*; (*of stamp*) Aufdruck *m*; (*of book*) Auflage *f*; (*take-off*) Nachahmung *f*; **I was under the** ~ ich hatte den Eindruck; **impressionable** *adj* leicht zu beeindrucken; **impressionist** *n* Impressionist(in *f*) *m*; **impressive** *adj* eindrucksvoll.

imprison [ɪm'prɪzn] *vt* ins Gefängnis schicken; **imprisonment** *n* Inhaftierung *f*, Gefangenschaft *f*; **3 years'** ~ eine Gefängnisstrafe von 3 Jahren.

improbable [ɪm'prɒbəbl] *adj* unwahrscheinlich.

impromptu [ɪm'prɒmptjuː] *adj*, *adv* aus dem Stegreif, improvisiert.

improper [ɪm'prɒpə*] *adj* (*indecent*) unanständig; (*wrong*) unrichtig, falsch; (*unsuitable*) unpassend.

improve [ɪm'pruːv] **1.** *vt* verbessern; **2.** *vi* besser werden; **improvement** *n* [Ver]besserung *f*; (*of appearance*) Verschönerung *f*.

improvisation [ɪmprəvaɪ'zeɪʃən] *n* Improvisation *f*; **improvise** ['ɪmprəvaɪz] *vt*, *vi* improvisieren.

imprudence [ɪm'pruːdəns] *n* Unklugheit *f*; **imprudent** *adj* unklug.

impudent ['ɪmpjʊdənt] *adj* unverschämt.

impulse ['ɪmpʌls] *n* (*desire*) Drang *m*; (*driving force*) Antrieb *m*, Impuls *m*; **my first** ~ **was to...** ich wollte zuerst...; **impulsive** [ɪm'pʌlsɪv] *adj* impulsiv.

impure [ɪm'pjʊə*] adj (dirty) unrein; (mixed) gemischt; (bad) schmutzig, unanständig; **impurity** [ɪm'pjʊərɪtɪ] n Unreinheit f; (TECH) Verunreinigung f.

in [ɪn] **1.** prep in; (made of) aus; **2.** adv hinein; ~ Dickens/a child bei Dickens/ einem Kind; ~ him you'll have... an ihm hast du...; ~ doing this he has... dadurch, daß er das tat, hat er...; ~ saying that I mean... wenn ich das sage, meine ich...; **I haven't seen him ~ years** ich habe ihn seit Jahren nicht mehr gesehen; **15 pence ~ the £** 15 Pence per Pfund; **blind ~ the left eye** auf dem linken Auge (o links) blind; ~ **itself** an sich; ~ **that** (as far as) insofern als; **to be ~** zu Hause sein; (train) da sein; (~ fashion) im (Mode) sein; **to have it ~ for sb** es auf jdn abgesehen haben; ~ **s and outs** pl Einzelheiten pl; **to know the ~ s and outs** sich auskennen.

inability [ɪnə'bɪlɪtɪ] n Unfähigkeit f.

inaccessible [ɪnæk'sesəbl] adj unzugänglich.

inaccuracy [ɪn'ækjʊrəsɪ] n Ungenauigkeit f; **inaccurate** [ɪn'ækjʊrɪt] adj ungenau; (wrong) unrichtig.

inaction [ɪn'ækʃən] n Untätigkeit f.

inactive [ɪn'æktɪv] adj untätig.

inactivity [ɪnæk'tɪvɪtɪ] n Untätigkeit f.

inadequacy [ɪn'ædɪkwəsɪ] n Unzulänglichkeit f; (of punishment) Unangemessenheit f; **inadequate** [ɪn'ædɪkwət] adj unzulänglich; (punishment) unangemessen.

inadvertently [ɪnəd'vɜːtəntlɪ] adv unabsichtlich.

inadvisable [ɪnəd'vaɪzəbl] adj nicht ratsam.

inane [ɪ'neɪn] adj dumm, albern.

inanimate [ɪn'ænɪmət] adj leblos.

inapplicable [ɪnə'plɪkəbl] adj unzutreffend.

inappropriate [ɪnə'prəʊprɪət] adj (clothing) ungeeignet; (remark) unangebracht.

inapt [ɪn'æpt] adj unpassend; (clumsy) ungeschickt; **inaptitude** n Untauglichkeit f.

inarticulate [ɪnɑː'tɪkjʊlət] adj unklar; **to be ~** sich nicht ausdrücken können.

inasmuch as [ɪnəz'mʌtʃəz] adv da, weil; (in so far as) soweit.

inattention [ɪnə'tenʃən] n Unaufmerksamkeit f; **inattentive** [ɪnə'tentɪv] adj unaufmerksam.

inaudible [ɪn'ɔːdəbl] adj unhörbar.

inaugural [ɪn'ɔːgjʊrəl] adj Eröffnungs-; (SCH) Antritts-.

inaugurate [ɪn'ɔːgjʊreɪt] vt (open) einweihen; (admit to office) [feierlich] einfüh-

ren; **inauguration** [ɪnɔːgjʊ'reɪʃən] n Eröffnung f; [feierliche] Amtseinführung f.

inborn [ɪn'bɔːn] adj angeboren.

inbred [ɪn'bred] adj (quality) angeboren; **they are ~** bei ihnen herrscht Inzucht.

inbreeding [ɪn'briːdɪŋ] n Inzucht f.

incalculable [ɪn'kælkjʊləbl] adj (person) unberechenbar; (consequences) unabsehbar.

incapable [ɪn'keɪpəbl] adj unfähig (of doing sth etw zu tun); (not able) nicht einsatzfähig.

incapacitate [ɪnkə'pæsɪteɪt] vt untauglich machen; **incapacitated** adj behindert; (machine) nicht gebrauchsfähig.

incarnate [ɪn'kɑːnɪt] adj menschgeworden; (fig) leibhaftig; **incarnation** [ɪnkɑː'neɪʃən] n (REL) Menschwerdung f; (fig) Inbegriff m.

incendiary [ɪn'sendɪərɪ] **1.** adj Brand-; (fig) aufrührerisch; **2.** n Brandstifter(in f) m; (bomb) Brandbombe f.

incense ['ɪnsens] **1.** n Weihrauch m; **2.** [ɪn'sens] vt erzürnen.

incentive [ɪn'sentɪv] n Anreiz m.

incessant [ɪn'sesnt], **incessantly** [ɪn'sesnt, -lɪ] adv unaufhörlich.

incest ['ɪnsest] n Inzest m.

inch [ɪntʃ] n Zoll m (2,54 cm).

incidence ['ɪnsɪdəns] n Auftreten nt; (of crime) Quote f.

incident ['ɪnsɪdənt] n Vorfall m; (disturbance) Zwischenfall m.

incidental [ɪnsɪ'dentl] adj (music) Begleit-; (expenses) Neben-; (unplanned) zufällig; (unimportant) nebensächlich; (remark) beiläufig; ~ **to sth** mit etw verbunden; **incidentally** [ɪnsɪ'dentəlɪ] adv (by chance) nebenbei; (by the way) nebenbei bemerkt, übrigens.

incinerator [ɪn'sɪnəreɪtə*] n Verbrennungsofen m.

incision [ɪn'sɪʒən] n Einschnitt m.

incisive [ɪn'saɪsɪv] adj (style) treffend; (person) scharfsinnig.

incite [ɪn'saɪt] vt anstacheln.

inclement [ɪn'klemənt] adj (weather) rauh.

inclination [ɪnklɪ'neɪʃən] n Neigung f.

incline ['ɪnklaɪn] **1.** n Abhang m; **2.** [ɪn'klaɪn] vt neigen; (fig) veranlassen; **3.** vi sich neigen; **to be ~d to do sth** Lust haben, etw zu tun; (have tendency) dazu neigen, etw zu tun.

include [ɪn'kluːd] vt einschließen; (on list, in group) aufnehmen; **including** prep: ~ X X inbegriffen; **inclusion** [ɪn'kluːʒən] n Aufnahme f, Einbeziehung f; **inclusive** [ɪn'kluːsɪv] adj einschließlich; (COM) inklusive.

incognito [ɪnkɒg'niːtəʊ] adv inkognito.
incoherent [ɪnkəʊ'hɪərənt] adj zusammenhanglos.
income ['ɪnkʌm] n Einkommen nt; (from business) Einkünfte pl; **income tax** n Lohnsteuer f; (of self-employed) Einkommensteuer f.
incoming ['ɪnkʌmɪŋ] adj ankommend; (succeeding) folgend; (mail) eingehend; (tide) steigend.
incomparable [ɪn'kɒmpərəbl] adj unvergleichlich.
incompatible [ɪnkəm'pætəbl] adj unvereinbar; (people) unverträglich.
incompetence [ɪn'kɒmpɪtəns] n Unfähigkeit f; **incompetent** adj unfähig; (not qualified) nicht berechtigt.
incomplete [ɪnkəm'pliːt] adj unvollständig.
incomprehensible [ɪnkɒmprɪ'hensəbl] adj unverständlich.
inconceivable [ɪnkən'siːvəbl] adj unvorstellbar.
inconclusive [ɪnkən'kluːsɪv] adj nicht schlüssig.
incongruity [ɪnkɒŋ'gruːɪtɪ] n Seltsamkeit f; (of remark etc) Unangebrachtsein nt; **incongruous** [ɪn'kɒŋgrʊəs] adj seltsam; (remark) unangebracht.
inconsequential [ɪnkɒnsɪ'kwenʃəl] adj belanglos.
inconsiderable [ɪnkən'sɪdərəbl] adj unerheblich.
inconsiderate [ɪnkən'sɪdərət] adj rücksichtslos; (hasty) unüberlegt.
inconsistency [ɪnkən'sɪstənsɪ] n innerer Widerspruch; (state) Unbeständigkeit f; **inconsistent** adj unvereinbar; (behaviour) inkonsequent; (action, speech) widersprüchlich; (person, work) unbeständig.
inconspicuous [ɪnkən'spɪkjʊəs] adj unauffällig.
inconstancy [ɪn'kɒnstənsɪ] n Unbeständigkeit f; **inconstant** adj unbeständig.
incontinence [ɪn'kɒntɪnəns] n (MED) Unfähigkeit f, Stuhl und Harn zurückzuhalten; (fig) Zügellosigkeit f; **incontinent** adj (MED) nicht fähig, Stuhl und Harn zurückzuhalten; (fig) zügellos.
inconvenience [ɪnkən'viːnɪəns] n Unbequemlichkeit f; (trouble to others) Unannehmlichkeiten pl; **inconvenient** adj (time) ungelegen; (journey) unbequem.
incorporate [ɪn'kɔːpəreɪt] vt (include) aufnehmen; (unite) vereinigen; **incorporated** adj eingetragen; (US) GmbH.
incorrect [ɪnkə'rekt] adj unrichtig; (behaviour) inkorrekt.
incorrigible [ɪn'kɒrɪdʒəbl] adj unverbes-

serlich.
incorruptible [ɪnkə'rʌptəbl] adj unzerstörbar; (person) unbestechlich.
increase ['ɪnkriːs] **1.** n Zunahme f, Erhöhung f; (pay ~) Gehaltserhöhung f; (in size) Vergrößerung f; **2.** [ɪn'kriːs] vt erhöhen; (wealth, rage) vermehren; (business) erweitern; **3.** vi zunehmen; (prices) steigen; (in size) größer werden; (in number) sich vermehren; **increasingly** [ɪn'kriːsɪŋlɪ] adv zunehmend.
incredible adj, **incredibly** adv [ɪn'kredəbl, -blɪ] unglaublich.
incredulity [ɪnkrɪ'djuːlɪtɪ] n Ungläubigkeit f; **incredulous** [ɪn'kredjʊləs] adj ungläubig.
increment ['ɪnkrɪmənt] n Zulage f.
incriminate [ɪn'krɪmɪneɪt] vt belasten.
incubation [ɪnkjʊ'beɪʃən] n Ausbrüten nt; **incubation period** n Inkubationszeit f.
incubator ['ɪnkjʊbeɪtə*] n Brutkasten m.
incur [ɪn'kɜː*] vt sich dat zuziehen; (debts) machen.
incurable [ɪn'kjʊərəbl] adj unheilbar; (fig) unverbesserlich.
indebted [ɪn'detɪd] adj (obliged) verpflichtet (to sb jdm); (owing) verschuldet.
indecency [ɪn'diːsnsɪ] n Unanständigkeit f; **indecent** adj unanständig.
indecision [ɪndɪ'sɪʒən] n Unschlüssigkeit f.
indecisive [ɪndɪ'saɪsɪv] adj (battle) nicht entscheidend; (result) unentschieden; (person) unentschlossen.
indeed [ɪn'diːd] adv tatsächlich, in der Tat.
indefinable [ɪndɪ'faɪnəbl] adj undefinierbar; (vague) unbestimmt.
indefinite [ɪn'defɪnɪt] adj unbestimmt; **indefinitely** adv auf unbestimmte Zeit; (wait) unbegrenzt lange.
indelible [ɪn'deləbl] adj unauslöschlich; ~ **pencil** Tintenstift m.
indemnify [ɪn'demnɪfaɪ] vt entschädigen; (safeguard) versichern.
indentation [ɪnden'teɪʃən] n Einbuchtung f; (TYP) Einrückung f.
independence [ɪndɪ'pendəns] n Unabhängigkeit f; **independent** adj unabhängig (of von).
indescribable [ɪndɪ'skraɪbəbl] adj unbeschreiblich.
index ['ɪndeks] n Index m, Verzeichnis nt; (REL) Index m; **indexed** adj (FIN) dynamisch; **index finger** n Zeigefinger m; **index-linked** adj (esp Brit FIN) dynamisch.
India ['ɪndɪə] n Indien nt; **Indian** ['ɪndɪən] **1.** adj indisch; (Red ~) indianisch; **2.** n Inder(in f) m; (Red ~) Indianer(in f) m;

the ~ **Ocean** der Indische Ozean.

indicate ['ındıkeıt] vt anzeigen; (hint) andeuten; **indication** [ındı'keıʃən] n Anzeichen nt; (information) Angabe f.

indicative [ın'dıkətıv] n (LING) Indikativ m.

indicator ['ındıkeıtə*] n (sign) [An]zeichen nt; (AUT) Blinker m.

indict [ın'daıt] vt anklagen; **indictable** adj (person) strafrechtlich verfolgbar; (offence) strafbar; **indictment** n Anklage f.

indifference [ın'dıfrəns] n (lack of interest) Gleichgültigkeit f; (unimportance) Unwichtigkeit f; **indifferent** adj (not caring) gleichgültig; (unimportant) unwichtig; (mediocre) mäßig.

indigenous [ın'dıdʒınəs] adj einheimisch; **a plant ~ to X** eine in X vorkommende Pflanze.

indigestible [ındı'dʒestəbl] adj unverdaulich.

indigestion [ındı'dʒestʃən] n Verdauungsstörung f, verdorbener Magen.

indignant [ın'dıgnənt] adj ungehalten, entrüstet; **indignation** [ındıg'neıʃən] n Entrüstung f.

indignity [ın'dıgnıtı] n Demütigung f.

indigo ['ındıgəu] 1. n <-[e]s> Indigo m o nt; 2. adj indigoblau.

indirect adj, **indirectly** adv [ındı'rekt, -lı] indirekt; (answer) nicht direkt; **by ~ means** auf Umwegen.

indiscreet [ındı'skriːt] adj (insensitive) unbedacht; (improper) taktlos; (telling secrets) indiskret; **indiscretion** [ındı'skreʃən] n Taktlosigkeit f, Indiskretion f.

indiscriminate [ındı'skrımınət] adj wahllos; kritiklos.

indispensable [ındı'spensəbl] adj unentbehrlich.

indisposed [ındı'spəuzd] adj unpäßlich; **indisposition** [ındıspə'zıʃən] n Unpäßlichkeit f.

indisputable [ındı'spjuːtəbl] adj unbestreitbar; (evidence) unanfechtbar.

indistinct [ındı'stıŋkt] adj undeutlich.

indistinguishable [ındı'stıŋgwıʃəbl] adj nicht zu unterscheiden; (difference) unmerklich.

individual [ındı'vıdjuəl] 1. n Einzelne(r) mf, Individuum nt; 2. adj individuell; (case) Einzel-; (of. for one person) eigen, individuell; (characteristic) eigentümlich; **individualist** n Individualist(in f) m; **individuality** [ındıvıdju'ælıtı] n Individualität f; **individually** adv einzeln, individuell.

Indo-China [ındəu'tʃaınə] n Indochina

nt.

indoctrinate [ın'dɒktrıneıt] vt indoktrinieren; **indoctrination** [ındɒktrı'neıʃən] n Indoktrination f.

indolent ['ındələnt] adj träge.

Indonesia [ındəu'niːzıə] n Indonesien nt.

indoor ['ındɔː*] adj Haus-; Zimmer-; Innen-; (SPORT) Hallen-; **indoors** adv drinnen, im Haus; **to go ~** hineingehen, ins Haus gehen.

indubitable, **indubitably** adv [ın'djuːbıtəbl, -blı] zweifellos.

induce [ın'djuːs] vt dazu bewegen, veranlassen; (reaction) herbeiführen; **inducement** n Veranlassung f; (incentive) Anreiz m.

induct [ın'dʌkt] vt in sein Amt einführen.

indulge [ın'dʌldʒ] 1. vt (give way) nachgeben +dat; (gratify) frönen +dat; 2. vi frönen (in dat); **to ~ [oneself] in sth** sich dat etw gönnen; **indulgence** n Nachsicht f; (enjoyment) [übermäßiger] Genuß m; **indulgent** adj nachsichtig; (pej) nachgiebig.

industrial [ın'dʌstrıəl] adj Industrie-, industriell; (dispute, injury) Arbeits-; **~ tribunal** Arbeitsgericht nt; **industrialist** n Industrielle(r) mf; **industrialize** vt industrialisieren.

industrious [ın'dʌstrıəs] adj fleißig.

industry ['ındəstrı] n Industrie f; (diligence) Fleiß m; **hotel ~** Hotelgewerbe nt.

inebriated [ı'niːbrıeıtıd] adj betrunken.

inedible [ın'edıbl] adj ungenießbar.

ineffective, **ineffectual** [ını'fektıv, ını'fektjuəl] adj unwirksam, wirkungslos; (person) untauglich.

inefficiency [ını'fıʃənsı] n Ineffizienz f; **inefficient** adj ineffizient; (ineffective) unwirksam.

inelegant [ın'elıgənt] adj unelegant.

ineligible [ın'elıdʒəbl] adj nicht berechtigt; (candidate) nicht wählbar.

inept [ı'nept] adj (remark) unpassend; (person) ungeeignet.

inequality [ını'kwɒlıtı] n Ungleichheit f.

ineradicable [ını'rædıkəbl] adj unausrottbar; (mistake) unabänderlich; (guilt) tiefsitzend.

inert [ı'nɜːt] adj träge; (CHEM) inaktiv; (motionless) unbeweglich.

inertia [ı'nɜːʃə] n Trägheit f; **inertia-reel [seat] belt** n Automatikgurt m.

inescapable [ını'skeıpəbl] adj unvermeidbar.

inessential [ını'senʃəl] adj unwesentlich.

inestimable [ın'estıməbl] adj unschätzbar.

inevitability [ınevıtə'bılıtı] n Unvermeidlichkeit *f*; **inevitable** [ɪnˈevɪtəbl] *adj* unvermeidlich.

inexact [ɪnɪgˈzækt] *adj* ungenau.

inexcusable [ɪnɪksˈkjuːzəbl] *adj* unverzeihlich.

inexhaustible [ɪnɪgˈzɔːstəbl] *adj* (*wealth*) unerschöpflich; (*talker*) unermüdlich; (*curiosity*) unstillbar.

inexorable [ɪnˈeksərəbl] *adj* unerbittlich.

inexpensive [ɪnɪksˈpensɪv] *adj* preiswert.

inexperience [ɪnɪksˈpɪərɪəns] *n* Unerfahrenheit *f*; **inexperienced** *adj* unerfahren.

inexplicable [ɪnɪksˈplɪkəbl] *adj* unerklärlich.

inexpressible [ɪnɪksˈpresəbl] *adj* (*pain, joy*) unbeschreiblich; (*thoughts*) nicht ausdrückbar.

infallible [ɪnˈfæləbl] *adj* unfehlbar.

infamous [ˈɪnfəməs] *adj* (*place*) verrufen; (*deed*) schändlich; (*person*) niederträchtig.

infancy [ˈɪnfənsɪ] *n* frühe Kindheit; (*fig*) Anfangsstadium *nt*.

infant [ˈɪnfənt] *n* kleines Kind; Säugling *m*; **infantile** [ˈɪnfəntaɪl] *adj* kindisch, infantil; **infant school** *n* Vorschule *f*.

infantry [ˈɪnfəntrɪ] *n* Infanterie *f*.

infatuated [ɪnˈfætjʊeɪtɪd] *adj* vernarrt; **to become ~ with** sich vernarren in + *akk*; **infatuation** [ɪnfætjʊˈeɪʃən] *n* Vernarrtheit *f* (*with* in + *akk*).

infect [ɪnˈfekt] *vt* anstecken, infizieren; **infection** [ɪnˈfekʃən] *n* Ansteckung *f*, Infektion *f*; **infectious** [ɪnˈfekʃəs] *adj* ansteckend.

infer [ɪnˈfɜː*] *vt* schließen; **inference** [ˈɪnfərəns] *n* Schlußfolgerung *f*.

inferior [ɪnˈfɪərɪə*] **1.** *adj* (*rank*) untergeordnet, niedriger; (*quality*) minderwertig; **2.** *n* Untergebene(r) *mf*; **inferiority** [ɪnfɪərɪˈɒrɪtɪ] *n* Minderwertigkeit *f*; (*in rank*) untergeordnete Stellung; **inferiority complex** *n* Minderwertigkeitskomplex *m*.

infernal [ɪnˈfɜːnl] *adj* höllisch.

inferno [ɪnˈfɜːnəʊ] *n* <**-s**> Hölle *f*, Inferno *nt*.

infertile [ɪnˈfɜːtaɪl] *adj* unfruchtbar; **infertility** [ɪnfɜːˈtɪlɪtɪ] *n* Unfruchtbarkeit *f*.

infest [ɪnˈfest] *vt* plagen, heimsuchen; **to be ~ed with** wimmeln von.

infidel [ˈɪnfɪdəl] *n* Ungläubige(r) *mf*.

infidelity [ɪnfɪˈdelɪtɪ] *n* Untreue *f*.

in-fighting [ˈɪnfaɪtɪŋ] *n* Nahkampf *m*.

infiltrate [ˈɪnfɪltreɪt] **1.** *vt* infiltrieren; (*spies*) einschleusen; (*liquid*) durchdringen; **2.** *vi* (*MIL, liquid*) einsickern; (*POL*) unterwandern (*into akk*).

infinite [ˈɪnfɪnɪt] *adj* unendlich.

infinitive [ɪnˈfɪnɪtɪv] *n* Infinitiv *m*, Nennform *f*.

infinity [ɪnˈfɪnɪtɪ] *n* Unendlichkeit *f*.

infirm [ɪnˈfɜːm] *adj* schwach, gebrechlich; (*irresolute*) willensschwach.

infirmary [ɪnˈfɜːmərɪ] *n* Krankenhaus *nt*.

infirmity [ɪnˈfɜːmɪtɪ] *n* Schwäche *f*, Gebrechlichkeit *f*.

inflame [ɪnˈfleɪm] *vt* (*MED*) entzünden; (*person*) reizen; (*anger*) erregen.

inflammable [ɪnˈflæməbl] *adj* feuergefährlich.

inflammation [ɪnfləˈmeɪʃən] *n* Entzündung *f*.

inflatable [ɪnˈfleɪtəbl] *adj* aufblasbar; ~ **dinghy** Schlauchboot *nt*.

inflate [ɪnˈfleɪt] *vt* aufblasen; (*tyre*) aufpumpen; (*prices*) hochtreiben.

inflation [ɪnˈfleɪʃən] *n* Inflation *f*; **inflationary** *adj* inflationär.

inflexible [ɪnˈfleksəbl] *adj* (*person*) nicht flexibel; (*opinion*) starr; (*thing*) unbiegsam.

inflict [ɪnˈflɪkt] *vt* zufügen (*sth on sb* jdm etw); (*punishment*) auferlegen (*on dat*); (*wound*) beibringen (*on dat*).

influence [ˈɪnflʊəns] **1.** *n* Einfluß *m*; **2.** *vt* beeinflussen; **influential** [ɪnflʊˈenʃəl] *adj* einflußreich.

influenza [ɪnflʊˈenzə] *n* Grippe *f*.

influx [ˈɪnflʌks] *n* (*of water*) Einfließen *nt*; (*of people*) Zustrom *m*; (*of ideas*) Eindringen *nt*.

inform [ɪnˈfɔːm] *vt* informieren; **to keep sb ~ed** jdn auf dem laufenden halten.

informal [ɪnˈfɔːməl] *adj* zwanglos; **informality** [ɪnfɔːˈmælɪtɪ] *n* Ungezwungenheit *f*.

information [ɪnfəˈmeɪʃən] *n* Auskunft *f*, Information *f*; **informational** *adj* informationell; **information scientist** *n* Informatiker(in *f*) *m*.

informative [ɪnˈfɔːmətɪv] *adj* informativ; (*person*) mitteilsam.

informer [ɪnˈfɔːmə*] *n* Denunziant(in *f*) *m*.

infra-red [ˈɪnfrəˈred] *adj* infrarot.

infrastructure [ˈɪnfrəstrʌktʃə*] *n* Infrastruktur *f*.

infrequent [ɪnˈfriːkwənt] *adj* selten.

infringe [ɪnˈfrɪndʒ] *vt* (*law*) verstoßen gegen; **infringe upon** *vt* verletzen; **infringement** *n* Verstoß *m*, Verletzung *f*.

infuriate [ɪnˈfjʊərɪeɪt] *vt* wütend machen; **infuriating** *adj* ärgerlich.

infusion [ɪnˈfjuːʒən] *n* (*GASTR*) Aufguß *m*; (*drink*) [Kräuter]tee *m*; (*MED*) Infusion *f*.

ingenious [ɪnˈdʒiːnɪəs] *adj* genial; (*thing*) raffiniert; **ingenuity** [ɪndʒɪˈnjuːɪtɪ] *n* Fin-

digkeit *f*; Genialität *f*; Raffiniertheit *f*.
ingot [ˈɪŋgət] *n* Barren *m*.
ingratiate [ɪnˈgreɪʃɪeɪt] *vr*: ~ **oneself** sich einschmeicheln (*with sb* bei jdm).
ingratitude [ɪnˈgrætɪtjuːd] *n* Undankbarkeit *f*.
ingredient [ɪnˈgriːdɪənt] *n* Bestandteil *m*; (*GASTR*) Zutat *f*.
inhabit [ɪnˈhæbɪt] *vt* bewohnen; **inhabitant** *n* Bewohner(in *f*) *m*; (*of island, town*) Einwohner(in *f*) *m*.
inhale [ɪnˈheɪl] *vt* einatmen; (*MED. cigarettes*) inhalieren.
inherent [ɪnˈhɪərənt] *adj* innewohnend (*in dat*).
inherit [ɪnˈherɪt] *vt* erben; **inheritance** *n* Erbe *nt*, Erbschaft *f*.
inhibit [ɪnˈhɪbɪt] *vt* hemmen; (*restrain*) hindern; **inhibition** [ɪnhɪˈbɪʃən] *n* Hemmung *f*; ~ **threshold** Hemmschwelle *f*.
inhospitable [ɪnhɒˈspɪtəbl] *adj* (*person*) ungastlich; (*country*) unwirtlich.
inhuman [ɪnˈhjuːmən] *adj* unmenschlich.
inimitable [ɪˈnɪmɪtəbl] *adj* unnachahmlich.
iniquity [ɪˈnɪkwɪtɪ] *n* Ungerechtigkeit *f*.
initial [ɪˈnɪʃəl] **1.** *adj* anfänglich, Anfangs-; **2.** *n* Anfangsbuchstabe *m*, Initiale *f*; **3.** *vt* abzeichnen; (*POL*) paraphieren; **initially** *adv* anfangs.
initiate [ɪˈnɪʃɪeɪt] *vt* einführen; (*negotiations*) einleiten; (*instruct*) einweihen.
initiative [ɪˈnɪʃɪətɪv] *n* Initiative *f*.
inject [ɪnˈdʒekt] *vt* einspritzen; (*fig*) einflößen; **injection** *n* Spritze *f*, Injektion *f*.
injure [ˈɪndʒə*] *vt* verletzen; (*fig*) schaden + *dat*; **injury** [ˈɪndʒərɪ] *n* Verletzung *f*.
injustice [ɪnˈdʒʌstɪs] *n* Ungerechtigkeit *f*.
ink [ɪŋk] *n* Tinte *f*; **ink-jet printer** *n* Tintenstrahldrucker *m*.
inkling [ˈɪŋklɪŋ] *n* (dunkle) Ahnung *f*.
inlaid [ˈɪnleɪd] *adj* eingelegt, Einlege-.
inland [ˈɪnlænd] **1.** *adj* Binnen-; (*domestic*) Inlands-; **2.** *adv* landeinwärts; **inland revenue** *n* (*Brit*) Finanzamt *nt*.
in-law [ˈɪnlɔː] *n* angeheirateter Verwandter, angeheiratete Verwandte; **my ~s** meine Schwiegereltern.
inlet [ˈɪnlet] *n* Öffnung *f*, Einlaß *m*; (*bay*) kleine Bucht.
inmate [ˈɪnmeɪt] *n* Insasse *m*, Insassin *f*.
inn [ɪn] *n* Gasthaus *nt*, Wirtshaus *nt*.
innate [ɪˈneɪt] *adj* angeboren, eigen + *dat*.
inner [ˈɪnə*] *adj* innere(r, s), Innen-; (*fig*) verborgen, innerste(r, s).
innocence [ˈɪnəsns] *n* Unschuld *f*; (*ignorance*) Unkenntnis *f*; **innocent** *adj* unschuldig.
innocuous [ɪˈnɒkjʊəs] *adj* harmlos.

innovation [ɪnəʊˈveɪʃən] *n* Neuerung *f*, Innovation *f*; **innovative** [ɪnəˈveɪtɪv] *adj* innovativ.
innuendo [ɪnjuˈendəʊ] *n* <-**es**> [versteckte] Anspielung *f*.
innumerable [ɪˈnjuːmərəbl] *adj* unzählig.
inoculation [ɪnɒkjʊˈleɪʃən] *n* Impfung *f*.
inopportune [ɪnˈɒpətjuːn] *adj* (*remark*) unangebracht; (*visit*) ungelegen.
inordinately [ɪˈnɔːdɪnɪtlɪ] *adv* unmäßig.
inorganic [ɪnɔːˈgænɪk] *adj* unorganisch; (*CHEM*) anorganisch.
in-patient [ˈɪnpeɪʃənt] *n* stationärer Patient, stationäre Patientin.
input [ˈɪnpʊt] *n* (*ELEC*) [Auf]ladung *f*; (*TECH*) zugeführte Menge; (*labour*) angewandte Arbeitsleistung; (*money*) Investitionssumme *f*; (*COMPUT*) Eingabe *f*.
inquest [ˈɪnkwest] *n* gerichtliche Untersuchung.
inquire [ɪnˈkwaɪə*] **1.** *vi* sich erkundigen; **2.** *vt* (*price*) sich erkundigen nach; **inquire into** *vt* untersuchen; **inquiring** *adj* (*mind*) wissensdurstig; **inquiry** [ɪnˈkwaɪərɪ] *n* (*question*) Erkundigung *f*, Nachfrage *f*; (*COMPUT*) Anfrage *f*; (*investigation*) Untersuchung *f*; **inquiry office** *n* Auskunft[sbüro *nt*] *f*.
inquisitive [ɪnˈkwɪzɪtɪv] *adj* neugierig; (*look*) forschend.
inroad [ˈɪnrəʊd] *n* (*MIL*) Einfall *m*; (*fig*) Eingriff *m*.
insane [ɪnˈseɪn] *adj* wahnsinnig; (*MED*) geisteskrank.
insanitary [ɪnˈsænɪtərɪ] *adj* unhygienisch.
insanity [ɪnˈsænɪtɪ] *n* Wahnsinn *m*.
insatiable [ɪnˈseɪʃəbl] *adj* unersättlich.
inscription [ɪnˈskrɪpʃən] *n* (*on stone*) Inschrift *f*; (*in book*) Widmung *f*.
inscrutable [ɪnˈskruːtəbl] *adj* unergründlich.
insect [ˈɪnsekt] *n* Insekt *nt*; **insecticide** [ɪnˈsektɪsaɪd] *n* Insektenbekämpfungsmittel *nt*.
insecure [ɪnsɪˈkjʊə*] *adj* (*person*) unsicher; (*thing*) nicht fest (*o* sicher); **insecurity** [ɪnsɪˈkjʊərɪtɪ] *n* Unsicherheit *f*.
insemination [ɪnsemɪˈneɪʃən] *n*: **artificial ~** künstliche Befruchtung.
insensible [ɪnˈsensɪbl] *adj* gefühllos; (*unconscious*) bewußtlos; (*imperceptible*) unmerklich; ~ **of** (*o* **to**) **sth** unempfänglich für etw.
insensitive [ɪnˈsensɪtɪv] *adj* (*to pain*) unempfindlich; (*without feelings*) gefühllos.
inseparable [ɪnˈsepərəbl] *adj* (*people*) unzertrennlich; (*word*) untrennbar.
insert [ɪnˈsɜːt] **1.** *vt* einfügen; (*coin*) einwerfen; (*stick into*) hineinstecken; (*advert*) aufgeben; **2.** [ˈɪnsɜːt] *n* Beifügung *f*;

(*in book*) Einlage *f*; (*in magazine*) Beilage *f*; **insertion** *n* Einfügung *f*; (PRESS) Inserat *nt*.

in-service ['ɪnsɜːvɪs] *adj* innerbetrieblich; ~ **training** Fortbildung *f*.

inshore ['ɪn'ʃɔː*] 1. *adj* Küsten-; 2. ['ɪn'ʃɔː*] *adv* an der Küste.

inside ['ɪn'saɪd] 1. *n* Innenseite *f*, Innere(s) *nt*; 2. *adj* innere(r, s), Innen-; 3. *adv* (*place*) innen; (*direction*) nach innen, hinein; 4. *prep* (*place*) in + *dat*; (*direction*) in + *akk*... hinein; (*time*) innerhalb + *gen*; **inside out** *adv* linksherum; (*know*) in- und auswendig; **insider** *n* Eingeweihte(r) *mf*; (*member*) Mitglied *nt*.

insidious [ɪn'sɪdɪəs] *adj* heimtückisch.

insight ['ɪnsaɪt] *n* Einsicht *f*, Einblick *m* (*into* in + *akk*).

insignificant [ɪnsɪg'nɪfɪkənt] *adj* unbedeutend.

insincere [ɪnsɪn'sɪə*] *adj* unaufrichtig, falsch; **insincerity** [ɪnsɪn'serɪtɪ] *n* Unaufrichtigkeit *f*.

insinuate [ɪn'sɪnjʊeɪt] *vt* (*hint*) andeuten; **to** ~ **oneself into sth** sich in etw *akk* einschleichen; **insinuation** [ɪnsɪnjʊ'eɪʃən] *n* Anspielung *f*.

insipid [ɪn'sɪpɪd] *adj* fad[e].

insist [ɪn'sɪst] *vi* bestehen (*on* auf + *dat*); **insistent** *adj* hartnäckig; (*urgent*) dringend.

insolence ['ɪnsələns] *n* Frechheit *f*; **insolent** ['ɪnsələnt] *adj* frech.

insoluble [ɪn'sɒljʊbl] *adj* unlösbar; (CHEM) unlöslich.

insolvent [ɪn'sɒlvənt] *adj* zahlungsunfähig.

insomnia [ɪn'sɒmnɪə] *n* Schlaflosigkeit *f*.

inspect [ɪn'spekt] *vt* besichtigen, prüfen; (*officially*) inspizieren; **inspection** [ɪn'spekʃən] *n* Besichtigung *f*, Inspektion *f*; **inspector** *n* (*official*) Aufsichtsbeamte(r) *m*, -beamtin *f*, Inspektor(in *f*) *m*; (*police*) Polizeikommissar(in *f*) *m*; (RAIL) Kontrolleur(in *f*) *m*.

inspiration [ɪnspɪ'reɪʃən] *n* Inspiration *f*.

inspire [ɪn'spaɪə*] *vt* (*respect*) einflößen (*in* dat); (*hope*) wecken (*in* in + *dat*); (*person*) inspirieren; **to** ~ **sb to do sth** jdn dazu anregen, etw zu tun; **inspired** *adj* begabt, einfallsreich; **inspiring** *adj* begeisternd.

instability [ɪnstə'bɪlɪtɪ] *n* Unbeständigkeit *f*, Labilität *f*.

install [ɪn'stɔːl] *vt* (*put in*) einbauen, installieren; (*telephone*) anschließen; (*establish*) einsetzen; **installation** [ɪnstə'leɪʃən] *n* (*of person*) [Amts]einsetzung *f*; (*of machinery*) Einbau *m*, Installierung *f*; (*machines etc*) Anlage *f*.

installment (*US*), **instalment** [ɪn'stɔːlmənt] *n* Rate *f*; (*of story*) Fortsetzung *f*; **to pay in** ~ **s** auf Raten zahlen.

instance ['ɪnstəns] *n* Fall *m*; (*example*) Beispiel *nt*; **for** ~ zum Beispiel.

instant ['ɪnstənt] 1. *n* Augenblick *m*; 2. *adj* augenblicklich, sofortig; **instant coffee** *n* Pulverkaffee *m*; **instantly** *adv* sofort; **instant[-picture] camera** *n* Sofortbildkamera *f*.

instead [ɪn'sted] *adv* stattdessen; **instead of** *prep* anstatt + *gen*.

instigation [ɪnstɪ'geɪʃən] *n* Veranlassung *f*; (*of crime etc*) Anstiftung *f*.

instil [ɪn'stɪl] *vt* (*fig*) beibringen (*in sb* jdm).

instinct ['ɪnstɪŋkt] *n* Instinkt *m*; **instinctive** *adj*, **instinctively** *adv* [ɪn'stɪŋktɪv, -lɪ] instinktiv.

institute ['ɪnstɪtjuːt] 1. *n* Institut *nt*; (*society also*) Gesellschaft *f*; 2. *vt* einführen; (*search*) einleiten.

institution [ɪnstɪ'tjuːʃən] *n* (*custom*) Einrichtung *f*, Brauch *m*; (*organisation*) Institution *f*; (*home*) Anstalt *f*; (*beginning*) Einführung *f*, Einleitung *f*.

instruct [ɪn'strʌkt] *vt* anweisen; (*officially*) instruieren; **instruction** [ɪn'strʌkʃən] *n* Anweisung *f*; ~ **s** *pl* Anweisungen *pl*; (*for use*) Gebrauchsanweisung *f*; **instructive** *adj* lehrreich; **instructor** *n* Lehrer(in *f*) *m*; (MIL) Ausbilder(in *f*) *m*.

instrument ['ɪnstrəmənt] *n* (*tool*) Instrument *nt*, Werkzeug *nt*; (MUS) [Musik]instrument *nt*; **instrumental** [ɪnstrʊ'mentl] *adj* (MUS) Instrumental-; (*helpful*) behilflich (*in* bei); **instrumentalist** [ɪnstrʊ'mentəlɪst] *n* Instrumentalist(in *f*) *m*; **instrument panel** *n* Armaturenbrett *nt*.

insubordinate [ɪnsə'bɔːdənɪt] *adj* aufsässig, widersetzlich; **insubordination** [ɪnsəbɔːdɪ'neɪʃən] *n* Gehorsamsverweigerung *f*.

insufferable [ɪn'sʌfərəbl] *adj* unerträglich.

insufficient *adj*, **insufficiently** *adv* [ɪnsə'fɪʃənt, -lɪ] ungenügend.

insular ['ɪnsjələ*] *adj* (*fig*) engstirnig; **insularity** [ɪnsjʊ'lærɪtɪ] *n* (*fig*) Engstirnigkeit *f*.

insulate ['ɪnsjʊleɪt] *vt* (ELEC) isolieren; (*fig*) abschirmen (*from* vor + *dat*); **insulating tape** *n* Isolierband *nt*; **insulation** [ɪnsjʊ'leɪʃən] *n* Isolierung *f*.

insulin ['ɪnsjʊlɪn] *n* Insulin *nt*.

insult ['ɪnsʌlt] 1. *n* Beleidigung *f*; 2. [ɪn'sʌlt] *vt* beleidigen; **insulting** [ɪn'sʌltɪŋ] *adj* beleidigend.

insuperable [ɪn'suːpərəbl] *adj* unüberwindlich.

insurance [ɪn'ʃuərəns] *n* Versicherung *f*; **insurance agent** *n* Versicherungsvertreter(in *f*) *m*; **insurance policy** *n* Versicherungspolice *f*.

insure [ɪn'ʃuə'] *vt* versichern.

insurmountable [ɪnsə'mauntəbl] *adj* unüberwindlich.

insurrection [ɪnsə'rekʃən] *n* Aufstand *m*.

intact [ɪn'tækt] *adj* intakt, unangetastet, ganz.

intake ['ɪnteɪk] *n* (*place*) Einlaßöffnung *f*; (*act*) Aufnahme *f*; (*amount*) aufgenommene Menge; (*SCH*) Neuaufnahme *f*.

intangible [ɪn'tændʒəbl] *adj* unfaßbar; (*thing*) nicht greifbar.

integer ['ɪntɪdʒə'] *n* ganze Zahl.

integral ['ɪntɪgrəl] *adj* (*essential*) wesentlich; (*complete*) vollständig; (*MATH*) Integral-.

integrate ['ɪntɪgreɪt] *vt* vereinigen; (*people*) eingliedern, integrieren; **integrated circuit** *n* integrierte Schaltung; **integration** [ɪntɪ'greɪʃən] *n* Eingliederung *f*, Integration *f*.

integrity [ɪn'tegrɪtɪ] *n* (*honesty*) Redlichkeit *f*, Integrität *f*.

intellect ['ɪntɪlekt] *n* Intellekt *m*; **intellectual** [ɪntɪ'lektjuəl] **1.** *adj* geistig, intellektuell; **2.** *n* Intellektuelle(r) *mf*.

intelligence [ɪn'telɪdʒəns] *n* (*understanding*) Intelligenz *f*; (*news*) Information *f*; (*MIL*) Geheimdienst *m*; **intelligent** *adj* intelligent; (*beings*) vernunftbegabt; **intelligently** *adv* klug; (*write, speak*) verständlich.

intelligible [ɪn'telɪdʒəbl] *adj* verständlich.

intemperate [ɪn'tempərət] *adj* unmäßig.

intend [ɪn'tend] *vt* beabsichtigen; **that was ~ed for you** das war für dich gedacht.

intense [ɪn'tens] *adj* stark, intensiv; (*person*) ernsthaft; **intensely** *adv* äußerst; (*study*) intensiv; **intensify** [ɪn'tensɪfaɪ] *vt* verstärken, intensivieren; **intensity** [ɪn'tensɪtɪ] *n* Intensität *f*, Stärke *f*; **intensive** *adj*, **intensively** *adv* [ɪn'tensɪv, -lɪ] intensiv; **intensive care unit** *n* Intensivstation *f*; **intensive course** *n* Intensivkurs *m*.

intent [ɪn'tent] **1.** *n* Absicht *f*; **2.** *adj:* **to be ~ on doing sth** fest entschlossen sein, etw zu tun; **to all ~s and purposes** praktisch; **intently** *adv* aufmerksam; (*look*) forschend.

intention [ɪn'tenʃən] *n* Absicht *f*; **with good ~s** mit guten Vorsätzen; **intentional** *adj*, **intentionally** *adv* absichtlich.

inter- ['ɪntə'] *pref* zwischen-, Zwischen-.

interact [ɪntər'ækt] *vi* aufeinander einwirken; **interaction** *n* Wechselwirkung *f*; **interactive** *adj* (*COMPUT*) interaktiv.

intercede [ɪntə'siːd] *vi* sich verwenden; (*in argument*) vermitteln.

intercept [ɪntə'sept] *vt* abfangen; **interception** *n* Abfangen *nt*.

interchange 1. *n* ['ɪntətʃeɪndʒ] (*exchange*) Austausch *m*; (*of roads*) Kreuzung *f*; (*of motorways*) [Autobahn]kreuz *nt*; **2.** [ɪntə'tʃeɪndʒ] *vt* austauschen; **interchangeable** [ɪntə'tʃeɪndʒəbl] *adj* austauschbar.

intercity [ɪntə'sɪtɪ] *n* Intercity[zug] *m*, IC *m*.

intercom ['ɪntəkɒm] *n* [Gegen]sprechanlage *f*.

interconnect [ɪntəkə'nekt] **1.** *vt* miteinander verbinden; **2.** *vi* miteinander verbunden sein; (*roads*) zusammenführen.

intercontinental ['ɪntəkɒntɪ'nentl] *adj* interkontinental.

intercourse ['ɪntəkɔːs] *n* (*exchange*) Verkehr *m*, Beziehungen *pl*; (*sexual*) Geschlechtsverkehr *m*.

interdependence [ɪntədɪ'pendəns] *n* gegenseitige Abhängigkeit.

interest ['ɪntrest] **1.** *n* Interesse *nt*; (*FIN*) Zinsen *pl*; (*COM: share*) Anteil *m*; (*group*) Interessengruppe *f*; **2.** *vt* interessieren; **to be of ~** von Interesse sein; **interested** *adj* (*having claims*) beteiligt; (*attentive*) interessiert; **to be ~ in** sich interessieren für; **interesting** *adj* interessant; **interest rate** *n* Zinssatz *m*.

interface ['ɪntəfeɪs] *n* (*COMPUT, fig*) Schnittstelle *f*.

interfere [ɪntə'fɪə'] *vi* (*meddle*) sich einmischen (*with in* + *akk*), stören (*with* + *akk*); (*with an object*) sich *dat* zu schaffen machen (*with an* + *dat*); **interference** *n* Einmischung *f*; (*TV*) Störung *f*.

interim ['ɪntərɪm] **1.** *adj* vorläufig; **2.** *n:* **in the ~** inzwischen.

interior [ɪn'tɪərɪə'] **1.** *n* Innere(s) *nt*; **2.** *adj* innere(r, s), Innen-.

interjection [ɪntə'dʒekʃən] *n* Ausruf *m*; (*LING*) Interjektion *f*.

interlock [ɪntə'lɒk] **1.** *vi* ineinandergreifen; **2.** *vt* zusammenschließen, verzahnen.

interloper ['ɪntələupə'] *n* Eindringling *m*.

interlude ['ɪntəluːd] *n* Pause *f*; (*in entertainment*) Zwischenspiel *nt*.

intermarry [ɪntə'mærɪ] *vi* untereinander heiraten.

intermediary [ɪntə'miːdɪərɪ] *n* Vermittler(in *f*) *m*.

intermediate [ɪntə'miːdɪət] adj Zwischen-, Mittel-.

interminable [ɪn'tɜːmɪnəbl] adj endlos.

intermission [ɪntə'mɪʃən] n Pause f.

intermittent [ɪntə'mɪtənt] adj periodisch, stoßweise; **intermittently** adv mit Unterbrechungen.

intern [ɪn'tɜːn] **1.** vt internieren; **2.** ['ɪntɜːn] n (US) Assistenzarzt(-ärztin f) m.

internal [ɪn'tɜːnl] adj (inside) innere(r, s); (domestic) Inlands-; **internally** adv innen; (MED) innerlich; (in organisation) intern; **Internal Revenue Service** n (US) Finanzamt nt.

international [ɪntə'næʃnəl] **1.** adj international; **2.** n (SPORT) Nationalspieler(in f) m; (match) internationales Spiel.

internment [ɪn'tɜːnmənt] n Internierung f.

interplanetary [ɪntə'plænɪtərɪ] adj interplanetar.

interplay ['ɪntəpleɪ] n Wechselspiel nt.

Interpol ['ɪntəpɒl] n Interpol f.

interpret [ɪn'tɜːprɪt] vt (explain) auslegen, interpretieren; (translate) [ver]dolmetschen; (represent) darstellen; **interpretation** [ɪntɜːprɪ'teɪʃən] n Deutung f, Interpretation f; (translation) Dolmetschen nt; **interpreter** [ɪn'tɜːprɪtə*] n Dolmetscher(in f) m.

interrelated [ɪntərɪ'leɪtɪd] adj untereinander zusammenhängend.

interrogate [ɪn'terəgeɪt] vt befragen; (JUR) verhören; **interrogation** [ɪntərə'geɪʃən] n Verhör nt; **interrogative** [ɪntə'rɒgətɪv] adj fragend, Frage-; **interrogator** [ɪn'terəgeɪtə*] n Vernehmungsbeamte(r) m, -beamtin f.

interrupt [ɪntə'rʌpt] vt unterbrechen; **interruption** [ɪntə'rʌpʃən] n Unterbrechung f.

intersect [ɪntə'sekt] **1.** vt [durch]schneiden; **2.** vi sich schneiden; **intersection** [ɪntə'sekʃən] n (of roads) Kreuzung f; (of lines) Schnittpunkt m.

intersperse [ɪntə'spɜːs] vt (scatter) verstreuen; **to ~ sth with sth** etw mit etw durchsetzen.

interstate [ɪntə'steɪt] n (US) staatliche Autobahn.

interval ['ɪntəvəl] n Abstand m; (break) Pause f; (MUS) Intervall nt; **at ~s** hier und da; (time) dann und wann.

intervene [ɪntə'viːn] vi dazwischenliegen; (act) dazwischenkommen; (in quarrel) eingreifen (in in +akk); **intervening** adj dazwischenliegend; **intervention** [ɪntə'venʃən] n Eingreifen nt, Intervention f.

interview ['ɪntəvjuː] **1.** n (PRESS etc) Interview nt; (for job) Vorstellungsgespräch nt; **2.** vt interviewen; **interviewer** n Interviewer(in f) m.

intestate [ɪn'testeɪt] adj ohne Hinterlassung eines Testamentes.

intestine [ɪn'testɪn] n Darm m; **~s** pl Eingeweide pl.

intimacy ['ɪntɪməsɪ] n vertrauter Umgang, Intimität f; **intimate** ['ɪntɪmət] **1.** adj (inmost) innerste(r, s); (knowledge) eingehend; (familiar) vertraut; (friends) eng; **2.** ['ɪntɪmeɪt] vt andeuten; **intimately** adv vertraut, eng.

intimidate [ɪn'tɪmɪdeɪt] vt einschüchtern; **intimidation** [ɪntɪmɪ'deɪʃən] n Einschüchterung f.

into ['ɪntʊ] prep (motion) in +akk... hinein; **5 ~ 25** 25 durch 5.

intolerable [ɪn'tɒlərəbl] adj unerträglich.

intolerance [ɪn'tɒlərəns] n Intoleranz f; **intolerant** adj intolerant.

intonation [ɪntəʊ'neɪʃən] n Intonation f.

intoxicate [ɪn'tɒksɪkeɪt] vt betrunken machen; (fig) berauschen; **intoxicated** adj betrunken; (fig) trunken; **intoxication** [ɪntɒksɪ'keɪʃən] n Rausch m.

intractable [ɪn'træktəbl] adj schwer zu handhaben; (problem) schwer lösbar.

intransigent [ɪn'trænsɪdʒənt] adj unnachgiebig.

intransitive [ɪn'trænsɪtɪv] adj intransitiv.

intravenous [ɪntrə'viːnəs] adj intravenös.

in-tray ['ɪntreɪ] n Ablagekorb m für eingehende Post.

intrepid [ɪn'trepɪd] adj unerschrocken.

intricacy ['ɪntrɪkəsɪ] n Kompliziertheit f; **intricate** ['ɪntrɪkət] adj kompliziert.

intrigue [ɪn'triːg] **1.** n Intrige f; **2.** vt faszinieren; **intriguing** adj faszinierend.

intrinsic [ɪn'trɪnsɪk] adj innere(r, s); (difference) wesentlich.

introduce [ɪntrə'djuːs] vt (person) vorstellen (to sb jdm); (sth new) einführen; (subject) anschneiden; **to ~ sb to sth** jdn in etw akk einführen; **introduction** [ɪntrə'dʌkʃən] n Einführung f; (to book) Einleitung f; **introductory** [ɪntrə'dʌktərɪ] adj Einführungs-, Vor-.

introspective [ɪntrəʊ'spektɪv] adj nach innen gekehrt.

introvert ['ɪntrəʊvɜːt] adj introvertiert.

intrude [ɪn'truːd] vi stören (on akk); **intruder** n Eindringling m; **intrusion** [ɪn'truːʒən] n Störung f; (coming into) Eindringen nt; **intrusive** [ɪn'truːsɪv] adj aufdringlich.

intuition [ɪntjuː'ɪʃən] n Intuition f; **intuitive** adj, **intuitively** adv [ɪn'tjuːɪtɪv, -lɪ] intuitiv.

inundate ['ɪnʌndeɪt] vt (also fig) überschwemmen.

invade [ɪn'veɪd] vt einfallen in + akk; **invader** n Eindringling m.

invalid ['ɪnvəlɪd] **1.** n (disabled) Kranke(r) mf, Invalide m, Invalidin f; **2.** adj (ill) krank; (disabled) invalide; **3.** [ɪn'vælɪd] adj (not valid) ungültig; **invalidate** [ɪn'vælɪdeɪt] vt (passport) ungültig machen; (fig) entkräften.

invaluable [ɪn'væljuəbl] adj unschätzbar.

invariable [ɪn'vɛəriəbl] adj unveränderlich; **invariably** adv ausnahmslos.

invasion [ɪn'veɪʒən] n Invasion f, Einfall m.

invective [ɪn'vektɪv] n Beschimpfung f.

invent [ɪn'vent] vt erfinden; **invention** [ɪn'venʃən] n Erfindung f; **inventive** adj erfinderisch; **inventiveness** n Erfindungsgabe f; **inventor** n Erfinder(in f) m.

inventory ['ɪnvəntrɪ] n [Bestands]verzeichnis nt, Inventar nt.

inverse [ɪn'vɜːs] **1.** adj umgekehrt; **2.** ['ɪn'vɜːs] n Umkehrung f.

invert [ɪn'vɜːt] vt umdrehen; **inverted commas** n pl Anführungsstriche pl.

invertebrate [ɪn'vɜːtɪbrət] n wirbelloses Tier.

invest [ɪn'vest] vt (FIN) anlegen, investieren; (endue) ausstatten.

investigate [ɪn'vestɪgeɪt] vt untersuchen; **investigation** [ɪnvestɪ'geɪʃən] n Untersuchung f; **investigative journalism** n Enthüllungsjournalismus m; **investigator** [ɪn'vestɪgeɪtə*] n Untersuchungsbeamte(r) m, -beamtin f.

investiture [ɪn'vestɪtʃə*] n Amtseinsetzung f.

investment [ɪn'vestmənt] n Investition f; **investor** [ɪn'vestə*] n [Geld]anleger(in f) m.

inveterate [ɪn'vetərət] adj unverbesserlich.

invigilate [ɪn'vɪdʒɪleɪt] **1.** vi die Aufsicht führen; **2.** vt die Aufsicht führen bei.

invigorating [ɪn'vɪgəreɪtɪŋ] adj stärkend.

invincible [ɪn'vɪnsəbl] adj unbesiegbar.

invisible [ɪn'vɪzəbl] adj unsichtbar; (ink) Geheim-.

invitation [ɪnvɪ'teɪʃən] n Einladung f; **invite** [ɪn'vaɪt] vt einladen; (criticism, discussion) herausfordern; **inviting** adj einladend.

invoice ['ɪnvɔɪs] **1.** n Rechnung f, Lieferschein m; **2.** vt (goods) in Rechnung stellen (sth for sb jdm etw).

invoke [ɪn'vəuk] vt anrufen.

involuntary adj, **involuntarily** adv [ɪn'vɒləntəri, -lɪ] (unwilling) unfreiwillig; (unintentional) unabsichtlich.

involve [ɪn'vɒlv] vt (entangle) verwickeln; (entail) mit sich bringen; **involved** adj verwickelt; **the person** ~ die betreffende Person; **involvement** n Verwicklung f.

invulnerable [ɪn'vʌlnərəbl] adj unverwundbar; (fig) unangreifbar.

inward ['ɪnwəd] adj innere(r, s); (curve) Innen-; **inwardly** adv im Innern; **inward[s]** adv [der] Iran.

I/O abbr of **input/output** (COMPUT) Eingabe/Ausgabe.

iodine ['aɪədiːn] n Jod nt.

iota [aɪ'əutə] n (fig) bißchen nt.

Iran [ɪ'rɑːn] n [der] Iran.

Iraq [ɪ'rɑːk] n [der] Irak.

irascible [ɪ'ræsɪbl] adj reizbar.

irate [aɪ'reɪt] adj zornig.

Ireland ['aɪələnd] n Irland nt; **in** ~ in Irland; **to go to** ~ nach Irland fahren.

iris ['aɪərɪs] n Iris f.

Irish ['aɪərɪʃ] adj **1.** irisch; **2.** n (language) Irisch nt; **the** ~ pl die Iren pl; **the** ~ **Sea** die Irische See; **Irishman** n <-men> Ire m; **Irishwoman** n <-women> Irin f.

irk [ɜːk] vt verdrießen; **irksome** ['ɜːksəm] adj lästig.

iron ['aɪən] **1.** n Eisen nt; (for ironing) Bügeleisen nt; (golf club) Golfschläger m, Metallschläger m; **2.** adj eisern, Eisen-; **3.** vt bügeln; **I** ~ **Curtain** Eiserner Vorhang; ~**s** pl (chains) Hand-/Fußschellen pl; **iron out** vt (also fig) ausbügeln; (differences) ausgleichen.

ironic[al] [aɪ'rɒnɪkəl] adj ironisch; (coincidence etc) witzig; **ironic[al]ly** adv ironisch; witzigerweise.

ironing ['aɪənɪŋ] n Bügeln nt; (laundry) Bügelwäsche f; **ironing board** n Bügelbrett nt.

ironmonger ['aɪənmʌŋgə*] n Eisenwarenhändler(in f) m; ~**'s** [**shop**] Eisenwarenhandlung f.

iron ore ['aɪənɔː*] n Eisenerz nt; **ironworks** ['aɪənwɜːks] n sing o pl Eisenhütte f.

irony ['aɪərənɪ] n Ironie f; **the** ~ **of it was...** das Witzige daran war...

irrational [ɪ'ræʃənl] adj unvernünftig, irrational.

irreconcilable [ɪrekən'saɪləbl] adj unvereinbar.

irredeemable [ɪrɪ'diːməbl] adj (money) nicht einlösbar; (loan) unkündbar; (fig) rettungslos.

irrefutable [ɪrɪ'fjuːtəbl] adj unwiderlegbar.

irregular [ɪ'regjulə*] adj unregelmäßig; (shape) ungleich[mäßig]; (fig) unstatthaft; (behaviour) ungehörig; **irregu-**

larity [ɪregjʊˈlærɪtɪ] n Unregelmäßigkeit f; Ungleichmäßigkeit f; (fig) Vergehen nt.

irrelevance [ɪˈreləvəns] n Belanglosigkeit f; **irrelevant** adj belanglos, irrelevant.

irreligious [ɪrɪˈlɪdʒəs] adj ungläubig.

irreparable [ɪˈrepərəbl] adj nicht gutzumachen.

irreplaceable [ɪrɪˈpleɪsəbl] adj unersetzlich.

irrepressible [ɪrɪˈpresəbl] adj nicht zu unterdrücken; (joy) unbändig.

irreproachable [ɪrɪˈprəʊtʃəbl] adj untadelig.

irresistible [ɪrɪˈzɪstəbl] adj unwiderstehlich.

irresolute [ɪˈrezəluːt] adj unentschlossen.

irrespective of [ɪrɪˈspektɪv ɒv] prep ungeachtet +gen.

irresponsibility [ˈɪrɪspɒnsəˈbɪlɪtɪ] n Verantwortungslosigkeit f; **irresponsible** [ɪrɪˈspɒnsəbl] adj verantwortungslos.

irretrievably [ɪrɪˈtriːvəblɪ] adv unwiederbringlich; (lost) unrettbar.

irrigate [ˈɪrɪgeɪt] vt bewässern; **irrigation** [ɪrɪˈgeɪʃən] n Bewässerung f.

irritable [ˈɪrɪtəbl] adj reizbar; **irritate** [ˈɪrɪteɪt] vt irritieren, reizen; **irritating** adj irritierend, aufreizend; **irritation** [ɪrɪˈteɪʃən] n Ärger m; (MED) Reizung f.

is [ɪz] 3rd person sing present of **be**.

Islam [ˈɪzlɑːm] n Islam m.

island [ˈaɪlənd] n Insel f; **islander** n Inselbewohner(in f) m.

isle [aɪl] n Insel f.

isn't [ˈɪznt] = **is not**.

isolate [ˈaɪsəʊleɪt] vt isolieren; **isolated** adj isoliert; (case) Einzel-; **isolation** [aɪsəʊˈleɪʃən] n Isolierung f; **to treat sth in** ~ etw vereinzelt (o isoliert) behandeln.

isotope [ˈaɪsətəʊp] n Isotop nt.

Israel [ˈɪzreɪl] n Israel nt.

issue [ˈɪʃuː] 1. n (matter) Problem nt, Frage f; (outcome) Resultat nt, Ausgang m; (of newspaper, shares) Ausgabe f; (offspring) Nachkommenschaft f; (of river) Mündung f; 2. vt ausgeben; (warrant) erlassen; (documents) ausstellen; (orders) erteilen; (books) herausgeben; (verdict) aussprechen; **to ~ sb with sth** etw an jdn ausgeben; **that's not at** ~ das steht nicht zur Debatte; **to make an** ~ **out of sth** ein Theater wegen etw machen.

isthmus [ˈɪsməs] n Landenge f.

it [ɪt] 1. pron es; 2. pron direct/indirect object of **it** es/ihm.

Italian [ɪˈtæljən] 1. adj italienisch; 2. n Italiener(in f) m.

italic [ɪˈtælɪk] adj kursiv; **italics** n pl Kur-

sivschrift f; **in** ~ kursiv gedruckt.

Italy [ˈɪtəlɪ] n Italien nt.

itch [ɪtʃ] 1. n Juckreiz m; (fig) brennendes Verlangen; 2. vi jucken; **to be** ~ **ing to do sth** darauf brennen, etw zu tun; **itching** n Jucken nt; **itchy** adj juckend.

it'd [ˈɪtd] = **it would; it had**.

item [ˈaɪtəm] n Gegenstand m; (on list) Posten m; (in programme) Nummer f; (in agenda) [Programm]punkt m; (in newspaper) [Zeitungs]notiz f; **itemize** [ˈaɪtəmaɪz] vt verzeichnen.

itinerant [ɪˈtɪnərənt] adj (person) umherreisend; (worker, circus) Wander-.

itinerary [aɪˈtɪnərərɪ] n Reiseroute f; (records) Reisebericht m.

it'll [ˈɪtl] = **it will; it shall**.

its [ɪts] 1. pron (adjektivisch) sein; 2. pron (substantivisch) seine(r, s).

it's [ɪts] = **it is; it has**.

itself [ɪtˈself] pron sich; **it** ~ es selbst.

I've [aɪv] = **I have**.

ivory [ˈaɪvərɪ] n Elfenbein nt; **ivory tower** n (fig) Elfenbeinturm m.

ivy [ˈaɪvɪ] n Efeu m.

J

J, j [dʒeɪ] n J nt, j nt.

jab [dʒæb] 1. vt, vi (hinein)stechen; 2. n Stich m, Stoß m; (fam) Spritze f.

jabber [ˈdʒæbəʳ] vi plappern.

jack [dʒæk] n [Wagen]heber m; (CARDS) Bube m; **jack up** vt aufbocken.

jackdaw [ˈdʒækdɔː] n Dohle f.

jacket [ˈdʒækɪt] n Jacke f, Jackett nt; (of book) Schutzumschlag m; (TECH) Ummantelung f.

jack-knife [ˈdʒæknaɪf] 1. n < -knives > Klappmesser nt; 2. vi (truck) sich zusammenschieben.

jack plug [ˈdʒækplʌg] n Bananenstecker m.

jackpot [ˈdʒækpɒt] n Haupttreffer m.

jacuzzi ® [dʒəˈkuːzɪ] n (jet) Wirbeldüse f; (bath) Whirlpool m.

jade [dʒeɪd] n (stone) Jade m.

jaded [ˈdʒeɪdɪd] adj ermattet.

jagged [ˈdʒægɪd] adj zackig; (blade) schartig.

jail [dʒeɪl] 1. n Gefängnis nt; 2. vt einsperren; **jailbreak** n Gefängnisausbruch m; **jailer** n Gefängniswärter(in f) m.

jam [dʒæm] 1. n Marmelade f; (crowd) Gedränge nt; (traffic ~) Stau m; (fam: trouble) Klemme f; 2. vt (people) zusam-

mendrängen; (wedge) einklemmen; (cram) hineinzwängen; (obstruct) blokkieren; **to ~ on the brakes** auf die Bremse treten.
jamboree [dʒæmbəˈriː] n [Pfadfinder]treffen nt.
jangle [ˈdʒæŋgl] vt, vi klimpern; (bells) bimmeln.
janitor [ˈdʒænɪtə*] n Hausmeister(in f) m.
January [ˈdʒænjuərɪ] n Januar m; **~ 2nd, 1989, 2nd ~ 1989** (Datumsangabe) 2. Januar 1989; **on the 1st/11th of ~** (gesprochen) am 1./11. Januar; **on 1st/11th ~**, **on ~ 1st/11th** (geschrieben) am 1./11. Januar; **in ~** im Januar.
Japan [dʒəˈpæn] n Japan nt; **Japanese** [dʒæpəˈniːz] 1. adj japanisch; 2. n Japaner(in f) m.
jar [dʒɑː*] 1. n Glas nt; 2. vi kreischen; (colours etc) nicht harmonieren.
jargon [ˈdʒɑːgən] n Fachsprache f, Jargon m.
jarring [ˈdʒɑːrɪŋ] adj (sound) kreischend; (colour) sich beißend.
jasmin[e] [ˈdʒæzmɪn] n Jasmin m.
jaundice [ˈdʒɔːndɪs] n Gelbsucht f.
jaunt [dʒɔːnt] n Spritztour f; **jaunty** adj (lively) munter; (brisk) flott; (attitude) unbekümmert.
javelin [ˈdʒævlɪn] n Speer m.
jaw [dʒɔː] n Kiefer m; **~s** pl (fig) Rachen m.
jaywalker [ˈdʒeɪwɔːkə*] n unvorsichtiger Fußgänger, unvorsichtige Fußgängerin, Verkehrssünder(in f) m.
jazz [dʒæz] n Jazz m; **jazz up** vt (MUS) verjazzen; (enliven) aufmöbeln; **jazz band** n Jazzkapelle f; **jazzy** adj (colour) schreiend, auffallend.
jealous [ˈdʒeləs] adj (envious) mißgünstig; (husband) eifersüchtig; (watchful) bedacht (of auf +akk); **jealously** adv mißgünstig; eifersüchtig; sorgsam; **jealousy** n Mißgunst f; Eifersucht f.
jeans [dʒiːnz] n pl Jeans pl.
jeep [dʒiːp] n Jeep m.
jeer [dʒɪə*] 1. vi höhnisch lachen (at über + akk), verspotten (at sb jdn); 2. n Hohn m; (remark) höhnische Bemerkung; **jeering** adj höhnisch.
jelly [ˈdʒelɪ] n Gelee nt; (on meat) Gallert nt; (dessert) Grütze f; **jellyfish** n Qualle f.
jemmy [ˈdʒemɪ] n Brecheisen nt.
jeopardize [ˈdʒepədaɪz] vt gefährden; **jeopardy** n Gefahr f.
jerk [dʒɜːk] 1. n Ruck m; (fam: idiot) Trottel m; 2. vt ruckartig bewegen; 3. vi sich ruckartig bewegen; (muscles) zucken.
jerkin [ˈdʒɜːkɪn] n Wams nt.

jerky [ˈdʒɜːkɪ] adj (movement) ruckartig; (writing) zitterig; (ride) rüttelnd.
jersey [ˈdʒɜːzɪ] n Pullover m.
jest [dʒest] 1. n Scherz m; 2. vi spaßen; **in ~** im Spaß.
Jesus [ˈdʒiːzəs] n Jesus m.
jet [dʒet] n (stream, of water etc) Strahl m; (spout) Düse f; (AVIAT) Düsenflugzeug nt; **jet-black** adj rabenschwarz; **jet engine** n Düsenmotor m; **jet-hop** vi (fam) jetten.
jetsam [ˈdʒetsəm] n Strandgut nt.
jettison [ˈdʒetɪsn] vt über Bord werfen.
jetty [ˈdʒetɪ] n Landesteg m, Mole f.
Jew [dʒuː] n Jude m.
jewel [ˈdʒuːəl] n Juwel nt; (stone) Edelstein m; **jewel[l]er** n Juwelier(in f) m; **~'s [shop]** Juwelier[geschäft nt] m; **jewel[le]ry** n Schmuck m, Juwelen pl.
Jewess [ˈdʒuːɪs] n Jüdin f; **Jewish** [ˈdʒuːɪʃ] adj jüdisch.
jib [dʒɪb] 1. n (NAUT) Klüver m; 2. vi sich scheuen (at vor +dat).
jibe [dʒaɪb] n spöttische Bemerkung.
jiffy [ˈdʒɪfɪ] n: **in a ~** (fam) sofort.
jigsaw [puzzle] [ˈdʒɪgsɔːpʌzl] n Puzzle nt.
jilt [dʒɪlt] vt den Laufpaß geben +dat.
jingle [ˈdʒɪŋgl] 1. n (advertisement) Werbesong m; (verse) Reim m; 2. vi klimpern; (bells) bimmeln.
jinx [dʒɪŋks] n Fluch m; **to put a ~ on sth** etw verhexen.
jitters [ˈdʒɪtəz] n pl: **to get the ~** (fam) einen Bammel kriegen.
jittery [ˈdʒɪtərɪ] adj (fam) nervös.
jiujitsu [dʒuːˈdʒɪtsuː] n Jiu-Jitsu nt.
job [dʒɒb] n (piece of work) Arbeit f; (occupation) Stellung f, Arbeit f; (duty) Aufgabe f; (difficulty) Mühe f; **what's your ~?** was machen Sie von Beruf?; **it's a good ~ he...** es ist ein Glück, daß er...; **just the ~** genau das Richtige; **jobbing** adj (in factory) Akkord-; (freelance) Gelegenheits-; **jobcentre** n Arbeitsvermittlungsstelle f; **job creation scheme** n Arbeitsbeschaffungsprogramm nt; **jobless** adj arbeitslos.
jockey [ˈdʒɒkɪ] 1. n Jockei m; 2. vi: **to ~ for position** sich in eine gute Position drängeln.
jocular [ˈdʒɒkjulə*] adj scherzhaft, witzig.
jodhpurs [ˈdʒɒdpəz] n pl Reithose f.
jog [dʒɒg] 1. vt [an]stoßen; 2. vi (run) einen Dauerlauf machen, joggen; **jogger** n Jogger(in f) m; **jogging** n Jogging nt, Dauerlauf m; **jogging suit** n Jogginganzug m.
john [dʒɒn] n (US fam) Klo nt.
join [dʒɔɪn] 1. vt (put together) verbinden (to mit); (club) beitreten +dat; (person)

sich anschließen + *dat*; **2.** *vi* (*unite*) sich vereinigen; (*bones*) zusammenwachsen; **3.** *n* Verbindungsstelle *f*, Naht *f*; **join in** *vi* mitmachen; **join up** *vi* (*MIL*) zur Armee gehen.

joiner ['dʒɔɪnə*] *n* Schreiner(in *f*) *m*; **joinery** *n* Schreinerei *f*.

joint [dʒɔɪnt] **1.** *n* (*TECH*) Fuge *f*; (*of bones*) Gelenk *nt*; (*of meat*) Braten *m*; (*fam: place*) Lokal *nt*; **2.** *adj* gemeinsam; ~ **account** gemeinsames Konto; **jointly** *adv* gemeinsam.

joist [dʒɔɪst] *n* Träger *m*.

joke [dʒəʊk] **1.** *n* Witz *m*; **2.** *vi* spaßen, Witze machen; **you must be joking** das ist doch wohl nicht dein Ernst; **it's no** ~ es ist nicht zum Lachen; **joker** *n* Witzbold *m*; (*CARDS*) Joker *m*; **joking** *adj* scherzhaft; **jokingly** *adv* zum Spaß; (*talk*) im Spaß, scherzhaft.

jollity ['dʒɔlɪtɪ] *n* Fröhlichkeit *f*; **jolly 1.** *adj* lustig, vergnügt; **2.** *adv* (*fam*) ganz schön; **3.** *vt:* **to** ~ **sb along** jdn ermuntern; ~ **good** prima.

jolt [dʒəʊlt] **1.** *n* (*shock*) Schock *m*; (*jerk*) Stoß *m*, Rütteln *nt*; **2.** *vt* (*push*) stoßen; (*shake*) durchschütteln; (*fig*) aufrütteln; **3.** *vi* holpern.

Jordan ['dʒɔ:dən] *n* (*country*) Jordanien *nt*; (*river*) Jordan *m*.

jostle ['dʒɔsl] *vt* anrempeln.

jot [dʒɔt] *n:* **not one** ~ kein Jota; **jot down** *vt* schnell aufschreiben, notieren; **jotter** *n* Notizbuch *nt*; (*SCH*) Schulheft *nt*.

joule [dʒu:l] *n* Joule *nt*.

journal ['dʒɜ:nl] *n* (*diary*) Tagebuch *nt*; (*magazine*) Zeitschrift *f*; **journalese** [dʒɜ:nə'li:z] *n* Zeitungsstil *m*; **journalism** *n* Journalismus *m*; **journalist** *n* Journalist(in *f*) *m*.

journey ['dʒɜ:nɪ] *n* Reise *f*.

jovial ['dʒəʊvɪəl] *adj* jovial.

joy [dʒɔɪ] *n* Freude *f*; **joyful** *adj* freudig; (*gladdening*) erfreulich; **joyfully** *adv* freudig; **joyous** *adj* freudig; **joy ride** *n* Spritztour *f*; **joystick** *n* (*AVIAT*) Steuerknüppel *m*; (*COMPUT*) Steuerknüppel *m*, Joystick *m*.

jubilant ['dʒu:bɪlənt] *adj* triumphierend.

jubilation [dʒu:bɪ'leɪʃən] *n* Jubel *m*.

jubilee ['dʒu:bɪli:] *n* Jubiläum *nt*.

judge [dʒʌdʒ] **1.** *n* Richter(in *f*) *m*; (*fig*) Kenner(in *f*) *m*; **2.** *vt* (*JUR: person*) die Verhandlung führen über + *akk*; (*case*) verhandeln; (*assess*) beurteilen; (*criticize*) verurteilen; **3.** *vi* ein Urteil abgeben; **as far as I can** ~ soweit ich das beurteilen kann; **judging by sth** nach etw zu urteilen; **judgement** *n* (*JUR*) Urteil *nt*;

(*REL*) Gericht *nt*; (*opinion*) Ansicht *f*; (*ability*) Urteilsvermögen *nt*.

judicial [dʒu:'dɪʃəl] *adj* gerichtlich, Justiz-.

judicious [dʒu:'dɪʃəs] *adj* weis[e].

judo ['dʒu:dəʊ] *n* Judo *nt*.

jug [dʒʌg] *n* Krug *m*.

juggernaut ['dʒʌgənɔ:t] *n* (*truck*) Fernlastwagen *m*.

juggle ['dʒʌgl] **1.** *vi* jonglieren; **2.** *vt* (*facts*) verdrehen; (*figures*) frisieren; **juggler** *n* Jongleur(in *f*) *m*.

juice [dʒu:s] *n* Saft *m*; **juiciness** ['dʒu:sɪnɪs] *n* Saftigkeit *f*; **juicy** *adj* saftig; (*story*) schlüpfrig.

jukebox ['dʒu:kbɔks] *n* Musikautomat *m*.

July [dʒu:'laɪ] *n* Juli *m*; ~ **3rd, 1999 , 3rd** ~ **1999** (*Datumsangabe*) 3. Juli 1999; **on the 13th of** ~ (*gesprochen*) am 13. Juli; **on 13th** ~, **on** ~ **13th** (*geschrieben*) am 13. Juli; **in** ~ im Juli.

jumble ['dʒʌmbl] **1.** *n* Durcheinander *nt*; **2.** *vt* (*also:* ~ **up**) durcheinanderwerfen; (*facts*) durcheinanderbringen; **jumble sale** *n* (*Brit*) Basar *m*, Flohmarkt *m*.

jumbo [**jet**] ['dʒʌmbəʊdʒet] *n* <**-s**> Jumbo[-Jet] *m*.

jump [dʒʌmp] **1.** *vi* springen; (*nervously*) zusammenzucken; **2.** *vt* überspringen; **3.** *n* Sprung *m*; **to** ~ **to conclusions** voreilige Schlüsse ziehen; **to** ~ **the gun** (*fig*) voreilig handeln; **to** ~ **the queue** sich vordrängeln; **to give sb a** ~ jdn erschrecken; **jumped-up** *adj* (*fam*) eingebildet; **jumper** *n* Pullover *m*; **jump leads** *pl* (*Brit AUT*) Starthilfekabel *nt*; **jumpy** *adj* nervös.

junction ['dʒʌŋkʃən] *n* (*of roads*) Kreuzung *f*; (*RAIL*) Knotenpunkt *m*.

juncture ['dʒʌŋktʃə*] *n:* **at this** ~ in diesem Augenblick.

June [dʒu:n] *n* Juni *m*; ~ **3rd, 1999 , 3rd** ~ **1999** (*Datumsangabe*) 3. Juni 1999; **on the 13th of** ~ (*gesprochen*) am 13. Juni; **on 13th** ~, **on** ~ **13th** (*geschrieben*) am 13. Juni; **in** ~ im Juni.

jungle ['dʒʌŋgl] *n* Dschungel *m*, Urwald *m*.

junior ['dʒu:nɪə*] **1.** *adj* (*younger*) jünger; (*after name*) junior; (*SPORT*) Junioren-; (*lower position*) untergeordnet; (*for young people*) Junioren-; **2.** *n* Jüngere(r) *mf*; **junior rail-pass** *n* Junior-Paß *m*.

junk [dʒʌŋk] *n* (*rubbish*) Plunder *m*; (*ship*) Dschunke *f*; **junkfood** *n* Nahrungsmittel *pl* mit geringem Nährwert, Junkfood *nt*; **junkie** *n* (*fam*) Fixer(in *f*) *m*; (*fig*) Freak *m*; **junkshop** *n* Ramschladen *m*.

junta ['dʒʌntə] *n* Junta *f*.

jurisdiction [dʒuərɪs'dɪkʃən] *n* Gerichtsbarkeit *f*; (*range of authority*) Zuständigkeit[sbereich *m*] *f*.

jurisprudence [dʒuərɪs'pruːdəns] *n* Rechtswissenschaft *f*, Jura.

juror ['dʒuərə°] *n* Geschworene(r) *mf*; Schöffe *m*, Schöffin *f*; (*in competition*) Preisrichter(in *f*) *m*.

jury ['dʒuərɪ] *n* (*court*) Geschworene *pl*; (*in competition*) Jury *f*, Preisgericht *nt*; **juryman** *n* <-men-> *see* **juror**.

just [dʒʌst] **1.** *adj* gerecht; **2.** *adv* (*recently, now*) gerade, eben; (*barely*) gerade noch; (*exactly*) genau, gerade; (*only*) nur, bloß; (*small distance*) gleich; (*absolutely*) einfach; ~ **as I arrived** gerade als ich ankam; ~ **as nice** genauso nett; ~ **as well** um so besser; ~ **about** so etwa; ~ **now** soeben, gerade; **not** ~ **now** nicht im Moment; ~ **try** versuch es bloß (*o* mal).

justice ['dʒʌstɪs] *n* (*fairness*) Gerechtigkeit *f*; (*magistrate*) Richter(in *f*) *m*; ~ **of the peace** Friedensrichter(in *f*) *m*.

justifiable [dʒʌstɪ'faɪəbl] *adj* berechtigt; **justifiably** *adv* berechtigterweise, zu Recht.

justification [dʒʌstɪfɪ'keɪʃən] *n* Rechtfertigung *f*; **justify** ['dʒʌstɪfaɪ] *vt* rechtfertigen; (*TYP*) justieren; **justified lines** *pl* Blocksatz *m*.

justly ['dʒʌstlɪ] *adv* (*say*) mit Recht; (*condemn*) gerecht.

justness ['dʒʌstnəs] *n* Gerechtigkeit *f*.

jut [dʒʌt] *vi* (*also:* ~ **out**) herausragen, vorstehen.

juvenile ['dʒuːvənaɪl] **1.** *adj* (*young*) jugendlich; (*for the young*) Jugend-; **2.** *n* Jugendliche(r) *mf*; **juvenile delinquency** *n* Jugendkriminalität *f*; **juvenile delinquent** *n* jugendlicher Straftäter, jugendliche Straftäterin.

juxtapose ['dʒʌkstəpəuz] *vt* nebeneinanderstellen; **juxtaposition** [dʒʌkstəpə'zɪʃən] *n* Gegenüberstellung *f*.

K

K, k [keɪ] *n* K *nt*, k *nt*.

K *n abbr of* **kilobyte** K *nt*, Kbyte *nt*.

kaleidoscope [kə'laɪdəskəup] *n* Kaleidoskop *nt*.

Kampuchea [kæmpu'tʃɪə] *n* Kambodscha *nt*, Kamputschea *nt*.

kangaroo [kæŋgə'ruː] *n* Känguruh *nt*.

karate [kə'rɑːtɪ] *n* Karate *nt*.

kayak ['kaɪæk] *n* Kajak *m o nt*.

kebab [kə'bæb] *n* Schaschlik *nt o m*, Kebab *m*.

keel [kiːl] *n* Kiel *m*; **on an even** ~ (*fig*) im Lot.

keen [kiːn] *adj* eifrig, begeistert; (*intelligence, wind, blade*) scharf; (*sight, hearing*) gut; (*price*) günstig; **keenly** *adv* leidenschaftlich; (*sharply*) scharf; **keenness** *n* Schärfe *f*; (*eagerness*) Begeisterung *f*; (*interest*) starkes Interesse.

keep [kiːp] <**kept, kept**> **1.** *vt* (*retain*) behalten; (*have*) haben; (*animals, one's word*) halten; (*support*) versorgen; (*maintain in state*) halten; (*preserve*) aufbewahren; (*restrain*) abhalten; **2.** *vi* (*continue in direction*) sich halten; (*remain quiet etc*) sein, bleiben; **3.** *n* Unterhalt *m*; (*tower*) Burgfried *m*; **it** ~ **s happening** es passiert immer wieder; **keep back** *vt* fernhalten; (*secret*) verschweigen; **keep on 1.** *vi:* ~ **doing sth** etw immer weiter tun; **2.** *vt* anbehalten; (*hat*) aufbehalten; **keep out** *vt* draußen lassen, nicht hereinlassen; '~ ~' 'Eintritt verboten'; **keep up 1.** *vi* Schritt halten; **2.** *vt* aufrechterhalten; (*continue*) weitermachen; **keep-fit** *n* Gymnastik *f*; **keeping** *n* (*care*) Obhut *f*; **in** ~ **[with]** in Übereinstimmung [mit].

keg [keg] *n* Faß *nt*.

kennel ['kenl] *n* Hundehütte *f*.

Kenya ['kenjə] *n* Kenia *nt*.

kept [kept] *pt, pp of* **keep**.

kerb[stone] ['kɜːb'stəun] *n* Bordstein *m*.

kernel ['kɜːnl] *n* Kern *m*.

kerosene ['kerəsiːn] *n* Kerosin *nt*.

kestrel ['kestrəl] *n* Turmfalke *m*.

ketchup ['ketʃəp] *n* Ketchup *nt o m*.

kettle ['ketl] *n* Kessel *m*; **kettledrum** *n* Pauke *f*.

key [kiː] **1.** *n* Schlüssel *m*; (*solution, answers*) Schlüssel *m*, Lösung *f*; (*of piano, typewriter*) Taste *f*; (*MUS*) Tonart *f*; (*explanatory notes*) Zeichenerklärung *f*; **2.** *adj* (*position etc*) Schlüssel-; **3.** *vt* (*also:* ~ **in**) (*COMPUT*) eingeben; **keyboard** *n* (*of piano, typewriter, computer*) Tastatur *f*; **keyboards** *n pl* (*MUS*) Keyboard *nt*; **keyhole** *n* Schlüsselloch *nt*; **keynote** *n* Grundton *m*; **key ring** *n* Schlüsselring *m*.

khaki ['kɑːkɪ] **1.** *n* K[h]aki *nt*; **2.** *adj* k[h]aki[farben].

kick [kɪk] **1.** *vt* einen Fußtritt geben + *dat*, treten; **2.** *vi* treten; (*baby*) strampeln; (*horse*) ausschlagen; **3.** *n* [Fuß]tritt *m*; (*thrill*) Spaß *m*; **kick around** *vt* (*person*) herumstoßen; **kick off** *vi* (*SPORT*) anstoßen; **kick up** *vt* (*fam*) schlagen; **kick-off** *n* (*SPORT*) Anstoß *m*.

kid [kɪd] **1.** *n* (*child*) Kind *nt*; (*goat*) Zicklein *nt*; (*leather*) Glacéleder *nt*; **2.** *vt* auf den Arm nehmen; **3.** *vi* Witze machen.

kidnap ['kɪdnæp] *vt* entführen, kidnappen; **kidnapper** *n* Kidnapper(in *f*) *m*, Entführer(in *f*) *m*; **kidnapping** *n* Entführung *f*, Kidnapping *nt*.

kidney ['kɪdnɪ] *n* Niere *f*.

kill [kɪl] **1.** *vt* töten, umbringen; (*chances*) ruinieren; **2.** *vi* töten; **3.** *n* Tötung *f*; (*HUNTING*) [Jagd]beute *f*; **killer** *n* Mörder(in *f*) *m*.

kiln [kɪln] *n* Brennofen *m*.

kilo ['kiːləʊ] *n* <-s> Kilo *nt*; **kilobyte** *n* Kilobyte *nt*, Kbyte *nt*; **kilogram[me]** *n* Kilogramm *nt*; **kilometre, kilometer** (*US*) *n* Kilometer *m*; **kilowatt** *n* Kilowatt *nt*.

kilt [kɪlt] *n* Schottenrock *m*, Kilt *m*.

kimono [kɪ'məʊnəʊ] *n* <-s> Kimono *m*.

kin [kɪn] *n* Verwandtschaft *f*, Verwandte(n) *pl*.

kind [kaɪnd] **1.** *adj* freundlich, gütig; **2.** *n* Art *f*; **a ~ of** eine Art von; **[two] of a ~** (zwei) von der gleichen Art; **in ~** auf dieselbe Art; (*in goods*) in Naturalien.

kindergarten ['kɪndəgɑːtn] *n* Kindergarten *m*.

kind-hearted ['kaɪnd'hɑːtɪd] *adj* gutherzig.

kindle ['kɪndl] *vt* (*set on fire*) anzünden; (*rouse*) reizen, (*interest*) [er]wecken.

kindliness ['kaɪndlɪnəs] *n* Freundlichkeit *f*, Güte *f*.

kindly ['kaɪndlɪ] **1.** *adj* freundlich; **2.** *adv* liebenswürdig[erweise]; **would you ~ ...** wären Sie so freundlich und ...

kindness ['kaɪndnəs] *n* Freundlichkeit *f*.

kindred ['kɪndrɪd] *adj* verwandt; **~ spirit** Gleichgesinnte(r) *mf*.

kinetic [kɪ'netɪk] *adj* kinetisch.

king [kɪŋ] *n* König *m*; **kingdom** *n* Königreich *nt*; **kingfisher** *n* Eisvogel *m*; **kingpin** *n* (*TECH*) Bolzen *m*; (*AUT*) Achsschenkelbolzen *m*; (*fig*) Stütze *f*; **king-size** *adj* extra groß; (*cigarette*) Kingsize-.

kink [kɪŋk] *n* Knick *m*; (*peculiarity*) Schrulle *f*; **kinky** *adj* (*hair*) wellig; (*fig*) exzentrisch; (*sexually*) abartig.

kiosk ['kiːɒsk] *n* Kiosk *m*; (*TEL*) Telefonhäuschen *nt*.

kipper ['kɪpə*] *n* Räucherhering *m*.

kiss [kɪs] **1.** *n* Kuß *m*; **2.** *vt* küssen; **3.** *vi*: **they ~ed** sie küßten sich.

kit [kɪt] *n* Ausrüstung *f*; (*tools*) Werkzeug *nt*; **kitbag** *n* Seesack *m*.

kitchen ['kɪtʃɪn] *n* Küche *f*; **kitchen foil** *n* Alufolie *f*; **kitchen garden** *n* Gemüsegarten *m*; **kitchen sink** *n* Spülbecken *nt*; **kitchenware** *n* Küchengeschirr *nt*.

kite [kaɪt] *n* Drachen *m*.

kith [kɪθ] *n*: **~ and kin** Blutsverwandte *pl*; **with ~ and kin** mit Kind und Kegel.

kitten ['kɪtn] *n* Kätzchen *nt*.

kitty ['kɪtɪ] *n* (*money*) [gemeinsame] Kasse *f*.

kiwi ['kiːwiː] *n* (*fruit*) Kiwi *f*.

kleptomaniac [kleptəʊ'meɪnɪæk] *n* Kleptomane *m*, Kleptomanin *f*.

km *abbr of* **kilometre[s]** km.

knack [næk] *n* Dreh *m*, Trick *m*.

knapsack ['næpsæk] *n* Rucksack *m*; (*MIL*) Tornister *m*.

knead [niːd] *vt* kneten.

knee [niː] *n* Knie *nt*; **kneecap** *n* Kniescheibe *f*; **knee-deep** *adj* knietief.

kneel [niːl] <knelt *o* kneeled, knelt *o* kneeled> *vi* knien.

knell [nel] *n* Grabgeläute *nt*.

knelt [nelt] *pt, pp of* **kneel**.

knew [njuː] *pt of* **know**.

knickers ['nɪkəz] *n pl* Schlüpfer *m*.

knife [naɪf] **1.** *n* <knives> Messer *nt*; **2.** *vt* erstechen.

knight [naɪt] *n* Ritter *m*; (*CHESS*) Springer *m*, Pferd *nt*; **knighthood** *n* Ritterwürde *f*.

knit [nɪt] **1.** *vt, vi* stricken; **2.** *vi* (*bones*) zusammenwachsen; (*people*) harmonieren; **knitting** *n* (*occupation*) Stricken *nt*; (*work*) Strickzeug *nt*; **knitting machine** *n* Strickmaschine *f*; **knitting needle** *n* Stricknadel *f*; **knitwear** *n* Strickwaren *pl*.

knob [nɒb] *n* Knauf *m*; (*on instrument*) Knopf *m*; (*of butter etc*) kleines Stück.

knock [nɒk] **1.** *vt* schlagen; (*criticize*) heruntermachen; **2.** *vi* klopfen; (*knees*) zittern; **3.** *n* Schlag *m*; (*on door*) Klopfen *nt*; **knock off 1.** *vt* (*do quickly*) hinhauen; (*steal*) klauen; **2.** *vi* (*finish*) Feierabend machen; **knock out** *vt* ausschlagen; (*BOXING*) k.o. schlagen; **knocker** *n* (*on door*) Türklopfer *m*; **knock-kneed** *adj* X-beinig; **knockout** *n* K.O.-Schlag *m*; (*fig*) Sensation *f*.

knot [nɒt] **1.** *n* Knoten *m*; (*in wood*) Astloch *nt*; (*group*) Knäuel *nt o m*; **2.** *vt* [ver]knoten; **knotted** *adj* verknotet; **knotty** ['nɒtɪ] *adj* knorrig; (*problem*) kompliziert.

know [nəʊ] <knew, known> *vt, vi* wissen; (*be able to*) können; (*be acquainted with*) kennen; (*recognize*) erkennen; **to ~ how to do sth** wissen, wie man etw macht, etw tun können; **you ~** nicht [wahr]; **to be well ~n** bekannt sein; **know-all** *n* Alleswisser(in *f*) *m*; **know-how** *n* Kenntnis *f*, Know-how *nt*; **knowing** *adj* schlau; (*look, smile*) wis-

send; **knowingly** adv wissend; (intentionally) wissentlich.
knowledge ['nɒlɪdʒ] n Wissen nt, Kenntnis f; (learning) Kenntnisse pl; **knowledgeable** adj informiert.
known [nəʊn] pp of **know**.
knuckle ['nʌkl] n Fingerknöchel m.
Koran [kɔ'rɑːn] n Koran m.
Korea [kə'rɪə] n Korea nt.
kph abbr of **kilometres per hour** km/h.
kudos ['kjuːdɒs] n Ehre f.
Kuwait [kʊ'weɪt] n Kuwait nt.

L

L, l [el] n L nt, l nt.
lab [læb] n (fam) Labor nt.
label ['leɪbl] **1.** n Etikett nt, Schild nt; (record company) Plattenfirma f; **2.** vt mit einer Aufschrift versehen, etikettieren.
laboratory [lə'bɒrətərɪ] n Labor nt.
laborious adj, **laboriously** adv [lə'bɔːrɪəs, -lɪ] mühsam.
labour, labor (US) ['leɪbə*] **1.** n Arbeit f; (workmen) Arbeitskräfte pl; (MED) Wehen pl; **2.** adj (POL) Labour-; **hard ~** Zwangsarbeit f; **labourer** n Arbeiter(in f) m; **labour-saving** adj arbeitssparend.
laburnum [lə'bɜːnəm] n Goldregen m.
labyrinth ['læbərɪnθ] n Labyrinth nt.
lace [leɪs] **1.** n (fabric) Spitze f; (of shoe) Schnürsenkel m; (braid) Litze f; **2.** vt (also: ~ **up**) [zu]schnüren.
lacerate ['læsəreɪt] vt zerschneiden, tief verwunden.
lack [læk] **1.** vt nicht haben; **2.** vi: to be ~ing fehlen; **sb is ~ing in sth** es fehlt jdm an etw dat; **3.** n Mangel m; **sb ~s sth** jdm fehlt etw; **for ~ of** aus Mangel an +dat.
lackadaisical [lækə'deɪzɪkəl] adj lasch.
lackey ['lækɪ] n Lakei m.
lacklustre, lackluster (US) ['læklʌstə*] adj glanzlos, matt.
laconic [lə'kɒnɪk] adj lakonisch.
lacquer ['lækə*] n Lack m.
lacrosse [lə'krɒs] n Lacrosse nt.
lacy ['leɪsɪ] adj spitzenartig, Spitzen-.
lad [læd] n (boy) Junge m; (young man) Bursche m.
ladder ['lædə*] **1.** n Leiter f; (fig) Stufenleiter f; (Brit: in stocking) Laufmasche f; **2.** vt Laufmaschen bekommen in +dat.
laden ['leɪdn] adj beladen, voll.
ladle ['leɪdl] n Schöpfkelle f.

lady ['leɪdɪ] n Dame f; (title) Lady f; **'Ladies'** (lavatory) 'Damen'; **ladybird, ladybug** (US) n Marienkäfer m; **lady-in-waiting** n <**ladies-in-waiting**> Hofdame f; **ladylike** adj damenhaft, vornehm.
lag [læg] **1.** n (delay) Verzug m; (time ~) Zeitabstand m; **2.** vi (also: ~ **behind**) zurückbleiben; **3.** vt (pipes) verkleiden.
lager ['lɑːgə*] n Lagerbier nt, helles Bier.
lagging ['lægɪn] n Isolierung f.
lagoon [lə'guːn] n Lagune f.
laid [leɪd] **1.** pt, pp of **lay**; **2.** adj: to be ~ **up** ans Bett gefesselt sein; **laid-back** adj (fam) cool.
lain [leɪn] pp of **lie**.
laity ['leɪtɪ] n Laien pl.
lake [leɪk] n See m.
lamb [læm] n Lamm nt; (meat) Lammfleisch nt; **lamb chop** n Lammkotelett nt; **lamb's wool** n Lammwolle f.
lame [leɪm] adj lahm; (person also) gelähmt; (excuse) faul.
lament [lə'ment] **1.** n Klage f; **2.** vt beklagen; **lamentable** ['læməntəbl] adj bedauerlich; (bad) erbärmlich; **lamentation** [læmən'teɪʃən] n Wehklage f.
laminated ['læmɪneɪtɪd] adj beschichtet; ~ **glass** Verbundglas nt; ~ **plastic** Resopal ® nt; ~ **wood** Sperrholz nt.
lamp [læmp] n Lampe f; (in street) Straßenlaterne f; **lamppost** n Laternenpfahl m; **lampshade** n Lampenschirm m.
lance [lɑːns] **1.** n Lanze f; **2.** vt (MED) aufschneiden.
lancet [lɑːnsɪt] n Lanzette f.
land [lænd] **1.** n Land nt; **2.** vi (from ship) an Land gehen; (AVIAT, end up) landen; **3.** vt (obtain) gewinnen, kriegen; (passengers) absetzen; (goods) abladen; (troops, space probe) landen; **landed** adj Land-; **landing** n Landung f; (on stairs) [Treppen]absatz m; **landing craft** n Landungsboot nt; **landing stage** n Landesteg m; **landing strip** n Landebahn f; **landlady** n [Haus]wirtin f; **landlocked** adj landumschlossen, Binnen-; **landlord** n (of house) Hauswirt m, Besitzer m; (of pub) Gastwirt m; (of land) Grundbesitzer m; **landlubber** n Landratte f; **landmark** n Wahrzeichen nt; (fig) Meilenstein m; **landowner** n Grundbesitzer(in f) m; **landscape** n Landschaft f; **landslide** n (GEO) Erdrutsch m; (POL) überwältigender Sieg, Erdrutschsieg m.
lane [leɪn] n (in town) Gasse f; (in country) Weg m, Sträßchen nt; (of motorway) Fahrbahn f, Spur f; (SPORT) Bahn f.
language ['læŋgwɪdʒ] n Sprache f; (style) Ausdrucksweise f; **language labora-**

tory n Sprachlabor nt.

languid ['læŋgwɪd] adj schlaff, matt.

languish ['læŋgwɪʃ] vi schmachten; (pine) sich sehnen (for nach).

languor ['læŋgə*] n Mattigkeit f.

languorous ['læŋgərəs] adj schlaff, träge.

lank [læŋk] adj dürr; **lanky** adj schlacksig.

lantern ['læntən] n Laterne f.

lap [læp] 1. n Schoß m; (SPORT) Runde f; 2. vt auflecken; 3. vi (water) plätschern; **lapdog** n Schoßhund m.

lapel [lə'pel] n Aufschlag m, Revers nt o m.

lapse [læps] n (mistake) Irrtum m; (moral) Fehltritt m; (time) Zeitspanne f.

larceny ['lɑːsənɪ] n Diebstahl m.

lard [lɑːd] n Schweineschmalz m.

larder ['lɑːdə*] n Speisekammer f.

large [lɑːdʒ] adj groß; **at** ~ auf freiem Fuß; **by and** ~ im großen und ganzen; **largely** adv zum größten Teil; **large-scale** adj groß angelegt, Groß-.

lark [lɑːk] n (bird) Lerche f; (joke) Jux m; **lark about** vi (fam) herumalbern.

larva ['lɑːvə] n ['lɑːvɪ] < **larvae** > Larve f.

laryngitis [lærɪn'dʒaɪtɪs] n Kehlkopfentzündung f.

larynx ['lærɪŋks] n Kehlkopf m.

lascivious adj, **lasciviously** adv [lə'sɪvɪəs, -lɪ] wollüstig.

laser ['leɪzə*] n Laser m; **laser printer** n Laserdrucker m.

lash [læʃ] 1. n Peitschenhieb m; 2. vt (beat against) schlagen an +akk; (rain) schlagen gegen; (whip) peitschen; (bind) festbinden; **lash out** 1. vi (with fists) um sich schlagen; (spend money) sich in Unkosten stürzen; 2. vt (money etc) springen lassen.

lass [læs] n Mädchen nt.

lassitude ['læsɪtjuːd] n Abgespanntheit f.

lasso [læ'suː] 1. n < -[e]s > Lasso nt; 2. vt mit einem Lasso fangen.

last [lɑːst] 1. adj letzte(r, s); 2. adv zuletzt; (last time) das letztemal; 3. n (person) Letzte(r) mf; (thing) Letzte(s) nt; (for shoe) [Schuh]leisten m; 4. vi (continue) dauern; (remain good) sich halten; (money) ausreichen; **at** ~ endlich; ~ **night** gestern abend; **lasting** adj dauerhaft, haltbar; (shame etc) andauernd, bleibend; **last-minute** adj in letzter Minute.

latch [lætʃ] n Riegel m; **latchkey** n Hausschlüssel m; ~ **child** Schlüsselkind nt.

late [leɪt] 1. adj spät; zu spät; (recent) jüngste(r, s); (former) frühere(r, s);

(dead) verstorben; 2. adv spät; (after proper time) zu spät; **to be** ~ zu spät kommen; **of** ~ in letzter Zeit; ~ **in the day** spät; (fig) reichlich spät; **latecomer** n Nachzügler(in f) m; **lately** adv in letzter Zeit; **lateness** ['leɪtnɪs] n (of person) Zuspätkommen nt; (of train) Verspätung f; ~ **of the hour** die vorgerückte Stunde.

latent ['leɪtənt] adj latent.

lateral ['lætərəl] adj seitlich.

latest ['leɪtɪst] n (news) Neu[e]ste(s) nt; **at the** ~ spätestens.

latex ['leɪteks] n Milchsaft m.

lath [læθ] n Latte f, Leiste f.

lathe [leɪð] n Drehbank f.

lather ['lɑːðə*] 1. n [Seifen]schaum m; 2. vt einschäumen; 3. vi schäumen.

Latin ['lætɪn] n Latein nt; **Latin-American** 1. adj lateinamerikanisch; 2. n Lateinamerikaner(in f) m.

latitude ['lætɪtjuːd] n (GEO) Breite f; (freedom) Spielraum m.

latrine [lə'triːn] n Latrine f.

latter ['lætə*] adj (second of two) letztere(r, s); (coming at end) letzte(r, s), später; **latterly** adv in letzter Zeit; **latter-day** adj modern.

lattice work ['lætɪswɜːk] n Lattenwerk nt, Gitterwerk nt.

laudable ['lɔːdəbl] adj löblich.

laugh [lɑːf] 1. n Lachen nt; 2. vi lachen; **laugh at** vt lachen über +akk; **laugh off** vt lachend abtun; **laughable** adj lachhaft; **laughing** adj lachend; **laughing stock** n lächerliche Figur; **laughter** ['lɑːftə*] n Lachen nt, Gelächter nt.

launch [lɔːntʃ] 1. n (of ship) Stapellauf m; (of rocket) [Raketen]abschuß m; (boat) Barkasse f; (pleasure boat) Vergnügungsboot nt; 2. vt (set afloat) vom Stapel [laufen] lassen; (rocket) abschießen; (set going) in Gang setzen, starten; **launching** n Stapellauf m; **launching pad** n Abschußrampe f.

launder ['lɔːndə*] vt waschen und bügeln; (fig: money) waschen; **launderette** [lɔːndə'ret] n Waschsalon m; **laundry** ['lɔːndrɪ] n (place) Wäscherei f; (clothes) Wäsche f; (fig: of money) Geldwäscherei f, Geldwaschanlage f.

laurel ['lɒrəl] n Lorbeer m.

lava ['lɑːvə] n Lava f.

lavatory ['lævətrɪ] n Toilette f.

lavender ['lævɪndə*] n Lavendel m.

lavish ['lævɪʃ] 1. n (extravagant) verschwenderisch; (generous) großzügig; 2. vt (money) verschwenden (on auf +akk); (attentions, gifts) überschütten mit (on sb jdn); **lavishly** adv verschwenderisch.

law [lɔː] n Gesetz nt; (system) Recht nt; (of game etc) Regel f; (as studies) Jura; **law-abiding** adj gesetzestreu; **lawbreaker** n Rechtsbrecher(in f) m; **law court** n Gerichtshof m; **lawful** adj gesetzlich, rechtmäßig; **lawfully** adv rechtmäßig; **lawless** adj gesetzlos.

lawn [lɔːn] n Rasen m; **lawnmower** n Rasenmäher m; **lawn tennis** n Rasentennis nt.

law school ['lɔːskuːl] n Rechtsakademie f; **law student** n Jurastudent(in f) m; **lawsuit** ['lɔːsuːt] n Prozeß m.

lawyer ['lɔːjə*] n Rechtsanwalt(-anwältin f) m.

lax [læks] adj lax.

laxative ['læksətiv] n Abführmittel nt.

laxity ['læksɪtɪ] n Laxheit f.

lay [leɪ] 1. pt of **lie**; 2. <**laid, laid**> vt (place) legen; (table) decken; (fire) anrichten; (egg) legen; (trap) stellen; (money) wetten; 3. adj Laien-; **lay aside** vt zurücklegen; **lay by** vt (set aside) beiseite legen; **lay down** vt hinlegen; (rules) vorschreiben; (arms) strecken; **lay off** vt (workers) [vorübergehend] entlassen; **lay on** vt auftragen; (concert etc) veranstalten; **lay out** vt [her]auslegen; (money) ausgeben; (corpse) aufbahren; **lay up** vt (store) aufspeichern; (supplies) anlegen; (save) zurücklegen; **layabout** n Faulenzer(in f) m; **lay-by** n Parkbucht f; (bigger) Rastplatz m.

layer ['leɪə*] n Schicht f.

layette [leɪˈet] n Babyausstattung f.

layman ['leɪmən] n <-**men**> Laie m.

layout ['leɪaʊt] n Anlage f; (ART) Layout nt.

laze [leɪz] vi faulenzen.

lazily ['leɪzɪlɪ] adv träge, faul.

laziness ['leɪzɪnɪs] n Faulheit f.

lazy ['leɪzɪ] adj faul; (slow-moving) träge.

lb abbr of **pound** Pfund nt, Pfd.

LCD abbr of 1. **n liquid crystal diode** Leuchtkristalldiode f; 2. **n liquid crystal display** Leuchtkristallanzeige f, Flüssigkristallanzeige f; **LCD-display** n Leuchtdiodenanzeige f.

lead [led] 1. n Blei nt; (of pencil) [Bleistift]mine f; 2. adj bleiern, Blei-; 2. [liːd] <**led, led**> vt (guide) führen; (group etc) leiten; 3. vi (be first) führen; 4. n (front position) Führung f; (distance, time ahead) Vorsprung f; (example) Vorbild nt; (clue) Tip m; (of police) Spur f; (THEAT) Hauptrolle f; (dog's) Leine f; **lead astray** vt irreführen; **lead away** vt wegführen; (prisoner) abführen; **lead back** vi zurückführen; **lead on** vt anführen; **lead to** vt (street) [hin]führen

nach; (result in) führen zu; **lead up to** vt (drive) führen zu; (speaker etc) hinführen auf + akk.

leaded ['ledɪd] adj (petrol) verbleit.

leader ['liːdə*] n Führer(in f) m, Leiter(in f) m; (of party) Vorsitzende(r) m/f; (PRESS) Leitartikel m; **leadership** ['liːdəʃɪp] n (office) Leitung f; (quality) Führerschaft f.

lead-free ['ledfriː] adj (petrol) unverbleit, bleifrei.

leading ['liːdɪŋ] adj führend; ~ **lady** (THEAT) Hauptdarstellerin f; ~ **light** (person) führender Geist; ~ **man** (THEAT) Hauptdarsteller m.

leaf [liːf] n <**leaves**> Blatt nt; (of table) Ausziehplatte f; **leaflet** ['liːflɪt] n Blättchen nt; (advertisement) Prospekt m; (pamphlet) Flugblatt nt; (for information) Merkblatt nt; **leafy** adj belaubt.

league [liːg] n (union) Bund m, Liga f; (SPORT) Liga f, Tabelle f; (measure) 3 englische Meilen.

leak [liːk] 1. n undichte Stelle; (in ship) Leck nt; 2. vt (liquid etc) durchlassen; 3. vi (pipe etc) undicht sein; (liquid etc) auslaufen; **leak out** vi (liquid etc) auslaufen; (information) durchsickern; **leaky** adj undicht.

lean [liːn] <**leant** o **leaned, leant** o **leaned**> 1. vi sich neigen; 2. vt [an]lehnen; 3. adj mager; 4. n Magere(s) nt; **to** ~ **against sth** (thing) an etw dat angelehnt sein; (person) sich an etw akk anlehnen; **lean back** vi sich zurücklehnen; **lean forward** vi sich vorbeugen; **lean on** vt sich stützen auf + akk; **lean over** vi sich hinüberbeugen; **lean towards** vt neigen zu; **leaning** n Neigung f; **lean-to** n Anbau m.

leap [liːp] <**lept** o **leaped, lept** o **leaped**> 1. vi springen; 2. n Sprung m; **by** ~**s and bounds** schnell; **leapfrog** n Bockspringen nt; **leap year** n Schaltjahr nt.

learn [lɜːn] <**learnt** o **learned, learnt** o **learned**> vt, vi lernen; (find out) erfahren, hören; **learned** ['lɜːnɪd] adj gelehrt; **learner** n Anfänger(in f) m; (AUT) (also: ~ **driver**) Fahrschüler(in f) m; **learning** n Gelehrsamkeit f; **learning disability** n Lernbehinderung f; **learning-disabled** adj lernbehindert; **learnt** [lɜːnt] pt, pp of **learn**.

lease [liːs] 1. n (of property) Mietvertrag m; (of land) Pachtvertrag m; 2. vt mieten, pachten; (car, copier etc) leasen; **leasing** n Leasing nt.

leash [liːʃ] n Leine f.

least [liːst] 1. adj kleinste(r, s); (slightest)

geringste(r, s); **2.** n Mindeste(s) nt; **at ~** zumindest; **not in the ~** durchaus nicht.

leather ['leðə'] **1.** n Leder nt; **2.** adj ledern, Leder-; **leathery** adj zäh, ledern.

leave [li:v] <**left, left**> **1.** vt verlassen; (~ behind) zurücklassen; (forget) vergessen; (allow to remain) lassen; (after death) hinterlassen; (entrust) überlassen (to sb jdm); **2.** vi weggehen, wegfahren; (for journey) abreisen; (bus, train) abfahren; **3.** n Erlaubnis f; (MIL) Urlaub m; **on ~** auf Urlaub; **to take one's ~ of** Abschied nehmen von; **to be left** (remain) übrigbleiben; **leave off** vi aufhören; **leave out** vt auslassen.

Lebanon ['lebənən] n: **the ~** der Libanon.

lecherous ['letʃərəs] adj lüstern.

lectern ['lektɜ:n] n Lesepult nt.

lecture ['lektʃə'] **1.** n Vortrag m; (at university) Vorlesung f; **2.** vi einen Vortrag halten; (professor) lesen; **lecturer** n Vortragende(r) mf; (at university) Dozent(in f) m.

led [led] pt, pp of **lead**.

LED n abbr of **light-emitting diode** Leuchtdiode f.

ledge [ledʒ] n Leiste f; (window ~) Sims m o nt; (of mountain) [Fels]vorsprung m.

ledger ['ledʒə'] n Hauptbuch nt.

lee [li:] n Windschatten m; (NAUT) Lee f.

leech [li:tʃ] n Blutegel m.

leek [li:k] n Lauch m.

leer [lɪə'] **1.** n anzüglicher Blick; (evil) heimtückischer Blick; **2.** vi schielen (at nach).

leeway ['li:weɪ] n (fig) Rückstand m; (freedom) Spielraum m.

left [left] **1.** pt, pp of **leave**; **2.** adj linke(r, s); **3.** adv links; nach links; **4.** n (side) linke Seite; **the L~** (POL) die Linke; **left-hand drive** n Linkssteuerung f; **left-handed** adj linkshändig; **to be ~** Linkshänder(in) sein; **left-hand side** n linke Seite; **left-luggage [office]** n Gepäckaufbewahrung f; **left-overs** n pl Reste pl, Überbleibsel pl; **left wing** n linker Flügel; **left-wing** adj linke(r, s).

leg [leg] n Bein nt; (of meat) Keule f; (stage) Etappe f.

legacy ['legəsɪ] n Erbe nt, Erbschaft f.

legal ['li:gəl] adj gesetzlich, rechtlich; (allowed) legal, rechtsgültig; **to take ~ action** prozessieren; **~ tender** gesetzliches Zahlungsmittel; **legalize** vt legalisieren; **legally** adv gesetzlich; legal.

legation [lɪ'geɪʃən] n Gesandtschaft f.

legend ['ledʒənd] n Legende f; **legendary** adj legendär.

-legged ['legɪd] adj -beinig.

leggings ['legɪnz] n pl [hohe] Gamaschen pl; (for baby) Gamaschenhose f.

legibility [ledʒɪ'bɪlɪtɪ] n Leserlichkeit f; **legible** adj, **legibly** adv ['ledʒəbl, -blɪ] leserlich.

legion ['li:dʒən] n Legion f; **the Foreign L~** die Fremdenlegion.

legislate ['ledʒɪsleɪt] vi Gesetze erlassen; **legislation** [ledʒɪs'leɪʃən] n Gesetzgebung f; **legislative** ['ledʒɪslətɪv] adj gesetzgebend; **legislator** ['ledʒɪsleɪtə'] n Gesetzgeber(in f) m; **legislature** ['ledʒɪslətʃə'] n Legislative f.

legitimacy [lɪ'dʒɪtɪməsɪ] n Rechtmäßigkeit f; (of birth) Ehelichkeit f; **legitimate** [lɪ'dʒɪtɪmət] adj rechtmäßig, legitim; (child) ehelich.

legroom ['legrʊm] n Platz m für die Beine.

leisure ['leʒə'] **1.** n Freizeit f; **2.** adj Freizeit-; **to be at ~** Zeit haben; **leisurely** adj gemächlich.

lemming ['lemɪŋ] n Lemming m.

lemon ['lemən] n Zitrone f; (colour) Zitronengelb nt.

lemonade [lemə'neɪd] n Limonade f.

lend [lend] <**lent, lent**> vt leihen; **to ~ sb sth** jdm etw leihen; **it ~s itself to** es eignet sich zu; **lender** n Verleiher(in f) m; **lending library** n Leihbücherei f.

length [leŋθ] n Länge f; (section of road, pipe etc) Strecke f; (of material) Stück nt; **~ of time** Zeitdauer f; **at ~** (lengthily) ausführlich; (at last) schließlich; **lengthen** ['leŋθən] **1.** vt verlängern; **2.** vi länger werden; **lengthways** adv längs; **lengthy** adj sehr lang; (story, speech) langatmig.

leniency ['li:nɪənsɪ] n Nachsicht f; **lenient** adj nachsichtig; **leniently** adv milde.

lens [lenz] n Linse f; (FOT) Objektiv nt.

lent [lent] pt, pp of **lend**.

Lent [lent] n Fastenzeit f.

lentil ['lentl] n Linse f.

Leo ['li:əʊ] n <**-s**> (ASTR) Löwe m.

leopard ['lepəd] n Leopard m.

leotard ['li:əta:d] n Trikot nt, Gymnastikanzug m.

leper ['lepə'] n Leprakranke(r) mf.

leprosy ['leprəsɪ] n Lepra f.

lesbian ['lezbɪən] **1.** adj lesbisch; **2.** n Lesbierin f.

less [les] adj, adv, n weniger.

lessen ['lesn] **1.** vi abnehmen; **2.** vt verringern, verkleinern.

lesser ['lesə'] adj kleiner, geringer.

lesson ['lesn] n (SCH) Stunde f; (unit of study) Lektion f; (fig) Lehre f; (REL) Lesung f; **~s start at 9** der Unterricht beginnt um 9.

lest [lest] *conj* damit... nicht.

let [let] <**let, let**> **1.** *vt* lassen; (*lease*) vermieten; **2.** *n:* **without ~ or hindrance** völlig unbehindert; **let down** *vt* hinunterlassen; (*disappoint*) enttäuschen; **let go 1.** *vi* loslassen; **2.** *vt* (*things*) loslassen; (*person*) gehen lassen; **~'s ~** gehen wir; **let off** *vt* (*gun*) abfeuern; (*steam*) ablassen; (*forgive*) laufenlassen; **let out** *vt* herauslassen; (*scream*) ausstoßen; **let up** *vi* nachlassen; (*stop*) aufhören; **letdown** *n* Enttäuschung *f.*

lethal [ˈliːθəl] *adj* tödlich.

lethargic [leˈθɑːdʒɪk] *adj* lethargisch, träge; **lethargy** [ˈleθədʒɪ] *n* Lethargie *f*, Teilnahmslosigkeit *f.*

letter [ˈletəʳ] *n* (*of alphabet*) Buchstabe *m*; (*message*) Brief *m*; **~s** *pl* (*literature*) Literatur *f*; **letterbox** *n* Briefkasten *m*; **lettering** *n* Beschriftung *f*; **letter-quality printer** *n* Schönschreibdrucker *m.*

lettuce [ˈletɪs] *n* (Kopf)salat *m.*

let-up [ˈletʌp] *n* (*fam*) Nachlassen *nt.*

leukaemia, leukemia (*US*) [luːˈkiːmɪə] *n* Leukämie *f.*

level [ˈlevl] **1.** *adj* (*ground*) eben; (*at same height*) auf gleicher Höhe; (*equal*) gleich gut; (*head*) kühl; **2.** *adv* auf gleicher Höhe; **3.** *n* (*instrument*) Wasserwaage *f*; (*altitude*) Höhe *f*; (*flat place*) ebene Fläche; (*position on scale*) Niveau *nt*; (*amount, degree*) Grad *m*; **4.** *vt* (*ground*) einebnen; (*building*) abreißen; (*town*) dem Erdboden gleichmachen; (*blow*) versetzen (*at sb* jdm); (*remark*) richten (*at* gegen); **to draw ~ with** gleichziehen mit; **to do one's ~ best** sein möglichstes tun; **talks on a high ~** Gespräche auf hoher Ebene; **profits keep on the same ~** Gewinne halten sich auf dem gleichen Stand; **on the moral ~** aus moralischer Sicht; **on the ~** auf gleicher Höhe; (*fig: honest*) ehrlich; **level off, level out 1.** *vi* flach (*o* eben) werden; (*fig*) sich ausgleichen; (*plane*) horizontal fliegen; **2.** *vt* (*ground*) ausgleichen; (*differences*) ausgleichen; **level crossing** *n* Bahnübergang *m*; **level-headed** *adj* vernünftig.

lever [ˈliːvəʳ, *US* ˈlevəʳ] **1.** *n* Hebel *m*; (*fig*) Druckmittel *nt*; **2.** *vt* (hoch)stemmen; **leverage** *n* Hebelkraft *f*; (*fig*) Einfluß *m.*

levity [ˈlevɪtɪ] *n* Leichtfertigkeit *f.*

levy [ˈlevɪ] **1.** *n* (*of taxes*) Erhebung *f*; (*tax*) Abgaben *pl*; (*MIL*) Aushebung *f*; **2.** *vt* erheben; (*MIL*) ausheben.

lewd [luːd] *adj* unzüchtig, unanständig.

liability [laɪəˈbɪlɪtɪ] *n* (*burden*) Belastung *f*; (*duty*) Pflicht *f*; (*debt*) Verpflichtung *f*;

(*proneness*) Anfälligkeit *f*; (*responsibility*) Haftung *f.*

liable [ˈlaɪəbl] *adj* (*responsible*) haftbar; (*prone*) anfällig; **to be ~ for** einer Sache *dat* unterliegen; (*responsible*) haften für; **it's ~ to happen** es kann leicht vorkommen; **then Ute is ~ to get angry** da könnte Ute wütend werden.

liaison [liːˈeɪzɒn] *n* Verbindung *f*; (*love affair*) Verhältnis *nt.*

liar [ˈlaɪəʳ] *n* Lügner *m.*

libel [ˈlaɪbəl] **1.** *n* Verleumdung *f*; **2.** *vt* verleumden; **libel(l)ous** *adj* verleumderisch.

liberal [ˈlɪbərəl] **1.** *adj* (*generous*) großzügig; (*open-minded*) aufgeschlossen; (*POL*) liberal; **2.** *n* liberal denkender Mensch; **L~** (*POL*) Liberale(r) *mf*; **liberally** *adv* (*abundantly*) reichlich.

liberate [ˈlɪbəreɪt] *vt* befreien; **liberation** [lɪbəˈreɪʃən] *n* Befreiung *f.*

liberty [ˈlɪbətɪ] *n* Freiheit *f*; (*permission*) Erlaubnis *f*; **to be at ~ to do sth** etw tun dürfen; **to take liberties with** sich *dat* Freiheiten herausnehmen gegenüber.

Libra [ˈliːbrə] *n* (*ASTR*) Waage *f.*

librarian [laɪˈbrɛərɪən] *n* Bibliothekar(in *f*) *m.*

library [ˈlaɪbrərɪ] *n* Bibliothek *f*; (*lending ~*) Bücherei *f.*

libretto [lɪˈbretəʊ] *n* <**-s**> Libretto *nt.*

lice [laɪs] *pl* of **louse.**

licence, license (*US*) [ˈlaɪsəns] *n* (*permit*) Erlaubnis *f*, amtliche Zulassung; (*COM*) Lizenz *f*; (*driving ~*) Führerschein *m*; (*excess*) Zügellosigkeit *f*; **licence plate** *n* (*AUT*) Nummernschild *nt.*

license [ˈlaɪsəns] *vt* genehmigen, konzessionieren; **licensee** [laɪsənˈsiː] *n* Konzessionsinhaber(in *f*) *m.*

licentious [laɪˈsenʃəs] *adj* ausschweifend.

lichen [ˈlaɪkən] *n* Flechte *f.*

lick [lɪk] **1.** *vt* lecken; **2.** *vi* (*flames*) züngeln; **3.** *n* Lecken *m*; (*small amount*) Spur *f*; **a ~ and a promise** Katzenwäsche *f.*

licorice [ˈlɪkərɪs] *n* Lakritze *f.*

lid [lɪd] *n* Deckel *m*; (*eye~*) Lid *nt.*

lido [ˈliːdəʊ] *n* <**-s**> Freibad *nt.*

lie [laɪ] **1.** *n* Lüge *f*; **2.** *vi* lügen; **3.** <**lay, lain** > *vi* (*rest, be situated*) liegen; (*put oneself in position*) sich legen; **to ~ idle** stillstehen; **~ detector** Lügendetektor *m.*

Liechtenstein [ˈlɪktənʃtaɪn] *n* Liechtenstein *nt.*

lieu [luː] *n:* **in ~ of** anstatt +*gen.*

lieutenant [lefˈtenənt, *US* luːˈtenənt] *n* Leutnant *m.*

life [laɪf] *n* <**lives**> Leben *nt*; (*story*) Lebensgeschichte f; (energy) Lebendigkeit f; **life assurance** n Lebensversicherung f; **lifebelt** n Rettungsring m; **lifeboat** n Rettungsboot nt; **lifeguard** n Bademeister(in f) m, Rettungsschwimmer(in f) m; **life jacket** n Schwimmweste f; **lifeless** adj (dead) leblos, tot; (dull) langweilig; **lifelike** adj lebenswahr, naturgetreu; **lifeline** n (fig) Rettungsanker m; **lifelong** adj lebenslang; **life preserver** n Totschläger m; **life raft** n Rettungsfloß nt; **life-sized** adj in Lebensgröße; **life span** n Lebensspanne f; **lifetime** n Lebenszeit f.

lift [lɪft] **1.** vt hochheben; **2.** vi sich heben; **3.** n (elevator) Aufzug m, Lift m; **to give sb a** ~ jdn [im Auto] mitnehmen; **lift-off** n Abheben nt [vom Boden], Start m; **lift-off correction tape** n Lift-off-Korrekturband nt.

ligament [ˈlɪgəmənt] n Sehne f, Band nt.

light [laɪt] <lit o lighted, lit o lighted> **1.** vt beleuchten; (lamp) anmachen; (fire, cigarette) anzünden; (brighten) erleuchten, erhellen; **2.** n Licht nt; (lamp) Lampe f; (flame) Feuer nt; **3.** adj (bright) hell, licht; (pale) hell-; (not heavy, easy) leicht; (punishment) milde; (taxes) niedrig; (touch) leicht; ~**s** pl (AUT) Beleuchtung f; **in the** ~ **of** angesichts +gen; **light up 1.** vi (lamp) angehen; (face) aufleuchten; **2.** vt (illuminate) beleuchten; (lights) anmachen; **light bulb** n Glühbirne f; **lighten 1.** vi (brighten) hell werden; **2.** vt (give light to) erhellen; (hair) aufhellen; (gloom) aufheitern; (make less heavy) leichter machen; (fig) erleichtern; **lighter** n (cigarette ~) Feuerzeug nt; (boat) Leichter m; **light-headed** adj (thoughtless) leichtsinnig; (giddy) schwindlig; **light-hearted** adj leichtherzig, fröhlich; **light-house** n Leuchtturm m; **lighting** n Beleuchtung f; **lighting-up time** n Zeit f des Einschaltens der Straßen-/Autobeleuchtung; **lightly** adv leicht; (irresponsibly) leichtfertig; **light meter** n (FOT) Belichtungsmesser m; **lightness** n (of weight) Leichtigkeit f; (of colour) Helle f; (light) Helligkeit f; **lightning** n Blitz m; ~ **conductor** Blitzableiter m; **light pen** n Lichtgriffel m, Lichtstift m; **light water reactor** n Leichtwasserreaktor m; **lightweight** adj (suit) leicht; ~ **boxer** Leichtgewicht n; **lightyear** n Lichtjahr nt.

like [laɪk] **1.** vt mögen, gern haben; **2.** prep wie; **3.** adj (similar) ähnlich; (equal) gleich; **4.** n Gleiche(s) nt; **would you** ~ ... hätten Sie gern...; **would you** ~

to... möchten Sie gern...; **what's it/he** ~ ? wie ist es/er?; **that's just** ~ **him** das sieht ihm ähnlich; ~ **that/this** so.

likeable [ˈlaɪkəbl] adj sympathisch.

likelihood [ˈlaɪklɪhʊd] n Wahrscheinlichkeit f.

likely [ˈlaɪklɪ] **1.** adj (probable) wahrscheinlich; (suitable) geeignet; **2.** adv wahrscheinlich.

like-minded [laɪkˈmaɪndɪd] adj gleichgesinnt.

liken [ˈlaɪkən] vt vergleichen (to mit.).

likewise [ˈlaɪkwaɪz] adv ebenfalls.

liking [ˈlaɪkɪŋ] n Zuneigung f; (taste for) Vorliebe f.

lilac [ˈlaɪlək] n Flieder m.

lily [ˈlɪlɪ] n Lilie f; ~ **of the valley** Maiglöckchen nt.

limb [lɪm] n Glied nt.

limber up [ˈlɪmbə* ʌp] vi sich auflockern; (fig) sich vorbereiten.

limbo [ˈlɪmbəʊ] n <-s> : **to be in** ~ (fig) in der Schwebe sein.

lime [laɪm] n (tree) Linde f; (fruit) Limone f; (substance) Kalk m; **lime juice** n Limonensaft m; **limelight** n (fig) Rampenlicht nt.

limerick [ˈlɪmərɪk] n Limerick m (fünfzeiliges komisches Gedicht).

limestone [ˈlaɪmstəʊn] n Kalkstein m.

limit [ˈlɪmɪt] **1.** n Grenze f; (for pollution etc) Grenzwert m; (fam) Höhe f; **2.** vt begrenzen, einschränken; **limitation** [lɪmɪˈteɪʃən] n Grenzen pl, Einschränkung f; **limited** adj beschränkt; ~ **company** Gesellschaft f mit beschränkter Haftung, GmbH f.

limousine [ˈlɪməziːn] n Limousine f.

limp [lɪmp] **1.** n Hinken nt; **2.** vi hinken; **3.** adj (without firmness) schlaff.

limpet [ˈlɪmpɪt] n Napfschnecke f; (fig) Klette f.

limpid [ˈlɪmpɪd] adj klar.

limply [ˈlɪmplɪ] adv schlaff.

line [laɪn] **1.** n Linie f; (rope) Leine f, Schnur f; (on face) Falte f; (row) Reihe f; (of hills) Kette f; (US: queue) Schlange f; (company) Linie f, Gesellschaft f; (RAIL) Strecke f; (in plural) Geleise pl; (TEL) Leitung f; (written) Zeile f; (direction) Richtung f; (fig: business) Branche f, Beruf m; (range of items) Kollektion f; **2.** vt (coat) füttern; (border) säumen; **it's a bad** ~ (TEL) die Verbindung ist schlecht; **hold the** ~ bleiben Sie am Apparat; **in** ~ **with** in Übereinstimmung mit; **line up 1.** vi sich aufstellen; **2.** vt aufstellen; (prepare) sorgen für; (support) mobilisieren; (surprise*) planen.

linear [ˈlɪnɪə*] adj gerade; (measure) Längen-.

linen ['lɪnɪn] n Leinen nt; (sheets etc) Wäsche f.

liner ['laɪnə⁺] n Überseedampfer m.

linesman ['laɪnzmən] n <-men> (SPORT) Linienrichter m.

line-up ['laɪnʌp] n Aufstellung f.

linger ['lɪŋgə⁺] vi (remain long) verweilen; (taste) [zurück]bleiben; (delay) zögern, verharren.

lingerie ['lænʒəri:] n Damenunterwäsche f.

lingering ['lɪŋgərɪŋ] adj lang; (doubt) [zurück]bleibend; (disease) langwierig; (taste) anhaltend; (look) lang.

lingo ['lɪŋgəʊ] n <-es> (fam) Sprache f.

linguist ['lɪŋgwɪst] n Sprachkundige(r) mf; (SCH) Sprachwissenschaftler(in f) m.

linguistic [lɪŋˈgwɪstɪc] adj sprachlich; sprachwissenschaftlich; **linguistics** n sing Sprachwissenschaft f, Linguistik f.

liniment ['lɪnɪmənt] n Einreibemittel nt.

lining ['laɪnɪŋ] n (of clothes) Futter nt.

link [lɪŋk] 1. n Glied nt; (connection) Verbindung f; 2. vt verbinden; **links** n pl Golfplatz m; **link-up** n (TEL) Verbindung f; (of spaceships) Kopplung f.

lino, linoleum ['laɪnəʊ, lɪ'nəʊlɪəm] n Linoleum nt.

linseed oil ['lɪnsi:d'ɔɪl] n Leinöl n.

lint [lɪnt] n Verbandstoff m.

lintel ['lɪntl] n (ARCHIT) Sturz m.

lion ['laɪən] n Löwe m; **lioness** n Löwin f.

lip [lɪp] n Lippe f; (of jug) Tülle f, Schnabel m; **lipread** irr vi von den Lippen ablesen; **lip service** n: **to pay** ~ [to] ein Lippenbekenntnis ablegen [zu]; **lipstick** n Lippenstift m.

liquefy ['lɪkwɪfaɪ] vt verflüssigen.

liqueur [lɪ'kjʊə⁺] n Likör m.

liquid ['lɪkwɪd] 1. n Flüssigkeit f; 2. adj flüssig.

liquidate ['lɪkwɪdeɪt] vt liquidieren; **liquidation** [lɪkwɪ'deɪʃən] n Liquidation f.

liquid crystal ['lɪkwɪd'krɪstl] n Flüssigkristall m; **liquid-crystal display** n Flüssigkristallanzeige f.

liquidizer ['lɪkwɪdaɪzə⁺] n Mixer m.

liquor ['lɪkə⁺] n Alkohol m, Spirituosen pl.

lisp [lɪsp] vt, vi lispeln.

list [lɪst] 1. n Liste f, Verzeichnis nt; (of ship) Schlagseite f; 2. vt (write down) eine Liste machen von, auflisten; (verbally) aufzählen; 3. vi (ship) Schlagseite haben; ~ed building unter Denkmalschutz stehendes Gebäude.

listen ['lɪsn] vi hören, horchen; **listen to** vt zuhören +dat; **listener** [Zu]hörer(in f) m.

listless adj, **listlessly** adv ['lɪstləs, -lɪ]

lustlos, teilnahmslos; **listlessness** n Lustlosigkeit f, Teilnahmslosigkeit f.

lit [lɪt] pt, pp of **light**.

litany ['lɪtənɪ] n Litanei f.

literacy ['lɪtərəsɪ] n Fähigkeit f zu lesen und zu schreiben.

literal ['lɪtərəl] adj eigentlich, buchstäblich; (translation) wortwörtlich; **literally** adv wörtlich; buchstäblich.

literary ['lɪtərərɪ] adj literarisch, Literatur-.

literate ['lɪtərət] adj des Lesens und Schreibens kundig.

literature ['lɪtrətʃə⁺] n Literatur f.

litigate ['lɪtɪgeɪt] vi prozessieren.

litmus ['lɪtməs] n: ~ **paper** Lackmuspapier nt.

litre, liter (US) ['li:tə⁺] n Liter m.

litter ['lɪtə⁺] 1. n (rubbish) Abfall m; (of animals) Wurf m; 2. vt in Unordnung bringen; **to be** ~ed **with** übersät sein mit.

little ['lɪtl] 1. adj <smaller, smallest> klein; (unimportant) unbedeutend; 2. adv, n <fewer, fewest> wenig; **a** ~ ein bißchen; **the** ~ das wenige.

liturgy ['lɪtədʒɪ] n Liturgie f.

live [laɪv] 1. adj lebendig; (burning) glühend; (MIL) scharf; (ELEC) geladen, unter Strom; (broadcast) live, Direkt-; 2. [lɪv] vi leben; (last) fortleben; (dwell) wohnen; 3. vt (life) führen; **live down** vt Gras wachsen lassen über +akk; **I'll never** ~ **it** ~ das wird man mir nie vergessen; **live on** vi weiterleben; ~ ~ **sth** von etw leben; **live up to** vt (standards) gerecht werden +dat; (principles) anstreben; (hopes) entsprechen +dat; **live-cell therapy** ['laɪvsel'θerəpɪ] n Frischzellentherapie f.

livelihood ['laɪvlɪhʊd] n Lebensunterhalt m.

liveliness ['laɪvlɪnəs] n Lebendigkeit f; **lively** adj lebhaft, lebendig.

liver ['lɪvə⁺] n (ANAT) Leber f; **liverish** adj (bad-tempered) gallig, mürrisch.

livery ['lɪvərɪ] n Livree f.

livestock ['laɪvstɒk] n Vieh nt, Viehbestand m.

livid ['lɪvɪd] adj bläulich; (furious) fuchsteufelswild.

living ['lɪvɪŋ] 1. n [Lebens]unterhalt m; 2. adj lebendig; (language etc) lebend; (wage) ausreichend; **living room** n Wohnzimmer nt.

lizard ['lɪzəd] n Eidechse f.

llama ['lɑ:mə] n Lama n.

load [ləʊd] 1. n (burden) Last f; (amount) Ladung f, Fuhre f; 2. vt [be]laden; (fig) überhäufen; (camera) einen Film einlegen in +akk; (gun, COMPUT) laden; ~s **of** (fam) massenhaft.

loaf [ləuf] **1.** n <**loaves**> Brot nt, Laib m; **2.** vi herumlungern, faulenzen.

loam [ləum] n Lehmboden m.

loan [ləun] **1.** n Leihgabe f; (FIN) Darlehen nt; **2.** vt leihen; **on ~** geliehen.

loathe [ləuð] vt verabscheuen; **loathing** n Abscheu m.

lobby ['lɒbɪ] **1.** n Vorhalle f; (POL) Lobby f; **2.** vt politisch beeinflussen [wollen].

lobe [ləub] n Ohrläppchen nt.

lobster ['lɒbstə*] n Hummer m.

local ['ləukəl] **1.** adj einheimisch; (anaesthetic) örtlich; **2.** n (pub) Stammlokal nt; **the ~s** pl die Einheimischen pl; **local colour** n Lokalkolorit nt; **locality** [ləu'kælɪtɪ] n Ort m; **locally** adv örtlich, am Ort.

locate [ləu'keɪt] vt ausfindig machen; (establish) errichten.

location [ləu'keɪʃən] n Platz m, Lage f; **on ~** (CINE) auf Außenaufnahme.

loch [lɒx] n (Scot) See m.

lock [lɒk] **1.** n Schloß nt; (NAUT) Schleuse f; (of hair) Locke f; **2.** vt (fasten) [ab]schließen; **3.** vi (door etc) sich schließen [lassen]; (wheels) blockieren.

locker ['lɒkə*] n Schließfach nt.

locket ['lɒkɪt] n Medaillon nt.

locksmith ['lɒksmɪθ] n Schlosser(in f) m.

locomotive [ləukə'məutɪv] n Lokomotive f.

locust ['ləukəst] n Heuschrecke f.

lodge ['lɒdʒ] **1.** n (gatehouse) Pförtnerhaus nt; (freemasons') Loge f; **2.** vi [in Untermiete] wohnen (with bei); (get stuck) stecken[bleiben]; **3.** vt (protest) einreichen; **lodger** n [Unter]mieter(in f) m; **lodgings** pl [Miet]wohnung f, Zimmer nt.

loft [lɒft] n [Dach]boden m.

lofty ['lɒftɪ] adj hoch[ragend]; (proud) hochmütig.

log [lɒg] n Klotz m; (NAUT) Log nt.

logarithm ['lɒgərɪθəm] n Logarithmus m.

logbook ['lɒgbuk] n Bordbuch nt, Logbuch nt; (for lorry) Fahrtenbuch nt; (AUT) Kraftfahrzeugbrief m.

loggerheads ['lɒgəhedz] n pl: **to be at ~** sich in den Haaren liegen.

logic ['lɒdʒɪk] n Logik f; **logical** adj logisch; **logically** adv logisch[erweise].

logistics [lɒ'dʒɪstɪks] n sing Logistik f, Planung f.

logo ['lɒgəu] n <**-s**> Firmenzeichen nt, Firmensignet nt.

loin [lɔɪn] n Lende f.

loiter ['lɔɪtə*] vi herumstehen, sich herumtreiben.

loll [lɒl] vi sich rekeln.

lollipop ['lɒlɪpɒp] n [Dauer]lutscher m; **~ man** ≈ Schülerlotse m.

lone [ləun] adj einsam.

loneliness ['ləunlɪnəs] n Einsamkeit f; **lonely** adj einsam.

long [lɒŋ] **1.** adj lang; (distance) weit; **2.** adv lange; **3.** vi sich sehnen (for nach); **two-day-~** zwei Tage lang; **~ ago** vor langer Zeit; **before ~** bald; **as ~ as** solange; **in the ~ run** auf die Dauer; **long-distance** adj Fern-; **longhaired** adj langhaarig; **longhand** n Langschrift f; **longing 1.** n Verlangen nt, Sehnsucht f; **2.** adj sehnsüchtig; **longish** adj ziemlich lang; **longitude** ['lɒŋgɪtjuːd] n Längengrad m; **long jump** n Weitsprung m; **long-life milk** n H-Milch f; **long-lost** adj längst verloren geglaubt; **long-playing record** n Langspielplatte f; **long-range** adj Langstrecken-, Fern-; **~ missile** Langstreckenrakete f; **long-sighted** adj weitsichtig; **long-standing** adj alt, seit langer Zeit bestehend; **long-suffering** adj schwer geprüft; **long-term** adj langfristig; **~ memory** Langzeitgedächtnis nt; **long wave** n Langwelle f; **long-winded** adj langatmig.

loo [luː] n (fam) Klo nt.

loofah ['luːfə*] n (plant) Luffa f; (sponge) Luffa[schwamm] m.

look [luk] **1.** vi schauen, blicken; (seem) aussehen; (face) liegen nach, gerichtet sein nach; **2.** n Blick m; **~s** pl Aussehen nt; **look after** vt (care for) sorgen für; (watch) aufpassen auf +akk; **look down on** vt (fig) herabsehen auf +akk; **look for** vt (seek) suchen [nach]; (expect) erwarten; **look forward to** vt sich freuen auf +akk; **look out for** vt Ausschau halten nach; (be careful) achtgeben auf +akk; **look to** vt (take care of) achtgeben auf +akk; (rely on) sich verlassen auf +akk; **look up 1.** vi aufblicken; (improve) sich bessern; **2.** vt (word) nachschlagen; (person) besuchen; **look up to** vt aufsehen zu; **look-out** n (watch) Ausschau f; (person) Wachposten m; (place) Ausguck m; (prospect) Aussichten pl.

loom [luːm] **1.** n Webstuhl m; **2.** vi sich abzeichnen.

loop [luːp] **1.** n Schlaufe f, Schleife f; (MED) Spirale f; (COMPUT) Schleife f; **2.** vt schlingen; **loophole** n (fig) Hintertürchen nt.

loose [luːs] **1.** adj lose, locker; (free) frei; (inexact) unpräzise; **2.** vt lösen, losbinden; **to be at a ~ end** nicht wissen, was man tun soll; **loosely** adv locker, lose;

~ **speaking** grob gesagt; **loosen** vt lokkern, losmachen; **looseness** n Lockerheit f.

loot [luːt] 1. n Beute f; 2. vt plündern; **looting** n Plünderung f.

lop-sided ['lɒp'saɪdɪd] adj schief.

lord [lɔːd] n (ruler) Herr m, Gebieter m; (Brit: title) Lord m; the **L~** [Gott] der Herr; **lordly** adj vornehm; (proud) stolz.

lore [lɔːʳ] n Überlieferung f.

lorry ['lɒrɪ] n Lastwagen m.

lose [luːz] <**lost, lost**> 1. vt verlieren; (chance) verpassen; 2. vi verlieren; **to ~ out on** zu kurz kommen bei; **loser** n Verlierer(in f) m; **losing** adj Verlierer-; (COM) verlustbringend.

loss [lɒs] n Verlust m; **at a ~** (COM) mit Verlust; **to be at a ~** nicht wissen, was tun; **I am at a ~ for words** mir fehlen die Worte.

lost [lɒst] 1. pt, pp of **lose**; 2. adj verloren; **~ cause** aussichtslose Sache; **lost-and-found** (US), **lost property** n Fundsachen pl; (place) Fundbüro nt.

lot [lɒt] n (quantity) Menge f; (fate, at auction) Los nt; (fam: people, things) Haufen m; **the ~** alles; (people) alle; **a ~ of** viel; (pl) viele; **~s of** massenhaft, viel[e].

lotion ['ləʊʃən] n Lotion f.

lottery ['lɒtərɪ] n Lotterie f.

loud [laʊd] 1. adj laut; (showy) schreiend; 2. adv laut; **loudly** adv laut; **loudness** n Lautstärke f; **loudspeaker** n Lautsprecher m.

lounge [laʊndʒ] 1. n (in hotel) Gesellschaftsraum m; (in house) Wohnzimmer nt; (on ship) Salon m; 2. vi sich herumlümmeln; **lounge suit** n Straßenanzug m.

louse [laʊs] n <**lice**> Laus f.

lousy ['laʊzɪ] adj verlaust; (fig) lausig, miserabel.

lout [laʊt] n Rüpel m.

lovable ['lʌvəbl] adj liebenswert.

love [lʌv] 1. n Liebe f; (person) Liebling m, Schatz m; (as address) mein Lieber, meine Liebe; (SPORT) null; 2. vt (person) lieben; (activity) gerne mögen; **to ~ to do sth** etw [sehr] gerne tun; **to make ~** sich lieben; **to make ~ to** (o with) sb jdn lieben; **love affair** n [Liebes]verhältnis nt; **love letter** n Liebesbrief m; **love life** n Liebesleben nt.

lovely ['lʌvlɪ] adj schön; (person, object also) entzückend, reizend.

love-making ['lʌvmeɪkɪŋ] n Liebe f; **lover** n Liebhaber m, Geliebte f; (of books etc) Liebhaber(in f) m; **the ~s** die Liebenden, das Liebespaar; **lovesong** n Liebeslied nt; **loving** adj liebend, liebe-

voll; **lovingly** adv liebevoll.

low [ləʊ] 1. adj niedrig; (rank) niedere(r, s); (level, note, neckline) tief; (intelligence, density) gering; (vulgar) ordinär; (not loud) leise; (depressed) gedrückt; 2. adv (not high) niedrig; (not loudly) leise; 3. n (low point) Tiefstand m; (METEO) Tief nt; **low-calorie** adj kalorienarm; **low-cut** adj (dress) tiefausgeschnitten.

lower ['ləʊəʳ] vt herunterlassen; (eyes, gun) senken; (reduce) herabsetzen, senken.

low-level [ləʊ'levl] adj (radioactive) schwachaktiv.

lowly ['ləʊlɪ] adj bescheiden.

low tide [ləʊ'taɪd] n Niedrigwasser nt, Ebbe f.

loyal ['lɔɪəl] adj (true) loyal; (to king) treu, treu; (to king) treu; **loyally** adv treu; loyal; **loyalty** n Treue f, Loyalität f.

lozenge ['lɒzɪndʒ] n Pastille f.

LP n abbr of **long-playing record** LP f.

Ltd abbr of **limited** GmbH f.

lubricant ['luːbrɪkənt] n Schmiermittel nt; **lubricate** ['luːbrɪkeɪt] vt [ab]schmieren, ölen; **lubrication** [luːbrɪ'keɪʃən] n [Ab]schmieren nt.

lucid ['luːsɪd] adj klar; (sane) bei klarem Verstand; (moment) licht; **lucidity** [luːˈsɪdɪtɪ] n Klarheit f; **lucidly** adv klar.

luck [lʌk] n Glück nt; **bad ~** Pech nt; **luckily** adv glücklicherweise, zum Glück; **lucky** adj glücklich, Glücks-; **to be ~** Glück haben.

lucrative ['luːkrətɪv] adj einträglich.

ludicrous ['luːdɪkrəs] adj grotesk, lächerlich.

ludo ['luːdəʊ] n (game) Mensch ärgere dich nicht nt.

lug [lʌg] vt schleppen.

luggage ['lʌgɪdʒ] n Gepäck nt; **luggage rack** n Gepäcknetz nt.

lugubrious [luːˈguːbrɪəs] adj traurig.

lukewarm ['luːkwɔːm] adj lauwarm; (indifferent) lau.

lull [lʌl] 1. n Flaute f; 2. vt einlullen; (calm) beruhigen.

lullaby ['lʌləbaɪ] n Schlaflied nt.

lumbago [lʌmˈbeɪgəʊ] n Hexenschuß m.

lumber ['lʌmbəʳ] n Plunder m; (wood) Holz nt; **lumberjack** n Holzfäller m.

luminous ['luːmɪnəs] adj leuchtend, Leucht-.

lump [lʌmp] 1. n Klumpen m; (MED) Schwellung f; (in breast) Knoten m; (of sugar) Stück nt; 2. vt zusammentun; (judge together) in einen Topf werfen; **lump sum** n Pauschalsumme f; **lumpy** adj klumpig; **to go ~** klumpen.

lunacy ['luːnəsɪ] n Irrsinn m.

lunar ['lu:nə*] adj Mond-.
lunatic ['lu:nətɪk] **1.** n Wahnsinnige(r) mf; **2.** adj wahnsinnig, irr; **the ~ fringe** die Extremisten pl.
lunch, luncheon [lʌntʃ, -ən] n Mittagessen nt; **luncheon meat** n Frühstücksfleisch nt; **luncheon voucher** n Essensbon m; **lunch hour** n Mittagspause f; **lunchtime** n Mittagszeit f.
lung [lʌŋ] n Lunge f; **lung cancer** n Lungenkrebs m.
lunge [lʌndʒ] vi [los]stürzen.
lupin ['lu:pɪn] n Lupine f.
lurch [lɜ:tʃ] vi taumeln; (NAUT) schlingern.
lure [ljuə*] **1.** n Köder m; (fig) Lockung f; **2.** vt [ver]locken.
lurid ['ljuərɪd] adj (shocking) grausig, widerlich; (colour) grell.
lurk [lɜ:k] vi lauern.
luscious ['lʌʃəs] adj köstlich; (colour) satt.
lush [lʌʃ] adj satt; (vegetation) üppig.
lust [lʌst] **1.** n sinnliche Begierde (for nach); (sensation) Wollust f; (greed) Gier f; **2.** vi gieren (after nach); **lustful** adj wollüstig, lüstern.
lustre, luster (US) ['lʌstə*] n Glanz m.
lusty ['lʌstɪ] adj gesund und munter; (old person) rüstig.
lute [lu:t] n Laute f.
Luxembourg ['lʌksəmbɜ:g] n Luxemburg nt; **Luxembourgian** [lʌksəm'bɜ:gɪən] adj luxemburgisch.
luxuriant [lʌg'zjuərɪənt] adj üppig.
luxurious [lʌg'zjuərɪəs] adj luxuriös, Luxus-.
luxury ['lʌkʃərɪ] n Luxus m; **the little luxuries** pl die kleinen Genüsse pl.
lying ['laɪɪŋ] **1.** n Lügen nt; **2.** adj verlogen.
lynch [lɪntʃ] vt lynchen.
lynx [lɪŋks] n Luchs m.
lyre ['laɪə*] n Leier f.
lyric ['lɪrɪk] **1.** n Lyrik f; **2.** adj lyrisch; **~ s** pl (words for song) [Lied]text m; **lyrical** adj lyrisch.

M

M, m [em] n M nt, m nt.
mac [mæk] n (Brit fam) Regenmantel m.
macabre [mə'ka:br] adj makaber.
macaroni [mækə'rəʊnɪ] n Makkaroni pl.
mace [meɪs] n Amtsstab m; (spice) Muskatblüte f.

machine [mə'ʃi:n] **1.** n Maschine f, **2.** vt maschinell herstellen; **machinegun** n Maschinengewehr nt; **machine language** n (COMPUT) Maschinensprache f, Rechnersprache f; **machinery** [mə'ʃi:nərɪ] n Maschinerie f, Maschinen pl; **machine tool** n Werkzeugmaschine f.
mackerel ['mækrəl] n Makrele f.
mackintosh ['mækɪntɒʃ] n Regenmantel m.
macro- ['mækrəʊ] pref Makro-, makro-.
mad [mæd] adj verrückt; (dog) tollwütig; (angry) wütend; **~ about** (fond of) verrückt nach, versessen auf + akk.
madam ['mædəm] n gnädige Frau.
madden ['mædn] vt verrückt machen; (make angry) ärgern; **maddening** adj ärgerlich.
made [meɪd] pt, pp of **make**; **made-to-measure** ['meɪdtə'meʒə*] adj Maß-; **made-up** adj (story) erfunden; (person) geschminkt.
madly ['mædlɪ] adv wahnsinnig.
madman ['mædmən] n <**-men**> Verrückte(r) m, Irre(r) m.
madness ['mædnəs] n Wahnsinn m.
Madonna [mə'dɒnə] n Madonna f.
madwoman ['mædwʊmən] n <**-women**> Verrückte f, Irre f.
magazine [mægə'zi:n] n Zeitschrift f; (in gun) Magazin m.
maggot ['mægət] n Made f.
magic ['mædʒɪk] **1.** n Zauberei f, Magie f; (fig) Zauber m; **2.** adj magisch, Zauber-; **magical** adj magisch; **magician** [mə'dʒɪʃən] n Zauberer m, Zaub[r]erin f.
magistrate ['mædʒɪstreɪt] n [Friedens]richter(in f) m.
magnanimous [mæg'nænɪməs] adj großmütig.
magnate ['mægneɪt] n Magnat m.
magnet ['mægnɪt] n Magnet m; **magnetic** [mæg'netɪk] adj magnetisch; (fig) anziehend, unwiderstehlich; **~ strip** Magnetstreifen m; **~ tape** Magnetband nt; **magnetism** ['mægnɪtɪzəm] n Magnetismus m; (fig) Ausstrahlungskraft f.
magnification [mægnɪfɪ'keɪʃən] n Vergrößerung f.
magnificent adj, **magnificently** adv [mæg'nɪfɪsənt, -lɪ] großartig.
magnify ['mægnɪfaɪ] vt vergrößern; **magnifying glass** n Vergrößerungsglas nt, Lupe f.
magnitude ['mægnɪtju:d] n (size) Größe f; (importance) Ausmaß nt.
magnolia [mæg'nəʊlɪə] n Magnolie f.
magpie ['mægpaɪ] n Elster f.
maharajah [ma:hə'ra:dʒə] n Maharad-

scha *m*.

mahogany [mə'hɒgənɪ] *n* Mahagoni *nt*.

maid [meɪd] *n* Dienstmädchen *nt*; **old ~** alte Jungfer; **maiden 1.** *n (literary)* Maid *f*; **2.** *adj (flight, speech)* Jungfern-; **maiden name** *n* Mädchenname *m*.

mail [meɪl] **1.** *n* Post *f*; **2.** *vt* aufgeben; **mail bomb** *n* Briefbombe *f*; **mailbox** *n (US)* Briefkasten *m*; *(COMPUT)* Mailbox *f*, elektronischer Briefkasten; **mailgram** *n (US)* Telebrief *m*; **mailing list** *n* Anschriftenliste *f*; **mail order** *n* Bestellung *f* durch die Post; **mail order firm** *n* Versandhaus *nt*.

maim [meɪm] *vt* verstümmeln.

main [meɪn] **1.** *adj* hauptsächlich; **2.** *n (pipe)* Hauptleitung *f*; **in the ~** im großen und ganzen; **mainframe** *n* Großrechner *m*, Großcomputer *m*; **mainland** *n* Festland *nt*; **mainlining** *n (fam)* Fixen *nt*; **main memory** *n* Zentralspeicher *m*; **main road** *n* Hauptstraße *f*; **main storage** *n* Hauptspeicher *m*; **mainstay** *n (fig)* Hauptstütze *f*.

maintain [meɪn'teɪn] *vt (machine, roads)* instand halten; *(COMPUT)* pflegen; *(support)* unterhalten; *(keep up)* aufrechterhalten; *(claim)* behaupten; *(innocence)* beteuern.

maintenance ['meɪntənəns] *n (TECH)* Wartung *f*; *(of family)* Unterhalt *m*.

maisonette [meɪzə'net] *n* kleines Eigenheim, Wohnung *f*.

maize [meɪz] *n* Mais *m*.

majestic [mə'dʒestɪk] *adj* majestätisch.

majesty ['mædʒɪstɪ] *n* Majestät *f*.

major ['meɪdʒə'] **1.** *n* Major *m*; **2.** *adj (MUS)* Dur; *(more important)* Haupt-; *(bigger)* größer.

majority [mə'dʒɒrɪtɪ] *n* Mehrheit *f*; *(JUR)* Volljährigkeit *f*.

make [meɪk] <**made, made**> **1.** *vt* machen; *(appoint)* ernennen [zu]; *(cause to do sth)* veranlassen; *(reach)* erreichen; *(in time)* schaffen; *(earn)* verdienen; **2.** *n* Marke *f*, Fabrikat *nt*; **to ~ sth happen** etw geschehen lassen; **make for** *vt* gehen/fahren nach; **make out 1.** *vi* zurechtkommen; **2.** *vt (write out)* ausstellen; *(understand)* verstehen; *(pretend)* [so] tun [als ob]; **make up 1.** *vt (make)* machen, herstellen; *(face)* schminken; *(quarrel)* beilegen; *(story etc)* erfinden; **2.** *vi* sich versöhnen; **make up for** *vt* wiedergutmachen; *(COM)* vergüten; **make-believe 1.** *n*: **it's ~** es ist nicht wirklich; **2.** *adj* Phantasie-, ersonnen; **maker** *n (COM)* Hersteller(in *f*) *m*; **makeshift** *adj* behelfsmäßig, Not-; **make-up** *n* Schminke *f*, Make-up *nt*; **making** *n*: **in**

the **~** im Entstehen; **to have the ~s of** das Zeug haben zu.

maladjusted [mælə'dʒʌstɪd] *adj* verhaltensgestört.

malaria [mə'lɛərɪə] *n* Malaria *f*.

Malaya [mə'leɪə] *n* Malaya *nt*.

male [meɪl] **1.** *n* Mann *m*; *(animal)* Männchen *nt*; **2.** *adj* männlich; **~ chauvinism** Chauvinismus *m*; **~ chauvinist pig** Chauvi *m*, Chauvinist *m*.

malevolence [mə'levələns] *n* Böswilligkeit *f*; **malevolent** *adj* übelwollend.

malfunction [mæl'fʌŋkʃən] *vi* versagen, nicht richtig funktionieren.

malice ['mælɪs] *n* Bosheit *f*.

malicious *adj*, **maliciously** *adv* [mə'lɪʃəs, -lɪ] böswillig, gehässig.

malign [mə'laɪn] *vt* verleumden; *(run down)* schlechtmachen.

malignant [mə'lɪgnənt] *adj* bösartig.

malinger [mə'lɪŋgə'] *vi* simulieren; **malingerer** *n* Drückeberger *m*, Simulant(in *f*) *m*.

malleable ['mælɪəbl] *adj* formbar.

mallet ['mælɪt] *n* Holzhammer *m*.

malnutrition [mælnju:'trɪʃən] *n* Unterernährung *f*.

malpractice [mæl'præktɪs] *n* Amtsvergehen *nt*.

malt [mɔːlt] *n* Malz *nt*; *(whisky)* Malt Whisky *m*.

Malta ['mɔːltə] *n* Malta *nt*.

maltreat [mæl'triːt] *vt* mißhandeln.

mammal ['mæml] *n* Säugetier *nt*.

mammoth ['mæməθ] *adj* Mammut-, Riesen-.

man [mæn] *n* <**men**> Mann *m*; *(human race)* der Mensch, die Menschen *pl*; **2.** *vt* bemannen.

manage ['mænɪdʒ] **1.** *vi* zurechtkommen; **2.** *vt (control)* führen, leiten; *(cope with)* fertigwerden mit; **to ~ to do sth** etw schaffen; **manageable** *adj (person, animal)* lenksam, fügsam; *(object)* handlich; **management** *n (control)* Führung *f*, Leitung *f*; *(directors)* Management *nt*; **management consultant** *n* Unternehmensberater(in *f*) *m*; **manager** *n* Geschäftsführer *m*, [Betriebs]leiter *m*; **manageress** [mænɪdʒə'res] *n* Geschäftsführerin *f*; **managerial** [mænə'dʒɪərɪəl] *adj* leitend; *(problem etc)* Management-; **managing** *adj* leitend; **~ director** Betriebsleiter(in *f*) *m*.

mandarin ['mændərɪn] *n (fruit)* Mandarine *f*; *(Chinese official)* Mandarin *m*.

mandate ['mændeɪt] *n* Mandat *nt*.

mandatory ['mændətərɪ] *adj* obligatorisch.

mandolin[e] ['mændəlɪn] *n* Mandoline *f*.

mane [meɪn] n Mähne f.

maneuver [məˈnuːvə*] (US) see **manoeuvre**.

manful adj, **manfully** adv [ˈmænfʊl, -fəlɪ] beherzt; mannhaft.

mangle [ˈmæŋgl] vt verstümmeln.

mango [ˈmæŋgəʊ] n <-[e]s> Mango[pflaume] f.

mangrove [ˈmæŋgrəʊv] n Mangrove f.

mangy [ˈmeɪndʒɪ] adj (dog) räudig.

manhandle [ˈmænhændl] vt grob behandeln; **manhole** n [Straßen]schacht m; **manhood** [ˈmænhʊd] n Mannesalter nt; (manliness) Männlichkeit f; **man-hour** n Mannstunde f; **manhunt** n Fahndung f.

mania [ˈmeɪnɪə] n (craze) Sucht f, Manie f; (madness) Wahn[sinn] m; **maniac** [ˈmeɪnɪæk] n Wahnsinnige(r) mf, Verrückte(r) mf; (fig) Fanatiker(in f) m.

manicure [ˈmænɪkjʊə*] 1. n Maniküre f; 2. vt maniküren; **manicure set** n Necessaire nt.

manifest [ˈmænɪfest] 1. vt offenbaren; 2. adj offenkundig; **manifestation** [mænɪfeˈsteɪʃən] n (showing) Ausdruck m, Bekundung f; (sign) Anzeichen nt; **manifestly** adv offenkundig; **manifesto** [mænɪˈfestəʊ] n <-[e]s> Manifest nt.

manipulate [məˈnɪpjʊleɪt] vt handhaben; (fig) manipulieren; **manipulation** [mənɪpjʊˈleɪʃən] n Manipulation f.

mankind [mænˈkaɪnd] n Menschheit f.

man-made [ˈmænmeɪd] adj (fibre) künstlich.

manner [ˈmænə*] n Art f, Weise f; (style) Stil m; **in such a ~** so; **in a ~ of speaking** sozusagen; **~s** pl Manieren pl; **mannerism** n (of person) Angewohnheit f; (of style) Maniertheit f.

manoeuvrable [məˈnuːvrəbl] adj manövrierfähig.

manoeuvre [məˈnuːvə*] 1. vt, vi manövrieren; 2. n (MIL) Feldzug m; (clever plan) Manöver nt, Schachzug m; **~s** pl Truppenübungen pl, Manöver nt.

manor [ˈmænə*] n Landgut nt; **~ house** Herrenhaus nt.

manpower [ˈmænpaʊə*] n Arbeitskräfte pl.

manservant [ˈmænsɜːvənt] n Diener m.

mansion [ˈmænʃən] n Herrenhaus nt, Landhaus nt.

manslaughter [ˈmænslɔːtə*] n Totschlag m.

mantelpiece [ˈmæntlpiːs] n Kaminsims m.

manual [ˈmænjʊəl] 1. adj manuell, Hand-; 2. n Handbuch nt.

manufacture [mænjuˈfæktʃə*] 1. vt herstellen; 2. n Herstellung f; **manufacturer** n Hersteller(in f) m.

manure [məˈnjʊə*] n Dünger m.

manuscript [ˈmænjuskrɪpt] n Manuskript nt.

many [ˈmenɪ] adj <more, most> viele; **as ~ as 20** sage und schreibe 20; **~ a good soldier** so mancher gute Soldat; **~'s the time** oft.

map [mæp] 1. n [Land]karte f; (of town) Stadtplan m; 2. vt eine Karte machen von; **map out** vt (fig) ausarbeiten.

maple [ˈmeɪpl] n Ahorn m.

mar [mɑː*] vt verderben, beeinträchtigen.

marathon [ˈmærəθən] n Marathon m.

marauder [məˈrɔːdə*] n Plünderer m, Plünd[r]erin f.

marble [ˈmɑːbl] n Marmor m; (for game) Murmel f.

march [mɑːtʃ] 1. vi marschieren; 2. n Marsch m.

March [mɑːtʃ] n März m; **~ 4th, 1990**, **4th ~ 1990** (Datumsangabe) 4. März 1990; **on the 6th of ~** (gesprochen) am 6. März; **on 6th ~**, **on ~ 6th** (geschrieben) am 6. März; **in ~** im März.

mare [mεə*] n Stute f; **~'s nest** Windei nt.

margarine [mɑːdʒəˈriːn] n Margarine f.

margin [ˈmɑːdʒɪn] n Rand m; (extra amount) Spielraum m; (COM) Spanne f; **marginal** adj (note) Rand-; (difference etc) geringfügig; **marginally** adv nur wenig.

marigold [ˈmærɪgəʊld] n Ringelblume f.

marijuana [mærɪˈhwɑːnə] n Marihuana nt.

marina [məˈriːnə] n Yachthafen m.

marinate [ˈmærɪneɪt] vt (GASTR) marinieren.

marine [məˈriːn] 1. adj Meeres-, See-; (MIL) Marineinfanterist m; (fleet) Marine f; **mariner** [ˈmærɪnə*] n Seemann m.

marionette [mærɪəˈnet] n Marionette f.

marital [ˈmærɪtl] adj ehelich, Ehe-.

maritime [ˈmærɪtaɪm] adj See-.

marjoram [ˈmɑːdʒərəm] n Majoran m.

mark [mɑːk] 1. n (coin) Mark f; (spot) Fleck m; (scar) Kratzer m; (sign) Zeichen nt; (target) Ziel nt; (SCH) Note f; 2. vt (make ~) Flecken/Kratzer machen auf + akk; (indicate) markieren, bezeichnen; (note) sich dat merken; (exam) korrigieren; **to ~ time** (also fig) auf der Stelle treten; **quick off the ~** blitzschnell; **on your ~s** auf die Plätze; **mark out** vt bestimmen; (area) abstecken; **marked** adj deutlich; **markedly** [ˈmɑːkɪdlɪ] adv merklich; **marker** n (in book) [Lese]zeichen nt; (on road) Schild nt.

market ['maːkɪt] **1.** n Markt m; (stock ~) Börse f; **2.** vt (COM: new product) auf den Markt bringen; (sell) vertreiben; **market day** n Markttag m; **market garden** n (Brit) Handelsgärtnerei f; **marketing** n Marketing nt; **market place** n Marktplatz m.

marksman ['maːksmən] n <-men> Scharfschütze m; **marksmanship** n Treffsicherheit f.

marmalade ['maːməleɪd] n Orangenmarmelade f.

maroon [məˈruːn] **1.** vt aussetzen; **2.** adj (colour) kastanienbraun.

marquee [maːˈkiː] n großes Zelt.

marriage ['mærɪdʒ] n Ehe f; (wedding) Heirat f; (fig) Verbindung f.

married ['mærɪd] adj (person) verheiratet; (couple, life) Ehe-.

marrow ['mærəʊ] n [Knochen]mark nt; (vegetable) Kürbis m.

marry ['mærɪ] vt (join) trauen; (take as husband, wife) heiraten; **2.** vi (also: **get married**) heiraten.

marsh [maːʃ] n Marsch f, Sumpfland nt.

marshal ['maːʃəl] **1.** n (US) Bezirkspolizeichef m; **2.** vt [an]ordnen, arrangieren.

marshy ['maːʃɪ] adj sumpfig.

martial ['maːʃəl] adj kriegerisch; ~ **arts** pl Kampfsportarten pl; ~ **law** Kriegsrecht nt.

martyr ['maːtə*] **1.** n Märtyrer(in f) m; **2.** vt zum Märtyrer machen; **martyrdom** n Martyrium nt.

marvel ['maːvəl] **1.** n Wunder nt; **2.** vi staunen (at über + akk); **marvellous**, **marvelous** (US) adj, **marvellously**, **marvelously** (US) adv wunderbar.

Marxism ['maːksɪzəm] n Marxismus m; **Marxist** n Marxist(in f) m.

marzipan ['maːzɪpæn] n Marzipan nt o m.

mascara [mæˈskaːrə] n Wimpertusche f.

mascot ['mæskət] n Maskottchen nt.

masculine ['mæskjʊlɪn] **1.** adj männlich; **2.** n Maskulinum nt; **masculinity** [mæskjʊˈlɪnɪtɪ] n Männlichkeit f.

mashed [mæʃt] adj: ~ **potatoes** pl Kartoffelbrei m, Kartoffelpüree nt.

mask [maːsk] **1.** n (also COMPUT) Maske f; **2.** vt maskieren; verdecken.

masochist ['mæzəʊkɪst] n Masochist(in f) m.

mason ['meɪsn] n (stone~) Steinmetz(in f) m; (free~) Freimaurer(in f) m; **masonic** [məˈsɒnɪk] adj Freimaurer-; **masonry** n Mauerwerk nt.

masquerade [mæskəˈreɪd] **1.** n Maskerade f; **2.** vi sich maskieren, sich verklei-

den; **to** ~ **as** sich ausgeben als.

mass [mæs] **1.** n Masse f; (greater part) Mehrheit f; (REL) Messe f; **2.** vt sammeln, anhäufen; **3.** vi sich sammeln; ~ **es of** massenhaft.

massacre ['mæsəkə*] **1.** n Blutbad nt; **2.** vt niedermetzeln, massakrieren.

massage ['mæsaːʒ] **1.** n Massage f; **2.** vt massieren; **masseur** [mæˈsɜː*] n Masseur m; **masseuse** [mæˈsɜːz] n Masseurin f; (in eros centre etc) Masseuse f.

massive ['mæsɪv] adj gewaltig, massiv.

mass media ['mæsˈmiːdɪə] n pl Massenmedien pl; **mass-produce** vt serienmäßig herstellen; **mass production** n Serienproduktion f, Massenproduktion f; **mass unemployment** n Massenarbeitslosigkeit f.

mast [maːst] n Mast m.

master ['maːstə*] **1.** n Herr m; (NAUT) Kapitän m; (teacher) Lehrer m; (artist) Meister m; **2.** vt meistern; (language etc) beherrschen; **M~ of Arts** Magister Artium m; **master data** n pl Stammdaten pl; **masterly** adj meisterhaft; **mastermind 1.** n führender Kopf; **2.** vt geschickt lenken; **masterpiece** n Meisterwerk nt; **master stroke** n Glanzstück nt; **mastery** n Können nt; **to gain** ~ **over sb** die Oberhand über jdn gewinnen.

masturbate ['mæstəbeɪt] vi masturbieren, sich selbst befriedigen; **masturbation** [mæstəˈbeɪʃən] n Masturbation f, Selbstbefriedigung f.

mat [mæt] **1.** n Matte f; (for table) Untersetzer m; **2.** vi sich verfilzen; **3.** vt verfilzen.

match [mætʃ] **1.** n Streichholz nt; (sth corresponding) Pendant nt; (SPORT) Wettkampf m; (in ball games) Spiel nt; **2.** vt (be alike, suit) passen zu; (equal) gleichkommen + dat; (SPORT) antreten lassen; **3.** vi zusammenpassen; **to be a ~ for sb** sich mit jdm messen können; jdm gewachsen sein; **he's a good** ~ er ist eine gute Partie; **it's a good** ~ es paßt gut (for zu); **matchbox** n Streichholzschachtel f; **matching** adj passend; **matchless** adj unvergleichlich; **matchmaker** n Kuppler(in f) m.

mate [meɪt] **1.** n (companion) Kamerad(in f) m; (spouse) Lebensgefährte m, -gefährtin f; (of animal) Weibchen nt/Männchen nt; (NAUT) Schiffsoffizier m; **2.** vi (CHESS) [schach]matt sein; (animals) sich paaren; **3.** vt (CHESS) matt setzen.

material [məˈtɪərɪəl] **1.** n Material nt; (for book, cloth) Material nt, Stoff m; **2.** adj (important) wesentlich; (damage) Sach-; (comforts etc) materiell; ~ **s** pl Materialien *pl*; **materialistic** [mətɪərɪə'lɪstɪk] *adj* materialistisch; **materialize** [mə'tɪərɪəlaɪz] *vi* zustande kommen; **materially** *adv* grundlegend.

maternal [mə'tɜːnl] *adj* mütterlich; Mutter-; ~ **grandmother** Großmutter mütterlicherseits.

maternity [mə'tɜːnɪtɪ] *adj* Schwangeren-, Schwangerschafts-; (*dress*) Umstands-; ~ **benefit** Mutterschaftsgeld *nt*.

matey ['meɪtɪ] *adj* (*Brit fam*) kameradschaftlich.

mathematical *adj*, **mathematically** *adv* [mæθə'mætɪkəl, -ɪ] mathematisch; **mathematician** [mæθəmə'tɪʃən] *n* Mathematiker(in *f*) *m*; **mathematics** [mæθə'mætɪks] *n sing* Mathematik *f*; **maths** [mæθs] *n sing* Mathe *f*.

matinée ['mætɪneɪ] *n* Matinee *f*.

mating ['meɪtɪŋ] *n* Paarung *f*; ~ **call** Lockruf *m*.

matriarchal [meɪtrɪ'ɑːkl] *adj* matriarchalisch.

matrimonial [mætrɪ'məʊnɪəl] *adj* ehelich, Ehe-; **matrimony** ['mætrɪmənɪ] *n* Ehestand *m*.

matron ['meɪtrən] *n* (*MED*) Oberin *f*; (*SCH*) Hausmutter *f*; **matronly** *adj* matronenhaft.

matt [mæt] *adj* (*paint*) matt.

matter ['mætə*] 1. *n* (*substance*) Materie *f*; (*affair*) Sache *f*, Angelegenheit *f*; (*content*) Inhalt *m*; (*MED*) Eiter *m*; 2. *vi* darauf ankommen, wichtig sein; **it doesn't** ~ es macht nichts; **no** ~ **how/what** egal wie/was; **what is the** ~? was ist los?; **as a** ~ **of fact** eigentlich; **matter-of-fact** *adj* sachlich, nüchtern.

mattress ['mætrəs] *n* Matratze *f*.

mature [mə'tjʊə*] 1. *adj* reif; 2. *vi* reif werden; **maturity** [mə'tjʊərɪtɪ] *n* Reife *f*.

maudlin ['mɔːdlɪn] *adj* weinerlich; gefühlsduselig.

maul [mɔːl] *vt* übel zurichten.

mausoleum [mɔːsə'liːəm] *n* Mausoleum *nt*.

mauve [məʊv] *adj* mauve[farben].

mawkish ['mɔːkɪʃ] *adj* kitschig; (*taste*) süßlich.

maxi ['mæksɪ] *pref* Maxi-.

maxim ['mæksɪm] *n* Maxime *f*.

maximize ['mæksɪmaɪz] *vt* maximieren.

maximum ['mæksɪməm] 1. *adj* höchste(r, s), Höchst-, Maximal-; 2. *n* Höchstgrenze *f*, Maximum *nt*.

may [meɪ] <**might**> *Hilfsverb* (*be possible*) können; (*have permission*) dürfen; **I** ~ **come** ich komme vielleicht, es kann sein, daß ich komme; **we** ~ **as well go** wir können ruhig gehen; ~ **you be**

very happy ich hoffe, ihr seid glücklich.

May [meɪ] *n* Mai *m*; ~ **4th, 1990, 4th** ~ **1990** (*Datumsangabe*) 4. Mai 1990; **on the 6th of** ~ (*gesprochen*) am 6. Mai; **6th** ~, **on** ~ **6th** (*geschrieben*) am 6. Mai; **in** ~ im Mai.

maybe ['meɪbiː] *adv* vielleicht.

Mayday ['meɪdeɪ] *n* (*message*) SOS *nt*; **May Day** *n* der Erste Mai, der Maifeiertag.

mayonnaise [meɪə'neɪz] *n* Mayonnaise *f*.

mayor [mɛə*] *n* Bürgermeister *m*; **mayoress** (*wife*) Frau *f* Bürgermeister; (*lady mayor*) Bürgermeisterin *f*.

maypole ['meɪpəʊl] *n* Maibaum *m*.

maze [meɪz] *n* Irrgarten *m*; (*fig*) Wirrwarr *nt*; **to be in a** ~ (*fig*) durcheinander sein.

MCP *n abbr of* **male chauvinist pig** Chauvi *m*.

me [miː] *pron direct/indirect object of* **I** mich/mir; **it's** ~ ich bin's.

meadow ['medəʊ] *n* Wiese *f*.

meagre, meager (*US*) ['miːgə*] *adj* dürftig, spärlich.

meal [miːl] *n* Essen *nt*, Mahlzeit *f*; (*grain*) Schrotmehl *nt*; **to have a** ~ essen [gehen]; **meal pack** (*US*) tiefgekühltes Fertiggericht; **mealtime** *n* Essenszeit *f*.

mealy-mouthed ['miːlɪmaʊðd] *adj*: **to be** ~ d[a]rum herumreden.

mean [miːn] <**meant, meant**> 1. *vt* (*signify*) bedeuten; 2. *vi* (*intend*) vorhaben, beabsichtigen; (*be resolved*) entschlossen sein; 3. *adj* (*stingy*) geizig; (*spiteful*) gemein; (*shabby*) armselig, schäbig; (*average*) durchschnittlich, Durchschnitts-; 4. *n* (*average*) Durchschnitt *m*; **he** ~**s well** er meint es gut; **I** ~ **it** ich meine das ernst; **do you** ~ **me?** meinen Sie mich?; **it** ~**s nothing to me** es sagt mir nichts; *see also* **means**.

meander [mɪ'ændə*] *vi* sich schlängeln.

meaning ['miːnɪŋ] *n* Bedeutung *f*; (*of life*) Sinn *m*; **meaningful** *adj* bedeutungsvoll; (*life*) sinnvoll; (*relationship*) ernst; **meaningless** *adj* sinnlos.

meanness ['miːnnəs] *n* (*stinginess*) Geiz *m*; (*spitefulness*) Gemeinheit *f*; (*shabbiness*) Schäbigkeit *f*.

means [miːnz] *n sing* (*method*) Möglichkeit *f*, Mittel *nt*; 2. *n pl* (*financial etc*) Mittel *pl*; (*wealth*) Vermögen *nt*; **by** ~ **of** durch; **by all** ~ selbstverständlich; **by no** ~ keineswegs; **to live beyond one's** ~ über seine Verhältnisse leben.

meant [ment] *pt, pp of* **mean**.

meantime, meanwhile ['miːntaɪm, -waɪl] *adv* inzwischen, mittlerweile; **for the** ~ vorerst.

measles ['miːzlz] *n sing* Masern *pl*; **Ger-**

man ~ Röteln pl.

measly ['mi:zlı] adj (fam) poplig.

measurable ['meʒərəbl] adj meßbar.

measure ['meʒə*] **1.** vt, vi messen; **2.** n Maß nt; (step) Maßnahme f; **to be a ~ of sth** etw erkennen lassen; **measured** adj (slow) gemessen; **measurement** n (way of measuring) Messung f; (amount measured) Maß nt.

meat [mi:t] n Fleisch nt; **meaty** adj fleischig; (fig) gehaltvoll.

Mecca ['mekə] n Mekka nt.

mechanic [mı'kænık] n Mechaniker(in f) m; **mechanical** adj mechanisch; **mechanics** n sing Mechanik f.

mechanism ['mekənızəm] n Mechanismus m.

medal ['medl] n Medaille f; (decoration) Orden m.

medallion [mı'dælıən] n Medaillon nt.

medallist, (US) **medalist** ['medəlıst] n Medaillengewinner(in f) m.

meddle ['medl] vi sich einmischen (in in + akk); (tamper) hantieren (with an + dat); **to ~ with sb** sich mit jdm einlassen.

media ['mi:dıə] n pl Medien pl.

mediate ['mi:dıeıt] vi vermitteln; **mediation** [mi:dı'eıʃən] n Vermittlung f; **mediator** ['mi:dıeıtə*] n Vermittler(in f) m.

medical ['medıkl] **1.** adj medizinisch, Medizin-; ärztlich; **2.** n Untersuchung f.

Medicare ['medıkɛə*] n (US) Krankenkasse f.

medicated ['medıkeıtıd] adj medizinisch.

medicinal [me'dısınl] adj medizinisch, Heil-.

medicine ['medsın] n Medizin f; (drugs) Arznei f; **medicine chest** n Hausapotheke f.

medieval [medı'i:vəl] adj mittelalterlich.

mediocre [mi:dı'əukə*] adj mittelmäßig; **mediocrity** [mi:dı'ɒkrıtı] n Mittelmäßigkeit f; (person) kleiner Geist.

meditate ['medıteıt] vi nachdenken (on über + akk); (esp REL) meditieren (on über + akk); **meditation** [medı'teıʃən] n Nachsinnen nt; Meditation f.

Mediterranean [medıtə'reınıən] n Mittelmeer nt.

medium ['mi:dıəm] **1.** adj mittlere(r, s), Mittel-, mittel-; **2.** n Mitte f; (means) Mittel nt; (person) Medium nt.

medley ['medlı] n Gemisch nt; (MUS) Potpourri n.

meek adj, **meekly** adv [mi:k, -lı] sanft[mütig]; (pej) duckmäuserisch.

meet [mi:t] <met, met> **1.** vt (encounter) treffen, begegnen + dat; (by arrangement) sich treffen mit; (difficulties)

stoßen auf + akk; (become acquainted with) kennenlernen; (fetch) abholen; (join) zusammentreffen mit; (river) fließen in + akk; (satisfy) entsprechen + dat; (debt) bezahlen; **2.** vi sich treffen; (become acquainted) sich kennenlernen; (join) sich treffen; (rivers) ineinanderfließen; (roads) zusammenlaufen; **pleased to ~ you** angenehm; **meet with** vt (problems) stoßen auf + akk; (US: people) zusammentreffen mit; **meeting** n Treffen nt; (business ~) Besprechung f, Konferenz f; (of committee) Sitzung f; (assembly) Versammlung f; **meeting place** n Treffpunkt m.

megabyte ['megəbaıt] n Megabyte nt.

megaphone ['megəfəun] n Megaphon nt.

melancholy ['melənkəlı] **1.** n Melancholie f; **2.** adj (person) melancholisch, schwermütig; (sight, event) traurig.

mellow ['meləu] **1.** adj mild, weich; (fruit) reif, weich; (fig) gesetzt; **2.** vi reif werden.

melodious [mı'ləudıəs] adj wohlklingend.

melodrama ['meləudra:mə] n Melodrama nt; **melodramatic** [meləudrə'mætık] adj melodramatisch.

melody ['melədı] n Melodie f.

melon ['melən] n Melone f.

melt [melt] **1.** vi schmelzen; (anger) verfliegen; **2.** vt schmelzen; **melt away** vi dahinschmelzen; **melt down** vt einschmelzen; **meltdown** n (in nuclear reactor) Kernschmelze f; **melting point** n Schmelzpunkt m; **melting pot** n (fig) Schmelztiegel m; **to be in the ~** in der Schwebe sein.

member ['membə*] n Mitglied nt; (of tribe, species) Angehörige(r) mf; (ANAT) Glied nt; **membership** n Mitgliedschaft f.

membrane ['membreın] n Membrane f.

memento [mə'mentəu] n <-[e]s> Andenken nt.

memo ['meməu] n <-s> Notiz f, Mitteilung f.

memoirs ['memwa:z] n pl Memoiren pl.

memorable ['memərəbl] adj denkwürdig.

memorandum [memə'rændəm] n Notiz f, Mitteilung f; (POL) Memorandum nt.

memorial [mı'mɔ:rıəl] **1.** n Denkmal nt; **2.** adj Gedenk-.

memorize ['meməraız] vt sich dat einprägen.

memory ['memərı] n Gedächtnis nt; (of computer) Speicher m; (sth recalled) Erinnerung f; **in ~ of** zur Erinnerung an

+ *akk*; **from** ~ aus dem Kopf; **memory capacity** n Speicherkapazität f; **memory function** n Speicherfunktion f; **memory protection** n Speicherschutz m; **memory typewriter** n Speicherschreibmaschine f.

men [men] pl of **man**.

menace ['menɪs] **1.** n Drohung f, Gefahr f; **2.** vt bedrohen; **menacing** adj, **menacingly** adv drohend.

menagerie [mɪ'nædʒərɪ] n Tierschau f.

mend [mend] **1.** vt reparieren, flicken; **2.** n ausgebesserte Stelle; **on the** ~ auf dem Wege der Besserung.

menial ['miːnɪəl] adj niedrig, untergeordnet.

meningitis [menɪn'dʒaɪtɪs] n Hirnhautentzündung f, Meningitis f.

menopause ['menəupɔːz] n Wechseljahre pl, Menopause f.

menstrual ['menstruəl] adj Monats-, Menstruations-; **menstruate** ['menstrueɪt] vi menstruieren; **menstruation** [menstru'eɪʃən] n Menstruation f.

mental ['mentl] adj geistig, Geistes-; (arithmetic) Kopf-; (hospital) Nerven-; (cruelty) seelisch; (fam: abnormal) verrückt.

mentality [men'tælɪtɪ] n Mentalität f.

mentally ['mentəlɪ] adv geistig; ~ **ill** geisteskrank.

mentholated ['menθəleɪtɪd] adj Menthol-.

mention ['menʃən] **1.** n Erwähnung f; **2.** vt erwähnen; (names) nennen; **don't** ~ **it** bitte [sehr], gern geschehen.

menu ['menjuː] n Speisekarte f; (food) Speisen[folge f] pl; (COMPUT) Menü nt.

mercantile ['mɜːkəntaɪl] adj Handels-.

mercenary ['mɜːsɪnərɪ] **1.** adj (person) geldgierig; (MIL) Söldner-; **2.** n Söldner m.

merchandise ['mɜːtʃəndaɪz] n [Handels]ware f.

merchant ['mɜːtʃənt] **1.** n Kaufmann m, -frau f; **2.** adj Handels-; ~ **navy** Handelsmarine f.

merciful ['mɜːsɪful] adj gnädig, barmherzig; **mercifully** ['mɜːsɪfəlɪ] adv gnädig; (fortunately) glücklicherweise; **merciless** adj, **mercilessly** adv erbarmungslos.

mercurial [mɜː'kjuərɪəl] adj quecksilbrig, Quecksilber-; (person) wechselhaft; (lively) lebendig.

mercury ['mɜːkjurɪ] n Quecksilber nt.

mercy ['mɜːsɪ] n Erbarmen nt, Gnade f; (blessing) Segen m; **at the** ~ **of** ausgeliefert + dat.

mere adj, **merely** adv [mɪə*, 'mɪəlɪ] bloß.

merge [mɜːdʒ] **1.** vt verbinden; (COM) fusionieren; **2.** vi verschmelzen; (roads) zusammenlaufen; (AUT) sich einfädeln; (COM) fusionieren; **to** ~ **into** übergehen in + akk; **merger** n (COM) Fusion f.

meridian [mə'rɪdɪən] n Meridian m.

meringue [mə'ræŋ] n Baiser nt, Schaumgebäck nt.

merit ['merɪt] **1.** n Verdienst nt; (advantage) Vorzug m; **2.** vt verdienen; **to judge on** ~ nach Leistung beurteilen.

mermaid ['mɜːmeɪd] n Nixe f, Meerjungfrau f.

merrily ['merɪlɪ] adv lustig.

merriment ['merɪmənt] n Fröhlichkeit f; (laughter) Gelächter nt.

merry ['merɪ] adj fröhlich; (fam) angeheitert; **merry-go-round** n Karussell nt.

mesh [meʃ] **1.** n Masche f; **2.** vi (gears) ineinandergreifen.

mesmerize ['mezməraɪz] vt hypnotisieren; (fig) faszinieren.

mess [mes] n Unordnung f; (dirt) Schmutz m; (trouble) Schwierigkeiten pl; (MIL) Messe f; **to look a** ~ fürchterlich aussehen; **to make a** ~ **of sth** verpfuschen; **mess about** vi (tinker with) herummurksen (with an + dat); (play the fool) herumalbern; (do nothing in particular) herumgammeln; **mess up** vt verpfuschen; (make untidy) in Unordnung bringen.

message ['mesɪdʒ] n Mitteilung f, Nachricht f; **to get the** ~ kapieren; **message unit** n (US TEL) Gebühreneinheit f.

messenger ['mesɪndʒə*] n Bote m, Botin f.

messy ['mesɪ] adj schmutzig; (untidy) unordentlich.

met [met] pt, pp of **meet**.

metabolism [me'tæbəlɪzəm] n Stoffwechsel m.

metal ['metl] n Metall nt; **metallic** [mɪ'tælɪk] adj metallisch.

metamorphosis [metə'mɔːfəsɪs] n Metamorphose f.

metaphor ['metəfə*] n Metapher f; **metaphorical** [metə'fɒrɪkəl] adj bildlich, metaphorisch.

metaphysics [metə'fɪzɪks] n sing Metaphysik f.

meteor ['miːtɪə*] n Meteor m; **meteoric** [miːtɪ'ɒrɪk] adj meteorisch, Meteor-; **meteorite** ['miːtɪəraɪt] n Meteorit m.

meteorological [miːtɪərə'lɒdʒɪkəl] adj meteorologisch; **meteorology** [miːtɪə'rɒlədʒɪ] n Meteorologie f.

meter ['miːtə*] n Zähler m; (US) see **metre**.

methadone ['meθədəun] n Methadon

nt.

method ['meθɒd] *n* Methode *f*; **me-thodical** [mɪ'θɒdɪkəl] *adj* methodisch; **methodology** [meθə'dɒlədʒɪ] *n* Methodik *f*.

methylated spirit ['meθɪleɪtɪd'spɪrɪt] *n* (*also*: **meths** *sing*) [Brenn]spiritus *m*.

meticulous [mɪ'tɪkjʊləs] *adj* [über]genau.

metre ['miːtə*] *n* Meter *m o nt*; (*verse*) Metrum *nt*.

metric ['metrɪk] *adj* (*also*: ~ **al**) metrisch; ~ **system** Dezimalsystem *nt*; **metrication** [metrɪ'keɪʃən] *n* Umstellung *f* auf das Dezimalsystem.

metronome ['metrənəʊm] *n* Metronom *nt*.

metropolis [me'trɒpəlɪs] *n* Metropole *f*.

mettle ['metl] *n* Mut *m*.

Mexico ['meksɪkəʊ] *n* Mexiko *nt*.

miaow [miː'aʊ] *vi* miauen.

mice [maɪs] *pl of* **mouse**.

mickey ['mɪkɪ] *n*: **to take the ~ out of sb** (*fam*) jdn auf den Arm nehmen.

micro ['maɪkrəʊ] *n* < -**s**> (COMPUT) Mikrocomputer *m*.

microbe ['maɪkrəʊb] *n* Mikrobe *f*.

microchip ['maɪkrəʊtʃɪp] *n* (COMPUT) Mikrochip *m*; **microcomputer** *n* Mikrocomputer *m*; **microelectronics** *n sing* Mikroelektronik *f*.

microfilm ['maɪkrəʊfɪlm] **1.** *n* Mikrofilm *m*; **2.** *vt* auf Mikrofilm aufnehmen.

microphone ['maɪkrəfəʊn] *n* Mikrophon *nt*.

microprocessor [maɪkrəʊ'prəʊsesə*] *n* Mikroprozessor *m*.

microscope ['maɪkrəskəʊp] *n* Mikroskop *nt*; **microscopic** [maɪkrə'skɒpɪk] *adj* mikroskopisch.

microwave ['maɪkrəʊweɪv] *n* Mikrowelle *f*; ~ **oven** Mikrowellenherd *m*.

mid [mɪd] *adj* mitten in + *dat*; **in the ~ eighties** Mitte der achtziger Jahre; **in ~ course** mittendrin.

midday ['mɪd'deɪ] *n* Mittag *m*.

middle ['mɪdl] **1.** *n* Mitte *f*; (*waist*) Taille *f*; **2.** *adj* mittlere(r, s), Mittel-; **in the ~ of** mitten in + *dat*; **the M ~ Ages** *pl* das Mittelalter; **the M ~ East** *der* Nahe Osten; **middle-aged** *adj* mittleren Alters; **middle-class 1.** *n* Mittelstand *m*; **2.** *adj* Mittelstands-; (*fig*) spießig; **middleman** *n* < -**men**> (COM) Zwischenhändler *m*; **middle name** *n* zweiter Vorname; **middle-of-the-road** *adj* gemäßigt.

middling ['mɪdlɪŋ] *adj* mittelmäßig.

midge [mɪdʒ] *n* Mücke *f*.

midget ['mɪdʒɪt] **1.** *n* Liliputaner(in *f*) *m*; **2.** *adj* Kleinst-.

midnight ['mɪdnaɪt] *n* Mitternacht *f*.

midriff ['mɪdrɪf] *n* Taille *f*.

midst [mɪdst] *n*: **in the ~ of** (*persons*) mitten unter + *dat*; (*things*) mitten in + *dat*; **in our ~** unter uns.

midsummer ['mɪdsʌmə*] *n* Hochsommer *m*; **M ~ 's Day** Sommersonnenwende *f*.

midway [mɪd'weɪ] **1.** *adv* auf halbem Wege; **2.** *adj* Mittel-.

midweek [mɪd'wiːk] *adj, adv* in der Mitte der Woche.

midwife ['mɪdwaɪf] *n* < -**wives**> Hebamme *f*; **midwifery** ['mɪdwɪfərɪ] *n* Geburtshilfe *f*.

midwinter ['mɪːgreɪn] *n* tiefster Winter.

might [maɪt] **1.** *pt of* **may**; **2.** *n* Macht *f*, Kraft *f*; **I ~ come** ich komme vielleicht; **mightily** *adv* mächtig; **mightn't = might not**; **mighty, adv** mächtig.

migraine ['miːgreɪn] *n* Migräne *f*.

migrant ['maɪgrənt] **1.** *n* (*bird*) Zugvogel *m*; (*worker*) Saisonarbeiter(in *f*) *m*, Wanderarbeiter(in *f*) *m*; **2.** *adj* Wander-; (*bird*) Zug-.

migrate [maɪ'greɪt] *vi* [ab]wandern; (*birds*) [fort]ziehen; **migration** [maɪ'greɪʃən] *n* Wanderung *f*, Zug *m*.

mike [maɪk] *n see* **microphone**.

mild [maɪld] *adj* mild; (*medicine, interest*) leicht; (*person*) sanft.

mildew ['mɪldjuː] *n* (*on plants*) Mehltau *m*; (*on food*) Schimmel *m*.

mildly ['maɪldlɪ] *adv* leicht; **to put it ~** gelinde gesagt.

mildness ['maɪldnəs] *n* Milde *f*.

mile [maɪl] *n* Meile *f* (*1,609 km*); **mileage** *n* Meilenzahl *f*; **milestone** *n* (*also fig*) Meilenstein *m*.

milieu ['miːljɜː] *n* Milieu *n*.

militant ['mɪlɪtənt] *adj* militant.

militarism ['mɪlɪtərɪzəm] *n* Militarismus *m*.

military ['mɪlɪtərɪ] **1.** *adj* militärisch, Militär-; **2.** *n* Militär *n*.

militia [mɪ'lɪʃə] *n* Miliz *f*, Bürgerwehr *f*.

milk [mɪlk] **1.** *n* Milch *f*; **2.** *vt* melken; **milk chocolate** *n* Milchschokolade *f*; **milkman** *n* < -**men**> Milchmann *m*; **milk shake** *n* Milchmixgetränk *nt*; **Milky Way** *n* Milchstraße *f*.

mill [mɪl] **1.** *n* Mühle *f*; (*factory*) Fabrik *f*; **2.** *vt* mahlen; **3.** *vi* (*move around*) umherlaufen; **milled** *adj* gemahlen.

millennium [mɪ'lenɪəm] *n* Jahrtausend *nt*.

miller ['mɪlə*] *n* Müller(in *f*) *m*.

millet ['mɪlɪt] *n* Hirse *f*.

milligram[me] ['mɪlɪgræm] *n* Milligramm *nt*; **millilitre, milliliter** (US) *n* Millili-

ter *m*; **millimetre, millimeter** (*US*) *n*
Millimeter *m*.
milliner ['mɪlɪnə*] *n* Hutmacher(in *f*) *m*;
millinery *n* (*hats*) Hüte *pl*, Modewaren
pl; (*business*) Hutgeschäft *nt*.
million ['mɪljən] *n* Million *f*; **millionaire**
[mɪljə'nɛə*] *n* Millionär(in *f*) *m*.
millwheel ['mɪlwiːl] *n* Mühlrad *m*.
milometer [maɪ'lɒmɪtə*] *n* ≈ Kilometerzähler *m*.
mime [maɪm] **1.** *n* Pantomime *f*; (*actor*)
Pantomime *m*, Pantomimin *f*; **2.** *vt, vi* mi-
men.
mimic ['mɪmɪk] **1.** *n* Imitator(in *f*) *m*; **2.**
vt, vi nachahmen; **mimicry** ['mɪmɪkrɪ] *n*
Nachahmung *f*; (*BIO*) Mimikry *f*.
mince [mɪns] **1.** *vt* [zer]hacken; **2.** *vi*
(*walk*) trippeln; **3.** *n* (*meat*) Hackfleisch
nt; **mincemeat** *n* süße Pastetenfüllung;
mince pie *n* gefüllte [süße] Pastete;
mincing *adj* (*manner*) affektiert.
mind [maɪnd] **1.** *n* Verstand *m*, Geist *m*;
(*opinion*) Meinung *f*; **2.** *vt* aufpassen auf
+ *akk*; (*object to*) etwas haben gegen; **3.**
vi etwas dagegen haben; **on my ~** auf
dem Herzen; **to my ~** meiner Meinung
nach; **to be out of one's ~** wahnsinnig
sein; **to bear** (*o keep*) **in ~** bedenken,
nicht vergessen; **to change one's ~** es
sich *dat* anders überlegen; **to make up
one's ~** sich entschließen; **to have sth in
~** an etw *akk* denken; etw beabsichtigen; **to have a good ~ to do sth** große
Lust haben, etw zu tun; **I don't ~ the
rain** der Regen macht mir nichts aus; **do
you ~ if I...** macht es Ihnen etwas aus,
wenn ich...; **do you ~!** na hören Sie
mal!; **never ~** macht nichts; '~ **the
step**' 'Vorsicht Stufe'; **~ your own business** kümmern Sie sich um Ihre eigenen
Angelegenheiten; **mindful** *adj* achtsam
(*of* auf + *akk*); **mindless** *adj* hirnlos,
dumm; (*senseless*) sinnlos.
mine [maɪn] **1.** *pron* (*substantivisch*)
meine(r, s); **2.** *n* (*coal~*) Bergwerk *nt*;
(*MIL*) Mine *f*; (*source*) Fundgrube *f*; **3.** *vt*
abbauen; (*MIL*) verminen; **4.** *vi* Bergbau
betreiben; **to ~ for sth** etw gewinnen;
mine detector *n* Minensuchgerät *nt*;
minefield *n* Minenfeld *nt*; **miner** *n*
Bergarbeiter *m*.
mineral ['mɪnərəl] **1.** *adj* mineralisch, Mi-
neral-; **2.** *n* Mineral *nt*; **mineral water**
n Mineralwasser *nt*.
minesweeper ['maɪnswiːpə*] *n* Minen-
suchboot *nt*.
mingle ['mɪŋgl] **1.** *vt* vermischen; **2.** *vi*
sich mischen (*with* unter + *akk*).
mini ['mɪnɪ] *pref* Mini-, Klein-.
miniature ['mɪnɪtʃə*] **1.** *adj* Miniatur-,

Klein-; **2.** *n* Miniatur *f*; **in ~** en miniature, in Kleinformat.
minibus ['mɪnɪbʌs] *n* Kleinbus *m*, Minibus *m*; **minicab** ['mɪnɪkæb] *n* Kleintaxi
nt.
minim ['mɪnɪm] *n* halbe Note.
minimal ['mɪnɪml] *adj* kleinste(r, s), minimal, Mindest-.
minimize ['mɪnɪmaɪz] *vt* auf das Mindestmaß beschränken; (*belittle*) herabsetzen.
minimum ['mɪnɪməm] **1.** *n* Minimum *nt*;
2. *adj* Mindest-.
mining ['maɪnɪŋ] **1.** *n* Bergbau *m*; **2.** *adj*
Bergbau-, Berg-.
miniquake ['mɪnɪkweɪk] *n* Erdstoß *m*.
miniskirt ['mɪnɪskɜːt] *n* Minirock *m*.
minister ['mɪnɪstə*] *n* (*POL*) Minister(in
f) *m*; (*REL*) Geistliche(r) *mf*, Pfarrer(in *f*)
m; **ministerial** [mɪnɪ'stɪərɪəl] *adj* mini-
steriell, Minister-.
ministry ['mɪnɪstrɪ] *n* (*government body*)
Ministerium *nt*; (*REL: office*) geistliches
Amt; (*all ministers*) Geistlichkeit *f*.
mink [mɪŋk] *n* Nerz *m*.
minor ['maɪnə*] **1.** *adj* kleiner; (*operation*)
leicht; (*problem, poet*) unbedeutend;
(*MUS*) Moll; **2.** *n* (*Brit: under 18*) Min-
derjährige(r) *mf*; **Smith ~** Smith der
Jüngere; **minority** [maɪ'nɒrɪtɪ] *n* Minderheit *f*.
minster ['mɪnstə*] *n* Münster *nt*, Kathedrale *f*.
minstrel ['mɪnstrəl] *n* (*HIST*) Spielmann
m, Minnesänger *m*; **a wandring ~** ein
fahrender Sänger.
mint [mɪnt] **1.** *n* Minze *f*; (*sweet*) Pfeffer-
minzbonbon *nt*; (*place*) Münzstätte *f*; **2.**
adj (*condition*) neu; (*stamp*) ungestempelt, postfrisch; **mint sauce** *n* Minz-
soße *f*.
minuet [mɪnjʊ'et] *n* Menuett *nt*.
minus ['maɪnəs] **1.** *n* Minuszeichen *nt*;
(*amount*) Minusbetrag *m*; **2.** *prep* minus,
weniger.
minute [maɪ'njuːt] **1.** *adj* winzig, sehr
klein; (*detailed*) minuziös; **2.** ['mɪnɪt] *n*
Minute *f*; (*moment*) Augenblick *m*; **~s** *pl*
Protokoll *nt*; **minutely** [maɪ'njuːtlɪ] *adv*
(*in detail*) genau.
miracle ['mɪrəkl] *n* Wunder *nt*; **miracle
play** *n* geistliches Drama.
miraculous [mɪ'rækjʊləs] *adj* wunderbar; **miraculously** *adv* auf wunderbare
Weise.
mirage ['mɪrɑːʒ] *n* Luftspiegelung *f*, Fata
Morgana *f*.
mirror ['mɪrə*] **1.** *n* Spiegel *m*; **2.** *vt* [wi-
der]spiegeln.
mirth [mɜːθ] *n* Freude *f*, Heiterkeit *f*.
misadventure [mɪsəd'ventʃə*] *n* Mißge-

schick *nt*, Unfall *m*.

misanthropist [mɪˈzænθrəpɪst] *n* Menschenfeind(in *f*) *m*.

misapprehension [ˈmɪsæprɪˈhenʃən] *n* Mißverständnis *nt*; **to be under the ~ that...** irrtümlicherweise annehmen, daß...

misappropriate [mɪsəˈprəʊprɪeɪt] *vt* (*funds*) veruntreuen.

misbehave [mɪsbɪˈheɪv] *vi* sich schlecht benehmen.

miscalculate [mɪsˈkælkjʊleɪt] *vt* falsch berechnen; **miscalculation** [ˈmɪskælkjʊˈleɪʃən] *n* Rechenfehler *m*.

miscarriage [mɪsˈkærɪdʒ] *n* (*MED*) Fehlgeburt *f*; **~ of justice** Fehlurteil *nt*.

miscellaneous [mɪsɪˈleɪnɪəs] *adj* verschieden.

miscellany [mɪˈselənɪ] *n* Sammlung *f*.

mischance [mɪsˈtʃɑːns] *n* Mißgeschick *nt*.

mischief [ˈmɪstʃɪf] *n* Unfug *m*; (*harm*) Schaden *m*; **mischievous** *adj*, **mischievously** *adv* [ˈmɪstʃɪvəs, -lɪ] (*person*) durchtrieben; (*glance*) verschmitzt; (*rumour*) bösartig.

misconception [mɪskənˈsepʃən] *n* fälschliche Annahme.

misconduct [mɪsˈkɒndʌkt] *n* Vergehen *nt*.

misconstrue [mɪskənˈstruː] *vt* mißverstehen.

miscount [mɪsˈkaʊnt] *vt* falsch [aus]zählen.

misdemeanour, misdemeanor (*US*) [mɪsdɪˈmiːnə*] *n* Vergehen *nt*.

misdirect [mɪsdɪˈrekt] *vt* (*person*) irreleiten; (*letter*) fehlleiten.

miser [ˈmaɪzə*] *n* Geizhals *m*.

miserable [ˈmɪzərəbl] *adj* (*unhappy*) unglücklich; (*headache, weather*) fürchterlich; (*poor*) elend; (*contemptible*) erbärmlich; **miserably** *adv* unglücklich; (*fail*) kläglich.

miserly [ˈmaɪzəlɪ] *adj* geizig.

misery [ˈmɪzərɪ] *n* Elend *nt*, Qual *f*.

misfire [mɪsˈfaɪə*] *vi* (*gun*) versagen; (*engine*) fehlzünden; (*plan*) fehlgehen.

misfit [ˈmɪsfɪt] *n* Außenseiter(in *f*) *m*.

misfortune [mɪsˈfɔːtʃən] *n* Unglück *nt*.

misgiving [mɪsˈgɪvɪŋ] *n* (*often pl*) Befürchtung *f*, Bedenken *pl*.

misguided [mɪsˈgaɪdɪd] *adj* töricht; (*opinions*) irrig.

mishandle [mɪsˈhændl] *vt* falsch handhaben.

mishap [ˈmɪshæp] *n* Unglück *nt*; (*slight*) Panne *f*.

mishear [mɪsˈhɪə*] *irr vt* falsch hören.

misinform [mɪsɪnˈfɔːm] *vt* falsch unterrichten.

misinterpret [mɪsɪnˈtɜːprɪt] *vt* falsch auffassen; **misinterpretation** [ˈmɪsɪntɜːprɪˈteɪʃən] *n* falsche Auslegung.

misjudge [mɪsˈdʒʌdʒ] *vt* falsch beurteilen.

mislay [mɪsˈleɪ] *irr vt* verlegen.

mislead [mɪsˈliːd] *irr vt* (*deceive*) irreführen; **misleading** *adj* irreführend.

mismanage [mɪsˈmænɪdʒ] *vt* schlecht verwalten; **mismanagement** *n* Mißwirtschaft *f*.

misnomer [mɪsˈnəʊmə*] *n* falsche Bezeichnung.

misogynist [mɪˈsɒdʒɪnɪst] *n* Weiberfeind *m*.

misplace [mɪsˈpleɪs] *vt* verlegen.

misprint [ˈmɪsprɪnt] *n* Druckfehler *m*.

mispronounce [mɪsprəˈnaʊns] *vt* falsch aussprechen.

misread [mɪsˈriːd] *irr vt* falsch lesen.

misrepresent [mɪsreprɪˈzent] *vt* falsch darstellen.

miss [mɪs] **1.** *vt* (*fail to hit, catch*) verfehlen; (*not notice*) verpassen; (*be too late*) versäumen, verpassen; (*omit*) auslassen; (*regret the absence of*) vermissen; **2.** *vi* fehlen; **3.** *n* (*shot*) Fehlschuß *m*; (*failure*) Fehlschlag *m*; **I ~ you** du fehlst mir.

Miss [mɪs] *n* Fräulein *nt*; **~ Germany** [die] Miß Germany.

missal [ˈmɪsəl] *n* Meßbuch *nt*.

misshapen [mɪsˈʃeɪpən] *adj* mißgebildet.

missile [ˈmɪsaɪl] *n* Geschoß *nt*, Rakete *f*; **missile-defence system** *n* Raketenabwehrsystem *nt*.

missing [ˈmɪsɪŋ] *adj* (*person*) vermißt; (*thing*) fehlend; **to be ~** fehlen.

mission [ˈmɪʃən] *n* (*work*) Auftrag *m*, Mission *f*; (*people*) Delegation *f*; (*REL*) Mission *f*; **missionary** *n* Missionar(in *f*) *m*; **mission control** *n* (*SPACE*) Kontrollzentrum *nt*.

misspent [mɪsˈspent] *adj* (*youth*) vergeudet.

mist [mɪst] *n* Dunst *m*, Nebel *m*; **mist over, mist up** *vi* sich beschlagen.

mistake [mɪsˈteɪk] **1.** *n* Fehler *m*; **2.** *irr vt* (*misunderstand*) mißverstehen; (*mix up*) verwechseln (*for* mit); **mistaken** *adj* (*idea*) falsch; **~ identity** Verwechslung *f*; **to be ~** sich irren.

mister [ˈmɪstə*] *n abbr* **Mr** Herr *m*.

mistletoe [ˈmɪsltəʊ] *n* Mistel *f*; Mistelzweig *m*.

mistranslation [mɪstrænsˈleɪʃən] *n* falsche Übersetzung.

mistreat [mɪsˈtriːt] *vt* schlecht behandeln.

mistress [ˈmɪstrɪs] *n* (*teacher*) Lehrerin *f*; (*in house*) Herrin *f*; (*lover*) Geliebte *f*;

abbr **Mrs** Frau *f*.

mistrust [mıs'trʌst] *vt* mißtrauen + *dat*.

misty ['mıstı] *adj* neblig.

misunderstand [mısʌndə'stænd] *irr vt, vi* mißverstehen, falsch verstehen; **misunderstanding** *n* Mißverständnis *nt*; (*disagreement*) Meinungsverschiedenheit *f*; **misunderstood** [mısʌndə'stud] *adj* (*person*) unverstanden.

misuse [mıs'ju:s] **1.** *n* falscher Gebrauch; **2.** [mıs'ju:z] *vt* falsch gebrauchen.

MIT *n abbr of* **Massachusetts Institute of Technology**.

mite [maıt] *n* Milbe *f*; (*fig*) bißchen *nt*.

mitigate ['mıtıgeıt] *vt* (*pain*) lindern; (*punishment*) mildern.

mitre, **miter** (*US*) ['maıtə*] *n* (*REL*) Mitra *f*.

mitt[en] ['mıtn] *n* Fausthandschuh *m*.

mix [mıks] **1.** *vt* (*blend*) [ver]mischen; **2.** *vi* (*liquids*) sich [ver]mischen lassen; (*people, get on*) sich vertragen; (*associate*) Kontakt haben; **3.** *n* (*mixture*) Mischung *f*; **Beate ~ es well** Beate ist kontaktfreudig; **mix up** *vt* (*mix*) zusammenmischen; (*confuse*) verwechseln; **to be ~ ed ~ in sth** in etw *dat* verwickelt sein; **mixed** *adj* gemischt; **mixed-up** *adj* (*papers, person*) durcheinander; **mixer** *n* (*for food*) Mixer *m*; **mixture** ['mıkstʃə*] *n* (*assortment*) Mischung *f*; (*MED*) Saft *m*; **mix-up** *n* Durcheinander *nt*; Verwechslung *f*.

moan [məun] **1.** *n* Stöhnen *nt*; (*complaint*) Klage *f*; **2.** *vi* stöhnen; (*complain*) maulen; **moaning** *n* Stöhnen *nt*; Gemaule *nt*.

moat [məut] *n* [Burg]graben *m*.

mob [mɒb] **1.** *n* Mob *m*; (*the masses*) Pöbel *m*; **2.** *vt* (*star*) herfallen über + *akk*.

mobile ['məubaıl] **1.** *adj* beweglich; (*library etc*) fahrbar, Fahr-; **2.** *n* (*decoration*) Mobile *nt*; **~ home** Wohnwagen *m*; **mobility** [məu'bılıtı] *n* Beweglichkeit *f*.

moccasin ['mɒkəsın] *n* Mokassin *m*.

mock [mɒk] **1.** *vt* verspotten; (*defy*) trotzen + *dat*; **2.** *adj* Schein-; **mockery** *n* Spott *m*; (*person*) Gespött *nt*; **mocking** *adj* (*tone*) spöttisch; **mockingbird** *n* Spottdrossel *f*; **mock-up** *n* Modell *nt*.

mod cons ['mɒd'kɒnz] *abbr of* **modern conveniences** mit allem Komfort.

mode [məud] *n* Art und Weise *f*; (*COMPUT*) Modus *m*.

model ['mɒdl] **1.** *n* Modell *nt*; (*example*) Vorbild *nt*; (*in fashion*) Mannequin *nt*; **2.** *vt* (*make*) formen, modellieren, bilden; (*clothes*) vorführen; **3.** *adj* Modell-; (*perfect*) Muster-; vorbildlich; **modelling**, **modeling** (*US*) *n* (*model making*) Ba-

steln *nt*.

modem ['məudem] *n* Modem *nt*.

moderate ['mɒdərət] **1.** *adj* gemäßigt; (*fairly good*) mittelmäßig; **2.** *n* (*POL*) Gemäßigte(r) *mf*; **3.** ['mɒdəreıt] *vi* sich mäßigen; **4.** *vt* mäßigen; **moderately** ['mɒdərətlı] *adv* mäßig; **moderation** [mɒdə'reıʃən] *n* Mäßigung *f*; **in ~** mit Maßen.

modern ['mɒdən] *adj* modern; (*history, languages*) neuere(r, s); (*Greek etc*) Neu-; **modernization** [mɒdənaı'zeıʃən] *n* Modernisierung *f*; **modernize** ['mɒdənaız] *vt* modernisieren.

modest *adj*, **modestly** *adv* ['mɒdıst, -lı] (*attitude*) bescheiden; (*meal, home*) einfach; (*chaste*) schamhaft; **modesty** *n* Bescheidenheit *f*; (*chastity*) Schamgefühl *nt*.

modicum ['mɒdıkəm] *n* bißchen *nt*.

modification [mɒdıfı'keıʃən] *n* [Ab]änderung *f*; **modify** ['mɒdıfaı] *vt* abändern; (*LING*) modifizieren.

modulation [mɒdju'leıʃən] *n* Modulation *f*.

module ['mɒdju:l] *n* (*SPACE*) [Raum]kapsel *f*; (*COMPUT*) Modul *nt*; **modular** *adj* (*COMPUT*) Modul-.

mohair ['məuheə*] *n* Mohair *m*.

moist [mɔıst] *adj* feucht; **moisten** ['mɔısn] *vt* befeuchten; **moisture** ['mɔıstʃə*] *n* Feuchtigkeit *f*; **moisturizer** *n* Feuchtigkeitscreme *f*.

molar ['məulə*] *n* Backenzahn *m*.

molasses [mə'læsız] *n sing* Melasse *f*.

mold [məuld] (*US*) *see* **mould**.

mole [məul] *n* (*spot*) Leberfleck *m*; (*animal*) Maulwurf *m*; (*pier*) Mole *f*.

molecular [mə'lekjulə*] *adj* molekular, Molekular-.

molecule ['mɒlıkju:l] *n* Molekül *nt*.

molest [məu'lest] *vt* belästigen.

mollusc ['mɒləsk] *n* Weichtier *nt*.

mollycoddle ['mɒlıkɒdl] *vt* verhätscheln.

molt [məult] (*US*) *see* **moult**.

molten ['məultən] *adj* geschmolzen.

moment ['məumənt] *n* Moment *m*, Augenblick *m*; (*importance*) Tragweite *f*; **~ of truth** Stunde *f* der Wahrheit; **any ~** jeden Augenblick; **momentarily** ['məumən'tærəlı] *adv* momentan; **momentary** ['məuməntərı] *adj* kurz.

momentous [məu'mentəs] *adj* folgenschwer.

momentum [məu'mentəm] *n* Schwung *m*.

Monaco ['mɒnəkəu] *n* Monaco *nt*.

monarch ['mɒnək] *n* Herrscher(in *f*) *m*; **monarchist** *n* Monarchist(in *f*) *m*;

monarchy n Monarchie f.
monastery ['mɒnəstrɪ] n Kloster nt.
monastic [mə'næstɪk] adj klösterlich, Kloster-.
Monday ['mʌndeɪ] n Montag m; **on ~** [am] Montag; **on ~ s, on a ~** montags.
Monegasque [mɒnɪ'gæsk] adj monegassisch.
monetary ['mʌnɪtərɪ] adj geldlich, Geld-; (of currency) Währungs-, monetär.
money ['mʌnɪ] n Geld nt; **moneyed** adj vermögend; **moneylender** n Geldverleiher(in f) m; **moneymaking** 1. adj einträglich, lukrativ; 2. n Gelderwerb m; **money order** n Postanweisung f; **money-washing** n Geldwäsche f.
mongol ['mɒŋgəl] 1. n (MED) mongoloides Kind; 2. adj mongolisch; (MED) mongoloid.
mongoose ['mɒŋguːs] n <-s> Mungo m.
mongrel ['mʌŋgrəl] 1. n Promenadenmischung f; 2. adj Misch-.
monitor ['mɒnɪtə*] 1. n (SCH) Klassenordner(in f) m; (screen) Monitor m, Sichtgerät nt; 2. vt (broadcasts) abhören; (control) überwachen.
monk [mʌŋk] n Mönch m.
monkey ['mʌŋkɪ] n Affe m; **monkey nut** n Erdnuß f; **monkey wrench** n (TECH) Engländer m, Franzose m.
mono- ['mɒnəʊ] pref Mono-; **monochrome** ['mɒnəkrəʊm] adj schwarzweiß.
monocle ['mɒnəkl] n Monokel nt.
monogram ['mɒnəgræm] n Monogramm nt.
monologue ['mɒnəlɒg] n Monolog m.
monopolize [mə'nɒpəlaɪz] vt beherrschen; (fig) mit Beschlag belegen.
monopoly [mə'nɒpəlɪ] n Monopol nt.
monorail ['mɒnəʊreɪl] n Einschienenbahn f.
monosyllabic [mɒnəʊsɪ'læbɪk] adj einsilbig.
monotone ['mɒnətəʊn] n gleichbleibender Ton[fall]; **monotonous** [mə'nɒtənəs] adj eintönig, monoton; **monotony** [mə'nɒtənɪ] n Eintönigkeit f, Monotonie f.
monsoon [mɒn'suːn] n Monsun m.
monster ['mɒnstə*] 1. n Ungeheuer nt; (person) Scheusal nt; 2. adj (fam) Riesen-.
monstrosity [mɒn'strɒsɪtɪ] n Ungeheuerlichkeit f; (thing) Monstrosität f.
monstrous ['mɒnstrəs] adj (shocking) gräßlich, ungeheuerlich; (huge) riesig.
montage [mɒn'tɑːʒ] n Montage f.
month [mʌnθ] n Monat m; **monthly** 1.

adj monatlich, Monats-; 2. adv einmal im Monat; 3. n (magazine) Monatsschrift f.
monument ['mɒnjumənt] n Denkmal nt; **monumental** [mɒnju'mentl] adj (huge) gewaltig; (ignorance) ungeheuer.
moo [muː] vi muhen.
mood [muːd] n Stimmung f, Laune f; **to be in the ~ for** aufgelegt sein zu; **I am not in the ~ for laughing** mir ist nicht zum Lachen zumute; **moodily** adv launisch; **moodiness** n Launenhaftigkeit f; **moody** adj launisch.
moon [muːn] n Mond m; **to be over the ~** überglücklich sein; **moonbeam** n Mondstrahl m; **moonless** adj mondlos; **moonlight** 1. n Mondlicht nt; 2. vi schwarzarbeiten; **moonlit** adj mondhell; **moonshot** n Mondflug m.
moor [muə*] 1. n Heide f, Hochmoor nt; 2. vt (ship) festmachen, verankern; 3. vi anlegen; **moorings** n pl Liegeplatz m; **moorland** n Heidemoor nt.
moose [muːs] n <-> Elch m.
moot [muːt] 1. vt aufwerfen; 2. adj: **~ point** strittiger Punkt.
mop [mɒp] 1. n Mop m; 2. vt [auf]wischen; **~ of hair** Mähne f.
mope [məʊp] vi Trübsal blasen.
moped ['məʊped] n (Brit) Moped nt.
moping ['məʊpɪŋ] adj trübselig.
moral ['mɒrəl] 1. adj moralisch; (values) sittlich; (virtuous) tugendhaft; 2. n Moral f; **~ s** pl Moral f; **morale** [mɒ'rɑːl] n Moral f, Stimmung f; **morality** [mə'rælɪtɪ] n Sittlichkeit f; **morally** adv moralisch.
morass [mə'ræs] n Sumpf m.
morbid ['mɔːbɪd] adj krankhaft; (jokes) makaber.
more [mɔː*] adj, n, pron, adv mehr; **~ or less** mehr oder weniger; **~ than ever** mehr denn je; **a few ~** noch ein paar; **~ beautiful** schöner; **moreover** adv überdies.
morgue [mɔːg] n Leichenschauhaus nt.
moribund ['mɒrɪbʌnd] adj aussterbend; (person) im Sterben liegend.
morning ['mɔːnɪŋ] 1. n Morgen m; 2. adj morgendlich, Morgen-, Früh-; **in the ~** am Morgen; **morning sickness** n [Schwangerschafts]erbrechen nt.
Morocco [mə'rɒkəʊ] n Marokko nt.
moron ['mɔːrɒn] n Schwachsinnige(r) mf; **moronic** [mə'rɒnɪk] adj schwachsinnig.
morose [mə'rəʊs] adj mürrisch.
morphine ['mɔːfiːn] n Morphium nt.
Morse [mɔːs] n (also: **~ code**) Morsealphabet nt.
morsel ['mɔːsl] n Stückchen nt, bißchen nt.
mortal ['mɔːtl] 1. adj sterblich; (deadly)

tödlich; (*very great*) Todes-; **2.** *n* (*human being*) Sterbliche(r) *mf*; **mortality** [mɔːˈtælɪtɪ] *n* Sterblichkeit *f*; (*death rate*) Sterblichkeitsziffer *f*; **mortally** *adv* tödlich.

mortar [ˈmɔːtəˈ] *n* (*for building*) Mörtel *m*; (*bowl*) Mörser *m*; (*MIL*) Granatwerfer *m*.

mortgage [ˈmɔːgɪdʒ] **1.** *n* Hypothek *f*; **2.** *vt* eine Hypothek aufnehmen auf + *akk*.

mortification [mɔːtɪfɪˈkeɪʃən] *n* Beschämung *f*; **mortified** [ˈmɔːtɪfaɪd] *adj*: **I was** ~ es war mir schrecklich peinlich.

mortuary [ˈmɔːtjʊərɪ] *n* Leichenhalle *f*.

mosaic [məʊˈzeɪɪk] *n* Mosaik *nt*.

Moslem [ˈmɒzləm] *adj* mohamedanisch.

mosque [mɒsk] *n* Moschee *f*.

mosquito [mɒsˈkiːtəʊ] *n* <-es> Moskito *m*.

moss [mɒs] *n* Moos *nt*; **mossy** *adj* bemoost.

most [məʊst] **1.** *adj* meiste(r, s); **2.** *adv* am meisten; (*very*) höchst; **3.** *n* das meiste, der größte Teil; (*people*) die meisten; ~ **men** die meisten Männer; ~ **of the time** meistens, die meiste Zeit; ~ **of the winter** fast den ganzen Winter über; **the** ~ **beautiful** der/die/das Schönste; **at the** [**very**] ~ allerhöchstens; **to make the** ~ **of** das Beste machen aus; **mostly** *adv* größtenteils.

MOT *n abbr of* **Ministry of Transport** TÜV *m*.

motel [məʊˈtel] *n* Motel *nt*.

moth [mɒθ] *n* Nachtfalter *m*; (*wool-eating*) Motte *f*; **mothball** *n* Mottenkugel *f*; **moth-eaten** *adj* mottenzerfressen.

mother [ˈmʌðəˈ] **1.** *n* Mutter *f*; **2.** *vt* bemuttern; **3.** *adj* (*tongue*) Mutter-; (*country*) Heimat-; **motherhood** [ˈmʌðəhʊd] *n* Mutterschaft *f*; **mother-in-law** <**mothers-in-law**> Schwiegermutter *f*; **motherly** *adj* mütterlich; **mother-to-be** *n* <**mothers-to-be**> werdende Mutter.

mothproof [ˈmɒθpruːf] *adj* mottenfest.

motif [məʊˈtiːf] *n* Motiv *nt*.

motion [ˈməʊʃən] **1.** *n* Bewegung *f*; (*in meeting*) Antrag *m*; **2.** *vt*, *vi* winken + *dat*, zu verstehen geben + *dat*; **motionless** *adj* regungslos; **motion picture** *n* Film *m*.

motivate [ˈməʊtɪveɪt] *vt* motivieren; **motivation** [məʊtɪˈveɪʃən] *n* Motivation *f*.

motive [ˈməʊtɪv] **1.** *n* Motiv *nt*, Beweggrund *m*; **2.** *adj* treibend.

motley [ˈmɒtlɪ] *adj* bunt.

motor [ˈməʊtəˈ] **1.** *n* Motor *m*; (*car*) Auto *nt*; **2.** *vi* [im Auto] fahren; **3.** *adj* Motor-; **motorbike** *n* Motorrad *nt*;

motorboat *n* Motorboot *nt*; **motorcar** *n* Auto *nt*; **motorcycle** *n* Motorrad *nt*; **motorcyclist** *n* Motorradfahrer(in *f*) *m*; **motoring 1.** *n* Autofahren *nt*; **2.** *adj* Auto-; **motorist** [ˈməʊtərɪst] *n* Autofahrer(in *f*) *m*; **motor oil** *n* Motorenöl *nt*; **motor racing** *n* Autorennen *nt*; **motor scooter** *n* Motorroller *m*; **motor vehicle** *n* Kraftfahrzeug *nt*; **motorway** *n* (*Brit*) Autobahn *f*.

mottled [ˈmɒtld] *adj* gesprenkelt.

motto [ˈmɒtəʊ] *n* <-es> Motto *nt*, Wahlspruch *m*.

mould [məʊld] **1.** *n* Form *f*; (*mildew*) Schimmel *m*; **2.** *vt* (*also fig*) formen; **moulder** [ˈməʊldəˈ] *vi* (*decay*) vermodern.

moulding [ˈməʊldɪŋ] *n* Formen *nt*; (*on ceiling*) Deckenstuck *m*.

mouldy [ˈməʊldɪ] *adj* schimmelig.

moult [məʊlt] *vi* sich mausern.

mound [maʊnd] *n* [Erd]hügel *m*.

mount [maʊnt] **1.** *n* (*hill*) Berg *m*; (*horse*) Pferd *nt*; (*for jewel etc*) Fassung *f*; **2.** *vt* (*horse*) steigen auf + *akk*; (*put in setting*) fassen; (*exhibition*) veranstalten; (*attack*) unternehmen; **3.** *vi* (*also:* ~ **up**) sich häufen; (*on horse*) aufsitzen.

mountain [ˈmaʊntɪn] *n* Berg *m*; **mountaineer** [maʊntɪˈnɪəˈ] *n* Bergsteiger(in *f*) *m*; **mountaineering** *n* Bergsteigen *nt*; **mountainous** *adj* bergig; **mountainside** *n* Berg[ab]hang *m*.

mourn [mɔːn] **1.** *vt* betrauern, beklagen; **2.** *vi* trauern (*for* um); **mourner** *n* Trauernde(r) *mf*; **mournful** *adj* traurig; **mourning** *n* (*grief*) Trauer *f*; **in** ~ (*period etc*) in Trauer; (*dress*) in Trauerkleidung.

mouse [maʊs] *n* <**mice**> (*also COMPUT*) Maus *f*; **mousetrap** *n* Mausefalle *f*.

mousse [muːs] *n* (*GASTR*) Creme *f*; (*styling* ~) Schaum *m*.

moustache [məˈstɑːʃ] *n* Schnurrbart *m*.

mousy [ˈmaʊsɪ] *adj* (*colour*) mausgrau; (*person*) schüchtern.

mouth [maʊθ] *n* Mund *m*; (*general*) Öffnung *f*; (*of river*) Mündung *f*; (*of harbour*) Einfahrt *f*; **down in the** ~ niedergeschlagen; **mouth organ** *n* Mundharmonika *f*; **mouthpiece** *n* Mundstück *nt*; (*fig*) Sprachrohr *nt*; **mouthwash** *n* Mundwasser *nt*; **mouthwatering** *adj* lecker, appetitlich.

movable [ˈmuːvəbl] *adj* beweglich.

move [muːv] **1.** *n* (*movement*) Bewegung *f*; (*in game*) Zug *m*; (*step*) Schritt *m*; (*of house*) Umzug *m*; **2.** *vt* bewegen; (*object*) rücken; (*people*) transportieren; (*in job*) versetzen; (*emotionally*) bewegen, ergreifen; **3.** *vi* sich bewegen; (*change place*) gehen; (*vehicle, ship*) fahren; (*take action*) etwas unternehmen; (*go to another house*) umziehen; **to ~ sb to do sth** jdn veranlassen, etw zu tun; **to get a ~ on** sich beeilen; **on the ~** in Bewegung; **to ~ house** umziehen; **to ~ closer to** (*o **towards***) **sth** sich einer Sache *dat* nähern; **move about** *vi* sich hin- und herbewegen; (*travel*) unterwegs sein; **move away** *vi* weggehen; (*move house*) wegziehen; **move back** *vi* zurückgehen; (*to the rear*) zurückweichen; **move forward 1.** *vi* vorwärtsgehen, sich vorwärtsbewegen; **2.** *vt* vorschieben; (*time*) vorverlegen; **move in** *vi* (*to house*) einziehen; (*troops*) einrücken; **move on 1.** *vi* weitergehen; **2.** *vt* weitergehen lassen; **move out** *vi* (*of house*) ausziehen; (*troops*) abziehen; **move up 1.** *vi* aufsteigen; (*in job*) befördert werden; **2.** *vt* nach oben bewegen; (*in job*) befördern; (*SCH*) versetzen; **movement** *n* Bewegung *f*; (*MUS*) Satz *m*; (*of clock*) Uhrwerk *nt*.

movie ['mu:vɪ] *n* Film *m*; **the ~s** (*the cinema*) das Kino; **movie camera** *n* Filmkamera *f*.

moving ['mu:vɪŋ] *adj* beweglich; (*force*) treibend; (*touching*) ergreifend.

mow [məʊ] <**mowed, mown** *o* **mowed**> *vt* mähen; **mow down** *vt* (*fig*) niedermähen; **mower** *n* (*machine*) Mähmaschine *f*; (*lawn~*) Rasenmäher *m*; **mown** [məʊn] *pp* of **mow**.

MP *n abbr of* **Member of Parliament** Abgeordnete(r) *mf*.

mph *abbr of* **miles per hour** Meilen pro Stunde.

Mr [mɪstə*] *n abbr of* **mister** Herr.

Mrs ['mɪsɪz] *n abbr of* **mistress** Frau.

Ms [məz] *n* (*form of address for any woman*) Frau.

much [mʌtʃ] **1.** *adj* <**more, most**> viel; **2.** *adv* sehr; viel; **3.** *n* viel, eine Menge; **~ better** viel besser; **~ the same size** so ziemlich gleich groß; **how ~ ?** wieviel?; **too ~** zuviel; **~ to my surprise** zu meiner großen Überraschung; **~ as I should like to** so gern ich möchte.

muck [mʌk] *n* Mist *m*; (*fig*) Schmutz *m*; **muck about 1.** *vi* (*fam*) herumgammeln; (*meddle*) herumalbern; **2.** *vt*: **to ~ sb ~** mit jdm treiben, was man will; **to ~ ~ with** sb etw *dat* herumfummeln; **2. muck up** *vt* (*fam: ruin*) vermasseln; (*dirty*) dreckig machen.

mucus ['mju:kəs] *n* Schleim *m*.

mud [mʌd] *n* Schlamm *m*; (*fig*) Schmutz *m*.

muddle ['mʌdl] **1.** *n* Durcheinander *nt*; **2.** *vt* (*also:* ~ **up**) durcheinanderbringen; **muddle through** *vi* sich durchwursteln.

muddy ['mʌdɪ] *adj* schlammig.

mudguard ['mʌdgɑ:d] *n* Schutzblech *nt*; **mudpack** *n* Moorpackung *f*; **mudslinging** *n* (*fam*) Schlechtmacherei *f*.

muff [mʌf] *n* Muff *m*.

muffin ['mʌfɪn] *n* weiches, flaches Milchbrötchen *n*.

muffle ['mʌfl] *vt* (*sound*) dämpfen; (*wrap up*) einhüllen.

mufti ['mʌftɪ] *n*: **in ~** in Zivil.

mug [mʌg] **1.** *n* (*cup*) Becher *m*; (*fam: face*) Visage *f*; (*fam: fool*) Trottel *m*; **2.** *vt* überfallen und ausrauben; **mugging** *n* Überfall *m*.

muggy ['mʌgɪ] *adj* (*weather*) schwül.

mulatto [mju:'lætəʊ] *n* <**-es**> Mulatte *m*, Mulattin *f*.

mule [mju:l] *n* Maulesel *m*.

mull over [mʌl 'əʊvə*] *vt* nachdenken über + *akk*.

mulled [mʌld] *adj* (*wine*) Glüh-.

multi- ['mʌltɪ] *pref* Multi-, multi-; **multicoloured, multicolored** (*US*) *adj* mehrfarbig; **multi-functional** *adj* multifunktional, Multifunktions-; **multigrade** *adj*: **~ oil** Mehrbereichsöl *nt*; **multilateral** *adj* multilateral; **multinational 1.** *adj* multinational; **2.** *n* (*company*) Multi *m*.

multiple ['mʌltɪpl] **1.** *n* Vielfache(s) *nt*; **2.** *adj* mehrfach; (*many*) mehrere; **multiple-function keyboard** *n* Multifunktionstastatur *f*; **multiple sclerosis** *n* multiple Sklerose *f*; **multiple store** *n* Kaufhauskette *f*.

multiplication [mʌltɪplɪ'keɪʃən] *n* Multiplikation *f*; **multiply** ['mʌltɪplaɪ] **1.** *vt* multiplizieren (*by* mit); **2.** *vi* (*BIO*) sich vermehren.

multiracial ['mʌltɪ'reɪʃəl] *adj* gemischtrassig; **~ policy** Rassenintegration *f*; **multistation** *adj* (*COMPUT*) mehrplatzfähig.

multitude ['mʌltɪtju:d] *n* Menge *f*.

mum [mʌm] **1.** *adj*: **to keep ~** den Mund halten (*about* über + *akk*); **2.** *n* (*fam*) Mutti *f*, Mami *f*.

mumble ['mʌmbl] **1.** *vt*, *vi* murmeln; **2.** *n* Gemurmel *nt*.

mummy ['mʌmɪ] *n* (*dead body*) Mumie *f*; (*fam*) Mami *f*.

mumps [mʌmps] *n sing* Mumps *m*.

munch [mʌntʃ] *vt*, *vi* mampfen.

mundane [mʌn'deɪn] *adj* weltlich; (*fig*) profan.

Munich ['mjuːnɪk] *n* München *nt*.

municipal [mjuː'nɪsɪpəl] *adj* städtisch, Stadt-; **municipality** [mjuːnɪsɪ'pælɪtɪ] *n* Stadt *f* mit Selbstverwaltung.

munificence [mjuː'nɪfɪsns] *n* Freigebigkeit *f*.

munitions [mjuː'nɪʃənz] *n pl* Munition *f*.

mural ['mjʊərəl] *n* Wandgemälde *nt*.

murder ['mɜːdə*] 1. *n* Mord *m*; 2. *vt* ermorden; **it was ~** es war mörderisch; **to get away with ~** (*fig*) sich *dat* alles erlauben können; **murderer** *n* Mörder *m*; **murderess** *n* Mörderin *f*; **murderous** *adj* Mord-; (*fig*) mörderisch.

murk [mɜːk] *n* Dunkelheit *f*; **murky** *adj* finster.

murmur ['mɜːmə*] 1. *n* Murmeln *nt*; (*of water, wind*) Rauschen *nt*; 2. *vt, vi* murmeln; **without a ~** ohne zu murren.

muscle ['mʌsl] *n* Muskel *m*; **muscular** ['mʌskjʊlə*] *adj* Muskel-; (*strong*) muskulös.

muse [mjuːz] *vi* (nach)sinnen.

Muse [mjuːz] *n* Muse *f*.

museum [mjuː'zɪəm] *n* Museum *nt*.

mushroom ['mʌʃruːm] 1. *n* Champignon *m*; (*any edible ~, atomic ~*) Pilz *m*; 2. *vi* (*fig*) emporschießen.

mushy ['mʌʃɪ] *adj* breiig; (*sentimental*) gefühlsduselig.

music ['mjuːzɪk] *n* Musik *f*; (*printed*) Noten *pl*; **musical** 1. *adj* (*sound*) melodisch; (*person*) musikalisch; 2. *n* (*show*) Musical *nt*; **~ box** Spieldose *f*; **to play ~ chairs** die Reise nach Jerusalem spielen; **~ instrument** Musikinstrument *nt*; **musically** *adv* musikalisch; (*sing*) melodisch; **music cassette** *n* Musikkassette *f*; **music hall** *n* (*Brit*) Varieté *nt*; **musician** [mjuː'zɪʃən] *n* Musiker(in *f*) *m*.

Muslim ['mʊslɪm] *adj* mohamedanisch.

mussel ['mʌsl] *n* Miesmuschel *f*.

must [mʌst] **<had to, had to>** 1. *Hilfsverb* müssen; (*in negation*) dürfen; 2. *n* Muß *nt*; **the film is a ~** den Film muß man einfach gesehen haben.

mustache ['mʌstæʃ] *n* (*US*) see **moustache**.

mustard ['mʌstəd] *n* Senf *m*.

muster ['mʌstə*] *vt* (*MIL*) antreten lassen; (*courage*) zusammennehmen.

mustiness ['mʌstɪnəs] *n* Muffigkeit *f*.

mustn't ['mʌsnt] = **must not**.

musty ['mʌstɪ] *adj* muffig.

mute [mjuːt] 1. *adj* stumm; 2. *n* (*person*) Stumme(r) *mf*; (*MUS*) Dämpfer *m*.

mutilate ['mjuːtɪleɪt] *vt* verstümmeln; **mutilation** [mjuːtɪ'leɪʃən] *n* Verstümmelung *f*.

mutiny ['mjuːtɪnɪ] 1. *n* Meuterei *f*; 2. *vi* meutern.

mutter ['mʌtə*] *vt, vi* murmeln.

mutton ['mʌtn] *n* Hammelfleisch *nt*.

mutual ['mjuːtjʊəl] *adj* gegenseitig; beiderseitig; **mutually** *adv* gegenseitig; auf beiden Seiten; für beide Seiten.

muzzle ['mʌzl] 1. *n* (*of animal*) Schnauze *f*; (*for animal*) Maulkorb *m*; (*of gun*) Mündung *f*; 2. *vt* einen Maulkorb anlegen + *dat*.

my [maɪ] *pron* (*adjektivisch*) mein.

myopic [maɪ'ɒpɪk] *adj* kurzsichtig.

myrrh [mɜː*] *n* Myrrhe *f*.

myself [maɪ'self] *pron* mich; **I ~** ich selbst; **I'm not ~** mit mir ist etwas nicht in Ordnung.

mysterious [mɪ'stɪərɪəs] *adj* geheimnisvoll, mysteriös; **mysteriously** *adv* auf unerklärliche Weise.

mystery ['mɪstərɪ] *n* (*secret*) Geheimnis *nt*; (*sth difficult*) Rätsel *nt*.

mystic ['mɪstɪk] 1. *n* Mystiker(in *f*) *m*; 2. *adj* mystisch; **mystical** *adj* mystisch; **mysticism** ['mɪstɪsɪzəm] *n* Mystizismus *m*.

mystification [mɪstɪfɪ'keɪʃən] *n* Verblüffung *f*; **mystify** ['mɪstɪfaɪ] *vt* ein Rätsel sein + *dat*, verblüffen.

mystique [mɪ'stiːk] *n* geheimnisvolle Natur.

myth [mɪθ] *n* Mythos *m*; (*fig*) Märchen *nt*; **mythical** *adj* mythisch, Sagen-; **mythological** [mɪθə'lɒdʒɪkəl] *adj* mythologisch; **mythology** [mɪ'θɒlədʒɪ] *n* Mythologie *f*.

N

N, n [en] *n* N *nt*, n *nt*.

nab [næb] *vt* (*fam*) schnappen.

nadir ['neɪdɪə*] *n* Tiefpunkt *m*.

nag [næg] 1. *n* (*horse*) Gaul *m*; (*person*) Nörgler(in *f*) *m*; 2. *vt, vi* herumnörgeln (*sb an jdm*); **nagging** 1. *adj* (*doubt*) nagend; 2. *n* Nörgelei *f*.

nail [neɪl] 1. *n* Nagel *m*; 2. *vt* nageln; **nail down** *vt* (*also fig*) festnageln; **nailbrush** *n* Nagelbürste *f*; **nailfile** *n* Nagelfeile *f*; **nail polish** *n* Nagellack *m*; **nail polish remover** *n* Nagellackentferner *m*; **nail scissors** *n pl* Nagelschere *f*.

naive *adj*, **naively** *adv* [naɪ'iːv, -lɪ] naiv.

naked ['neɪkɪd] *adj* nackt; **nakedness** *n* Nacktheit *f*.

name [neɪm] **1.** n Name m; (reputation) Ruf m; **2.** vt nennen; (sth new) benennen; (appoint) ernennen; **what's your ~?** wie heißen Sie?; **in the ~ of** im Namen von; (for the sake of) um +gen willen; **name-drop** vi: **he's always ~ping** er wirft immer mit großen Namen um sich; **nameless** adj namenlos; **namely** adv nämlich; **namesake** n Namensvetter m, Namensschwester f.

nanny ['nænɪ] n Kindermädchen nt.

nap [næp] n (sleep) Nickerchen nt; (on cloth) Strich m; **to have a ~** ein Nickerchen machen.

napalm ['neɪpɑ:m] n Napalm nt.

nape [neɪp] n Nacken m.

napkin ['næpkɪn] n (at table) Serviette f; (Brit: for baby) Windel f.

nappy ['næpɪ] n (Brit: for baby) Windel f.

narcissism [nɑː'sɪsɪzəm] n Narzißmus m, Selbstverliebtheit f.

narcotic [nɑː'kɒtɪk] n Betäubungsmittel nt.

narrate [nə'reɪt] vt erzählen; **narration** [nə'reɪʃən] n Erzählung f.

narrative ['nærətɪv] **1.** n Erzählung f; **2.** adj erzählend; **narrator** [nə'reɪtə*] n Erzähler(in f) m.

narrow ['nærəʊ] **1.** adj eng, schmal; (limited) beschränkt; **2.** vi sich verengen; **to ~ sth down** to sth etw auf etw akk einschränken; **narrowly** adv (miss) knapp; (escape) mit knapper Not; **narrow-minded** adj engstirnig.

nasal ['neɪzəl] adj Nasal-.

nastily ['nɑːstɪlɪ] adv böse, schlimm; **nastiness** ['nɑːstɪnəs] n Ekligkeit f; **nasty** adj ekelhaft, fies; (business, wound) schlimm; **to turn ~** gemein werden.

nation ['neɪʃən] n Nation f, Volk nt; **national** ['næʃənl] **1.** adj national, National-, Landes-; **2.** n Staatsangehörige(r) mf; **~ anthem** Nationalhymne f; **~ insurance** (Brit) Sozialversicherung f; **nationalism** ['næʃnəlɪzəm] n Nationalismus m; **nationalist** ['næʃnəlɪst] n Nationalist(in f) m; **2.** adj nationalistisch; **nationality** [næʃə'nælɪtɪ] n Staatsangehörigkeit f, Nationalität f; **nationalization** [næʃnəlaɪ'zeɪʃən] n Verstaatlichung f; **nationalize** ['næʃnəlaɪz] vt verstaatlichen; **nationally** ['næʃnəlɪ] adv national, auf Staatsebene; **nation-wide** adj, adv allgemein, landesweit.

native ['neɪtɪv] **1.** n (born in particular place) Einheimische(r) mf; (original inhabitant) Eingeborene(r) mf; **2.** adj (coming from a certain place) einheimisch; (of the original inhabitants) Eingeborenen-; (of birth) heimatlich, Heimat-; (inborn) angeboren, natürlich; **a ~ of Germany** ein gebürtiger Deutscher, eine gebürtige Deutsche; **~ language** Muttersprache f.

NATO ['neɪtəʊ] n acronym of North Atlantic Treaty Nato f.

natter ['nætə*] vi (fam: chat) quatschen.

natural ['nætʃrəl] adj natürlich; Natur-; (inborn) angeboren; **naturalist** n Naturkundler(in f) m; **naturalize** vt (foreigner) einbürgern, naturalisieren; (plant etc) einführen; **naturally** adv natürlich; **naturalness** n Natürlichkeit f.

nature ['neɪtʃə*] n Natur f; **by ~** von Natur [aus].

naturopath ['neɪtʃərəpæθ] n Heilpraktiker(in f) m.

naught [nɔːt] n Null f.

naughtily ['nɔːtɪlɪ] adv unartig; **naughtiness** ['nɔːtɪnəs] n Unartigkeit f; **naughty** adj (child) unartig, ungezogen; (action) unghörig.

nausea ['nɔːsɪə] n (sickness) Übelkeit f; (disgust) Ekel m; **nauseate** ['nɔːsɪeɪt] vt anekeln; **nauseating** adj ekelerregend; (job) widerlich.

nautical ['nɔːtɪkəl] adj nautisch; See-; (expression) seemännisch.

naval ['neɪvəl] adj Marine-, Flotten-.

nave [neɪv] n Kirchen[haupt]schiff nt.

navel ['neɪvəl] n Nabel m.

navigable ['nævɪgəbl] adj schiffbar.

navigate ['nævɪgeɪt] **1.** vt (ship etc) steuern; **2.** vi (sail) fahren; **navigation** [nævɪ'geɪʃən] n Navigation f; **navigator** ['nævɪgeɪtə*] n Steuermann m; (explorer) Seefahrer(in f) m; (AVIAT) Navigator(in f) m; (AUT) Beifahrer(in f) m.

navvy ['nævɪ] n Straßenarbeiter(in f) m; (on railway) Streckenarbeiter(in f) m.

navy ['neɪvɪ] n [Kriegs]marine f; **navy-blue** adj marineblau.

NB abbr of nota bene NB.

neap [niːp] adj: **~ tide** Nippflut f.

near [nɪə*] **1.** adj nah[e]; **2.** adv in der Nähe; **3.** prep (also: **~ to**) (space) in der Nähe +gen; (time) um +akk... herum; **4.** vt sich nähern +dat; **~ at hand** nicht weit weg; **the holidays are ~** es sind bald Ferien; **a ~ miss** knapp daneben; **a ~ thing** knapp; **to come ~er** näher kommen; (time) näher rücken; **nearby 1.** adj nah[gelegen]; **2.** adv in der Nähe; **nearly** adv fast; **nearness** n Nähe f; **nearside** **1.** n (AUT) Beifahrerseite f; **2.** adj auf der Beifahrerseite.

neat adj, **neatly** adv ['niːt, -lɪ] (tidy) ordentlich; (clever) treffend; (solution) sauber; (pure) unverdünnt, rein; **neatness** n Ordentlichkeit f, Sauberkeit f.

nebulous ['nebjʊləs] adj nebelhaft, verschwommen.

necessarily ['nesəsərəlı] *adv* unbedingt; notwendigerweise.

necessary ['nesəsərı] *adj* notwendig, nötig.

necessitate [nı'sesıteıt] *vt* erforderlich machen.

necessity [nı'sesıtı] *n* (*need*) Not *f*; (*compulsion*) Notwendigkeit *f*; **in case of ~** im Notfall; **necessities of life** *pl* Bedürfnisse *pl* des Lebens.

neck [nek] *n* Hals *m*; **~ and ~** Kopf an Kopf; **necklace** ['neklıs] *n* Halskette *f*; **neckline** *n* Ausschnitt *m*; **necktie** *n* (*US*) Krawatte *f*.

nectar ['nektə*] *n* Nektar *m*.

nectarine ['nektərın] *n* Nektarine *f*.

née [neı] *adj* geborene.

need [niːd] **1.** *n* Bedarf *m* (*for* an + *dat*), Bedürfnis *nt* (*for* für); (*want*) Mangel *m*; (*necessity*) Notwendigkeit *f*; (*poverty*) Not *f*; **2.** *vt* brauchen; **to ~ to do** tun müssen; **if ~ be** wenn nötig; **to be in ~ of sth** etw brauchen; **there is no ~ for you to come** du brauchst nicht [zu] kommen; **there's no ~** es ist nicht nötig.

needle ['niːdl] *n* Nadel *f*.

needless *adj*, **needlessly** *adv* ['niːdlıs, -lı] unnötig.

needlework ['niːdlwɜːk] *n* Handarbeit *f*.

needy ['niːdı] *adj* bedürftig.

negation [nı'geıʃən] *n* Verneinung *f*.

negative ['negətıv] **1.** *n* (*FOT*) Negativ *nt*; **2.** *adj* negativ; (*answer*) abschlägig.

neglect [nı'glekt] **1.** *vt* (*leave undone*) versäumen; (*take no care of*) vernachlässigen; **2.** *n* Vernachlässigung *f*; **in a state of ~** verwahrlost.

negligence ['neglıdʒəns] *n* Nachlässigkeit *f*; **negligent** *adj*, **negligently** *adv* nachlässig, unachtsam.

negligible ['neglıdʒəbl] *adj* unbedeutend, geringfügig.

negotiable [nı'gəuʃıəbl] *adj* (*cheque*) übertragbar.

negotiate [nı'gəuʃıeıt] **1.** *vi* verhandeln; **2.** *vt* (*treaty*) abschließen, aushandeln; (*difficulty*) überwinden; (*corner*) nehmen; **negotiation** [nıgəuʃı'eıʃən] *n* Verhandlung *f*; **negotiator** [nı'gəuʃıeıtə*] *n* Unterhändler(in *f*) *m*.

Negress ['niːgrıs] *n* Negerin *f*.

Negro ['niːgrəu] **1.** *n* <**-es**> Neger *m*; **2.** *adj* Neger-.

neighbour, neighbor (*US*) ['neıbə*] *n* Nachbar(in *f*) *m*; **neighbourhood** *n* Nachbarschaft *f*, Umgebung *f*; **neighbouring** *adj* benachbart, angrenzend; **neighbourly** *adv* freundlich, gutnachbarschaftlich.

neither ['naıðə*] **1.** *adj*, *pron* keine(r, s) [von beiden]; **2.** *conj* weder; **he can't do it, and ~ can I** er kann es nicht und ich auch nicht.

neo- ['niːəu] *pref* neo-.

neon ['niːɒn] *n* Neon *nt*; **~ light** Neonlicht *nt*.

nephew ['nefjuː] *n* Neffe *m*.

nerve [nɜːv] *n* Nerv *m*; (*courage*) Mut *m*; (*impudence*) Frechheit *f*; **nerve-racking** *adj* nervenaufreibend; **nervous** ['nɜːvəs] *adj* (*of the nerves*) Nerven-; (*timid*) nervös, ängstlich; **~ breakdown** Nervenzusammenbruch *m*; **nervously** *adv* nervös; **nervousness** *n* Nervosität *f*.

nest [nest] *n* Nest *nt*.

nestle ['nesl] *vi* sich kuscheln; (*village*) sich schmiegen.

net [net] **1.** *n* Netz *nt*; **2.** *adj* (*also:* **nett**) netto, Netto-, Rein-; **netball** *n* Netzball *m*; **net curtain** *n* Store *m*.

Netherlands ['neðələndz] *n pl* Niederlande *pl*.

netting ['netıŋ] *n* Netz[werk] *nt*, Drahtgeflecht *nt*.

network ['netwɜːk] *n* Netz *nt*; (*COMPUT*) Netzwerk *nt*; **networked** *adj* vernetzt; **networking** *n* Vernetzung *f*.

neurosis [njuə'rəusıs] *n* Neurose *f*; **neurotic** [njuə'rɒtık] **1.** *adj* neurotisch; **2.** *n* Neurotiker(in *f*) *m*.

neuter ['njuːtə*] **1.** *adj* (*BIO*) geschlechtslos; (*LING*) sächlich; **2.** *n* (*BIO*) kastriertes Tier; (*LING*) Neutrum *nt*.

neutral ['njuːtrəl] *adj* neutral; **neutrality** [nju:'trælıtı] *n* Neutralität *f*.

neutron ['njuːtrɒn] *n* Neutron *nt*; **neutron bomb** *n* Neutronenbombe *f*.

never ['nevə*] *adv* nie[mals]; **well I ~** na so was; **never-ending** *adj* endlos; **nevertheless** [nevəðə'les] *adv* trotzdem, dennoch.

new [njuː] *adj* neu; **they are still ~ to the work** die Arbeit ist ihnen noch neu; **~ from** frisch aus (*o* von); **newborn** *adj* neugeboren; **newcomer** *n* Neuankömmling *m*; **newly** *adv* frisch, neu; **new moon** *n* Neumond *m*; **newness** *n* Neuheit *f*.

news [njuːz] *n sing* Nachricht *f*; (*RADIO, TV*) Nachrichten *pl*; **news agency** *n* Nachrichtenagentur *f*; **newsagent** *n* Zeitungshändler(in *f*) *m*; **news flash** *n* Kurzmeldung *f*; **newsletter** *n* Rundschreiben *nt*; **newspaper** *n* Zeitung *f*; **newsreel** *n* Wochenschau *f*.

newt [njuːt] *n* Wassermolch *m*; **as drunk as a ~** sturzbesoffen.

New Year ['njuː'jıə*] *n* Neujahr *nt*; **~'s**

Day Neujahrstag *m*; ~ **'s Eve** Silvester[abend *m*] *nt*.
New York [nju:'jɔːk] *n* New York *nt*.
New Zealand [nju:'ziːlənd] **1.** *n* Neuseeland *nt*; **2.** *adj* neuseeländisch; **New Zealander** *n* Neuseeländer(in *f*) *m*.
next [nekst] **1.** *adj* nächste(r, s); **2.** *adv* (*after*) dann, darauf; (*next time*) das nächstemal; **3.** *prep*: ~ **to** [gleich] neben + *dat*; ~ **to nothing** so gut wie nichts; **to do sth** ~ etw als nächstes tun; **what** ~ ? was denn noch [alles]?; **the** ~ **day** am nächsten (*o* folgenden) Tag; ~ **door** nebenan; ~ **year** nächstes Jahr; ~ **of kin** Familienangehörige(r) *mf*.
Niagara Falls [naɪ'ægrə'fɔːlz] *n pl* Niagarafälle *pl*.
nib [nɪb] *n* Spitze *f*.
nibble ['nɪbl] *vt* knabbern an + *dat*.
Nicaragua [nɪkə'rægjuə] *n* Nicaragua *nt*; **Nicaraguan 1.** *adj* nicaraguanisch; **2.** *n* Nicaraguaner(in *f*) *m*.
nice [naɪs] *adj* hübsch, nett, schön; (*subtle*) fein; **nice-looking** *adj* hübsch, gutaussehend; **nicely** *adv* gut, fein, nett.
nick [nɪk] *n* Einkerbung *f*; **in the** ~ **of time** gerade rechtzeitig.
nickel ['nɪkl] *n* Nickel *nt*; (*US*) Nickel *m* (*5 cents*).
nickname ['nɪkneɪm] *n* Spitzname *m*.
nicotine ['nɪkətiːn] *n* Nikotin *nt*.
niece [niːs] *n* Nichte *f*.
Nielsen rating ['niːlsənreɪtɪŋ] *n* (*US*) Einschaltquote *f*.
niggardly ['nɪgədlɪ] *adj* schäbig; (*person*) geizig.
niggling ['nɪglɪŋ] *adj* pedantisch; (*doubt, worry*) quälend; (*detail*) kleinlich.
night [naɪt] *n* Nacht *f*; (*evening*) Abend *m*; **good** ~ ! gute Nacht!; **at** (*o* **by**) ~ nachts; abends; **nightcap** *n* (*drink*) Schlummertrunk *m*; **nightclub** *n* Nachtlokal *nt*, Bar *f*; **nightdress** *n* Nachthemd *nt*; **nightfall** *n* Einbruch *m* der Nacht.
nightie ['naɪtɪ] *n* (*fam*) Nachthemd *nt*.
nightingale ['naɪtɪŋgeɪl] *n* Nachtigall *f*.
night life ['naɪtlaɪf] *n* Nachtleben *nt*; **nightly** *adv* jeden Abend; jede Nacht; **nightmare** ['naɪtmeə'] *n* Alptraum *m*; **night school** *n* Abendschule *f*; **night-time** *n* Nacht *f*; **at** ~ nachts; **night watchman** *n* <-men> Nachtwächter *m*.
nil [nɪl] *n* Nichts *nt*, Null *f*; (*SPORT*) null.
Nile [naɪl] *n* Nil *m*.
nimble ['nɪmbl] *adj* behend[e], flink; (*mind*) beweglich; **nimbly** *adv* flink.
nine [naɪn] *num* neun.
nineteen [naɪn'tiːn] *num* neunzehn.

ninety ['naɪntɪ] *num* neunzig.
ninth [naɪnθ] **1.** *adj* neunte(r, s); **2.** *adv* an neunter Stelle; **3.** *n* (*person*) Neunte(r) *mf*; (*part*) Neuntel *nt*.
nip [nɪp] *vt* kneifen.
nipple ['nɪpl] *n* Brustwarze *f*.
nippy ['nɪpɪ] *adj* (*fam: person*) flink; (*car*) flott; (*cold*) frisch.
nit [nɪt] *n* Nisse *f*.
nitrogen ['naɪtrədʒən] *n* Stickstoff *m*; **nitrogen oxide** *n* Stickoxid *nt*.
no [nəʊ] **1.** *adj* kein; **2.** *adv* nein; **3.** *n* <-es> Nein *nt*; ~ **further** nicht weiter; ~ **more time** keine Zeit mehr; **in** ~ **time** schnell.
nobility [nəʊ'bɪlɪtɪ] *n* Adel *m*; **the** ~ **of this deed** diese edle Tat.
noble ['nəʊbl] **1.** *adj* (*rank*) adlig; (*splendid*) nobel, edel; **2.** *n* Adlige(r) *mf*; **nobleman** *n* <-men> Edelmann *m*, Adlige(r) *m*; **noblewoman** *n* <-women> Adlige *f*; **nobly** ['nəʊblɪ] *adv* edel, großmütig.
nobody ['nəʊbədɪ] **1.** *pron* niemand, keiner; **2.** *n* Niemand *m*.
no-claims bonus [nəʊ'kleɪmzbəʊnəs] *n* Bonus *m*, Schadenfreiheitsrabatt *m*.
nod [nɒd] *vi* nicken; **nod off** *vi* einnicken.
noise [nɔɪz] *n* (*sound*) Geräusch *nt*; (*unpleasant, loud*) Lärm *m*; **noisily** ['nɔɪzɪlɪ] *adv* lärmend, laut; **noise prevention** *n* Lärmschutz *m*; **noise reducer** *n* (*COMPUT*) Schallschluckhaube *f*; **noisy** *adj* laut; (*crowd*) lärmend.
nomad ['nəʊmæd] *n* Nomade *m*, Nomadin *f*; **nomadic** [nəʊ'mædɪk] *adj* nomadisch.
no-man's land ['nəʊmænzlænd] *n* Niemandsland *nt*.
nominal ['nɒmɪnl] *adj* nominell; (*LING*) Nominal-.
nominate ['nɒmɪneɪt] *vt* (*suggest*) vorschlagen; (*in election*) aufstellen; (*appoint*) ernennen; **nomination** [nɒmɪ'neɪʃən] *n* (*election*) Nominierung *f*; (*appointment*) Ernennung *f*.
nominative ['nɒmɪnətɪv] *n* Nominativ *m*, erster Fall.
nominee [nɒmɪ'niː] *n* Kandidat(in *f*) *m*.
non- [nɒn] *pref* Nicht-, un-; **non-alcoholic** *adj* alkoholfrei.
nonchalant ['nɒnʃələnt] *adj* lässig.
nondescript ['nɒndɪskrɪpt] *adj* mittelmäßig.
none [nʌn] **1.** *adj, pron* kein(e, er, es); **2.** *adv*: ~ **the wiser** keineswegs klüger; ~ **of your cheek!** sei nicht so frech!
nonentity [nɒ'nentɪtɪ] *n* Null *f*.
nonetheless [nʌnðə'les] *adv* nichtsdestoweniger.

non-fiction [nɒnˈfɪkʃən] n Sachbücher pl.

nonplussed [nɒnˈplʌst] adj verdutzt.

nonprint [nɒnˈprɪnt] adj nicht in Buchform.

nonsense [ˈnɒnsəns] n Unsinn m.

non-stop [nɒnˈstɒp] adj pausenlos, Nonstop-.

noodles [ˈnuːdlz] n pl Nudeln pl.

nook [nʊk] n Winkel m, Eckchen nt.

noon [nuːn] n Mittag m.

no one [ˈnəʊwʌn] pron see **nobody**.

noose [nuːs] n Schlinge f.

norm [nɔːm] n Norm f, Regel f.

normal [ˈnɔːməl] adj normal; **normally** adv normal; (usually) normalerweise.

north [nɔːθ] **1.** n Norden m; **2.** adj nördlich, Nord-; **3.** adv nach Norden; ~ of nördlich von; **North America** n Nordamerika nt; **northerly** [ˈnɔːðəlɪ] adj nördlich; **northern** [ˈnɔːðən] adj nördlich; **Northern Ireland** n Nordirland nt; **North Sea** n Nordsee f; **northwards** adv nach Norden.

Norway [ˈnɔːweɪ] n Norwegen nt; **Norwegian** [nɔːˈwiːdʒən] **1.** adj norwegisch; **2.** n Norweger(in f) m.

no[s] abbr of **number[s]** Nummer[n], Nr.

nose [nəʊz] n Nase f; **nosebleed** n Nasenbluten nt; **nose-dive** n Sturzflug m.

nosey [ˈnəʊzɪ] adj neugierig.

nostalgia [nɒˈstældʒɪə] n Sehnsucht f, Nostalgie f; **nostalgic** adj wehmütig, nostalgisch.

nostril [ˈnɒstrɪl] n Nasenloch nt; (of animal) Nüster f.

not [nɒt] adv nicht; **he is ~ an expert** er ist kein Experte; **~ at all** keineswegs; (don't mention it) gern geschehen.

notable [ˈnəʊtəbl] adj bemerkenswert; **notably** adv (especially) besonders; (noticeably) bemerkenswert.

notch [nɒtʃ] n Kerbe f, Einschnitt m.

note [nəʊt] **1.** n (MUS) Note f, Ton m; (short letter) Nachricht f; (POL) Note f; (comment, attention) Notiz f; (of lecture etc) Aufzeichnung f; (bank~) Schein m; (fame) Ruf m, Ansehen nt; **2.** vt (observe) bemerken; (write down) notieren; **to take ~s of** sich dat Notizen machen über + akk; **notebook** n Notizbuch nt; **note-case** n Brieftasche f; **noted** adj bekannt; **notepaper** n Briefpapier nt.

nothing [ˈnʌθɪŋ] n nichts; **for ~** umsonst; **it is ~ to me** es bedeutet mir nichts.

notice [ˈnəʊtɪs] **1.** n (announcement) Anzeige f, Bekanntmachung f; (attention) Beachtung f; (warning) Ankündigung f; (dismissal) Kündigung f; **2.** vt bemerken; **to take ~ of** beachten; **to bring sth to sb's ~** jdn auf etw akk aufmerksam machen; **take no ~ !** kümmere dich nicht darum!; **noticeable** adj merklich; **notice board** n Anschlagtafel f.

notification [nəʊtɪfɪˈkeɪʃən] n Benachrichtigung f.

notify [ˈnəʊtɪfaɪ] vt benachrichtigen.

notion [ˈnəʊʃən] n (idea) Vorstellung f, Idee f; (fancy) Lust f.

notorious [nəʊˈtɔːrɪəs] adj berüchtigt.

notwithstanding [nɒtwɪðˈstændɪŋ] **1.** adv trotzdem; **2.** prep trotz.

nougat [ˈnuːgɑː] n weißer Nougat.

nought [nɔːt] n Null f.

noun [naʊn] n Hauptwort nt, Substantiv nt.

nourish [ˈnʌrɪʃ] vt nähren; **nourishing** adj nahrhaft; **nourishment** n Nahrung f.

novel [ˈnɒvəl] **1.** n Roman m; **2.** adj neu[artig]; **novelist** n Schriftsteller(in f) m; **novelty** n Neuheit f.

November [nəʊˈvembə*] n November m; **~ 9th, 1969, 9th ~ 1969** (Datumsangabe) 9. November 1969; **on the 9th of ~** (gesprochen) am 9. November; **on 9th ~, on ~ 9th** (geschrieben) am 9. November; **in ~** im November.

novice [ˈnɒvɪs] n Neuling m; (REL) Novize m, Novizin f.

now [naʊ] adv jetzt; **right ~** jetzt, gerade; **do it right ~** tun Sie es sofort; **~ and then, ~ and again** ab und zu, manchmal; **~, ~** na, na; **~ ...** (o then) bald ... bald, mal ... mal; **nowadays** adv heutzutage.

nowhere [ˈnəʊwɛə*] adv nirgends.

nozzle [ˈnɒzl] n Düse f.

nuclear [ˈnjuːklɪə*] adj (energy etc) Atom-, Kern-; **~ power** Kernkraft f, Atomkraft f; **~ power station** Atomkraftwerk nt, Kernkraftwerk nt; **~ winter** nuklearer Winter; **nuclear-free** adj atomwaffenfrei.

nucleus [ˈnjuːklɪəs] n [ˈnjuːklɪaɪ] < **nuclei** > Kern m.

nude [njuːd] **1.** adj nackt; **2.** n (person) Nackte(r) mf; (ART) Akt m; **in the ~** nackt.

nudge [nʌdʒ] vt leicht anstoßen.

nudist [ˈnjuːdɪst] n Nudist(in f) m, FKK-Anhänger(in f) m; **nudist beach** n FKK-Strand m.

nudity [ˈnjuːdɪtɪ] n Nacktheit f.

nuisance [ˈnjuːsns] n Ärgernis nt; **that's a ~** das ist ärgerlich; **he's a ~** er geht einem auf die Nerven.

nuke [njuːk] (esp US) **1.** n (fam) Kernkraftwerk nt, Atomkraft nt; (bomb) Atombombe f; **2.** vt (fam) eine Atombombe werfen auf + *akk.*

null [nʌl] *adj:* ~ **and void** null und nichtig; **nullify** *vt* für null und nichtig erklären.

numb [nʌm] **1.** *adj* taub, gefühllos; **2.** *vt* betäuben.

number ['nʌmbə*] **1.** *n* Nummer *f;* (*numeral also*) Zahl *f;* (*quantity*) [An]zahl *f;* (*LING*) Numerus *m;* (*of magazine also*) Ausgabe *f;* **2.** *vt* (*give a number to*) numerieren; (*amount to*) sein; **his days are** ~ **ed** seine Tage sind gezählt; ~ **ed account** Nummernkonto *nt;* **number plate** (*Brit AUT*) Nummernschild *nt.*

numbness ['nʌmnəs] *n* Gefühllosigkeit *f.*

numbskull ['nʌmskʌl] *n* Idiot(in *f*) *m.*

numeral ['njuːmərəl] *n* Ziffer *f.*

numerical [njuːˈmerɪkəl] *adj* numerisch; (*order*) zahlenmäßig.

numerous ['njuːmərəs] *adj* zahlreich.

nun [nʌn] *n* Nonne *f.*

nurse [nɜːs] *n* **I.** Krankenschwester *f;* (*male* ~) Krankenpfleger *m;* (*for children*) Kindermädchen *nt;* **2.** *vt* (*patient*) pflegen; (*doubt etc*) hegen; **nursery** *n* (*for children*) Kinderzimmer *nt;* (*for plants*) Gärtnerei *f;* (*for trees*) Baumschule *f;* ~ **rhyme** Kinderreim *m;* ~ **school** Kindergarten *m;* **nursing** *n* (*profession*) Krankenpflege *f;* ~ **home** Privatklinik *f.*

nut [nʌt] *n* Nuß *f;* (*screw*) Schraubenmutter *f,* (*fam*) Verrückte(r) *mf; see also* **nuts**; **nutcase** *n* (*fam*) Verrückte(r) *mf;* **nutcrackers** *n pl* Nußknacker *m.*

nutmeg ['nʌtmeg] *n* Muskat[nuß *f*] *m.*

nutrient ['njuːtrɪənt] *n* Nährstoff *m;* **nutrition** [njuːˈtrɪʃən] *n* Nahrung *f;* **nutritious** [njuːˈtrɪʃəs] *adj* nahrhaft.

nuts [nʌts] *adj* (*fam: crazy*) verrückt.

nutshell ['nʌtʃel] *n:* **in a** ~ in aller Kürze.

nylon ['naɪlɒn] **1.** *n* Nylon *nt;* **2.** *adj* Nylon-.

O

O, o [əʊ] *n* O *nt,* o *nt;* (*TEL*) Null *f; see also* **oh**.

oaf [əʊf] *n* < -**s** *o* **oaves** > Trottel *m.*

oak [əʊk] **1.** *n* Eiche *f;* **2.** *adj* Eichen[holz]-.

oar [ɔː*] *n* Ruder *nt.*

oasis [əʊˈeɪsɪs] *n* Oase *f.*

oath [əʊθ] *n* (*statement*) Eid *m,* Schwur *m;* (*swearword*) Fluch *m.*

oatmeal ['əʊtmiːl] *n* Haferschrot *m.*

oats [əʊts] *n pl* Hafer *m;* (*GASTR*) Haferflocken *pl.*

obedience [əˈbiːdɪəns] *n* Gehorsam *m;* **obedient** *adj* gehorsam, folgsam.

obelisk ['ɒbəlɪsk] *n* Obelisk *m.*

obesity [əʊˈbiːsɪtɪ] *n* Korpulenz *f,* Fettleibigkeit *f.*

obey [əˈbeɪ] *vt, vi* gehorchen + *dat,* folgen + *dat.*

obituary [əˈbɪtjʊərɪ] *n* Nachruf *m.*

object ['ɒbdʒɪkt] **1.** *n* (*thing*) Gegenstand *m,* Objekt *nt;* (*of feeling etc*) Gegenstand *m;* (*purpose*) Ziel *nt;* (*LING*) Objekt *nt;* **2.** [əbˈdʒekt] *vi* dagegen sein, Einwände haben (*to* gegen); (*morally*) Anstoß nehmen (*to* an + *dat*); **objection** [əbˈdʒekʃən] *n* (*reason against*) Einwand *m,* Einspruch *m;* (*dislike*) Abneigung *f;* **objectionable** [əbˈdʒekʃnəbl] *adj* nicht einwandfrei; (*language*) anstößig.

objective [əbˈdʒektɪv] **1.** *n* Ziel *nt;* **2.** *adj* objektiv; **objectively** *adv* objektiv; **objectivity** [ɒbdʒɪkˈtɪvɪtɪ] *n* Objektivität *f.*

objector [əbˈdʒektə*] *n* Gegner(in *f*) *m.*

obligation [ɒblɪˈgeɪʃən] *n* (*duty*) Pflicht *f;* (*promise*) Verpflichtung *f;* **no** ~ unverbindlich; **to be under an** ~ verpflichtet sein.

obligatory [əˈblɪgətərɪ] *adj* bindend, obligatorisch; **it is** ~ **to...** es ist Pflicht, zu...

oblige [əˈblaɪdʒ] *vt* (*compel*) zwingen; (*do a favour*) einen Gefallen tun + *dat;* (*you are not* ~ **d** *to do it* Sie sind nicht verpflichtet, es zu tun; **much** ~ **d** herzlichen Dank; **obliging** *adj* entgegenkommend.

oblique [əˈbliːk] **1.** *adj* schräg, schief; **2.** *n* Schrägstrich *m.*

obliterate [əˈblɪtəreɪt] *vt* auslöschen.

oblivion [əˈblɪvɪən] *n* Vergessenheit *f.*

oblivious [əˈblɪvɪəs] *adj* nicht bewußt (*of gen*); **he was** ~ **of it** er hatte es nicht bemerkt.

oblong ['ɒblɒŋ] **1.** *n* Rechteck *nt;* **2.** *adj* länglich.

obnoxious [əbˈnɒkʃəs] *adj* abscheulich, widerlich.

oboe ['əʊbəʊ] *n* Oboe *f.*

obscene [əbˈsiːn] *adj* obszön, unanständig; **obscenity** [əbˈsenɪtɪ] *n* Obszönität *f;* **obscenities** *pl* Zoten *pl.*

obscure [əbˈskjʊə*] **1.** *adj* unklar; (*indistinct*) undeutlich; (*unknown*) unbekannt, obskur; (*dark*) düster; **2.** *vt* verdunkeln; (*view*) verbergen; (*confuse*) verwirren; **obscurity** [əbˈskjʊərɪtɪ] *n* Unklarheit *f,* (*being unknown*) Verborgenheit *f;* (*darkness*) Dunkelheit *f.*

obsequious [əbˈsiːkwɪəs] *adj* servil.

observable [əbˈzɜːvəbl] *adj* wahrnehmbar, sichtlich.

observance [əbˈzɜːvəns] n Befolgung f.

observant [əbˈzɜːvənt] adj aufmerksam.

observation [ɒbzəˈveɪʃən] n (noticing) Beobachtung f; (surveillance) Überwachung f; (remark) Bemerkung f.

observatory [əbˈzɜːvətrɪ] n Sternwarte f, Observatorium nt.

observe [əbˈzɜːv] vt (notice) bemerken; (watch) beobachten; (customs) einhalten; **observer** n Beobachter(in f) m.

obsess [əbˈses] vt verfolgen, quälen; **to be ~ ed with an idea** von einem Gedanken besessen sein; **obsession** [əbˈseʃən] n Besessenheit f, Wahn m; **obsessive** adj krankhaft.

obsolescence [ɒbsəˈlesns] n Veralten nt; **obsolescent** adj veraltend.

obsolete [ˈɒbsəliːt] adj überholt, veraltet.

obstacle [ˈɒbstəkl] n Hindernis nt; ~ **race** Hindernisrennen nt.

obstetrics [ɒbˈstetrɪks] n sing Geburtshilfe f.

obstinacy [ˈɒbstɪnəsɪ] n Hartnäckigkeit f, Sturheit f; **obstinate** adj, **obstinately** adv [ˈɒbstɪnət, -lɪ] hartnäckig, stur.

obstreperous [əbˈstrepərəs] adj aufmüpfig.

obstruct [əbˈstrʌkt] vt versperren; (pipe) verstopfen; (hinder) hemmen; **obstruction** [əbˈstrʌkʃən] n Versperrung f, Verstopfung f; (obstacle) Hindernis nt; **obstructive** adj behindernd.

obtain [əbˈteɪn] vt erhalten, bekommen; (result) erzielen; **obtainable** adj erhältlich.

obtrusive [əbˈtruːsɪv] adj aufdringlich.

obtuse [əbˈtjuːs] adj begriffsstutzig; (angle) stumpf.

obviate [ˈɒbvɪeɪt] vt beseitigen; (danger) abwenden.

obvious [ˈɒbvɪəs] adj offenbar, offensichtlich; **obviously** adv offensichtlich.

occasion [əˈkeɪʒən] **1.** n Gelegenheit f; (special event) großes Ereignis; (reason) Grund m, Anlaß m; **2.** vt veranlassen; **on ~** gelegentlich; **occasional** adj, **occasionally** adv gelegentlich; **very occasionally** sehr selten.

occult [ɒˈkʌlt] **1.** n: **the ~** der Okkultismus; **2.** adj okkult.

occupant [ˈɒkjupənt] n Inhaber(in f) m; (of house etc) Bewohner(in f) m.

occupation [ɒkjuˈpeɪʃən] n (employment) Tätigkeit f, Beruf m; (pastime) Beschäftigung f; (of country) Besetzung f, Okkupation f; **occupational** adj (hazard) Berufs-; (therapy) Beschäftigungs-.

occupier [ˈɒkjupaɪə*] n Bewohner(in f) m.

occupy [ˈɒkjupaɪ] vt (take possession of) besetzen; (seat) belegen; (live in) bewohnen; (position, office) bekleiden; (position in sb's life) einnehmen; (time) beanspruchen; (mind) beschäftigen.

occur [əˈkɜː*] vi (happen) vorkommen, geschehen; (appear) vorkommen; (come to mind) einfallen (to sb jdm); **occurrence** [əˈkʌrəns] n (event) Ereignis nt; (appearing) Auftreten nt.

ocean [ˈəuʃən] n Ozean m, Meer nt; **ocean-going** adj Hochsee-.

ochre [ˈəukə*] n Ocker m o nt.

o'clock [əˈklɒk] adv: **it is 5 ~** es ist 5 Uhr.

OCR abbr of **optical character recognition/reader** OCR f, optische Zeichenerkennung; (reader) OCR-Lesegerät nt; **OCR font** n OCR-Schrift f.

octagonal [ɒkˈtægənl] adj achteckig.

octane [ˈɒkteɪn] n Oktan nt.

octave [ˈɒktɪv] n Oktave f.

October [ɒkˈtəubə*] n Oktober m; ~ **3rd, 1980, 3rd ~ 1980** (Datumsangabe) 3. Oktober 1980; **on the 3rd of ~** (gesprochen) am 3. Oktober; **on 3rd ~, on ~ 3rd** (geschrieben) am 3. Oktober; **in ~** im Oktober.

octopus [ˈɒktəpəs] n Krake m; (small) Tintenfisch m.

oculist [ˈɒkjulɪst] n Augenarzt(-ärztin f) m.

odd [ɒd] adj (strange) sonderbar; (not even) ungerade; (the other part missing) einzeln; (about) ungefähr; (surplus) übrig; (casual) Gelegenheits-, zeitweilig; **oddity** n (strangeness) Merkwürdigkeit f; (queer person) seltsamer Kauz; (thing) Kuriosität f; **oddly** adv seltsam; ~ **enough** merkwürdigerweise; **oddment** n Rest m, Einzelstück nt; **odds** n pl Chancen pl; (in betting) Gewinnchancen pl; **it makes no ~** es spielt keine Rolle; **at ~** uneinig; ~ **and ends** Reste pl, Krimskrams m.

ode [əud] n Ode f.

odious [ˈəudɪəs] adj verhaßt; (action) abscheulich.

odometer [əuˈdɒmɪtə*] n (esp US) Kilometerzähler m.

odour, odor (US) [ˈəudə*] n Geruch m; **odourless** adj geruchlos.

of [ɒv, əv] prep von; (indicating material) aus; **the third ~ May** der dritte Mai; **within a month ~** his death ein Monat nach seinem Tod; **a girl ~ ten** ein zehnjähriges Mädchen; **fear ~ God** Gottesfurcht f; **love ~ money** Liebe f zum Geld; **the six ~ us** wir sechs.

off [ɒf] **1.** adv (absent) weg, fort; (switch)

aus[geschaltet], abgeschaltet; (*milk*) sauer; **2.** *prep* von; (*distant from*) ab[gelegen] von; **3%** ~ 3% Nachlaß (*on* Abzug); **just** ~ **Piccadilly** gleich bei Piccadilly; **I'm** ~ ich gehe jetzt; **I'm** ~ **smoking** ich rauche nicht mehr; **the button's** ~ der Knopf ist ab; **to be well-/badly-** ~ reich-/arm sein.

offal ['ɔfəl] *n* Innereien *pl.*

off-colour ['ɔf'kʌlə*] *adj* nicht wohl.

offence, offense (*US*) [ə'fens] *n* (*crime*) Vergehen *nt*, Straftat *f*; (*insult*) Beleidigung *f.*

offend [ə'fend] *vt* beleidigen; **offender** *n* Rechtsbrecher(in *f*) *m*; **offending** *adj* verletzend.

offensive [ə'fensɪv] **1.** *adj* (*unpleasant*) übel, abstoßend; (*weapon*) Kampf-; (*remark*) verletzend; **2.** *n* Angriff *m*, Offensive *f.*

offer ['ɔfə*] **1.** *n* Angebot *nt*; **2.** *vt* anbieten; (*reward*) aussetzen; (*opinion*) äußern; (*resistance*) leisten; **on** ~ zum Verkauf angeboten; **offering** *n* Gabe *f*; (*collection*) Kollekte *f.*

offhand [ɔf'hænd] **1.** *adj* lässig; **2.** *adv* ohne weiteres.

office ['ɔfɪs] *n* Büro *nt*; (*position*) Amt *nt*; (*duty*) Aufgabe *f*; (*REL*) Gottesdienst *m*; **office automation** *n* Büroautomation *f*, Bürokommunikation *f*; **office block** *n* Büro[hoch]haus *nt*; **office boy** *n* Laufjunge *m*; **office hours** *n pl* Geschäftszeiten *pl.*

officer ['ɔfɪsə*] *n* (*MIL*) Offizier(in *f*) *m*; (*police* ~) Polizist(in *f*) *m*; (*public* ~) Beamte(r) *m im* öffentlichen Dienst.

office work *n* Büroarbeit *f*; **office worker** *n* Büroangestellte(r) *mf.*

official [ə'fɪʃəl] **1.** *adj* offiziell, amtlich; **2.** *n* Beamte(r) *m*, Beamtin *f*; (*POL*) amtlicher Sprecher, amtliche Sprecherin; (*of club etc*) Funktionär(in *f*) *m*, Offizielle(r) *mf*; **officially** *adv* offiziell.

officious [ə'fɪʃəs] *adj* dienstbeflissen.

offing ['ɔfɪŋ] *n*: **in the** ~ in [Aus]sicht.

off-licence ['ɔflaɪsəns] *n* Wein- und Spirituosenhandlung *f*; **off-line** *adj* (*COMPUT*) Off-line- (*getrennt von der Anlage arbeitend*); ~ **mode** Off-line-Betrieb *m*; **off-peak** *adj* (*heating*) Speicher-; (*charges*) verbilligt; **off-season** *adj* außerhalb der Saison.

offset ['ɔfset] *irr vt* ausgleichen.

offshore ['ɔfʃɔ:*] *adj* küstennah, Küsten-; (*oil rig*) im Meer.

offside ['ɔf'saɪd] **1.** *adj* (*SPORT*) im Abseits stehend; **2.** *adv* abseits; **3.** *n* (*AUT*) Fahrerseite *f*; (*SPORT*) Abseits *nt.*

offspring ['ɔfsprɪŋ] *n* Nachkommen-

schaft *f*; (*one*) Sprößling *m.*

offstage ['ɔf'steɪdʒ] *adv* hinter den Kulissen.

off-the-cuff ['ɔfðəkʌf] *adj* unvorbereitet, aus dem Stegreif.

often ['ɔfən] *adv* oft.

oh [əʊ] *interj* oh, ach.

oil [ɔɪl] **1.** *n* Öl *nt*; **2.** *vt* ölen; **oilcan** *n* Ölkännchen *nt*; **oilfield** *n* Ölfeld *nt*; **oil filter** *n* Ölfilter *m*; **oil-fired** *adj* Öl-; **oil level** *n* Ölstand *m*; **oil painting** *n* Ölgemälde *nt*; **oil refinery** *n* Ölraffinerie *f*; **oil-rig** *n* Ölplattform *f*; **oilskins** *n pl* Ölzeug *nt*; **oil tanker** *n* [Öl]tanker *m*; **oil well** *n* Ölquelle *f*; **oily** *adj* ölig; (*dirty*) ölbeschmiert; (*manners*) ölig.

ointment ['ɔɪntmənt] *n* Salbe *f.*

OK, okay ['əʊ'keɪ] **1.** *interj* in Ordnung, o.k.; **2.** *adj* in Ordnung; **3.** *n* Zustimmung *f*; **4.** *vt* genehmigen; **that's** ~ **with** (*o by* me) damit bin ich damit einverstanden.

old [əʊld] *adj* alt; (*former also*) ehemalig; **in the** ~ **days** früher; **any** ~ **thing** irgend etwas; **old age** *n* Alter *nt*; **old-fashioned** *adj* altmodisch; **old maid** *n* alte Jungfer.

olive ['ɔlɪv] **1.** *n* (*fruit*) Olive *f*; (*colour*) Olive *nt*; **2.** *adj* Oliven-; (*coloured*) olive[nfarben]; **olive branch** *n* Ölzweig *m*; **olive oil** *n* Olivenöl *nt.*

Olympic [əʊ'lɪmpɪk] *adj* olympisch; **O** ~ **Games, O** ~ **s** *pl* Olympische Spiele *pl.*

omelet[te] ['ɔmlət] *n* Omelett *nt.*

omen ['əʊmən] *n* Zeichen *nt*, Omen *nt.*

ominous ['ɔmɪnəs] *adj* bedrohlich.

omission [əʊ'mɪʃən] *n* Auslassung *f*; (*neglect*) Versäumnis *nt*; **omit** [əʊ'mɪt] *vt* auslassen; (*fail to do*) versäumen.

on [ɔn] **1.** *prep* auf; **2.** *adv* [dar]auf; **she had nothing** ~ sie hatte nichts an; (*no plans*) sie hatte nichts vor; **what's** ~ **at the cinema?** was läuft im Kino?; **to move** ~ weitergehen; **go** ~ mach weiter; **the light is** ~ das Licht ist an; **you're** ~ (*fam*) akzeptiert; **it's not** ~ (*fam*) das ist nicht drin; ~ **and off** hin und wieder; ~ **TV** im Fernsehen; **I have it** ~ **me** ich habe es bei mir; **a ring** ~ **his finger** ein Ring am Finger; ~ **the main road/the bank of the river** an der Hauptstraße/dem Flußufer; ~ **foot** zu Fuß; **a lecture** ~ **Dante** eine Vorlesung über Dante; ~ **the left** links; ~ **the right** rechts; ~ **Sunday** am Sonntag; ~ **Sundays** sonntags; ~ **hearing this, he left** als er das hörte, ging er.

once [wʌns] **1.** *adv* einmal; **2.** *conj* wenn... einmal; ~ **you've seen him** wenn du ihn erst einmal gesehen hast; ~ **she had seen him** sobald sie ihn gesehen hatte; **at** ~ sofort; (*at the same time*) gleichzeitig; **all at** ~ plötzlich; ~ **more** noch einmal; **more than** ~ mehr als einmal; ~ **in a while** ab und zu; ~ **and for all** ein für allemal; ~ **upon a time** es war einmal.

oncoming ['ɒnkʌmɪŋ] *adj* (*traffic*) Gegen-, entgegenkommend.

one [wʌn] **1.** *num* eins; **2.** *adj* ein, eine, ein; **3.** *pron* eine(r, s); (*people, you*) man; ~ **day** eines Tages; **this** ~, **that** ~ das; dieser/diese/dieses; **the blue** ~ der/die/das blaue; **which** ~ welche(r, s); **he is** ~ **of us** er ist einer von uns; ~ **by** ~ einzeln; ~ **another** einander; **one-man** *adj* Einmann-; **oneself** *pron* sich [selber]; **one-upmanship** *n* Überlegenheit *f*; **one-way** *adj* (*street*) Einbahn-; ~ **ticket** (*US*) einfache Fahrkarte.

ongoing ['ɒnɡəʊɪŋ] *adj* laufend, andauernd; **it's an** ~ **process** das geht laufend weiter.

onion ['ʌnjən] *n* Zwiebel *f*.

on-line ['ɒnlaɪn] *adj* (*COMPUT*) On-line- (*in direkter Verbindung mit der Anlage arbeitend*); ~ **mode** On-Line-Betrieb *m*.

onlooker ['ɒnlʊkə*] *n* Zuschauer(in *f*) *m*.

only ['əʊnlɪ] **1.** *adv* nur, bloß; **2.** *adj* einzige(r, s); ~ **yesterday** erst gestern; ~ **just arrived** gerade erst angekommen.

onset ['ɒnset] *n* (*beginning*) Beginn *m*.

onshore ['ɒnʃɔː*] **1.** *adv* an Land; **2.** *adj* Küsten-.

onto ['ɒntʊ] = **on to**.

onwards ['ɒnwədz] *adv* (*place*) voran, vorwärts; **from that day** ~ von dem Tag an; **from today** ~ ab heute.

onyx ['ɒnɪks] *n* Onyx *m*.

ooze [uːz] *vi* sickern.

opacity [əʊ'pæsɪtɪ] *n* Undurchsichtigkeit *f*.

opal ['əʊpəl] *n* Opal *m*.

opaque [əʊ'peɪk] *adj* undurchsichtig.

open ['əʊpən] **1.** *adj* offen; (*public*) öffentlich; (*mind*) aufgeschlossen; (*sandwich*) belegt; **2.** *vt* öffnen, aufmachen; (*trial, motorway, account*) eröffnen; (*begin*) anfangen; (*shop*) aufmachen; (*door, flower*) aufgehen; (*play*) Premiere haben; **in the** ~ **[air]** im Freien; **to keep a day** ~ einen Tag freihalten; **to keep an** ~ **mind on sth** sich bezüglich einer Sache *gen* nicht vorschnell festlegen; **open out 1.** *vt* ausbreiten; (*hole, business*) erweitern; **2.** *vi* (*person*) aus sich herausgehen; **open up** *vt* (*route*) erschließen; (*shop, prospects*) eröffnen; **open-air** *adj* Frei[luft]-; **opener** *n* Öffner *m*; **opening** *n* (*hole*) Öffnung *f*, Loch *nt*; (*beginning*) Eröffnung *f*, Anfang *m*; (*good*

chance) Gelegenheit *f*; **openly** *adv* offen; (*publicly*) öffentlich; **open-minded** *adj* aufgeschlossen.

opera ['ɒpərə] *n* Oper *f*; **opera glasses** *n pl* Opernglas *nt*; **opera house** *n* Oper[nhaus *nt*] *f*.

operate ['ɒpəreɪt] **1.** *vt* (*machine*) bedienen; (*brakes, light*) betätigen; **2.** *vi* (*machine*) laufen, in Betrieb sein; (*person*) arbeiten; **to** ~ **on sb** (*MED*) jdn operieren.

operatic [ɒpə'rætɪk] *adj* Opern-.

operating system ['ɒpəreɪtɪŋsɪstəm] *n* (*COMPUT*) Betriebssystem *nt*.

operation [ɒpə'reɪʃən] *n* (*working*) Betrieb *m*, Tätigkeit *f*; (*MED*) Operation *f*; (*undertaking*) Unternehmen *nt*; (*MIL*) Einsatz *m*; **in full** ~ in vollem Gang; **to be in** ~ (*JUR*) in Kraft sein; (*machine*) in Betrieb sein; **operational** *adj* einsatzbereit.

operative ['ɒpərətɪv] *adj* wirksam; (*law*) rechtsgültig; (*MED*) operativ.

operator ['ɒpəreɪtə*] *n* (*of machine*) Arbeiter(in *f*) *m*; (*COMPUT*) Bediener(in *f*) *m*; (*TEL*) Telefonist(in *f*) *m*; **phone the** ~ rufen Sie die Vermittlung (*o das Fernamt*) an.

operetta [ɒpə'retə] *n* Operette *f*.

opinion [ə'pɪnjən] *n* Meinung *f*; **in my** ~ meiner Meinung nach; **a matter of** ~ Ansichtssache *f*; **opinionated** *adj* starrsinnig.

opium ['əʊpɪəm] *n* Opium *nt*.

opponent [ə'pəʊnənt] *n* Gegner(in *f*) *m*.

opportune ['ɒpətjuːn] *adj* günstig; (*remark*) passend.

opportunist [ɒpə'tjuːnɪst] *n* Opportunist(in *f*) *m*.

opportunity [ɒpə'tjuːnɪtɪ] *n* Gelegenheit *f*, Möglichkeit *f*; **equality of** ~ Chancengleichheit *f*.

oppose [ə'pəʊz] *vt* entgegentreten + *dat*; (*argument, idea*) ablehnen; (*plan*) bekämpfen; **opposed** *adj*: **to be** ~ **to sth** gegen etw sein; **as** ~ **to** im Gegensatz zu; **opposing** *adj* gegnerisch; (*points of view*) entgegengesetzt.

opposite ['ɒpəzɪt] **1.** *adj* (*house*) gegenüberliegend; (*direction*) entgegengesetzt; **2.** *adv* gegenüber; **3.** *prep* gegenüber; ~ **me** mir gegenüber; **opposite number** *n* (*person*) Pendant *nt*; (*SPORT*) Gegenspieler(in *f*) *m*.

opposition [ɒpə'zɪʃən] *n* (*resistance*) Widerstand *m*; (*POL*) Opposition *f*; (*contrast*) Gegensatz *m*.

oppress [ə'pres] *vt* unterdrücken; (*heat etc*) bedrücken; **oppression** [ə'preʃən] *n* Unterdrückung *f*; **oppressive** *adj* (*authority, law*) ungerecht; (*burden,* *thought*) bedrückend; (*heat*) drückend.

opt [ɒpt] *vi:* **to ~ for sth** sich für etw entscheiden; **to ~ to do sth** sich entscheiden, etw zu tun; **opt out of** *vt* sich drücken vor +*dat;* (*of society*) aussteigen aus +*dat.*

optical ['ɒptɪkəl] *adj* optisch; **~ character recognition** optische Zeichenerkennung; **~ character reader** OCR-Lesegerät *nt.*

optician [ɒp'tɪʃən] *n* Optiker(in *f*) *m.*

optimism ['ɒptɪmɪzəm] *n* Optimismus *m;* **optimist** *n* Optimist(in *f*) *m;* **optimistic** [ɒptɪ'mɪstɪk] *adj* optimistisch.

optimum ['ɒptɪməm] *adj* optimal.

option ['ɒpʃən] *n* Wahl *f;* (*COM*) Vorkaufsrecht *m*, Option *f;* **optional** *adj* freiwillig; (*subject*) wahlfrei; **~ extras** Extras *pl* auf Wunsch.

or [ɔː] *conj* oder; **he could not read ~ write** er konnte weder lesen noch schreiben.

oracle ['ɒrəkl] *n* Orakel *nt.*

oral ['ɔːrəl] **1.** *adj* mündlich; **2.** *n* (*exam*) mündliche Prüfung, Mündliche(s) *nt.*

orange ['ɒrɪndʒ] **1.** *n* (*fruit*) Apfelsine *f*, Orange *f;* (*colour*) Orange *nt;* **2.** *adj* orange(farben).

orang-outang, **orang-utan** [ɔːræŋuː'tæŋ] *n* Orang-Utan *m.*

oratorio [ɒrə'tɔːrɪəʊ] *n* <**-s**> Oratorium *nt.*

orbit ['ɔːbɪt] **1.** *n* Umlaufbahn *f;* **2.** *vt* umkreisen; **2 ~ s** 2 Umkreisungen; **to be in ~** [die Erde/den Mond] umkreisen.

orchard ['ɔːtʃəd] *n* Obstgarten *m.*

orchestra ['ɔːkɪstrə] *n* Orchester *nt;* **orchestral** [ɔː'kestrəl] *adj* Orchester-.

orchid ['ɔːkɪd] *n* Orchidee *f.*

ordain [ɔː'deɪn] *vt* (*REL*) weihen; (*decide*) verfügen.

ordeal [ɔː'diːl] *n* Tortur *f.*

order ['ɔːdə] **1.** *n* (*sequence*) Reihenfolge *f;* (*good arrangement*) Ordnung *f;* (*command*) Befehl *m;* (*JUR*) Anordnung *f;* (*peace*) Ordnung *f*, Ruhe *f;* (*condition*) Zustand *m;* (*rank*) Klasse *f;* (*REL honour*) Orden *m;* **2.** *vt* (*arrange*) ordnen; (*command*) befehlen (*sb sth* jdm etw); (*COM*) bestellen; **out of ~** außer Betrieb; **in ~ to do sth** um etw zu tun; **in ~ that** damit; **holy ~ s** *pl* Priesterweihe *f;* **order form** *n* Bestellschein *m;* **orderly 1.** *n* (*MIL*) Offiziersbursche *m;* (*MIL MED*) Sanitäter(in *f*) *m;* (*MED*) Pfleger *m;* **2.** *adj* (*tidy*) ordentlich; (*well-behaved*) ruhig; **~ officer** diensthabender Offizier.

ordinal ['ɔːdɪnl] *adj* Ordnungs-, Ordinal-.

ordinarily ['ɔːdnrɪlɪ] *adv* gewöhnlich.

ordinary ['ɔːdnrɪ] *adj* (*usual*) gewöhnlich, normal; (*commonplace*) gewöhnlich, alltäglich.

ordination [ɔːdɪ'neɪʃən] *n* Priesterweihe *f;* (*Protestant*) Ordination *f.*

ordnance ['ɔːdnəns] *n* Munition *f;* **~ factory** Munitionsfabrik *f.*

ore [ɔː] *n* Erz *nt.*

organ ['ɔːgən] *n* (*MUS*) Orgel *f;* (*BIO, fig*) Organ *nt.*

organic [ɔː'gænɪk] *adj* organisch.

organism ['ɔːgənɪzm] *n* Organismus *m.*

organist ['ɔːgənɪst] *n* Organist(in *f*) *m.*

organization [ɔːgənaɪ'zeɪʃən] *n* Organisation *f;* (*make-up*) Struktur *f.*

organize ['ɔːgənaɪz] *vt* organisieren; **organizer** *n* Organisator(in *f*) *m*, Veranstalter(in *f*) *m.*

orgasm ['ɔːgæzəm] *n* Orgasmus *m.*

orgy ['ɔːdʒɪ] *n* Orgie *f.*

Orient ['ɔːrɪənt] *n* Orient *m;* **oriental** [ɔːrɪ'entəl] **1.** *adj* orientalisch; **2.** *n* Orientale *m*, Orientalin *f.*

orientate ['ɔːrɪənteɪt] *vt* orientieren.

orifice ['ɒrɪfɪs] *n* Öffnung *f.*

origin ['ɒrɪdʒɪn] *n* Ursprung *m;* (*of the world*) Anfang *m*, Entstehung *f.*

original [ə'rɪdʒɪnl] **1.** *adj* (*first*) ursprünglich; (*painting*) original; (*idea*) originell; **2.** *n* Original *nt;* **originality** [ərɪdʒɪ'nælɪtɪ] *n* Originalität *f;* **originally** *adv* ursprünglich; originell.

originate [ə'rɪdʒɪneɪt] **1.** *vi* entstehen; **2.** *vt* ins Leben rufen; **to ~ from** stammen aus; **originator** [ə'rɪdʒɪneɪtə] *n* (*of movement*) Begründer(in *f*) *m;* (*of invention*) Erfinder(in *f*) *m.*

Orkneys ['ɔːknɪz] *n pl* (*also:* **Orkney Islands**) Orkneyinseln *pl.*

ornament ['ɔːnəmənt] *n* Schmuck *m;* (*on mantelpiece*) Nippesfigur *f;* (*fig*) Zierde *f;* **ornamental** [ɔːnə'mentl] *adj* schmückend, Zier-; **ornamentation** [ɔːnəmen'teɪʃən] *n* Verzierung *f.*

ornate [ɔː'neɪt] *adj* reich verziert; (*style*) überladen.

ornithology [ɔːnɪ'θɒlədʒɪ] *n* Vogelkunde *f*, Ornithologie *f.*

orphan ['ɔːfən] **1.** *n* Waise *f*, Waisenkind *nt;* **2.** *vt* zur Waise machen; **orphanage** ['ɔːfənɪdʒ] *n* Waisenhaus *nt.*

orthodox ['ɔːθədɒks] *adj* orthodox.

orthopaedic, **orthopedic** (*US*) [ɔːθəʊ'piːdɪk] *adj* orthopädisch.

oscillation [ɒsɪ'leɪʃən] *n* Schwingung *f*, Oszillation *f.*

ostensible *adj*, **ostensibly** *adv* [ɒ'stensəbl, -ɪ] vorgeblich, angeblich.

ostentatious [ɒsten'teɪʃəs] *adj* großtuerisch, protzig.

ostracize [ˈɒstrəsaɪz] vt ausstoßen.

ostrich [ˈɒstrɪtʃ] n Strauß m.

other [ˈʌðə•] **1.** adj andere(r, s); **2.** pron andere(r, s); **3.** adv: ~ **than** anders als; **the** ~ **day** neulich; **every** ~ **day** jeden zweiten Tag; **any person** ~ **than him** alle außer ihm; **there are 6** ~ **s** da sind noch 6; **otherwise** adv (in a different way) anders; (in other ways) sonst, im übrigen; (or else) sonst.

otter [ˈɒtə•] n Otter m.

ought [ɔːt] Hilfsverb sollen; **he behaves as he** ~ er benimmt sich, wie es sich gehört; **you** ~ **to do that** Sie sollten das tun; **he** ~ **to win** er müßte gewinnen; **that** ~ **to do** das müßte (o dürfte) reichen.

ounce [aʊns] n Unze f (28,35 g).

our [aʊə•] pron (adjektivisch) unser; **ours** pron (substantivisch) unsere(r, s); **ourselves** pron uns; **we** ~ wir selbst.

oust [aʊst] vt verdrängen.

out [aʊt] adv hinaus/heraus; (not indoors) draußen; (not alight) aus; (unconscious) bewußtlos; (results) bekanntgegeben; **to eat/go** ~ auswärts essen/ausgehen; **that fashion's** ~ das ist nicht mehr Mode; **the ball was** ~ der Ball war aus; **the flowers are** ~ die Blumen blühen; **he was** ~ **in his calculations** seine Berechnungen waren nicht richtig; **to be** ~ **for sth** auf etw akk aus sein; ~ **and** ~ durch und durch; ~ **loud** laut; **out of** prep aus; (away from) außerhalb +gen; ~ **milk** keine Milch mehr haben); **made** ~ **wood** aus Holz gemacht; ~ **danger** außer Gefahr; ~ **place** fehl am Platz; ~ **curiosity** aus Neugier; **nine** ~ **ten** neun von zehn; **out-of-bounds** adj verboten; **out-of-date** adj veraltet; **out-of-doors** adv im Freien; **out-of-the-way** adj (off the general route) abgelegen; (unusual) ungewöhnlich.

outback [ˈaʊtbæk] n Hinterland nt.

outboard [**motor**] [ˈaʊtbɔːdˈməʊtə•] n Außenbordmotor m.

outbreak [ˈaʊtbreɪk] n Ausbruch m.

outbuilding [ˈaʊtbɪldɪŋ] n Nebengebäude nt.

outburst [ˈaʊtbɜːst] n Ausbruch m.

outcast [ˈaʊtkɑːst] n Ausgestoßene(r) mf.

outclass [aʊtˈklɑːs] vt übertreffen.

outcome [ˈaʊtkʌm] n Ergebnis nt.

outcry [ˈaʊtkraɪ] n Protest m.

outdated [aʊtˈdeɪtɪd] adj veraltet, überholt.

outdo [aʊtˈduː] irr vt übertreffen.

outdoor [ˈaʊtdɔː•] adj Außen-; (SPORT) im Freien; **outdoors** [aʊtˈdɔːz] adv draußen, im Freien; **to go** ~ ins Freie (o nach draußen) gehen.

outer [ˈaʊtə•] adj äußere(r, s); **outer space** n Weltraum m.

outfit [ˈaʊtfɪt] n Ausrüstung f; (set of clothes) Kleidung f; **outfitters** n sing (for men's clothes) Herrenausstatter m.

outgoings [ˈaʊtgəʊɪŋz] n pl Ausgaben pl.

outgrow [aʊtˈgrəʊ] irr vt (clothes) herauswachsen aus; (habit) ablegen.

outing [ˈaʊtɪŋ] n Ausflug m.

outlandish [aʊtˈlændɪʃ] adj eigenartig.

outlaw [ˈaʊtlɔː] **1.** n Geächtete(r) mf; **2.** vt ächten; (thing) verbieten.

outlet [ˈaʊtlet] n Auslaß m, Abfluß m; (COM) Absatzmarkt m; (for emotions) Ventil nt.

outline [ˈaʊtlaɪn] n Umriß m.

outlive [aʊtˈlɪv] vt überleben.

outlook [ˈaʊtlʊk] n (also fig) Aussicht f; (attitude) Einstellung f.

outlying [ˈaʊtlaɪɪŋ] adj entlegen; (district) Außen-.

outmoded [aʊtˈməʊdɪd] adj veraltet.

outnumber [aʊtˈnʌmbə•] vt zahlenmäßig überlegen sein +dat.

outpatient [ˈaʊtpeɪʃənt] n ambulanter Patient, ambulante Patientin.

output [ˈaʊtpʊt] n Leistung f, Produktion f; (COMPUT) Ausgabe f.

outrage [ˈaʊtreɪdʒ] **1.** n (cruel deed) Ausschreitung f, Verbrechen nt; (indecency) Skandal m; **2.** vt (morals) verstoßen gegen; (person) empören; **outrageous** [aʊtˈreɪdʒəs] adj unerhört, empörend.

outright [ˈaʊtraɪt] **1.** adv (at once) sofort; (openly) ohne Umschweife; **2.** adj (denial) völlig; (winner) unbestritten; **to refuse** ~ rundweg ablehnen.

outset [ˈaʊtset] n Beginn m.

outside [aʊtˈsaɪd] **1.** n Außenseite f; **2.** adj äußere(r, s), Außen-; (price) Höchst-; (chance) gering; **3.** adv außen; **4.** prep außerhalb +gen; **to go** ~ nach draußen (o hinaus) gehen; **on the** ~ außen; **at the very** ~ höchstens; **outsider** n Außenseiter(in f) m.

outsize [ˈaʊtsaɪz] adj übergroß.

outskirts [ˈaʊtskɜːts] n pl Stadtrand m.

outspoken [aʊtˈspəʊkən] adj offen, freimütig; **Veronika is a very** ~ **person** Veronika nimmt kein Blatt vor den Mund.

outstanding [aʊtˈstændɪŋ] adj hervorragend; (debts etc) ausstehend.

outstay [aʊtˈsteɪ] vt: **to** ~ **one's welcome** länger bleiben als erwünscht.

out-tray [ˈaʊttreɪ] n Ablagekorb m für ausgehende Post.

outward [ˈaʊtwəd] **1.** adj äußere(r, s); (journey) Hin-; (freight) ausgehend; **2.** adv nach außen; **outwardly** adv äußerlich.

outweigh [aut'weɪ] vt (fig) überwiegen.

outwit [aut'wɪt] vt überlisten.

oval ['əuvəl] **1.** adj oval; **2.** n Oval nt.

ovary ['əuvərɪ] n Eierstock m.

ovation [əu'veɪʃən] n Beifallssturm m.

oven ['ʌvn] n Backofen m.

over ['əuvə*] **1.** adv (across) hinüber/herüber; (finished) vorbei; (left) übrig; (again) wieder, noch einmal; **2.** prep über; (in every part of) in; **famous the world** ~ in der ganzen Welt berühmt; **five times** ~ fünfmal; ~ **the weekend** übers Wochenende; ~ **coffee** bei einer Tasse Kaffee; ~ **the phone** am Telephon; **all** ~ (everywhere) überall; (finished) vorbei; ~ **and** ~ immer wieder; ~ **and above** darüber hinaus.

over- ['əuvə*] pref über-; (excessively) übermäßig.

overact [əuvər'ækt] vi übertreiben.

overall 1. n (Brit) Kittel m; **2.** adj (situation) allgemein; (length) Gesamt-; **3.** adv insgesamt; **overalls** n pl Overall m.

overawe [əuvər'ɔ:] vt (frighten) einschüchtern; (impress) überwältigen.

overbearing [əuvə'bɛərɪŋ] adj aufdringlich.

overboard ['əuvəbɔ:d] adv über Bord; **to go** ~ (fig) es übertreiben; **Beate has been known to go** ~ **for a man** bedeutet das ist schon öfters vorgekommen, daß Beate von einem Mann ganz hingerissen ist.

overcast ['əuvəkɑ:st] adj bedeckt.

overcharge [əuvə'tʃɑ:dʒ] vt zuviel verlangen von.

overcoat ['əuvəkəut] n Mantel m.

overcome [əuvə'kʌm] irr vt überwinden; (sleep, emotion) übermannen; ~ **by the song** vom Lied gerührt; **we shall** ~ wir werden siegen.

overcrowded [əuvə'kraudɪd] adj überfüllt; **overcrowding** [əuvə'kraudɪŋ] n Überfüllung f.

overdo [əuvə'du:] irr vt (cook too much) verkochen; (exaggerate) übertreiben.

overdose ['əuvədəus] n Überdosis f.

overdraft ['əuvədrɑ:ft] n [Konto]überziehung f; **to have an** ~ sein Konto überzogen haben; **overdrawn** [əuvə'drɔ:n] adj (account) überzogen.

overdrive ['əuvədraɪv] n (AUT) Schnellgang m.

overdue [əuvə'dju:] adj überfällig.

overestimate [əuvər'estɪmeɪt] vt überschätzen.

overexcited [əuvərɪk'saɪtɪd] adj überreizt; (children) überdreht.

overexertion [əuvərɪg'zɜ:ʃən] n Überanstrengung f.

overexpose [əuvərɪks'pəuz] vt (FOT) überbelichten.

overflow 1. vi überfließen; **2.** ['əuvəfləu] n (excess) Überschuß m; (outlet) Überlauf m.

overgrown [əuvə'grəun] adj (garden) verwildert.

overhaul 1. vt (car) überholen; (plans) überprüfen; **2.** ['əuvəhɔ:l] n Überholung f.

overhead 1. adj Hoch-; (wire) oberirdisch; (lighting) Decken-; [əuvə'hed] adv oben; **overhead projector** n Tageslichtprojektor m, Overheadprojektor m; **overheads** n pl allgemeine Unkosten pl.

overhear [əuvə'hɪə*] irr vt [mit an]hören.

overjoyed [əuvə'dʒɔɪd] adj überglücklich.

overland 1. adj Überland-; **2.** [əuvə'lænd] adv (travel) über Land.

overlap 1. vi sich überschneiden; (objects) sich teilweise decken; **2.** ['əuvəlæp] n Überschneidung f.

overload [əuvə'ləud] vt überladen.

overlook [əuvə'luk] vt (view from above) überblicken; (not notice) übersehen; (pardon) hinwegsehen über + akk.

overnight [əuvə'naɪt] **1.** adj (journey) Nacht-; **2.** adv über Nacht; ~ **bag** Reisetasche f; ~ **stay** Übernachtung f.

overpass ['əuvəpɑ:s] n Überführung f.

overpower [əuvə'pauə*] vt überwältigen; **overpowering** adj überwältigend.

overrate [əuvə'reɪt] vt überschätzen.

override [əuvə'raɪd] irr vt (order, decision) aufheben; (objection) übergehen; **overriding** adj Haupt-, vorherrschend.

overrule [əuvə'ru:l] vt verwerfen; **we were** ~**d** unser Vorschlag wurde verworfen.

overseas [əuvə'si:z] **1.** adv nach/in Übersee; **2.** adj überseeisch, Übersee-.

overshadow [əuvə'ʃædəu] vt überschatten.

overshoot [əuvə'ʃu:t] irr vt (runway) hinausschießen über + akk.

oversight ['əuvəsaɪt] n (mistake) Versehen nt.

oversimplify [əuvə'sɪmplɪfaɪ] vt zu sehr vereinfachen.

oversleep [əuvə'sli:p] irr vi verschlafen.

overspill ['əuvəspɪl] n [Bevölkerungs]überschuß m.

overstate [əuvə'steɪt] vt übertreiben.

overt [əu'vɜ:t] adj offen[kundig].

overtake [əuvə'teɪk] irr vt, vi überholen.

overthrow [əuvə'θrəu] irr vt (POL) stürzen.

overtime ['əuvətaɪm] n Überstunden pl.

overtone ['əuvətəun] n (fig) Note f.
overture ['əuvətjuə*] n Ouvertüre f; ~ s
pl (fig) Annäherungsversuche pl.
overturn [əuvə'tɜːn] vt, vi umkippen.
overweight [əuvə'weɪt] adj zu dick, zu
schwer.
overwhelm [əuvə'welm] vt überwältigen; **overwhelming** adj überwältigend.
overwork [əuvə'wɜːk] 1. n Überlasten f; 2.
vi sich überarbeiten; **lexicographers are
all ~ed and underpaid** Lexikographen
müssen alle für zuwenig Geld zuviel arbeiten.
overwrought [əuvə'rɔːt] adj überreizt.
owe [əu] vt schulden; **to ~ sth to sb** (money) jdm etw schulden; (favour etc) jdm
etw verdanken; **owing to** wegen + gen.
owl [aul] n Eule f.
own [əun] 1. vt besitzen; 2. adj eigen; 3. n
Eigentum nt; **all my ~** mein Eigentum;
on one's ~ allein; **who ~s that?** wem
gehört das?; **I have money of my ~** ich
habe selbst Geld; **own up** vi zugeben (to
sth etw akk); **owner** n Besitzer(in f) m,
Eigentümer(in f) m; **ownership** n Besitz m.
ox [ɒks] n Ochse m.
oxide ['ɒksaɪd] n Oxid nt.
oxtail ['ɒksteɪl] n Ochsenschwanz m; ~
soup Ochsenschwanzsuppe f.
oxygen ['ɒksɪdʒən] n Sauerstoff m;
oxygen mask n Sauerstoffmaske f;
oxygen tent n Sauerstoffzelt nt.
oyster ['ɔɪstə*] n Auster f.
oz abbr of **ounce[s]** Unze f.
ozone ['əuzəun] n Ozon nt; ~ **barrier,**
~ **shield** Ozonschild m; ~ **layer** Ozonschicht f.

P

P, p [piː] n P nt, p nt.
p abbr of 1. **page** Seite, S f; 2. **pence**
Penny m.
pa [pɑː] n (fam) Papa m.
p.a. abbr of **per annum** pro Jahr, jhrl.
pace [peɪs] 1. n Schritt m; (speed) Geschwindigkeit f, Tempo nt; 2. vi schreiten; **to keep ~ with** Schritt halten mit;
pacemaker n (MED. SPORT) Schrittmacher m.
Pacific [pə'sɪfɪk] n Pazifik m.
pacifism ['pæsɪfɪzəm] n Pazifismus m;
pacifist n Pazifist(in f) m.
pacify ['pæsɪfaɪ] vt (calm) beruhigen;

(countries, people) aussöhnen.
pack [pæk] 1. n Packen m; (of wolves)
Rudel nt; (of hounds) Meute f; (of cards)
Spiel nt; (gang) Bande f; (US: back~)
Rucksack m; 2. vt, vi (case) packen;
(clothes) einpacken; **package** ['pækɪdʒ]
n Paket nt; (COMPUT) [Programm]paket
nt, Softwarepaket nt; **package tour** n
Pauschalreise f; **packet** n Päckchen nt;
packhorse n Packpferd nt; **pack ice** n
Packeis nt; **packing** n (action) Packen
nt; (material) Verpackung f; **packing
case** n [Pack]kiste f.
pact [pækt] n Pakt m, Vertrag m.
pad [pæd] 1. n (of paper) [Schreib]block
m; (for inking) Stempelkissen nt; (padding) Polster nt; 2. vt polstern.
paddle ['pædl] 1. n Paddel nt; 2. vt (boat)
paddeln; 3. vi (in sea) planschen; **paddling pool** n Planschbecken nt.
paddock ['pædək] n Koppel f.
paddy ['pædɪ] n: ~ **field** Reisfeld nt.
padlock ['pædlɒk] n Vorhängeschloß nt.
paediatrics [piːdɪ'ætrɪks] n sing Kinder-
heilkunde f.
pagan ['peɪgən] adj heidnisch.
page [peɪdʒ] 1. n Seite f; (person) Page m;
2. vt (in hotel etc) ausrufen lassen.
pageant ['pædʒənt] n Festzug m;
pageantry n Prunk m.
pagoda [pə'gəudə] n Pagode f.
paid [peɪd] pt, pp of **pay**.
pail [peɪl] n Eimer m.
pain [peɪn] n Schmerz m, Schmerzen pl;
~ **s** pl (efforts) große Mühe, große An-
strengungen pl; **to be at ~s to do sth**
sich dat Mühe geben, etw zu tun;
pained adj (expression) gequält; **painful** adj (physically) schmerzhaft; (embarrassing) peinlich; (difficult) mühsam;
pain-killing drug n schmerzstillendes
Mittel; **painless** adj schmerzlos;
painstaking adj gewissenhaft.
paint [peɪnt] 1. n Farbe f; 2. vt anstreichen; (picture) malen; **paintbrush** n
Pinsel m; **painter** n Maler(in f) m;
painting n (act) Malen nt; (ART) Malerei f; (picture) Bild nt, Gemälde nt.
pair [pɛə*] n Paar nt; a ~ **of scissors** eine
Schere; a ~ **of trousers** eine Hose.
pajamas [pə'dʒɑːməz] n pl (US) Schlafanzug m.
Pakistan [pɑːkɪ'stɑːn] n Pakistan nt.
pal [pæl] n (fam) Kumpel m.
palace ['pæləs] n Palast m, Schloß nt.
palatable ['pælətəbl] adj schmackhaft.
palate ['pælɪt] n Gaumen m; (taste) Geschmack m.
palaver [pə'lɑːvə*] n (fam) Theater nt.
pale [peɪl] adj (face) blaß, bleich; (colour)

hell, blaß; **paleness** n Blässe f.

palette ['pælıt] n Palette f.

pall [pɔːl] **1.** n Leichentuch nt; (of smoke) [Rauch]wolke f; **2.** vi jeden Reiz verlieren, verblassen; **pallbearer** n Sargträger(in f) m.

pallid ['pælıd] adj blaß, bleich.

pally ['pælı] adj (fam) freundlich; **they are very ~** sie sind dicke Freunde; **to get ~ with sb** jdm plump-vertraulich kommen.

palm [pɑːm] n (also: ~ **tree**) Palme f; (of hand) Handfläche f; **palmist** n Handleser(in f) m; **Palm Sunday** n Palmsonntag m.

palpable ['pælpəbl] adj greifbar; **palpably** adv offensichtlich.

palpitation [pælpı'teıʃən] n Herzklopfen nt.

paltry ['pɔːltrı] adj armselig.

pamper ['pæmpə*] vt verhätscheln.

pamphlet ['pæmflət] n Broschüre f.

pan [pæn] **1.** n Pfanne f; **2.** vi (CINE) schwenken.

pan- [pæn] pref Pan-, All-.

panacea [pænə'sıə] n (fig) Allheilmittel nt.

panache [pə'næʃ] n Schwung m.

Panama ['pænəmɑː] n Panama nt; **the ~ Canal** der Panamakanal.

pancake ['pænkeık] n Pfannkuchen m.

panda ['pændə] n Panda m.

pandemonium [pændı'məunıəm] n Hölle f; (noise) Höllenlärm m.

pander ['pændə*] vi sich richten (to nach); **to ~ to sb's ego** jdm schmeicheln.

pane [peın] n [Fenster]scheibe f.

panel ['pænl] n (of wood) Tafel f; (TV) Diskussionsteilnehmer pl; **paneling** (US), **panelling** n Täfelung f.

pang [pæŋ] n Stich m, Qual f; **~s** pl of conscience Gewissensbisse pl.

panic ['pænık] **1.** n Panik f; **2.** vi in Panik geraten, durchdrehen; **don't ~** [nur] keine Panik; **panicky** adj (person) überängstlich.

pannier ['pænıə*] n [Trage]korb m; (on bike) Satteltasche f.

panorama [pænə'rɑːmə] n Rundblick m, Panorama nt; **panoramic** [pænə'ræmık] adj Panorama-.

pansy ['pænzı] n (flower) Stiefmütterchen nt; (fam) Schwule(r) m.

pant [pænt] vi keuchen; (dog) hecheln.

pantechnicon [pæn'teknıkən] n Möbelwagen m.

panther ['pænθə*] n Panther m.

panties ['pæntız] n pl [Damen]slip m.

pantomime ['pæntəmaım] n Märchen-

komödie f um Weihnachten.

pantry ['pæntrı] n Vorratskammer f.

pants [pænts] n pl Unterhose f; (trousers) Hose f.

panty-liner ['pæntılaınə*] n Slipeinlage f.

papal ['peıpəl] adj päpstlich.

paper ['peıpə*] **1.** n Papier nt; (newspaper) Zeitung f; (essay) Vortrag m, Referat nt; **2.** adj Papier-, aus Papier; **3.** vt (wall) tapezieren; **~s** pl (identity ~) Ausweis[papiere pl] m; **paperback** n Taschenbuch nt; **paper bag** n Tüte f; **paper clip** n Büroklammer f; **paper cup** n Pappbecher m; **paper feed** n Papiervorschub m; **paper plate** n Pappteller m; **paper tissue** n Kosmetiktuch nt; (handkerchief) Papiertaschentuch nt; **paperweight** n Briefbeschwerer m; **paperwork** n Schreibarbeit f.

papier-mâché ['pæpıeı'mæʃeı] n Pappmaché nt.

paprika ['pæprıkə] n Paprika[pulver nt] m.

papyrus [pə'paıərəs] n Papyrus m.

par [pɑː*] n (COM) Nennwert m; (GOLF) Par nt; **on a ~ with** ebenbürtig + dat; **to be on a ~ with sb** sich mit jdm messen können; **below ~** unter [jds] Niveau.

parable ['pærəbl] n Parabel f; (REL) Gleichnis nt.

parachute ['pærəʃuːt] **1.** n Fallschirm m; **2.** vi abspringen; **parachutist** ['pærəʃuːtıst] n Fallschirmspringer(in f) m.

parade [pə'reıd] **1.** n Parade f; (fashion ~) Modeschau f; **2.** vt zur Schau stellen; **3.** vi vorbeimarschieren.

paradise ['pærədaıs] n Paradies nt.

paradox ['pærədɒks] n Paradox nt; **paradoxical** [pærə'dɒksıkəl] adj paradox, widersinnig; **paradoxically** adv paradoxerweise.

paraffin ['pærəfın] n Paraffin nt.

paragraph ['pærəgrɑːf] n Absatz m, Paragraph m.

parallel ['pærəlel] **1.** adj parallel; **2.** n Parallele f.

paralysis [pə'ræləsıs] n Lähmung f; **paralyze** ['pærəlaız] vt lähmen.

parameter [pə'ræmıtə*] n Parameter m.

paranoia [pærə'nɔıə] n Paranoia f, Verfolgungswahn m.

parapet ['pærəpıt] n Brüstung f.

paraphernalia ['pærəfə'neılıə] n pl Brimborium nt.

paraphrase ['pærəfreız] vt umschreiben.

paraplegic [pærə'pliːdʒık] n Querschnittsgelähmte(r) mf.

parasite ['pærəsaıt] n Schmarotzer(in f) m; (plant, animal also) Parasit m.

parasol ['pærəsɒl] n Sonnenschirm m.

paratrooper ['pærətru:pə*] n Fallschirmjäger m.

parcel ['pɑ:sl] **1.** n Paket nt; **2.** vt (also: ~ up) einpacken.

parch [pɑ:tʃ] vt [aus]dörren; **I'm ~ed** ich bin am Verdursten.

parchment ['pɑ:tʃmənt] n Pergament nt.

pardon ['pɑ:dn] **1.** n Begnadigung f; (JUR) begnadigen; ~ **me, I beg your** ~ verzeihen Sie bitte; (objection) aber ich bitte Sie; **[I beg your] ~?, ~ me?** (US) wie bitte?

parent ['pɛərənt] n Elternteil m; ~**s** pl Eltern pl; **parental** [pə'rɛntl] adj elterlich, Eltern-; **parenthood** ['pɛərənthud] n Elternschaft f; **parent ship** n Mutterschiff nt.

parenthesis [pə'rɛnθɪsɪs] n Klammer f; (sentence) Parenthese f.

parish ['pærɪʃ] n Gemeinde f; **parishioner** [pə'rɪʃənə*] n Gemeindemitglied nt.

parity ['pærɪtɪ] n (FIN) Umrechnungskurs m, Parität f; ~ **check** (COMPUT) Plausibilitätskontrolle f.

park [pɑ:k] **1.** n Park m; **2.** vt, vi parken; **'no ~'** 'Parken verboten'; **parking** n Parken nt; **parking disc** n Parkscheibe f; **parking lot** n (US) Parkplatz m; **parking meter** n Parkuhr f; **parking place** n Parkplatz m; **parkway** n (US) Schnellstraße f [durch einen Park].

parliament ['pɑ:ləmənt] n Parlament nt; **parliamentary** [pɑ:lə'mɛntərɪ] adj parlamentarisch, Parlaments-.

parlour, parlor (US) ['pɑ:lə*] n Salon m, Wohnzimmer nt.

parochial [pə'rəʊkɪəl] adj Gemeinde-; (narrow-minded) eng[stirnig], Provinz-.

parody ['pærədɪ] **1.** n Parodie f; **2.** vt parodieren.

parole [pə'rəʊl] n: **on ~** (prisoner) auf Bewährung.

parquet ['pɑ:keɪ] n Parkett[fußboden m] nt.

parrot ['pærət] n Papagei m; **parrot fashion** adv wie ein Papagei.

parry ['pærɪ] vt parieren, abwehren.

parsimonious adj, **parsimoniously** adv [pɑ:sɪ'məʊnɪəs, -lɪ] knauserig.

parsing ['pɑ:sɪŋ] n (COMPUT) Parsing nt.

parsley ['pɑ:slɪ] n Petersilie f.

parsnip ['pɑ:snɪp] n Pastinake f, Petersilienwurzel f.

parson ['pɑ:sn] n Pfarrer(in f) m.

part [pɑ:t] **1.** n (piece) Teil m, Stück nt; (THEAT) Rolle f; (of machine) Teil nt; **2.** adj Teil-; **3.** adv see **partly**; **4.** vt trennen; (hair) scheiteln; **5.** vi (people) sich trennen, Abschied nehmen; **for my ~** ich für meinen Teil; **for the most ~** meistens, größtenteils; **in ~ exchange** in Zahlung; **part with** vt hergeben; (renounce) aufgeben.

partial ['pɑ:ʃəl] adj (incomplete) teilweise, Teil-; (biased) eingenommen, parteiisch; (eclipse) partiell; **to be ~ to** eine [besondere] Vorliebe haben für; **partially** adv teilweise, zum Teil.

participate [pɑ:'tɪsɪpeɪt] vi teilnehmen; (in) an +dat; **participation** [pɑ:tɪsɪ'peɪʃən] n Teilnahme f; (sharing) Beteiligung f.

participle ['pɑ:tɪsɪpl] n Partizip nt, Mittelwort nt.

particular [pə'tɪkjʊlə*] **1.** adj bestimmt, speziell; (exact) genau; (fussy) eigen; **2.** n Einzelheit f; ~**s** pl (details) Einzelheiten pl; (about person) Personalien pl; **particularly** adv besonders.

parting ['pɑ:tɪŋ] **1.** n (separation) Abschied m, Trennung f; (of hair) Scheitel m; **2.** adj Abschieds-.

partisan [pɑ:tɪ'zæn] **1.** n (Parteigänger(in f) m; (guerrilla) Partisan(in f) m; **2.** adj Partei-; Partisanen-.

partition [pɑ:'tɪʃən] n (wall) Trennwand f; (division) Teilung f.

partly ['pɑ:tlɪ] adv zum Teil, teilweise.

partner ['pɑ:tnə*] n Partner(in f) m; (COM also) Gesellschafter(in f) m, Teilhaber(in f) m; **partnership** n Partnerschaft f, Gemeinschaft f; (COM) Teilhaberschaft f.

partridge ['pɑ:trɪdʒ] n Rebhuhn nt.

part-time ['pɑ:t'taɪm] **1.** adj teilzeitbeschäftigt; **2.** adv als Teilzeitkraft.

party ['pɑ:tɪ] **1.** n (POL, JUR) Partei f; (group) Gesellschaft f; (celebration) Party f; **2.** adj (dress) Gesellschafts-, Party-; (POL) Partei-.

PASCAL ['pæskæl] n acronym (COMPUT) PASCAL nt.

pass [pɑ:s] **1.** vt vorbeikommen an +dat; (on foot) vorbeigehen an +dat; (by car etc) vorbeifahren an +dat; (surpass) übersteigen; (hand on) weitergeben; (approve) gelten lassen, genehmigen; (time) verbringen; (exam) bestehen; **2.** vi (go by) vorbeigehen; vorbeifahren; (years) vergehen; (be successful) bestehen; **3.** n (in mountains) Paß m; (permission) Passierschein m; (SPORT) Paß m, Abgabe f; **to get a ~** (in exam) bestehen; **pass away** vi (die) verscheiden; **pass by** vi vorbeigehen; vorbeifahren; (years) vergehen; **pass for** vi gehalten werden für; **pass out** vi (faint) ohnmächtig werden.

passable ['pɑ:səbl] adj (road) passierbar, befahrbar; (fairly good) passabel, leidlich; **passably** adv leidlich, ziemlich.

passage ['pæsɪdʒ] n (corridor) Gang m, Korridor m; (in book) [Text]stelle f; (voyage) Überfahrt f; **passageway** n Passage f, Durchgang m.

passenger ['pæsɪndʒə*] n Passagier m; (on bus) Fahrgast m; (in aeroplane also) Fluggast m; (on train) Reisende(r) mf.

passer-by ['pɑːsə'baɪ] n Passant(in f) m.

passing ['pɑːsɪŋ] 1. n (death) Ableben nt; 2. adj (car) vorbeifahrend; (thought, affair) momentan; **in ~** en passant.

passion ['pæʃən] n Leidenschaft f; **passionate**, **passionately** adv leidenschaftlich.

passive ['pæsɪv] 1. n Passiv nt; 2. adj Passiv-, passiv; **~ smoking** Passivrauchen nt.

Passover ['pɑːsəʊvə*] n Passahfest nt.

passport ['pɑːspɔːt] n [Reise]paß m.

password ['pɑːswɜːd] n (also COMPUT) Kennwort nt.

past [pɑːst] 1. n Vergangenheit f; 2. adv vorbei; 3. adj (years) vergangen; (president etc) ehemalig; 4. prep: **to go ~ sth** an etw dat vorbeigehen; **to be ~ 10** (with age) über 10 sein; (with time) nach 10 sein.

paste [peɪst] 1. n (for pastry) Teig m; (fish ~ etc) Paste f; (glue) Kleister m; 2. vt kleben; (put ~ on) mit Kleister bestreichen.

pastel ['pæstəl] adj (colour) Pastell-.

pasteurized ['pæstəraɪzd] adj pasteurisiert.

pastille ['pæstɪl] n Pastille f.

pastime ['pɑːstaɪm] n Hobby nt, Zeitvertreib m.

pastor ['pɑːstə*] n Pastor(in f) m, Pfarrer(in f) m.

pastry ['peɪstrɪ] n Blätterteig m; (tarts etc) Stückchen pl, Tortengebäck nt.

pasture ['pɑːstʃə*] n Weide f.

pasty ['pæstɪ] 1. n [Fleisch]pastete f; 2. ['peɪstɪ] adj bläßlich, käsig.

pat [pæt] 1. n leichter Schlag, Klaps m; 2. vt tätscheln.

patch [pætʃ] 1. n Fleck m; 2. vt flicken; a **bad ~** eine Pechsträhne; **~ of fog** Nebelfeld nt; **patchwork** n Patchwork nt; **patchy** adj (irregular) ungleichmäßig.

patent ['peɪtənt] 1. n Patent nt; 2. vt patentieren lassen; (by authorities) patentieren; 3. adj offenkundig; **patent leather** n Lackleder nt; **patently** adv offensichtlich.

paternal [pə'tɜːnl] adj väterlich; **his ~ grandmother** seine Großmutter väterlicherseits; **paternalistic** [pətɜːnə'lɪstɪk] adj patriarchalisch.

paternity [pə'tɜːnɪtɪ] n Vaterschaft f.

path [pɑːθ] n Pfad m, Weg m; (COMPUT) Pfad m; (of the sun) Bahn f.

pathetic adj, **pathetically** adv [pə'θetɪk, -lɪ] (very bad) kläglich; **it's ~** es ist zum Weinen.

pathological [pæθə'lodʒɪkəl] adj krankhaft, pathologisch; **pathologist** [pə'θolədʒɪst] n Pathologe(-login f) m; **pathology** [pə'θolədʒɪ] n Pathologie f.

pathos ['peɪθos] n Rührseligkeit f.

pathway ['pɑːθweɪ] n Pfad m, Weg m.

patience ['peɪʃəns] n Geduld f; (CARDS) Patience f; **patient** 1. adj geduldig; 2. n Patient(in f) m, Kranke(r) mf; **patiently** adv geduldig.

patio ['pætɪəʊ] n <-s> Innenhof m; (outside) Terrasse f.

patriotic [pætrɪ'otɪk] adj patriotisch; **patriotism** ['pætrɪətɪzəm] n Patriotismus m.

patrol [pə'trəʊl] 1. n Patrouille f; (police) Streife f; 2. vt patrouillieren in + dat; 3. vi (police) die Runde machen; (police) patrouillieren; **on ~** (police) auf Streife; **patrol car** n Streifenwagen m; **patrolman** n <-men> (US) [Streifen]polizist m.

patron ['peɪtrən] n (in shop) [Stamm]kunde m, -kundin f; (in hotel) [Stamm]gast m; (supporter) Förderer m, Förd[r]erin f; **patronage** ['pætrənɪdʒ] n Förderung f, Schirmherrschaft f; (COM) Kundschaft f; **patronize** ['pætrənaɪz] vt (support) unterstützen; (shop) besuchen; (treat condescendingly) von oben herab behandeln; **patronizing** adj (attitude) herablassend; **patron saint** n Schutzheilige(r) mf, Schutzpatron(in f) m.

patter ['pætə*] 1. n (sound, of feet) Trappeln nt; (of rain) Prasseln nt; (sales talk) Art f zu reden, Gerede nt; 2. vi (feet) trappeln; (rain) prasseln.

pattern ['pætən] 1. n Muster nt; (sewing) Schnittmuster nt; (knitting) Strickanleitung f; 2. vt: **to ~ sth on sth** etw nach etw bilden.

paunch [pɔːntʃ] n dicker Bauch, Wanst m.

pauper ['pɔːpə*] n Arme(r) mf.

pause [pɔːz] 1. n Pause f; 2. vi innehalten, eine Pause machen.

pave [peɪv] vt pflastern; **to ~ the way for** den Weg bahnen für; **pavement** n (Brit) Bürgersteig m.

pavilion [pə'vɪlɪən] n Pavillon m; (SPORT) Klubhaus m.

paving ['peɪvɪŋ] n Straßenpflaster nt.

paw [pɔː] 1. n Pfote f; (of big cats) Tatze f, Pranke f; 2. vt (scrape) scharren; (handle) betatschen.

pawn [pɔ:n] 1. *n* Pfand *nt*; (*CHESS*) Bauer *m*; 2. *vt* versetzen; verpfänden; **pawnbroker** *n* Pfandleiher(in *f*) *m*; **pawnshop** *n* Pfandhaus *nt*.

pay [peɪ] < **paid, paid** > 1. *vt* bezahlen; 2. *vi* zahlen; (*be profitable*) sich bezahlt machen; 3. *n* Bezahlung *f*, Lohn *m*; **to be in sb's ~** *von* jdm bezahlt werden; **it would ~ you to...** es würde sich für dich lohnen, zu...; **to ~ attention** achtgeben (*to auf +akk*); **it doesn't ~** es lohnt sich nicht; **pay for** *vt* bezahlen für; **pay off** *vt* auszahlen [und entlassen]; **pay up** *vi* bezahlen, seine Schulden begleichen; **payable** *adj* zahlbar; (*due*) fällig; **payday** *n* Zahltag *m*; **payee** [peɪ'i:] *n* Zahlungsempfänger(in *f*) *m*; **paying** *adj* einträglich, rentabel; **payload** *n* Nutzlast *f*; **payment** *n* Bezahlung *f*; **pay packet** *n* Lohntüte *f*; **payroll** *n* Lohnliste *f*; **to be on sb's ~** bei jdm beschäftigt sein.

PC *abbr of* 1. *n* **personal computer** PC *m*; 2. *n* **police constable** Polizeibeamte(r) *m*.

pea [pi:] *n* Erbse *f*; **pea souper** *n* (*fam: fog*) Suppe *f*, Waschküche *f*.

peace [pi:s] *n* Friede[n] *m*; **peaceable** *adj*, **peaceably** *adv* friedlich; **Peace Corps** *n* (*US*) Entwicklungsdienst *m*; **peaceful** *adj* friedlich, ruhig; **peacekeeping** *adj* Friedens-; **~ role** Vermittlerrolle *f*; **peace movement** *n* Friedensbewegung *f*; **peace offering** *n* Friedensangebot *nt*; **peace studies** *n pl* Friedensforschung *f*; **peacetime** *n* Friede[n] *m*.

peach [pi:tʃ] *n* Pfirsich *m*.

peacock ['pi:kɔk] *n* Pfau *m*.

peak [pi:k] *n* Spitze *f*; (*of mountain*) Gipfel *m*; (*fig*) Höhepunkt *m*; (*of cap*) [Mützen]schirm *m*; **peak period** *n* Stoßzeit *f*, Hauptzeit *f*.

peanut ['pi:nʌt] *n* Erdnuß *f*; **to work for ~s** für einen Hungerlohn arbeiten; **peanut butter** *n* Erdnußbutter *f*.

pear [pɛə*] *n* Birne *f*.

pearl [pɜ:l] *n* Perle *f*.

peasant ['pezənt] *n* Bauer *m*, Bäuerin *f*.

peat [pi:t] *n* Torf *m*.

pebble ['pebl] *n* Kiesel *m*.

peck [pek] 1. *vt, vi* picken; 2. *n* (*with beak*) Schnabelhieb *m*; (*kiss*) flüchtiger Kuß; **peckish** *adj* (*fam*) ein bißchen hungrig.

peculiar [pɪ'kju:lɪə*] *adj* (*odd*) seltsam; **~ to** charakteristisch für; **peculiarity** [pɪkjuːlɪ'ærɪtɪ] *n* (*singular quality*) Besonderheit *f*; (*strangeness*) Eigenartigkeit *f*; **peculiarly** *adv* seltsam; (*especially*) besonders.

pecuniary [pɪ'kju:nɪərɪ] *adj* Geld-, finanziell, pekuniär.

pedal ['pedl] 1. *n* Pedal *nt*; 2. *vi* (*cycle*) fahren, radfahren.

pedant ['pedənt] *n* Pedant(in *f*) *m*; **pedantic** [pɪ'dæntɪk] *adj* pedantisch; **pedantry** ['pedəntrɪ] *n* Pedanterie *f*.

peddle ['pedl] *vt* hausieren gehen mit.

pedestal ['pedɪstl] *n* Sockel *m*.

pedestrian [pɪ'destrɪən] 1. *n* Fußgänger(in *f*) *m*; 2. *adj* Fußgänger-; (*humdrum*) langweilig; **pedestrian crossing** *n* Fußgängerüberweg *m*; **pedestrian precinct** *n* Fußgängerzone *f*.

pediatrics [pi:dɪ'ætrɪks] *n sing* (*US*) *see* **paediatrics**.

pedigree ['pedɪgri:] 1. *n* Stammbaum *m*; 2. *adj* (*animal*) reinrassig, Zucht-.

pee [pi:] *vi* (*fam*) pinkeln.

peek [pi:k] 1. *n* flüchtiger Blick; 2. *vi* gukken.

peel [pi:l] 1. *n* Schale *f*; 2. *vt* schälen; 3. *vi* (*paint etc*) abblättern; (*skin, person*) sich schälen; **peelings** *n pl* Schalen *pl*.

peep [pi:p] 1. *n* (*look*) neugieriger Blick; (*sound*) Piepsen *nt*; 2. *vi* (*look*) neugierig gucken; **peephole** *n* Guckloch *nt*.

peer [pɪə*] 1. *vi* spähen; angestrengt schauen (*at auf +akk*); (*peep*) gucken; 2. *n* (*nobleman*) Peer *m*; (*equal*) Ebenbürtige(r) *mf*; **his ~s** seinesgleichen; **peerage** *n* Peerswürde *f*; **peerless** *adj* unvergleichlich.

peeve [pi:v] *vt* (*fam*) verärgern; **peeved** *adj* ärgerlich; (*person*) sauer.

peevish ['pi:vɪʃ] *adj* verdrießlich, brummig; **peevishness** *n* Verdrießlichkeit *f*.

peg [peg] *n* Stift *m*; (*hook*) Haken *m*; (*stake*) Pflock *m*; **clothes ~** Wäscheklammer *f*; **off the ~** von der Stange.

pejorative [pɪ'dʒɒrɪtɪv] *adj* pejorativ, abwertend.

pekinese [pi:kɪ'ni:z] *n* Pekinese *m*.

Peking [pi:'kɪŋ] *n* Peking *nt*.

pelican ['pelɪkən] *n* Pelikan *m*.

pellet ['pelɪt] *n* Kügelchen *nt*.

pelmet ['pelmɪt] *n* Blende *f*, Schabracke *f*.

pelt [pelt] 1. *vt* werfen (*at nach*); 2. *n* Pelz *m*, Fell *nt*; **pelt down** *vi* niederprasseln.

pelvis ['pelvɪs] *n* Becken *nt*.

pen [pen] *n* Feder *f*; (*fountain ~*) Füllfederhalter *m*; (*ball-point*) Kuli *m*; (*for sheep*) Pferch *m*; **have you got a ~?** haben Sie etwas zum Schreiben?

penal ['pi:nl] *adj* Straf-; **penalize** *vt* (*make punishable*) unter Strafe stellen; (*punish*) bestrafen; (*disadvantage*) benachteiligen; **penalty** ['penltɪ] *n* Strafe *f*; (*FOOTBALL*) Elfmeter *m*; **penalty area** *n* Strafraum *m*; **penalty kick**

Elfmeter m.

penance ['penəns] n Buße f.

pence [pens] n pl of **penny** Pence pl.

pencil ['pensl] n Bleistift m; **pencil sharpener** n Bleistiftspitzer m.

pendant ['pendənt] n Anhänger m.

pending ['pendɪŋ] **1.** prep bis [zu]; **2.** adj unentschieden, noch offen.

pendulum ['pendjʊləm] n Pendel nt.

penetrate ['penɪtreɪt] vt durchdringen; (enter into) eindringen in +akk; **penetrating** adj durchdringend; (analysis) scharfsinnig; **penetration** [penɪ'treɪʃən] n Durchdringen nt, Eindringen nt.

penfriend ['penfrend] n Brieffreund(in f) m.

penguin ['pengwɪn] n Pinguin m.

penicillin [penɪ'sɪlɪn] n Penizillin nt.

peninsula [pɪ'nɪnsjʊlə] n Halbinsel f.

penis ['piːnɪs] n Penis m, männliches Glied.

penitence ['penɪtəns] n Reue f; **penitent** adj reuig.

penitentiary [penɪ'tenʃərɪ] n (US) Zuchthaus nt.

penknife ['pennaɪf] n <-knives> Taschenmesser nt.

pen name ['penneɪm] n Pseudonym nt.

pennant ['penənt] n Wimpel m; (official ~) Stander m.

penniless ['penɪləs] adj mittellos, ohne einen Pfennig.

penny ['penɪ] n <**pence** o **coins pennies**> Penny m.

pen pal ['penpæl] n Brieffreund(in f) m.

pension ['penʃən] n Rente f; (for civil servants, executives etc) Ruhegehalt nt, Pension f; **pensionable** adj (person) pensionsberechtigt; (job) mit Renten-/Pensionsanspruch; **pensioner** n Rentner(in f) m; (civil servant, executive) Pensionär(in f) m; **pension fund** n Rentenfonds m.

pensive ['pensɪv] adj nachdenklich.

pentagon ['pentəgən] n Fünfeck nt; **the P~** (in USA) das Pentagon.

Pentecost ['pentɪkɒst] n Pfingsten nt.

penthouse ['penthaʊs] n Dachterrassenwohnung f.

pent-up ['pentʌp] adj (feelings) angestaut.

penultimate [pɪ'nʌltɪmət] adj vorletzte(r, s).

people ['piːpl] **1.** n pl (nation) Volk nt; (inhabitants) Bevölkerung f; (persons) Leute pl; **2.** vt besiedeln; ~ **think/say** man glaubt/sagt.

pep [pep] n (fam) Schwung m, Schmiß m; **pep up** vt aufmöbeln.

pepper ['pepə*] **1.** n Pfeffer m; (vegetable) Paprika m; **2.** vt (pelt) bombardie-

ren; **peppermint** n (plant) Pfefferminze f; (sweet) Pfefferminz nt.

peptalk ['peptɔːk] n: **to give sb a** ~ (fam) jdm gut zusprechen, jdn anspornen.

per [pɜː*] prep pro; ~ **annum** pro Jahr; ~ **cent** Prozent nt.

perceive [pə'siːv] vt (realize) wahrnehmen, spüren; (understand) verstehen.

percentage [pə'sentɪdʒ] n Prozentsatz m; (payment) Anteil m, Prozente pl.

perceptible [pə'septəbl] adj merklich, wahrnehmbar.

perception [pə'sepʃən] n Wahrnehmung f; (insight) Einsicht f.

perceptive [pə'septɪv] adj (person) aufmerksam; (analysis) tiefgehend, scharfsinnig.

perch [pɜːtʃ] **1.** n Stange f; (fish) Flußbarsch m; **2.** vi sitzen, hocken.

percolator ['pɜːkəleɪtə*] n Kaffeemaschine f.

percussion [pə'kʌʃən] n (MUS) Schlagzeug nt; ~ **drill** Schlagbohrmaschine f.

peremptory [pə'remptərɪ] adj schroff.

perennial [pə'renɪəl] **1.** adj wiederkehrend; (everlasting) unvergänglich; **2.** n mehrjährige Pflanze.

perfect ['pɜːfɪkt] **1.** adj vollkommen; (crime, solution) perfekt; **2.** n (LING) Perfekt nt; **3.** [pə'fekt] vt vervollkommnen; **perfection** [pə'fekʃən] n Vollkommenheit f, Perfektion f; **perfectionist** [pə'fekʃənɪst] n Perfektionist(in f) m; **perfectly** adv vollkommen, perfekt; (quite) ganz, einfach.

perforate ['pɜːfəreɪt] vt durchlöchern; **perforated** adj durchlöchert, perforiert; **perforation** [pɜːfə'reɪʃən] n Perforation f.

perform [pə'fɔːm] **1.** vt (play, concert) aufführen; (solo) vortragen; (trick) vorführen; (task) ausführen; (duty) erfüllen; (operation) durchführen; **2.** vi (THEAT) auftreten; (car, team etc) leisten; **to ~ well** leisten; **performance** n Durchführung f; (efficiency) Leistung f; (show) Vorstellung f; **performer** n Künstler(in f) m; **performing** adj (animal) dressiert.

perfume ['pɜːfjuːm] n Duft m; (lady's) Parfüm n.

perfunctory [pə'fʌŋktərɪ] adj oberflächlich, mechanisch.

perhaps [pə'hæps] adv vielleicht.

peril ['perɪl] n Gefahr f; **perilous** adj, **perilously** adv gefährlich.

perimeter [pə'rɪmɪtə*] n Peripherie f; (of circle etc) Umfang m.

period ['pɪərɪəd] **1.** n Periode f, Zeit f;

(LING) Punkt m; (MED) Periode f; **2.** adj (costume) historisch; **periodic[al]** [pɪərɪ'ɒdɪkəl] adj periodisch; **periodical** n Zeitschrift f; **periodically** adv periodisch.

peripheral [pə'rɪfərəl] **1.** adj Rand-, peripher, nebensächlich; **2.** n (COMPUT) Peripheriegerät nt.

periphery [pə'rɪfərɪ] n Peripherie f, Rand m.

periscope ['perɪskəup] n Periskop nt, Sehrohr nt.

perish ['perɪʃ] vi umkommen; (material) unbrauchbar werden; (fruit) verderben; **~ the thought** daran wollen wir nicht denken; **perishable** adj (fruit) leicht verderblich; **perishing** adj (fam: cold) eisig.

perjure ['pɜːdʒə*] vr: **~ oneself** einen Meineid leisten; **perjury** ['pɜːdʒərɪ] n Meineid m.

perk [pɜːk] n (fam: fringe benefit) Vergünstigung f; **perk up 1.** vi munter werden; **2.** vt (ears) spitzen; **perky** adj (cheerful) keck, munter.

perm [pɜːm] n Dauerwelle f.

permanent adj, **permanently** adv ['pɜːmənənt, -lɪ] dauernd, ständig.

permissible [pə'mɪsəbl] adj zulässig.

permission [pə'mɪʃən] n Erlaubnis f, Genehmigung f.

permissive [pə'mɪsɪv] adj nachgiebig; (society etc) permissiv, sexuell freizügig; **permissiveness** n Permissivität f, sexuelle Freizügigkeit.

permit ['pɜːmɪt] **1.** n Genehmigung f, Erlaubnis[schein m] f; **2.** [pə'mɪt] vt erlauben, zulassen.

permutation [pɜːmjuː'teɪʃən] n Veränderung f; (MATH) Permutation f.

pernicious [pɜː'nɪʃəs] adj schädlich.

perpendicular [pɜːpən'dɪkjulə*] adj senkrecht.

perpetrate ['pɜːpɪtreɪt] vt begehen, verüben.

perpetual adj, **perpetually** adv [pə'petjuəl, -lɪ] ständig, dauernd; **perpetuate** [pə'petjueɪt] vt verewigen, bewahren; **perpetuity** [pɜːpɪ'tjuːɪtɪ] n Ewigkeit f.

perplex [pə'pleks] vt verblüffen; **perplexed** adj verblüfft, perplex; **perplexing** adj verblüffend; **perplexity** n Verblüffung f.

persecute ['pɜːsɪkjuːt] vt verfolgen; **persecution** [pɜːsɪ'kjuːʃən] n Verfolgung f.

perseverance [pɜːsɪ'vɪərəns] n Ausdauer f; **persevere** vi beharren, durchhalten.

Persian ['pɜːʃən] **1.** adj persisch; **2.** n (person) Perser(in f) m; (cat) Perserkatze f;

the **~ Gulf** der Persische Golf.

persist [pə'sɪst] vi (in belief etc) bleiben (in bei); (rain, smell) andauern; (continue) nicht aufhören; **persistence** n Beharrlichkeit f; **persistent** adj, **persistently** adv beharrlich; (unending) ständig.

person ['pɜːsn] n Mensch m; (LING, in official context) Person f; **on one's ~** bei sich; **in ~** persönlich; **personable** adj gutaussehend; **personal** adj persönlich; (private) privat; (of body) körperlich, Körper-; **personal computer** n Personal Computer m, PC m; **personality** [pɜːsə'nælɪtɪ] n Persönlichkeit f; **personally** adv persönlich; **personal stereo** n Walkman ® m; **personification** [pɜːsɒnɪfɪ'keɪʃən] n Verkörperung f; **personify** [pɜː'sɒnɪfaɪ] vt verkörpern, personifizieren.

personnel [pɜːsə'nel] n Personal nt; (in factory) Belegschaft f; (department) Personalabteilung f; **personnel manager** n Personalchef(in f) m.

perspective [pə'spektɪv] n Perspektive f.

perspicacity [pɜːspɪ'kæsɪtɪ] n Scharfsinn m.

perspiration [pɜːspə'reɪʃən] n Transpiration f; **perspire** [pə'spaɪə*] vi schwitzen.

persuade [pə'sweɪd] vt überreden; (convince) überzeugen; **persuasion** [pə'sweɪʒən] n Überredung f; Überzeugung f; **persuasive** adj, **persuasively** adv [pə'sweɪsɪv, -lɪ] überzeugend.

pert [pɜːt] adj keck.

pertain [pɜː'teɪn] vi gehören (to zu); **~ing to** betreffend + akk.

pertinent ['pɜːtɪnənt] adj relevant.

perturb [pə'tɜːb] vt beunruhigen.

perverse adj, **perversely** adv [pə'vɜːs, -lɪ] pervers; (obstinate) eigensinnig; **perverseness** n Perversität f; Eigensinn m; **perversion** [pə'vɜːʃən] n Perversion f; (of justice) Verdrehung f; **perversity** [pə'vɜːsɪtɪ] n Perversität f; **pervert** ['pɜːvɜːt] **1.** n perverser Mensch; **2.** [pə'vɜːt] vt verdrehen; (morally) verderben.

pessimism ['pesɪmɪzəm] n Pessimismus m; **pessimist** n Pessimist(in f) m; **pessimistic** [pesɪ'mɪstɪk] adj pessimistisch.

pest [pest] n Plage f; (insect) Schädling m; (fig: person) Nervensäge f; (thing) Plage f.

pester ['pestə*] vt plagen.

pesticide ['pestɪsaɪd] n Schädlingsbekämpfungsmittel nt.

pestle ['pesl] n Stößel m.

pet [pet] **1.** n (animal) Haustier nt; (person) Liebling m; **2.** vt liebkosen, streicheln.

petal ['petl] *n* Blütenblatt *nt*.

peter out ['pi:tə' aʊt] *vi* allmählich zu Ende gehen.

petite [pə'ti:t] *adj* zierlich.

petition [pə'tɪʃən] *n* Bittschrift *f*.

petrel ['petrəl] *n* Sturmvogel *m*.

petrified ['petrɪfaɪd] *adj* versteinert; *(person)* starr [vor Schreck]; **petrify** *vt* versteinern; *(person)* erstarren lassen.

petrol ['petrəl] *n* *(Brit)* Benzin *nt*, Kraftstoff *m*; **petroleum** [pɪ'trəʊlɪəm] *n* Petroleum *nt*; **petrol pump** *n* *(in car)* Benzinpumpe *f*; *(at garage)* Zapfsäule *f*, Tanksäule *f*; **petrol station** *n* Tankstelle *f*; **petrol tank** *n* Benzintank *m*.

petticoat ['petɪkəʊt] *n* Unterrock *m*, Petticoat *m*.

pettifogging ['petɪfɒgɪŋ] *adj* kleinlich.

pettiness ['petɪnəs] *n* Geringfügigkeit *f*; *(meanness)* Kleinlichkeit *f*.

petty ['petɪ] *adj* *(unimportant)* geringfügig, unbedeutend; *(mean)* kleinlich; **petty cash** *n* Portokasse *f*; **petty officer** *n* Maat *m*.

petulant ['petjʊlənt] *adj* leicht reizbar.

pew [pju:] *n* Kirchenbank *f*.

pewter ['pju:tə'] *n* Zinn *nt*.

pH *n* pH-Wert *m*.

phallic ['fælɪk] *adj* phallisch, Phallus-.

phantom ['fæntəm] *n* Phantom *nt*, Geist *m*.

pharmacist ['fɑ:məsɪst] *n* Pharmazeut(in *f*) *m*; *(druggist)* Apotheker(in *f*) *m*; **pharmacy** ['fɑ:məsɪ] *n* Pharmazie *f*; *(shop)* Apotheke *f*.

phase [feɪz] *n* Phase *f*; **phase out** *vt* langsam abbauen; *(model)* auslaufen lassen; *(person)* absetzen.

PhD *n abbr of* **Doctor of Philosophy** Dr. phil; *(dissertation)* Doktorarbeit *f*.

pheasant ['feznt] *n* Fasan *m*.

phenomenal *adj*, **phenomenally** *adv* [fɪ'nɒmɪnl, -nəlɪ] phänomenal.

phenomenon [fɪ'nɒmɪnən] *n* < **phenomena** > Phänomen *nt*; **common ~** häufige Erscheinung.

phial ['faɪəl] *n* Fläschchen *nt*, Ampulle *f*.

philanderer [fɪ'lændərə'] *n* Schwerenöter *m*.

philanthropic [fɪlən'θrɒpɪk] *adj* philanthropisch, menschenfreundlich; **philanthropist** [fɪ'lænθrəpɪst] *n* Philanthrop *m*, Menschenfreund *m*.

philatelist [fɪ'lætəlɪst] *n* Briefmarkensammler(in *f*) *m*, Philatelist(in *f*) *m*; **philately** [fɪ'lætəlɪ] *n* Briefmarkensammeln *nt*, Philatelie *f*.

Philippines ['fɪlɪpi:nz] *n pl* Philippinen *pl*.

philosopher [fɪ'lɒsəfə'] *n* Philosoph(in

f) *m*.

philosophical [fɪlə'sɒfɪkəl] *adj* philosophisch.

philosophize [fɪ'lɒsəfaɪz] *vi* philosophieren.

philosophy [fɪ'lɒsəfɪ] *n* Philosophie *f*, Weltanschauung *f*.

phlegm [flem] *n* *(MED)* Schleim *m*; *(calmness)* Gelassenheit *f*; **phlegmatic** [fleg'mætɪk] *adj* gelassen.

phobia ['fəʊbɪə] *n* krankhafte Furcht, Phobie *f*.

phoenix ['fi:nɪks] *n* Phönix *m*.

phone [fəʊn] **1.** *n* Telefon *nt*; **2.** *vt, vi* telefonieren, anrufen; **phonecard** *n* Telefonkarte *f*; **phone-in** *n* Rundfunkprogramm, bei dem Hörer anrufen können *nt*.

phonetics [fəʊ'netɪks] *n sing* Phonetik *f*, Laut[bildungs]lehre *f*; *(in plural)* Lautschrift *f*.

phon[e]y ['fəʊnɪ] **1.** *adj* *(fam)* unecht; *(excuse)* faul; *(money)* gefälscht; **2.** *n* *(person)* Schwindler(in *f*) *m*; *(thing)* Fälschung *f*; *(pound note)* Blüte *f*.

phonograph ['fəʊnəgrɑ:f] *n* *(US)* Grammophon *nt*.

phonology [fəʊ'nɒlədʒɪ] *n* Phonologie *f*, Lautlehre *f*.

phosphate ['fɒsfeɪt] *n* Phosphat *nt*.

phosphorus ['fɒsfərəs] *n* Phosphor *m*.

photo ['fəʊtəʊ] *n* <-s> Foto *nt*.

photocopier ['fəʊtəʊ'kɒpɪə'] *n* Kopiergerät *nt*; **photocopy** ['fəʊtəʊkɒpɪ] **1.** *n* Fotokopie *f*; **2.** *vt* fotokopieren.

photo finish ['fəʊtəʊ'fɪnɪʃ] *n* Zielfotografie *f*.

photogenic [fəʊtəʊ'dʒenɪk] *adj* fotogen.

photograph ['fəʊtəgrɑːf] **1.** *n* Fotografie *f*, Aufnahme *f*; **2.** *vt* fotografieren, aufnehmen; **photographer** [fə'tɒgrəfə'] *n* Fotograf(in *f*) *m*; **photographic** [fəʊtə'græfɪk] *adj* fotografisch; **photography** [fə'tɒgrəfɪ] *n* Fotografie *f*, Fotografieren *nt*; *(of film, book)* Aufnahmen *pl*.

photostat ['fəʊtəʊstæt] *n* Fotokopie *f*.

phrase [freɪz] **1.** *n* Satz *m*; *(LING)* Phrase *f*; *(expression)* Redewendung *f*, Ausdruck *m*; **2.** *vt* ausdrücken, formulieren; **phrase book** *n* Sprachführer *m*.

physical *adj*, **physically** *adv* ['fɪzɪkəl, -lɪ] physikalisch; *(bodily)* körperlich, physisch; **~ training**, **~ education** Turnen *nt*.

physician [fɪ'zɪʃən] *n* Arzt *m*, Ärztin *f*.

physicist ['fɪzɪsɪst] *n* Physiker(in *f*) *m*.

physics ['fɪzɪks] *n sing* Physik *f*.

physiology [fɪzɪ'ɒlədʒɪ] *n* Physiologie *f*.

physiotherapist [fɪzɪə'θerəpɪst] *n* Krankengymnast(in *f*) *m*; **physiotherapy** *n*

Krankengymnastik f, Physiotherapie f.
physique [fɪˈziːk] n Körperbau m; (in health) Konstitution f.
pianist [ˈpɪənɪst] n Pianist(in f) m.
piano [ˈpjɑːnəʊ] n <-s> Klavier nt; **piano-accordion** n Akkordeon nt.
piccolo [ˈpɪkələʊ] n <-s> Pikkoloflöte f.
pick [pɪk] **1.** n (tool) Pickel m; (choice) Auswahl f; **2.** vt (gather) [auf]lesen, sammeln; (fruit) pflücken; (choose) auswählen, aussuchen; (MUS) zupfen; **to ~ one's nose** in der Nase bohren; **to ~ sb's pocket** jdn bestohlen; **to ~ at one's food** im Essen herumstochern; **the ~ of** das Beste von. **pick on** vt (person) herumhacken auf +dat; **why ~ me?** warum ich?; **pick out** vt auswählen; **pick up 1.** vi (improve) sich erholen; **2.** vt (lift up) aufheben; (learn) [schnell] mitbekommen; (word) aufschnappen; (collect) abholen; (girl) [sich dat] anlachen; (speed) gewinnen an +dat; **pick axe** n Pickel m.
picket [ˈpɪkɪt] **1.** n (stake) Pfahl m, Pflock m; (guard) Posten m; (striker) Streikposten m; **2.** vt (factory) [Streik]posten aufstellen vor +dat; **3.** vi [Streik]posten stehen; **picketing** n Streikwache f; **picket line** n Streikpostenlinie f.
pickle [ˈpɪkl] **1.** n (salty mixture) Pökel m; (fam) Klemme f; **2.** vt einlegen; einpökeln.
pick-me-up [ˈpɪkmiːʌp] adj Schnäpschen nt.
pickpocket [ˈpɪkpɒkɪt] n Taschendieb(in f) m.
pickup [ˈpɪkʌp] n (on record player) Tonabnehmer m; (small truck) Lieferwagen m.
picnic [ˈpɪknɪk] **1.** n Picknick nt; **2.** vi picknicken.
pictogram [ˈpɪktəgræm] n Piktogramm nt.
pictorial [pɪkˈtɔːrɪəl] **1.** adj in Bildern, bebildert; **2.** n Illustrierte f.
picture [ˈpɪktʃə*] n Bild nt; (likeness also) Abbild nt; (in words) Darstellung f; **2.** vt darstellen; (fig: paint) malen; (visualize) sich dat vorstellen; **the ~s** pl (Brit) das Kino; **in the ~** (fig) im Bild; **picture book** n Bilderbuch nt.
picturesque [pɪktʃəˈresk] adj malerisch.
pidgin [ˈpɪdʒɪn] adj: **~ English** Pidgin-Englisch nt.
pie [paɪ] n (meat) Pastete f; (fruit) Kuchen m.
piebald [ˈpaɪbɔːld] adj gescheckt.
piece [piːs] n Stück nt; **to go to ~s** (work, standard) wertlos werden; **he's gone to ~s** er ist vor die Hunde gegangen; **in ~s** entzwei, kaputt; (taken apart) auseinan-

dergenommen; **a ~ of cake** (fam) ein Kinderspiel; **piece together** vt zusammensetzen; **piecemeal** adv stückweise, Stück für Stück; (not ordered) durcheinander; **piecework** n Akkordarbeit f.
pier [pɪə*] n Pier m, Mole f.
pierce [pɪəs] vt durchstechen, durchbohren; (look) durchdringen; **piercing** adj durchdringend; (cry also) gellend; (look also) durchbohrend.
piety [ˈpaɪətɪ] n Frömmigkeit f.
pig [pɪg] n Schwein nt.
pigeon [ˈpɪdʒən] n Taube f; **pigeonhole 1.** n (compartment) Ablegefach nt; **2.** vt ablegen; (idea) zu den Akten legen.
piggy bank [ˈpɪgɪbæŋk] n Sparschwein nt.
pigheaded [ˈpɪgˈhedɪd] adj dickköpfig.
piglet [ˈpɪglət] n Ferkel nt, Schweinchen nt.
pigment [ˈpɪgmənt] n Farbstoff m; (also BIO) Pigment nt; **pigmentation** [pɪgmənˈteɪʃən] n Färbung f, Pigmentation f.
pigmy [ˈpɪgmɪ] n see **pygmy.**
pigskin [ˈpɪgskɪn] **1.** n Schweinsleder nt; **2.** adj schweinsledern.
pigsty [ˈpɪgstaɪ] n (also fig) Schweinestall m.
pigtail [ˈpɪgteɪl] n Zopf m.
pike [paɪk] n Pike f; (fish) Hecht m.
pilchard [ˈpɪltʃəd] n Sardine f.
pile [paɪl] **1.** n Haufen m; (of books, wood) Stapel m, Stoß m; (in ground) Pfahl m; (of bridge) Pfeiler m; (on carpet) Flor m; **2.** vt, vi (also: **~ up**) [sich] anhäufen.
piles [paɪlz] pl (MED) Hämorrhoiden pl.
pile-up [ˈpaɪlʌp] n (AUT) Massenzusammenstoß m.
pilfer [ˈpɪlfə*] vt stehlen, klauen; **pilfering** n Diebstahl m.
pilgrim [ˈpɪlgrɪm] n Wallfahrer(in f) m, Pilger(in f) m; **pilgrimage** [ˈpɪlgrɪmɪdʒ] n Wallfahrt f, Pilgerfahrt f.
pill [pɪl] n Tablette f, Pille f; **the P~** die [Antibaby]pille.
pillage [ˈpɪlɪdʒ] vt plündern.
pillar [ˈpɪlə*] n Pfeiler m; (also fig) Säule f; **pillar box** n (Brit) Briefkasten m.
pillion [ˈpɪljən] n Soziussitz m; **pillion passenger** n Soziusfahrer(in f) m.
pillory [ˈpɪlərɪ] **1.** n Pranger m; **2.** vt an den Pranger stellen; (fig) anprangern.
pillow [ˈpɪləʊ] n Kissen nt; **pillowcase** n Kissenbezug m.
pilot [ˈpaɪlət] **1.** n Pilot(in f) m; (NAUT) Lotse m; **2.** adj (scheme etc) Versuchs-, Pilot-; **3.** vt führen; (ship) lotsen; **pilot light** n Zündflamme f; **pilot scheme** n Pilotprojekt nt.

pimento [pɪˈmentəʊ] n <-s> (US) rote Paprikaschote.

pimp [pɪmp] n Zuhälter m.

pimple [ˈpɪmpl] n Pickel m; **pimply** [ˈpɪmplɪ] adj pick[el]ig.

pin [pɪn] **1.** n Nadel f; (sewing) Stecknadel f; (TECH) Stift m, Bolzen m; **2.** vt stecken, heften (to an + akk); (keep in one position) pressen, drücken; ~s and needles pl Kribbeln nt; **I have ~s and needles in my leg** mein Bein ist [mir] eingeschlafen; **pin down** vt (fig: person) festnageln (to auf + akk).

pinafore [ˈpɪnəfɔːʳ] n Schürze f; **pinafore dress** n Trägerkleid nt.

pincers [ˈpɪnsəz] n pl Kneifzange f, Beißzange f; (MED) Pinzette f.

pinch [pɪntʃ] **1.** n Zwicken nt, Kneifen nt; (of salt) Prise f; **2.** vt zwicken, kneifen; (shoe) drücken; **3.** vt (fam: steal) klauen; (arrest) schnappen; **at a ~** notfalls, zur Not; **to feel the ~** die Not (o es) zu spüren bekommen.

pincushion [ˈpɪnkʊʃən] n Nadelkissen nt.

pine [paɪn] **1.** n (also: ~ tree) Kiefer f, Föhre f, Pinie f; **2.** vi: **to ~ for** sich sehnen (o verzehren) nach; **to ~ away** sich zu Tode sehnen.

pineapple [ˈpaɪnæpl] n Ananas f.

ping [pɪŋ] n Peng nt, Kling nt; **ping-pong** n Pingpong nt.

pink [pɪŋk] **1.** n (plant) Nelke f; (colour) Rosa nt; **2.** adj (colour) rosa[farben].

pinnacle [ˈpɪnəkl] n Spitze f.

pinpoint [ˈpɪnpɔɪnt] vt festlegen.

pinstripe [ˈpɪnstraɪp] n Nadelstreifen m.

pint [paɪnt] n Pint m (0,57 l).

pinup [ˈpɪnʌp] n Pin-up-girl n.

pioneer [paɪəˈnɪəʳ] n Pionier(in f) m; (fig also) Bahnbrecher(in f) m.

pious [ˈpaɪəs] adj fromm; (literature) geistlich.

pip [pɪp] n Kern m; (sound) Piepen nt; (on uniform) Stern m; **to give sb the ~** (fam) jdn verrückt machen.

pipe [paɪp] **1.** n (for smoking) Pfeife f; (MUS) Flöte f; (tube) Rohr nt; (in house) [Rohr]leitung f; **2.** vt vi leiten; (MUS) blasen; **pipe down** vi (be quiet) die Luft anhalten; **pipe cleaner** n Pfeifenreiniger m; **pipe-dream** n Hirngespinst nt; **pipeline** n (for oil) Pipeline f; **piper** n Pfeifer(in f) m; (bagpipes) Dudelsackbläser(in f) m; **pipe tobacco** n Pfeifentabak m.

piping [ˈpaɪpɪŋ] **1.** n Leitungsnetz nt; (on cake) Dekoration f; (on uniform) Tresse f; **2.** adv: **~ hot** siedend heiß.

piquant [ˈpiːkənt] adj pikant.

pique [piːk] n gekränkter Stolz f; **piqued** adj pikiert.

piracy [ˈpaɪərəsɪ] n Piraterie f, Seeräuberei f; (plagiarism) Plagiat nt.

pirate [ˈpaɪərɪt] n Pirat(in f) m, Seeräuber(in f) m; (plagiarist) Plagiator(in f) m; **pirate radio** n Piratensender m.

pirouette [pɪruˈet] **1.** n Pirouette f; **2.** vi pirouettieren, eine Pirouette drehen.

Pisces [ˈpaɪsiːz] n sing (ASTR) Fische pl; **Raimund is ~** Raimund ist ein Fisch.

pissed [pɪst] adj (fam) blau, besoffen.

pistol [ˈpɪstl] n Pistole f.

piston [ˈpɪstən] n Kolben m.

pit [pɪt] **1.** n Grube f; (THEAT) Parterre nt; **2.** vt (mark with scars) zerfressen; (compare oneself) messen (against mit); (sb/ sth) messen (against an + dat); **the ~s** pl (motor racing) die Boxen pl; **orchestra ~** Orchestergraben m.

pitch [pɪtʃ] **1.** n Wurf m; (of trader) Stand m; (SPORT) [Spiel]feld nt; (slope) Neigung f; (degree) Stufe f; (MUS) Tonlage f; (substance) Pech nt; **2.** vt werfen, schleudern; (set up) aufschlagen; (song) anstimmen; **3.** vi (fall) [der Länge nach] hinschlagen; (NAUT) rollen; **~ed too high** zu hoch; **~ed battle** offene Schlacht; **perfect ~** absolutes Gehör; **to queer sb's ~** (fam) jdm alles verderben; **pitch-black** adj pechschwarz.

piteous [ˈpɪtɪəs] adj erbärmlich.

pitfall [ˈpɪtfɔːl] n (fig) Falle f.

pith [pɪθ] n Mark nt; (of speech) Kern m.

pithead [ˈpɪthed] n Schachtkopf m.

pithy [ˈpɪθɪ] adj prägnant.

pitiable [ˈpɪtɪəbl] adj bedauernswert; (contemptible) jämmerlich.

pitiful adj, **pitifully** adv [ˈpɪtɪful, -fəlɪ] mitleidig; (deserving pity) bedauernswert; (contemptible) jämmerlich; **pitiless** adj, **pitilessly** adv erbarmungslos.

pittance [ˈpɪtəns] n Hungerlohn m.

pity [ˈpɪtɪ] **1.** n (sympathy) Mitleid nt; (shame) Jammer m; **to have pity** haben mit; **I ~ you** du tust mir leid; **to have (o take) ~ on sb** mit jdm Mitleid haben; **for ~'s sake!** um Himmels willen!; **what a ~** wie schade; **it's a ~** es ist schade; **pitying** adj mitleidig.

pivot [ˈpɪvət] **1.** n Drehpunkt m; (pin) [Dreh]zapfen m; (fig) Angelpunkt m; **2.** vi sich drehen (on um).

pixie [ˈpɪksɪ] n Elfe f] m.

placate [pləˈkeɪt] vt beschwichtigen, besänftigen.

place [pleɪs] **1.** n Platz m; (spot) Stelle f; (town etc) Ort m; **2.** vt setzen, stellen, legen; (order) aufgeben; (SPORT) plazieren; (identify) unterbringen; **in ~** am rechten Platz; **out of ~** nicht am rechten

Platz; (*fig: remark*) unangebracht; **in ~ of** anstelle von; **in the first/second ~** erstens/zweitens; **to give ~ to** Platz machen + *dat;* **to invite sb to one's ~ in his ~** jdn zu sich [nach Hause] einladen; **to put sb in his ~** jdn in seine Schranken [ver]weisen; **~ of worship** Stätte *f* des Gebets; **place mat** *n* Platzdeckchen *nt.*

placid ['plæsɪd] *adj* gelassen, ruhig.

plagiarism ['pleɪdʒɪərɪzəm] *n* Plagiat *nt;* **plagiarist** ['pleɪdʒɪərɪst] *n* Plagiator(in *f*) *m;* **plagiarize** ['pleɪdʒɪəraɪz] *vt* abschreiben, plagiieren.

plague [pleɪg] **1.** *n* Pest *f;* (*fig*) Plage *f;* **2.** *vt* plagen.

plaice [pleɪs] *n* Scholle *f.*

plain [pleɪn] **1.** *adj* (*clear*) klar, deutlich; (*simple*) einfach, schlicht; (*not beautiful*) einfach, nicht attraktiv; (*honest*) offen; **2.** *n* Ebene *f;* (*chocolate*) bittere Schokolade; **in ~ clothes** (*police*) in Zivil[kleidung]; **it is ~ sailing** das ist ganz einfach; **plainly** *adv* klar, deutlich; einfach; offen; **plainness** *n* Einfachheit *f.*

plaintiff ['pleɪntɪf] *n* Kläger(in *f*) *m.*

plait [plæt] **1.** *n* Zopf *m;* **2.** *vt* flechten.

plan [plæn] **1.** *n* Plan *m;* **2.** *vt, vi* planen; (*intend also*) vorhaben; **according to ~** planmäßig; **plan out** *vt* vorbereiten.

plane [pleɪn] **1.** *n* Ebene *f;* (*AVIAT*) Flugzeug *nt;* (*tool*) Hobel *m;* (*tree*) Platane *f;* **2.** *adj* eben, flach; **3.** *vt* hobeln.

planet ['plænɪt] *n* Planet *m.*

planetarium [plænɪ'tɛərɪəm] *n* Planetarium *nt.*

plank [plæŋk] *n* Planke *f,* Brett *nt;* (*POL*) Programmpunkt *m.*

plankton ['plæŋktən] *n* Plankton *nt.*

planning ['plænɪŋ] *n* Planen *nt,* Planung *f;* **~ permission** Baugenehmigung *f.*

plant [plɑːnt] **1.** *n* Pflanze *f;* (*TECH*) [Maschinen]anlage *f;* (*factory*) Fabrik *f,* Werk *nt;* **2.** *vt* pflanzen; (*set firmly*) stellen.

plantain ['plæntɪn] *n* [Mehl]banane *f.*

plantation [plæn'teɪʃən] *n* Pflanzung *f,* Plantage *f.*

plaque [plæk] *n* Gedenktafel *f;* (*on teeth*) Zahnbelag *m.*

plasma ['plæzmə] *n* Plasma *nt.*

plaster ['plɑːstə*] **1.** *n* Gips *m;* (*on wall*) Verputz *m;* (*MED: sticking ~*) Pflaster *nt;* (*for fracture*) (*also: ~ of Paris*) Gipsverband *m;* **2.** *vt* gipsen; (*hole*) zugipsen; (*ceiling*) verputzen; (*fig: with pictures etc*) bekleben; **in ~** (*leg etc*) in Gips; **plastered** *adj* (*fam*) besoffen.

plastic ['plæstɪk] **1.** *n* Kunststoff *m;* **2.** *adj* (*made of plastic*) Kunststoff-, Plastik-; (*soft*) formbar, plastisch; (*ART*) plastisch, bildend; **~ bag** Plastiktüte *f;* **~ surgery**

plastische Chirurgie, Schönheitsoperation *f.*

plasticine ['plæstɪsiːn] *n* Plastilin *f.*

plate [pleɪt] **1.** *n* Teller *m;* (*gold/silver*) vergoldetes/versilbertes Tafelgeschirr; (*flat sheet*) Platte *f;* (*in book*) [Bild]tafel *f;* **2.** *vt* überziehen, plattieren; **to silver-/gold-~** versilbern/vergolden.

plateau ['plætəʊ] *n* <-x> Hochebene *f,* Plateau *nt.*

platform ['plætfɔːm] *n* (*at meeting*) Plattform *f,* Podium *nt;* (*stage*) Bühne *f;* (*RAIL*) Bahnsteig *m;* (*POL*) Parteiprogramm *nt;* **platform ticket** *n* Bahnsteigkarte *f.*

platinum ['plætɪnəm] *n* Platin *nt.*

platitude ['plætɪtjuːd] *n* Gemeinplatz *m,* Plätitüde *f.*

platter ['plætə*] *n* Platte *f.*

plausibility [plɔːzə'bɪlɪtɪ] *n* Plausibilität *f;* **~ check** Plausibilitätskontrolle *f;* **plausible** *adj,* **plausibly** *adv* ['plɔːzəbl, -blɪ] plausibel, einleuchtend; (*liar*) überzeugend.

play [pleɪ] **1.** *n* (*also TECH*) Spiel *nt;* (*THEAT*) [Theater]stück *nt,* Schauspiel *nt;* **2.** *vt, vi* spielen; (*another team*) spielen gegen; (*put sb in a team*) einsetzen, spielen lassen; **to ~ a joke on sb** jdm einen Streich spielen; **to ~ sb off against sb else** jdn gegen jdn anders ausspielen; **to ~ a part in** (*fig*) eine Rolle spielen bei; **play down** *vt* bagatellisieren, herunterspielen; **play up 1.** *vi* (*cause trouble*) frech werden; (*bad leg etc*) weh tun; **2.** *vt* (*person*) plagen; **to ~ ~ to sb** jdm schöntun; **playacting** *n* Schauspielerei *f;* **playboy** *n* Playboy *m;* **player** *n* Spieler(in *f*) *m;* **playful** *adj* spielerisch, verspielt; **playgoer** *n* Theaterbesucher(in *f*) *m;* **playground** *n* Spielplatz *m;* **play group** *n* Spielgruppe *f;* **playing card** *n* Spielkarte *f;* **playing field** *n* Sportplatz *m;* **playmate** *n* Spielkamerad(in *f*) *m;* **play-off** *n* (*SPORT*) Entscheidungsspiel *nt;* **playpen** *n* Laufstall *m;* **plaything** *n* Spielzeug *nt;* **playwright** *n* Dramatiker(in *f*) *m.*

plc *abbr of* **public limited company** GmbH *f.*

plea [pliː] *n* Bitte *f,* Gesuch *nt;* (*JUR*) Antwort *f* des Angeklagten; (*excuse*) Ausrede *f,* Vorwand *m;* (*objection*) Einrede *f;* **~ of guilty** Geständnis *nt.*

plead [pliːd] **1.** *vt* (*poverty*) zur Entschuldigung anführen; (*JUR: sb's case*) vertreten; **2.** *vi* (*beg*) dringend bitten (*with sb* jdn); (*JUR*) plädieren; **to ~ guilty** für schuldig plädieren.

pleasant *adj,* **pleasantly** *adv* ['pleznt,

-lɪ] angenehm, freundlich; **pleasant-ness** n Angenehme(s) nt; (of person) angenehmes Wesen, Freundlichkeit f; **pleasantry** n Scherz m.

please [pliːz] vt (be agreeable to) gefallen + dat; ~ bitte; ~ **yourself** wie du willst; **do what you** ~ mach' was du willst; **pleased** adj zufrieden; (glad) erfreut (with über + akk); **pleasing** adj erfreulich.

pleasurable adj, **pleasurably** adv ['plɛʒərəbl, -blɪ] angenehm, erfreulich.

pleasure ['plɛʒə*] n Vergnügen nt, Freude f; **it's a** ~ gern geschehen; **they take [no/great]** ~ **in doing** ... es macht ihnen [keinen/großen] Spaß zu...; **pleasure ground** n Vergnügungspark m; **plea-sure-seeking** adj vergnügungshungrig; **pleasure steamer** n Vergnügungsdampfer m.

pleat [pliːt] n Falte f.

plebeian [plɪ'biːən] **1.** n Plebejer(in f) m; **2.** adj plebejisch.

plebiscite ['plɛbɪsɪt] n Volksentscheid m, Plebiszit nt.

plebs [plɛbz] n pl Plebs m, Pöbel m.

plectrum ['plɛktrəm] n Plektron nt.

pledge [plɛdʒ] **1.** n Pfand nt; (promise) Versprechen nt; **2.** vt verpfänden; (promise) geloben, versprechen; **to take the** ~ dem Alkohol abschwören.

plentiful ['plɛntɪful] adj reichlich.

plenty ['plɛntɪ] **1.** n Fülle f, Überfluß m; **2.** adv (fam) ganz schön; ~ **of** eine Menge, viel; **in** ~ reichlich, massenhaft; **to be** ~ genug sein, reichen.

pleurisy ['plʊərɪsɪ] n Brustfellentzündung f.

pliable ['plaɪəbl] adj biegsam; (person) beeinflußbar.

pliers ['plaɪəz] n pl [Kombi]zange f.

plight [plaɪt] n [Not]lage f, Zustand m.

plimsolls ['plɪmsəlz] n pl Turnschuhe pl.

plod [plɒd] vi (work) sich abplagen; (walk) trotten; **plodder** n Arbeitstier nt; **plodding** adj schwerfällig.

plonk [plɒŋk] **1.** n (fam: wine) billiger Wein; **2.** vt: **to** ~ **sth down** etw hinknallen.

plot [plɒt] **1.** n Komplott nt, Verschwörung f; (of story) Handlung f; (of land) Stück nt Land, Grundstück nt; **2.** vt markieren; (curve) zeichnen; (movements) nachzeichnen; **3.** vi (plan secretly) sich verschwören, ein Komplott schmieden; **plotter** n Verschwörer(in f) m; (COMPUT) Plotter m; **plotting** n Intrigen pl.

plough, plow (US) [plaʊ] **1.** n Pflug m; **2.** vt pflügen; (fam: exam candidate) durchfallen lassen; **plough through** vt

(water) durchpflügen; (book) sich kämpfen durch.

ploy [plɔɪ] n Masche f.

pluck [plʌk] **1.** vt (fruit) pflücken; (guitar) zupfen; (goose) rupfen; **2.** n Mut m; **to** ~ **up courage** all seinen Mut zusammennehmen; **plucky** adj beherzt.

plug [plʌg] **1.** n Stöpsel m; (ELEC) Stecker m; (fam: publicity) Schleichwerbung f; (AUT) Zündkerze f; **2.** vt (fam: advertise) Reklame machen für; **to** ~ **in a lamp** den Stecker einer Lampe einstecken.

plum [plʌm] **1.** n Pflaume f, Zwetschge f; **2.** adj (job etc) Bomben-.

plumage ['pluːmɪdʒ] n Gefieder nt.

plumb [plʌm] **1.** n Lot nt; **2.** adj senkrecht; **3.** adv (exactly) genau; **4.** vt ausloten; (fig) sondieren; (mystery) ergründen; **out of** ~ nicht im Lot.

plumber ['plʌmə*] n Klempner(in f) m, Installateur(in f) m.

plumbing ['plʌmɪŋ] n (craft) Installieren nt; (fittings) Leitungen pl, Installationen pl.

plumbline ['plʌmlaɪn] n Senkblei nt.

plume [pluːm] n Feder f; (of smoke etc) Fahne f; **2.** vr: ~ **oneself** (bird) sich putzen.

plummet ['plʌmɪt] **1.** n Senkblei nt; **2.** vi [ab]stürzen.

plump [plʌmp] **1.** adj rundlich, füllig; **2.** vi plumpsen, sich fallen lassen; **3.** vt plumpsen lassen; **to** ~ **for** (fam: choose) wählen, sich entscheiden für; **plumpness** n Rundlichkeit f.

plunder ['plʌndə*] **1.** n Plünderung f; (loot) Beute f; **2.** vt plündern; (things) rauben.

plunge [plʌndʒ] **1.** n Sprung m, Stürzen nt; **2.** vt stoßen; **3.** vi stürzen; (ship) rollen; **a room** ~**d into darkness** ein in Dunkelheit getauchtes Zimmer; **plunging** adj (neckline) offenherzig.

pluperfect [pluː'pɜːfɪkt] n Plusquamperfekt nt, Vorvergangenheit f.

plural ['plʊərəl] n Plural m, Mehrzahl f.

pluralistic [plʊərə'lɪstɪk] adj pluralistisch.

plus [plʌs] **1.** prep plus, und; **2.** adj Plus-.

plush [plʌʃ] **1.** adj (also: ~ **y**) (fam: luxurious) feudal; **2.** n Plüsch m.

plutonium [pluː'təʊnɪəm] n Plutonium nt.

ply [plaɪ] **1.** n: **three-**~ (wood) dreischichtig; (wool) Dreifach-; **2.** vt (trade) [be]treiben; (with questions) zusetzen + dat; (ship, taxi) befahren; **3.** vi (ship, taxi) verkehren; **plywood** n Sperrholz nt.

pm abbr of **post meridiem** nachmittags, nachm.

PM n abbr of **Prime Minister**.

pneumatic [nju'mætɪk] adj pneumatisch; (TECH) Luft-; ~ **drill** Preßluftbohrer m; ~ **tyre** Luftreifen m.

pneumonia [njuː'məʊnɪə] n Lungenentzündung f.

poach [pəʊtʃ] vt (GASTR) pochieren; (game) wildern; **poached** adj (egg) pochiert, verloren; **poacher** n Wilddieb(in f) m; **poaching** n Wildern nt.

pocket ['pɒkɪt] **1.** n Tasche f; (of ore) Ader f; (of resistance) [Widerstands]nest nt; **2.** vt einstecken, in die Tasche stecken; **to be out of** ~ kein Geld haben; **air** ~ Luftloch nt; **pocketbook** n Taschenbuch nt; **pocket calculator** n Taschenrechner m; **pocket knife** <**knives**> Taschenmesser nt; **pocket money** n Taschengeld nt.

pockmarked ['pɒkmɑːkt] adj (face) pockennarbig.

pod [pɒd] n Hülse f; (of peas also) Schote f.

podgy ['pɒdʒɪ] adj pummelig.

poem ['pəʊəm] n Gedicht nt.

poet ['pəʊɪt] n Dichter(in f) m, Poet(in f) m.

poetic [pəʊ'etɪk] adj poetisch, dichterisch; (beauty) malerisch, stimmungsvoll.

poet laureate [pəʊɪt'lɔːrɪət] n Hofdichter m.

poetry ['pəʊɪtrɪ] n Poesie f; (poems) Gedichte pl.

point [pɔɪnt] **1.** n Punkt m; (in discussion, scoring, also spot) Stelle f; (sharpened tip) Spitze f; (moment) [Zeit]punkt m, Moment m; (purpose) Zweck m; (idea) Argument nt; (decimal ~) Dezimalstelle f; (personal characteristic) Seite f; **2.** vt zeigen mit; (gun) richten (at auf + akk); **3.** vi zeigen; ~**s** pl (RAIL) Weichen pl; ~ **of view** Standpunkt m, Gesichtspunkt m; **what's the** ~? was soll das?; **you have a** ~ **there** da hast du recht; **three** ~ **two** drei Komma zwei; **point out** vt hinweisen auf + akk; **point to** vt zeigen auf + akk; **point-blank** adv (at close range) aus nächster Entfernung; (bluntly) unverblümt; **point duty** n Verkehrsregelungsdienst m; **pointed** adj (also fig) spitz, scharf; (fig) gezielt; **pointer** n Zeigestock m; (on dial) Zeiger m; **pointless** adj, **pointlessly** adv zwecklos, sinnlos.

poise [pɔɪz] **1.** n Haltung f; (fig) Gelassenheit f; **2.** vt, vi balancieren; (knife, pen) bereithalten; **3.** vr: ~ **oneself** sich bereitmachen; **poised** adj beherrscht.

poison ['pɔɪzn] **1.** n Gift nt; **2.** vt vergiften; **poisoning** n Vergiftung f; **poisonous** adj giftig, Gift-.

poke [pəʊk] **1.** vt stoßen; (put) stecken; (fire) schüren; (hole) bohren; **2.** n Stoß m; **to** ~ **one's nose into** seine Nase stecken in + akk; **to** ~ **fun at sb** sich über jdn lustig machen; **poke about** vi herumstochern; herumwühlen; **poker** n Schürhaken m; (CARDS) Poker nt; **poker-faced** adj undurchdringlich.

poky ['pəʊkɪ] adj eng.

Poland ['pəʊlənd] n Polen nt.

polar ['pəʊlə*] adj Polar-, polar; ~ **bear** Eisbär m.

polarization [pəʊləraɪ'zeɪʃən] n Polarisation f; **polarize** ['pəʊləraɪz] **1.** vt polarisieren; **2.** vi sich polarisieren.

pole [pəʊl] n Stange f, Pfosten m; (flag ~, telegraph ~) Mast m; (ELEC, GEO) Pol m; (SPORT: vaulting ~) Stab m; (ski ~) Stock m; **the North/South P**~ der Nord-/Südpol; **we are** ~**s apart** uns trennen Welten.

Pole [pəʊl] n Pole m, Polin f.

polecat ['pəʊlkæt] n (US) Skunk m; **pole star** n Polarstern m; **pole vault** n Stabhochsprung m.

police [pə'liːs] **1.** n Polizei f; **2.** vt polizeilich überwachen; kontrollieren; **police car** n Polizeiwagen m; **policeman** n <**-men**> Polizist m; **police state** n Polizeistaat m; **police station** n [Polizei]revier nt, Wache f; **policewoman** n <**-women**> Polizistin f.

policy ['pɒlɪsɪ] n Politik f; (insurance ~) [Versicherungs]police f; (prudence) Klugheit f; (principle) Grundsatz m; **policy decision** n Grundsatzentscheidung f; **policy statement** n Grundsatzerklärung f.

polio ['pəʊlɪəʊ] n Kinderlähmung f.

polish ['pɒlɪʃ] **1.** n Politur f; (for floor) Wachs nt; (for shoes) Creme f; (nail~) Lack m; (shine) Glanz m; (fig) Schliff m; **2.** vt polieren; (shoes) putzen; (fig) den letzten Schliff geben + dat, aufpolieren; **polish off** vt (fam: work) erledigen; (food) wegputzen; (drink) hinunterschütten; **polish up** vt (essay) aufpolieren; (knowledge) auffrischen.

Polish ['pəʊlɪʃ] adj polnisch.

polished ['pɒlɪʃt] adj glänzend; (fig: manners) verfeinert.

polite adj, **politely** adv [pə'laɪt, -lɪ] höflich; (society) fein; **politeness** n Höflichkeit f.

politic ['pɒlɪtɪk] adj (prudent) diplomatisch; see also **politics**; **political** adj, **politically** adv [pə'lɪtɪkəl, -ɪ] politisch; ~ **science** Politologie f; **politician** [pɒlɪ'tɪʃən] n Politiker(in f) m, Staatsmann *m;* **politics** ['pɒlɪtɪks] *n sing o pl* Politik *f.*

poll [pəʊl] **1.** *n* Abstimmung *f; (in election)* Wahl *f; (votes cast)* Wahlbeteiligung *f; (opinion ~)* Umfrage *f;* **2.** *vt (votes)* erhalten, auf sich vereinigen.

pollen ['pɒlən] *n* Blütenstaub *m,* Pollen *m;* **pollen count** *n* Pollenkonzentration *f.*

pollination [pɒlɪ'neɪʃən] *n* Befruchtung *f.*

polling booth ['pəʊlɪŋbuːð] *n* Wahlkabine *f;* **polling day** *n* Wahltag *m;* **polling station** *n* Wahllokal *nt.*

pollute [pə'luːt] *vt* verschmutzen, verunreinigen; **pollution** [pə'luːʃən] *n* Verschmutzung *f.*

polo ['pəʊləʊ] *n* Polo *nt.*

poly- [pɒlɪ] *pref* Poly-.

polygamy [pɒ'lɪgəmɪ] *n* Polygamie *f.*

Polynesia [pɒlɪ'niːzɪə] *n* Polynesien *nt.*

polytechnic [pɒlɪ'teknɪk] *n* technische Hochschule.

polythene ['pɒlɪθiːn] *n* Plastik *nt;* **polythene bag** *n* Plastiktüte *f.*

pomegranate ['pɒməgrænɪt] *n* Granatapfel *m.*

pomp [pɒmp] *n* Pomp *m,* Prunk *m.*

pompous *adj,* **pompously** *adv* ['pɒmpəs, -lɪ] aufgeblasen; *(language)* geschwollen.

ponce [pɒns] *n (fam: pimp)* Louis *m; (queer)* Schwule(r) *m.*

pond [pɒnd] *n* Teich *m,* Weiher *m.*

ponder ['pɒndə*] *vi* nachdenken *(o* nachgrübeln) über; **ponderous** *adj* schwerfällig.

pontificate [pɒn'tɪfɪkeɪt] *vi (fig)* dozieren.

pontoon [pɒn'tuːn] *n* Ponton *m; (CARDS)* 17-und-4 *nt.*

pony ['pəʊnɪ] *n* Pony *nt;* **ponytail** *n* Pferdeschwanz *m.*

poodle ['puːdl] *n* Pudel *m.*

pooh-pooh [puːˈpuː] *vt* die Nase rümpfen über *+ akk.*

pool [puːl] **1.** *n (swimming ~)* Schwimmbad *nt; (private)* Swimming-pool *m; (of spilt liquid, blood)* Lache *f; (fund)* [gemeinsame] Kasse *f; (billiards)* Poolspiel *nt;* **2.** *vt (money etc)* zusammenlegen.

poor [pʊə*] *adj* arm; *(not good)* schlecht, schwach; **the** *~ pl* die Armen *pl;* **poorly** **1.** *adv* schlecht, schwach; *(dressed)* ärmlich; **2.** *adj (ill)* schlecht, elend.

pop [pɒp] **1.** *n* Knall *m; (music)* Popmusik *f; (drink)* Limo[nade] *f; (US fam)* Pa[pa] *m;* **2.** *vt (put)* stecken; *(balloon)* platzen lassen; **3.** *vi* knallen; **to ~ in/out** *(person)* vorbeikommen/hinausgehen; hinein-/hinausspringen; **pop concert** *n*

Popkonzert *nt;* **popcorn** *n* Popcorn *nt.*

Pope [pəʊp] *n* Papst *m.*

poplar ['pɒplə*] *n* Pappel *f.*

poplin ['pɒplɪn] *n* Popelin *m.*

poppy ['pɒpɪ] *n* Mohn *m.*

populace ['pɒpjʊlɪs] *n* Volk *nt.*

popular ['pɒpjʊlə*] *adj* beliebt, populär; *(of the people)* volkstümlich, Populär-; *(widespread)* allgemein; **popularity** [pɒpjʊ'lærɪtɪ] *n* Beliebtheit *f,* Popularität *f;* **popularize** ['pɒpjʊləraɪz] *vt* popularisieren; **popularly** *adv* allgemein, überall.

populate ['pɒpjʊleɪt] *vt* bevölkern; *(town)* bewohnen.

population [pɒpjʊ'leɪʃən] *n* Bevölkerung *f; (of town)* Einwohner *pl.*

porcelain ['pɔːslɪn] *n* Porzellan *nt.*

porch [pɔːtʃ] *n* Vorbau *m,* Veranda *f; (in church)* Vorhalle *f.*

porcupine ['pɔːkjʊpaɪn] *n* Stachelschwein *nt.*

pore [pɔː*] *n* Pore *f;* **pore over** *vt* brüten *(o* hocken) über.

pork [pɔːk] *n* Schweinefleisch *nt.*

pornographic *adj,* **pornographically** *adv* [pɔːnə'græfɪk, -əlɪ] pornographisch; **pornography** [pɔː'nɒgrəfɪ] *n* Pornographie *f.*

porous ['pɔːrəs] *adj* porös; *(skin)* porig.

porpoise ['pɔːpəs] *n* Tümmler *m.*

porridge ['pɒrɪdʒ] *n* Porridge *m,* Haferbrei *m.*

port [pɔːt] *n* Hafen *m; (town)* Hafenstadt *f; (NAUT: left side)* Backbord *nt; (opening for loads)* Luke *f; (wine)* Portwein *m.*

portable ['pɔːtəbl] *adj* tragbar; *(radio)* Koffer-; *(typewriter)* Reise-.

portal ['pɔːtl] *n* Portal *nt.*

portcullis [pɔːt'kʌlɪs] *n* Fallgitter *nt.*

porter ['pɔːtə*] *n* Pförtner(in *f) m; (for luggage)* [Gepäck]träger *m.*

porthole ['pɔːthəʊl] *n* Bullauge *nt.*

portico ['pɔːtɪkəʊ] *n* < -[e]s > Säulengang *m.*

portion ['pɔːʃən] *n* Teil *m,* Stück *nt; (of food)* Portion *f.*

portly ['pɔːtlɪ] *adj* korpulent, beleibt.

portrait ['pɔːtrɪt] *n* Porträt *nt,* Bild[nis] *nt.*

portray [pɔː'treɪ] *vt* darstellen; *(describe)* schildern; **portrayal** *n* Darstellung *f;* Schilderung *f.*

Portugal ['pɔːtʃʊgl] *n* Portugal *nt;* **Portuguese** [pɔːtʃʊ'giːz] **1.** *adj* portugiesisch; **2.** *n* Portugiese *m,* Portugiesin *f;* **the** *~ pl* die Portugiesen *pl.*

pose [pəʊz] **1.** *n* Stellung *f; (affectation)* Pose *f;* **2.** *vi* posieren, sich in Positur setzen; **3.** *vt* stellen; **to ~ as** sich ausgeben als; **poser** *n* knifflige Frage.

posh [pɒʃ] adj (fam) [piek]fein.
position [pə'zɪʃən] **1.** n Stellung f; (place) Position f, Lage f; (job) Stelle f; (attitude) Standpunkt m, Haltung f; **2.** vt aufstellen; (COMPUT) positionieren; **to be in a ~ to do sth** in der Lage sein, etw zu tun.
positive adj, **positively** adv ['pɒzɪtɪv, -lɪ] positiv; (convinced) sicher; (definite) eindeutig.
posse ['pɒsɪ] n (US) Aufgebot nt.
possess [pə'zes] vt besitzen; **what ~ed you to...** was ist in dich gefahren, daß...?; **possessed** adj besessen; **possession** [pə'zeʃən] n Besitz m; **possessive** adj besitzergreifend, eigensüchtig; (LING) Possessiv-, besitzanzeigend; **possessively** adv besitzergreifend, eigensüchtig; **possessor** n Besitzer(in f) m.
possibility [pɒsə'bɪlɪtɪ] n Möglichkeit f.
possible ['pɒsəbl] adj möglich; **if ~** wenn möglich, möglichst; **as big as ~** so groß wie möglich, möglichst groß; **possibly** adv möglicherweise, vielleicht; **as soon as I ~ can** sobald ich irgend[wie] kann.
post [pəʊst] **1.** n Post f; (pole) Pfosten m, Pfahl m; (place of duty) Posten m; (job) Stelle f; **2.** vt (notice) anschlagen; (letters) aufgeben; (soldiers) aufstellen; **postage** ['pəʊstɪdʒ] n Postgebühr f, Porto nt; **postal** adj Post-; **~ order** Postanweisung f; **postcard** n Postkarte f; **postcode** n (Brit) Postleitzahl f; **postdate** vt (cheque) nachdatieren.
poster ['pəʊstə*] n Plakat nt, Poster nt.
poste restante [pəʊst'restɑnt] n: **to send sth ~** etw postlagernd schicken.
posterior [pɒ'stɪərɪə*] n (fam) Hintern m.
posterity [pɒ'sterɪtɪ] n Nachwelt f; (descendants) Nachkommenschaft f.
postgraduate [pəʊst'grædjuɪt] n Weiterstudierende(r) mf.
posthumous adj, **posthumously** adv ['pɒstjuməs, -lɪ] post[h]um.
postman ['pəʊstmən] n <-men> Briefträger m, Postbote m; **postmark** n Poststempel m.
post-modern [pəʊst'mɒdən] adj postmodern.
post-mortem ['pəʊst'mɔːtəm] n Autopsie f.
post office ['pəʊstɒfɪs] n Postamt nt; (organization) Post f.
postpone [pə'spəʊn] vt verschieben, aufschieben.
postscript ['pəʊsskrɪpt] n Nachschrift f, Postskript nt; (in book) Nachwort nt.
postulate ['pɒstjuleɪt] vt voraussetzen;

(maintain) behaupten.
posture ['pɒstʃə*] **1.** n Haltung f; **2.** vi posieren.
postwar [pəʊst'wɔː*] adj Nachkriegs-.
posy ['pəʊzɪ] n Blumenstrauß m.
pot [pɒt] **1.** n Topf m; (tea ~) Kanne f; (fam: marijuana) Hasch nt; **2.** vt (plant) eintopfen.
potash ['pɒtæʃ] n Pottasche f.
potato [pə'teɪtəʊ] n <-es> Kartoffel f; **potato peeler** n Kartoffelschäler m.
potency ['pəʊtənsɪ] n Stärke f, Potenz f; **potent** adj stark; (argument) zwingend.
potential [pəʊ'tenʃəl] **1.** adj potentiell; **2.** n Potential nt; **he is a ~ virtuoso** er hat das Zeug zum Virtuosen; **potentially** adv potentiell.
pothole ['pɒthəʊl] n Höhle f; (in road) Schlagloch nt; **potholer** n Höhlenforscher(in f) m; **potholing** n: **to go ~** Höhlen erforschen.
potion ['pəʊʃən] n Trank m.
potluck [pɒt'lʌk] n: **to take ~ with sth** etw auf gut Glück nehmen.
potted ['pɒtɪd] adj (food) eingelegt, eingemacht; (plant) Topf-; (fig: book, version) konzentriert.
potter ['pɒtə*] **1.** n Töpfer(in f) m; **2.** vi herumhantieren, herumwursteln; **pottery** n Töpferwaren pl, Steingut nt; (place) Töpferei f.
potty ['pɒtɪ] **1.** adj (fam) verrückt; **2.** n Töpfchen nt.
pouch [paʊtʃ] n Beutel m; (under eyes) Tränensack m; (for tobacco) Tabaksbeutel m.
pouffe [puːf] n Sitzkissen nt.
poultice ['pəʊltɪs] n Packung f.
poultry ['pəʊltrɪ] n Geflügel nt; **poultry farm** n Geflügelfarm f.
pounce [paʊns] **1.** vi sich stürzen (on auf + akk); **2.** n Sprung m, Satz m.
pound [paʊnd] **1.** n (FIN) Pfund nt; (weight) Pfund nt (0.454 kg); (for cars, animals) Auslösestelle f; (for stray animals) [Tier]asyl nt; **2.** vi klopfen, hämmern; **3.** vt [zer]stampfen; **pounding** n starkes Klopfen, Hämmern nt, [Zer]stampfen nt.
pour [pɔː*] **1.** vt gießen, schütten; **2.** vi gießen; (crowds etc) strömen; **~ing rain** strömender Regen; **pour away**, **pour off** vt abgießen.
pout [paʊt] **1.** n Schnute f, Schmollmund m; **2.** vi schmollen.
poverty ['pɒvətɪ] n Armut f; **poverty-stricken** adj verarmt, sehr arm.
powder ['paʊdə*] **1.** n Pulver nt; (cosmetic) Puder m; **2.** vt pulverisieren; (sprinkle) bestreuen; **to ~ one's nose** sich dat

die Nase pudern; (fig) zur Toilette gehen; **powder room** n Damentoilette f; **powdery** adj pulverig, Pulver-.

power ['pauə*] **1.** n Macht f; (ability) Fähigkeit f; (strength) Stärke f; (authority) Macht f, Befugnis f; (MATH) Potenz f; (ELEC) Strom m; **2.** vt betreiben, antreiben; **power-assisted steering** n Servolenkung f; **power cut** n Stromausfall m; **powerful** adj (person) mächtig; (engine, government) stark; **powerless** adj machtlos; **power line** n [Haupt]stromleitung f; **power point** n elektrischer Anschluß; **power station** n Kraftwerk nt; **atomic** (o **nuclear**) ~ Atomkraftwerk nt, Kernkraftwerk nt.

powwow ['pauwau] **1.** n Besprechung f; **2.** vi eine Besprechung abhalten.

practicability [præktikə'biliti] n Durchführbarkeit f; **practicable** ['præktikəbl] adj durchführbar.

practical adj, **practically** adv ['præktikəl, -li] praktisch; ~ **joke** Streich m.

practice ['præktis] n Übung f; (reality) Praxis f; (custom) Brauch m; (in business) Usus m; (doctor's, lawyer's) Praxis f; **in** ~ (in reality) in der Praxis; **out of** ~ außer Übung.

practise, **practice** (US) ['præktis] **1.** vt üben; (profession) ausüben; **2.** vi üben; (doctor, lawyer) praktizieren; **to** ~ **law/ medicine** als Rechtsanwalt/Arzt arbeiten; **practised** adj erfahren; **practising**, **practicing** (US) adj praktizierend; (Christian etc) aktiv.

practitioner [præk'tiʃənə*] n praktischer Arzt, praktische Ärztin.

pragmatic [præg'mætik] adj pragmatisch; **pragmatist** ['prægmətist] n Pragmatiker(in f) m.

prairie ['prɛəri] n Prärie f, Steppe f.

praise [preiz] **1.** n Lob nt; **2.** vt loben; (worship) [lob]preisen, loben; **praiseworthy** adj lobenswert.

pram [præm] n Kinderwagen m.

prance [prɑ:ns] vi (horse) tänzeln; (person) stolzieren; (gaily) herumhüpfen.

prank [præŋk] n Streich m.

prattle ['prætl] vi schwatzen, plappern.

prawn [prɔ:n] n Garnele f, Krabbe f.

pray [prei] vi beten; **prayer** [prɛə*] n Gebet nt; **prayer book** n Gebetbuch nt.

pre- [pri:] pref prä-, vor[her]-.

preach [pri:tʃ] vi predigen; **preacher** n Prediger(in f) m.

preamble [pri:'æmbl] n Einleitung f.

prearrange [pri:ə'reindʒ] vt vereinbaren, absprechen; **prearranged** adj vereinbart; **prearrangement** n Vereinbarung

f, vorherige Absprache.

precarious adj, **precariously** adv [pri'kɛəriəs, -li] prekär, unsicher.

precaution [pri'kɔ:ʃən] n [Vorsichts]maßnahme f, Vorbeugung f; **precautionary** adj (measure) vorbeugend, Vorsichts-.

precede [pri'si:d] vt, vi vorausgehen + dat; (be more important) an Bedeutung übertreffen; **precedence** ['presidəns] n Priorität f, Vorrang m; **to take** ~ **over** den Vorrang haben vor + dat; **precedent** ['president] n Präzedenzfall m; **preceding** adj vorhergehend.

precinct ['pri:siŋkt] n Gelände f; (district) Bezirk m; (police ~) Revier nt; (shopping ~) Einkaufsviertel nt.

precious ['preʃəs] adj kostbar, wertvoll; (affected) preziös, geziert.

precipice ['presipis] n Abgrund m.

precipitate [pri'sipiteit] vt beschleunigen; (events) heraufbeschwören.

precipitation [prisipi'teiʃən] n (CHEM, METEO) Niederschlag m.

precipitous adj, **precipitously** adv [pri'sipitəs, -li] steil; (action) überstürzt.

précis ['preisi:] n Übersicht f, Zusammenfassung f; (SCH) Inhaltsangabe f.

precise adj, **precisely** adv [pri'sais, -li] genau, präzis.

preclude [pri'klu:d] vt ausschließen; (person) abhalten (sb from sth jdn von etw.)

precocious [pri'kəuʃəs] adj frühreif.

preconceived [pri:kən'si:vd] adj (idea) vorgefaßt.

precursor [pri:'kə:sə*] n Vorläufer(in f) m.

predator ['predətə*] n Raubtier nt; **predatory** adj Raub-; räuberisch.

predecessor ['pri:disesə*] n Vorgänger(in f) m.

predestination [pri:desti'neiʃən] n Vorherbestimmung f, Prädestination f; **predestine** [pri:'destin] vt vorherbestimmen.

predetermine [pri:di'tə:min] vt vorherentscheiden, vorherbestimmen.

predicament [pri'dikəmənt] n mißliche Lage; **to be in a** ~ in der Klemme sitzen.

predicate ['predikət] n Prädikat nt, Satzaussage f.

predict [pri'dikt] vt voraussagen; **prediction** [pri'dikʃən] n Voraussage f.

predominance [pri'dominəns] n (in power) Vorherrschaft f; (fig) Vorherrschen nt, Überwiegen nt; **predominant** adj vorherrschend; (fig also) überwiegend; **predominantly** adv überwiegend, hauptsächlich; **predominate** [pri'domineit] vi vorherrschen; (fig also) überwiegen.

pre-eminent [priː'eminənt] adj hervorragend, herausragend.

pre-empt [priː'empt] vt (action, decision) vorwegnehmen.

preen [priːn] vt putzen; **to ~ oneself on sth** sich dat etwas auf etw einbilden.

prefab ['priːfæb] n Fertighaus nt; **prefabricated** [priː'fæbrikeitid] adj vorgefertigt, Fertig-.

preface ['prefis] n Vorwort nt, Einleitung f.

prefect ['priːfekt] n Präfekt(in f) m; (SCH) Aufsichtsschüler(in f) m.

prefer [pri'fɜː] vt vorziehen, lieber mögen; **to ~ to do sth** etw lieber tun; **preferable** ['prefərəbl] adj vorzuziehen (to dat); **preferably** ['prefərəbli] adv vorzugsweise, am liebsten; **preference** ['prefərəns] n Präferenz f, Vorzug m; **preferential** [prefə'renʃəl] adj bevorzugt, Vorzugs-.

prefix ['priːfiks] n Vorsilbe f, Präfix nt; (US TEL) Vorwahl f.

pregnancy ['pregnənsi] n Schwangerschaft f; **pregnant** adj schwanger; **~ with meaning** (fig) bedeutungsschwer, bedeutungsvoll.

prehistoric [priːhi'storik] adj prähistorisch, vorgeschichtlich; **prehistory** [priː'histəri] n Urgeschichte f.

prejudge [priː'dʒʌdʒ] vt vorschnell beurteilen.

prejudice ['predʒudis] 1. n Vorurteil nt, Voreingenommenheit f; (harm) Schaden m; 2. vt beeinträchtigen; **prejudiced** adj (person) voreingenommen.

preliminary [pri'liminəri] 1. adj einleitend, Vor-; 2. n Einleitung f; (measure) Vorbereitung f; (SPORT) Vorspiel nt; **the preliminaries** pl die vorbereitenden Maßnahmen pl; **prelims** n pl (SCH) Vorprüfung f; (in book) Vorbemerkungen pl.

prelude ['prelju:d] n Vorspiel nt; (MUS) Präludium nt; (fig) Auftakt m.

premarital [priː'mæritl] adj vorehelich.

premature ['premətʃuə] adj vorzeitig, verfrüht; (birth) Früh-; (decision) voreilig; **prematurely** adv vorzeitig; verfrüht; voreilig.

premeditate [priː'mediteit] vt im voraus planen; **premeditated** adj geplant; (murder) vorsätzlich; **premeditation** [priːmedi'teiʃən] n Planung f.

premier ['premiə] 1. adj erste(r, s), oberste(r, s), höchste(r, s); 2. n Premier m, Premierminister(in f) m.

premiere ['premiɛə] n Premiere f; (first ever) Uraufführung f.

premise ['premis] n Voraussetzung f, Prämisse f; **~s** pl Räumlichkeiten pl; (grounds) Grundstück nt.

premium ['priːmiəm] n Prämie f; **to sell at a ~** mit Gewinn verkaufen.

premonition [premə'niʃən] n Vorahnung f.

preoccupation [priːɒkju'peiʃən] n Sorge f; **preoccupied** [priː'ɒkjupaid] adj (look) geistesabwesend; **to be ~ with sth** mit den Gedanken an etw akk beschäftigt sein.

prepaid [priː'peid] adj vorausbezahlt; (letter) frankiert.

preparation [prepə'reiʃən] n Vorbereitung f.

preparatory [pri'pærətəri] adj Vor(bereitungs)-.

prepare [pri'pɛə] 1. vt vorbereiten (for auf + akk); 2. vi sich vorbereiten; **to be ~d to...** bereit sein zu...

preponderance [pri'pɒndərəns] n Übergewicht nt.

preposition [prepə'ziʃən] n Präposition f, Verhältniswort nt.

preposterous [pri'pɒstərəs] adj absurd, widersinnig.

preppy ['prepi] adj (esp US) adrett und trendy.

prerequisite [priː'rekwizit] n Voraussetzung f.

prerogative [pri'rɒgətiv] n Vorrecht nt, Privileg nt.

presbytery ['prezbitəri] n (house) Presbyterium nt; (Catholic) Pfarrhaus nt.

prescribe [pri'skraib] vt vorschreiben, anordnen; (MED) verschreiben; **prescription** [pri'skripʃən] n Vorschrift f; (MED) Rezept nt; **prescriptive** [pri'skriptiv] adj normativ.

presence ['prezns] n Gegenwart f, Anwesenheit f; **~ of mind** Geistesgegenwart f; **present** ['preznt] 1. adj anwesend; (existing) gegenwärtig, augenblicklich; 2. n Gegenwart f; (LING) Präsens nt; (gift) Geschenk nt; 3. [pri'zent] vt vorlegen; (introduce) vorstellen; (show) zeigen; (give) überreichen; **to ~ sb with sth** jdm etw überreichen; **at ~** im Augenblick.

presentable [pri'zentəbl] adj präsentabel.

presentation [prezən'teiʃən] n Überreichung f; (of prize) Verleihung f; (gift) Geschenk nt; (THEAT) Inszenierung f; (TV) Produktion f; (announcing etc) Moderation f.

present-day ['prezntdei] adj heutig, gegenwärtig, modern; **presently** adv bald; (at present) im Augenblick; **present participle** n Partizip nt Präsens nt, Mittelwort nt der Gegenwart; **present tense** n Präsens nt, Gegenwart f.

preservation [prezə'veɪʃən] n Erhaltung f.

preservative [prɪ'zɜːvətɪv] n Konservierungsmittel nt.

preserve [prɪ'zɜːv] 1. vt erhalten, schützen; (food) einmachen, konservieren; 2. n (jam) Eingemachte(s) nt; (HUNTING) Schutzgebiet nt.

preside [prɪ'zaɪd] vi den Vorsitz haben.

presidency ['prezɪdənsɪ] n (POL) Präsidentschaft f.

president ['prezɪdənt] n Präsident(in f) m; **presenditial** [prezɪ'denʃəl] adj Präsidenten-; (election) Präsidentschafts-; (system) Präsidial-.

press [pres] 1. n Presse f; (printing house) Druckerei f; 2. vt drücken, pressen; (iron) bügeln; (urge) [be]drängen; 3. vi (push) drücken, pressen; **to be ~ed for time** unter Zeitdruck stehen; **to be ~ed for money/space** wenig Geld/Platz haben; **to ~ for sth** auf etw akk drängen; **to give the clothes a ~** die Kleider bügeln; **press on** vi weitermachen; **press agency** n Presseagentur f; **press conference** n Pressekonferenz f; **press cutting** n Zeitungsausschnitt m; **pressing** adj dringend; **press-stud** n Druckknopf m; **press-up** n (Brit) Liegestütz m.

pressure ['preʃə'] n Druck m; **pressure cooker** n Schnellkochtopf m; **pressure gauge** n Druckmesser m; **pressure group** n Interessenverband m, Pressure Group f.

pressurized ['preʃəraɪzd] adj Druck-.

prestige [pre'stiːʒ] n Ansehen nt, Prestige nt; **prestigious** [pre'stɪdʒəs] adj Prestige-.

presumably [prɪ'zjuːməblɪ] adv vermutlich.

presume [prɪ'zjuːm] vt, vi annehmen; (dare) sich dat erlauben.

presumption [prɪ'zʌmpʃən] n Annahme f; (impudent behaviour) Anmaßung f.

presumptuous [prɪ'zʌmptjʊəs] adj anmaßend.

presuppose [priːsə'pəʊz] vt voraussetzen; **presupposition** [priːsʌpə'zɪʃən] n Voraussetzung f.

pretence [prɪ'tens] n Vortäuschung f; (false claim) Vorwand m.

pretend [prɪ'tend] 1. vt vorgeben, so tun als ob...; 2. vi so tun; **to ~ to sth** Anspruch auf etw akk erheben.

pretense [prɪ'tens] n (US) see pretence.

pretension [prɪ'tenʃən] n Anspruch m; (impudent claim) Anmaßung f.

pretentious [prɪ'tenʃəs] adj angeberisch.

pretext ['priːtekst] n Vorwand m.

prettily ['prɪtɪlɪ] adv hübsch, nett.

pretty ['prɪtɪ] 1. adj hübsch, nett; 2. adv (fam) ganz schön.

prevail [prɪ'veɪl] vi siegen (against, over über + akk); (custom) vorherrschen; **to ~ upon sb to do sth** jdn dazu bewegen, etw zu tun; **prevailing** adj vorherrschend, aktuell.

prevalent ['prevələnt] adj vorherrschend.

prevarication [prɪværɪ'keɪʃən] n Ausflucht f.

prevent [prɪ'vent] vt (stop) verhindern, verhüten; **to ~ sb from doing sth** jdn [daran] hindern, etw zu tun; **preventable** adj verhütbar; **preventative** n Vorbeugungsmittel nt; **prevention** [prɪ'venʃən] n Verhütung f, Schutz m (of gegen); **preventive** adj vorbeugend, Schutz-.

preview ['priːvjuː] 1. n private Voraufführung; (trailer) Vorschau f; 2. vt (film) privat vorführen.

previous ['priːvɪəs] adj früher, vorherig; **previously** adv früher.

prewar [priː'wɔː'] adj Vorkriegs-.

prey [preɪ] n Beute f; **bird/beast of ~** Raubvogel m/Raubtier nt; **prey on** vt Jagd machen auf + akk; (mind) nagen an + dat.

price [praɪs] 1. n Preis m; (value) Wert m; 2. vt schätzen; (label) auszeichnen; **priceless** adj (also fig) unbezahlbar; **price list** n Preisliste f; **pricey** adj (fam) teuer.

prick [prɪk] 1. n Stich m; 2. vt, vi stechen; **to ~ up one's ears** die Ohren spitzen.

prickle ['prɪkl] 1. n Stachel m, Dorn m; 2. vi brennen.

prickly ['prɪklɪ] adj stachelig; (fig: person) reizbar; **prickly heat** n Hitzebläschen pl; **prickly pear** n Feigenkaktus m; (fruit) Kaktusfeige f.

pride [praɪd] n Stolz m; (arrogance) Hochmut m; **to ~ oneself in sth** auf etw akk stolz sein.

priest [priːst] n Priester m; **priestess** n Priesterin f; **priesthood** n Priesteramt nt.

prig [prɪg] n Selbstgefällige(r) mf.

prim adj, **primly** adv [prɪm, -lɪ] prüde.

prima donna [priːmə'dɒnə] n Primadonna f.

primarily ['praɪmərɪlɪ] adv vorwiegend, hauptsächlich.

primary ['praɪmərɪ] adj Haupt-, Grund-, primär; **~ colour** Grundfarbe f; **~ education** Grundschul[aus]bildung f; **~ election** Vorwahl f; **~ school** Grundschule f.

primate ['praɪmɪt] n (REL) Primas m; (BIO) Primat m.

prime [praɪm] **1.** adj oberste(r, s), erste(r, s), wichtigste(r, s); (excellent) erstklassig, prima; **2.** vt vorbereiten; (gun) laden; **3.** n (of life) bestes Alter; **prime minister** n Premierminister(in f) m, Ministerpräsident(in f) m; **primer** n Elementarlehrbuch nt, Fibel f.

primeval [praɪ'miːvəl] adj vorzeitlich; (forests) Ur-.

primitive ['prɪmɪtɪv] adj primitiv.

primrose ['prɪmrəʊz] n Primel f.

primula ['prɪmjʊlə] n Primel f.

primus [stove] ® ['praɪməs stəʊv] n Campingkocher m (der mit Paraffin betrieben wird).

prince [prɪns] n Prinz m; (ruler) Fürst m; **princess** [prɪn'ses] n Prinzessin f; Fürstin f.

principal ['prɪnsɪpəl] **1.** adj Haupt-; wichtigste(r, s); **2.** n (SCH) [Schul]direktor(in f) m, Rektor(in f) m; (money) [Grund]kapital nt.

principality [prɪnsɪ'pælɪtɪ] n Fürstentum nt.

principally ['prɪnsɪpəlɪ] adv hauptsächlich.

principle ['prɪnsɪpl] n Grundsatz m, Prinzip nt; **in/on ~** im/aus Prinzip, prinzipiell.

print [prɪnt] **1.** n Druck m; (made by feet, fingers) Abdruck m; (FOT) Abzug m; **2.** vt drucken; (COMPUT) ausdrucken; (name) in Druckbuchstaben schreiben; (photo) abziehen; **is the book still in ~?** wird das Buch noch gedruckt?; **out of ~** vergriffen; **printed matter** n Drucksache f; **printer** n Drucker m; (of photos) Abzieher m; **printing** n Drucken nt; (of photos) Abziehen nt; **press** Druckerpresse f; **printout** n (COMPUT) Ausdruck m.

prior ['praɪə*] **1.** adj früher; **2.** n Prior m; **~ to** sth vor etw dat; **~ to going abroad, she had...** bevor sie ins Ausland ging, hatte sie...; **prioress** n Priorin f.

priority [praɪ'ɒrɪtɪ] n Vorrang m, Priorität f.

priory ['praɪərɪ] n Kloster nt.

prise [praɪz] vt: **to ~ open** aufbrechen.

prism ['prɪzəm] n Prisma nt.

prison ['prɪzn] n Gefängnis nt; **prisoner** n Gefangene(r) mf; **~ of war** Kriegsgefangene(r) mf; **to be taken ~** in Gefangenschaft geraten.

prissy ['prɪsɪ] adj (fam) etepetete.

pristine ['prɪstiːn] adj makellos.

privacy ['prɪvəsɪ] n Privatleben nt.

private ['praɪvɪt] **1.** adj privat, Privat-; (secret) vertraulich, geheim; (soldier) einfach; **2.** n einfacher Soldat; **in ~** privat, unter vier Augen; **private eye** n Privatdetektiv(in f) m; **privately** adv privat; vertraulich, geheim.

privet ['prɪvɪt] n Liguster m.

privilege ['prɪvɪlɪdʒ] n Vorrecht nt, Privileg nt; (honour) Ehre f; **privileged** adj bevorzugt, privilegiert.

privy ['prɪvɪ] adj geheim, privat; **~ council** Geheimer Staatsrat.

prize [praɪz] **1.** n Preis m; **2.** adj (example) erstklassig; (idiot) Voll-; **3.** vt [hoch]schätzen; **prize fighting** n Preisboxen nt; **prize giving** n Preisverteilung f; **prize money** n Geldpreis m; **prizewinner** n Preisträger(in f) m; (of money) Gewinner(in f) m.

pro [prəʊ] n **< -s >** (professional) Profi m; **the ~s and cons** pl das Für und Wider.

pro- [prəʊ] pref pro-.

probability [prɒbə'bɪlɪtɪ] n Wahrscheinlichkeit f; **in all ~** aller Wahrscheinlichkeit nach; **probable** adj, **probably** adv ['prɒbəbl, -blɪ] wahrscheinlich.

probation [prə'beɪʃən] n Probe[zeit] f; (JUR) Bewährung f; **on ~** auf Probe; auf Bewährung; **probation officer** n Bewährungshelfer(in f) m; **probationary** adj Probe-; **probationer** n (nurse) Lernschwester f, Pfleger m in der Ausbildung; (JUR) auf Bewährung freigelassener Gefangener.

probe [prəʊb] **1.** n Sonde f; (enquiry) Untersuchung f; **2.** vt, vi untersuchen, erforschen, sondieren.

problem ['prɒbləm] n Problem nt; **problematic** [prɒblɪ'mætɪk] adj problematisch.

procedural [prə'siːdjʊrəl] adj verfahrensmäßig, Verfahrens-; **procedure** [prə'siːdʒə*] n Verfahren nt, Vorgehen nt.

proceed [prə'siːd] vi (advance) vorrücken; (start) anfangen; (carry on) fortfahren; (set about) vorgehen; (come from) entstehen (from aus); (JUR) gerichtlich vorgehen; **proceedings** n pl (JUR) Verfahren nt; (record of things) Sitzungsbericht m.

proceeds ['prəʊsiːdz] n pl Erlös m, Gewinn m.

process ['prəʊses] **1.** n Vorgang m, Prozeß m; (method also) Verfahren nt; **2.** vt bearbeiten; (food, COMPUT) verarbeiten; (film) entwickeln.

procession [prə'seʃən] n Prozession f, Umzug m.

proclaim [prə'kleɪm] vt verkünden, proklamieren; **to ~ sb king** jdn zum König ausrufen; **proclamation** [prɒklə'meɪʃən] n Verkündung f, Proklamation f, Ausrufung f.

procrastination [prəʊkræstɪˈneɪʃən] n Hinausschieben nt.

procreation [prəʊkrɪˈeɪʃən] n [Er]zeugung f.

procure [prəˈkjʊə*] vt beschaffen.

prod [prɒd] 1. vt stoßen; 2. n Stoß m; to ~ **sb** (fig) jdn anspornen, jdn treten.

prodigal [ˈprɒdɪgəl] adj verschwenderisch (of mit); **the ~ son** der verlorene Sohn.

prodigious [prəˈdɪdʒəs] adj gewaltig, erstaunlich; (wonderful) wunderbar.

prodigy [ˈprɒdɪdʒɪ] n Wunder nt; **a child ~** ein Wunderkind.

produce [ˈprɒdjuːs] 1. n (AGR) [Boden]produkte pl, [Natur]erzeugnis nt; 2. [prəˈdjuːs] vt herstellen, produzieren; (cause) hervorrufen; (farmer) erzeugen; (yield) liefern, bringen; (play) inszenieren; **producer** n Erzeuger(in f) m, Hersteller(in f) m; (CINE) Produzent(in f) m.

product [ˈprɒdʌkt] n Produkt nt, Erzeugnis nt.

production [prəˈdʌkʃən] n Produktion f, Herstellung f; (thing) Erzeugnis nt, Produkt nt; (THEAT) Inszenierung f; **production line** n Fließband nt.

productive [prəˈdʌktɪv] adj produktiv; (fertile) ertragreich, fruchtbar; **to be ~ of** führen zu, erzeugen.

productivity [prɒdʌkˈtɪvɪtɪ] n Produktivität f; (COM) Leistungsfähigkeit f; (fig) Fruchtbarkeit f.

product liability [ˈprɒdʌktlaɪəˈbɪlɪtɪ] n (US) Produkthaftung f.

prof [prɒf] n (fam) Professor(in f) m.

profane [prəˈfeɪn] adj weltlich, profan, Profan-.

profess [prəˈfes] vt bekennen; (show) zeigen; (claim to be) vorgeben.

profession [prəˈfeʃən] n Beruf m; (declaration) Bekenntnis nt.

professional [prəˈfeʃənl] 1. n Fachmann m, -frau f; (SPORT) Berufsspieler(in f) m, Profi m; 2. adj Berufs-; (expert) fachlich; (player) professionell; **professionalism** n [fachliches] Können nt; Berufssportlertum nt.

professor [prəˈfesə*] n Professor(in f) m.

proficiency [prəˈfɪʃənsɪ] n Fertigkeit f, Können nt; **proficient** adj fähig.

profile [ˈprəʊfaɪl] n Profil nt; (fig: report) Kurzbiographie f.

profit [ˈprɒfɪt] 1. n Gewinn m, Profit m; 2. vi profitieren (by, from von), Nutzen, Gewinn ziehen (by, from aus); **profitability** [prɒfɪtəˈbɪlɪtɪ] n Rentabilität f; **profitable** adj einträglich, rentabel; **profitably** adv nützlich; **profiteering** [prɒfɪˈtɪərɪŋ] n Profitmacherei f.

profound [prəˈfaʊnd] adj tief; (knowledge) profund; (book, thinker) tiefschürfend; **profoundly** adv zutiefst.

profuse [prəˈfjuːs] adj überreich; **to be ~ in** überschwenglich sein bei; **profusely** adv überschwenglich; (sweat) reichlich; **profusion** [prəˈfjuːʒən] n Überfülle f, Überfluß m (of an +dat).

programme, **program** (US) [ˈprəʊgræm] 1. n Programm nt; 2. vt planen; (computer) programmieren; **programmer** n Programmierer(in f) m; **programming**, **programing** (US) n Programmieren nt, Programmierung f; ~ **language** Programmiersprache f.

progress [ˈprəʊgres] 1. n Fortschritt m; 2. [prəˈgres] vi fortschreiten, weitergehen; **to be in ~** im Gang sein; **to make ~** Fortschritte machen; **progression** [prəˈgreʃən] n Fortschritt m, Progression f; (walking etc) Fortbewegung f; **progressive** [prəˈgresɪv] adj fortschrittlich, progressiv; **progressively** [prəˈgresɪvlɪ] adv zunehmend.

prohibit [prəˈhɪbɪt] vt verbieten; **prohibition** [prəʊɪˈbɪʃən] n Verbot nt; (US) Alkoholverbot nt, Prohibition f; **prohibitive** adj (price etc) unerschwinglich.

project [ˈprɒdʒekt] 1. n Projekt nt; 2. [prəˈdʒekt] vt vorausplanen; (PSYCH) hineinprojizieren; (film etc) projizieren; (personality, voice) zum Tragen bringen; 3. vi (stick out) hervorragen, [her]vorstehen.

projectile [prəˈdʒektaɪl] n Geschoß nt, Projektil nt.

projection [prəˈdʒekʃən] n Projektion f; (sth prominent) Vorsprung m.

projector [prəˈdʒektə*] n Projektor m, Vorführgerät nt.

proletarian [prəʊləˈtɛərɪən] 1. adj proletarisch; 2. n Proletarier(in f) m.

proliferate [prəˈlɪfəreɪt] vi sich vermehren; **proliferation** [prəlɪfəˈreɪʃən] n Vermehrung f; (of nuclear weapons) Weitergabe f.

prolific [prəˈlɪfɪk] adj fruchtbar; (author etc) produktiv.

prologue [ˈprəʊlɒg] n Prolog m; (event) Vorspiel nt.

prolong [prəˈlɒŋ] vt verlängern; **prolonged** adj lang.

prom [prɒm] 1. n promenade, promenade concert; 2. n (US: college ball) Studentenball m.

promenade [prɒmɪˈnɑːd] n Promenade f; **promenade concert** n (in lockerem Rahmen), Stehkonzert nt; **promenade deck** n Promenadendeck nt.

prominent ['prɒmɪnənt] adj bedeutend; (politician) prominent; (easily seen) herausragend, auffallend.

promiscuity [prɒmɪ'skjuːɪtɪ] n Promiskuität f, häufiger Partnerwechsel; **promiscuous** [prə'mɪskjʊəs] adj promisk, häufig den Partner wechselnd; (mixed up) wild.

promise ['prɒmɪs] 1. n Versprechen nt; (hope) Aussicht f (of auf +akk); 2. vt, vi versprechen; **the P ~ d Land** das Gelobte Land; **to show ~** vielversprechend sein; **a writer of ~** ein vielversprechender Schriftsteller; **promising** adj vielversprechend.

promote [prə'məʊt] vt befördern; (help on) fördern, unterstützen; **promoter** n (in sport, entertainment) Veranstalter(in f) m; (for charity etc) Organisator(in f) m; **promotion** [prə'məʊʃən] n (in rank) Beförderung f; (furtherance) Förderung f; (COM) Werbung f (of für).

prompt [prɒmpt] 1. adj prompt, schnell; 2. adv (punctually) genau; 3. vt veranlassen; (THEAT) einsagen +dat, soufflieren +dat; 4. n (COMPUT) Befehlszeile f; **to be ~ to do sth** etw sofort tun; **at two o'clock ~** punkt zwei Uhr; **prompter** n (THEAT) Souffleur m, Souffleuse f; **promptly** adv sofort; **promptness** n Schnelligkeit f, Promptheit f.

prone [prəʊn] adj hingestreckt; **to be ~ to sth** zu etw neigen.

prong [prɒŋ] n Zinke f.

pronoun ['prəʊnaʊn] n Pronomen nt, Fürwort nt.

pronounce [prə'naʊns] 1. vt aussprechen; (JUR) verkünden; 2. vi (give an opinion) sich äußern (on zu); **pronounced** adj ausgesprochen; **pronouncement** n Erklärung f.

pronto ['prɒntəʊ] adv (fam) fix, pronto.

pronunciation [prənʌnsɪ'eɪʃən] n Aussprache f.

proof [pruːf] 1. n Beweis m; (TYP) Korrekturfahne f; (of alcohol) Alkoholgehalt m; 2. adj sicher; (alcohol) prozentig; **to put to the ~** unter Beweis stellen; **rain~** regendicht.

prop [prɒp] 1. n (also fig) Stütze f; (THEAT) Requisit nt; 2. vt (also: ~ up) [ab]stützen.

propaganda [prɒpə'gændə] n Propaganda f.

propagate ['prɒpəgeɪt] vt fortpflanzen; (news) verbreiten; **propagation** [prɒpə'geɪʃən] n Fortpflanzung f; (of knowledge) Verbreitung f.

propel [prə'pel] vt [an]treiben; **propellant** n Treibgas nt; **propeller** n Propel-

ler m; **propelling pencil** n Drehbleistift m.

propensity [prə'pensɪtɪ] n Tendenz f.

proper ['prɒpə*] adj richtig; (seemly) schicklich; **it is not ~ to...** es schickt sich nicht zu...; **properly** adv richtig; **~ speaking** genau genommen; **proper noun** n Eigenname m.

property ['prɒpətɪ] n Eigentum nt, Besitz m; (quality) Eigenschaft f; (land) Grundbesitz m; **properties** pl (THEAT) Requisiten pl; **property owner** n Grundbesitzer(in f) m.

prophecy ['prɒfɪsɪ] n Prophezeiung f; **prophesy** ['prɒfɪsaɪ] vt prophezeien, vorhersagen.

prophet ['prɒfɪt] n Prophet(in f) m; **prophetic** [prə'fetɪk] adj prophetisch.

proportion [prə'pɔːʃən] 1. n Verhältnis nt, Proportion f; 2. vt (share) Teil m; 2. vt abstimmen (to auf +akk); **proportional** adj, **proportionally** adv proportional, verhältnismäßig; **~ spacing** Proportionalschrift f; **to be ~ to** entsprechen +dat; **proportionate** adj, **proportionately** adv verhältnismäßig; **proportioned** adj proportioniert.

proposal [prə'pəʊzl] n Vorschlag m, Antrag m; (of marriage) Heiratsantrag m.

propose [prə'pəʊz] 1. vt vorschlagen; (toast) ausbringen; 2. vi (offer marriage) einen Heiratsantrag machen; **proposer** n Antragsteller(in f) m; **proposition** [prɒpə'zɪʃən] n Angebot nt, (MATH) Lehrsatz m; (statement) Satz m.

proprietor [prə'praɪətə*] n Besitzer(in f) m; (of pub, hotel) Inhaber(in f) m.

props [prɒps] n pl Requisiten pl.

propulsion [prə'pʌlʃən] n Antrieb m.

pro-rata [prəʊ'rɑːtə] adv anteilmäßig.

prosaic [prə'zeɪk] adj prosaisch, alltäglich.

prose [prəʊz] n Prosa f.

prosecute ['prɒsɪkjuːt] vt verfolgen; **prosecution** [prɒsɪ'kjuːʃən] n Durchführung f; (JUR) strafrechtliche Verfolgung; (party) Anklage f, Staatsanwaltschaft f; **prosecutor** ['prɒsɪkjuːtə*] n Vertreter(in f) m der Anklage; **Public P ~** Staatsanwalt(-anwältin f) m.

prospect ['prɒspekt] 1. n Aussicht f; 2. [prə'spekt] vi suchen (for nach); **prospecting** [prə'spektɪŋ] n (for minerals) Suche f; **prospective** [prə'spektɪv] adj voraussichtlich; (future) zukünftig; **prospector** [prə'spektə*] n [Gold]sucher(in f) m.

prospectus [prə'spektəs] n [Werbe]prospekt m.

prosper ['prɒspə*] vi blühen, gedeihen;

(*person*) erfolgreich sein; **prosperity** [prɔˈsperɪtɪ] n Wohlstand m; **prosperous** adj wohlhabend, reich; (*business*) gutgehend, blühend.

prostitute [ˈprɔstɪtjuːt] n Prostituierte(r) mf.

prostrate [ˈprɔstreɪt] adj ausgestreckt; ~ **with grief/exhaustion** von Schmerz/Erschöpfung übermannt.

protagonist [prəʊˈtægənɪst] n Hauptperson f, Held(in f) m.

protect [prəˈtekt] vt [be]schützen; (*COMPUT*) sichern; **protection** [prəˈtekʃən] n Schutz m; ~ **factor** Lichtschutzfaktor m; **protective** adj Schutz-, [be]schützend; **protector** n [Be]schützer(in f) m.

protégé [ˈprɔteʒeɪ] n Schützling m.

protein [ˈprəʊtiːn] n Protein nt, Eiweiß nt.

protest [ˈprəʊtest] 1. n Protest m; 2. [prəˈtest] vi protestieren (*against* gegen); **to ~ that...** beteuern, daß...

Protestant [ˈprɔtɪstənt] 1. adj protestantisch; 2. n Protestant(in f) m.

protocol [ˈprəʊtəkɔl] n Protokoll nt.

prototype [ˈprəʊtəʊtaɪp] n Prototyp m.

protracted [prəˈtræktɪd] adj sich hinziehend.

protractor [prəˈtræktə*] n Winkelmesser m.

protrude [prəˈtruːd] vi [her]vorstehen.

protuberance [prəˈtjuːbərəns] n Auswuchs m; **protuberant** adj [her]vorstehend.

proud adj, **proudly** adv [praʊd, -lɪ] stolz (*of* auf + akk).

prove [pruːv] 1. vt beweisen; 2. vi sich herausstellen, sich zeigen.

proverb [ˈprɔvɜːb] n Sprichwort nt; **proverbial** adj, **proverbially** adv [prəˈvɜːbɪəl, -ɪ] sprichwörtlich.

provide [prəˈvaɪd] vt versehen; (*supply*) besorgen; (*person*) versorgen; ~ **d** [that] vorausgesetzt [daß]; **blankets will be ~ d** Decken werden gestellt; **provide for** vi sorgen für, sich kümmern um; (*emergency*) Vorkehrungen treffen für.

Providence [ˈprɔvɪdəns] n die Vorsehung.

providing [prəˈvaɪdɪŋ] conj vorausgesetzt, daß.

province [ˈprɔvɪns] n Provinz f; (*division of work*) Bereich m; the ~ **s** pl die Provinz; **provincial** [prəˈvɪnʃəl] 1. adj provinziell, Provinz-; 2. n Provinzler(in f) m.

provision [prəˈvɪʒən] n Vorkehrung f, Maßnahme f; (*condition*) Bestimmung f; ~ **s** pl (*food*) Vorräte pl, Proviant m.

provisional adj, **provisionally** adv [prəˈvɪʒənl, -ɪ] vorläufig, provisorisch.

proviso [prəˈvaɪzəʊ] n < -[e]s > Vorbe-

halt m, Bedingung f.

provocation [prɔvəˈkeɪʃən] n Provokation f, Herausforderung f; **provocative** [prəˈvɒkətɪv] adj provokativ, herausfordernd; **provoke** [prəˈvəʊk] vt provozieren; (*cause*) hervorrufen.

prow [praʊ] n Bug m.

prowl [praʊl] 1. vt (*streets*) durchstreifen; 2. vi herumstreichen; (*animal*) schleichen; 3. n: **on the ~** umherstreifend; (*police*) auf der Streife; **prowler** n Eindringling m.

proximity [prɔkˈsɪmɪtɪ] n Nähe f.

proxy [ˈprɔksɪ] n [Stell]vertreter(in f) m, Bevollmächtigte(r) mf; (*document*) Vollmacht f; **to vote by ~** Briefwahl machen.

prudence [ˈpruːdəns] n Klugheit f, Umsicht f; **prudent** adj, **prudently** adv klug, umsichtig.

prudish [ˈpruːdɪʃ] adj prüde.

prune [pruːn] 1. n Backpflaume f; 2. vt ausputzen; (*fig*) zurechtstutzen.

pry [praɪ] vi seine Nase stecken (*into* + akk).

psalm [sɑːm] n Psalm m.

pseudo [ˈsjuːdəʊ] adj Pseudo-; (*false*) falsch, unecht; **pseudo croup** [ˈsjuːdəʊˈkruːp] n (*MED*) Pseudokrupp m; **pseudonym** [ˈsjuːdənɪm] n Pseudonym nt, Deckname m.

psyche [ˈsaɪkɪ] n Psyche f.

psychiatric [saɪkɪˈætrɪk] adj psychiatrisch.

psychiatrist [saɪˈkaɪətrɪst] n Psychiater(in f) m.

psychiatry [saɪˈkaɪətrɪ] n Psychiatrie f.

psychic[al] [ˈsaɪkɪkəl] adj übersinnlich; (*person*) paranormal begabt; ~ **healer** Geistheiler(in f) m; **you must be ~ du** kannst wohl hellsehen.

psychoanalyse, psychoanalyze (*US*) [saɪkəʊˈænəlaɪz] vt psychoanalytisch behandeln; **psychoanalysis** [saɪkəʊəˈnælɪsɪs] n Psychoanalyse f; **psychoanalyst** [saɪkəʊˈænəlɪst] n Psychoanalytiker(in f) m.

psychological adj, **psychologically** adv [saɪkəˈlɒdʒɪkəl, -ɪ] psychologisch.

psychologist [saɪˈkɒlədʒɪst] n Psychologe(-login f) m.

psychology [saɪˈkɒlədʒɪ] n Psychologie f.

psychopath [ˈsaɪkəʊpæθ] n Psychopath(in f) m.

psychosomatic [saɪkəʊsəˈmætɪk] adj psychosomatisch.

psychotherapy [saɪkəʊˈθerəpɪ] n Psychotherapie f.

psychotic [saɪˈkɒtɪk] 1. adj psychotisch; 2. n Psychotiker(in f) m.

pto abbr of **please turn over** bitte wenden,

b.w.

pub [pʌb] n Wirtschaft f, Kneipe f.
puberty [ˈpjuːbətɪ] n Pubertät f.
pubic [ˈpjuːbɪk] adj Scham-.
public [ˈpʌblɪk] **1.** n (also: general ~) Öffentlichkeit f; **2.** adj öffentlich; ~ **company** Aktiengesellschaft f; ~ **convenience** öffentliche Toiletten pl; ~ **opinion** die öffentliche Meinung; ~ **relations** pl Öffentlichkeitsarbeit f, Public Relations pl; ~ **school** (Brit) Privatschule f, Internatsschule f.
publication [pʌblɪˈkeɪʃən] n Publikation f, Veröffentlichung f.
publicity [pʌbˈlɪsɪtɪ] n Publicity f, Werbung f.
publicly [ˈpʌblɪklɪ] adv öffentlich.
publish [ˈpʌblɪʃ] vt veröffentlichen, publizieren; (event) bekanntgeben; **publisher** n Verleger(in f) m; **publishing** n Herausgabe f, Verlegen nt; (business) Verlagswesen nt.
puck [pʌk] n Puck m, Scheibe f.
pucker [ˈpʌkəˈ] vt (face) verziehen; (lips) kräuseln.
pudding [ˈpʊdɪŋ] n (course) Nachtisch m; Pudding m.
puddle [ˈpʌdl] n Pfütze f.
puff [pʌf] **1.** n (of wind etc) Stoß m; (cosmetic) Puderquaste f; **2.** vt blasen, pusten; (pipe) paffen an + dat; **3.** vi keuchen, schnaufen; (smoke) paffen; **puffed** adj (fam: out of breath) außer Puste.
puffin [ˈpʌfɪn] n Papageientaucher m.
puff pastry, puff paste (US) [ˈpʌfˈpeɪstrɪ] n Blätterteig m.
puffy [ˈpʌfɪ] adj aufgedunsen.
pull [pʊl] **1.** n Ruck m, Zug m; (influence) Beziehungen pl; **2.** vt ziehen; (trigger) abdrücken; **3.** vi ziehen; to ~ a face ein Gesicht schneiden; **to ~ sb's leg** jdn auf den Arm nehmen; **to ~ to pieces** in Stücke reißen; (fig) verreißen; **to ~ one's weight** sein Bestes geben; **to ~ oneself together** sich zusammenreißen; **pull apart** vt (break) zerreißen; (dismantle) auseinandernehmen; (fighters) trennen; **pull down** vt (house) abreißen; **pull in** vi hineinfahren; (stop) anhalten; (RAIL) einfahren; **pull off** vt (deal etc) abschließen; **pull out 1.** vi (car) herausfahren; (fig: partner) aussteigen; **2.** vt herausziehen; **pull round, pull through** vi durchkommen; **pull up** vi anhalten.
pulley [ˈpʊlɪ] n Flaschenzug m.
pullover [ˈpʊləʊvəˈ] n Pullover m.
pulp [pʌlp] n Brei m; (of fruit) Fruchtfleisch nt.

pulpit [ˈpʊlpɪt] n Kanzel f.
pulsate [pʌlˈseɪt] vi pulsieren.
pulse [pʌls] n Puls m.
pulverize [ˈpʌlvəraɪz] vt (also fig) pulverisieren, in kleine Stücke zerlegen.
puma [ˈpjuːmə] n Puma m.
pump [pʌmp] **1.** n Pumpe f; (shoe) Lackschuh m; (US) Pumps m; **2.** vt pumpen; **pump up** vt (tyre) aufpumpen.
pumpkin [ˈpʌmpkɪn] n Kürbis m.
pun [pʌn] n Wortspiel nt.
punch [pʌntʃ] **1.** n (tool) Locher m; (blow) [Faust]schlag m; (drink) Punsch m, Bowle f; **2.** vt lochen; (strike) schlagen, boxen; **punch-drunk** adj benommen; **punch-up** n (fam) Keilerei f.
punk [pʌŋk] n (~ rock) Punk m; (person) Punker(in f) m.
punctual [ˈpʌŋktjʊəl] adj pünktlich; **punctuality** [pʌŋktjʊˈælɪtɪ] n Pünktlichkeit f.
punctuate [ˈpʌŋktjʊeɪt] vt mit Satzzeichen versehen, interpunktieren; (fig) unterbrechen; **punctuation** [pʌŋktjʊˈeɪʃən] n Zeichensetzung f, Interpunktion f.
puncture [ˈpʌŋktʃəˈ] **1.** n Loch nt; (AUT) Reifenpanne f; **2.** vt durchbohren.
pungent [ˈpʌndʒənt] adj scharf.
punish [ˈpʌnɪʃ] vt bestrafen; (in boxing etc) übel zurichten; **punishable** adj strafbar; **punishment** n Strafe f; (action) Bestrafung f.
punt [pʌnt] n Stechkahn m, Stocherkahn m.
punter [ˈpʌntəˈ] n (better) Wetter(in f) m.
puny [ˈpjuːnɪ] adj kümmerlich.
pup [pʌp] n see **puppy**.
pupil [ˈpjuːpl] n Schüler(in f) m; (in eye) Pupille f.
puppet [ˈpʌpɪt] n Puppe f; (string ~, fig) Marionette f.
puppy [ˈpʌpɪ] n junger Hund.
purchase [ˈpɜːtʃɪs] **1.** n Kauf m, Anschaffung f; (grip) Halt m; **2.** vt kaufen, erwerben; **purchaser** n Käufer(in f) m.
pure [pjʊəˈ] adj pur; (also fig) rein; **purely** [ˈpjʊəlɪ] adv rein; (only) nur; (with adjective also) rein.
purée [ˈpjʊəreɪ] n Püree nt.
purgatory [ˈpɜːgətərɪ] n Fegefeuer nt.
purge [pɜːdʒ] **1.** n (also POL) Säuberung f; (medicine) Abführmittel nt; **2.** vt reinigen; (body) entschlacken.
purification [pjʊərɪfɪˈkeɪʃən] n Reinigung f.
purify [ˈpjʊərɪfaɪ] vt reinigen.
purist [ˈpjʊərɪst] n Purist(in f) m.
puritan [ˈpjʊərɪtən] n Puritaner(in f) m; **puritanical** [pjʊərɪˈtænɪkəl] adj purita-

nisch.

purity ['pjuərɪtɪ] n Reinheit f.

purl [pɜːl] **1.** n linke Masche; **2.** vt links stricken.

purple ['pɜːpl] adj violett; (face) dunkelrot.

purpose ['pɜːpəs] n Zweck m, Ziel nt; (of person) Absicht f; **on ~** absichtlich; **purposeful** adj zielbewußt, entschlossen; **purposely** adv absichtlich.

purr [pɜː*] vi schnurren.

purse [pɜːs] **1.** n Portemonnaie nt, Geldbeutel m; (US: hand bag) Handtasche f; **2.** vt (lips) zusammenpressen, schürzen.

purser ['pɜːsə*] n Zahlmeister(in f) m.

purse-snatch[ing] ['pɜːssnætʃɪŋ] n Handtaschenraub m.

pursue [pə'sjuː] vt verfolgen, nachjagen + dat; (study) nachgehen + dat; **pursuer** n Verfolger(in f) m; **pursuit** [pə'sjuːt] n Jagd f (of nach), Verfolgung f; (occupation) Beschäftigung f.

pus [pʌs] n Eiter m.

push [puʃ] **1.** n Stoß m, Schub m; (energy) Schwung m; **2.** vt stoßen, schieben; (button) drücken; (idea) durchsetzen; **3.** vi stoßen, schieben; **at a ~** zur Not; **push aside** vt beiseite schieben; **push off** vi (fam) abschieben, abhauen; **push on** vi weitermachen; **push through** vt durchdrücken; (policy) durchsetzen; **push up** vt (total) erhöhen; (prices) hochtreiben; **push-button telephone** n Tastentelefon nt; **pushchair** n (Brit) [Kinder]sportwagen m; **pushing** adj aufdringlich; **pushover** n (fam) Kinderspiel nt; (person) leichtes Opfer; **push-up** n (US) Liegestütz m; **pushy** adj (fam) penetrant.

puss [pus] n Mieze[katze] f.

put [put] < **put, put** > vt setzen, stellen, legen; (express) ausdrücken, sagen; (write) schreiben; **put about 1.** vi (turn back) wenden; **2.** vt (spread) verbreiten; **put across** vt (explain) erklären; **put away** vt weglegen; (store) beiseite legen; **put back** vt zurückstellen, zurücklegen; **put by** vt zurücklegen, sparen; **put down** vt hinstellen, hinlegen; (stop) niederschlagen; (animal) einschläfern; (in writing) niederschreiben; **put forward** vt (idea) vorbringen; (clock) vorstellen; **put off** vt verlegen, verschieben; (discourage) abbringen; **it ~ me ~ smoking** das hat mir die Lust am Rauchen verdorben; **put on** vt (clothes etc) anziehen; (light) anschalten, anmachen; (play etc) aufführen; (brake) anziehen; **put out** vt (hand etc) ausstrecken; (news, rumour) verbreiten; (light) ausschalten, ausma-

chen; **put up** vt (tent) aufstellen; (building) errichten; (price) erhöhen; (person) unterbringen; **to ~ ~ with** sich abfinden mit; **I won't ~ ~ with it** das laß ich mir nicht gefallen.

putrid ['pjuːtrɪd] adj faul, verfault.

putsch [putʃ] n Putsch m.

putt [pʌt] **1.** vt (GOLF) putten, einlochen; **2.** n (GOLF) Putten nt, leichter Schlag.

putty ['pʌtɪ] n Kitt m; (fig) Wachs nt.

put-up ['putʌp] adj: **~ job** abgekartetes Spiel.

puzzle ['pʌzl] **1.** n Rätsel nt; (toy) Geduldspiel nt; (jigsaw ~) Puzzle nt; **2.** vt verwirren; **3.** vi sich dat den Kopf zerbrechen; **puzzling** adj rätselhaft, verwirrend.

pygmy ['pɪgmɪ] n Pygmäe m; (fig) Zwerg(in f) m.

pyjamas [pɪ'dʒɑːməz] n pl Schlafanzug m, Pyjama m.

pylon ['paɪlən] n Mast m.

pyramid ['pɪrəmɪd] n Pyramide f.

python ['paɪθən] n Pythonschlange f.

Q

Q, q [kjuː] n Q nt, q nt.

quack [kwæk] n Quaken nt; (doctor) Quacksalber(in f) m.

quad [kwɒd] abbr of **quadrangle, quadruple, quadruplet**.

quadrangle ['kwɒdræŋgl] n (court) Hof m; (MATH) Viereck nt.

quadruped ['kwɒdruped] n Vierfüßler m.

quadruple ['kwɒdruːpl] **1.** adj vierfach; **2.** vi sich vervierfachen; **3.** vt vervierfachen.

quadruplet ['kwɒdruplət] n Vierling m.

quagmire ['kwægmaɪə*] n Morast m.

quaint [kweɪnt] adj kurios; (picturesque) malerisch; **quaintly** adv kurios; **quaintness** n Kuriosität f; malerischer Anblick.

quake [kweɪk] vi beben, zittern.

qualification [kwɒlɪfɪ'keɪʃən] n Qualifikation f; (sth which limits) Einschränkung f; **qualified** ['kwɒlɪfaɪd] adj (competent) qualifiziert; (limited) bedingt; **qualify 1.** vt (prepare) befähigen; (limit) einschränken; **2.** vi sich qualifizieren.

qualitative ['kwɒlɪtətɪv] adj qualitativ.

quality ['kwɒlɪtɪ] **1.** n Qualität f; (characteristic) Eigenschaft f; **2.** adj Qualitäts-.

qualm [kwɑːm] n Bedenken nt, Zweifel m.

quandary ['kwɒndərɪ] n Verlegenheit f; **to**

be in a ~ in Verlegenheit sein.

quantitative ['kwɒntɪtətɪv] *adj* quantitativ.

quantity ['kwɒntɪtɪ] *n* Menge *f*, Quantität *f*.

quarantine ['kwɒrəntiːn] *n* Quarantäne *f*.

quarrel ['kwɒrəl] **1.** *n* Streit *m*; **2.** *vi* [sich] streiten; **quarrelsome** *adj* streitsüchtig.

quarry ['kwɒrɪ] *n* Steinbruch *m*; (*animal*) Wild *nt*; (*fig*) Opfer *nt*.

quarter ['kwɔːtə*] **1.** *n* Viertel *nt*; (*of year*) Quartal *nt*, Vierteljahr *nt*; **2.** *vt* (*divide*) vierteln, in Viertel teilen; ~ **of an hour** eine Viertelstunde; ~ **past three** Viertel nach drei; ~ **to three** dreiviertel drei, Viertel vor drei; **quarter-deck** *n* Achterdeck *nt*; **quarter final** *n* Viertelfinale *nt*; **quarterly** *adj* vierteljährlich; **quarters** *n pl* (*esp MIL*) Quartier *nt*.

quartet|te [kwɔː'tet] *n* Quartett *nt*.

quartz [kwɔːts] *n* Quarz *m*.

quash [kwɒʃ] *vt* (*verdict*) aufheben.

quaver ['kweɪvə*] **1.** *n* (*MUS*) Achtelnote *f*; **2.** *vi* (*tremble*) zittern.

quay [kiː] *n* Kai *m*.

queasy ['kwiːzɪ] *adj* übel; **he feels** ~ ihm ist übel.

queen [kwiːn] *n* Königin *f*; **queen mother** *n* Königinmutter *f*.

queer [kwɪə*] **1.** *adj* seltsam, sonderbar, kurios; **2.** *n* (*fam: homosexual*) Schwule(r) *m*; ~ **fellow** komischer Kauz.

quench [kwentʃ] *vt* (*thirst*) löschen, stillen; (*extinguish*) löschen.

query ['kwɪərɪ] *n* (*question*) [An]frage *f*; (*question mark*) Fragezeichen *nt*; **2.** *vt* (*express doubt about*) bezweifeln; (*bill*) reklamieren; (*check*) abklären.

quest [kwest] *n* Suche *f*.

question ['kwestʃən] **1.** *n* Frage *f*; **2.** *vt* (*ask*) [be]fragen; (*suspect*) verhören; (*doubt*) in Frage stellen, bezweifeln; **beyond** ~ ohne Frage; **out of the** ~ ausgeschlossen; **questionable** *adj* zweifelhaft; **questioning** *adj* fragend; **question mark** *n* Fragezeichen *nt*; **questionnaire** [kwestɪə'nɛə*] *n* Fragebogen *m*.

queue [kjuː] **1.** *n* Schlange *f*; **2.** *vi* (*also:* ~ **up**) Schlange stehen.

quibble ['kwɪbl] **1.** *n* Spitzfindigkeit *f*; **2.** *vi* kleinlich sein.

quick [kwɪk] **1.** *n* (*of nail*) Nagelhaut *f*; **2.** *adj* schnell; **to the** ~ (*fig*) bis ins Innerste; **quicken** **1.** *vt* (*hasten*) beschleunigen; (*stir*) anregen; **2.** *vi* sich beschleunigen; **quickly** *adv* schnell; **quickness** *n* Schnelligkeit *f*; (*mental*) Scharfsinn *m*; **quicksand** *n* Treibsand *m*; **quick-**

witted *adj* schlagfertig, hell.

quid [kwɪd] *n* (*Brit fam: £1*) Pfund *nt*.

quiet ['kwaɪət] **1.** *adj* (*without noise*) leise; (*peaceful, calm*) still, ruhig; **2.** *n* Stille *f*, Ruhe *f*; **quieten** ['kwaɪətən] **1.** *vi* (*also:* ~ **down**) ruhig werden; **2.** *vt* beruhigen; **quietly** *adv* leise, ruhig; **quietness** *n* Ruhe *f*, Stille *f*.

quill [kwɪl] *n* (*of porcupine*) Stachel *m*; (*pen*) Feder *f*.

quilt [kwɪlt] *n* Steppdecke *f*; **quilting** *n* Wattierung *f*.

quin [kwɪn] *n abbr of* **quintuplet**.

quince [kwɪns] *n* Quitte *f*.

quinine [kwɪ'niːn] *n* Chinin *nt*.

quinsy ['kwɪnzɪ] *n* Mandelentzündung *f*.

quintet|te [kwɪn'tet] *n* Quintett *nt*.

quintuplet ['kwɪntjuplət] *n* Fünfling *m*.

quip [kwɪp] **1.** *n* witzige Bemerkung; **2.** *vi* witzeln.

quirk [kwɜːk] *n* (*oddity*) Eigenart *f*.

quit [kwɪt] <*quit o* **quitted**, **quit** *o* **quitted**> **1.** *vt* verlassen; **2.** *vi* aufhören.

quite [kwaɪt] *adv* (*completely*) ganz, völlig; (*fairly*) ziemlich; ~ [**so**] richtig.

quits [kwɪts] *adj* quitt.

quiver ['kwɪvə*] **1.** *vi* zittern; **2.** *n* (*for arrows*) Köcher *m*.

quiz [kwɪz] **1.** *n* (*competition*) Quiz *nt*; (*series of questions*) Befragung *f*; **2.** *vt* prüfen; (*question*) ausfragen; **quizzical** *adj* fragend, verdutzt.

quoit [kwɔɪt] *n* Wurfring *m*.

quorum ['kwɔːrəm] *n* beschlußfähige Anzahl.

quota ['kwəʊtə] *n* Anteil *m*; (*COM. POL*) Quote *f*; ~ **system** (*US*) Quotenregelung *f*.

quotation [kwəʊ'teɪʃən] *n* Zitat *nt*; (*price*) Kostenvoranschlag *m*; **quotation marks** *n pl* Anführungszeichen *pl*.

quote [kwəʊt] **1.** *n see* **quotation**; **2.** *vi* (*from book*) zitieren (*from* aus); **3.** *vt* (*from book*) zitieren; (*price*) angeben.

quotient ['kwəʊʃənt] *n* Quotient *m*.

R

R, r [ɑː*] *n* R *nt*, r *nt*.

rabbi ['ræbaɪ] *n* Rabbiner *m*; (*title*) Rabbi *m*.

rabbit ['ræbɪt] *n* Kaninchen *nt*; **rabbit hutch** *n* Kaninchenstall *m*.

rabble ['ræbl] *n* Pöbel *m*.

rabies ['reɪbiːz] *n sing* Tollwut *f*.

raccoon [rə'ku:n] n Waschbär m.

race [reɪs] 1. n (species) Rasse f; (competition) Rennen nt; (on foot also) Wettlauf m; 2. vt um die Wette laufen mit; (horses) laufen lassen; 3. vi (run) rennen; (in contest) an Rennen teilnehmen; **racecourse** n (for horses) Rennbahn f; **race horse** n Rennpferd nt; **race meeting** n (for horses) [Pferde]rennen nt; **race relations** n pl Beziehungen pl zwischen den Rassen; **racetrack** n (for cars etc) Rennstrecke f.

racial ['reɪʃəl] adj Rassen-; ~ **discrimination** Rassendiskriminierung f; **racialism** n Rassismus m; **racialist** 1. adj rassistisch; 2. n Rassist(in f) m.

racing ['reɪsɪŋ] n Rennen nt; **racing car** n Rennwagen m; **racing driver** n Rennfahrer(in f) m.

racism ['reɪsɪzəm] n Rassismus m; **racist** 1. n Rassist(in f) m; 2. adj rassistisch.

rack [ræk] 1. n Ständer m, Gestell nt; 2. vt [zer]martern; **to go to ~ and ruin** verfallen.

racket ['rækɪt] n (din) Krach m; (scheme) [Schwindel]geschäft nt; (TENNIS) [Tennis]schläger m.

racy ['reɪsɪ] adj gewagt; (style) spritzig.

radar ['reɪdɑ:'] n Radar nt o m.

radial ['reɪdɪəl] adj radial; (lines) strahlenförmig; ~[-ply] **tyres** pl Gürtelreifen pl.

radiant ['reɪdɪənt] adj (bright) strahlend; (giving out rays) Strahlungs-.

radiate ['reɪdɪeɪt] vt, vi ausstrahlen; (roads, lines) strahlenförmig wegführen.

radiation [reɪdɪ'eɪʃən] n Strahlung f; **exposure to ~** Strahlenbelastung f; ~ **sickness** Strahlenkrankheit f.

radiator ['reɪdɪeɪtə'] n (for heating) Heizkörper m; (AUT) Kühler m; **radiator cap** n Kühlerverschlußdeckel m.

radical adj, **radically** adv ['rædɪkəl, -ɪ] radikal.

radio ['reɪdɪəʊ] n <-s> Rundfunk m, Radio nt; (set) Radio nt, Radioapparat m.

radioactive [reɪdɪəʊ'æktɪv] adj radioaktiv; **radioactivity** [reɪdɪəʊæk'tɪvɪtɪ] n Radioaktivität f.

radio alarm [clock] [reɪdɪəʊə'lɑ:m] n Radiowecker m; **radio cab** n Funktaxi nt; **radio cassette recorder** n Radiorecorder m.

radiographer [reɪdɪ'ɒgrəfə'] n Röntgenassistent(in f) m; **radiography** [reɪdɪ'ɒgrəfɪ] n Radiographie f, Röntgenographie f; **radiology** [reɪdɪ'ɒlədʒɪ] n Strahlenkunde f.

radio station ['reɪdɪəʊsteɪʃən] n Rundfunkstation f, Rundfunksender m; **radio**

taxi n Funktaxi nt; **radio telephone** n Funksprechgerät nt; **radio telescope** n Radioteleskop nt.

radiotherapist [reɪdɪəʊ'θerəpɪst] n Röntgenologe(-login f) m; **radiotherapy** n Strahlenbehandlung f, Bestrahlung f.

radish ['rædɪʃ] n (big) Rettich m; (small) Radieschen nt.

radium ['reɪdɪəm] n Radium nt.

radius ['reɪdɪəs] n Radius m, Halbkreis m; (area) Umkreis m.

raffia ['ræfɪə] n [Raffia]bast m.

raffish ['ræfɪʃ] adj liederlich; (clothes) gewagt.

raffle ['ræfl] n Verlosung f, Tombola f.

raft [rɑ:ft] n Floß nt.

rafter ['rɑ:ftə'] n Dachsparren m.

rag [ræg] 1. n (cloth) Lumpen m, Lappen m; (fam: newspaper) Käseblatt nt; (at university, for charity) studentische Sammelaktion; 2. vt auf den Arm nehmen; **ragbag** n (fig) Sammelsurium nt.

rage [reɪdʒ] 1. n Wut f; (desire) Sucht f; (fashion) große Mode; 2. vi wüten, toben; **to be in a ~** wütend sein.

ragged ['rægɪd] adj (edge) gezackt; (clothes) zerlumpt.

raging ['reɪdʒɪŋ] adj tobend; (thirst) Heiden-; (pain) rasend.

raid [reɪd] 1. n (in Überfall m; (MIL) Angriff m; (by police) Razzia f; 2. vt überfallen.

rail [reɪl] n Schiene f, Querstange f; (on stair) Geländer n; (of ship) Reling f; (RAIL) Schiene f; **by ~** per Bahn; **railing[s]** n Geländer nt; **railroad** (US), **railway** (Brit) Eisenbahn f; **railroad station**, **railway station** n Bahnhof m.

rain [reɪn] 1. n Regen m; 2. vt, vi regnen; **the ~s** pl die Regenzeit; **rainbow** n Regenbogen m; **raincoat** n Regenmantel m; **raindrop** n Regentropfen m; **rainfall** n Niederschlag m; **rainy** adj (region, season) Regen-; (day) regnerisch, verregnet.

raise [reɪz] 1. n (esp US: increase) Preiserhöhung f; (of wages/salary) Lohn-/Gehaltserhöhung f; 2. vt (lift) [hoch]heben; (increase) erhöhen; (question) aufwerfen; (doubts) äußern; (funds) beschaffen; (family) großziehen; (livestock) züchten; (build) errichten.

raisin ['reɪzən] n Rosine f.

rake [reɪk] 1. n Rechen m, Harke f; (person) Wüstling m; 2. vt rechen, harken; (search) suchen; **to ~ in** (o together) zusammenscharren.

rakish ['reɪkɪʃ] adj verwegen.

rally ['rælɪ] 1. n (POL etc) Kundgebung f;

(AUT) Rallye f; (improvement) Erholung f; **2.** vt (MIL) sammeln; **3.** vi Kräfte sammeln; **rally round** vt sich scharen um; (help) zu Hilfe kommen + dat.

ram [ræm] **1.** n Widder m; (instrument) Ramme f; **2.** vt (strike) rammen; (stuff) [hinein]stopfen.

RAM [ræm] acronym of **random access memory** Direktzugriffsspeicher m.

ramble ['ræmbl] **1.** n Wanderung f, Ausflug m; **2.** vi (wander) umherstreifen; (talk) schwafeln; **rambler** n Wanderer m, Wand[r]erin f; (plant) Kletterrose f; **rambling** adj (plant) Kletter-; (speech) weitschweifig; (town) ausgedehnt.

ramp [ræmp] n Rampe f.

rampage [ræm'peɪdʒ] n: **to be on the ~**, **to ~** randalieren.

rampant ['ræmpənt] adj (heraldry) aufgerichtet; **to be ~** überhandnehmen.

rampart ['ræmpɑːt] n [Schutz]wall m.

ramshackle ['ræmʃækl] adj baufällig.

ran [ræn] pt of **run**.

ranch [rɑːntʃ] n Ranch f; **rancher** n Rancher(in f) m.

rancid ['rænsɪd] adj ranzig.

rancour, rancor (US) ['ræŋkə*] n Verbitterung f, Groll m.

random ['rændəm] **1.** adj willkürlich; **2.** n: **at ~** aufs Geratewohl; **~ access memory** Direktzugriffsspeicher m; **~ sample** Stichprobe f.

randy ['rændɪ] adj (Brit) geil, scharf.

rang [ræŋ] pt of **ring**.

range [reɪndʒ] **1.** n Reihe f; (of mountains) Kette f; (COM) Sortiment nt; (selection) Auswahl f (of an + dat); (reach) [Reich]weite f; (of gun) Schußweite f; (for shooting practice) Schießplatz m; (stove) Herd m; **2.** vt (set in row) anordnen, aufstellen; (roam) durchstreifen; **3.** vi (extend) sich erstrecken; **prices ranging from £5 to £10** Preise, die sich zwischen £5 und £10 bewegen; **ranger** n Förster(in f) m.

rank [ræŋk] **1.** n (row) Reihe f; (for taxis) Stand m; (MIL) Dienstgrad m, Rang m; (social position) Stand m; **2.** vt einschätzen; **3.** vi gehören (among zu); **4.** adj (strong-smelling) stinkend; (extreme) krass; **the ~ and file** (fig) die breite Masse.

ransack ['rænsæk] vt (plunder) plündern; (search) durchwühlen.

ransom ['rænsəm] n Lösegeld nt; **to hold sb to ~** jdn gegen Lösegeld festhalten.

rant [rænt] vi Tiraden loslassen; (talk nonsense) irres Zeug reden; **to ~ and rave** toben; **ranting** n Wortschwall m.

rap [ræp] **1.** n Schlag m; **2.** vi klopfen.

rape [reɪp] **1.** n Vergewaltigung f; **2.** vt vergewaltigen.

rapid ['ræpɪd] adj rasch, schnell; **rapidity** [rə'pɪdɪtɪ] n Schnelligkeit f; **rapidly** adv schnell; **rapids** n pl Stromschnellen pl.

rapier ['reɪpɪə*] n Florett nt.

rapist ['reɪpɪst] n Vergewaltiger m.

rapport [ræ'pɔː] n gutes Verhältnis.

rapt [ræpt] adj hingerissen; **rapture** ['ræptʃə*] n Entzücken nt; **to go into ~s** ins Schwärmen geraten; **rapturous** adj (applause) stürmisch; (expression) verzückt.

rare [rɛə*] adj selten, rar; (especially good) vortrefflich; (underdone) nicht durchgebraten; **rarefied** ['rɛərɪfaɪd] adj (air, atmosphere) dünn; **rarely** adv selten; **rarity** ['rɛərɪtɪ] n Seltenheit f.

rascal ['rɑːskəl] n Schuft m; (child) Schlingel m.

rash [ræʃ] **1.** adj übereilt; (reckless) unbesonnen; **2.** n [Haut]ausschlag m.

rasher ['ræʃə*] n Speckscheibe f.

rashly ['ræʃlɪ] adv vorschnell, unbesonnen.

rashness ['ræʃnəs] n Voreiligkeit f; (recklessness) Unbesonnenheit f.

rasp [rɑːsp] n Raspel f.

raspberry ['rɑːzbərɪ] n Himbeere f.

rat [ræt] n (animal) Ratte f; (person) Schuft m.

ratable ['reɪtəbl] adj: **~ value** Grundsteuer f.

ratchet ['rætʃɪt] n Sperrad nt.

rate [reɪt] **1.** n (proportion) Ziffer f, Rate f; (price) Tarif m, Gebühr f; (speed) Tempo nt; **2.** vt [ein]schätzen; **~s** pl (Brit) Grundsteuer f, Gemeindeabgaben pl; **at any ~** jedenfalls; (at least) wenigstens; **at this ~** wenn es so weitergeht; **~ of exchange** [Wechsel]kurs m; **ratepayer** n Steuerzahler(in f) m.

rather ['rɑːðə*] adv (in preference) lieber, eher; (to some extent) ziemlich; **~!** und ob!

ratification [rætɪfɪ'keɪʃən] n Ratifizierung f; **ratify** ['rætɪfaɪ] vt bestätigen; (POL) ratifizieren.

rating ['reɪtɪŋ] n Klasse f; (sailor) Matrose m.

ratio ['reɪʃɪəʊ] n <**-s**> Verhältnis nt.

ration ['ræʃən] **1.** n Ration f; **2.** vt rationieren.

rational adj, **rationally** adv ['ræʃənl, -nəlɪ] rational, vernünftig.

rationale [ræʃə'nɑːl] n Gründe pl.

rationalization [ræʃnəlaɪ'zeɪʃən] n Rationalisierung f; **rationalize** ['ræʃnəlaɪz] vt rationalisieren.

rationing ['ræʃnɪŋ] n Rationierung f.

rat race ['rætreɪs] n Konkurrenzkampf m.
rattle ['rætl] **1.** n (sound) Rattern nt, Rasseln nt; (toy) Rassel f; **2.** vi rattern, klappern; **rattlesnake** n Klapperschlange f.
raucous adj, **raucously** adv ['rɔːkəs, -lɪ] heiser, rauh.
ravage ['rævɪdʒ] vt verheeren; **ravages** n pl verheerende Wirkungen pl; **the ~ of time** der Zahn der Zeit.
rave [reɪv] vi (talk wildly) phantasieren; (rage) toben; (enthuse) schwärmen (about von).
raven ['reɪvn] n Rabe m.
ravenous ['rævənəs] adj heißhungrig; (appetite) unersättlich.
ravine [rə'viːn] n Schlucht f, Klamm f.
raving ['reɪvɪŋ] adj tobend; **~ mad** total verrückt.
ravioli [rævɪ'əʊlɪ] n Ravioli pl.
ravish ['rævɪʃ] vt (delight) entzücken; (JUR: woman) vergewaltigen; **ravishing** adj hinreißend.
raw [rɔː] adj roh; (tender) wund[gerieben]; (wound) offen; (inexperienced) unerfahren; **~ material** Rohmaterial nt.
ray [reɪ] n (of light) [Licht]strahl m; (gleam) Schimmer m.
rayon ['reɪɒn] n Kunstseide f, Reyon nt o m.
raze [reɪz] vt dem Erdboden gleichmachen.
razor ['reɪzə*] n Rasierapparat m; **razor blade** n Rasierklinge f.
razzle ['ræzl] n: **to be out on the ~** (fam) eine Sause machen.
Rd abbr of **road** Straße, Str.
re [riː] prep (COM) betreffs +gen.
re- [riː] pref wieder-.
reach [riːtʃ] **1.** n Reichweite f; (of river) [Fluß]strecke f; **2.** vt erreichen; (pass on) reichen, geben; **3.** vi (try to get) langen (for nach); (stretch) sich erstrecken; **within ~** (shops etc) in erreichbarer Weite (o Entfernung); **reach out** vi die Hand ausstrecken.
react [rɪ'ækt] vi reagieren; **reaction** [rɪ'ækʃən] n Reaktion f.
reactionary [rɪ'ækʃənrɪ] adj reaktionär.
reactor [rɪ'æktə*] n Reaktor m; **reactor block** n Reaktorblock m.
read [riːd] <**read, read**> vt, vi lesen; (aloud) vorlesen; **it ~s as follows** es lautet folgendermaßen; **read** [red] pt, pp of **read**; **readable** adj leserlich; (worth reading) lesenswert; **reader** n (person) Leser(in f) m; (book) Lesebuch nt; **readership** n Leserschaft f.
readily ['redɪlɪ] adv (willingly) bereitwillig; (easily) leicht.
readiness ['redɪnəs] n (willingness) Be-

reitwilligkeit f; (being ready) Bereitschaft f.
reading ['riːdɪŋ] n Lesen nt; (interpretation) Deutung f, Auffassung f; **reading device** n (COMPUT) Lesegerät nt; **reading lamp** n Leselampe f; **reading matter** n Lesestoff m, Lektüre f; **reading room** n Lesezimmer nt, Lesesaal m.
readjust [riːə'dʒʌst] vt wieder in Ordnung bringen; neu einstellen; **to ~ [oneself] to sth** sich wieder an etw akk anpassen.
read only memory ['riːdəʊnlɪ'memərɪ] n Lesespeicher m.
ready ['redɪ] **1.** adj (prepared) bereit, fertig; (willing) bereit, willens; (in condition to) reif; (quick) schlagfertig; (money) verfügbar, bar; **2.** adv bereit; **3.** n: **at the ~** bereit; **ready-made** adj gebrauchsfertig, Fertig-; (clothes) Konfektions-; **ready reckoner** n Rechentabelle f.
real [rɪəl] adj wirklich; (actual) eigentlich; (true) wahr; (not fake) echt; **real estate** n Grundbesitz m; **realism** n Realismus m; **realist** n Realist(in f) m; **realistic** adj, **realistically** [rɪə'lɪstɪk, -əlɪ] adv realistisch; **reality** [rɪ'ælɪtɪ] n (real existence) Wirklichkeit f, Realität f; (facts) Tatsachen pl.
realization [rɪəlaɪ'zeɪʃən] n (understanding) Erkenntnis f; (fulfilment) Verwirklichung f; **realize** ['rɪəlaɪz] vt (understand) begreifen; (make real) verwirklichen; (money) einbringen; **I didn't ~ ...** ich wußte nicht,...
really ['rɪəlɪ] adv wirklich.
realm [relm] n Reich nt.
real time [rɪəl'taɪm] n (COMPUT) Echtzeit f.
reap [riːp] vt ernten.
reappear [riːə'pɪə*] vi wieder erscheinen; **reappearance** n Wiedererscheinen nt.
reappoint [riːə'pɔɪnt] vt wieder anstellen; wiederernennen.
reappraisal [riːə'preɪzəl] n Neubeurteilung f.
rear [rɪə*] **1.** adj hintere(r, s), Rück-; **2.** n Rückseite f; (last part) Schluß m; **3.** vt (bring up) aufziehen; **4.** vi (horse) sich aufbäumen; **rear-engined** adj mit Heckmotor; **rearguard** n Nachhut f.
rearm [riː'ɑːm] **1.** vt wiederbewaffnen; **2.** vi wieder aufrüsten; **rearmament** n Wiederaufrüstung f; (additional) Nachrüstung f.
rearrange [riːə'reɪndʒ] vt umordnen; (plans) ändern.
rear-view ['rɪəvjuː] adj: **~ mirror** Rückspiegel m.
reason ['riːzn] **1.** n (cause) Grund m; (ability to think) Verstand m; (sensible

thoughts) Vernunft f; **2.** vi (*think*) denken; (*use arguments*) argumentieren; **to ~ with sb** mit jdm diskutieren; **it stands to ~** das ist logisch; **reasonable** adj vernünftig; **reasonably** adv vernünftig; (*fairly*) ziemlich; **one could ~ suppose** man könnte doch annehmen; **reasoned** adj (*argument*) durchdacht; **reasoning** n logisches Denken; (*argumentation*) Beweisführung f.

reassemble [riːəˈsembl] **1.** vt wieder versammeln; (*TECH*) wieder zusammensetzen, wieder zusammenbauen; **2.** vi sich wieder versammeln.

reassurance [riːəˈʃuərəns] n Beruhigung f; (*confirmation*) nochmalige Versicherung; **reassure** [riːəˈʃuə*] vt beruhigen; (*confirm*) versichern (sb jdm); **reassuring** adj beruhigend.

rebate [ˈriːbeit] n Rabatt m; (*money back*) Rückzahlung f.

rebel [ˈrebl] **1.** n Rebell(in f) m; **2.** adj Rebellen-, rebellisch; **rebellion** [riˈbeliən] n Rebellion f, Aufstand m; **rebellious** [riˈbeliəs] adj rebellisch; (*fig*) widerspenstig.

rebirth [riːˈbɜːθ] n Wiedergeburt f.

rebound [riˈbaund] **1.** vi zurückprallen; **2.** [ˈriːbaund] n Rückprall m; **on the ~** (*fig*) als Reaktion.

rebuff [riˈbʌf] **1.** n Abfuhr f; **2.** vt abblitzen lassen.

rebuild [riːˈbild] irr vt wiederaufbauen; (*fig*) wiederherstellen.

rebuke [riˈbjuːk] **1.** n Tadel m; **2.** vt tadeln, rügen.

recall [riˈkɔːl] vt (*call back*) zurückrufen; (*remember*) sich erinnern an + akk.

recant [riˈkænt] vt widerrufen.

recap [ˈriːkæp] **1.** n kurze Zusammenfassung; **2.** vt, vi (*information*) wiederholen.

recede [riˈsiːd] vi zurückweichen; **receding hairline** Stirnglatze f.

receipt [riˈsiːt] n (*document*) Quittung f; (*receiving*) Empfang m; **~s** pl Einnahmen pl.

receive [riˈsiːv] vt erhalten; (*visitors etc*) empfangen; **receiver** n (*TEL*) Hörer m.

recent [ˈriːsnt] adj vor kurzem (geschehen), neulich; (*modern*) neu; **recently** adv kürzlich, neulich.

receptacle [riˈseptəkl] n Behälter m.

reception [riˈsepʃən] n Empfang m; (*welcome*) Aufnahme f; (*in hotel*) Rezeption f; **receptionist** n (*in hotel*) Empfangschef(-dame f) m; (*MED*) Sprechstundenhilfe f.

receptive [riˈseptiv] adj aufnahmebereit.

recess [riˈses] n (*break*) Ferien pl; (*hollow*) Nische f; **~es** pl Winkel m.

recharge [riːˈtʃɑːdʒ] vt (*battery*) aufladen.

recipe [ˈresipi] n Rezept nt.

recipient [riˈsipiənt] n Empfänger(in f) m.

reciprocal [riˈsiprəkəl] adj gegenseitig; (*mutual*) wechselseitig.

reciprocate [riˈsiprəkeit] vt erwidern.

recital [riˈsaitl] n Vortrag m; (*MUS*) Konzert nt.

recite [riˈsait] vt vortragen, aufsagen; (*give list of*) aufzählen.

reckless adj, **recklessly** adv [ˈrekləs, -li] leichtsinnig; (*driving*) fahrlässig; **recklessness** n Rücksichtslosigkeit f.

reckon [ˈrekən] **1.** vt (*count*) [be]rechnen, errechnen; (*consider*) glauben; (*estimate*) schätzen; **2.** vi (*suppose*) annehmen; **reckon on** vt rechnen mit; **reckoning** n (*calculation*) Rechnen nt.

reclaim [riˈkleim] vt (*land*) abgewinnen (*from dat*); (*expenses*) zurückverlangen.

recline [riˈklain] vi sich zurücklehnen; **reclining** adj verstellbar, Liege-; **~ seat** Liegesitz m.

recluse [riˈkluːs] n Einsiedler(in f) m.

recognition [rekəgˈniʃən] n (*recognizing*) Erkennen nt; (*acknowledgement*) Anerkennung f.

recognizable [ˈrekəgnaizəbl] adj erkennbar.

recognize [ˈrekəgnaiz] vt erkennen; (*POL: approve*) anerkennen.

recoil [riˈkɔil] **1.** n Rückstoß m; **2.** vi (*in horror*) zurückschrecken; (*rebound*) zurückprallen.

recollect [rekəˈlekt] vt sich erinnern an + akk; **recollection** n Erinnerung f.

recommend [rekəˈmend] vt empfehlen; **recommendation** [rekəmənˈdeiʃən] n Empfehlung f.

recompense [ˈrekəmpens] **1.** n (*compensation*) Entschädigung f; (*reward*) Belohnung f; **2.** vt (*compensate*) entschädigen; (*reward*) belohnen.

reconcilable [ˈrekənsailəbl] adj vereinbar.

reconcile [ˈrekənsail] vt (*facts*) vereinbaren, in Einklang bringen; (*people*) versöhnen.

reconciliation [rekənsiliˈeiʃən] n Versöhnung f.

reconditioned [riːkənˈdiʃənd] adj überholt, erneuert; **~ engine** Austauschmotor m.

reconnaissance [riˈkɔnisəns] n Aufklärung f.

reconnoitre, reconnoiter (*US*) [rekəˈnɔitə*] **1.** vt erkunden; **2.** vi aufklären.

reconsider [riːkənˈsidə*] **1.** vt überden-

ken; (*change*) revidieren; (*JUR*) wiederaufnehmen; **2.** *vi* es sich *dat* noch einmal
überlegen.

reconstruct [riːkənˈstrʌkt] *vt* wiederaufbauen; (*crime*) rekonstruieren; **reconstruction** [riːkənˈstrʌkʃən] *n* Rekon-
struktion *f*.

record [ˈrekɔːd] **1.** *n* Aufzeichnung *f*;
(*MUS*) Schallplatte *f*; (*best performance*)
Rekord *m*; **2.** *adj* (*time*) Rekord-; **3.**
[rɪˈkɔːd] *vt* aufzeichnen; (*MUS etc*) aufnehmen; ~ **holder** (*SPORT*) Rekordinha-
ber(in *f*) *m*; **for the** ~ der Ordnung halber; **record card** *n* (*in file*) Karteikarte
f.

recorder [rɪˈkɔːdəˈ] *n* (*officer*) Protokoll-
führer(in *f*) *m*; (*MUS*) Blockflöte *f*.

recording [rɪˈkɔːdɪŋ] *n* (*MUS*) Aufnahme
f.

record player [ˈrekɔːdpleɪəˈ] *n* Plattenspieler *m*.

recount [ˈriːkaunt] **1.** *n* Nachzählung *f*; **2.**
vt (*count again*) nachzählen; **3.** [rɪˈkaunt]
vt (*tell*) berichten.

recoup [rɪˈkuːp] *vt* wettmachen.

recourse [rɪˈkɔːs] *n* Zuflucht *f*.

recover [rɪˈkʌvəˈ] **1.** *vt* (*get back*) zurück-
erhalten; **2.** *vi* sich erholen; **recovery** *n*
Wiedererlangung *f*; (*of health*) Genesung
f.

recreate [riːkrɪˈeit] *vt* wiederherstellen.

recreation [rekrɪˈeɪʃən] *n* Erholung *f*; (*leisure*) Freizeitbeschäftigung *f*; **recre-
ational** *adj* Freizeit-.

recrimination [rɪkrɪmɪˈneɪʃən] *n* Gegen-
beschuldigung *f*.

recruit [rɪˈkruːt] **1.** *n* Rekrut(in *f*) *m*; **2.** *vt*
rekrutieren, anwerben; **recruitment** *n*
Rekrutierung *f*.

rectangle [ˈrektæŋgl] *n* Rechteck *nt*;
rectangular [rekˈtæŋgjuləˈ] *adj* rechteckig, rechtwinklig.

rectify [ˈrektɪfaɪ] *vt* berichtigen.

rectory [ˈrektərɪ] *n* Pfarrhaus *nt*.

recuperate [rɪˈkuːpəreɪt] *vi* sich erholen.

recur [rɪˈkɜːˈ] *vi* sich wiederholen; **recurrence** *n* Wiederholung *f*; **recurrent** *adj*
wiederkehrend.

recycle [riːˈsaɪkl] *vt* wiederaufbereiten,
wiederverwerten; **recycling** *n* Recycling
nt, Wiederverwertung *f*, Wiederaufarbeitung *f*; **recycling paper** *n* Umweltschutzpapier *nt*, Recyclingpapier *nt*.

red [red] **1.** *n* Rot *nt*; (*POL*) Rote(r) *mf*; **2.**
adj rot; **in the** ~ in den roten Zahlen;
R ~ **Cross** Rotes Kreuz; **reddish** *adj*
rötlich.

redecorate [riːˈdekəreɪt] *vt* renovieren.

redeem [rɪˈdiːm] *vt* (*COM*) einlösen; (*promise*) einhalten; (*debt*) zahlen; (*mort-

gage*) tilgen; (*save*) retten; (*compensate
for*) wettmachen; **to** ~ **sb from sin** jdn
von seinen Sünden erlösen; **redeeming**
adj (*virtue, feature*) rettend.

red-haired [ˈredhɛəd] *adj* rothaarig; **red-
handed** [redˈhændɪd] *adv* auf frischer
Tat; **redhead** *n* Rothaarige(r) *mf*; **red
herring** *n* Ablenkungsmanöver *nt*; **red-
hot** *adj* rotglühend; (*excited*) hitzig; (*tip*)
heiß.

redirect [riːdaɪˈrekt] *vt* umleiten.

rediscovery [riːdɪsˈkʌvərɪ] *n* Wiederent-
deckung *f*.

redistribute [riːdɪˈstrɪbjuːt] *vt* neu verteilen.

red-letter day [redˈletədeɪ] *n* Festtag *m*.

redness [ˈrednəs] *n* Röte *f*.

redo [riːˈduː] *irr vt* nochmals tun (*o* machen).

redouble [riːˈdʌbl] *vt* verdoppeln.

red tape [redˈteɪp] *n* Bürokratismus *m*.

reduce [rɪˈdjuːs] *vt* (*price*) herabsetzen (*to*
auf + *akk*); (*speed, temperature*) vermindern; (*photo*) verkleinern; **to** ~ **sb to
tears/silence** jdn zum Weinen/Schwei-
gen bringen; **reduction** [rɪˈdʌkʃən] *n*
Herabsetzung *f*; Verminderung *f*; Verklei-
nerung *f*; (*amount of money*) Nachlaß *m*.

redundancy [rɪˈdʌndənsɪ] *n* Überflüssig-
keit *f*; (*of workers*) Entlassung *f*; **redun-
dant** *adj* überflüssig; (*workers*) ohne Arbeitsplatz; **to be made** ~ arbeitslos werden.

reed [riːd] *n* Schilf *nt*; (*MUS*) Rohrblatt *nt*.

reef [riːf] *n* Riff *nt*.

reek [riːk] *vi* stinken (*of* nach).

reel [riːl] **1.** *n* Spule *f*, Rolle *f*; **2.** *vt* (*wind*)
wickeln, spulen; (*stagger*) taumeln.

re-election [riːɪˈlekʃən] *n* Wiederwahl *f*.

re-engage [riːɪnˈgeɪdʒ] *vt* wieder einstellen.

re-enter [riːˈentəˈ] *vt, vi* wieder eintreten
[in + *akk*]; **re-entry** [riːˈentrɪ] *n* Wieder-
eintritt *m*.

re-examine [riːɪgˈzæmɪn] *vt* neu überprüfen.

ref [ref] *n* (*fam*) Schiri *m*, Schiedsrichter(in
f) *m*.

refectory [rɪˈfektərɪ] *n* (*at college*) Mensa
f; (*SCH*) Speisesaal *m*; (*REL*) Refekto-
rium *nt*.

refer [rɪˈfɜːˈ] **1.** *vt*: **to** ~ **sb to sb/sth** jdn
an jdn/etw verweisen; **2.** *vi*: **to** ~ **to** hinweisen auf + *akk*; (*to book*) nachschlagen
in + *dat*; (*mention*) sich beziehen auf
+ *akk*.

referee [refəˈriː] **1.** *n* Schiedsrichter(in *f*)
m; (*for job*) Referenz *f*; **2.** *vt* schiedsrichtern.

reference [ˈrefrəns] *n* (*mentioning*) Hinweis m; (*allusion*) Anspielung f; (*for job*) Referenz f; (*in book*) Verweis m; (*number, code*) Aktenzeichen nt; (*in catalogue*) Katalognummer f; **with ~ to** in bezug auf +akk; **reference book** n Nachschlagewerk nt.

referendum [refəˈrendəm] n Volksentscheid m.

refill [riːˈfil] **1.** vt nachfüllen; **2.** [ˈriːfil] n Nachfüllung f; (*for pen*) [Ersatz]patrone f, [Ersatz]mine f.

refine [rɪˈfaɪn] vt (*purify*) raffinieren, läutern; (*fig*) bilden, kultivieren; **refined** adj fein; kultiviert; **refinement** n Bildung f, Kultiviertheit f; **refinery** n Raffinerie f.

reflect [rɪˈflekt] **1.** vt (*light*) reflektieren; (*fig*) [wider]spiegeln, zeigen; **2.** vi (*meditate*) nachdenken (*on* über +akk); **reflection** [rɪˈflekʃən] n Reflexion f; (*image*) Spiegelbild nt; (*thought*) Überlegung f, Gedanke m; **reflector** [rɪˈflektə*] n Reflektor m.

reflex [ˈriːfleks] n Reflex m; **reflex camera** n Spiegelreflexkamera f.

reflexive [rɪˈfleksɪv] adj (*LING*) Reflexiv-, rückbezüglich, reflexiv.

reform [rɪˈfɔːm] **1.** n Reform f; **2.** vt (*person*) bessern; **Reformation** [refəˈmeɪʃən] n Reformation f; **reformer** n Reformer(in f) m; (*REL*) Reformator m.

refrain [rɪˈfreɪn] vi unterlassen (*from* akk).

refresh [rɪˈfreʃ] vt erfrischen; **refresher course** n Wiederholungskurs m; **refreshing** adj erfrischend; **refreshments** n pl Erfrischungen pl.

refrigeration [rɪfrɪdʒəˈreɪʃən] n Kühlung f.

refrigerator [rɪˈfrɪdʒəreɪtə*] n Kühlschrank m.

refuel [riːˈfjuəl] vt, vi auftanken; **refuelling** n Auftanken nt.

refuge [ˈrefjuːdʒ] n Zuflucht f; **refugee** [refjuˈdʒiː] n Flüchtling m.

refund [rɪˈfʌnd] **1.** n Rückvergütung f; **2.** [riːˈfʌnd] vt zurückerstatten, rückvergüten.

refurbish [riːˈfɜːbɪʃ] vt aufpolieren.

refurnish [riːˈfɜːnɪʃ] vt neu möblieren.

refusal [rɪˈfjuːzəl] n Ablehnung f, (*official*) abschlägige Antwort, Verweigerung f.

refuse [ˈrefjuːs] **1.** n Abfall m, Müll m; **2.** [rɪˈfjuːz] vt ablehnen; (*permission*) verweigern; **3.** vi sich weigern; **refuse disposal** n Abfallbeseitigung f.

refute [rɪˈfjuːt] vt widerlegen.

regain [rɪˈgeɪn] vt wiedergewinnen; (*consciousness*) wiedererlangen.

regal [ˈriːgəl] adj königlich.

regalia [rɪˈgeɪlɪə] n pl Insignien pl; (*of*

mayor etc) Amtsornat m.

regard [rɪˈgɑːd] **1.** n Achtung f; **2.** vt ansehen; **~s** pl Grüße pl; **~ing, as ~s, with ~ to** bezüglich +gen, in bezug auf +akk; **regardless 1.** adj ohne Rücksicht (*of* auf +akk); **2.** adv unbekümmert, ohne Rücksicht auf die Folgen.

regatta [rɪˈgætə] n Regatta f.

regency [ˈriːdʒənsɪ] n Regentschaft f; **regent** n Regent(in f) m.

régime [reɪˈʒiːm] n Regime nt.

regiment [ˈredʒɪmənt] n Regiment nt; **regimental** [redʒɪˈmentl] adj Regiments-; **regimentation** n Reglementierung f.

region [ˈriːdʒən] n Gegend f, Bereich m; **regional** adj örtlich, regional.

register [ˈredʒɪstə*] **1.** n Register nt, Verzeichnis nt, Liste f; (*COMPUT*) Kurzzeitspeicher m; **2.** vt (*list*) registrieren, eintragen; (*emotion*) zeigen; (*write down*) eintragen; **3.** vi (*at hotel*) sich eintragen; (*with police*) sich melden (*with* bei); (*make impression*) wirken, ankommen; **registered** adj (*design*) eingetragen; (*letter*) Einschreibe-, eingeschrieben; **~ trademark** eingetragenes Warenzeichen.

registrar [redʒɪˈstrɑː*] n Standesbeamte(r) m, -beamtin f.

registration [redʒɪˈstreɪʃən] n (*act*) Erfassung f, Registrierung f; (*number*) Autonummer f, polizeiliches Kennzeichen.

registry office [ˈredʒɪstrɪɒfɪs] n Standesamt nt.

regret [rɪˈgret] **1.** n Bedauern nt; **2.** vt bedauern; **to have no ~s** nichts bereuen; **regretful** adj traurig; **to be ~ about sth** etw bedauern; **regretfully** adv mit Bedauern, ungern; **regrettable** adj bedauerlich.

regroup [riːˈgruːp] **1.** vt umgruppieren; **2.** vi sich umgruppieren.

regular [ˈregjulə*] **1.** adj regelmäßig; (*usual*) üblich; (*fixed by rule*) geregelt; (*fam*) regelrecht; **2.** n (*client*) Stammkunde(-kundin f) m; (*MIL*) Berufssoldat(in f) m; (*petrol*) Normalbenzin nt; **regularity** [regjuˈlærɪtɪ] n Regelmäßigkeit f; **regularly** adv regelmäßig.

regulate [ˈregjuleɪt] vt regeln, regulieren; **regulation** [regjuˈleɪʃən] n (*rule*) Vorschrift f; (*control*) Regulierung f; (*order*) Anordnung f, Regelung f.

rehab [ˈriːhæb] n (*US fam*) Reha f.

rehabilitation [riːhəbɪlɪˈteɪʃən] n (*of invalid*) Rehabilitation f; (*of criminal*) Resozialisierung f.

rehash [riːˈhæʃ] vt (*fam*) aufwärmen.

rehearsal [rɪˈhɜːsəl] n Probe f; **rehearse** [rɪˈhɜːs] vt proben.

reign [reɪn] **1.** n Herrschaft f; **2.** vi herrschen; **reigning** adj (monarch) herrschend; (champion) gegenwärtig.

reimburse [riːɪmˈbɜːs] vt entschädigen, zurückzahlen (sb for sth jdm etw).

rein [reɪn] n Zügel m.

reincarnation [riːɪnkɑːˈneɪʃən] n Wiedergeburt f.

reindeer [ˈreɪndɪə*] n Ren nt.

reinforce [riːɪnˈfɔːs] vt verstärken; **reinforced** adj (concrete) Stahl-; **reinforcement** n Verstärkung f; ~ s pl (MIL. fig) Verstärkung f.

reinstate [riːɪnˈsteɪt] vt wiedereinsetzen.

reissue [riːˈɪʃuː] vt neu herausgeben.

reiterate [riːˈɪtəreɪt] vt wiederholen.

reject [ˈriːdʒekt] **1.** n (COM) Ausschuß[artikel] m; **2.** [rɪˈdʒekt] vt ablehnen; (throw away) ausrangieren; **rejection** [rɪˈdʒekʃən] n Ablehnung f.

rejoice [rɪˈdʒɔɪs] vi sich freuen.

rejuvenate [rɪˈdʒuːvɪneɪt] vt verjüngen.

relapse [rɪˈlæps] n Rückfall m.

relate [rɪˈleɪt] vt (tell) berichten, erzählen; (connect) verbinden; **related** adj verwandt (to mit); **relating** prep: ~ to bezüglich + gen.

relation [rɪˈleɪʃən] n Verwandte(r) mf; (connection) Beziehung f; **relational** adj (COMPUT) relational; **relationship** n Verhältnis nt, Beziehung f.

relative [ˈrelətɪv] **1.** n Verwandte(r) mf; **2.** adj relativ, bedingt; **relatively** adv verhältnismäßig; **relative pronoun** n Verhältniswort nt, Relativpronomen nt.

relax [rɪˈlæks] **1.** vi (slacken) sich lockern; (muscles, person) sich entspannen; (be less strict) freundlicher werden; **2.** vt (ease) lockern, entspannen; ~ ! reg' dich nicht auf!; **relaxation** [riːlækˈseɪʃən] n Entspannung f; **relaxed** adj entspannt, locker; **relaxing** adj entspannend.

relay [ˈriːleɪ] **1.** n (SPORT) Staffel f; **2.** vt (message) weiterleiten; (RADIO. TV) übertragen.

release [rɪˈliːs] **1.** n (freedom) Entlassung f; (TECH) Auslöser m; **2.** vt befreien; (prisoner) entlassen; (report, news) verlautbaren, bekanntgeben.

relent [rɪˈlent] vi nachgeben; **relentless** adj, **relentlessly** adv unnachgiebig.

relevance [ˈreləvəns] n Bedeutung f, Relevanz f; **relevant** adj wichtig, relevant.

reliability [rɪlaɪəˈbɪlɪtɪ] n Zuverlässigkeit f; **reliable** adj, **reliably** adv [rɪˈlaɪəbl, -blɪ] zuverlässig.

reliance [rɪˈlaɪəns] n Abhängigkeit f (on von).

relic [ˈrelɪk] n (from past) Überbleibsel nt; (REL) Reliquie f.

relief [rɪˈliːf] n Erleichterung f; (help) Hilfe f, Unterstützung f; (person) Ablösung f; (ART) Relief nt.

relieve [rɪˈliːv] vt (ease) erleichtern; (bring help) entlasten; (person) ablösen; **to ~ sb of sth** jdm etw abnehmen.

religion [rɪˈlɪdʒən] n Religion f.

religious [rɪˈlɪdʒəs] adj religiös; **religiously** adv religiös; (conscientiously) gewissenhaft.

relinquish [rɪˈlɪŋkwɪʃ] vt aufgeben.

relish [ˈrelɪʃ] **1.** n Würze f, pikante Beigabe; **2.** vt genießen.

relive [riːˈlɪv] vt noch einmal durchleben.

reluctance [rɪˈlʌktəns] n Widerstreben nt, Abneigung f; **reluctant** adj widerwillig; **reluctantly** adv ungern.

rely [rɪˈlaɪ] vt sich verlassen auf + akk.

remain [rɪˈmeɪn] **1.** vi (be left) übrigbleiben; (stay) bleiben; **2.** n: ~ s pl (dead body) sterbliche Überreste pl; **remainder** n Rest m; **remaining** adj übrig.

remand [rɪˈmɑːnd] **1.** n: on ~ in Untersuchungshaft; **2.** vt: to ~ in custody in Untersuchungshaft halten.

remark [rɪˈmɑːk] **1.** n Bemerkung f; **2.** vt bemerken; **remarkable** adj, **remarkably** adv bemerkenswert.

remarry [riːˈmærɪ] vi sich wieder verheiraten.

remedial [rɪˈmiːdɪəl] adj (measures) Hilfs-; ~ **teaching** Förderunterricht m, Hilfsunterricht m; ~ **class** Förderklasse f.

remedy [ˈremədɪ] **1.** n Mittel nt (for gegen); **2.** vt (pain) abhelfen + dat; (trouble) in Ordnung bringen.

remember [rɪˈmembə*] vt sich erinnern an + akk; ~ **me to them** grüße sie von mir; **remembrance** [rɪˈmembrəns] n Erinnerung f; (official) Gedenken nt.

remind [rɪˈmaɪnd] vt erinnern; **reminder** n Mahnung f.

reminisce [remɪˈnɪs] vi in Erinnerungen schwelgen; **reminiscences** [remɪˈnɪsənsɪz] n pl Erinnerungen pl; **reminiscent** adj erinnernd (of an + akk), Erinnerungen wachrufend (of an + akk).

remit [rɪˈmɪt] vt (money) überweisen (to an + akk); **remittance** n Geldanweisung f.

remnant [ˈremnənt] n Rest m.

remorse [rɪˈmɔːs] n Gewissensbisse pl; **remorseful** adj reumütig; **remorseless** adj, **remorselessly** adv unbarmherzig.

remote [rɪˈməʊt] adj abgelegen, entfernt; (slight) gering; ~ **control** Fernsteuerung *f*; **remotely** *adv* entfernt; **remoteness** *n* Entlegenheit *f*.

removal [rɪ'muːvəl] *n* Beseitigung *f*; (*of furniture*) Umzug *m*; (*from office*) Entlassung *f*; **removal van** *n* Möbelwagen *m*.

remove [rɪ'muːv] *vt* beseitigen, entfernen; (*dismiss*) entlassen; **remover** *n* (*for paint etc*) Entferner *m*; **~s** *pl* Möbelspedition *f*.

remuneration [rɪmjuːnə'reɪʃən] *n* Vergütung *f*, Honorar *nt*.

Renaissance [rə'neɪsɑːns] *n*: **the ~** die Renaissance.

rename [riː'neɪm] *vt* umbenennen.

rend [rend] < **rent, rent** > *vt* zerreißen.

render ['rendə*] *vt* machen; (*translate*) übersetzen; **rendering** *n* (*MUS*) Wiedergabe *f*.

renegade ['renɪgeɪd] *n* Abtrünnige(r) *mf*.

renew [rɪ'njuː] *vt* erneuern; (*contract, licence*) verlängern; (*replace*) ersetzen; **renewal** *n* Erneuerung *f*; Verlängerung *f*.

renounce [rɪ'naʊns] *vt* (*give up*) verzichten auf + *akk*; (*disown*) verstoßen.

renovate ['renəveɪt] *vt* renovieren; (*building*) restaurieren; **renovation** [renəʊ'veɪʃən] *n* Renovierung *f*; Restauration *f*.

renown [rɪ'naʊn] *n* Ruf *m*; **renowned** *adj* namhaft.

rent [rent] **1.** *pt, pp* of **rend**; **2.** *n* Miete *f*; (*for land*) Pacht *f*; **3.** *vt* (*hold as tenant*) mieten; pachten; (*let*) vermieten; verpachten; (*car etc*) mieten; (*firm*) vermieten; **rental** *n* Miete *f*; Pacht *f*; **rent boy** *n* Strichjunge *m*, Stricher *m*.

renunciation [rɪnʌnsɪ'eɪʃən] *n* Verzicht *m* (*of* auf + *akk*).

reopen [riː'əʊpən] *vt* wiedereröffnen.

reorder [riː'ɔːdə*] *vt* wieder bestellen; nachbestellen.

reorganization [riːɔːgənaɪ'zeɪʃən] *n* Neugestaltung *f*; (*COM etc*) Umbildung *f*; **reorganize** [riː'ɔːgənaɪz] *vt* umgestalten, reorganisieren.

rep [rep] *n* (*COM*) Vertreter(in *f*) *m*; (*THEAT*) Repertoire *nt*.

repair [rɪ'peə*] **1.** *n* Reparatur *f*; **2.** *vt* reparieren; (*damage*) wiedergutmachen; **in good ~** in gutem Zustand; **repair kit** *n* Werkzeugkasten *m*; **repair man** *n* < -men > Mechaniker *m*; **repair shop** *n* Reparaturwerkstatt *f*.

repartee [repɑː'tiː] *n* schlagfertige Antwort.

repay [riː'peɪ] *irr vt* zurückzahlen; (*reward*) vergelten; **repayment** *n* Rückzahlung *f*; (*fig*) Vergelten *nt*.

repeal [rɪ'piːl] **1.** *n* Aufhebung *f*; **2.** *vt* aufheben.

repeat [rɪ'piːt] **1.** *n* (*RADIO, TV*) Wiederholung[ssendung] *f*; **2.** *vt* wiederholen; **repeatedly** *adv* wiederholt.

repel [rɪ'pel] *vt* (*drive back*) zurückschlagen; (*disgust*) abstoßen; **repellent 1.** *adj* abstoßend; **2.** *n*: insect ~ Insekten[schutz]mittel *nt*.

repent [rɪ'pent] *vt, vi* bereuen; **repentance** *n* Reue *f*.

repercussion [riːpə'kʌʃən] *n* Auswirkung *f*; (*of rifle*) Rückstoß *m*.

repertoire ['repətwɑː*] *n* (*THEAT, MUS*) Repertoire *nt*.

repertory ['repətərɪ] *n* Repertoire *nt*.

repetition [repɪ'tɪʃən] *n* Wiederholung *f*.

repetitive [rɪ'petɪtɪv] *adj* sich wiederholend.

rephrase [riː'freɪz] *vt* anders formulieren.

replace [rɪ'pleɪs] *vt* ersetzen; (*put back*) zurückstellen; **replacement** *n* Ersatz *m*.

replenish [rɪ'plenɪʃ] *vt* [wieder] auffüllen.

replica ['replɪkə] *n* Kopie *f*.

reply [rɪ'plaɪ] **1.** *n* Antwort *f*, Erwiderung *f*; **2.** *vi* antworten, erwidern.

report [rɪ'pɔːt] **1.** *n* Bericht *m*; (*SCH*) Zeugnis *nt*; (*of gun*) Knall *m*; **2.** *vt* (*tell*) berichten; (*give information against*) melden; (*to police*) anzeigen; **3.** *vi* (*make report*) Bericht erstatten; (*present oneself*) sich melden; **reportedly** *adv* wie verlautet; **reporter** *n* Reporter(in *f*) *m*.

reprehensible [reprɪ'hensɪbl] *adj* verwerflich.

represent [reprɪ'zent] *vt* darstellen, zeigen; (*act*) darstellen; (*speak for*) vertreten; **representation** [reprɪzen'teɪʃən] *n* Darstellung *f*; (*being represented*) Vertretung *f*; **representative** [reprɪ'zentətɪv] **1.** *n* (*person*) Vertreter(in *f*) *m*; **2.** *adj* repräsentativ.

repress [rɪ'pres] *vt* unterdrücken; **repression** [rɪ'preʃən] *n* Unterdrückung *f*; **repressive** *adj* Unterdrückungs-; (*PSYCH*) hemmend.

reprieve [rɪ'priːv] *n* Aufschub *m*; (*cancellation*) Begnadigung *f*; (*fig*) Atempause *f*.

reprimand ['reprɪmɑːnd] **1.** *n* Verweis *m*; **2.** *vt* einen Verweis erteilen + *dat*.

reprint ['riːprɪnt] **1.** *n* Nachdruck *m*; **2.** [riː'prɪnt] *vt* nachdrucken, neu auflegen.

reprisal [rɪ'praɪzəl] *n* Vergeltung *f*.

reproach [rɪ'prəʊtʃ] **1.** *n* (*blame*) Vorwurf *m*, Tadel *m*; (*disgrace*) Schande *f*; **2.** *vt* Vorwürfe machen + *dat*, tadeln; **beyond ~** über jeden Vorwurf erhaben; **reproachful** *adj* vorwurfsvoll.

reprocess [riː'prəʊses] *vt* wiederaufarbeiten, wiederaufbereiten; **reprocess-**

ing *n* Wiederaufbereitung *f,* Wiederaufarbeitung *f;* **~ plant** Wiederaufarbeitungsanlage *f.*

reproduce [ri:prə'dju:s] **1.** *vt* reproduzieren; **2.** *vi (have offspring)* sich vermehren.

reproduction [ri:prə'dʌkʃən] *n* Wiedergabe *f;* (ART. FOT) Reproduktion *f;* *(breeding)* Fortpflanzung *f.*

reproductive [ri:prə'dʌktɪv] *adj* reproduktiv; *(breeding)* Fortpflanzungs-.

reprove [ri'pru:v] *vt* tadeln.

reptile ['reptaɪl] *n* Reptil *nt.*

republic [ri'pʌblɪk] *n* Republik *f;* **republican 1.** *adj* republikanisch; **2.** *n* Republikaner(in *f*) *m.*

repudiate [ri'pju:dɪeɪt] *vt* zurückweisen, nicht anerkennen.

repugnance [ri'pʌɡnəns] *n* Widerwille *m;* **repugnant** *adj* widerlich.

repulsion [ri'pʌlʃən] *n* Abscheu *m.*

repulsive [ri'pʌlsɪv] *adj* abstoßend.

reputable ['repjʊtəbl] *adj* anständig.

reputation [repjʊ'teɪʃən] *n* Ruf *m.*

repute [ri'pju:t] *n* hohes Ansehen; **reputed** *adj,* **reputedly** *adv* angeblich.

request [ri'kwest] **1.** *n (asking)* Ansuchen *nt;* *(demand)* Wunsch *m;* **2.** *vt (thing)* erbitten; *(person)* ersuchen; **at sb's ~** auf jds Wunsch.

require [ri'kwaɪə*] *vt (need)* brauchen; *(wish)* wünschen; **to be ~d to do sth** etw tun müssen; **requirement** *n (condition)* Anforderung *f;* *(need)* Bedarf *m.*

requisite ['rekwɪzɪt] **1.** *n* Artikel *m;* *(necessary thing)* Erfordernis *nt;* **2.** *adj* erforderlich.

requisition [rekwɪ'zɪʃən] **1.** *n* Anforderung *f;* **2.** *vt* beschlagnahmen; *(order)* anfordern.

reroute [ri:'ru:t] *vt* umleiten.

rescind [ri'sɪnd] *vt* aufheben.

rescue ['reskju:] **1.** *n* Rettung *f;* **2.** *vt* retten; **rescue party** *n* Rettungsmannschaft *f;* **rescuer** *n* Retter(in *f*) *m.*

research [ri'sɜ:tʃ] **1.** *n* Forschung *f;* **2.** *vi* Forschungen betreiben, forschen *(into* über *+akk);* **3.** *vt* erforschen; **researcher** *n* Forscher(in *f*) *m;* **research satellite** *n* Forschungssatellit *m;* **research work** *n* Forschungsarbeit *f;* **research worker** *n* wissenschaftlicher Mitarbeiter, wissenschaftliche Mitarbeiterin.

resemblance [ri'zembləns] *n* Ähnlichkeit *f.*

resemble [ri'zembl] *vt* ähneln *+dat.*

resent [ri'zent] *vt* übelnehmen; **resentful** *adj* nachtragend, empfindlich; **resentment** *n* Verstimmung *f,* Unwille *m.*

reservation [rezə'veɪʃən] *n (of seat)* Reservierung *f;* (THEAT) Vorbestellung *f;*

(doubt) Vorbehalt *m;* *(land)* Reservat *nt.*

reserve [ri'zɜ:v] **1.** *n (store)* Vorrat *m,* Reserve *f;* *(manner)* Zurückhaltung *f;* *(game ~)* Naturschutzgebiet *nt;* *(native ~)* Reservat *nt;* (SPORT) Ersatzspieler(in *f*) *m;* **2.** *vt* reservieren; *(judgement)* sich *dat* vorbehalten; **~s** *pl* (MIL) Reserve *f;* **in ~** in Reserve; **reserved** *adj* reserviert; **all rights ~** alle Rechte vorbehalten.

reservoir ['rezəvwɑ:] *n* Reservoir *nt.*

reshuffle [ri:'ʃʌfl] *vt* (POL) umbilden.

reside [ri'zaɪd] *vi* wohnen, ansässig sein; **residence** ['rezɪdəns] *n (house)* Wohnung *f,* Wohnsitz *m;* *(living)* Wohnen *nt,* Aufenthalt *m;* **resident** ['rezɪdənt] **1.** *n (in house)* Bewohner(in *f*) *m;* *(in area)* Einwohner(in *f*) *m;* **2.** *adj* wohnhaft, ansässig; **'~s only'** 'nur für Mieter'; *(on road)* 'Anlieger frei'; *(at hotel)* 'nur für Gäste'; **residential** [rezɪ'denʃəl] *adj* Wohn-.

residue ['rezɪdju:] *n* Rest *m;* (CHEM) Rückstand *m;* *(fig)* Bodensatz *m.*

resign [ri'zaɪn] **1.** *vt (office)* aufgeben, zurücktreten von; **2.** *vi (from office)* zurücktreten; **to be ~ed to sth, to ~ oneself to sth** sich mit etw abfinden; **resignation** [rezɪɡ'neɪʃən] *n (resigning)* Aufgabe *f;* (POL) Rücktritt *m;* *(submission)* Resignation *f;* **resigned** *adj* resigniert.

resilient [ri'zɪlɪənt] *adj* unverwüstlich.

resin ['rezɪn] *n* Harz *nt.*

resist [ri'zɪst] *vt* widerstehen *+dat;* **resistance** *n* Widerstand *m;* **resistant** *adj* widerstandsfähig *(to* gegen*);* *(material)* strapazierfähig; **water-~** wasserbeständig.

resolute *adj,* **resolutely** *adv* ['rezəlu:t, -lɪ] entschlossen, resolut.

resolution [rezə'lu:ʃən] *n (firmness)* Entschlossenheit *f;* *(intention)* Vorsatz *m;* *(decision)* Beschluß *m;* *(personal)* Entschluß *m.*

resolve [ri'zɒlv] **1.** *n* Vorsatz *m,* Entschluß *m;* **2.** *vt (decide)* beschließen; **it ~d itself** es löste sich von selbst; **resolved** *adj* [fest] entschlossen.

resonant ['rezənənt] *adj* widerhallend; *(voice)* volltönend.

resort [ri'zɔ:t] **1.** *n (holiday place)* Urlaubsort *m;* *(good for health)* Kurort *m;* *(help)* Zuflucht *f;* **2.** *vi* Zuflucht nehmen *(to* zu*);* **as a last ~** als letzter Ausweg.

resource [ri'sɔ:s] *n* Findigkeit *f;* **~s** *pl (of energy)* Energiequellen *pl;* *(of money)* Quellen *pl;* *(of a country etc)* Bodenschätze *pl;* **resourceful** *adj* findig.

respect [ri'spekt] **1.** *n* Respekt *m;* *(esteem)* [Hoch]achtung *f;* **2.** *vt* achten, respektieren; **~s** *pl* Grüße *pl;* **with ~ to** in bezug auf *+akk,* hinsichtlich *+gen;* **in ~**

of in bezug auf + *akk;* **in this** ~ in dieser Hinsicht.

respectability [rɪspektə'bɪlɪtɪ] *n* Anständigkeit *f,* Achtbarkeit *f;* **respectable** [rɪ'spektəbl] *adj* (*decent*) angesehen, achtbar; (*fairly good*) leidlich.

respected [rɪ'spektɪd] *adj* angesehen; **respectful** [rɪ'spektful] *adj* höflich; **respectfully** *adv* ehrerbietig; (*in letter*) mit vorzüglicher Hochachtung.

respective [rɪ'spektɪv] *adj* jeweilig; **respectively** *adv* beziehungsweise.

respiration [respɪ'reɪʃən] *n* Atmung *f,* Atmen *nt;* **respiratory** [rɪ'spɪrətərɪ] *adj* Atmungs-.

respite ['respaɪt] *n* Ruhepause *f;* **without** ~ ohne Unterlaß.

resplendent [rɪ'splendənt] *adj* strahlend.

respond [rɪ'spɒnd] *vi* antworten; (*react*) reagieren (*to* auf + *akk*); **response** [rɪ'spɒns] *n* Antwort *f;* Reaktion *f;* (*to advert etc*) Resonanz *f.*

responsibility [rɪspɒnsə'bɪlɪtɪ] *n* Verantwortung *f;* **responsible** [rɪ'spɒnsəbl] *adj* verantwortlich; (*reliable*) verantwortungsvoll; **responsibly** *adv* verantwortungsvoll.

responsive [rɪ'spɒnsɪv] *adj* empfänglich (*to* für).

rest [rest] **1.** *n* Ruhe *f;* (*break*) Pause *f;* (*remainder*) Rest *m;* **2.** *vi* sich ausruhen; (*be supported*) [auf]liegen; (*remain*) liegen (*with* bei); **the** ~ **of them** die übrigen.

restaurant ['restərɔ:ŋ] *n* Restaurant *nt,* Gaststätte *f;* **restaurant car** *n* Speisewagen *m.*

rest cure ['restkjuə*] *n* Erholung *f;* **restful** *adj* erholsam, ruhig; **rest home** *n* Pflegeheim *nt.*

restitution [restɪ'tju:ʃən] *n* Rückgabe *f,* Entschädigung *f.*

restive ['restɪv] *adj* unruhig; (*disobedient*) störrisch.

restless ['restləs] *adj* unruhig; **restlessly** *adv* ruhelos; **restlessness** *n* Ruhelosigkeit *f.*

restock [ri:'stɒk] *vt* auffüllen.

restoration [restə'reɪʃən] *n* Wiederherstellung *f;* Neueinführung *f;* Wiedereinsetzung *f;* Rückgabe *f,* Restaurierung *f;* **the R**~ die Restauration; **restore** [rɪ'stɔ:*] *vt* (*order*) wiederherstellen; (*customs*) wieder einführen; (*person to position*) wiedereinsetzen; (*give back*) zurückgeben; (*paintings*) restaurieren.

restrain [rɪ'streɪn] *vt* zurückhalten; (*curiosity etc*) beherrschen; **restrained** *adj* (*style etc*) verhalten; **restraint** *n* (*restraining*) Einschränkung *f;* (*being restrained*) Beschränkung *f;* (*self-control*)

Zurückhaltung *f.*

restrict [rɪ'strɪkt] *vt* einschränken; **restricted** *adj* beschränkt; **restriction** [rɪ'strɪkʃən] *n* Einschränkung *f;* **restrictive** *adj* einschränkend.

restroom ['restru:m] *n* (*US*) Toilette *f.*

result [rɪ'zʌlt] **1.** *n* Resultat *nt,* Folge *f;* (*of exam, game*) Ergebnis *nt;* **2.** *vi* zur Folge haben (*in akk*); **resultant** *adj* [daraus] entstehend (*o* resultierend).

resume [rɪ'zju:m] *vt* fortsetzen; (*occupy again*) wieder einnehmen.

résumé ['reɪzju:meɪ] *n* Zusammenfassung *f;* (*US*) Lebenslauf *m.*

resumption [rɪ'zʌmpʃən] *n* Wiederaufnahme *f.*

resurgence [rɪ'sɜ:dʒəns] *n* Wiederaufleben *nt.*

resurrection [rezə'rekʃən] *n* Auferstehung *f.*

resuscitate [rɪ'sʌsɪteɪt] *vt* wiederbeleben; **resuscitation** [rɪsʌsɪ'teɪʃən] *n* Wiederbelebung *f.*

retail ['ri:teɪl] **1.** *n* Einzelhandel *m;* **2.** *adj* Einzelhandels-; **3.** [ri:'teɪl] *vt* im kleinen verkaufen; **4.** *vi* im Einzelhandel kosten; **retailer** ['ri:teɪlə*] *n* Einzelhändler(in *f*) *m;* **retail price** *n* Ladenpreis *m,* Einzelhandelspreis *m.*

retain [rɪ'teɪn] *vt* (*keep*) [zurück]behalten; (*pay*) unterhalten; **retainer** *n* (*servant*) Gefolgsmann *m;* (*fee*) [Honorar]vorschuß *m.*

retaliate [rɪ'tælɪeɪt] *vi* zum Vergeltungsschlag ausholen; **retaliation** [rɪtælɪ'eɪʃən] *n* Vergeltung *f.*

retarded [rɪ'tɑ:dɪd] *adj* zurückgeblieben.

retention [rɪ'tenʃən] *n* Beibehaltung *f;* (*of possession*) Zurückhalten *nt;* (*of facts*) Behalten *nt;* (*of information*) Speicherung *f;* (*memory*) Gedächtnis *nt;* **retentive** [rɪ'tentɪv] *adj* (*memory*) gut.

rethink [ri:'θɪŋk] *irr vt* überdenken.

reticence ['retɪsəns] *n* Zurückhaltung *f;* **reticent** *adj* schweigsam, zurückhaltend.

retina ['retɪnə] *n* Netzhaut *f.*

retinue ['retɪnju:] *n* Gefolge *nt.*

retire [rɪ'taɪə*] *vi* (*from work*) in den Ruhestand treten, in Rente gehen; (*withdraw*) sich zurückziehen; (*go to bed*) schlafen gehen; **retired** *adj* (*person*) pensioniert, im Ruhestand; **retirement** *n* Ruhestand *m.*

retiring [rɪ'taɪərɪŋ] *adj* zurückhaltend, schüchtern.

retort [rɪ'tɔ:t] **1.** *n* (*reply*) Erwiderung *f;* (*SCIENCE*) Retorte *f;* **2.** *vi* [scharf] erwidern.

retrace [rɪ'treɪs] *vt* zurückverfolgen.

retract [rɪ'trækt] vt (statement) zurück-nehmen; (claws) einziehen; **retractable** adj (aerial) ausziehbar.

retrain [riː'treɪn] vt umschulen.

retreat [rɪ'triːt] **1.** n Rückzug m; (place) Zufluchtsort m; **2.** vi sich zurückziehen.

retrial [riː'traɪəl] n Wiederaufnahmever-fahren nt.

retribution [retrɪ'bjuːʃən] n Strafe f.

retrieval [rɪ'triːvəl] n Wiedergewinnung f; (of data) Abruf m; **retrieve** [rɪ'triːv] vt wiederbekommen; (data) abrufen, aufru-fen; (rescue) retten; **retriever** n Apport-tierhund m.

retroactive [retrəʊ'æktɪv] adj rückwir-kend.

retrograde ['retrəʊɡreɪd] adj (step) Rück-; (policy) rückschrittlich.

retrospect ['retrəʊspekt] n: **in ~** rück-blickend; **retrospective** [re-trəʊ'spektɪv] adj rückwirkend; rückblik-kend.

retrovirus ['retrəʊvaɪrəs] Retrovirus nt.

return [rɪ'tɜːn] **1.** n Rückkehr f; (profits) Ertrag m, Gewinn m; (report) amtlicher Bericht; (rail ticket) Rückfahrkarte f; (plane) Rückflugkarte f; (bus) Rückfahr-schein m; **2.** adj (journey, match) Rück-; **3.** vi zurückkommen, zurückkehren; **4.** vt zurückgeben, zurücksenden; (pay back) zurückzahlen; (elect) wählen; (verdict) aussprechen; **by ~ of post** postwen-dend; **returnable** adj (bottle etc) Pfand-; **return key** n (COMPUT) Einga-betaste f.

reunion [riː'juːnjən] n Wiedervereinigung f; (SCH etc) Treffen nt; **reunite** [riːjuː'naɪt] vt wiedervereinigen.

rev [rev] **1.** n Drehzahl f; **2.** vt, vi (also: ~ **up**) [den Motor] auf Touren bringen.

Rev n abbr of **Reverend** ≈ Pfarrer m.

reveal [rɪ'viːl] vt enthüllen; **revealing** adj aufschlußreich.

revel ['revl] vi genießen (in akk).

revelation [revə'leɪʃən] n Offenbarung f.

revelry ['revlrɪ] n Festlichkeit f.

revenge [rɪ'vendʒ] **1.** n Rache f; **2.** vt rä-chen; **revengeful** adj rachsüchtig.

revenue ['revənjuː] n Einnahmen pl; (of state) Staatseinkünfte pl; (department) Fi-nanzamt nt.

reverberate [rɪ'vɜːbəreɪt] vi widerhallen; **reverberation** [rɪvɜːbə'reɪʃən] n Wider-hall m.

revere [rɪ'vɪə*] vt [ver]ehren; **reverence** ['revərəns] n Ehrfurcht f.

Reverend ['revərənd] n Hochwürden m.

reverent ['revərənt] adj ehrfurchtsvoll.

reversal [rɪ'vɜːsəl] n Umkehrung f.

reverse [rɪ'vɜːs] **1.** n Rückseite f; (AUT:

gear) Rückwärtsgang m; **2.** adj (order, di-rection) entgegengesetzt; **3.** vt umkehren; **4.** vi (AUT) rückwärts fahren.

revert [rɪ'vɜːt] vi zurückkehren (to zu).

review [rɪ'vjuː] **1.** n (of book) Besprechung f, Rezension f; (magazine) Zeitschrift f; **2.** vt Rückschau halten auf + akk; (MIL) mustern; (book) besprechen, rezensieren; (reexamine) von neuem untersuchen; **to be under ~** untersucht werden; **re-viewer** n (critic) Rezensent(in f) m.

revise [rɪ'vaɪz] vt durchsehen, verbessern; (book) überarbeiten; (reconsider) ändern, revidieren; **revision** [rɪ'vɪʒən] n Durch-sicht f, Prüfung f; (COM) Revision f; (of book) überarbeitete Ausgabe; (SCH) Wie-derholung f.

revitalize [riː'vaɪtəlaɪz] vt neu beleben.

revival [rɪ'vaɪvəl] n Wiederbelebung f; (REL) Erweckung f; (THEAT) Wiederauf-nahme f.

revive [rɪ'vaɪv] **1.** vt wiederbeleben; (fig) wieder auffrischen; **2.** vi wiedererwa-chen; (fig) wieder aufleben.

revoke [rɪ'vəʊk] vt aufheben; (decision) widerrufen; (licence) rückgängig machen.

revolt [rɪ'vəʊlt] **1.** n Aufstand m, Revolte f; **2.** vi sich auflehnen; **3.** vt entsetzen; **revolting** adj widerlich.

revolution [revə'luːʃən] n (turn) Umdre-hung f; (change) Umwälzung f; (POL) Revolution f; **revolutionary 1.** adj re-volutionär; **2.** n Revolutionär(in f) m; **revolutionize** vt revolutionieren.

revolve [rɪ'vɒlv] vi kreisen; (on own axis) sich drehen; **revolver** n Revolver m; **re-volving door** n Drehtür f.

revue [rɪ'vjuː] n Revue f.

revulsion [rɪ'vʌlʃən] n (disgust) Ekel m.

reward [rɪ'wɔːd] **1.** n Belohnung f; **2.** vt belohnen; **rewarding** adj lohnend.

reword [riː'wɜːd] vt anders formulieren.

rewrite [riː'raɪt] irr vt umarbeiten, neu schreiben.

rhetoric ['retərɪk] n Rhetorik f, Redekunst f; **rhetorical** [rɪ'tɒrɪkəl] adj rhetorisch.

rheumatic [ruː'mætɪk] adj rheumatisch; **rheumatism** ['ruːmətɪzəm] n Rheuma-tismus m, Rheuma nt.

Rhine [raɪn] n Rhein m.

rhinoceros [raɪ'nɒsərəs] n Nashorn nt, Rhinozeros m.

rhododendron [rəʊdə'dendrən] n Rho-dodendron m.

Rhone [rəʊn] n Rhone f.

rhubarb ['ruːbɑːb] n Rhabarber m.

rhyme [raɪm] n Reim m.

rhythm ['rɪðəm] n Rhythmus m; **rhyth-mic[al]** adj, **rhythmically** adv ['rɪðmɪkl, -lɪ] rhythmisch.

rib [rɪb] n Rippe f.
ribald ['rɪbəld] adj saftig, derb.
ribbon ['rɪbən] n Band nt.
rice [raɪs] n Reis m; **rice pudding** n Milchreis m.
rich [rɪtʃ] adj reich, wohlhabend; (fertile) fruchtbar; (splendid) kostbar; (food) reichhaltig; **riches** n pl Reichtum m, Reichtümer pl; **richly** adv reich; (deserve) völlig; **richness** n Reichtum m; (of food) Reichhaltigkeit f; (of colours) Sattheit f.
rick [rɪk] n Schober m.
rickets ['rɪkɪts] n sing Rachitis f.
rickety ['rɪkɪtɪ] adj wack[e]lig.
rickshaw ['rɪkʃɔː] n Rikscha f.
ricochet ['rɪkəʃeɪ] 1. n Abprallen nt; (shot) Querschläger m; 2. vi abprallen.
rid [rɪd] < **rid, rid** > vt befreien (of von); **to get ~ of** loswerden; **riddance** ['rɪdəns] n: **good ~ !** den/die/das wären wir los!
ridden ['rɪdn] pp of **ride**.
riddle ['rɪdl] 1. n Rätsel nt; 2. vt (esp passive) durchlöchern.
ride [raɪd] < **rode, ridden** > 1. vt (horse) reiten; (bicycle) fahren; 2. vi reiten; fahren; (ship) vor Anker liegen; 3. n (in vehicle) Fahrt f; (on horse) Ritt m; **rider** n Reiter(in f) m; (addition) Zusatz m.
ridge [rɪdʒ] n (of hills) Bergkette f; (top) Grat m, Kamm m; (of roof) Dachfirst m.
ridicule ['rɪdɪkjuːl] 1. n Spott m; 2. vt lächerlich machen.
ridiculous adj, **ridiculously** adv [rɪ'dɪkjʊləs, -lɪ] lächerlich.
riding ['raɪdɪŋ] n Reiten nt; **to go ~** reiten gehen; **riding habit** n Reitkleid nt; **riding school** n Reitschule f.
rife [raɪf] adj weit verbreitet.
riffraff ['rɪfræf] n Gesindel nt, Pack nt.
rifle ['raɪfl] 1. n Gewehr nt; 2. (vt) plündern; **rifle range** n Schießstand m.
rift [rɪft] n Ritze f, Spalte f; (fig) Bruch m.
rig [rɪg] 1. n (outfit) Takelung f; (fig) Aufmachung f; 2. vt (election etc) manipulieren; **oil ~** n Bohrinsel f; **rig out** vt ausstatten; **rig up** vt zusammenbasteln, konstruieren; **rigging** n Takelage f.
right [raɪt] 1. adj (correct, just) richtig, recht; (right side) rechte(r, s); 2. n Recht nt; (POL: not left) Rechte f; 3. adv (on the ~) rechts; (to the ~) nach rechts; (look, work) richtig, recht; (directly) gerade; (exactly) genau; 4. vt in Ordnung bringen, korrigieren; 5. interj gut; **~ away** sofort; **~ now** in diesem Augenblick, eben; **~ to the end** bis ans Ende; **to be ~** recht haben; **all ~ !** gut!, in Ord-

nung!, schön!; **by ~ s** von Rechts wegen; **on the ~** rechts.
righteous ['raɪtʃəs] adj rechtschaffen.
rightful ['raɪtfʊl] adj rechtmäßig; **rightfully** adv (justifiably) zu Recht; **right-hand drive** n: **to have ~** das Steuer rechts haben; **right-handed** adj rechtshändig; **right-hand man** n < **men** > rechte Hand; **right-hand side** n rechte Seite; **rightly** adv mit Recht; **right-minded** adj rechtschaffen; **right of way** n Vorfahrt f; **right-wing** n rechter Flügel.
rigid ['rɪdʒɪd] adj (stiff) starr, steif; (strict) streng; **rigidity** [rɪ'dʒɪdɪtɪ] n Starrheit f, Steifheit f; Strenge f; **rigidly** adv (stand) starr, steif; (fig: behave, treat) streng; (inflexibly) hart, unbeugsam.
rigmarole ['rɪgmərəʊl] n Gewäsch nt.
rigor mortis ['rɪgə'mɔːtɪs] n Totenstarre f.
rigorous adj, **rigorously** adv ['rɪgərəs, -lɪ] streng; **rigour, rigor** (US) Strenge f, Härte f.
rig-out ['rɪgaʊt] n (fam) Aufzug m.
rile [raɪl] vt ärgern.
rim [rɪm] n (edge) Rand m; (of wheel) Felge f; **rimless** adj randlos; **rimmed** adj gerändert.
rind [raɪnd] n Rinde f.
ring [rɪŋ] < **rang, rung** > 1. vt, vi (bell) läuten; (TEL) (also: ~ **up**) anrufen; 2. n Ring m; (of people) Kreis m; (arena) Ring m, Manege f; (of telephone) Klingeln nt, Läuten nt; **to give sb a ~** jdn anrufen; **it has a familiar ~** es klingt bekannt; **ring off** vi aufhängen; **ring binder** n Ringbuch nt; **ringing tone** n (TEL) Rufzeichen nt; **ringleader** n Anführer(in f) m, Rädelsführer(in f) m; **ringlets** n pl Ringellocken pl; **ring road** n Umgehungsstraße f.
rink [rɪŋk] n (ice ~) Eisbahn f.
rinse [rɪns] vt spülen.
riot ['raɪət] 1. n Aufruhr m; 2. vi randalieren; **to read sb the ~ act** (US) jdm die Leviten lesen; **rioter** n Aufrührer(in f) m; **riotous** adj, **riotously** adv aufrührerisch; (noisy) lärmend.
rip [rɪp] 1. n Riß m, Riß m; 2. vt, vi (zer)reißen; **ripcord** n Reißleine f.
ripe [raɪp] adj (fruit) reif; (cheese) ausgereift; **ripen** vt, vi reifen, reif werden lassen; **ripeness** n Reife f.
riposte [rɪ'pɒst] n Nachstoß m; (fig) schlagfertige Antwort.
ripple ['rɪpl] 1. n kleine Welle; 2. vt kräuseln; 3. vi sich kräuseln.
rise [raɪz] < **rose, risen** > 1. vi aufstehen; (sun) aufgehen; (smoke) aufsteigen; (mountain) sich erheben; (ground) anstei-

gen; (*prices*) steigen; (*in revolt*) sich erheben; **2.** n (*slope*) Steigung f; (*esp in wages*) Erhöhung f; (*growth*) Aufstieg m; **to give ~ to** Anlaß geben zu; **to ~ to the occasion** sich der Lage gewachsen zeigen; **risen** [ˈrɪzn] pp of **rise**.

risk [rɪsk] **1.** n Gefahr f, Risiko nt; **2.** vt (*venture*) wagen; (*chance loss of*) riskieren, aufs Spiel setzen; **risky** adj gewagt, gefährlich, riskant.

risqué [ˈriːskeɪ] adj gewagt.

rissole [ˈrɪsəʊl] n Fleischklößchen nt.

rite [raɪt] n Ritus m; **last ~s** pl Letzte Ölung.

ritual [ˈrɪtjʊəl] **1.** n Ritual nt; **2.** adj ritual, Ritual-; (*fig*) rituell.

rival [ˈraɪvəl] **1.** n Rivale m, Rivalin f, Konkurrent(in f) m; **2.** adj rivalisierend; **3.** vt rivalisieren mit; (*COM*) konkurrieren mit; **rivalry** n Rivalität f, Konkurrenz f.

river [ˈrɪvə*] n Fluß m; **riverbank** n Flußufer nt; **riverbed** n Flußbett nt; **riverside 1.** n Flußufer nt; **2.** adj am Ufer gelegen, Ufer-.

rivet [ˈrɪvɪt] **1.** n Niete f; **2.** vt (*fasten*) [ver]nieten.

Riviera [rɪvɪˈɛərə] n: **the [French] ~** die Riviera.

RNA n abbr of **ribonucleic acid** RNS f.

roach [rəʊtʃ] n (*US fam*) Küchenschabe f.

road [rəʊd] n Straße f; **roadblock** n Straßensperre f; **roadhog** n Verkehrsrowdy m; **roadmap** n Straßenkarte f; **road side 1.** n Straßenrand m; **2.** adj an der Landstraße [gelegen]; **road sign** n Straßenschild nt; **road user** n Verkehrsteilnehmer(in f) m; **roadway** n Fahrbahn f; **roadworks** n pl Bauarbeiten pl, Straßenarbeiten pl; **roadworthy** adj verkehrstüchtig.

roam [rəʊm] **1.** vi [umher]streifen; **2.** vt durchstreifen.

roar [rɔː*] **1.** n Brüllen nt, Gebrüll nt; **2.** vi brüllen; **roaring** adj (*fire*) Bomben-, prasselnd; (*trade*) schwunghaft, Bomben-.

roast [rəʊst] **1.** n Braten m; **2.** vt braten, rösten, schmoren.

rob [rɒb] vt bestehlen, berauben; (*bank*) ausrauben; **robber** n Räuber(in f) m; **robbery** n Raub m.

robe [rəʊb] **1.** n (*dress*) Gewand nt; (*US*) Hauskleid nt; (*judge's*) Robe f; **2.** vt feierlich ankleiden.

robin [ˈrɒbɪn] n Rotkehlchen nt.

robot [ˈrəʊbɒt] n Roboter m.

robust [rəʊˈbʌst] adj stark, robust.

rock [rɒk] **1.** n Felsen m; (*piece*) Stein m; (*bigger*) Fels[brocken] m; (*sweet*) Zucker-

stange f; **2.** vt, vi wiegen, schaukeln; **on the ~s** (*drink*) mit Eis[würfeln]; (*marriage*) gescheitert; (*ship*) aufgelaufen; **rock-bottom** n (*fig*) Tiefpunkt m; **~ price** Niedrigstpreis m; **rock climber** n Kletterer m, Klett[r]erin f; **rock climbing** n Klettern nt; **to go ~** klettern gehen; **rockery** n Steingarten m.

rocket [ˈrɒkɪt] n Rakete f.

rock face n Felswand f.

rocking chair n Schaukelstuhl m; **rocking horse** n Schaukelpferd nt.

rocky [ˈrɒkɪ] adj felsig.

rococo [rəʊˈkəʊkəʊ] n Rokoko nt.

rod [rɒd] n (*bar*) Stange f; (*stick*) Rute f.

rode [rəʊd] pt of **ride**.

rodent [ˈrəʊdənt] n Nagetier nt.

rodeo [ˈrəʊdɪəʊ] n <-s> Rodeo nt.

roe [rəʊ] n (*deer*) Reh nt; (*of fish*) Rogen m.

roger [ˈrɒdʒə*] interj verstanden.

roguish [ˈrəʊgɪʃ] adj schurkisch; (*humorous*) schelmisch.

role [rəʊl] n Rolle f; **role-swapping** n Rollentausch m.

roll [rəʊl] **1.** n Rolle f; (*bread*) Brötchen nt, Semmel f; (*list*) [Namens]liste f, Verzeichnis nt; (*of drum*) Wirbel m; **2.** vt (*turn*) rollen; (*herum*)wälzen; (*grass etc*) walzen; **3.** vi (*swing*) schlingern; (*sound*) [g]rollen; **roll by** vi (*time*) verfließen; **roll in** vi (*mail*) hereinkommen; **roll over** vi sich [herum]drehen; **roll up 1.** vi (*arrive*) kommen, auftauchen; **2.** vt (*carpet*) aufrollen; **roll call** n Namensaufruf m; **roller** n Rolle f, Walze f; (*road ~*) Straßenwalze f; (*hair ~*) Lockenwickler m; **roller skates** n pl Rollschuhe pl.

rollicking [ˈrɒlɪkɪŋ] adj ausgelassen.

rolling [ˈrəʊlɪŋ] adj (*landscape*) wellig; **rolling pin** n Nudelholz nt, Wellholz nt; **rolling stock** n Wagenmaterial nt.

roll-on [deodorant] [ˈrəʊlɒn] n Deoroller m.

ROM [rɒm] n acronym of **read only memory** Lesespeicher m.

Roman [ˈrəʊmən] **1.** adj römisch; **2.** n Römer(in f) m; (*TYP*) Magerdruck m; **Roman Catholic 1.** adj römisch-katholisch; **2.** n Katholik(in f) m.

romance [rəʊˈmæns] **1.** n Romanze f; (*story*) [Liebes]roman m; **2.** vi phantasieren.

Romania [rəʊˈmeɪnɪə] n Rumänien nt; **Romanian 1.** adj rumänisch; **2.** n Rumäne m, Rumänin f.

romantic [rəʊˈmæntɪk] adj romantisch; **Romanticism** [rəʊˈmæntɪsɪzəm] n Romantik f.

romp [rɒmp] vi (also: ~ about) herumtollen; **rompers** n pl Spielanzug m.

roof [ru:f] **1.** n Dach nt; (of mouth) Gaumen nt; **2.** vt überdachen, überdecken; **roofing** n Dachdeckmaterial nt.

rook [ruk] **1.** n (bird) Saatkrähe f; (CHESS) Turm m; **2.** vt (cheat) betrügen.

room [ru:m] n Zimmer nt, Raum m; (space) Platz m; (fig) Spielraum m; ~s pl Wohnung f; **room-mate** n Mitbewohner(in f) m; **room service** n Zimmerbedienung f; **roomy** adj geräumig.

roost [ru:st] **1.** n Hühnerstange f; **2.** vi auf der Stange hocken; **to rule the** ~ Herr im Hause sein.

root [ru:t] **1.** n Wurzel f; **2.** vt einwurzeln; **root about** vi (fig) herumwühlen; **root for** vt Stimmung machen für; **root out** vt ausjäten; (fig) ausrotten; **rooted** adj (fig) verwurzelt.

rope [rəʊp] **1.** n Seil nt, Strick m; **2.** vt (tie) festschnüren; **to** ~ **sb in** jdn gewinnen; **to know the** ~s sich auskennen; **rope off** vt absperren; **rope ladder** n Strickleiter f.

rosary ['rəʊzərɪ] n Rosenkranz m.

rose [rəʊz] **1.** pt of **rise**; **2.** n Rose f; **3.** adj rosa[rot].

rosé ['rəʊzeɪ] n Rosé m.

rosebud ['rəʊzbʌd] n Rosenknospe f; **rosebush** n Rosenstock m, Rosenstrauch m.

rosemary ['rəʊzmərɪ] n Rosmarin m.

rosette [rəʊˈzet] n Rosette f.

roster ['rɒstə*] n Dienstplan m.

rostrum ['rɒstrəm] n Rednerbühne f.

rosy ['rəʊzɪ] adj rosig.

rot [rɒt] **1.** n Fäulnis f; (nonsense) Quatsch m, Blödsinn m; **2.** vt, vi verfaulen [lassen].

rota ['rəʊtə] n Dienstplan m.

rotary ['rəʊtərɪ] adj rotierend, sich drehend.

rotate [rəʊˈteɪt] **1.** vt rotieren lassen; (two or more things in order) turnusmäßig wechseln; **2.** vi rotieren; **rotating** adj rotierend; **rotation** [rəʊˈteɪʃən] n Umdrehung f, Rotation f; **in** ~ der Reihe nach, abwechselnd.

rotor ['rəʊtə*] n Rotor m.

rotten ['rɒtn] adj faul, verfault; (fig) schlecht, gemein.

rotund [rəʊˈtʌnd] adj rund; (person) rundlich.

rouge [ru:ʒ] n Rouge nt.

rough [rʌf] **1.** adj (not smooth) rauh; (path) uneben; (violent) roh, grob; (crossing) stürmisch; (wind) rauh; (without comforts) hart, unbequem; (unfinished, makeshift) grob; (approximate) ungefähr; **2.** n (grass) unebener Boden; (person)

Rowdy m, Rohling m; **to** ~ **it** primitiv leben; **to play** ~ (SPORT) hart spielen; **to sleep** ~ im Freien schlafen; **rough out** vt entwerfen, flüchtig skizzieren; **roughage** ['rʌfɪdʒ] n Ballaststoffe pl; **roughen** vt aufrauhen; (about) ungefähr; **roughly** adv grob; (about) ungefähr; **roughness** n Rauheit f; (of manner) Ungeschliffenheit f.

roulette [ru:ˈlet] n Roulette nt.

round [raʊnd] **1.** adj rund; (figures) abgerundet, aufgerundet; **2.** adv (in a circle) rundherum; **3.** prep um… herum; **4.** n Runde f; (of ammunition) Magazin nt; (song) Kanon m; **5.** vt (corner) biegen um; ~ **of applause** Beifall m; **round off** vt abrunden; **round up** vt (end) abschließen; (figures) aufrunden; **roundabout 1.** n (traffic) Kreisverkehr m; (merry-go-round) Karussell nt; **2.** adj (of Umwegen; **rounded** adj gerundet; **roundly** adv (fig) gründlich; **round-shouldered** adj mit abfallenden Schultern; **roundsman** n <-men> (general) Austräger m; (milk ~) Milchmann m; **roundup** n Zusammentreiben nt, Sammeln nt.

rouse [raʊz] vt (waken) [auf]wecken; (stir up) erregen; **rousing** adj (welcome) stürmisch; (speech) zündend.

rout [raʊt] vt in die Flucht schlagen.

route [ru:t] n Weg m, Route f.

routine [ru:ˈti:n] **1.** n Routine f; **2.** adj Routine-.

rover ['rəʊvə*] n Vagabund m.

roving ['rəʊvɪŋ] adj (reporter) im Außendienst.

row [rəʊ] **1.** n (line) Reihe f; **2.** vt, vi (boat) rudern; **3.** [raʊ] n (noise) Lärm m, Krach m, Radau m; (dispute) Streit m; (scolding) Krach m; **4.** vi sich streiten; **to give sb a** ~ mit jdm schimpfen.

rowboat ['rəʊbəʊt] n (US) Ruderboot nt.

rowdy ['raʊdɪ] **1.** adj rüpelhaft; **2.** n (person) Rowdy m.

rowing ['rəʊɪŋ] n Rudern nt; (SPORT) Rudersport m; **rowing boat** n Ruderboot nt.

rowlock ['rɒlək] n Rudergabel f.

royal ['rɔɪəl] adj königlich, Königs-; **royalist 1.** n Royalist(in f) m; **2.** adj königstreu; **royalty** n (family) königliche Familie; (for invention) Patentgebühr f; (for book) Tantieme f.

RSVP abbr U.A.w.g.

rub [rʌb] **1.** n (problem) Haken m; **2.** vt reiben; **to** ~ **it in** darauf herumreiten; **to give sth a** ~ etw [ab]reiben; **rub off** vi (also fig) abfärben (on auf + akk).

rubber ['rʌbə*] n Gummi m; (Brit) Radiergummi *m*; (*US: contraceptive*) Gummi *m*, Kondom *nt*; **rubber band** *n* Gummiband *nt*; **rubberneck** *vi* (*US fam*) gaffen; **rubbernecker** *n* (*US fam*) Gaffer(in *f*) *m*, Schaulustige(r) *mf*; **rubber plant** *n* Gummibaum *m*; **rubbery** *adj* gummiartig, wie Gummi.

rubbish ['rʌbɪʃ] *n* (*waste*) Abfall *m*; (*nonsense*) Blödsinn *m*, Quatsch *m*; **rubbish dump** *n* Müllabladeplatz *m*.

rubble ['rʌbl] *n* [Stein]schutt *m*.

ruby ['ru:bɪ] **1.** *n* Rubin *m*; **2.** *adj* rubinrot.

rucksack ['rʌksæk] *n* Rucksack *m*.

rudder ['rʌdə*] *n* Steuerruder *nt*.

ruddy ['rʌdɪ] *adj* (*colour*) rötlich; (*fam: bloody*) verdammt.

rude *adj*, **rudely** *adv* [ru:d, -lɪ] unhöflich, unverschämt; (*shock*) hart; (*awakening*) unsanft; (*unrefined, rough*) grob; **rudeness** *n* Unhöflichkeit *f*, Unverschämtheit *f*, Grobheit *f*.

rudiment ['ru:dɪmənt] *n* Grundlage *f*; **rudimentary** [ru:dɪ'mentərɪ] *adj* rudimentär.

ruff [rʌf] *n* Halskrause *f*.

ruffian ['rʌfɪən] *n* Rohling *m*.

ruffle ['rʌfl] *vt* kräuseln; durcheinanderbringen.

rug [rʌg] *n* Teppich *m*; (*in bedroom*) Bettvorleger *m*; (*for knees*) [Woll]decke *f*.

rugged ['rʌgɪd] *adj* (*coastline*) zerklüftet; (*features*) markig.

ruin ['ru:ɪn] **1.** *n* Ruine *f*; (*downfall*) Ruin *m*; **2.** *vt* ruinieren; **~s** *pl* Trümmer *pl*; **ruination** [ru:ɪ'neɪʃən] *n* Zerstörung *f*, Ruinierung *f*; **ruinous** *adj* ruinierend.

rule [ru:l] **1.** *n* Regel *f*; (*government*) Herrschaft *f*, Regierung *f*; (*for measuring*) Lineal *nt*; **2.** *vt, vi* (*govern*) herrschen über + *akk*, regieren; (*decide*) anordnen, entscheiden; (*make lines*) linieren; **as a ~** in der Regel; **ruled** *adj* (*paper*) liniert; **ruler** *n* Lineal *nt*; (*person*) Herrscher(in *f*) *m*; **ruling** *adj* (*party*) Regierungs-; (*class*) herrschend.

rum [rʌm] **1.** *n* Rum *m*; **2.** *adj* (*fam*) komisch.

rumble ['rʌmbl] **1.** *n* Rumpeln *nt*; (*of thunder*) Grollen *nt*; **2.** *vi* rumpeln; grollen.

ruminate ['ru:mɪneɪt] *vi* grübeln; (*cows*) wiederkäuen.

rummage ['rʌmɪdʒ] **1.** *n* Durchsuchung *f*; **2.** *vi* durchstöbern.

rumour, rumor (*US*) ['ru:mə*] **1.** *n* Gerücht *nt*; **2.** *vt*: **it is ~ed that** man sagt (*o* munkelt), daß.

rump [rʌmp] *n* Hinterteil *nt*; (*of fowl*) Bürzel *m*; **rump steak** *n* Rumpsteak *nt*.

rumpus ['rʌmpəs] *n* Spektakel *m*, Krach

m.

run [rʌn] **<ran, run>** **1.** *vt* (*cause to run, COMPUT*) laufen lassen; (*car, train, bus*) fahren; (*pay for*) unterhalten; (*race, distance*) laufen, rennen; (*manage*) leiten, verwalten, führen; (*knife*) stoßen; (*pass, hand, eye*) gleiten lassen; **2.** *vi* (*also COMPUT*) laufen; (*move quickly also*) rennen; (*bus, train*) fahren; (*flow*) fließen, laufen; (*colours*) [ab]färben; **3.** *n* Lauf *m*; (*in car*) [Spazier]fahrt *f*; (*series*) Serie *f*, Reihe *f*; (*of play*) Spielzeit *f*; (*sudden demand*) Ansturm *m*, starke Nachfrage; (*for animals*) Auslauf *m*; (*in stocking*) Laufmasche *f*; **ski ~** [Ski]abfahrt *f*; **on the ~** auf der Flucht; **in the long ~** auf die Dauer; **to ~ riot** Amok laufen; **to ~ a risk** ein Risiko eingehen; **to ~ for president** für die Präsidentschaft kandidieren; **run about** *vi* (*children*) umherspringen; **run across** *vt* (*find*) stoßen auf + *akk*; **run away** *vi* weglaufen; **run down 1.** *vi* (*clock*) ablaufen; **2.** *vt* (*with car*) überfahren; (*talk against*) heruntermachen; **to be ~ ~** erschöpft (*o* abgespannt) sein; **run in** *vt* (*Brit: car*) einfahren; **run into** *vt* (*person*) treffen, begegnen + *dat*; (*trouble*) kriegen; (*person*) zusammenstoßen mit; **run off** *vi* fortlaufen; **run out** *vi* (*person*) hinausrennen; (*liquid*) auslaufen; (*lease*) ablaufen; (*money*) ausgeben; **he ran ~ of money/petrol** ihm ging das Geld/Benzin aus; **run over** *vt* (*in accident*) überfahren; (*read quickly*) überfliegen; **run through** *vt* (*instructions*) durchgehen; **run up** *vt* (*debt, bill*) machen; **run up against** *vt* (*difficulties*) stoßen auf + *akk*; **runabout** *n* (*small car*) kleiner Flitzer; **runaway** *adj* (*horse*) ausgebrochen; (*person*) flüchtig.

rung [rʌŋ] **1.** *pp* of **ring**; **2.** *n* Sprosse *f*.

runner ['rʌnə*] *n* Läufer(in *f*) *m*; (*messenger*) Bote *m*, Botin *f*; (*for sleigh*) Kufe *f*; **runner-up** *n* Zweite(r) *mf*.

running ['rʌnɪŋ] **1.** *n* (*of business*) Leitung *f*; (*of machine*) Laufen *nt*, Betrieb *m*; **2.** *adj* (*water*) fließend; (*commentary*) laufend; **3 days ~** 3 Tage lang (*o* hintereinander).

run-of-the-mill ['rʌnəvðə'mɪl] *adj* gewöhnlich, durchschnittlich.

runny ['rʌnɪ] *adj* dünn.

runway ['rʌnweɪ] *n* Startbahn *f*, Landebahn *f*.

rupture ['rʌptʃə*] **1.** *n* (*MED*) Bruch *m*; **2.** *vr*: **~ oneself** sich *dat* einen Bruch zuziehen.

rural ['ruərəl] *adj* ländlich, Land-.

ruse [ru:z] *n* Kniff *m*, List *f*.

rush [rʌʃ] **1.** *n* Eile *f*, Hetze *f*; (*FIN*) starke

Nachfrage; **2.** vt (carry along) auf dem schnellsten Wege schaffen (o transportieren); (attack) losstürmen auf + akk; **3.** vi (hurry) eilen, stürzen; **to ~ into sth** etw überstürzen; **don't ~ me** dräng mich nicht; **rushes** n pl (BOT) Schilf[rohr] nt; **rush hour** n Hauptverkehrszeit f.

rusk [rʌsk] n Zwieback m.

Russia ['rʌʃə] n Rußland nt; **Russian 1.** adj russisch; **2.** n Russe m, Russin f.

rust [rʌst] **1.** n Rost m; **2.** vi rosten.

rustic ['rʌstɪk] adj bäuerlich, ländlich, Bauern-.

rustle ['rʌsl] **1.** n Rauschen nt, Rascheln nt; **2.** vi rauschen, rascheln; **3.** vt rascheln lassen; (cattle) stehlen.

rustproof ['rʌstpruːf] adj nichtrostend, rostfrei.

rusty ['rʌstɪ] adj rostig.

rut [rʌt] n (in track) Radspur f; (of deer) Brunst f; (fig) Trott m.

ruthless adj, **ruthlessly** adv ['ruːθləs, -lɪ] rücksichtslos; (treatment, criticism) schonungslos; **ruthlessness** n Rücksichtslosigkeit f, Schonungslosigkeit f.

rye [raɪ] n Roggen m; **rye bread** n Roggenbrot nt.

S

S, s [es] n S nt, s nt.

Sabbath ['sæbəθ] n Sabbat m.

sabbatical [sə'bætɪkəl] adj: **~ year** akademischer Urlaub, Forschungsjahr nt.

sabotage ['sæbətɑːʒ] **1.** n Sabotage f; **2.** vt sabotieren.

sabre, saber (US) ['seɪbə*] n Säbel m.

saccharin(e) ['sækərɪn] n Saccharin nt.

sachet ['sæʃeɪ] n Beutel m; (of shampoo) Briefchen nt, Kissen nt.

sack [sæk] **1.** n Sack m; **2.** vt (fam) hinauswerfen; (pillage) plündern; **to give sb the ~** (fam) jdn hinauswerfen; **sacking** n (material) Sackleinen nt; (fam) Rausschmiß m.

sacrament ['sækrəmənt] n Sakrament nt.

sacred ['seɪkrɪd] adj (building, music etc) geistlich, Kirchen-; (altar, oath) heilig.

sacrifice ['sækrɪfaɪs] **1.** n Opfer nt; **2.** vt (also fig) opfern.

sacrilege ['sækrɪlɪdʒ] n Sakrileg nt.

sad [sæd] adj traurig; **sadden** vt traurig machen, betrüben.

saddle ['sædl] **1.** n Sattel m; **2.** vt (burden) aufhalsen (sb with sth jdm etw);

saddlebag n Satteltasche f.

sadism ['seɪdɪzəm] n Sadismus m; **sadist** n Sadist(in f) m; **sadistic** [sə-'dɪstɪk] adj sadistisch.

sadly ['sædlɪ] adv traurig; (unfortunately) traurigerweise; (regrettably) bedauerlich; **~ neglected** stark vernachlässigt.

sadness ['sædnəs] n Traurigkeit f.

s.a.e. abbr of **stamped addressed envelope** vorfrankierter Umschlag.

safari [sə'fɑːrɪ] n Safari f; **safari park** n Safaripark m, Wildpark m.

safe [seɪf] **1.** adj (free from danger) sicher; (careful) vorsichtig; **2.** n Safe m, Tresor m, Geldschrank m; **it's ~ to say** man kann ruhig behaupten; **safeguard 1.** n Sicherung f; **2.** vt sichern, schützen; (COMPUT) sichern; **safekeeping** n sichere Verwahrung; **safely** adv sicher; (arrive) wohlbehalten; **safeness** n Sicherheit f; **safety** n Sicherheit f; **~ first** (slogan) Sicherheit geht vor; **safety belt** n Sicherheitsgurt m; **safety curtain** n (THEAT) eiserner Vorhang; **safety pin** n Sicherheitsnadel f.

sag [sæg] vi [durch]sacken, sich senken.

saga ['sɑːgə] n Sage f; (fig) Geschichte f.

sage [seɪdʒ] n (herb) Salbei m; (man) Weise(r) m.

Sagittarius [sædʒɪ'tɛərɪəs] n (ASTR) Schütze m.

sago ['seɪgəu] n Sago m.

said [sed] **1.** pt, pp of **say**; **2.** adj besagt.

sail [seɪl] **1.** n Segel nt; (trip) Fahrt f; **2.** vt segeln; **3.** vi segeln; mit dem Schiff fahren; (begin voyage, person) abfahren; (ship) auslaufen; (fig: cloud etc) dahinsegeln; **sailboat** n (US) Segelboot nt; **sailing** n Segeln nt; **to go ~** segeln gehen; **sailing ship** n Segelschiff nt; **sailor** n Matrose m, Seemann m.

saint [seɪnt] n Heilige(r) mf; **saintliness** n Heiligkeit f; **saintly** adj heilig, fromm.

sake [seɪk] n: **for the ~ of** um... + gen... willen; **for your ~** um deinetwillen, deinetwegen, wegen dir.

salad ['sæləd] n Salat m; **salad cream** n Salatmayonnaise f; **salad dressing** n Salatsoße f; **salad oil** n Speiseöl nt, Salatöl nt.

salami [sə'lɑːmɪ] n Salami f.

salaried ['sælərɪd] adj: **~ staff** Gehaltsempfänger pl.

salary ['sælərɪ] n Gehalt nt.

sale [seɪl] n Verkauf m; (reduced prices) Ausverkauf m; **saleroom** n Auktionsraum m; **salesman** n <-men> Verkäufer m; (rep) Vertreter m; **salesmanship** n Verkaufstechnik f; **saleswoman** n <-women> Verkäuferin f.

salient ['seiliənt] *adj* hervorspringend; (*fig*) bemerkenswert.

saliva [sə'laivə] *n* Speichel *m*.

sallow ['sæləu] *adj* fahl; (*face*) bleich.

salmon ['sæmən] *n* Lachs *m*.

saloon [sə'lu:n] *n* (*AUT*) Limousine *f*; (*ship's lounge*) Salon *m*; (*US*) Wirtschaft *f*.

salt [sɔ:lt] **1.** *n* Salz *nt*; **2.** *vt* (*cure*) einsalzen; (*flavour*) salzen; **salt away** *vt* (*money*) auf die hohe Kante legen; **saltcellar** *n* Salzfaß *nt*; (*shaker*) Salzstreuer *m*; **salt mine** *n* Salzbergwerk *nt*; **salty** *adj* salzig.

salubrious [sə'lu:briəs] *adj* gesund; (*district etc*) ersprießlich.

salutary ['sæljutəri] *adj* gesund, heilsam.

salute [sə'lu:t] **1.** *n* (*MIL*) Gruß *m*, Salut *m*; (*with guns*) Salutschüsse *pl*; **2.** *vi* (*MIL*) salutieren.

salvage ['sælvidʒ] **1.** *n* (*from ship*) Bergung *f*; (*objects*) Bergungsgut *nt*; **2.** *vt* bergen; (*fig*) retten.

salvation [sæl'veiʃən] *n* Rettung *f*; S~ **Army** Heilsarmee *f*.

salver ['sælvə⁺] *n* Tablett *nt*.

salvo ['sælvəu] *n* <-s> Salve *f*.

same [seim] *adj* (*similar*) gleiche(r, s); (*identical*) derselbe/dieselbe/dasselbe; **all** (*o just*) **the** ~ trotzdem; **it's all the** ~ **to me** das ist mir egal; **they all look the** ~ **to me** für mich sehen sie alle gleich aus; **the** ~ **to you** gleichfalls; **at the** ~ **time** zur gleichen Zeit, gleichzeitig; (*however*) zugleich; andererseits.

sample ['sɑ:mpl] **1.** *n* (*specimen*) Probe *f*; (*example of sth*) Muster *nt*, Probe *f*; **2.** *vt* probieren.

sanatorium [sænə'tɔ:riəm] *n* Sanatorium *nt*.

sanctify ['sæŋktifai] *vt* weihen.

sanctimonious [sæŋkti'məuniəs] *adj* scheinheilig.

sanction ['sæŋkʃən] *n* Sanktion *f*.

sanctity ['sæŋktiti] *n* Heiligkeit *f*; (*fig*) Unverletzlichkeit *f*.

sanctuary ['sæŋktjuəri] *n* Heiligtum *nt*; (*for fugitive*) Asyl *nt*; (*refuge*) Zufluchtsort *m*; (*for animals*) Naturpark *m*, Schutzgebiet *nt*.

sand [sænd] **1.** *n* Sand *m*; **2.** *vt* mit Sand bestreuen; (*furniture*) schmirgeln; ~s *pl* Sand *m*.

sandal ['sændl] *n* Sandale *f*.

sandbag ['sændbæg] *n* Sandsack *m*; **sandblast** *vt* sandstrahlen; **sand dune** *n* [Sand]düne *f*; **sandpaper** *n* Sandpapier *nt*; **sandpit** *n* Sandkasten *m*; **sandstone** *n* Sandstein *m*.

sandwich ['sænwidʒ] **1.** *n* Sandwich *m o*

nt; (*open ~*) belegtes Brot; **2.** *vt* einklemmen.

sandy ['sændi] *adj* sandig, Sand-; (*colour*) sandfarben; (*hair*) rotblond.

sane [sein] *adj* geistig gesund, normal; (*sensible*) vernünftig, gescheit.

sang [sæŋ] *pt of* **sing**.

sanguine ['sæŋgwin] *adj* (*hopeful*) zuversichtlich.

sanitarium [sæni'təəriəm] *n* (*US*) *see* **sanatorium**.

sanitary ['sænitəri] *adj* hygienisch [einwandfrei]; (*against dirt*) hygienisch, Gesundheits-; **sanitary napkin** (*US*), **sanitary towel** *n* [Monats]binde *f*.

sanitation [sæni'teiʃən] *n* sanitäre Einrichtungen *pl*; Gesundheitswesen *nt*.

sanity ['sæniti] *n* geistige Gesundheit *f*; (*good sense*) gesunder Verstand, Vernunft *f*.

sank [sæŋk] *pt of* **sink**.

Santa Claus [sæntə'klɔ:z] *n* Nikolaus *m*, Weihnachtsmann *m*.

sap [sæp] **1.** *n* (*of plants*) Saft *m*; **2.** *vt* (*strength*) schwächen; (*health*) untergraben.

sapling ['sæpliŋ] *n* junger Baum.

sapphire ['sæfaiə⁺] *n* Saphir *m*.

sarcasm ['sɑ:kæzəm] *n* Sarkasmus *m*; **sarcastic** [sɑ:'kæstik] *adj* sarkastisch.

sarcophagus [sɑ:'kɒfəgəs] *n* Sarkophag *m*.

sardine [sɑ:'di:n] *n* Sardine *f*.

sardonic [sɑ:'dɒnik] *adj* zynisch.

sari ['sɑ:ri] *n* Sari *m*.

sash [sæʃ] *n* Schärpe *f*.

sat [sæt] *pt, pp of* **sit**.

Satan ['seitn] *n* Satan *m*, Teufel *m*; **satanic** [sə'tænik] *adj* satanisch, teuflisch.

satchel ['sætʃəl] *n* (*SCH*) Schulranzen *m*, Schulmappe *f*.

satellite ['sætəlait] **1.** *n* Satellit *m*; (*fig*) Trabant *m*; **2.** *adj* Satelliten-; ~ **town** Satellitenstadt *f*, Trabantenstadt *f*.

satin ['sætin] *n* Satin *m*.

satire ['sætaiə⁺] *n* Satire *f*; **satirical** [sə'tirikəl] *adj* satirisch; **satirize** ['sætəraiz] *vt* [durch Satire] verspotten.

satisfaction [sætis'fækʃən] *n* Befriedigung *f*, Genugtuung *f*; **satisfactorily** [sætis'fæktərili] *adv* zufriedenstellend; **satisfactory** [sætis'fæktəri] *adj* zufriedenstellend, befriedigend; **satisfy** ['sætisfai] *vt* befriedigen, zufriedenstellen; (*convince*) überzeugen; (*conditions*) erfüllen; **satisfying** *adj* befriedigend; (*meal*) sättigend.

saturate ['sætʃəreit] *vt* [durch]tränken; **saturation** [sætʃə'reiʃən] *n* Durchtränkung *f*; (*CHEM, fig*) Sättigung *f*.

Saturday ['sætədeɪ] n Samstag m, Sonnabend m; **on ~ [am]** Samstag (o Sonnabend); **on ~s, on a ~** samstags, sonnabends.

sauce [sɔːs] n Soße f, Sauce f; **saucepan** n Kochtopf m; **saucer** n Untertasse f.

saucily ['sɔːsɪlɪ] adv frech.

sauciness ['sɔːsɪnəs] n Frechheit f.

saucy ['sɔːsɪ] adj frech, keck.

Saudi Arabia ['saʊdɪə'reɪbɪə] n Saudi-Arabien nt.

sauna ['sɔːnə] n Sauna f.

saunter ['sɔːntə*] vi schlendern.

sausage ['sɒsɪdʒ] n Wurst f; **sausage roll** n Wurst f im Schlafrock, Wurstrolle f.

savage ['sævɪdʒ] 1. adj (fierce) wild, brutal, grausam; (uncivilized) wild, primitiv; 2. n Wilde(r) mf; 3. vt (animals) zerfleischen; **savagely** adv grausam; **savagery** n Roheit f, Grausamkeit f.

save [seɪv] 1. vt retten; (money, electricity etc) sparen; (strength etc) aufsparen; (COMPUT) sichern; (data) abspeichern; 2. n (SPORT) [Ball]abwehr f; 3. prep, conj außer, ausgenommen; **to ~ you the trouble** um dir Mühe zu ersparen; **saving** 1. adj rettend; 2. n Sparen nt; **~s** Ersparnisse pl; **~s bank** Sparkasse f.

saviour ['seɪvjə*] n Retter(in f) m; (REL) Heiland m, Erlöser m.

savoir-faire ['sævwɑː'fɛə*] n Gewandtheit f.

savour, savor (US) ['seɪvə*] 1. n Geschmack m; 2. vt (taste) schmecken; (fig) genießen; 3. vi schmecken (of nach); riechen (of nach); **savoury** adj schmackhaft; (not sweet) pikant, würzig.

savvy ['sævɪ] n (fam) Grips m.

saw [sɔː] < **sawed, sawn** > 1. vt, vi sägen; 2. n (tool) Säge f; 3. pt of **see**; **sawdust** n Sägemehl nt; **sawmill** n Sägewerk nt; **sawn** [sɔːn] pp of **saw**; **sawn-off shotgun** n Flinte f mit abgesägtem Lauf.

saxophone ['sæksəfəʊn] n Saxophon nt.

say [seɪ] < **said, said** > 1. vt, vi sagen; 2. n Meinung f; (right) Mitspracherecht nt; **to have no/a ~ in** sth kein/[ein] Mitspracherecht bei etw haben; **let him have his ~** laß ihn doch reden; **I couldn't ~** schwer zu sagen; **how old would you ~ he is?** wie alt schätzt du ihn?; **you don't ~!** was du nicht sagst!; **don't ~ you forgot** sag bloß nicht, daß du es vergessen hast; **there are, ~, 50...** es sind, sagen wir mal, 50...; **that is to ~** das heißt; (more precisely) beziehungsweise, mit anderen Worten; **to ~ nothing of...** ganz zu schweigen von...; **saying** n

Sprichwort nt; **say-so** n (fam) Ja nt, Zustimmung f; **on whose ~?** wer sagt das?

scab [skæb] n Schorf m; (of sheep) Räude f; (pej) Streikbrecher(in f) m; **scabby** adj (sheep) räudig; (skin) schorfig.

scaffold ['skæfəʊld] n (for execution) Schafott nt; **scaffolding** n [Bau]gerüst nt.

scald [skɔːld] 1. n Verbrühung f; 2. vt (burn) verbrühen; (clean) [ab]brühen; **scalding** adj siedend [heiß].

scale [skeɪl] 1. n (of fish) Schuppe f; (MUS) Tonleiter f; (dish for measuring) Waagschale f; (on map, size) Maßstab m; (gradation) Skala f; 2. vt (climb) erklimmen; **~s** pl (balance) Waage f; **on a large ~** (fig) im großen, in großem Umfang; **scale down** vt verkleinern; (fig) verringern; **scale drawing** n maßstabgerechte Zeichnung.

scallop ['skɒləp] n Jakobsmuschel f.

scalp [skælp] 1. n Kopfhaut f; 2. vt skalpieren.

scalpel ['skælpəl] n Skalpell nt.

scamp [skæmp] vt schlud[e]rig machen, hinschlampen.

scamper ['skæmpə*] vi huschen.

scan [skæn] 1. vt (examine) genau prüfen; (quickly) überfliegen; (horizon) absuchen; 2. n (Brit) Ultraschallaufnahme f.

scandal ['skændl] n (disgrace) Skandal m; (gossip) böswilliger Klatsch; **scandalize** vt schockieren; **scandalous** adj skandalös, schockierend.

Scandinavia [skændɪ'neɪvɪə] n Skandinavien nt; **Scandinavian** 1. adj skandinavisch; 2. n Skandinavier(in f) m.

scant [skænt] adj knapp, wenig; **scantily** adv knapp, dürftig; **scantiness** n Knappheit f; **scanty** adj knapp, unzureichend.

scapegoat ['skeɪpgəʊt] n Sündenbock m.

scar [skɑː*] 1. n Narbe f; 2. vt durch Narben entstellen.

scarce ['skɛəs] adj selten, rar; (goods) knapp; **scarcely** adv kaum; **scarceness** n Seltenheit f; **scarcity** ['skɛəsɪtɪ] n Mangel m, Knappheit f.

scare ['skɛə*] 1. n Schrecken m, Panik f; 2. vt erschrecken; ängstigen; **to be ~d** Angst haben; **scarecrow** n Vogelscheuche f; **scaremonger** n Bangemacher(in f) m.

scarf [skɑːf] n < **scarves** > Schal m; (on head) Kopftuch nt.

scarlet ['skɑːlət] adj scharlachrot; **scarlet fever** n Scharlach m.

scarred ['skɑːd] adj narbig.

scary ['skɛərɪ] adj (fam) schaurig.

scathing ['skeɪðɪŋ] adj scharf, vernichtend.

scatter ['skætə*] **1.** vt (sprinkle) [ver]streuen; (disperse) zerstreuen; **2.** vi sich zerstreuen; **scatterbrained** adj flatterhaft, schußlig; **scattering** n: a ~ [of] ein paar.

scavenger ['skævɪndʒə*] n (animal) Aasfresser m; (fig: person) Aasgeier m.

scene [siːn] n (of happening) Ort m; (of play, incident) Szene f; (canvas etc) Bühnenbild nt; (view) Anblick m; (argument) Szene f, Auftritt m; **on the** ~ am Ort, dabei; **behind the** ~s hinter den Kulissen; **scenery** ['siːnərɪ] n (THEAT) Bühnenbild nt; (landscape) Landschaft f.

scenic ['siːnɪk] adj landschaftlich, Landschafts-.

scent [sent] **1.** n Parfüm nt; (smell) Duft m; (sense) Geruchssinn m; **2.** vt parfümieren.

sceptic ['skeptɪk] n Skeptiker(in f) m; **sceptical** adj skeptisch; **scepticism** ['skeptɪsɪzəm] n Skepsis f.

sceptre, scepter (US) ['septə*] n Zepter nt.

schedule ['ʃedjuːl, 'skedʒʊəl] **1.** n (list) Liste f, Tabelle f; (plan) Programm nt; **2.** vt: it is ~d for 2 es soll um 2 abfahren/stattfinden; **on** ~ pünktlich, fahrplanmäßig; **behind** ~ mit Verspätung; ~d flight Linienflug m.

scheme [skiːm] **1.** n Schema nt; (dishonest) Intrige f; (plan of action) Plan m, Programm nt; **2.** vi sich verschwören, intrigieren; **3.** vt planen; **scheming** adj intrigierend.

schism ['skɪzəm] n Spaltung f; (REL) Schisma nt, Kirchenspaltung f.

schizophrenic [skɪtsəʊ'frenɪk] adj schizophren.

scholar ['skɒlə*] n Gelehrte(r) mf; (holding scholarship) Stipendiat(in f) m; **scholarly** adj gelehrt; **scholarship** n Gelehrsamkeit f, Belesenheit f; (grant) Stipendium nt.

school [skuːl] **1.** n Schule f; (at university) Fakultät f; **2.** vt schulen; (dog) trainieren; **schoolbook** n Schulbuch nt; **schoolboy** n Schüler m, Schuljunge m; **schooldays** n pl [alte] Schulzeit f; **schoolgirl** n Schülerin f, Schulmädchen nt; **schooling** n Schulung f, Ausbildung f; **schoolmaster** n Lehrer m; **schoolmistress** n Lehrerin f; **schoolroom** n Klassenzimmer nt; **schoolteacher** n Lehrer(in f) m.

schooner ['skuːnə*] n Schoner m; (glass) großes Sherryglas.

sciatica [saɪ'ætɪkə] n Ischias m o nt.

science ['saɪəns] n Wissenschaft f; (natural ~) Naturwissenschaft f; **science fiction** n Science-fiction f.

scientific [saɪən'tɪfɪk] adj wissenschaftlich; (natural sciences) naturwissenschaftlich.

scientist ['saɪəntɪst] n Wissenschaftler(in f) m.

scintillating ['sɪntɪleɪtɪŋ] adj sprühend.

scissors ['sɪzəz] n pl Schere f; **a pair of** ~ eine Schere.

scoff [skɒf] **1.** vt (eat) fressen; **2.** vi (mock) spotten (at über + akk).

scold [skəʊld] vt schimpfen.

scone [skɒn] n weiches Teegebäck.

scoop [skuːp] **1.** n Schaufel f; (news) Knüller m; **2.** vt (also: ~ out, ~ up) schaufeln.

scooter ['skuːtə*] n Motorroller m; (child's) Roller m.

scope [skəʊp] n Ausmaß nt; (opportunity) [Spiel]raum m.

scorch [skɔːtʃ] **1.** n Brandstelle f; **2.** vt versengen, verbrennen; **scorcher** n (fam) heißer Tag; **scorching** adj brennend, glühend.

score [skɔː*] **1.** n (in game) Punktzahl f, [Spiel]ergebnis nt; (MUS) Partitur f; (line) Kratzer m; (twenty) 20, 20 Stück; **2.** vt (goal) schießen; (points) machen; (mark) einkerben; (damage) zerkratzen, einritzen; **3.** vi (keep record) Punkte zählen; **on that** ~ in dieser Hinsicht; **what's the** ~? wie steht's?; **scoreboard** n Anzeigetafel f; **scorecard** n (SPORT) Punktliste f; **scorer** n Torschütze(-schützin f) m; (recorder) [Auf]schreiber m.

scorn ['skɔːn] **1.** n Verachtung f; **2.** vt verhöhnen; **scornful** adj, **scornfully** adv höhnisch, verächtlich.

Scorpio ['skɔːpɪəʊ] n <-s> (ASTR) Skorpion m.

scorpion ['skɔːpɪən] n (ZOOL) Skorpion m.

Scot [skɒt] see **Scotch, Scottish**.

scotch [skɒtʃ] vt (end) unterbinden.

Scotch [skɒtʃ] **1.** adj schottisch; **2.** n (whisky) schottischer Whisky, Scotch m; **the** ~ pl die Schotten pl; **Scotland** n Schottland nt; **in** ~ in Schottland; **to go to** ~ nach Schottland fahren; **Scotsman** n <-men> Schotte m; **Scotswoman** n <-women> Schottin f; **Scottish** adj schottisch.

scoundrel ['skaʊndrəl] n Schurke m, Schurkin f, Schuft m.

scour ['skaʊə*] vt (search) absuchen; (clean) schrubben; **scourer** n Topfkratzer m.

scourge [skɜːdʒ] n (whip) Geißel f;

(plague) Qual *f*.

scout [skaʊt] **1.** *n* (MIL) Späher *m*, Aufklärer *m*; *(boy~)* Pfadfinder *m*; **2.** *vi* *(reconnoitre)* auskundschaften.

scowl [skaʊl] *vi* finster blicken.

scraggy ['skrægɪ] *adj* dürr, hager.

scram [skræm] *vi* *(fam)* verschwinden, abhauen.

scramble ['skræmbl] **1.** *n* *(climb)* Kletterei *f*; *(struggle)* Kampf *m*; **2.** *vi* klettern; *(fight)* sich schlagen; **~ed eggs** *pl* Rührei *nt*.

scrap [skræp] **1.** *n* *(bit)* Stückchen *nt*; *(fight)* Keilerei *f*; **2.** *adj* Abfall-; **3.** *vt* verwerfen; **4.** *vi* *(fight)* streiten, sich prügeln; **~s** *pl* *(waste)* Abfall *m*; **scrapbook** *n* Sammelalbum *nt*.

scrape [skreɪp] **1.** *n* Kratzen *nt*; *(trouble)* Klemme *f*; **2.** *vt* kratzen; *(car)* zerkratzen; *(clean)* abkratzen; **3.** *vi* *(make harsh noise)* kratzen; **scraper** *n* Kratzer *m*.

scrap heap ['skræphiːp] *n* Abfallhaufen *m*; *(metal)* Schrotthaufen *m*; **scrap iron** *n* Schrott *m*.

scrappy ['skræpɪ] *adj* zusammengestoppelt.

scratch ['skrætʃ] **1.** *n* *(wound)* Kratzer *m*, Schramme *f*; **2.** *adj* *(improvised)* zusammengewürfelt; **3.** *vt* kratzen; *(car)* zerkratzen; **4.** *vi* [sich] kratzen; **to start from ~** ganz von vorne anfangen; **scratch file** *n* (COMPUT) Hilfsdatei *f*.

scrawl [skrɔːl] **1.** *n* Gekritzel *nt*; **2.** *vt*, *vi* kritzeln.

scream [skriːm] **1.** *n* Schrei *m*; **2.** *vi* schreien.

scree [skriː] *n* Geröll[halde *f*] *nt*.

screech [skriːtʃ] **1.** *n* Schrei *m*; **2.** *vi* kreischen.

screen [skriːn] **1.** *n* *(protective)* Schutzschirm *m*; (CINE) Leinwand *f*; (TV, COMPUT) Bildschirm *m*; *(against insects)* Fliegengitter *nt*; (REL) Lettner *m*; **2.** *vt* *(shelter)* [be]schirmen; *(film)* zeigen, vorführen.

screw [skruː] **1.** *n* Schraube *f*, (NAUT) Schiffsschraube *f*; **2.** *vt* *(fasten)* schrauben; *(fam)* bumsen; **to ~ money out of sb** *(fam)* jdm das Geld aus der Tasche ziehen; **screwdriver** *n* Schraubenzieher *m*; **Phillips ~** ® Kreuzschlitzschraubenzieher *m*; **screw top** *n* Schraubverschluß *m*; **screwy** *adj* *(fam)* verrückt.

scribble ['skrɪbl] **1.** *n* Gekritzel *nt*; **2.** *vt* kritzeln.

script [skrɪpt] *n* *(handwriting)* Handschrift *f*; *(for film)* Drehbuch *nt*; (THEAT) Manuskript *nt*, Text *m*.

Scripture ['skrɪptʃə*] *n* Heilige Schrift.

scriptwriter ['skrɪptraɪtə*] *n* Textverfas-

ser(in *f*) *m*.

scroll [skrəʊl] **1.** *n* Schriftrolle *f*; **2.** *vi* (COMPUT) blättern.

scrounge [skraʊndʒ] **1.** *vt* schnorren; **2.** *n:* **on the ~** beim Schnorren.

scrub [skrʌb] **1.** *n* *(clean)* Schrubben *nt*; *(in countryside)* Gestrüpp *nt*; **2.** *vt* *(clean)* schrubben; *(reject)* fallenlassen.

scruff [skrʌf] *n* Genick *nt*, Kragen *m*; **scruffy** *adj* unordentlich, vergammelt.

scrum[mage] ['skrʌmɪdʒ] *n* Gedränge *nt*.

scruple ['skruːpl] *n* Skrupel *m*, Bedenken *nt*; **scrupulous** *adj*, **scrupulously** *adv* ['skruːpjʊləs, -lɪ] peinlich genau, gewissenhaft.

scrutinize ['skruːtɪnaɪz] *vt* genau prüfen *(o* untersuchen); **scrutiny** ['skruːtɪnɪ] *n* genaue Untersuchung.

scuffle ['skʌfl] *n* Handgemenge *nt*.

scullery ['skʌlərɪ] *n* Spülküche *f*, Abstellraum *m*.

sculptor ['skʌlptə*] *n* Bildhauer(in *f*) *m*.

sculpture ['skʌlptʃə*] *n* (ART) Bildhauerei *f*; *(statue)* Skulptur *f*.

scum [skʌm] *n* Abschaum *m*.

scupper ['skʌpə*] *vt* *(plans, attempts)* zunichte machen; *(person)* erledigen.

scurrilous ['skʌrɪləs] *adj* unflätig.

scurry ['skʌrɪ] *vi* huschen.

scurvy ['skɜːvɪ] *n* Skorbut *m*.

scuttle ['skʌtl] **1.** *n* Kohleneimer *m*; **2.** *vt* *(ship)* versenken; **3.** *vi* *(scamper away)* sich davonmachen.

scythe [saɪð] *n* Sense *f*.

SDP *n abbr of* **Social Democratic Party** *britische sozialdemokratische Partei.*

sea [siː] *n* Meer *nt*, See *f*; **2.** *adj* Meeres-, See-; **sea bird** *n* Meervogel *m*; **seaboard** *n* Küste *f*; **sea breeze** *n* Seewind *m*; **seadog** *n* Seebär *m*; **seafaring** *adj* seefahrend; **seafood** *n* Meeresfrüchte *pl*; **sea front** *n* Strandpromenade *f*; **seagoing** *adj* seetüchtig, Hochsee-; **seagull** *n* Möwe *f*.

seal [siːl] **1.** *n* *(animal)* Robbe *f*, Seehund *m*; *(stamp, impression)* Siegel *nt*; **2.** *vt* versiegeln.

sea level ['siːlevl] *n* Meeresspiegel *m*.

sealing wax ['siːlɪŋwæks] *n* Siegellack *m*.

sea lion ['siːlaɪən] *n* Seelöwe *m*.

seam [siːm] *n* Saum *m*; *(edges joining)* Naht *f*; *(layer)* Schicht *f*; *(of coal)* Flöz *nt*.

seaman ['siːmən] *n* <-**men**> Seemann *m*.

seamless ['siːmlɪs] *adj* nahtlos.

seamy ['siːmɪ] *adj* *(col, café)* zwielichtig; *(life)* anrüchig; **the ~ side of life** die dunkle Seite des Lebens.

seaport ['siːpɔːt] *n* Seehafen *m*, Hafenstadt *f.*

search [sɜːtʃ] **1.** *n* (*also* COMPUT) Suche *f* (*for* nach); **2.** *vi* suchen; **3.** *vt* (*examine*) durchsuchen; **searching** *adj* (*look*) forschend, durchdringend; **searchlight** *n* Suchscheinwerfer *m;* **search operation** *n* (COMPUT) Suchlauf *m;* **search party** *n* Suchmannschaft *f.*

seashore ['siːʃɔː*] *n* Meeresküste *f;* **seasick** *adj* seekrank; **seasickness** *n* Seekrankheit *f;* **seaside** *n* Küste *f;* **at the** ~ am Meer; **to go to the** ~ ans Meer fahren.

season ['siːzn] **1.** *n* Jahreszeit *f;* (*Christmas* ~ *etc*) Zeit *f;* (COM) Saison *f;* **2.** *vt* (*flavour*) würzen; **seasonal** *adj* Saison-; **seasoning** *n* Gewürz *nt,* Würze *f;* **season ticket** *n* (RAIL) Zeitkarte *f;* (THEAT) Abonnement *nt.*

seat [siːt] **1.** *n* Sitz *m,* Platz *m;* (*in Parliament*) Sitz *m;* (*part of body*) Gesäß *nt;* (*part of garment*) Sitzfläche *f,* Hosenboden *m;* **2.** *vt* (*place*) setzen; (*have space for*) Sitzplätze bieten für; **seat belt** *n* Sicherheitsgurt *m;* **seating** *n* Anweisen *nt* von Sitzplätzen; ~ **arrangements** *pl* Sitzordnung *f.*

sea water ['siːwɔːtə*] *n* Meerwasser *nt,* Seewasser *nt;* **seaweed** *n* [See]tang *m,* Alge *f;* **seaworthy** *adj* seetüchtig.

secluded [sɪ'kluːdɪd] *adj* abgelegen, ruhig; **seclusion** [sɪ'kluːʒən] *n* Abgeschiedenheit *f.*

second ['sekənd] **1.** *adj* zweite(r, s); **2.** *adv* (*in* ~ *position*) an zweiter Stelle; (RAIL) zweiter Klasse; **3.** *n* Sekunde *f;* (*person*) Zweite(r) *mf;* (COM: *imperfect*) zweite Wahl; **4.** *vt* (*support*) unterstützen; **to have** ~ **thoughts** es sich *dat* anders überlegen; **it is** ~ **nature to him** es ist ihm zur zweiten Natur geworden; **secondary** *adj* zweitrangig; ~ **education** Sekundarstufe *f;* ~ **school** weiterführende Schule; **seconder** *n* Befürworter(in *f*) *m;* **secondhand** *adj* aus zweiter Hand; (*car etc*) gebraucht; **secondly** *adv* zweitens; **second-rate** *adj* mittelmäßig, zweitklassig.

secrecy ['siːkrəsɪ] *n* (*of person*) Verschwiegenheit *f;* (*of event*) Heimlichkeit *f;* **in** ~ im geheimen.

secret ['siːkrət] **1.** *n* Geheimnis *nt;* **2.** *adj* geheim, Geheim-; **in** ~ heimlich.

secretarial [sekrə'tɛərɪəl] *adj* Sekretärs-, Sekretärinnen-; ~ **job** Büroarbeit *f;* ~ **staff** Schreibkräfte *pl.*

secretary ['sekrətrɪ] *n* Sekretär(in *f*) *m;* (*government*) Staatssekretär(in *f*) *m;* (*esp US*) Minister(in *f*) *m.*

secretive ['siːkrətɪv] *adj* geheimnistuerisch, geheimnisvoll.

secretly ['siːkrətlɪ] *adv* heimlich.

sect [sekt] *n* Sekte *f;* **sectarian** [sek'tɛərɪən] *adj* (*belonging to a sect*) Sekten-; (*school*) konfessionell; (*troubles*) Konfessions-; ~ **murder** religiös begründeter Mord.

section ['sekʃən] *n* Teil *m,* Ausschnitt *m;* (*department*) Abteilung *f;* (*of document*) Abschnitt *m,* Paragraph *m;* **sectional** *adj* (*regional*) partikularistisch.

sector ['sektə*] *n* Sektor *m.*

secular ['sekjulə*] *adj* weltlich, profan.

secure [sɪ'kjuə*] **1.** *adj* (*safe*) sicher; (*firmly fixed*) fest; **2.** *vt* (*make firm*) befestigen, sichern; (*obtain*) sichern; **securely** *adv* sicher, fest.

security [sɪ'kjuərɪtɪ] *n* Sicherheit *f;* (*pledge*) Pfand *nt;* (*document*) Sicherheiten *pl;* (*national* ~) Staatssicherheit *f; see also* social; **security check** *n* Sicherheitskontrolle *f;* **Security Council** *n* (*of* UN) Sicherheitsrat *m;* **Security Force** *n* (*of* UN) Friedenstruppe *f;* **security guard** *n* Sicherheitsbeamte(r) *m,* -beamtin *f.*

sedan [sɪ'dæn] *n* (*US* AUT) Limousine *f.*

sedate [sɪ'deɪt] **1.** *adj* (*calm*) gelassen; (*serious*) gesetzt; **2.** *vt* (MED) ein Beruhigungsmittel geben +*dat;* **sedation** [sɪ'deɪʃən] *n* (MED) Einfluß *m* von Beruhigungsmitteln; **sedative** ['sedətɪv] **1.** *n* Beruhigungsmittel *nt;* **2.** *adj* beruhigend, einschläfernd.

sedentary ['sedntrɪ] *adj* (*job*) sitzend.

sediment ['sedɪmənt] *n* [Boden]satz *m;* **sedimentary** [sedɪ'mentərɪ] *adj* (GEO) Sediment-.

seduce [sɪ'djuːs] *vt* verführen; **seduction** [sɪ'dʌkʃən] *n* Verführung *f;* **seductive** [sɪ'dʌktɪv] *adj* verführerisch.

see [siː] < **saw**, **seen** > **1.** *vt* sehen; (*understand*) [ein]sehen, erkennen; (*find out*) sehen, herausfinden; (*make sure*) dafür sorgen, [daß]; (*accompany*) begleiten, bringen; (*visit*) besuchen; **2.** *vi* (*be aware*) sehen; (*find out*) nachsehen; **I** ~ ach so, ich verstehe; **let me** ~ warte mal; **we'll** ~ [werden] mal sehen; **to** ~ **sth through** etw durchfechten; **to** ~ **through sb/sth** jdn/etw durchschauen; **to** ~ **to it** dafür sorgen; **to** ~ **sb off** jdn begleiten; **to** ~ **a doctor** zum Arzt gehen.

seed [siːd] **1.** *n* Samen *m,* [Samen]korn *nt;* **2.** *vt* (TENNIS) plazieren; **seedling** *n* Setzling *m.*

seedy ['siːdɪ] *adj* (*ill*) flau, angeschlagen; (*clothes*) schäbig; (*person*) zweifelhaft, zwielichtig.

seeing ['siːɪŋ] *conj* da.

seek [si:k] <**sought, sought**> vt suchen.

seem [si:m] vi scheinen; **seemingly** adv anscheinend; **seemly** adj geziemend.

seen [si:n] pp of **see**.

seep [si:p] vi sickern.

seer [sɪə*] n Seher(in f) m.

seesaw [ˈsi:sɔ:] n Wippe f.

seethe [si:ð] vi kochen; (with crowds) wimmeln (with von).

see-through [ˈsi:θru:] adj (dress) durchsichtig.

segment [ˈsegmənt] n Teil m; (of circle) Ausschnitt m.

segregate [ˈsegrɪgeɪt] vt trennen, absondern; **segregation** [segrɪˈgeɪʃən] n Rassentrennung f.

seismic [ˈsaɪzmɪk] adj seismisch, Erdbeben-.

seize [si:z] vt (grasp) [er]greifen, packen; (power) ergreifen; (take legally) beschlagnahmen; (point) erfassen, begreifen; **seize up** (TECH) sich festfressen.

seizure [ˈsi:ʒə*] n (illness) Anfall m.

seldom [ˈseldəm] adv selten.

select [sɪˈlekt] **1.** adj ausgewählt; **2.** vt auswählen; **selection** [sɪˈlekʃən] n Auswahl f; **selective** (adj (person) wählerisch; ~ **service** (US) [Grund]wehrdienst m.

self [self] n <**selves**> Selbst nt, Ich nt; **self-adhesive** adj selbstklebend; **self-appointed** adj selbsternannt; **self-assurance** n Selbstsicherheit f; **self-assured** adj selbstbewußt; **self-catering** adj für Selbstversorger; **self-coloured**, **self-colored** (US) adj einfarbig; **self-confidence** n Selbstvertrauen nt, Selbstbewußtsein nt; **self-confident** adj selbstsicher; **self-conscious** adj gehemmt, befangen; **self-contained** adj (complete) [in sich] geschlossen; (person) verschlossen; (flat) separat, mit separatem Eingang; **self-defeating** adj widersinnig, kontraproduktiv; **to be** ~ das Gegenteil erzielen; **self-defence** n Selbstverteidigung f; (JUR) Notwehr f; **self-employed** adj frei[schaffend]; **self-evident** adj offensichtlich; **self-explanatory** adj für sich [selbst] sprechend; **self-indulgent** adj zügellos; **self-interest** n Eigennutz m; **selfish** adj selfsüchtig; **selfishly** adv egoistisch, selbstsüchtig; **selfishness** n Egoismus m, Selbstsucht f; **selflessly** adv selbstlos; **self-made** adj selbstgemacht; **self-pity** n Selbstmitleid nt; **self-reliant** adj unabhängig; **self-respect** n Selbstachtung f; **self-righteous** adj selbstgerecht; **self-satisfied** adj selbstzufrieden, selbstge-

fällig; **self-service** adj Selbstbedienungs-; **self-sufficient** adj genügsam; (country) autark; **self-supporting** adj (FIN) Eigenfinanzierungs-; (person) eigenständig.

sell [sel] <**sold, sold**> **1.** vt verkaufen; **2.** vi verkaufen; (goods) sich verkaufen lassen; **sell-by date** n Haltbarkeitsdatum nt; **seller** n Verkäufer(in f) m; **selling price** n Verkaufspreis m.

semantic [sɪˈmæntɪk] adj semantisch; **semantics** n sing Semantik f.

semaphore [ˈseməfɔ:*] n Winkzeichen pl.

semi [ˈsemɪ] **1.** n (semidetached house) Doppelhaus[hälfte f] nt; **2.** pref halb-; **semicircle** n Halbkreis m; **semicolon** n Semikolon nt; **semiconductor** n Halbleiter m; **semiconscious** adj halb bewußtlos; **semidetached house** n Doppelhaus[hälfte f] nt, Doppelhaus nt; **semifinal** n Halbfinale nt.

seminar [ˈsemɪnɑ:*] n Seminar nt.

semiquaver [ˈsemɪkweɪvə*] n Sechzehntelnote f; **semiskilled** adj angelernt; **semi-skimmed milk** n Halbfettmilch f; **semitone** [ˈsemɪtəʊn] n Halbton m.

semolina [seməˈli:nə] n Grieß m.

senate [ˈsenət] n Senat m; **senator** [ˈsenətə*] n Senator(in f) m.

send [send] <**sent, sent**> vt senden, schicken; (fam: inspire) hinreißen; **send away** vt wegschicken; **send away for** vt holen lassen; **send back** vt zurückschicken; **send for** vt holen lassen; **send off** vt (goods) abschicken; (player) vom Feld schicken; **send out** vt (invitation) aussenden; **send up** vt hinaufsenden; (fam) verulken; **sender** n Absender(in f) m; **send-off** n Verabschiedung f; **send-up** n (fam) Verulkung f.

senile [ˈsi:naɪl] adj senil, Alters-; **senility** [sɪˈnɪlɪtɪ] n Altersschwachheit f.

senior [ˈsi:nɪə*] **1.** adj (older) älter; (higher rank) vorgesetzt; **2.** n (older person) Altere(r) mf; (higher ranking) Vorgesetzte(r) mf; ~ **citizen** Senior(in f) m; ~ **citizen's travel pass** Seniorenpaß m; **seniority** [si:nɪˈɒrɪtɪ] n (of age) höheres Alter; (in rank) höherer Dienstgrad.

sensation [senˈseɪʃən] n Empfindung f, Gefühl nt; (excitement) Sensation f, Aufsehen nt; **sensational** adj sensationell, Sensations-.

sense [sens] **1.** adj (intelligence) n Sinn m; (understanding) Verstand m, Vernunft f; (meaning) Sinn m, Bedeutung f; (feeling) Gefühl nt; **2.** vt fühlen, spüren; **to make** ~ Sinn ergeben, sinnvoll sein; **senseless** adj sinnlos; (unconscious) besinnungslos; **sense-**

lessly adv (stupidly) sinnlos.
sensibility [sensɪ'bɪlɪtɪ] n Empfindsamkeit f; (feeling hurt) Empfindlichkeit f.
sensible adj, **sensibly** adv ['sensəbl, -blɪ] vernünftig.
sensitive ['sensɪtɪv] adj empfindlich (to gegen); (easily hurt) sensibel, feinfühlig; (film) lichtempfindlich; **sensitivity** [sensɪ'tɪvɪtɪ] n Empfindlichkeit f; (artistic) Feingefühl nt; (tact) Feinfühligkeit f; **sensitize** vt sensibilisieren.
sensor ['sensə*] n Sensor m.
sensual ['sensjʊəl] adj sinnlich.
sensuous ['sensjʊəs] adj sinnlich, sinnenfreudig.
sent [sent] pt, pp of **send**.
sentence ['sentəns] 1. n Satz m; (JUR) Strafe f; (verdict) Urteil nt; 2. vt verurteilen.
sentiment ['sentɪmənt] n Gefühl nt; (thought) Gedanke m, Gesinnung f; **sentimental** [sentɪ'mentl] adj sentimental; (of feelings rather than reason) gefühlsmäßig; **sentimentality** [sentɪmen'tælɪtɪ] n Sentimentalität f.
sentinel ['sentɪnl] n Wachtposten m.
sentry ['sentrɪ] n [Schild]wache f.
separable ['sepərəbl] adj [ab]trennbar.
separate ['seprət] 1. adj getrennt, separat; 2. ['sepəreɪt] vt trennen; 3. vi sich trennen; **separately** adv getrennt; **separation** [sepə'reɪʃən] n Trennung f.
sepia ['siːpɪə] 1. n Sepia f; 2. adj Sepia-.
September [sep'tembə*] n September m; ~ 11th, 1948, 11th ~ 1948 (Datumsangabe) 11. September 1948; on the 11th of ~ (gesprochen) am 11. September; on 11th ~, on ~ 11th (geschrieben) am 11. September; in ~ im September.
septic ['septɪk] adj vereitert, septisch; ~ tank Klärbecken nt, Klärbehälter m.
sequel ['siːkwəl] n Folge f.
sequence ['siːkwəns] n [Reihen]folge f; **sequential** [sɪ'kwenʃəl] adj (COMPUT) sequentiell; **to be ~ upon sth** auf etw akk folgen.
sequin ['siːkwɪn] n Paillette f.
serenade [serə'neɪd] 1. n Serenade f; 2. vt ein Ständchen bringen + dat.
serene adj, **serenely** adv [sə'riːn, -lɪ] heiter, gelassen, ruhig; **serenity** [sɪ'renɪtɪ] n Heiterkeit f, Gelassenheit f, Ruhe f.
sergeant ['sɑːdʒənt] n Feldwebel(in f) m; (police) [Polizei]wachtmeister(in f) m.
serial ['sɪərɪəl] 1. n Fortsetzungsroman m; (TV) Fernsehserie f; 2. adj (number) [fort]laufend; (COMPUT) seriell; **serialize** vt in Fortsetzungen veröffentlichen/senden.
series ['sɪərɪz] n sing Serie f, Reihe f.

serious ['sɪərɪəs] adj ernst; (injury) schwer; (development) ernstzunehmend; **I'm ~** das meine ich ernst; **seriously** adv ernst[haft], im Ernst; (hurt) schwer; **seriousness** n Ernst m, Ernsthaftigkeit f.
sermon ['sɜːmən] n Predigt f.
serpent ['sɜːpənt] n Schlange f.
serrated [se'reɪtɪd] adj gezackt; ~ knife Sägemesser nt.
serum ['sɪərəm] n Serum nt.
servant ['sɜːvənt] n Bedienstete(r) mf, Diener(in f) m; see also civil.
serve [sɜːv] 1. vt dienen + dat; (guest, customer) bedienen; (food) servieren; (writ) zustellen (on sb jdm); 2. vi dienen, nützen; (at table) servieren; (TENNIS) geben, aufschlagen; **it ~s him right** das geschieht ihm recht; **that'll ~ the purpose** das reicht; **that'll ~ as a table** das geht als Tisch; **serve out** vt (also: ~ up) (food) auftragen, servieren.
service ['sɜːvɪs] 1. n (help) Dienst m; (trains etc) Verkehrsverbindungen pl; (in hotel) Service m, Bedienung f; (set of dishes) Service nt; (REL) Gottesdienst m; (MIL) Waffengattung f; (for car) Inspektion f; (for TVs etc) Kundendienst m; (TENNIS) Aufschlag m; 2. vt (AUT, TECH) warten, überholen; **the S~s** pl (armed forces) die Streitkräfte pl; **to be of ~ to sb** jdm einen großen Dienst erweisen; **can I be of ~?** kann ich Ihnen behilflich sein?; **serviceable** adj brauchbar; **service area** n (on motorway) Raststätte f; **service charge** n Bedienung f; **serviceman** n <-men> (soldier etc) Soldat m; **service station** n [Groß]tankstelle f; **servicing** n Wartung f.
serviette [sɜːvɪ'et] n Serviette f.
servile ['sɜːvaɪl] adj sklavisch, unterwürfig.
session ['seʃən] n Sitzung f; (POL) Sitzungsperiode f; **to be in ~** tagen.
set [set] <set, set> 1. vt (place) setzen, stellen, legen; (arrange) an]ordnen; (table) decken; (time, price) festsetzen; (alarm, watch) stellen; (jewels) [ein]fassen; (task) stellen; (exam) ausarbeiten; 2. vi (sun) untergehen, (become hard) fest werden; (bone) zusammenwachsen; 3. n (collection of things) Satz m, Set nt; (RADIO, TV) Apparat m; (TENNIS) Satz m; (group of people) Kreis m; (CINE) Szene f; (THEAT) Bühnenbild nt; 4. adj festgelegt; (ready) bereit; ~ phrase feststehender Ausdruck; **to ~ one's hair** die Haare eindrehen; **to ~ on fire** anstecken; **to ~ free** freilassen; **to ~ sth going**

etw in Gang bringen; **to ~ sail** losfahren; **set about** vt (task) anpacken; **set aside** vt beiseite legen; **set back** vt zurückwerfen; **set down** vt absetzen; **set off 1.** vi sich auf den Weg machen; **2.** vt (explode) zur Explosion bringen; (alarm) auslösen; (show up well) hervorheben; **set out 1.** vi aufbrechen; **2.** vt (arrange) anlegen, arrangieren; (state) darlegen; **set up** vt (organization) gründen; (record) aufstellen; (monument) erstellen; **setback** n Rückschlag m; **set square** n Zeichendreieck nt.

settee [se'ti:] n Sofa nt.

setting ['setɪŋ] n (MUS) Vertonung f; (scenery) Hintergrund m; **~ lotion** (for hair) Haarfestiger m.

settle ['setl] **1.** vt beruhigen; (pay) begleichen, bezahlen; (agree) regeln; (argument) beilegen, schlichten; **2.** vi (also: ~ down) sich einleben; (come to rest) sich niederlassen; (sink) sich setzen; (calm down) sich beruhigen; **settlement** n Regelung f; (payment) Begleichung f; (of quarrel) Schlichtung f; (colony) Siedlung f, Niederlassung f; **settler** n Siedler(in f) m.

setup ['setʌp] n (arrangement) Aufbau m, Gliederung f; (situation) Situation f, Lage f.

seven ['sevn] num sieben.

seventeen ['sevn'ti:n] num siebzehn.

seventh ['sevnθ] **1.** adj siebte(r, s); **2.** adv an siebter Stelle; **3.** n (person) Siebte(r) mf; (part) Siebtel nt.

seventy ['sevntɪ] num siebzig.

sever ['sevə*] vt abtrennen.

several ['sevrəl] **1.** adj mehrere, verschiedene; **2.** pron mehrere.

severance ['sevərəns] n Abtrennung f; (fig) Abbruch m.

severe [sɪ'vɪə*] adj (strict) streng; (serious) schwer; (climate) rauh; (plain) streng, schmucklos; **severely** adv (strictly) streng, strikt; (harshly) hart; (seriously) schwer, ernstlich; **severity** [sɪ'verɪtɪ] n Strenge f; Schwere f; Ernst m.

sew [səʊ] <**sewed, sewn**> vt, vi nähen; **sew up** vt zunähen.

sewage ['sju:ɪdʒ] n Abwässer pl.

sewer ['sjuə*] n [Abwasser]kanal m.

sewing ['səʊɪŋ] n Näharbeit f; **sewing machine** n Nähmaschine f; **sewn** [səʊn] pp of **sew**.

sex [seks] n Sex m; (gender) Geschlecht nt; **sex act** n Geschlechtsakt m; **sexism** ['seksɪzəm] n Sexismus m; **sexist 1.** adj sexistisch; **2.** n Sexist(in f) m.

sextant ['sekstənt] n Sextant m.

sextet [seks'tet] n Sextett nt.

sexual ['seksjuəl] adj sexuell, geschlechtlich, Geschlechts-; **sexually** adv geschlechtlich, sexuell.

sexy ['seksɪ] adj sexy.

shabbily ['ʃæbɪlɪ] adv schäbig.

shabbiness ['ʃæbɪnəs] n Schäbigkeit f.

shabby ['ʃæbɪ] adj schäbig.

shack [ʃæk] n Hütte f.

shade [ʃeɪd] **1.** n Schatten m; (for lamp) Lampenschirm m; (colour) Farbton m; (small quantity) Spur f, Idee f; **2.** vt abschirmen.

shadow ['ʃædəʊ] **1.** n Schatten m; **2.** vt (follow) beschatten; **3.** adj: **~ cabinet** (POL) Schattenkabinett nt; **shadowy** adj schattig.

shady ['ʃeɪdɪ] adj schattig; (fig) zwielichtig.

shaft [ʃɑːft] n (of spear etc) Schaft m; (in mine) Schacht m; (TECH) Welle f; (of light) Strahl m.

shaggy ['ʃægɪ] adj struppig.

shake [ʃeɪk] <**shook, shaken**> **1.** vt schütteln, rütteln; (shock) erschüttern; **2.** vi (move) schwanken; (tremble) zittern, beben; **to ~ hands with sb** jdm die Hand geben; **they shook hands** sie gaben sich die Hand; **to ~ one's head** den Kopf schütteln; **shake off** vt abschütteln; **shake up** vt aufschütteln; (fig) aufrütteln; **shaken** pp of **shake**; **shake-up** n Aufrüttelung f; (POL) Umgruppierung f; **shakily** ['ʃeɪkɪlɪ] adv zitternd, unsicher; **shakiness** n Wackeligkeit f; **shaky** adj zittrig; (weak) unsicher.

shale [ʃeɪl] n Schiefer[ton] m.

shall [ʃæl] <**should**> Hilfsverb werden; (must) sollen.

shallow ['ʃæləʊ] adj (also fig) flach, seicht; **shallows** n pl flache Stellen pl.

sham [ʃæm] **1.** n Täuschung f, Trug m, Schein m; **2.** adj unecht, falsch.

shambles ['ʃæmblz] n sing Durcheinander nt.

shame [ʃeɪm] **1.** n Scham f; (disgrace, pity) Schande f; **2.** vt beschämen; **what a ~!** wie schade!; **~ on you!** schäm dich!; **shamefaced** adj beschämt; **shameful** adj, **shamefully** adv schändlich; **shameless** adj schamlos.

shampoo [ʃæm'puː] **1.** n Shampoo nt; (for hair also) Haarwaschmittel nt; **2.** vt schampunieren; **~ and set** Waschen und Legen.

shamrock ['ʃæmrɒk] n Kleeblatt nt.

shandy ['ʃændɪ] n Radlermaß nt, Alsterwasser nt.

shan't [ʃɑːnt] = **shall not**.

shanty ['ʃæntɪ] n (cabin) Hütte f, Baracke

f; **shanty town** *n* Elendsviertel *nt*.

shape [ʃeɪp] **1.** *n* Form *f*, Gestalt *f*; **2.** *vt* formen, gestalten; **to take** ~ Gestalt annehmen; **shapeless** *adj* formlos; **shapely** *adj* wohlgeformt, wohlproportioniert.

share [ʃɛə*] **1.** *n* [An]teil *m*; (FIN) Aktie *f*; **2.** *vt* teilen; **shareholder** *n* Aktionär(in *f*) *m*.

shark [ʃɑːk] *n* Hai[fisch] *m*; (swindler) Gauner(in *f*) *m*.

sharp [ʃɑːp] **1.** *adj* scharf; (pin) spitz; (person) clever; (child) aufgeweckt; (unscrupulous) gerissen, raffiniert; (MUS) erhöht; **2.** *n* (MUS) Kreuz *nt*; **3.** *adv* (MUS) zu hoch; ~ **practices** *pl* unsaubere Geschäfte *pl*; **nine o'clock** ~ Punkt neun; **look** ~ ! mach schnell!; **sharpen** *vt* schärfen; (pencil) spitzen; **sharpener** *n* Spitzer *m*; **sharp-eyed** *adj* scharfsichtig; **sharpness** *n* Schärfe *f*; **sharp-witted** *adj* scharfsinnig, aufgeweckt.

shatter [ˈʃætə*] **1.** *vt* zerschmettern; (hopes) zerstören; (nerves) zerrütten; (tire) erledigen; (emotionally) mitnehmen; (flabbergast) erschüttern; **2.** *vi* zerspringen, kaputtgehen; **shattered** *adj* kaputt; **shattering** *adj* (experience) furchtbar.

shave [ʃeɪv] <**shaved, shaved** *o* **shaven**> **1.** *vt* rasieren; **2.** *vi* sich rasieren; **3.** *n* Rasur *f*, Rasieren *nt*; **to have a** ~ sich rasieren [lassen]; **shaven** **1.** *pp* of **shave**; **2.** *adj* (head) geschoren; **shaver** *n* (ELEC) Rasierapparat *m*, Rasierer *m*; **shaving** *n* (action) Rasieren *nt*; ~ **s** *pl* (of wood etc) Späne *pl*; **shaving brush** *n* Rasierpinsel *m*; **shaving cream** *n* Rasierkrem *f*; **shaving foam** *n* Rasierschaum *m*; **shaving point** *n* Rasiersteckdose *f*; **shaving soap** *n* Rasierseife *f*.

shawl [ʃɔːl] *n* Schal *m*, Umhang *m*.

she [ʃiː] **1.** *pron* sie; **2.** *adj* weiblich; **she-bear** *n* Bärenweibchen *nt*.

sheaf [ʃiːf] *n* <**sheaves**> Garbe *f*.

shear [ʃɪə*] *n* <**sheared, shorn** *o* **sheared**> *vt* scheren; **shear off** *vt* abscheren; **shears** *n pl* große Schere; (for hedges) Heckenschere *f*.

sheath [ʃiːθ] *n* (for sword) Scheide *f*; (contraceptive) Kondom *m o nt*; **sheathe** [ʃiːð] *vt* einstecken; (TECH) verkleiden.

shed [ʃed] <**shed, shed**> **1.** *vt* (leaves etc) abwerfen, verlieren; (tears) vergießen; **2.** *n* Schuppen *m*; (for animals) Stall *m*.

she'd [ʃiːd] = **she had; she would.**

sheep [ʃiːp] *n* <-> Schaf *nt*; **sheepdog** *n* Schäferhund *m*; **sheepish** *adj* verschämt, betreten; **sheepskin** *n* Schaffell *nt*.

sheer [ʃɪə*] **1.** *adj* bloß, rein; (steep) steil; (transparent) [hauch]dünn, durchsichtig; **2.** *adv* (directly) direkt.

sheet [ʃiːt] *n* Bettuch *nt*, Bettlaken *nt*; (of paper) Blatt *nt*; (of metal etc) Platte *f*; (of ice) Fläche *f*; **sheet lightning** *n* Wetterleuchten *nt*.

sheik[h] [ʃeɪk] *n* Scheich *m*.

shelf [ʃelf] *n* <**shelves**> Bord *nt*, Regal *nt*.

she'll [ʃiːl] = **she will; she shall.**

shell [ʃel] **1.** *n* Schale *f*; (sea~) Muschel *f*; (explosive) Granate *f*; (of building) Rohbau *m*; **2.** *vt* (peas) schälen; (fire on) beschießen; **shellfish** *n* Schalentier *nt*; (as food) Meeresfrüchte *pl*.

shelter [ˈʃeltə*] **1.** *n* Schutz *m*; (air-raid ~) Bunker *m*, Schutzraum *m*; **2.** *vt* schützen, bedecken; (refugees) aufnehmen; **3.** *vi* sich unterstellen; **sheltered** *adj* (life) behütet; (spot) geschützt.

shelve [ʃelv] **1.** *vt* aufschieben; **2.** *vi* abfallen.

shelving [ˈʃelvɪŋ] *n* Regale *pl*.

shepherd [ˈʃepəd] **1.** *n* Schäfer *m*; **2.** *vt* treiben, führen; **shepherdess** *n* Schäferin *f*.

sheriff [ˈʃerɪf] *n* Sheriff *m*.

sherry [ˈʃerɪ] *n* Sherry *m*.

she's [ʃiːz] = **she is; she has.**

Shetland [ˈʃetlənd] *n* (also: ~ **Islands**) Shetlandinseln *pl*.

shield [ʃiːld] **1.** *n* Schild *m*; (fig) Schirm *m*, Schutz *m*; **2.** *vt* [be]schirmen; (TECH) abschirmen.

shift [ʃɪft] **1.** *n* Veränderung *f*, Verschiebung *f*; (work) Schicht *f*; (on keyboard) Hochstelltaste *f*; **2.** *vt* [ver]rücken, verschieben; (office) verlegen; (arm) wegnehmen; **3.** *vi* sich verschieben; (fam) schnell fahren; **shift work** *n* Schichtarbeit *f*; **shifty** *adj* verschlagen.

shilling [ˈʃɪlɪŋ] *n* (HIST) Shilling *m*.

shilly-shally [ˈʃɪlɪʃælɪ] *vi* zögern.

shimmer [ˈʃɪmə*] **1.** *n* Schimmer *m*; **2.** *vi* schimmern.

shin [ʃɪn] *n* Schienbein *nt*.

shine [ʃaɪn] <**shone, shone**> **1.** *vt* polieren; **2.** *vi* scheinen; (fig) glänzen; **2.** *n* Glanz *m*, Schein *m*; **to** ~ **a torch on sb** jdn [mit einer Lampe] anleuchten.

shingle [ˈʃɪŋl] *n* Schindel *f*; (on beach) Kies *m*; **shingles** *n sing* (MED) Gürtelrose *f*.

shining [ˈʃaɪnɪŋ] *adj* (light) strahlend.

shiny [ˈʃaɪnɪ] *adj* glänzend.

ship [ʃɪp] **1.** *n* Schiff *nt*; **2.** *vt* an Bord bringen, verladen; (transport as cargo) ver-

schiffen; **ship-building** n Schiffbau m;
shipment n Verladung f; (goods)
Schiffsladung f; **shipper** n Verschiffer
m; **shipping** n (act) Verschiffung f;
(ships) Schiffahrt f; **shipshape** adj in
Ordnung; **shipwreck** n Schiffbruch m;
(destroyed ship) Wrack nt; **shipyard** n
Werft f.

shirk [ʃɜːk] vt scheuen, sich drücken vor
+ dat.

shirt [ʃɜːt] n [Ober]hemd nt; **in ~ -sleeves**
in Hemdsärmeln; **shirty** adj (fam) mürrisch.

shiver ['ʃɪvə*] 1. n Schauer m; 2. vi frösteln, zittern.

shoal [ʃəʊl] n [Fisch]schwarm m.

shock [ʃɒk] 1. n Stoß m, Erschütterung f;
(mental) Schock m; (ELEC) Schlag m; 2.
vt erschüttern; (offend) schockieren;
shock absorber n Stoßdämpfer m;
shocking adj unerhört, schockierend;
shockproof adj (watch) stoßsicher.

shod [ʃɒd] pt, pp of **shoe**.

shoddy ['ʃɒdɪ] adj schäbig.

shoe [ʃuː] <shod, shod> 1. vt (horse)
beschlagen; 2. n Schuh m; (of horse)
Hufeisen nt; **shoebrush** n Schuhbürste
f; **shoehorn** n Schuhlöffel m; **shoelace** n Schnürsenkel m.

shone [ʃɒn] pt, pp of **shine**.

shook [ʃʊk] pt of **shake**.

shoot [ʃuːt] <shot, shot> 1. vt (gun)
abfeuern; (goal, arrow) schießen; (kill)
erschießen; (CINE) drehen, filmen; 2. vi
(gun, move quickly) schießen; (fam:
heroin) fixen, drücken; 3. n (branch)
Schößling m; **shot in the leg** ins Bein getroffen; **don't ~ !** nicht schießen!;
shoot down vt abschießen; **shooting**
n Schießerei f; **shooting star** n Sternschnuppe f.

shop [ʃɒp] 1. n Geschäft nt, Laden m;
(workshop) Werkstatt f; 2. vi (also: **go
~ ping**) einkaufen gehen; **shop assistant** n Verkäufer(in f) m; **shopkeeper**
n Geschäftsinhaber(in f) m; **shoplifter**
n Ladendieb(in f) m; **shoplifting** n Ladendiebstahl m; **shopper** n Käufer(in f)
m; **shopping** n Einkaufen nt, Einkauf
m; **shopping bag** n Einkaufstasche f;
shopping centre, shopping center
(US) n Einkaufszentrum nt; **shop-
soiled** adj angeschmutzt; **shop steward** n Betriebsrat(-rätin f) m; **shop window** n Schaufenster nt.

shore [ʃɔː*] 1. n Ufer nt; (of sea) Strand
m, Küste f; 2. vt: **to ~ up** abstützen.

shorn [ʃɔːn] pp of **shear**.

short [ʃɔːt] 1. adj kurz; (person) klein;
(curt) kurz angebunden; (measure) zu

knapp; 2. n (ELEC) **~ -circuit**) Kurzschluß m; 3. adv (suddenly) plötzlich; 4.
vi (ELEC) einen Kurzschluß haben; **to be
~ of** zu wenig... haben; **to cut ~** abkürzen; **to fall ~** nicht erreichen; **two ~**
zwei zu wenig; **for ~** kurz; **shortage** n
Knappheit f, Mangel m; **shortbread** n
Butterkeks m; **short-circuit** n. 1. Kurzschluß m; 2. vi einen Kurzschluß haben;
shortcoming n Fehler m, Mangel m;
short cut n Abkürzung f; **shorten** vt
[ab]kürzen; (clothes) kürzer machen;
shorthand n Stenographie f, Kurzschrift f; **shorthand typist** n Steno-
typist(in f) m; **shortlist** n engere Wahl;
short-lived adj kurzlebig; **shortly** adv
bald; **shortness** n Kürze f; **short-
range missile** n Kurzstreckenrakete f;
shorts n pl Shorts pl; **short-sighted**
adj (also fig) kurzsichtig; **short-sight-
edness** n Kurzsichtigkeit f; **short
story** n Kurzgeschichte f; **short-tem-
pered** adj leicht aufbrausend; **short-
term** adj (effect) kurzfristig; **~ memory**
n Kurzzeitgedächtnis nt; **short wave** n
(RADIO) Kurzwelle f.

shot [ʃɒt] 1. pt, pp of **shoot**; 2. n (from
gun) Schuß m; (person) Schütze m,
Schützin f; (try) Versuch m; (injection)
Spritze f; (FOT) Aufnahme f, Schnappschuß m; **like a ~** wie der Blitz; **let me
have a ~** laß mich mal; **shotgun** n
Schrotflinte f.

should [ʃʊd] 1. pt of **shall**; 2. Hilfsverb: **I
~ go now** ich sollte jetzt gehen; **I ~ say**
ich würde sagen; **I ~ like to** ich möchte
gerne, ich würde gerne.

shoulder ['ʃəʊldə*] 1. n Schulter f; 2. vt
(rifle) schultern; (fig) auf sich akk nehmen; **shoulder blade** n Schulterblatt
nt.

shouldn't ['ʃʊdnt] = **should not**.

shout [ʃaʊt] 1. n Schrei m; (call) Ruf m;
2. vt rufen; 3. vi schreien, laut rufen; **to
~ at** anbrüllen; **shouting** n Geschrei
nt.

shove [ʃʌv] 1. n Schubs m, Stoß m; 2. vt
schieben, stoßen, schubsen; **shove off**
vi (NAUT) abstoßen; (fig fam) abhauen.

shovel ['ʃʌvl] 1. n Schaufel f; 2. vt schaufeln.

show [ʃəʊ] <showed, shown> 1. vt
zeigen; (kindness) erweisen; 2. vi zu sehen sein; 3. n (display) Schau f; (exhibition) Ausstellung f; (CINE, THEAT) Vorstellung f, Show f; **to ~ sb in** jdn herein-
führen; **to ~ sb out** jdn hinausbegleiten;
show off 1. vi (pej) angeben, protzen;
2. vt (display) ausstellen; **show up** 1. vi
(stand out) sich abheben; (arrive) erschei-

nen; **2.** *vt* aufzeigen; (*unmask*) bloßstellen; **show business** *n* Showbusineß *nt*; **showdown** *n* Kraftprobe *f*, endgültige Auseinandersetzung.

shower ['ʃəʊə*] **1.** *n* Schauer *m*; (*of stones*) [Stein]hagel *m*; (*of sparks*) [Funken]regen *m*; (~ *bath*) Dusche *f*; **2.** *vt* (*fig*) überschütten (*sth on sb, sb with sth* jdn mit etw); **to have a** ~ duschen; **showerproof** *adj* wasserabstoßend; **showery** *adj* (*weather*) regnerisch.

showground ['ʃəʊgraʊnd] *n* Ausstellungsgelände *nt*; **showing** *n* (*of film*) Vorführung *f*; **show jumping** *n* Turnierreiten *nt*; **showmanship** ['ʃəʊmənʃɪp] *n* Talent *nt* als Showman; **shown** [ʃəʊn] *pp of* **show**; **show-off** ['ʃəʊɒf] *n* Angeber(in *f*) *m*; **showpiece** *n* Paradestück *nt*; **showroom** *n* Ausstellungsraum *m*.

shrank [ʃræŋk] *pt of* **shrink**.

shred [ʃred] **1.** *n* Fetzen *m*; **2.** *vt* zerfetzen; (*GASTR*) raspeln; **in** ~**s** in Fetzen; **shredder** *n* (*vegetable* ~) Gemüseschneider *m*; (*document* ~) Reißwolf *m*, Aktenvernichter *m*.

shrewd *adj*, **shrewdly** *adv* [ʃruːd, -lɪ] scharfsinnig, clever; **shrewdness** *n* Scharfsinn *m*.

shriek [ʃriːk] **1.** *n* Schrei *m*; **2.** *vt, vi* kreischen, schreien.

shrill [ʃrɪl] *adj* schrill, gellend.

shrimp [ʃrɪmp] *n* Krabbe *f*, Garnele *f*.

shrine [ʃraɪn] *n* Schrein *m*.

shrink [ʃrɪŋk] <**shrank, shrunk**> **1.** *vi* schrumpfen, eingehen; **2.** *vt* [ein]schrumpfen lassen; **shrink away** *vi* zurückschrecken (*from* vor + *dat*); **shrinkage** *n* Schrumpfung *f*; **shrinkwrap** *vt* einschweißen.

shrivel ['ʃrɪvl] *vi* (*also:* ~ **up**) schrumpfen, schrumpeln.

shroud [ʃraʊd] **1.** *n* Leichentuch *nt*; **2.** *vt* umhüllen, [ein]hüllen.

Shrove Tuesday ['ʃrəʊv'tjuːzdeɪ] *n* Fastnachtsdienstag *m*.

shrub [ʃrʌb] *n* Busch, Strauch *m*; **shrubbery** *n* Gebüsch *nt*.

shrug [ʃrʌg] **1.** *n* Achselzucken *nt*; **2.** *vi* die Achseln zucken; **shrug off** *vt* auf die leichte Schulter nehmen.

shrunk [ʃrʌŋk] *pp of* **shrink**; **shrunken** *adj* eingelaufen.

shudder ['ʃʌdə*] **1.** *n* Schauder *m*; **2.** *vi* schaudern.

shuffle ['ʃʌfl] **1.** *n* (*change*) Umstellung *f*; (*of jobs*) Umbesetzung *f*; (*of cabinet*) Umbildung *f*; (*CARDS*) [Karten]mischen *nt*; **2.** *vt* (*CARDS*) mischen; (*cabinet*) umbilden; **3.** *vi* (*walk*) schlurfen.

shun [ʃʌn] *vt* scheuen, [ver]meiden.

shunt [ʃʌnt] *vt* rangieren.

shut [ʃʌt] <**shut, shut**> **1.** *vt* schließen, zumachen; **2.** *vi* sich schließen [lassen]; **shut down** *vt, vi* schließen; **shut off** *vt* (*supply*) abdrehen; **shut up 1.** *vi* (*keep quiet*) den Mund halten; **2.** *vt* (*close*) zuschließen; (*silence*) zum Schweigen bringen; ~ ~! halt den Mund!; **shutter** *n* Fensterladen *m*, Rolladen *m*; (*FOT*) Verschluß *m*.

shuttlecock ['ʃʌtlkɒk] *n* Federball *m*, Federballspiel *nt*.

shuttle service ['ʃʌtlsːvɪs] *n* Pendelverkehr *m*.

shy, shyly *adv* [ʃaɪ, -lɪ] schüchtern, scheu; **we are 3** ~ (*US*) wir haben 3 zuwenig; **shyness** *n* Schüchternheit *f*, Zurückhaltung *f*.

Siamese [saɪəˈmiːz] *adj*: ~ **cat** Siamkatze *f*; ~ **twins** *pl* siamesische Zwillinge *pl*.

sick [sɪk] *adj* krank; (*humour*) schwarz; (*joke*) makaber; **I feel** ~ mir ist schlecht; **I was** ~ ich habe gebrochen; **to be** ~ **of sb/sth** jdn/etw satt haben; **sick bay** *n* Krankenrevier *nt*; **sickbed** *n* Krankenbett *nt*; **sicken 1.** *vt* (*disgust*) krank machen; **2.** *vi* krank werden; **sickening** *adj* (*sight*) widerlich; (*annoying*) zum Weinen.

sickle ['sɪkl] *n* Sichel *f*.

sick leave ['sɪkliːv] *n*: **to be on** ~ krank geschrieben sein; **sick list** *n* Krankenliste *f*; **sickly** ['sɪklɪ] *adj* kränklich, blaß; (*causing nausea*) widerlich; **sickness** ['sɪknəs] *n* Krankheit *f*; (*vomiting*) Übelkeit *f*, Erbrechen *nt*; **sick pay** *n* Krankengeld *nt*.

side [saɪd] **1.** *n* Seite *f*; **2.** *adj* (*door, entrance*) Seiten-, Neben-; **3.** *vi*: **to** ~ **with sb** es mit jdm halten; **to take** ~**s** [with] Partei nehmen [für]; **by the** ~ **of** neben; **on all** ~**s** von allen Seiten; **sideboard** *n* Anrichte *f*, Sideboard *nt*; **sideboards**, **sideburns** *n pl* Koteletten *pl*; **side effect** *n* Nebenwirkung *f*; **sidelight** *n* (*AUT*) Parkleuchte *f*, Standlicht *nt*; **sideline** *n* (*SPORT*) Seitenlinie *f*; (*fig: hobby*) Nebenbeschäftigung *f*; **side road** *n* Nebenstraße *f*; **side show** *n* Nebenvorstellung *f*; (*exhibition*) Sonderausstellung *f*; **sidetrack** *vt* (*fig*) ablenken; **sidewalk** *n* (*US*) Bürgersteig *m*; **sideways** *adv* seitwärts.

siding ['saɪdɪŋ] *n* Nebengleis *nt*.

sidle up ['saɪdl ʌp] *vi* sich heranmachen (*to* an + *akk*).

siege [siːdʒ] *n* Belagerung *f*.

sieve [sɪv] **1.** *n* Sieb *nt*; **2.** *vt* sieben.

sift [sɪft] *vt* sieben; (*fig*) sichten.

sigh [saɪ] **1.** n Seufzer m; **2.** vi seufzen.

sight [saɪt] **1.** n (power of seeing) Sehvermögen nt, Augenlicht nt; (view, thing seen) Anblick m; (scene) Aussicht f, Blick m; (of gun) Zielvorrichtung f, Korn nt; **2.** vt sichten; ~**s** pl (of city etc) Sehenswürdigkeiten pl; **in** ~ in Sicht; **out of** ~ außer Sicht; **sightseeing** n Sightseeing nt; **to go** ~ Sehenswürdigkeiten besichtigen; **sightseer** n Tourist(in f) m.

sign [saɪn] **1.** n Zeichen nt; (notice, road ~ etc) Schild nt; **2.** vt unterschreiben; **sign out** vi sich austragen; **sign up 1.** vi (MIL) sich verpflichten; **2.** vt verpflichten.

signal ['sɪgnl] **1.** n Signal nt; **2.** vt ein Zeichen geben + dat.

signatory ['sɪgnətrɪ] n Unterzeichner(in f) m.

signature ['sɪgnətʃə⋅] n Unterschrift f; **signature tune** n Erkennungsmelodie f.

signet ring ['sɪgnətrɪŋ] n Siegelring m.

significance [sɪg'nɪfɪkəns] n Bedeutung f; **significant** adj (meaning sth) bedeutsam; (important) bedeutend, wichtig; **significantly** adv bezeichnenderweise.

signify ['sɪgnɪfaɪ] vt bedeuten; (show) andeuten, zu verstehen geben.

sign language ['saɪnlæŋgwɪdʒ] n Zeichensprache f; **signpost** n Wegweiser m, Schild nt.

silence ['saɪləns] **1.** n Stille f, Ruhe f; (of person) Schweigen nt; **2.** vt zum Schweigen bringen; **silencer** n (on gun) Schalldämpfer m; (AUT) Auspufftopf m; **silent** adj still; (person) schweigsam; **silently** adv schweigend, still.

silhouette [sɪlu:'et] **1.** n Silhouette f, Umriß m; (picture) Schattenbild nt; **2.** vt: **to be** ~**d against sth** sich [als Silhouette] gegen etw abheben.

silk [sɪlk] **1.** n Seide f; **2.** adj seiden, Seiden-; **silky** adj seidig.

silliness ['sɪlɪnəs] n Albernheit f, Dummheit f.

silly ['sɪlɪ] adj dumm, albern.

silo ['saɪləu] n <-s> Silo m.

silt [sɪlt] n Schlamm m, Schlick m.

silver ['sɪlvə⋅] **1.** n Silber nt; **2.** adj silbern, Silber-; **silver paper** n Silberpapier nt; **silver-plate** n Silber[geschirr] nt; **silver-plated** adj versilbert; **silversmith** n Silberschmied(in f) m; **silverware** n Silber nt; **silvery** adj silbern.

similar ['sɪmɪlə⋅] adj ähnlich (to dat); **similarity** [sɪmɪ'lærɪtɪ] n Ähnlichkeit f; **similarly** adv in ähnlicher Weise.

simile ['sɪmɪlɪ] n Vergleich m.

simmer ['sɪmə⋅] vt, vi sieden (lassen).

simple ['sɪmpl] adj einfach; (dress also) schlicht; **simple[-minded]** adj naiv, einfältig; **simplicity** [sɪm'plɪsɪtɪ] n Einfachheit f; (of person) Einfältigkeit f; **simplification** [sɪmplɪfɪ'keɪʃən] n Vereinfachung f; **simplify** ['sɪmplɪfaɪ] vt vereinfachen; **simply** adv einfach; (only) bloß, nur.

simulate ['sɪmjʊleɪt] vt simulieren; **simulation** [sɪmjʊ'leɪʃən] n Simulation f.

simultaneous adj, **simultaneously** adv [sɪməl'teɪnɪəs, -lɪ] gleichzeitig.

sin [sɪn] **1.** n Sünde f; **2.** vi sündigen.

since [sɪns] **1.** adv seither; **2.** prep seit, seitdem; **3.** conj (time) seit; (because) da, weil.

sincere [sɪn'sɪə⋅] adj aufrichtig, ehrlich, offen; **sincerely** adv aufrichtig; **yours** ~ mit freundlichen Grüßen; **sincerity** [sɪn'serɪtɪ] n Aufrichtigkeit f.

sinew ['sɪnju:] n Sehne f.

sinful ['sɪnful] adj sündig.

sing [sɪŋ] <**sang, sung**> vt, vi singen.

Singapore [sɪŋgə'pɔ:⋅] n Singapur nt.

singe [sɪndʒ] vt versengen.

singer ['sɪŋə⋅] n Sänger(in f) m; **singing** n Singen nt, Gesang m.

single ['sɪŋgl] **1.** adj (one only) einzig; (bed, room) Einzel-, einzeln; (unmarried) ledig; (Brit: ticket) einfach; (having one part only) einzeln; **2.** n (Brit: ticket) einfache Fahrkarte; ~**s** sing o pl (TENNIS) Einzel nt; **in** ~ **file** hintereinander, im Gänsemarsch; ~ **parents** pl alleinerziehende Eltern pl; ~ **parent family** Einelternfamilie f; ~ **ticket** (Brit) einfache Fahrkarte; **single out** vt aussuchen, auswählen; **single-breasted** adj einreihig; **single-handed** adj allein; **single-minded** adj zielstrebig; **singly** adv einzeln, allein.

singular ['sɪŋgjulə⋅] **1.** adj (LING) Singular-; (odd) merkwürdig, seltsam; **2.** n (LING) Einzahl f, Singular m; **singularly** adv besonders, höchst.

sinister ['sɪnɪstə⋅] adj (evil) böse; (ghostly) unheimlich.

sink [sɪŋk] <**sank, sunk**> **1.** vt (ship) versenken; (lower) senken; **2.** vi sinken; **3.** n Spülbecken nt, Ausguß m; **sink in** vi (news etc) kapiert werden; **has it sunk** ~? hast du's kapiert?; **sinking** adj (feeling) flau.

sinner ['sɪnə⋅] n Sünder(in f) m.

sinuous ['sɪnjuəs] adj gewunden, sich schlängelnd.

sinus ['saɪnəs] n (ANAT) Stirnhöhle f.

sip [sɪp] **1.** n Schlückchen nt; **2.** vt nippen an + dat.

siphon ['saɪfən] n Siphon[flasche f] m; **siphon off** vt absaugen; (fig) abschöpfen.
sir [sɜː'] n (respect) Herr m; (knight) Sir m; , **yes S~** ja[wohl, mein Herr].
siren ['saɪərən] n Sirene f.
sirloin ['sɜːlɔɪn] n Lendenstück nt.
sirocco [sɪ'rɒkəʊ] n <-s> Schirokko m.
sissy ['sɪsɪ] n see **cissy**.
sister ['sɪstə'] n Schwester f; (nurse) Oberschwester f; (nun) Ordensschwester f; **sister-in-law** <**sisters-in-law**> Schwägerin f.
sit [sɪt] <**sat, sat**> 1. vi sitzen; (hold session) tagen; 2. vt (exam) machen; **to ~ tight** abwarten; **sit down** vi sich hinsetzen; **sit out** vt aussitzen; **sit up** vi (after lying) sich aufsetzen; (straight) sich gerade setzen; (at night) aufbleiben.
sitcom ['sɪtkɒm] n Situationskomik f.
site [saɪt] 1. n Platz m; 2. vt plazieren, legen.
sit-in ['sɪtɪn] n Sit-in nt; (on road) Sitzblockade f.
siting ['saɪtɪŋ] n (location) Platz m, Lage f.
sitting ['sɪtɪŋ] n (meeting) Sitzung f, Tagung f; **sitting room** n Wohnzimmer nt.
situated ['sɪtjʊeɪtɪd] adj: **to be ~** liegen.
situation [sɪtjʊ'eɪʃən] n Situation f, Lage f; (place) Lage f; (employment) Stelle f.
six [sɪks] num sechs.
sixteen ['sɪks'tiːn] num sechzehn.
sixth [sɪksθ] 1. adj sechste(r, s); 2. adv an sechster Stelle; 3. n (person) Sechste(r) mf; (part) Sechstel nt.
sixty ['sɪkstɪ] num sechzig.
size [saɪz] n Größe f; (of project) Umfang m; (glue) Kleister m; **size up** vt (assess) abschätzen, einschätzen; **sizeable** adj ziemlich groß, ansehnlich.
sizzle ['sɪzl] vi zischen; (GASTR) brutzeln.
skate [skeɪt] 1. n Schlittschuh m; 2. vi Schlittschuh laufen; **skateboard** n Skateboard nt, Rollbrett nt; **skater** n Schlittschuhläufer(in f) m; **skatepark** n Skateboardanlage f; **skating** n Eislauf m; **to go ~** Eislaufen gehen; **skating rink** n Eisbahn f.
skeleton ['skelɪtn] n Skelett nt; (fig) Gerüst nt; **skeleton key** n Dietrich m.
skeptic ['skeptɪk] n (US) see **sceptic**.
sketch [sketʃ] 1. n Skizze f; (THEAT) Sketch m; 2. vt skizzieren, eine Skizze machen von; **sketchbook** n Skizzenbuch nt; **sketch pad** n Skizzenblock m; **sketchy** adj skizzenhaft.
skewer ['skjʊə'] n Fleischspieß m.
ski [skiː] 1. n Ski m, Schi m; 2. vi Ski (o Schi) laufen; **ski boot** n Skistiefel m.

skidmark n Reifenspur f.
skier ['skiːə'] n Skiläufer(in f) m; **skiing** n: **to go ~** Skilaufen gehen; **ski-jump** n Sprungschanze f; **ski-lift** n Skilift m.
skilful adj, **skilfully** adv ['skɪlfʊl, -fəlɪ] geschickt.
skill [skɪl] n Können nt, Geschicklichkeit f; **skilled** adj geschickt; (worker) Fach-, gelernt.
skim [skɪm] vt (liquid) abschöpfen; (milk) entrahmen; (read) überfliegen; (glide over) gleiten über +akk; **~med milk** Magermilch f.
skimp [skɪmp] vt (do carelessly) oberflächlich tun; **skimpy** adj (work) schlecht gemacht; (dress) knapp.
skin [skɪn] 1. n Haut f; (peel) Schale f; 2. vt abhäuten; schälen; **skin-deep** adj oberflächlich; **skin diving** n Sporttauchen nt; **skinny** adj dünn; **skintight** adj (dress etc) hauteng.
skip [skɪp] 1. n Sprung m, Hopser m; 2. vi hüpfen, springen; (with rope) Seil springen; 3. vt (pass over) übergehen.
ski pants ['skiːpænts] n pl Skihose f.
skipper ['skɪpə'] n (NAUT) Schiffer m, Kapitän m; (SPORT) Mannschaftskapitän m.
skipping rope ['skɪpɪŋrəʊp] n Hüpfseil nt.
ski rack ['skiːræk] n Skiträger m.
skirmish ['skɜːmɪʃ] n Scharmützel nt.
skirt [skɜːt] 1. n Rock m; 2. vt herumgehen um; (fig) umgehen.
ski run ['skiːrʌn] n [Ski]abfahrt f; **ski school** n Skischule f; **ski suit** n Skianzug m; **ski tow** n Schlepplift m.
skittle ['skɪtl] n Kegel m; **~s** (game) Kegeln nt.
skive [skaɪv] vi (Brit fam) schwänzen.
skull [skʌl] n Schädel m; **~ and crossbones** Totenkopf m.
skunk [skʌŋk] n Stinktier nt.
sky [skaɪ] n Himmel m; **sky-blue** adj himmelblau; **skylight** n Dachfenster nt, Oberlicht nt; **skyscraper** n Wolkenkratzer m.
slab [slæb] n (of stone) Platte f; (of chocolate) Tafel f.
slack [slæk] 1. adj (loose) lose, schlaff, locker; (business) flau; (careless) nachlässig, lasch; 2. vi nachlässig sein; 3. n (in rope etc) durchhängendes Teil; **to take up the ~** straffziehen; **slacken 1.** vi (also: **~ off**) schlaff/locker werden; (become slower) nachlassen, stocken; 2. vt (loosen) lockern; **slackness** n Schlaffheit f; **slacks** n pl Hose[n pl] f.
slag [slæg] n Schlacke f; **slag heap** n Halde f.

slalom ['slɑːləm] *n* Slalom *m*.

slam [slæm] **1.** *vt* (*door*) zuschlagen, zuknallen; (*throw down*) knallen; **2.** *vi* zuschlagen.

slander ['slɑːndə*] **1.** *n* Verleumdung *f*; **2.** *vt* verleumden; **slanderous** *adj* verleumderisch.

slang [slæŋ] *n* Slang *m*; Jargon *m*.

slant [slɑːnt] **1.** *n* Schräge *f*; (*fig*) Tendenz *f*, Einstellung *f*; **2.** *vt* schräg legen; **3.** *vi* schräg liegen; **slanting** *adj* schräg.

slap [slæp] **1.** *n* Schlag *m*, Klaps *m*; **2.** *vt* schlagen, einen Klaps geben + *dat*; **3.** *adv* (*directly*) geradewegs; **slapdash** *adj* salopp; **slapstick** *n* (*comedy*) Klamauk *m*, Slapstick *m*; **slap-up** *adj* (*meal*) erstklassig, prima.

slash [slæʃ] **1.** *n* Hieb *m*; Schnittwunde *f*; **2.** *vt* [auf]schlitzen; (*expenditure*) radikal kürzen.

slate [sleɪt] **1.** *n* (*stone*) Schiefer *m*; (*roofing*) Dachziegel *m*; **2.** *vt* (*criticize*) verreißen.

slaughter ['slɔːtə*] **1.** *n* (*of animals*) Schlachten *nt*; (*of people*) Gemetzel *nt*; **2.** *vt* schlachten; (*people*) niedermetzeln.

slave [sleɪv] **1.** *n* Sklave *m*, Sklavin *f*; **2.** *vi* schuften, sich schinden; **slavery** *n* Sklaverei *f*; (*work*) Schinderei *f*; **slavish** *adj*, **slavishly** *adv* sklavisch.

sleazy ['sliːzɪ] *adj* (*place*) schmierig.

sledge ['sledʒ] *n* Schlitten *m*; **sledgehammer** *n* Vorschlaghammer *m*.

sleek [sliːk] *adj* glatt, glänzend; (*shape*) rassig.

sleep [sliːp] < **slept, slept** > **1.** *vi* schlafen; **2.** *n* Schlaf *m*; **to go to ~** einschlafen; **sleep in** *vi* ausschlafen; (*oversleep*) verschlafen; **sleeper** *n* (*person*) Schläfer(in *f*) *m*; (*RAIL*) Schlafwagen *m*; (*beam*) Schwelle *f*; **sleepily** *adv* schläfrig; **sleepiness** *n* Schläfrigkeit *f*; **sleeping bag** *n* Schlafsack *m*; **sleeping car** *n* Schlafwagen *m*; **sleeping pill** *n* Schlaftablette *f*; **sleepless** *adj* (*night*) schlaflos; **sleeplessness** *n* Schlaflosigkeit *f*; **sleepwalker** *n* Schlafwandler(in *f*) *m*; **sleepy** *adj* schläfrig.

sleet [sliːt] *n* Schneeregen *m*.

sleeve [sliːv] *n* Ärmel *m*; (*of record*) Umschlag *m*; **sleeveless** *adj* (*garment*) ärmellos.

sleigh [sleɪ] *n* Pferdeschlitten *m*.

sleight [slaɪt] *n*: **~ of hand** Fingerfertigkeit *f*; (*trick*) Taschenspielertrick *m*.

slender ['slendə*] *adj* schlank; (*fig*) gering.

slept [slept] *pt*, *pp* of **sleep**.

slice [slaɪs] **1.** *n* Scheibe *f*; **2.** *vt* in Scheiben schneiden.

slick [slɪk] **1.** *adj* (*clever*) raffiniert, aalglatt; **2.** *n* Ölteppich *m*.

slid [slɪd] *pt*, *pp* of **slide**.

slide [slaɪd] < **slid, slid** > **1.** *vt* schieben; **2.** *vi* (*slip*) gleiten, rutschen; **3.** *n* Rutschbahn *f*; (*FOT*) Dia[positiv] *nt*; (*for hair*) [Haar]spange *f*; (*fall in prices*) [Preis]rutsch *m*; **to let things ~** die Dinge schleifen lassen; **slide rule** *n* Rechenschieber *m*; **sliding** *adj* (*door*) Schiebe-.

slight [slaɪt] **1.** *adj* zierlich; (*trivial*) geringfügig; (*small*) leicht, gering; **2.** *n* Kränkung *f*; **3.** *vt* (*offend*) kränken; **slightly** *adv* etwas, ein bißchen.

slim [slɪm] **1.** *adj* schlank; (*book*) dünn; (*chance*) gering; **2.** *vi* abnehmen.

slime [slaɪm] *n* Schleim *m*.

slimming ['slɪmɪŋ] *n* Schlankheitskur *f*.

slimness ['slɪmnəs] *n* Schlankheit *f*.

slimy ['slaɪmɪ] *adj* glitschig; (*dirty*) schlammig; (*person*) schmierig.

sling [slɪŋ] < **slung, slung** > **1.** *vt* werfen; (*hurl*) schleudern; **2.** *n* Schlinge *f*; (*weapon*) Schleuder *f*.

slip [slɪp] **1.** *n* (*slipping*) Ausgleiten *nt*, Rutschen *nt*; (*mistake*) Flüchtigkeitsfehler *m*; (*petticoat*) Unterrock *m*; (*of paper*) Zettel *m*; **2.** *vt* (*put*) stecken, schieben; **3.** *vi* (*lose balance*) ausrutschen; (*move*) gleiten, rutschen; (*make mistake*) einen Fehler machen; (*decline*) nachlassen; **it ~ped my mind** das ist mir entfallen, ich habe es vergessen; **to let things ~** die Dinge schleifen lassen; **to give sb the ~** jdm entwischen; **~ of the tongue** Versprecher *m*; **slip away** *vi* sich wegstehlen; **slip by** (*time*) verstreichen; **slip in 1.** *vt* hineingleiten lassen; **2.** *vi* (*errors*) sich einschleichen; **slip out** *vi* hinausschlüpfen; **slipper** *n* Hausschuh *m*; **slippery** *adj* glatt; (*tricky*) aalglatt, gerissen; **slip-road** *n* Auffahrt *f*, Ausfahrt *f*; **slipshod** *adj* schlampig; **slipstream** *n* Windschatten *m*; **slip-up** *n* Panne *f*.

slit [slɪt] < **slit, slit** > **1.** *vt* aufschlitzen; **2.** *n* Schlitz *m*.

slither ['slɪðə*] *vi* schlittern; (*snake*) sich schlängeln.

slog [slɒg] **1.** *n* (*great effort*) Plackerei *f*; **2.** *vi* (*work hard*) schuften.

slogan ['sləugən] *n* Schlagwort *nt*; (*COM*) Werbespruch *m*.

slope [sləup] *n* Neigung *f*, Schräge *f*; (*of mountains*) [Ab]hang *m*; **slope down** *vi* sich senken; **slope up** *vi* ansteigen; **sloping** *adj* schräg; (*shoulders*) hängend; (*ground*) abschüssig.

sloppily ['slɒpɪlɪ] *adv* schlampig; **sloppi**

ness n (*of work*) Nachlässigkeit f;
sloppy adj (*careless*) schlampig; (*silly*)
rührselig.

slot [slot] **1.** n Schlitz m; **2.** vt: **to ~ sth in**
etw einlegen; **slot machine** n Spielautomat m.

slouch [slautʃ] vi krumm dasitzen (o dastehen), sich lümmeln.

slovenly ['slʌvnli] adj schlampig, schluderig.

slow [sləu] adj langsam; **to be ~** (*clock*)
nachgehen; (*stupid*) begriffsstutzig sein;
in ~ motion in Zeitlupe; **slow down**
1. vi langsamer werden; **2.** vt aufhalten,
langsamer machen, verlangsamen; **~ ~!**
mach langsamer!; **slow up 1.** vi sich
verlangsamen; **2.** vt aufhalten, langsamer
machen; **slowly** adv langsam; (*gradually*) allmählich; **slowpoke** n (*US
fam*) Transuse f.

sludge [slʌdʒ] n Schlamm m, Matsch m.

slug [slʌg] n Nacktschnecke f; (*fam: bullet*) Kugel f; **sluggish** adj träge; (*COM*)
schleppend; **sluggishly** adv träge;
sluggishness n Langsamkeit f, Trägheit f.

sluice [sluːs] n Schleuse f.

slum [slʌm] n Elendsviertel nt, Slum m.

slumber ['slʌmbə*] n Schlummer m.

slump [slʌmp] **1.** n Rückgang m; **2.** vi fallen, stürzen.

slung [slʌŋ] pt, pp of **sling**.

slur [sl3ː*] **1.** n Undeutlichkeit f; (*insult*)
Verleumdung f; **2.** vt (*also: ~ over*) hinweggehen über + akk; **slurred** [sl3ːd] adj
(*pronunciation*) undeutlich.

slush [slʌʃ] n (*snow*) Schneematsch m;
(*mud*) Schlamm m; **slushy** adj matschig; (*fig: sentimental*) schmalzig.

slut [slʌt] n Schlampe f.

sly adj, **slyly** adv [slaɪ, -lɪ] schlau, verschlagen; **slyness** n Schlauheit f.

smack [smæk] **1.** n Klaps m; **2.** vt einen
Klaps geben + dat; **3.** vi: **to ~** of riechen
nach; **to ~ one's lips** schmatzen, sich
dat die Lippen lecken.

small [smɔːl] adj klein; **~ change** Kleingeld nt; **~ hours** pl frühe Morgenstunden pl; **smallholding** n Kleinlandbesitz
m; **smallish** adj ziemlich klein; **smallness** n Kleinheit f; **smallpox** n Pocken
pl; **small-scale** adj klein, in kleinem
Maßstab; **small talk** n Konversation f,
Geplauder nt.

smarmy ['smɑːmɪ] adj (*fam*) schmierig.

smart [smɑːt] **1.** adj (*fashionable*) elegant,
schick; (*neat*) adrett; (*clever*) clever;
(*quick*) scharf; **2.** vi brennen, schmerzen;
smarten up 1. vi sich in Schale werfen;
2. vt herausputzen; **smartly** adv ele-

gant; clever; **smartness** n Gescheitheit
f; Eleganz f.

smash [smæʃ] **1.** n Zusammenstoß m;
(*TENNIS*) Schmetterball m; **2.** vt (*break*)
zerschmettern; (*destroy*) vernichten; **3.** vi
(*break*) zersplittern, zerspringen;
smashing adj (*fam*) toll, großartig.

smattering ['smætərɪŋ] n oberflächliche
Kenntnis.

smear [smɪə*] **1.** n Fleck m; (*MED:
~-test*) Abstrich m; **2.** vt beschmieren.

smell [smel] < smelt o smelled,
smelt o smelled > **1.** vt, vi riechen (*of*
nach); **2.** n Geruch m; (*sense*) Geruchssinn m; **smelly** adj übelriechend;
smelt [smelt] pt, pp of **smell**.

smile [smaɪl] **1.** n Lächeln nt; **2.** vi lächeln.

smirk [sm3ːk] **1.** n blödes Grinsen; **2.** vi
blöde grinsen.

smith [smɪθ] n Schmied(in f) m; **smithy**
['smɪðɪ] n Schmiede f.

smock [smɔk] n Kittel m.

smog [smɔg] n Smog m; **smog alert** n
Smogalarm m.

smoke [sməuk] **1.** n Rauch m; **2.** vt rauchen; (*food*) räuchern; **3.** vi rauchen;
smoker n Raucher(in f) m; (*RAIL*) Raucherabteil nt; **smoke screen** n Rauchwand f; **smoking** n Rauchen nt; **'no ~'**
'Rauchen verboten'; **smoky** adj rauchig; (*room*) verraucht; (*taste*) geräuchert.

smolder ['sməuldə*] vi (*US*) see
smoulder.

smooth [smuːð] **1.** adj glatt; (*movement*)
geschmeidig; (*person*) glatt, gewandt; **2.**
vt (*also: ~ out*) glätten; glattstreichen;
smoothly adv glatt, eben; (*fig*) reibungslos, glatt; **smoothness** n Glätte f.

smother ['smʌðə*] vt ersticken.

smoulder ['sməuldə*] vi glimmen,
schwelen.

smudge [smʌdʒ] **1.** n Schmutzfleck m; **2.**
vt beschmieren.

smug [smʌg] adj selbstgefällig.

smuggle ['smʌgl] vt schmuggeln;
smuggler n Schmuggler(in f) m;
smuggling n Schmuggel m.

smugly ['smʌglɪ] adv selbstgefällig.

smugness ['smʌgnəs] n Selbstgefälligkeit f.

smutty ['smʌtɪ] adj (*obscene*) obszön,
schmutzig.

snack [snæk] n Imbiß m; **snack bar** n
Imbißstube f.

snag [snæg] n Haken m; (*in stocking*) gezogener Faden.

snail [sneɪl] n Schnecke f.

snake [sneɪk] n Schlange f.

snap [snæp] **1.** n Schnappen nt; (photograph) Schnappschuß m; **2.** adj (decision) schnell; **3.** vt (break) zerbrechen; (FOT) knipsen; **4.** vi (break) brechen; (bite) schnappen; (speak) anfauchen (at sb jdn); **to ~ one's fingers** mit den Fingern schnipsen; **~ out of it!** raff dich auf!, reiß dich zusammen!; **snap off** vt (break) abbrechen; **snap up** vt aufschnappen; **snappy** adj flott; **snapshot** n Schnappschuß m.

snare [snɛə*] n Schlinge f.

snarl [snɑ:l] **1.** n Zähnefletschen nt; **2.** vi (dog) knurren; (engine) brummen, dröhnen.

snatch [snætʃ] vt schnappen, packen.

sneak [sni:k] vi schleichen; **sneakers** n pl (US) Freizeitschuhe pl.

sneer [snɪə*] vi höhnisch grinsen; spötteln.

sneeze [sni:z] vi niesen.

snide [snaɪd] adj (fam: sarcastic) abfällig.

sniff [snɪf] **1.** vi schniefen; (smell) schnüffeln; **2.** vt schnuppern.

snigger ['snɪgə*] vi hämisch kichern.

snip [snɪp] **1.** n Schnippel m, Schnipsel m; **2.** vt schnippeln.

sniper ['snaɪpə*] n Heckenschütze m.

snippet ['snɪpɪt] n Schnipsel m; (of conversation) Fetzen m.

snivelling ['snɪvlɪŋ] adj weinerlich.

snob [snɒb] n Snob m; **snobbery** n Snobismus m; **snobbish** adj versnobt; **snobbishness** n Versnobtheit f, Snobismus m.

snooker ['snu:kə*] n Snooker nt (Art Billardspiel).

snoop [snu:p] vi: **to ~ about** herumschnüffeln.

snooty ['snu:tɪ] adj (fam) hochnäsig; (restaurant) stinkfein.

snooze [snu:z] **1.** n Nickerchen nt; **2.** vi ein Nickerchen machen, dösen.

snore [snɔ:*] vi schnarchen; **snoring** n Schnarchen nt.

snorkel ['snɔ:kl] n Schnorchel m.

snort [snɔ:t] vi schnauben.

snotty ['snɒtɪ] adj (fam) rotzig.

snout [snaʊt] n Schnauze f; (of pig) Rüssel m.

snow [snəʊ] **1.** n Schnee m; **2.** vi schneien; **snowball** n Schneeball m; **snow-blind** adj schneeblind; **snowbound** adj eingeschneit; **snowdrift** n Schneewehe f; **snowdrop** n Schneeglöckchen nt; **snowfall** n Schneefall m; **snowflake** n Schneeflocke f; **snowline** n Schneegrenze f; **snowman** n <-men> Schneemann m; **snowplough, snowplow** (US) n Schnee-

pflug m; **snowshoe** n Schneeschuh m; **snowstorm** n Schneesturm m.

snub [snʌb] **1.** vt schroff abfertigen; **2.** n Verweis m, schroffe Abfertigung m; **snub-nosed** adj stupsnasig.

snuff [snʌf] n Schnupftabak m; **snuffbox** n Schnupftabakdose f.

snug [snʌg] adj gemütlich, behaglich.

so [səʊ] **1.** adv so; **2.** conj daher, folglich, also; **~ as to** um zu; **or ~** so etwa; **~ long!** (goodbye) tschüs!; **~ many** so viele; **~ much** soviel; **~ that** damit.

soak [səʊk] vt durchnässen; (leave in liquid) einweichen; **soak in** vi einsickern; **soaking** n Einweichen nt; **soaking wet** adj klatschnaß.

soap [səʊp] n Seife f; **soapflakes** n pl Seifenflocken pl; **soap opera** n Seifenoper f; **soap powder** n Waschpulver nt; **soapy** adj seifig, Seifen-.

soar [sɔ:*] vi aufsteigen; (prices) in die Höhe schnellen.

sob [sɒb] **1.** n Schluchzen nt; **2.** vi schluchzen.

sober ['səʊbə*] adj (also fig) nüchtern; **sober up** vi nüchtern werden; **soberly** adv nüchtern.

so-called ['səʊ'kɔ:ld] adj sogenannt.

soccer ['sɒkə*] n Fußball m.

sociability [səʊʃə'bɪlɪtɪ] n Umgänglichkeit f; **sociable** ['səʊʃəbl] adj umgänglich, gesellig.

social ['səʊʃəl] adj sozial; (friendly, living with others) gesellig; **socialism** n Sozialismus m; **socialist** **1.** n Sozialist(in f) m; **2.** adj sozialistisch; **socially** adv gesellschaftlich, privat; **social science** n Sozialwissenschaft f; **social security** n Sozialversicherung f; **social welfare** n Fürsorge f; **social work** n Sozialarbeit f; **social worker** n Sozialarbeiter(in f) m.

society [sə'saɪətɪ] n Gesellschaft f; (fashionable world) die große Welt.

sociological [səʊsɪə'lɒdʒɪkəl] adj soziologisch; **sociologist** [səʊsɪ'ɒlədʒɪst] n Soziologe(-login f) m; **sociology** [səʊsɪ'ɒlədʒɪ] n Soziologie f.

sock [sɒk] **1.** n Socke f; **2.** vt (fam) schlagen.

socket ['sɒkɪt] n (ELEC) Steckdose f; (of eye) Augenhöhle f; (TECH) Rohransatz m.

sod [sɒd] n Rasenstück nt; (fam) Saukerl m.

soda ['səʊdə] n Soda f; **soda pop** n (US) Brause f, Limo f; **soda water** n Mineralwasser nt, Soda[wasser] nt.

sodden ['sɒdn] adj durchweicht.

sofa ['səʊfə] n Sofa nt.

soft [soft] adj weich; (not loud) leise, gedämpft; (kind) weichherzig, gutmütig; (weak) weich, nachgiebig; ~ **drink** alkoholfreies Getränk; ~ **sell** zurückhaltende Verkaufsstrategie; **soften** ['sofn] 1. vt weich machen; (blow) abschwächen, mildern; 2. vi weich werden; **soft-hearted** adj weichherzig; **softly** adv sanft; leise; **softness** n Weichheit f; (fig) Sanftheit f; **software** n (COMPUT) Software f.

soggy ['sogɪ] adj (ground) sumpfig; (bread) aufgeweicht.

soil [soɪl] 1. n Erde f, Boden m; 2. vt beschmutzen; **soiled** adj beschmutzt, schmutzig.

solace ['soləs] n Trost m.

solar ['səulə*] adj Sonnen-; ~ **cell** Solarzelle f; ~ **panel** Sonnenkollektor m; ~ **system** Sonnensystem nt.

sold [səuld] pt, pp of **sell**.

solder ['səuldə*] 1. vt löten; 2. n Lötmetall nt.

soldier ['səuldʒə*] n Soldat(in f) m.

sole [səul] 1. n Sohle f; (fish) Seezunge f; 2. vt besohlen; 3. adj alleinig, Allein-; **solely** adv ausschließlich, nur.

solemn ['soləm] adj feierlich; (serious) feierlich, ernst.

solicitor [sə'lɪsɪtə*] n Rechtsanwalt(-anwältin f) m.

solid ['solɪd] adj (hard) fest; (of same material) rein, massiv; (not hollow) massiv, stabil; (without break) voll, ganz; (reliable) solide, zuverlässig; (sensible) solide, gut; (united) eins, einig; (meal) kräftig; ~ **figure** (MATH) Körper m.

solidarity [solɪ'dærɪtɪ] n Solidarität f, Zusammenhalt m.

solidify [sə'lɪdɪfaɪ] 1. vi fest werden, erstarren; 2. vt fest machen, verdichten.

solidity [sə'lɪdɪtɪ] n Festigkeit f.

solidly ['solɪdlɪ] adv (fig: behind) einmütig; (work) ununterbrochen.

soliloquy [sə'lɪləkwɪ] n Monolog m.

solitaire [solɪ'tɛə*] n (CARDS) Patience f; (gem) Solitär m.

solitary ['solɪtərɪ] adj einsam, einzeln.

solitude ['solɪtjuːd] n Einsamkeit f.

solo ['səuləu] n <-s> Solo nt; **soloist** n Solist(in f) m.

solstice ['solstɪs] n Sonnenwende f.

soluble ['soljubl] adj (substance) löslich; (problem) lösbar.

solution [sə'luːʃən] n (also fig) Lösung f; (of mystery) Erklärung f.

solve [solv] vt (auf)lösen.

solvent ['solvənt] adj (FIN) zahlungsfähig.

sombre adj, **sombrely** adv ['sombə*, -əlɪ] düster.

some [sʌm] 1. adj (people etc) einige; (water etc) etwas; (unspecified) [irgend]ein; (remarkable) toll, enorm; 2. pron (amount) etwas; (number) einige; that's ~ **house** das ist vielleicht ein Haus; **somebody** pron [irgend] jemand; he is ~ er ist jemand (o wer); **someday** adv irgendwann; **somehow** adv (in a certain way) irgendwie; (for a certain reason) aus irgendeinem Grunde; **someone** pron see **somebody**; **someplace** adv (US) **somewhere**.

somersault ['sʌməsɔːlt] 1. n Purzelbaum m; Salto m; 2. vi Purzelbäume schlagen; einen Salto machen.

something ['sʌmθɪŋ] pron [irgend] etwas; **sometime** adv [irgend]einmal; **sometimes** adv manchmal, gelegentlich; **somewhat** adv etwas, ein wenig, ein bißchen; **somewhere** adv irgendwo; (to a place) irgendwohin.

son [sʌn] n Sohn m.

song [soŋ] n Lied nt; **songwriter** n Texter(in f) m.

sonic ['sonɪk] adj Schall-; ~ **boom** Überschallknall m.

son-in-law ['sʌnɪnlɔː] n <**sons-in-law**> Schwiegersohn m.

sonnet ['sonɪt] n Sonett m.

sonny ['sʌnɪ] n (fam) Kleine(r) m.

soon [suːn] adv bald; **too** ~ zu früh; **as** ~ **as possible** so bald wie möglich, möglichst bald; **sooner** adv (time) eher, früher; (for preference) lieber; **no** ~ kaum.

soot [sut] n Ruß m.

soothe [suːð] vt (person) beruhigen; (pain) lindern; **soothing** adj (for person) beruhigend; (for pain) lindernd.

sophisticated [sə'fɪstɪkeɪtɪd] adj (person) kultiviert, weltgewandt; (machinery) differenziert, hochentwickelt; (plan) ausgeklügelt; **sophistication** [səfɪstɪ'keɪʃən] n Weltgewandtheit f, Kultiviertheit f; (TECH) technische Verfeinerung.

sophomore ['sofəmɔː*] n (US) College-Student(in f) m im zweiten Jahr.

soporific [sopə'rɪfɪk] adj einschläfernd, Schlaf-.

sopping ['sopɪŋ] adj (very wet) patschnaß, triefend.

soppy ['sopɪ] adj (fam) schmalzig.

soprano [sə'prɑːnəu] n <-s> Sopran m.

sordid ['sɔːdɪd] adj (dirty) schmutzig, eklig; (mean) niederträchtig.

sore [sɔː*] 1. adj schmerzend; (point) wund; (angry) böse; 2. n Wunde f; **to be** ~ weh tun; **sorely** adv (tempted) stark, sehr; **soreness** n Schmerzhaftigkeit f, Empfindlichkeit f.

sorrow ['sɒrəʊ] n Kummer m, Leid nt;
  sorrowful adj sorgenvoll; **sorrow-
  fully** adv traurig, betrübt, kummervoll.
sorry ['sɒrɪ] adj traurig, erbärmlich; **I'm**
  ~ es tut mir leid; **I feel** ~ **for him** er tut
  mir leid.
sort [sɔːt] **1.** n Art f, Sorte f; **2.** vt (also: ~
  out) (papers) sortieren, sichten; (problems) in Ordnung bringen; (COMPUT)
  sortieren; **sort run** n Sortierlauf m.
so-so ['səʊ'səʊ] adv so[-so] la-la, mäßig.
soufflé ['suːfleɪ] n Auflauf m, Soufflé nt.
sought [sɔːt] pt, pp of **seek**.
soul [səʊl] n Seele f; (music) Soul m;
  soul-destroying adj trostlos; **soulful**
  adj seelenvoll; **soulless** adj seelenlos,
  gefühllos.
sound [saʊnd] **1.** adj (healthy) gesund;
  (safe) sicher, solide; (sensible) vernünftig; (theory) stichhaltig; (thorough) tüchtig, gehörig; **2.** n (noise) Geräusch nt;
  (LING) Laut m; (MUS) Klang m; (RA-
  DIO, TV, CINE, verbal) Ton m; (GEO)
  Meerenge f, Sund m; **3.** vt erschallen lassen; (MED) abhorchen; **4.** vi (make a
  sound) schallen, tönen; (seem) klingen,
  sich anhören; **to** ~ **the alarm** Alarm
  schlagen; **to** ~ **one's horn** hupen;
  sound out vt (opinion) erforschen; (person) auf den Zahn fühlen + dat; **sound
  barrier** n Schallmauer f; **sounding** n
  (NAUT etc) Lotung f; **soundly** adv
  (sleep) fest, tief; (beat) tüchtig; **soundproof 1.** adj (room) schalldicht; **2.** vt
  schalldicht machen; ~ **barrier** Lärmschutzwall m; **sound-track** n Tonstrei-
  fen m; (of film) Filmmusik f.
soup [suːp] n Suppe f; **in the** ~ (fam) in
  der Tinte; **soupspoon** n Suppenlöffel
  m.
sour ['saʊə*] adj (also fig) sauer.
source [sɔːs] n (also fig) Quelle f.
sourness ['saʊənəs] n Säure f; (fig) Bitterkeit f.
south [saʊθ] **1.** n Süden m; **2.** adj Süd-,
  südlich; **3.** adv nach Süden; ~ **of** südlich
  von; **the S**~ (GEO) der Süden; **the S**~
  of France Südfrankreich; **South Africa** n Südafrika nt; **South America** n
  Südamerika nt; **South American 1.**
  adj südamerikanisch; **2.** n Südamerika-
  ner(in f) m; **southerly** ['sʌðəlɪ] adj südlich; **southern** ['sʌðən] adj südlich;
  southward[s] adv südwärts, nach Süden.
souvenir [suːvə'nɪə*] n Andenken nt,
  Souvenir nt.
sovereign ['sɒvrɪn] **1.** n (ruler) Herr-
  scher(in f) m; **2.** adj (independent) souverän; **sovereignty** n Oberhoheit f; (self-

determination) Souveränität f.
Soviet Union ['səʊvɪət'juːnjən] n Sowjetunion f.
sow [səʊ] < **sowed, sown** o **sowed** >
  1. vt säen; **2.** [saʊ] n Sau f; **sown** [səʊn]
  pp of **sow**.
soya bean ['sɔɪə'biːn] n Sojabohne f.
spa [spaː] n (spring) Mineralquelle f;
  (place) Kurort m, Bad nt.
space [speɪs] n Platz m, Raum m; (universe) Weltraum m, All nt; (length of
  time) Abstand m; **space out** vt Platz
  lassen zwischen; (typing) gesperrt schreiben; **space armament** n Weltraumrüstung f; **spacecraft** n Raumschiff nt;
  space lab n Raumlabor nt; **space-
  man** n <-men> Raumfahrer m;
  space module n Kommandokapsel f;
  space probe n Raumsonde f; **space
  shuttle** n Raumfähre f; **space station**
  n Raumstation f; **space weapon** n
  Weltraumwaffe f.
spacious ['speɪʃəs] adj geräumig, weit.
spade [speɪd] n Spaten m; (CARDS) Pik
  nt; **to play** ~ **s** Pik spielen; **spadework**
  n (fig) Vorarbeit f.
spaghetti [spə'getɪ] n Spaghetti pl.
Spain [speɪn] n Spanien nt.
span [spæn] **1.** n Spanne f, Spannweite f;
  2. vt überspannen.
Spaniard ['spænɪəd] n Spanier(in f) m.
spaniel ['spænjəl] n Spaniel m.
Spanish ['spænɪʃ] **1.** adj spanisch; **2.** n:
  the ~ pl die Spanier pl.
spank [spæŋk] vt verhauen, versohlen.
spanner ['spænə*] n Schraubenschlüssel
  m.
spar [spaː*] **1.** n (NAUT) Sparren m; **2.** vi
  (boxing) ein Sparring machen.
spare [speə*] **1.** adj Ersatz-; **2.** n Ersatzteil m; **3.** vt (lives, feelings) verschonen;
  (trouble) ersparen; **4 to** ~ **4** übrig; ~
  part Ersatzteil m; ~ **time** Freizeit f.
spark [spaːk] n Funken m; **spark[ing]
  plug** n Zündkerze f.
sparkle ['spaːkl] **1.** n Funkeln nt, Glitzern
  nt; (gaiety) Lebhaftigkeit f, Schwung m;
  2. vi funkeln, glitzern; **sparkling** adj
  funkelnd, sprühend; (wine) Schaum-;
  (conversation) spritzig, geistreich.
sparrow ['spærəʊ] n Spatz m.
sparse adj, **sparsely** adv [spaːs, -lɪ] spärlich, dünn.
spasm ['spæzəm] n (MED) Krampf m;
  (fig) Anfall m; **spasmodic**
  [spæz'mɒdɪk] adj krampfartig, spasmo-
  disch; (fig) sprunghaft.
spastic ['spæstɪk] adj spastisch.
spat [spæt] pt, pp of **spit**.
spate [speɪt] n (fig) Flut f, Schwall m; **in**

~ (*river*) angeschwollen.

spatter ['spætə*] 1. *n* Spritzer *m*; 2. *vt* bespritzen, verspritzen; 3. *vi* spritzen.

spatula ['spætjulə] *n* Spatel *m*; (*for building*) Spachtel *f*.

spawn [spɔːn] *vt* laichen.

speak [spiːk] <**spoke, spoken**> 1. *vt* sprechen; (*truth*) sagen; 2. *vi* sprechen (*to* mit, *o*), reden (*to* mit); **not to be on ~ing terms** nicht miteinander sprechen (*o* reden); **speak for** *vt* sprechen (*o* eintreten) für; **speak up** *vi* lauter sprechen; (*fig*) etwas sagen, seine Meinung äußern; **speaker** *n* Sprecher(in *f*) *m*, Redner(in *f*) *m*; (*loud~*) Lautsprecher[box *f*] *m*.

spear [spiə*] 1. *n* Speer *m*, Lanze *f*, Spieß *m*; 2. *vt* aufspießen, durchbohren.

spec [spek] *n*: **on ~** (*fam*) auf gut Glück.

special ['speʃəl] 1. *adj* besondere(r, s), speziell; 2. *n* (*RAIL*) Sonderzug *m*; **specialist** *n* Spezialist(in *f*) *m*; (*TECH*) Fachmann(-frau *f*) *m*; (*MED*) Facharzt(-ärztin *f*) *m*; **speciality** [speʃi'æliti] *n* Spezialität *f*; (*study*) Spezialgebiet *nt*; **specialize** *vi* sich spezialisieren (*in* auf + *akk*); **specially** *adv* besonders; (*explicitly*) extra, ausdrücklich.

species ['spiːʃiːz] *n sing* Art *f*.

specific [spə'sifik] *adj* spezifisch, eigentümlich, besondere(r, s); **specifically** *adv* genau, spezifisch.

specifications [spesifi'keiʃənz] *n pl* genaue Angaben *pl*; (*TECH*) technische Daten *pl*.

specify ['spesifai] *vt* genau angeben.

specimen ['spesimən] *n* Probe *f*, Muster *nt*.

speck [spek] *n* Fleckchen *nt*; **speckled** *adj* gesprenkelt.

specs [speks] *n pl* (*fam*) Brille *f*.

spectacle ['spektəkl] *n* Schauspiel *nt*; **~ s** *pl* Brille *f*.

spectacular [spek'tækjulə*] *adj* aufsehenerregend, spektakulär.

spectator [spek'teitə*] *n* Zuschauer(in *f*) *m*.

spectre, specter (*US*) ['spektə*] *n* Geist *m*, Gespenst *nt*.

spectrum ['spektrəm] *n* Spektrum *nt*.

speculate ['spekjuleit] *vi* vermuten; (*also FIN*) spekulieren; **speculation** [spekju'leiʃən] *n* Vermutung *f*; (*also FIN*) Spekulation *f*; **speculative** ['spekjulətiv] *adj* spekulativ.

sped [sped] *pt, pp of* **speed**.

speech [spiːtʃ] *n* Sprache *f*; (*address*) Rede *f*, Ansprache *f*; (*manner of speaking*) Sprechweise *f*; **speech day** *n* (*SCH*) [Jahres]schlußfeier *f*; **speechless** *adj* sprachlos; **speech therapy** *n* Sprachtherapie *f*.

speed [spiːd] <**sped** *o* **speeded, sped** *o* **speeded**> 1. *vi* rasen; (*JUR*) [zu] schnell fahren; 2. *n* Geschwindigkeit *f*; (*gear*) Gang *m*; **speed up** *vt* beschleunigen; 2. *vi* schneller werden/fahren; **speedboat** *n* Schnellboot *nt*; **speedily** *adv* schnell, schleunigst; **speeding** *n* zu schnelles Fahren; **speed limit** *n* Geschwindigkeitsbegrenzung *f*; (*general*) Tempolimit *nt*; **speedometer** [spi'dɔmitə*] *n* Tachometer *m*; **speed trap** *n* Radarfalle *f*; **speedway** *n* (*bike racing*) Motorradrennstrecke *f*; **speedy** *adj* schnell, zügig.

spell [spel] <**spelt** *o* **spelled, spelt** *o* **spelled**> 1. *vt* buchstabieren; (*imply*) bedeuten; 2. *n* (*magic*) Bann *m*, Zauber *m*; (*period of time*) Zeit *f*, Zeitlang *f*, Weile *f*; **how do you ~ ...?** wie schreibt man...?; **sunny ~ s** *pl* Aufheiterungen *pl*; **rainy ~ s** *pl* vereinzelte Schauer *pl*; **spellbound** *adj* [wie] gebannt; **spelling** *n* Buchstabieren *nt*; **English ~** die englische Rechtschreibung.

spend [spend] <**spent, spent**> *vt* (*money*) ausgeben; (*time*) verbringen; **spending money** *n* Taschengeld *nt*; **spent** [spent] 1. *pt, pp of* **spend**; 2. *adj* (*patience*) erschöpft.

sperm [spɜːm] *n* (*BIO*) Samenflüssigkeit *f*.

spew [spjuː] *vt* [er]brechen.

sphere [sfiə*] *n* (*globe*) Kugel *f*; (*fig*) Sphäre *f*, Gebiet *nt*; **spherical** ['sferikəl] *adj* kugelförmig.

sphinx [sfiŋks] *n* Sphinx *f*.

spice [spais] 1. *n* Gewürz *nt*; 2. *vt* würzen; **spiciness** ['spaisinəs] *n* Würze *f*.

spick-and-span ['spikən'spæn] *adj* blitzblank.

spicy ['spaisi] *adj* würzig, pikant.

spider ['spaidə*] *n* Spinne *f*; **spidery** *adj* (*writing*) krakelig.

spike [spaik] *n* Dorn *m*, Spitze *f*; **~ s** *pl* Spikes *pl*.

spill [spil] <**spilt** *o* **spilled, spilt** *o* **spilled**> 1. *vt* verschütten; 2. *vi* sich ergießen; **spilt** [spilt] *pt, pp of* **spill**.

spin [spin] <**spun, spun**> 1. *vt* (*thread*) spinnen; (*turn fast*) schnell drehen, [herum]wirbeln; 2. *vi* sich drehen; 3. *n* Umdrehung *f*; (*trip in car*) Spazierfahrt *f*; (*AVIAT*) [Ab]trudeln *nt*; (*on ball*) Drall *m*; **spin out** *vt* in die Länge ziehen; (*story*) ausmalen.

spinach ['spinitʃ] *n* Spinat *m*.

spinal ['spainl] *adj* Rückgrat-, Rückenmark-; **~ column** Wirbelsäule *f*, Rückgrat *nt*; **~ cord** Rückenmark *nt*.

spindly ['spɪndlɪ] adj spindeldürr.

spin-drier ['spɪndraɪə'] n Wäscheschleuder f; **spin-dry** vt schleudern.

spine [spaɪn] n Rückgrat nt; (thorn) Stachel m; **spineless** adj (also fig) ohne Rückgrat.

spinning ['spɪnɪŋ] n (of thread) [Faden]spinnen nt; **spinning wheel** n Spinnrad nt.

spinster ['spɪnstə'] n unverheiratete Frau; (pej) alte Jungfer.

spiral ['spaɪərəl] 1. n Spirale f; 2. adj gewunden, spiralförmig, Spiral-; 3. vi sich ringeln; ~ **staircase** Wendeltreppe f.

spire ['spaɪə'] n Turm m.

spirit ['spɪrɪt] n Geist m; (humour, mood) Stimmung f; (courage) Mut m; (verve) Elan m; (alcohol) Alkohol m; ~**s** pl Spirituosen pl; in good ~**s** gut aufgelegt; **spirited** adj beherzt; **spirit level** n Wasserwaage f.

spiritual ['spɪrɪtjʊəl] 1. adj geistig, seelisch; (REL) geistlich; 2. n Spiritual nt; **spiritualism** n Spiritismus m.

spit [spɪt] <spat, spat> 1. vi spucken; (rain) sprühen; (make a sound) zischen; (cat) fauchen; 2. n (for roasting) [Brat]spieß m; (saliva) Spucke f.

spite [spaɪt] 1. n Gehässigkeit f; 2. vt ärgern, kränken; in ~ **of** trotz +gen o dat; **spiteful** adj gehässig.

splash [splæʃ] 1. n Spritzer m; (of colour) [Farb]fleck m; 2. vt bespritzen; 3. vi spritzen; **splashdown** n Wasserlandung f, Wasserung f.

spleen [spliːn] n (ANAT) Milz f; (fig) Ärger m.

splendid adj, **splendidly** adv ['splendɪd, -lɪ] glänzend, großartig.

splendour, splendor (US) ['splendə'] n Pracht f.

splint [splɪnt] n Schiene f.

splinter ['splɪntə'] 1. n Splitter m; 2. vi [zer]splittern.

split [splɪt] <split, split> 1. vt spalten; 2. vi (divide) reißen; sich spalten; (fam: depart) abhauen; 3. n Spalte f; (fig) Spaltung f; (division) Trennung f; **split up 1.** vi sich trennen; 2. vt aufteilen, teilen; **splitting** adj (headache) rasend, wahnsinnig.

splutter ['splʌtə'] vi spritzen; (person, engine) stottern.

spoil [spɔɪl] <spoiled o spoilt, spoiled o spoilt> 1. vt (ruin) verderben; (child) verwöhnen, verziehen; 2. vi (food) verderben; you are ~ing me du verwöhnst mich; **spoils** n pl Beute f; **spoilsport** n Spielverderber(in f) m; **spoilt** [spɔɪlt] pt, pp of **spoil**.

spoke [spəʊk] 1. pt of **speak**; 2. n Speiche f.

spoken ['spəʊkən] pp of **speak**; **spokesman** n <-men> Sprecher m, Vertreter m; **spokesperson** n <-people> Sprecher(in f) m.

sponge [spʌndʒ] 1. n Schwamm m; 2. vt mit dem Schwamm abwaschen; 3. vi schmarotzen, auf Kosten leben (on gen); to throw in the ~ das Handtuch werfen; **sponge bag** n Kulturbeutel m; **sponge cake** n Rührkuchen m; **sponger** n (fam) Schmarotzer(in f) m; **spongy** ['spʌndʒɪ] adj schwammig.

sponsor ['spɒnsə'] 1. n Bürge m, Bürgin f; (COM) Sponsor(in f) m; 2. vt bürgen für; (COM) sponsern; **sponsorship** n Bürgschaft f; (public) Schirmherrschaft f.

spontaneity [spɒntə'neɪɪtɪ] n Spontanität f; **spontaneous** adj, **spontaneously** adv [spɒn'teɪnɪəs, -lɪ] spontan.

spooky ['spuːkɪ] adj (fam) gespenstisch.

spool [spuːl] n Spule f, Rolle f.

spoon [spuːn] n Löffel m; **spoon-feed** irr vt mit dem Löffel füttern; (fig) gängeln, denken für; **spoonful** n Löffel[voll] m.

sporadic [spə'rædɪk] adj vereinzelt, sporadisch.

sport [spɔːt] n Sport m; (fun) Spaß m; (person) feiner Kerl; **sporting** adj (fair) sportlich, fair; **sports car** n Sportwagen m; **sport[s] coat, sport[s] jacket** n Sportjackett nt; **sportsman** n <-men> Sportler m; (fig) anständiger Kerl; **sportsmanship** n Sportlichkeit f; (fig) Anständigkeit f; **sports page** n Sportseite f; **sportswear** n Sportkleidung f; **sportswoman** n <-women> Sportlerin f; **sporty** adj sportlich.

spot [spɒt] 1. n Punkt m; (dirty) Fleck[en] m; (place) Stelle f, Platz m; (MED) Pickel m, Pustel f; (small amount) Schluck m, Tropfen m; 2. vt erspähen; (notice) bemerken; **spot check** n Stichprobe f; **spotless** adj, **spotlessly** adv fleckenlos; **spotlight** n Scheinwerferlicht nt; (lamp) Scheinwerfer m; **spotted** adj gefleckt; (dress) gepunktet; **spotty** adj (face) pickelig.

spouse [spaʊz] n Gatte m, Gattin f.

spout [spaʊt] 1. n (of pot) Tülle f; (jet) Wasserstrahl m; 2. vi speien, spritzen.

sprain [spreɪn] 1. n Verrenkung f; 2. vt verrenken.

sprang [spræŋ] pt of **spring**.

sprawl [sprɔːl] 1. n (of city) Ausbreitung f; 2. vi sich erstrecken.

spray [spreɪ] 1. n Spray nt o m; (off sea)

spray-paint Gischt f; (instrument) Zerstäuber m; Spraydose f; (of flowers) Zweig m; **2.** vt besprühen, sprayen; **spray-paint** vt sprühen.

spread [spred] < spread, spread> **1.** vt ausbreiten; (scatter) verbreiten; (butter) streichen; **2.** n (extent) Verbreitung f; (of wings) Spannweite f; (fam: meal) Schmaus m; (for bread) Aufstrich m.

spree [spri:] n lustiger Abend; (shopping) Einkaufsbummel m; **to go out on a ~** einen draufmachen.

sprig [sprɪg] n kleiner Zweig.

sprightly ['spraɪtlɪ] adj munter, lebhaft.

spring [sprɪŋ] < sprang, sprung> **1.** vi (leap) springen; **2.** n (leap) Sprung m; (metal) Feder f; (season) Frühling m; (water) Quelle f; **in ~** im Frühling; **spring up** vi (problem) entstehen, auftauchen; **springboard** n Sprungbrett nt; **springclean** vt Frühjahrsputz machen in + dat; **spring-cleaning** n Frühjahrsputz m; **springiness** n Elastizität f; **springtime** n Frühling m; **springy** adj federnd, elastisch.

sprinkle ['sprɪŋkl] **1.** n Prise f; **2.** vt (salt) streuen; (liquid) sprenkeln; **sprinkling** n Spur f, ein bißchen.

sprint [sprɪnt] **1.** n Kurzstreckenlauf m; Sprint m; **2.** vi sprinten; **sprinter** n Sprinter(in f) m, Kurzstreckenläufer(in f) m.

sprite [spraɪt] n Elfe f; Kobold m.

spritzer ['sprɪtsə*] n (US) Weinschorle f, Gespritzte(r) m.

sprout [spraʊt] **1.** n (of plant) Trieb m; (from seed) Keim m; (Brussels ~) Rosenkohlröschen nt; **2.** vt treiben; **3.** vi (grow) wachsen, sprießen; (seeds) keimen; (fig) wie die Pilze aus dem Boden schießen; **~s** pl Rosenkohl m.

spruce [spru:s] **1.** n Fichte f; **2.** adj schmuck, adrett.

sprung [sprʌŋ] pp of **spring**.

spry [spraɪ] adj flink, rege.

spud [spʌd] n (fam) Kartoffel f.

spun [spʌn] pt, pp of **spin**.

spur [spɜ:*] **1.** n Sporn m; (fig) Ansporn m; **2.** vt (also: ~ on) (fig) anspornen; **on the ~ of the moment** spontan.

spurious ['spjʊərɪəs] adj falsch, unecht, Pseudo-.

spurn [spɜ:n] vt verschmähen.

spurt [spɜ:t] **1.** n (jet) Strahl m; (acceleration) Spurt m; **2.** vi (jet) steigen; (liquid) schießen, spritzen; (run) spurten.

spy [spaɪ] **1.** n Spion(in f) m; **2.** vi spionieren; **3.** vt erspähen; **to ~ on sb** jdm nachspionieren; **spying** n Spionage f.

Sq n abbr of **square** Platz, Pl.

squabble ['skwɒbl] vi sich zanken; **squabbling** n Zankerei f.

squad [skwɒd] n (MIL) Abteilung f; (police) Kommando nt.

squadron ['skwɒdrən] n (cavalry) Schwadron f; (NAUT) Geschwader nt; (air force) Staffel f.

squalid ['skwɒlɪd] adj schmutzig, verkommen.

squall [skwɔ:l] n Bö f, Windstoß m; **squally** adj (weather) stürmisch; (wind) böig.

squalor ['skwɒlə*] n Verwahrlosung f, Schmutz m.

squander ['skwɒndə*] vt verschwenden.

square [skwɛə*] **1.** n (MATH) Quadrat nt; (open space) Platz m; (instrument) Winkel m; (fam: person) Spießer(in f) m; **2.** adj viereckig, quadratisch; (fair) ehrlich, reell; (meal) reichlich; (fam: ideas, tastes) spießig; **3.** adv (exactly) direkt, gerade; **4.** vt (arrange) ausmachen, aushandeln; (MATH) ins Quadrat erheben; (bribe) schmieren; **5.** vi (agree) übereinstimmen; **all ~** quitt; **2 metres ~** 2 Meter im Quadrat; **2 ~ metres** 2 Quadratmeter; **squarely** adv fest, gerade.

squash [skwɒʃ] **1.** n (drink) Saft m; (SPORT) Squash m; **2.** vt zerquetschen.

squat [skwɒt] **1.** adj untersetzt, gedrungen; **2.** vi hocken; **squatter** n Hausbesetzer(in f) m; **squatting** n Hausbesetzung f.

squaw [skwɔ:] n Squaw f, Indianerfrau f.

squawk [skwɔ:k] vi kreischen.

squeak [skwi:k] vi quiek[s]en; (spring, door etc) quietschen; **squeaky** adj quiek[s]end; quietschend.

squeal [skwi:l] vi schrill schreien; (brakes) quietschen.

squeamish ['skwi:mɪʃ] adj empfindlich; **that made me ~** davon wurde mir übel; **squeamishness** n Überempfindlichkeit f.

squeeze [skwi:z] **1.** n Pressen nt; (POL) Geldknappheit f, wirtschaftlicher Engpaß; **2.** vt pressen, drücken; (orange) auspressen; **squeeze out** vt ausquetschen.

squid [skwɪd] n Tintenfisch m.

squint [skwɪnt] vi schielen.

squire [skwaɪə*] n Gutsherr m.

squirm [skwɜ:m] vi sich winden.

squirrel ['skwɪrəl] n Eichhörnchen nt.

squirt [skwɜ:t] **1.** n Spritzer m, Strahl m; **2.** vt, vi spritzen.

Sri Lanka [sri:'læŋkə] n Sri Lanka nt.

st abbr of **stone** Gewichtseinheit (6,35 kg).

St abbr of **1.** saint St.; **2.** n street Straße, Str.

stab [stæb] 1. n (blow) Stoß m, Stich m; (fam: try) Versuch m; 2. vt erstechen; **stabbing** n Messerstecherei f.

stability [stə'bılıtı] n Festigkeit f, Stabilität f.

stabilization [steıbəlaı'zeıʃən] n Festigung f, Stabilisierung f.

stabilize ['steıbılaız] vt festigen, stabilisieren; **stabilizer** n Stabilisator m.

stable ['steıbl] 1. n Stall m; 2. adj fest, stabil; (person) gefestigt.

stack [stæk] 1. n Stoß m, Stapel m; 2. vt [auf]stapeln.

stadium ['steıdıəm] n Stadion nt.

staff [sta:f] 1. n (stick, MIL) Stab m; (personnel) Personal nt; (SCH) Lehrkräfte pl; 2. vt (with people) besetzen.

stag [stæg] n Hirsch m.

stage [steıdʒ] 1. n Bühne f; (of journey) Etappe f; (degree) Stufe f; (point) Stadium nt; 2. vt (put on) aufführen; (play) inszenieren; (demonstration) veranstalten; **in** ~ **s** etappenweise; **stagecoach** n Postkutsche f; **stage door** n Bühneneingang m; **stage manager** n Spielleiter(in f) m, Intendant(in f) m.

stagger ['stægə*] 1. vi wanken, taumeln; 2. vt (amaze) verblüffen; (hours) staffeln; **staggering** adj unglaublich.

stagnant ['stægnənt] adj stagnierend; (water) stehend; **stagnate** [stæg'neıt] vi stagnieren; **stagnation** [stæg'neıʃən] n Stillstand m, Stagnation f.

staid [steıd] adj gesetzt.

stain [steın] 1. n Fleck m; (colouring for wood) Beize f; 2. vt beflecken, Flecken machen auf + akk; (wood) beizen; ~**ed glass window** buntes Glasfenster; **stainless** adj (steel) rostfrei, nichtrostend; **stain remover** n Fleckentferner m.

stair [steə*] n [Treppen]stufe f; ~ **s** pl Treppe f; **staircase** n Treppenhaus nt, Treppe f; **stairway** n Treppenaufgang m.

stake [steık] 1. n (post) Pfahl m, Pfosten m; (money) Einsatz m; 2. vt (bet money) setzen; **to be at** ~ auf dem Spiel stehen.

stalactite ['stæləktaıt] n Stalaktit m.

stalagmite ['stæləgmaıt] n Stalagmit m.

stale [steıl] adj alt; (beer) schal; (bread) altbacken; **stalemate** n (CHESS, fig) Patt nt.

stalk [sto:k] 1. n Stengel m, Stiel m; 2. vt (game) sich anpirschen an + akk, jagen; 3. vi (walk) stolzieren.

stall [sto:l] 1. n (in stable) Stand m, Box f; (in market) [Verkaufs]stand m; 2. vt (AUT: engine) abwürgen; 3. vi (AUT) stehenbleiben; (avoid) Ausflüchte machen, ausweichen; **stalls** n pl (THEAT) Parkett

nt.

stallion ['stælıən] n Zuchthengst m.

stalwart ['sto:lwət] 1. adj standhaft; 2. n treuer Anhänger, treue Anhängerin.

stamina ['stæmınə] n Durchhaltevermögen nt, Zähigkeit f.

stammer ['stæmə*] vt, vi stottern, stammeln.

stamp [stæmp] 1. n Briefmarke f; (with foot) Stampfen nt; (for document) Stempel m; 2. vi stampfen; 3. vt (mark) stempeln; (mail) frankieren; (foot) stampfen mit; **stamp album** n Briefmarkenalbum nt; **stamp collecting** n Briefmarkensammeln nt.

stampede [stæm'pi:d] n panische Flucht.

stance [stæns] n (posture) Haltung f, Stellung f; (opinion) Einstellung f.

stand [stænd] <**stood, stood**> 1. n stehen; (rise) aufstehen; (decision) feststehen; 2. vt setzen; stellen; (endure) aushalten; (person) ausstehen, leiden können; (nonsense) dulden; 3. n Standort m, Platz m; (for objects) Gestell nt; (seats) Tribüne f; **it** ~ **s to reason** es ist einleuchtend; **to make a** ~ Widerstand leisten; **to** ~ **still** still stehen; **stand by** 1. vi (be ready) bereitstehen; 2. vt (opinion) treu bleiben + dat; **stand for** vt (signify) stehen für; (permit, tolerate) hinnehmen; **stand in for** vt einspringen für; **stand out** vi (be prominent) hervorstechen; **stand up** vi (rise) aufstehen; **stand up for** vt sich einsetzen für.

standard ['stændəd] 1. n (measure) Standard m, Norm f; (flag) Standarte f, Fahne f; 2. adj (size etc) Normal-, Durchschnitts-; ~ **of living** Lebensstandard m; **standardization** [stændədaı'zeıʃən] n Vereinheitlichung f; **standardize** ['stændədaız] vt vereinheitlichen, normen; **standard lamp** n Stehlampe f; **standard time** n Ortszeit f.

stand-by ['stændbaı] n Reserve f; **stand-by flight** n Standby-Flug m; **stand-in** n Ersatz[mann] m, Hilfskraft f.

standing ['stændıŋ] 1. adj (erect) stehend; (permanent) ständig, dauernd; (invitation) offen; 2. n (duration) Dauer f; (reputation) Ansehen nt; ~ **room only** nur Stehplatz; **standing jump** n Sprung m aus dem Stand; **standing order** n (at bank) Dauerauftrag m; **standing orders** n pl (MIL) Vorschrift f.

stand-offish [stænd'ofıʃ] adj zurückhaltend, sehr reserviert.

standpoint ['stændpoınt] n Standpunkt m.

standstill ['stændstıl] n Stillstand m; **to**

be at a ~ stillstehen; **to come to a** ~ zum Stillstand kommen.

stank [stæŋk] *pt of* **stink**.

stanza ['stænzə] *n* (*verse*) Strophe *f*; (*poem*) Stanze *f*.

staple ['steɪpl] **1.** *n* (*clip*) Krampe *f*; (*in paper*) Heftklammer *f*; (*article*) Haupterzeugnis *nt*; **2.** *adj* Grund-; Haupt-; **3.** *vt* [fest]klammern; **stapler** *n* Heftmaschine *f*.

star [stɑː*] **1.** *n* Stern *m*; (*person*) Star *m*; **2.** *vi* die Hauptrolle spielen; **3.** *vt* (*actor*) in der Hauptrolle zeigen; **S~ Wars** *pl* Krieg *m* der Sterne.

starboard ['stɑːbəd] **1.** *n* Steuerbord *nt*; **2.** *adj* Steuerbord-.

starch [stɑːtʃ] **1.** *n* Stärke *f*; **2.** *vt* stärken; **starchy** *adj* stärkehaltig; (*formal*) steif.

stardom ['stɑːdəm] *n* Berühmtheit *f*.

stare [stɛə*] **1.** *n* starrer Blick; **2.** *vi* starren (*at auf + akk*); **stare at** *vt* anstarren.

starfish ['stɑːfɪʃ] *n* Seestern *m*.

stark [stɑːk] **1.** *adj* öde; **2.** *adv*: ~ **naked** splitternackt.

starless ['stɑːləs] *adj* sternlos; **starlight** *n* Sternenlicht *nt*.

starling ['stɑːlɪŋ] *n* Star *m*.

starlit ['stɑːlɪt] *adj* sternklar.

starring ['stɑːrɪŋ] *adj* mit... in der Hauptrolle.

star-studded ['stɑːstʌdɪd] *adj* mit Spitzenstars.

starry ['stɑːrɪ] *adj* Sternen-; **starry-eyed** *adj* (*innocent*) blauäugig.

start [stɑːt] **1.** *n* Beginn *m*, Anfang *m*, Start *m*; (*SPORT*) Start *m*; (*lead*) Vorsprung *m*; **2.** *vt* in Gang setzen, anfangen; (*car*) anlassen; (*COMPUT*) starten; **3.** *vi* anfangen; (*car*) anspringen; (*on journey*) aufbrechen; (*SPORT*) starten; **to give a** ~ zusammenzucken; **to give sb a** ~ jdn zusammenzucken lassen; **start over** *vi* (*US*) wieder anfangen; **start up 1.** *vi* anfangen; (*startled*) auffahren; **2.** *vt* beginnen; (*car*) anlassen; (*engine*) starten; **starter** *n* (*AUT*) Anlasser *m*; (*for race*) Starter(in *f*) *m*; **starting handle** *n* Anlaßkurbel *f*; **starting point** *n* Ausgangspunkt *m*.

startle ['stɑːtl] *vt* erschrecken; **startling** *adj* erschreckend.

starvation [stɑː'veɪʃən] *n* Verhungern *nt*; **to die of** ~ verhungern.

starve [stɑːv] **1.** *vi* hungern; (*die*) verhungern; **2.** *vt* verhungern lassen; **to be** ~**d of affection** unter Mangel an Liebe leiden; **starve out** *vt* aushungern; **starving** *adj* [ver]hungernd.

state [steɪt] **1.** *n* (*condition, COMPUT*) Zustand *m*; (*POL*) Staat *m*; (*fam: anxiety*) [schreckliche] Verfassung *f*; **2.** *vt* erklären; (*facts*) angeben; **state control** *n* staatliche Kontrolle; **stated** *adj* festgesetzt.

stateliness ['steɪtlɪnəs] *n* Pracht *f*, Würde *f*; **stately** *adj* würdevoll, erhaben; ~ **home** herrschaftliches Anwesen.

statement ['steɪtmənt] *n* Aussage *f*; (*POL*) Erklärung *f*.

statesman ['steɪtsmən] *n* <**-men**> Staatsmann *m*.

static ['stætɪk] **1.** *n* Statik *f*; **2.** *adj* statisch.

station ['steɪʃən] **1.** *n* (*RAIL*) Bahnhof *m*; (*police etc*) Station *f*, Wache *f*; (*in society*) gesellschaftliche Stellung; **2.** *vt* aufstellen; **to be** ~**ed** stationiert sein.

stationary ['steɪʃənərɪ] *adj* stillstehend; (*car*) parkend, haltend.

stationer ['steɪʃənə*] *n* Schreibwarenhändler(in *f* *m*); ~**'s** [**shop**] Schreibwarengeschäft *nt*; **stationery** *n* Schreibwaren *pl*.

station wagon ['steɪʃənwægən] *n* Kombiwagen *m*.

statistic [stə'tɪstɪk] *n* Statistik *f*; ~**s** *sing* (*as subject*) Statistik *f*; **statistical** *adj* statistisch.

statue ['stætjuː] *n* Statue *f*.

stature ['stætʃə*] *n* Wuchs *m*, Statur *f*; (*fig*) Größe *f*.

status ['steɪtəs] *n* Stellung *f*, Status *m*; **the** ~ **quo** der Status quo; **status symbol** *n* Statussymbol *nt*.

statute ['stætjuːt] *n* Gesetz *nt*; **statutory** ['stætjutərɪ] *adj* gesetzlich.

staunch *adj*, **staunchly** *adv* [stɔːntʃ, -lɪ] treu, zuverlässig; (*Catholic*) standhaft, erz-.

stay [steɪ] **1.** *n* Aufenthalt *m*; (*support*) Stütze *f*; (*for tent*) Schnur *f*; **2.** *vi* bleiben; (*reside*) wohnen; **to** ~ **put** an Ort und Stelle bleiben; **to** ~ **with friends** bei Freunden untergebracht sein; **to** ~ **the night** übernachten; **stay behind** *vi* zurückbleiben; **stay in** *vi* (*at home*) zu Hause bleiben; **stay on** *vi* (*continue*) länger bleiben; **stay up** *vi* (*at night*) aufbleiben.

steadfast ['stedfəst] *adj* standhaft, treu.

steadily ['stedɪlɪ] *adv* stetig, regelmäßig.

steadiness ['stedɪnəs] *n* Festigkeit *f*; (*fig*) Beständigkeit *f*.

steady ['stedɪ] **1.** *adj* (*firm*) fest, stabil; (*regular*) gleichmäßig; (*reliable*) zuverlässig, beständig; (*hand*) ruhig; (*job, boyfriend*) fest; **2.** *vt* festigen; **to** ~ **oneself** sich stützen.

steak [steɪk] *n* Steak *nt*; (*fish*) Filet *nt*.

steal [stiːl] <**stole, stolen**> **1.** *vt, vi*

stehlen; 2. *vi* sich [fort]stehlen.
stealth ['stelθ] *n* Heimlichkeit *f*;
stealthy *adj* verstohlen, heimlich.
steam [sti:m] 1. *n* Dampf *m*; 2. *vt*
(*GASTR*) dünsten; 3. *vi* dampfen; (*ship*)
dampfen, fahren; **steam engine** *n*
Dampfmaschine *f*; **steamer** *n* Dampfer
m; **steam iron** *n* Dampfbügeleisen *nt*;
steamroller *n* Dampfwalze *f*; **steamy**
adj dampfig.
steel [sti:l] 1. *n* Stahl *m*; 2. *adj* Stahl-;
(*fig*) stählern; **steelworks** *n pl o sing*
Stahlwerke *pl*.
steep [sti:p] 1. *adj* steil; (*price*) gepfeffert;
2. *vt* einweichen.
steeple ['sti:pl] *n* Kirchturm *m*; **steeple-
chase** *n* Hindernisrennen *nt*; **steeple-
jack** *n* Turmarbeiter(in *f*) *m*.
steeply ['sti:plɪ] *adv* steil.
steepness ['sti:pnəs] *n* Steilheit *f*.
steer [stɪə*] 1. *n* Mastochse *m*; 2. *vt*, *vi*
steuern; (*car etc*) lenken; **steering** *n*
(*AUT*) Steuerung *f*; **steering column** *n*
Lenksäule *f*; **steering wheel** *n* Steuer
nt, Lenkrad *nt*.
stellar ['stelə*] *adj* Stern[en]-.
stem [stem] 1. *n* (*BIO*) Stengel *m*, Stiel *m*;
(*of glass*) Stiel *m*; 2. *vt* aufhalten; **stem
from** *vi* abstammen von.
stench [stentʃ] *n* Gestank *m*.
stencil ['stensl] 1. *n* Schablone *f*; (*paper*)
Matrize *f*; 2. *vt* [auf]drucken.
stenographer [ste'nɒɡrəfə*] *n* Steno-
graph(in *f*) *m*.
step [step] 1. *n* Schritt *m*; (*stair*) Stufe *f*;
2. *vi* treten, schreiten; **to take ~s**
Schritte unternehmen; **~s** *pl* (*stepladder*)
Trittleiter *f*; **step down** *vi* (*fig*) abtreten; **step up** *vt* steigern; **step-brother**
n Stiefbruder *m*; **stepchild** *n* <-**children**> Stiefkind *nt*; **stepfather** *n* Stief-
vater *m*; **stepladder** *n* Trittleiter *f*;
stepmother *n* Stiefmutter *f*.
steppe [step] *n* Steppe *f*.
stepping stone ['stepɪŋstəun] *n* Stein
m; (*fig*) Sprungbrett *nt*.
stereo ['stɪərɪəu] *n* <-**s**> Stereoanlage *f*;
stereophonic [stɪərɪəu'fɒnɪk] *adj* ste-
reophonisch.
stereotype ['stɪərɪətaɪp] 1. *n* Klischee *nt*;
2. *vt* (*TYP*) stereotypieren; (*fig*) klischee-
haft darstellen.
sterile ['steraɪl] *adj* steril, keimfrei; (*person*) unfruchtbar; (*after operation*) steril;
sterility [ste'rɪlɪtɪ] *n* Unfruchtbarkeit *f*,
Sterilität *f*; **sterilization** [sterɪlaɪ'zeɪʃən]
n Sterilisation *f*; **sterilize** ['sterɪlaɪz] *vt*
sterilisieren.
sterling ['stɜ:lɪŋ] *adj* (*FIN*) Sterling-; (*silver*) von Standardwert; (*character*) be-

währt, gediegen; **£ ~** Pfund Sterling;
sterling area *n* Sterlingblock *m*.
stern [stɜ:n] 1. *adj* streng; 2. *n* Heck *nt*,
Achterschiff *nt*; **sternly** *adv* streng;
sternness *n* Strenge *f*.
stethoscope ['steθəskəup] *n* Stetho-
skop *nt*, Hörrohr *nt*.
stevedore ['sti:vədɔ:*] *n* Schauermann *m*.
stew [stju:] 1. *n* Eintopf *m*; 2. *vt*, *vi*
schmoren.
steward ['stju:əd] *n* Steward *m*; (*in club*)
Kellner *m*; (*at meeting*) Ordner *m*; (*on
estate*) Verwalter *m*; **stewardess** *n* Stewardeß *f*.
stick [stɪk] <**stuck, stuck**> 1. *vt*
(*stab*) stechen; (*fix*) stecken; (*put*) stellen; (*gum*) [an]kleben; (*fam: tolerate*) vertragen; 2. *vi* (*stop*) steckenbleiben; (*get
stuck*) klemmen; (*hold fast*) kleben, haften; 3. *n* Stock *m*; (*of chalk etc*) Stück *nt*;
stick out *vi* (*project*) vorstehen; **stick
up** *vi* (*project*) in die Höhe stehen; **stick
up for** *vt* (*defend*) eintreten für; **sticker**
n Klebezettel *m*, Aufkleber *m*.
stickleback ['stɪklbæk] *n* Stichling *m*.
stickler ['stɪklə*] *n* Pedant(in *f*) *m*; **Herbert is a ~ for rules** Herbert hält sich
stur an die Vorschriften.
stick-up ['stɪkʌp] *n* (*fam*) [Raub]überfall
m.
sticky ['stɪkɪ] *adj* klebrig; (*atmosphere*)
stickig.
stiff [stɪf] *adj* steif; (*difficult*) schwierig,
hart; (*paste*) dick, zäh; (*drink*) stark;
stiffen 1. *vt* versteifen, [ver]stärken; 2. *vi*
sich versteifen; **stiffness** *n* Steifheit *f*.
stifle ['staɪfl] *vt* (*yawn etc*) unterdrücken;
stifling *adj* (*atmosphere*) drückend.
stigma ['stɪɡmə] *n* (*disgrace*) Stigma *nt*.
still [stɪl] 1. *adj* still; 2. *adv* [immer] noch;
(*anyhow*) immerhin; **stillborn** *adj* totgeboren; **still life** *n* <**lives**> Stilleben
nt; **stillness** *n* Stille *f*.
stilt [stɪlt] *n* Stelze *f*; **stilted** *adj* gestelzt.
stimulant ['stɪmjulənt] *n* Anregungsmit-
tel *nt*, Stimulans *nt*; **stimulate**
['stɪmjuleɪt] *vt* anregen, stimulieren;
stimulating *adj* anregend, stimulie-
rend; **stimulation** [stɪmju'leɪʃən] *n* Anregung *f*, Stimulation *f*; **stimulus**
['stɪmjuləs] *n* Anregung *f*, Anreiz *m*.
sting [stɪŋ] <**stung, stung**> 1. *vt*, *vi*
stechen; (*on skin*) brennen; 2. *n* Stich *m*;
(*organ*) Stachel *m*.
stingily ['stɪndʒɪlɪ] *adv* knickerig, geizig.
stinginess ['stɪndʒɪnəs] *n* Geiz *m*.
stinging nettle ['stɪŋɪŋnetl] *n* Brennessel
f.
stingy ['stɪndʒɪ] *adj* geizig, knauserig.
stink [stɪŋk] <**stank, stunk**> 1. *vi* stin-

ken; **2.** n Gestank m; **stinker** n (fam: person) Ekel nt; (problem) harte Nuß; **stinking** adj (fig) widerlich; ~ **rich** steinreich.

stint [stɪnt] **1.** n Pensum nt; (period) Betätigung f; **2.** vt einschränken, knapphalten.

stipend ['staɪpend] n Gehalt nt.

stipulate ['stɪpjʊleɪt] vt festsetzen; **stipulation** [stɪpjʊ'leɪʃən] n Bedingung f.

stir [stɜ:*] **1.** n Bewegung f; (sensation) Aufsehen nt; **2.** vt [um]rühren; **3.** vi sich rühren; **to give sth a** ~ etw umrühren; **stir up** vt (mob) aufhetzen; (fire) entfachen; (mixture) umrühren; (dust) aufwirbeln; **to** ~ **things** ~ Ärger machen; **stirring** adj ergreifend.

stirrup ['stɪrəp] n Steigbügel m.

stitch [stɪtʃ] **1.** n (with needle) Stich m; (MED) Faden m; (of knitting) Masche f; (pain) Seitenstechen nt; **2.** vt nähen.

stoat [stəʊt] n Wiesel nt.

stock [stɒk] **1.** n Vorrat m; (COM) [Waren]lager nt; (live ~) Vieh nt; (GASTR) Brühe f; (FIN) Grundkapital nt; **2.** adj stets vorrätig; (standard) Normal-; **3.** vt versehen, versorgen; (in shop) führen; **in** ~ auf Lager; **to take** ~ Inventur machen; (fig) Bilanz ziehen; **to** ~ **up with** Reserven anlegen von.

stockade [stɒ'keɪd] n Palisade f.

stockbroker ['stɒkbrəʊkə*] n Börsenmakler(in f) m; **stock exchange** n Börse f.

stock cube ['stɒkkju:b] n [Fleisch]brühwürfel m.

stocking ['stɒkɪŋ] n Strumpf m.

stockist ['stɒkɪst] n Händler(in f) m.

stock market ['stɒkmɑ:kɪt] n Börse f, Effektenmarkt m.

stockpile ['stɒkpaɪl] **1.** n Vorrat m; **2.** vt aufstapeln; **nuclear** ~ Kernwaffenarsenal nt.

stocktaking ['stɒkteɪkɪŋ] n Inventur f, Bestandsaufnahme f.

stocky ['stɒkɪ] adj untersetzt.

stodgy ['stɒdʒɪ] adj (food) pampig; (fig) langweilig, trocken.

stoic ['stəʊɪk] n Stoiker(in f) m; **stoical** adj stoisch; **stoicism** ['stəʊɪsɪzəm] n Stoizismus m; (fig) Gelassenheit f.

stoke [stəʊk] vt schüren; **stoker** n Heizer m.

stole [stəʊl] **1.** pt of **steal**; **2.** n Stola f; **stolen** ['stəʊlən] pp of **steal**.

stolid ['stɒlɪd] adj schwerfällig; (silence) stur.

stomach ['stʌmək] **1.** n Bauch m, Magen m; **2.** vt vertragen; **I have no** ~ **for it** das ist nichts für mich; **stomach-ache** n Magenschmerzen pl, Bauchschmerzen pl.

stone [stəʊn] **1.** n Stein m; (seed) Stein m, Kern m; (weight) Gewichtseinheit (6,35 kg); **2.** adj steinern, Stein-; **3.** vt entkernen; (kill) steinigen; **stone-cold** adj eiskalt; **stone-deaf** adj stocktaub; **stone erosion** n Steinfraß m; **stonemason** n Steinmetz(in f) m; **stonewall** vi mauern; **stonework** n Mauerwerk nt; **stony** ['stəʊnɪ] adj steinig.

stood [stʊd] pt, pp of **stand**.

stool [stu:l] n Hocker m.

stoop [stu:p] vi sich bücken; (walk with a ~) gebeugt gehen.

stop [stɒp] **1.** n Halt m; (bus ~) Haltestelle f; (punctuation) Punkt m; **2.** vt stoppen, anhalten; (bring to end) aufhören [mit], sein lassen; **3.** vi aufhören; (clock) stehenbleiben; (remain) bleiben; **to** ~ **doing sth** aufhören, etw zu tun; ~ **it!** hör auf [damit]!; ~ **dead** plötzlich aufhören, innehalten; **stop in** vi (at home) zu Hause bleiben; **stop off** vi kurz haltmachen; **stop over** vi übernachten, über Nacht bleiben; **stop up 1.** vi (at night) aufbleiben; **2.** vt (hole) zustopfen, verstopfen; **stop-lights** n pl (AUT) Bremslichter pl; **stopover** n (on journey) Zwischenaufenthalt m; **stoppage** ['stɒpɪdʒ] n [An]halten nt; (traffic) Verkehrsstockung f; (strike) Arbeitseinstellung f; **stopper** n Pfropfen m, Stöpsel m; **stoppress** n letzte Meldung; **stopwatch** n Stoppuhr f.

storage ['stɔ:rɪdʒ] n Lagerung f; **final** (o **ultimate**) ~ Endlagerung f; **working** ~ (COMPUT) Arbeitsspeicher m; ~ **heater** Speicherofen m.

store [stɔ:*] **1.** n Vorrat m; (place) Lager nt, Warenhaus nt; (large shop) Kaufhaus nt; (COMPUT) Speicher m; **2.** vt lagern; (COMPUT) speichern; **store up** vt sich eindecken mit; **storeroom** n Lagerraum m, Vorratsraum m.

storey ['stɔ:rɪ] n (Brit) Stock m, Stockwerk nt.

stork [stɔ:k] n Storch m.

storm [stɔ:m] **1.** n Sturm m; **2.** vt, vi stürmen; **to take by** ~ im Sturm nehmen; **storm-cloud** n Gewitterwolke f; **stormy** adj stürmisch.

story ['stɔ:rɪ] n Geschichte f, Erzählung f; (lie) Märchen nt; (US: storey) Stock m, Stockwerk nt; **storybook** n Geschichtenbuch nt; **storyteller** n Geschichtenerzähler(in f) m.

stout [staʊt] adj (bold) mannhaft, tapfer; (too fat) beleibt, korpulent; **stoutness** n Festigkeit f; (of body) Korpulenz f.

stove [stəʊv] n [Koch]herd m; (for heating) Ofen m.

stow [stəʊ] *vt* verstauen; **stowaway** *n* blinder Passagier.

straddle ['strædl] *vt* (*horse, fence*) rittlings sitzen auf + *dat*; (*fig*) überbrücken.

strafe [strɑːf] *vt* beschießen, bombardieren.

straggle ['strægl] *vi* (*branches etc*) wuchern; (*people*) nachhinken; **straggler** *n* Nachzügler(in *f*) *m*.

straight [streɪt] **1.** *adj* gerade; (*honest*) offen, ehrlich; (*in order*) in Ordnung; (*drink*) pur, unverdünnt; **2.** *adv* (*direct*) direkt, geradewegs; **3.** *n* (*SPORT*) Gerade *f*; ~ **off** sofort; direkt nacheinander; ~ **on** geradeaus; **straightaway** *adv* sofort, unverzüglich; **straighten** *vt* (*also*: ~ **out**) gerade machen; (*fig*) in Ordnung bringen, klarstellen; **straightforward** *adj* einfach, unkompliziert.

strain [streɪn] **1.** *n* Belastung *f*; (*streak, trace*) Zug *m*; (*of music*) Fetzen *m*; **2.** *vt* überanstrengen; (*stretch*) anspannen; (*muscle*) zerren; (*filter*) [durch]seihen; **3.** *vi* (*make effort*) sich anstrengen; **don't** ~ **yourself** überanstrenge dich nicht; **strained** *adj* (*laugh*) gezwungen; (*relations*) gespannt; **strainer** *n* Sieb *nt*.

strait [streɪt] *n* Straße *f*, Meerenge *f*. **straitened** ['streɪtnd] *adj* (*circumstances*) beschränkt.

strait-jacket ['streɪtdʒækɪt] *n* Zwangsjacke *f*; **strait-laced** *adj* prüde.

strand [strænd] **1.** *n* Faden *m*; (*of hair*) Strähne *f*; **2.** *vi*: **to be** ~**ed** (*also fig*) gestrandet sein.

strange [streɪndʒ] *adj* fremd; (*unusual*) merkwürdig, seltsam; **strangely** *adv* merkwürdig, seltsam; fremd; ~ **enough** merkwürdigerweise; **strangeness** *n* Fremdheit *f*; **stranger** *n* Fremde(r) *mf*; **I'm a** ~ **here** ich bin hier fremd.

strangle ['stræŋgl] *vt* erdrosseln, erwürgen; **stranglehold** *n* (*fig*) Umklammerung *f*; **strangulation** [stræŋgjʊ'leɪʃən] *n* Erdrosseln *nt*.

strap [stræp] **1.** *n* Riemen *m*; (*on clothes*) Träger *m*; **2.** *vt* (*fasten*) festschnallen; **strapless** *adj* (*dress*) trägerlos; **strapping** *adj* stramm.

stratagem ['strætədʒəm] *n* [Kriegs]list *f*. **strategic** *adj*, **strategically** *adv* [strə'tiːdʒɪk, -əlɪ] strategisch; **strategist** ['strætədʒɪst] *n* Stratege *m*, Strategin *f*; **strategy** ['strætədʒɪ] *n* Kriegskunst *f*; (*fig*) Strategie *f*.

stratosphere ['strætəʊsfɪə*] *n* Stratosphäre *f*.

stratum ['strɑːtəm] *n* Schicht *f*.

straw [strɔː] **1.** *n* Stroh *nt*; (*single stalk, drinking* ~) Strohhalm *m*; **2.** *adj* Stroh-;

strawberry *n* Erdbeere *f*.

stray [streɪ] **1.** *n* verirrtes Tier; **2.** *vi* herumstreunen; **3.** *adj* (*animal*) verirrt; (*thought*) zufällig.

streak ['striːk] **1.** *n* Streifen *m*; (*in character*) Einschlag *m*; (*in hair*) Strähne *f*; **2.** *vt* streifen; ~ **of bad luck** Pechsträhne *f*; **streaky** *adj* gestreift; (*bacon*) durchwachsen.

stream [striːm] **1.** *n* (*brook*) Bach *m*; (*fig*) Strom *m*; (*flow of liquid*) Strom *m*, Flut *f*; **2.** *vi* strömen, fluten; **streamer** *n* (*pennon*) Wimpel *m*; (*of paper*) Luftschlange *f*; **streamlined** *adj* stromlinienförmig; (*effective*) rationell.

street [striːt] *n* Straße *f*; **streetcar** *n* (*US*) Straßenbahn *f*; **street lamp** *n* Straßenlaterne *f*; **streetwise** *adj* lebenstüchtig.

strength [streŋθ] *n* Stärke *f*; (*also fig*) Kraft *f*; **strengthen** *vt* [ver]stärken.

strenuous ['strenjʊəs] *adj* anstrengend; **strenuously** *adv* angestrengt.

stress [stres] **1.** *n* Druck *m*; (*mental*) Streß *m*; (*LING*) Betonung *f*; **2.** *vt* betonen; (*put under* ~) stressen; **stressful** *adj* stressig.

stretch [stretʃ] **1.** *n* Stück *nt*, Strecke *f*; **2.** *vt* ausdehnen, strecken; **3.** *vi* sich erstrecken; (*person*) sich strecken; **at a** ~ (*continuously*) ununterbrochen; **stretch out** **1.** *vi* sich ausstrecken; **2.** *vt* ausstrecken; **stretcher** *n* Tragbahre *f*.

stricken ['strɪkən] *pp, adj* of **strike**; **2.** *adj* (*person*) leidgeprüft; (*city, country*) heimgesucht.

strict [strɪkt] *adj* (*exact*) genau; (*severe*) streng; **strictly** *adv* streng, genau; ~ **speaking** streng (o genau) genommen; **strictness** *n* Strenge *f*.

stride [straɪd] <**strode, stridden**> **1.** *vi* schreiten; **2.** *n* langer Schritt; **stridden** ['strɪdn] *pp* of **stride**.

strident ['straɪdənt] *adj* schneidend, durchdringend.

strife [straɪf] *n* Streit *m*.

strike [straɪk] <**struck, struck** *o* **stricken**> **1.** *vt* (*hit*) schlagen; (*not miss*) treffen; (*collide*) stoßen gegen; (*come to mind*) einfallen + *dat*; (*stand out*) auffallen; (*find*) stoßen auf + *akk*, finden; **2.** *vi* (*stop work*) streiken; (*attack*) zuschlagen; (*clock*) schlagen; **3.** *n* Streik *m*, Ausstand *m*; (*discovery*) Fund *m*; (*attack*) Schlag *m*; **to be on** ~ streiken; **strike down** *vt* (*lay low*) niederschlagen; **strike out** *vt* (*cross out*) ausstreichen; **strike up** *vt* (*MUS*) anstimmen; (*friendship*) schließen; **strike pay** *n* Streikgeld *nt*; **striker** *n* Streikende(r) *mf*; **striking** *adj*, **strikingly** *adv* auffallend, bemerkenswert.

string [strɪŋ] *n* Schnur *f*, Kordel *f*, Bindfaden *m*; (*row*) Reihe *f*; (*MUS*) Saite *f*; **string bean** *n* grüne Bohne.

stringency ['strɪndʒənsɪ] *n* Strenge *f*; **stringent** *adj* streng.

strip [strɪp] **1.** *n* Streifen *m*; **2.** *vt* (*uncover*) abstreifen, abziehen; (*clothes*) ausziehen; (*TECH*) auseinandernehmen; **2.** *vi* (*undress*) sich ausziehen; **strip cartoon** *n* Comic[strip] *m*.

stripe [straɪp] *n* Streifen *m*; **striped** *adj* gestreift.

strip light ['strɪplaɪt] *n* Leuchtröhre *f*.

stripper ['strɪpə*] *n* Stripteasetänzer(in *f*) *m*; **striptease** ['strɪptiːz] *n* Striptease *nt o m*.

strive [straɪv] <**strove, striven**> *vi* streben (*for* nach); **striven** ['strɪvn] *pp of* **strive**.

strode [strəud] *pt of* **stride**.

stroke [strəuk] **1.** *n* Schlag *m*, Hieb *m*; (*swim, row*) Stoß *m*; (*TECH*) Hub *m*; (*MED*) Schlaganfall *m*; (*caress*) Streicheln *nt*; **2.** *vt* streicheln; **at a ~** mit einem Schlag; **on the ~ of 5** Schlag 5.

stroll [strəul] **1.** *n* Spaziergang *m*; **2.** *vi* spazierengehen, schlendern; **stroller** *n* (*US: for babies*) Sportwagen *m*.

strong [strɔŋ] *adj* stark; (*firm*) fest; **they are 50 ~** sie sind 50 Mann stark; **stronghold** *n* Hochburg *f*; **strongly** *adv* stark; **strongroom** *n* Tresor *m*.

strove [strəuv] *pt of* **strive**.

struck [strʌk] *pt, pp of* **strike**.

structural ['strʌktʃərəl] *adj* strukturell.

structure ['strʌktʃə*] *n* Struktur *f*, Aufbau *m*; (*building*) Gebäude *nt*, Bau *m*; **structuring** *n* (*also COMPUT*) Strukturierung *f*.

struggle ['strʌgl] **1.** *n* Kampf *m*; (*effort*) Anstrengung *f*; **2.** *vi* (*fight*) kämpfen; **to ~ to do sth** sich [ab]mühen, etw zu tun.

strum [strʌm] *vt* (*guitar*) klimpern auf + *dat*.

strut [strʌt] **1.** *n* Strebe *f*, Stütze *f*; **2.** *vi* stolzieren.

strychnine ['strɪkniːn] *n* Strychnin *n*.

stub [stʌb] *n* Stummel *m*; (*of cigarette*) Kippe *f*.

stubble ['stʌbl] *n* Stoppel *f*; **stubbly** *adj* stoppelig, Stoppel-.

stubborn *adj*, **stubbornly** *adv* ['stʌbən, -lɪ] stur, hartnäckig; **stubbornness** *n* Sturheit *f*, Hartnäckigkeit *f*.

stubby ['stʌbɪ] *adj* untersetzt.

stucco ['stʌkəu] *n* <-[e]s> Stuck *m*.

stuck [stʌk] *pt, pp of* **stick**; **stuck-up** [stʌk'ʌp] *adj* hochnäsig.

stud [stʌd] *n* (*nail*) Beschlagnagel *m*; (*button*) Kragenknopf *m*; (*number of horses*) Stall *m*; (*place*) Gestüt *nt*; **~ded with** übersät mit.

student ['stjuːdənt] *n* Student(in *f*) *m*; (*US also*) Schüler(in *f*) *m*; **fellow ~** Kommilitone *m*, Kommilitonin *f*; **student driver** *n* (*US*) Fahrschüler(in *f*) *m*.

studied ['stʌdɪd] *adj* absichtlich.

studio ['stjuːdɪəu] *n* <-s> Studio *nt*; (*for artist*) Atelier *nt*.

studious *adj*, **studiously** *adv* ['stjuːdɪəs, -lɪ] lernbegierig.

study ['stʌdɪ] **1.** *n* Studium *nt*; (*investigation*) Untersuchung *f*; (*room*) Arbeitszimmer *nt*; (*essay etc*) Studie *f*; **2.** *vt* studieren; (*face*) erforschen; (*evidence*) prüfen; **3.** *vi* studieren; **study group** *n* Arbeitsgruppe *f*.

stuff [stʌf] **1.** *n* Stoff *m*; (*fam*) Zeug *nt*; **2.** *vt* stopfen, füllen; (*animal*) ausstopfen; **that's hot ~!** das ist Klasse!; **to ~ oneself** sich vollstopfen; **~ed full** vollgepfropft.

stuffiness ['stʌfɪnəs] *n* Schwüle *f*; (*of person*) Spießigkeit *f*.

stuffing ['stʌfɪŋ] *n* Füllung *f*.

stuffy ['stʌfɪ] *adj* (*room*) schwül; (*person*) spießig.

stumble ['stʌmbl] *vi* stolpern; **to ~ on** zufällig stoßen auf + *akk*; **stumbling block** *n* Hindernis *nt*, Stein *m* des Anstoßes.

stump [stʌmp] **1.** *n* Stumpf *m*; **2.** *vt* umwerfen.

stun [stʌn] *vt* betäuben; (*shock*) erschüttern; (*amaze*) verblüffen, umwerfen.

stung [stʌŋ] *pt, pp of* **sting**.

stunk [stʌŋk] *pp of* **stink**.

stunning ['stʌnɪŋ] *adj* betäubend; (*news*) überwältigend, umwerfend; **~ly beautiful** traumhaft schön.

stunt [stʌnt] **1.** *n* Kunststück *nt*, Trick *m*; **2.** *vt* verkümmern lassen; **to do ~s** ein Stuntman sein; **stunted** *adj* verkümmert.

stupefy ['stjuːpɪfaɪ] *vt* betäuben; (*amaze*) verblüffen.

stupendous [stjuː'pendəs] *adj* erstaunlich, enorm.

stupid *adj*, **stupidly** *adv* ['stjuːpɪd, -lɪ] dumm; **stupidity** [stjuː'pɪdɪtɪ] *n* Dummheit *f*.

stupor ['stjuːpə*] *n* Betäubung *f*; **in a drunken ~** sturzbesoffen, sinnlos betrunken.

sturdily ['stɜːdɪlɪ] *adv* kräftig, stabil.

sturdiness [[tɜːdɪnəs] *n* Robustheit *f*.

sturdy ['stɜːdɪ] *adj* kräftig, robust.

stutter ['stʌtə*] *vi* stottern.

sty [staɪ] *n* Schweinestall *m*.
stye [staɪ] *n* (MED) Gerstenkorn *nt*.
style [staɪl] **1.** *n* Stil *m*; (fashion) Mode *f*; **2.** *vt* (hair) frisieren; **hair** ~ Frisur *f*; **in** ~ in großem Stil, großartig; **styling** *n* (of car etc) Formgebung *f*, Styling *nt*; **styling mousse** *n* Schaumfestiger *m*; **stylish** *adj*, **stylishly** *adv* ['staɪlɪʃ, -lɪ] modisch, schick.
stylized ['staɪlaɪzd] *adj* stilisiert.
stylus ['staɪləs] *n* [Grammophon]nadel *f*; **stylus printer** *n* Nadeldrucker *m*.
styptic ['stɪptɪk] *adj:* ~ **pencil** blutstillender Stift, Alaunstift *m*.
suave [swɑːv] *adj* zuvorkommend.
sub- *pref* Unter-.
subconscious [sʌb'kɒnʃəs] **1.** *adj* unterbewußt; **2.** *n:* **the** ~ das Unterbewußte.
subdivide [sʌbdɪ'vaɪd] *vt* unterteilen; **subdivision** ['sʌbdɪvɪʒən] *n* Unterteilung *f*; (department) Unterabteilung *f*.
subdue [səb'djuː] *vt* unterwerfen; (fig) zähmen; **subdued** *adj* (lighting) gedämpft; (person) still.
subject 1. *n* (of kingdom) Untertan(in *f*) *m*; (citizen) Staatsangehörige(r) *mf*; (topic) Thema *nt*; (SCH) Fach *nt*; (LING) Subjekt *nt*, Satzgegenstand *m*; **2.** [səb'dʒekt] *vt* (subdue) unterwerfen, abhängig machen; (expose) aussetzen; **to be** ~ **to** unterworfen sein + *dat*; (exposed) ausgesetzt sein + *dat*; **subjection** [səb'dʒekʃən] *n* (conquering) Unterwerfung *f*; (being controlled) Abhängigkeit *f*; **subjective** *adj*, **subjectively** *adv* [səb'dʒektɪv, -lɪ] subjektiv; **subject matter** *n* Thema *nt*.
subjunctive [səb'dʒʌŋktɪv] **1.** *n* Konjunktiv *m*, Möglichkeitsform *f*; **2.** *adj* Konjunktiv-, konjunktivisch.
sublet [sʌb'let] *irr vt* untervermieten.
sublime [sə'blaɪm] *adj* erhaben.
submarine [sʌbmə'riːn] *n* Unterseeboot *nt*, U-Boot *nt*.
submerge [səb'mɜːdʒ] **1.** *vt* untertauchen; (flood) überschwemmen; **2.** *vi* untertauchen.
submission [səb'mɪʃən] *n* (obedience) Ergebenheit *f*, Gehorsam *m*; (claim) Behauptung *f*; (of plan) Unterbreitung *f*; **submit** [səb'mɪt] **1.** *vt* behaupten; (plan) unterbreiten; **2.** *vi* (give in) sich ergeben.
subnormal [sʌb'nɔːməl] *adj* minderbegabt.
subordinate [sə'bɔːdɪnət] **1.** *adj* untergeordnet; **2.** *n* Untergebene(r) *mf*.
subpoena [sə'piːnə] **1.** *n* Vorladung *f*; **2.** *vt* vorladen.
subscribe [səb'skraɪb] *vi* spenden, Geld geben; (to view etc) unterstützen, bei-

pflichten + *dat*; (to newspaper) abonnieren (to akk); **subscriber** *n* (to periodical) Abonnent(in *f*) *m*; (TEL) Telefonteilnehmer(in *f*) *m*; **subscription** [səb'skrɪpʃən] *n* Abonnement *nt*; (to club) [Mitglieds]beitrag *m*.
subsequent ['sʌbsɪkwənt] *adj* folgend, später; **subsequently** *adv* später.
subside [səb'saɪd] *vi* sich senken; **subsidence** [sʌb'saɪdəns] *n* Senkung *f*.
subsidiary [səb'sɪdɪərɪ] **1.** *n* Neben-; **2.** *n* (company) Tochtergesellschaft *f*.
subsidize ['sʌbsɪdaɪz] *vt* subventionieren; **subsidy** ['sʌbsɪdɪ] *n* Subvention *f*.
subsistence [səb'sɪstəns] *n* Unterhalt *m*; **subsistence level** *n* Existenzminimum *nt*.
substance ['sʌbstəns] *n* Substanz *f*, Stoff *m*; (most important part) Hauptbestandteil *m*.
substandard [sʌb'stændəd] *adj* minderwertig; (achievement) unzulänglich.
substantial [səb'stænʃəl] *adj* (strong) fest, kräftig; (important) wesentlich; **substantially** *adv* erheblich.
substantiate [səb'stænʃɪeɪt] *vt* begründen, belegen.
substation ['sʌbsteɪʃən] *n* (ELEC) Umspannwerk *nt*.
substitute ['sʌbstɪtjuːt] **1.** *n* Ersatz *m*; **2.** *vt* ersetzen; **substitution** [sʌbstɪ'tjuːʃən] *n* Ersetzen *nt*.
subterfuge ['sʌbtəfjuːdʒ] *n* Vorwand *m*; Tricks *pl*.
subterranean [sʌbtə'reɪnɪən] *adj* unterirdisch.
subtitle ['sʌbtaɪtl] *n* Untertitel *m*.
subtle ['sʌtl] *adj* fein; (sly) raffiniert; **subtlety** *n* subtile Art, Raffinesse *f*; (subtle distinction) Feinheit *f*; **subtly** *adv* fein, raffiniert.
subtract [səb'trækt] *vt* abziehen, subtrahieren; **subtraction** [səb'trækʃən] *n* Abziehen *nt*, Subtraktion *f*.
subtropical [sʌb'trɒpɪkəl] *adj* subtropisch.
suburb ['sʌbɜːb] *n* Vorort *m*; **suburban** [sə'bɜːbən] *adj* Vorort[s]-, Stadtrand-; **suburbia** [sə'bɜːbɪə] *n* Vororte *pl*; **typical of** ~ typisch Spießbürger.
subvention [səb'venʃən] *n* (US) Unterstützung *f*, Subvention *f*.
subversive [səb'vɜːsɪv] *adj* subversiv.
subway ['sʌbweɪ] *n* (US) U-Bahn *f*, Untergrundbahn *f*; (Brit) Unterführung *f*.
sub-zero ['sʌb'zɪərəʊ] *adj* unter Null, unter dem Gefrierpunkt.
succeed [sək'siːd] **1.** *vi* gelingen; (person) Erfolg haben; **2.** *vt* [nach]folgen + *dat*; **he** ~**ed** es gelang ihm; **succeeding** *adj*

[nach]folgend.

success [sək'ses] n Erfolg m; **successful** adj, **successfully** adv erfolgreich.

succession [sək'seʃən] n [Aufeinander]folge f; (to throne) Nachfolge f; **successive** [sək'sesɪv] adj aufeinanderfolgend; **successively** adv nacheinander, hintereinander; **successor** n Nachfolger(in f) m.

succinct [sək'sɪŋkt] adj kurz und bündig, knapp.

succulent ['sʌkjʊlənt] adj saftig.

succumb [sə'kʌm] vi zusammenbrechen (to unter + dat); (yield) nachgeben; (die) erliegen (to dat).

such [sʌtʃ] **1.** adj solche(r, s); **2.** pron solch; ~ **a** so ein; ~ **a lot** so viel; ~ **is life** so ist das Leben; ~ **is my wish** das ist mein Wunsch; ~ **as** wie; ~ **as I have** die, die ich habe; **suchlike 1.** adj derartig; **2.** pron dergleichen.

suck [sʌk] **1.** vt saugen; (ice cream etc) lecken; (toffee etc) lutschen; **2.** vi saugen; **sucker** n (fam) Idiot(in f) m, Dummkopf m.

suckle ['sʌkl] **1.** vt säugen; (child) stillen; **2.** vi saugen.

suction ['sʌkʃən] n Saugen nt, Saugkraft f.

sudden adj, **suddenly** adv ['sʌdn, -lɪ] plötzlich; **all of a** ~ ganz plötzlich, auf einmal; **suddenness** n Plötzlichkeit f.

sue [suː] vt verklagen.

suede [sweɪd] n Wildleder nt.

suet [suɪt] n Nierenfett nt.

suffer ['sʌfə*] **1.** vt [er]leiden; (old: allow) zulassen, dulden; **2.** vi leiden; **sufferer** n Leidende(r) mf; **suffering** n Leiden nt.

suffice [sə'faɪs] vi genügen.

sufficient adj, **sufficiently** adv [sə'fɪʃənt, -lɪ] ausreichend.

suffix ['sʌfɪks] n Nachsilbe f.

suffocate ['sʌfəkeɪt] vt, vi ersticken; **suffocation** [sʌfə'keɪʃən] n Ersticken nt.

suffragette [sʌfrə'dʒet] n Suffragette f.

sugar ['ʃʊgə*] **1.** n Zucker m; **2.** vt zukkern; **sugar beet** n Zuckerrübe f; **sugar cane** n Zuckerrohr nt; **sugary** adj süß.

suggest [sə'dʒest] vt vorschlagen; (show) schließen lassen auf + akk; **what does this painting ~ to you?** was drückt das Bild für dich aus?; **suggestion** [sə'dʒestʃən] n Vorschlag m; **suggestive** adj anregend; (indecent) zweideutig; **to be ~ of sth** an etw akk erinnern.

suicidal [suɪ'saɪdl] adj selbstmörderisch; **that's ~** das ist Selbstmord; **suicide** ['suɪsaɪd] n Selbstmord m; **to commit ~** Selbstmord begehen.

suit [suːt] **1.** n Anzug m; (CARDS) Farbe f; **2.** vt passen + dat; (clothes) stehen + dat; (adapt) anpassen; ~ **yourself** mach doch, was du willst; **suitability** [suːtə'bɪlɪtɪ] n Eignung f; **suitable** adj geeignet, passend; **suitably** adv passend, angemessen; **suitcase** n [Hand]koffer m.

suite [swiːt] n (of rooms) Zimmerflucht f; (of furniture) Einrichtung f; (MUS) Suite f; **three-piece** ~ Couchgarnitur f.

sulfur ['sʌlfə*] n (US) see sulphur.

sulk [sʌlk] vi schmollen; **sulky** adj schmollend.

sullen ['sʌlən] adj (gloomy) düster; (badtempered) mürrisch, verdrossen.

sulphur ['sʌlfə*] n Schwefel m; **sulphuric** [sʌl'fjʊərɪk] adj: ~ **acid** Schwefelsäure f.

sultan ['sʌltən] n Sultan m; **sultana** [sʌl'tɑːnə] n (woman) Sultanin f; (raisin) Sultanine f.

sultry ['sʌltrɪ] adj schwül.

sum [sʌm] n Summe f; (money also) Betrag m; (arithmetic) Rechenaufgabe f; ~ **s** pl Rechnen nt; **sum up** vt, vi zusammenfassen; **summarize** ['sʌməraɪz] vt kurz zusammenfassen; **summary** n Zusammenfassung f; (of book etc) Inhaltsangabe f.

summer ['sʌmə*] **1.** n Sommer m; **2.** adj Sommer-; **in** ~ im Sommer; **summerhouse** n (in garden) Gartenhaus nt; **summertime** n Sommerzeit f.

summing-up ['sʌmɪŋ'ʌp] n Zusammenfassung f.

summit ['sʌmɪt] n Gipfel m; **summit conference** n Gipfelkonferenz f.

summon ['sʌmən] vt bestellen, kommen lassen; (JUR) vorladen; (gather up) aufbieten, aufbringen; **summons** n sing (JUR) Vorladung f.

sump [sʌmp] n Ölwanne f.

sumptuous ['sʌmptjʊəs] adj prächtig; **sumptuousness** n Pracht f.

sun [sʌn] n Sonne f; **sunbathe** vi sich sonnen; **sunbathing** n Sonnenbaden nt; **sunburn** n Sonnenbrand m; **to be ~ t** einen Sonnenbrand haben.

Sunday ['sʌndeɪ] n Sonntag m; **on** ~ [am] Sonntag; **on ~s, on a** ~ sonntags.

sundial ['sʌndaɪəl] n Sonnenuhr f.

sundown ['sʌndaʊn] n Sonnenuntergang m.

sundry ['sʌndrɪ] **1.** adj verschieden; **2.** n: ~ **s** pl Verschiedene(s) nt; **all and** ~ alle.

sunflower ['sʌnflaʊə*] n Sonnenblume f.

sung [sʌŋ] pp of **sing**.

sunglasses ['sʌnglɑːsɪz] n pl Sonnenbrille f.

sunk [sʌŋk] *pp of* **sink**.

sunken ['sʌŋkən] *adj* versunken; (*eyes*) eingesunken.

sunlight ['sʌnlaɪt] *n* Sonnenlicht *nt*; **sunlit** *adj* sonnenbeschienen; **sunny** ['sʌnɪ] *adj* sonnig; **sun protection factor** *n* Lichtschutzfaktor *m*; **sunrise** *n* Sonnenaufgang *m*; **sunset** *n* Sonnenuntergang *m*; **sunshade** *n* Sonnenschirm *m*; **sunshine** *n* Sonnenschein *m*; **sunspot** *n* Sonnenfleck *m*; **sunstroke** *n* Hitzschlag *m*; **suntan** *n* [Sonnen]bräune *f*; **to get a** ~ braun werden; **suntrap** *n* sonniger Platz; **sunup** *n* (*fam*) Sonnenaufgang *m*.

super ['su:pə*] **1.** *adj* (*fam*) prima, klasse; **2.** *pref* Super-, Über-.

superannuation [su:pərænjʊ'eɪʃən] *n* Pension *f*.

superb *adj*, **superbly** *adv* [su:'pɜ:b, -lɪ] ausgezeichnet, hervorragend.

supercilious [su:pə'sɪlɪəs] *adj* herablassend.

superficial *adj*, **superficially** *adv* [su:pə'fɪʃəl, -ɪ] oberflächlich.

superfluous [sʊ'pɜ:flʊəs] *adj* überflüssig.

superglue ['su:pəglu:] *n* Sekundenkleber *m*.

superhuman [su:pə'hju:mən] *adj* (*effort*) übermenschlich.

superimpose [su:pərɪm'pəʊz] *vt* übereinanderlegen.

superintendent [su:pərɪn'tendənt] *n* Polizeichef(in *f*) *m*.

superior [su:'pɪərɪə*] **1.** *adj* (*higher*) höher[stehend]; (*better*) besser; (*proud*) überlegen; **2.** *n* Vorgesetzte(r) *mf*; **superiority** [sʊpɪərɪ'ɒrɪtɪ] *n* Überlegenheit *f*.

superlative [su:'pɜ:lətɪv] **1.** *adj* höchste(r, s); **2.** *n* (*LING*) Superlativ *m*.

superman ['su:pəmæn] *n* <**-men**> Übermensch *m*.

supermarket ['su:pəma:kɪt] *n* Supermarkt *m*.

supernatural [su:pə'nætʃərəl] *adj* übernatürlich.

superpower ['su:pəpaʊə*] *n* Weltmacht *f*, Supermacht *f*.

supersede [su:pə'si:d] *vt* ersetzen.

supersonic [su:pə'sɒnɪk] *n* Überschall-.

superstition [su:pə'stɪʃən] *n* Aberglaube *m*; **superstitious** [su:pə'stɪʃəs] *adj* abergläubisch.

supervise ['su:pəvaɪz] *vt* beaufsichtigen, kontrollieren; **supervision** [su:pə'vɪʒən] *n* Aufsicht *f*; **supervisor** ['su:pəvaɪzə*] *n* Aufsichtsperson *f*; **supervisory** *adj* Aufsichts-.

supper ['sʌpə*] *n* Abendessen *nt*.

supple ['sʌpl] *adj* gelenkig, geschmeidig; (*wire*) biegsam.

supplement ['sʌplɪmənt] **1.** *n* Ergänzung *f*; (*in book*) Nachtrag *m*. **2.** [sʌplɪ'ment] *vt* ergänzen; **supplementary** [sʌplɪ'mentərɪ] *adj* ergänzend, Ergänzungs-, Zusatz-; ~ **benefit** Sozialhilfe *f*.

supplier [sə'plaɪə*] *n* Lieferant(in *f*) *m*.

supply [sə'plaɪ] **1.** *vt* liefern; **2.** *n* Vorrat *m*; (*supplying*) Lieferung *f*; **supplies** *pl* (*food*) Vorräte *pl*; (*MIL*) Nachschub *m*; ~ **and demand** Angebot und Nachfrage.

support [sə'pɔ:t] **1.** *n* Unterstützung *f*; (*TECH*) Stütze *f*; **2.** *vt* (*hold up*) stützen, tragen; (*provide for*) ernähren; (*speak in favour of*) befürworten, unterstützen; **supporter** *n* Anhänger(in *f*) *m*; (*of theory*) Befürworter(in *f*) *m*; (*SPORT*) Fan *m*; **supporting** *adj* (*programme*) Bei-; (*role*) Neben-.

suppose [sə'pəʊz] *vt*, *vi* annehmen, denken, glauben; **I** ~ **so** ich glaube schon; ~ **he comes...** angenommen, er kommt...; **supposedly** [sə'pəʊzɪdlɪ] *adv* angeblich; **supposing** *conj* angenommen; **supposition** [sʌpə'zɪʃən] *n* Mutmaßung *f*; (*thing supposed*) Annahme *f*.

suppress [sə'pres] *vt* unterdrücken; **suppression** [sə'preʃən] *n* Unterdrückung *f*; **suppressor** *n* (*ELEC*) Entstörungselement *nt*.

supra- ['su:prə] *pref* Über-.

supremacy [su'preməsɪ] *n* Vorherrschaft *f*, Oberhoheit *f*.

supreme *adj*, **supremely** *adv* [sʊ'pri:m, -lɪ] oberste(r, s), höchste(r, s).

surcharge ['sɜ:tʃɑ:dʒ] *n* Zuschlag *m*.

sure [ʃʊə*] **1.** *adj* sicher, gewiß; **2.** *adv* sicher; ~ **!** (*of course*) ganz bestimmt!, natürlich!, klar!; **we are** ~ **to win** wir werden ganz sicher gewinnen; **to be** ~ **about sth** sich *dat* einer Sache (*gen*) sicher sein; **to make** ~ **of** sich vergewissern + *gen*; **surely** *adv* (*certainly*) sicherlich, gewiß; ~ **it's wrong** das ist doch wohl falsch; ~ **not!** das ist doch wohl nicht wahr!; **surety** *n* Sicherheit *f*; (*person*) Bürge *m*, Bürgin *f*.

surf [sɜ:f] **1.** *n* Brandung *f*; **2.** *vi* (*SPORT*) [wind]surfen.

surface ['sɜ:fɪs] **1.** *n* Oberfläche *f*; **2.** *vt* (*roadway*) teeren; **3.** *vi* auftauchen; **surface mail** *n* auf dem Landweg beförderte Post.

surfboard ['sɜ:fbɔ:d] *n* [Wind]surfbrett *nt*; **surfer** *n* [Wind]surfer(in *f*) *m*; **surfing** *n* [Wind]surfen *nt*.

surgeon ['sɜ:dʒən] *n* Chirurg(in *f*) *m*.

surgery ['sɜ:dʒərɪ] *n* Praxis *f*; (*room*) Sprechzimmer *nt*; (*time*) Sprechstunde *f*.

(*treatment*) operativer Eingriff, Operation *f*; **he needs ~** er muß operiert werden.
surgical [ˈsɜːdʒɪkəl] *adj* chirurgisch; **surgicenter** *n* (*US*) Poliklinik *f*.
surly [ˈsɜːlɪ] *adj* unfreundlich, grob.
surmount [sɜːˈmaʊnt] *vt* überwinden.
surname [ˈsɜːneɪm] *n* Nachname *m*.
surpass [sɜːˈpɑːs] *vt* übertreffen.
surplus [ˈsɜːpləs] **1.** *n* Überschuß *m*; **2.** *adj* überschüssig, Über[schuß]-.
surprise [səˈpraɪz] **1.** *n* Überraschung *f*; **2.** *vt* überraschen; **surprising** *adj* überraschend; **surprisingly** *adv* überraschend[erweise].
surrealism [səˈrɪəlɪzəm] *n* Surrealismus *m*.
surrender [səˈrendə⁎] **1.** *n* Übergabe *f*, Kapitulation *f*; **2.** *vi* sich ergeben, kapitulieren; **3.** *vt* übergeben.
surreptitious *adj*, **surreptitiously** *adv* [sʌrəpˈtɪʃəs, -lɪ] verstohlen.
surrogate [ˈsʌrəgɪt] *n* Ersatz *m*; **~ mother** Leihmutter *f*.
surround [səˈraʊnd] *vt* umgeben; (*come all round*) umringen; **~ed by** umgeben von; **surrounding 1.** *adj* (*countryside*) umliegend; **2.** *n*: **~s** *pl* Umgebung *f*; (*environment*) Umwelt *f*.
surveillance [sɜːˈveɪləns] *n* Überwachung *f*.
survey [ˈsɜːveɪ] **1.** *n* Übersicht *f*; [sɜːˈveɪ] *vt* überblicken; (*land*) vermessen; (*building*) inspizieren, begutachten; **surveying** [səˈveɪɪŋ] *n* (*of land*) [Land]vermessung *f*; (*of building*) [Be]gutachten *nt*; **surveyor** [səˈveɪə⁎] *n* Land[ver]messer(in *f*) *m*; (*of building*) Baugutachter(in *f*) *m*.
survival [səˈvaɪvəl] *n* Überleben *nt*; (*sth from earlier times*) Überbleibsel *nt*; **survive** [səˈvaɪv] *vt, vi* überleben; **survivor** [səˈvaɪvə⁎] *n* Überlebende(r) *mf*.
susceptible [səˈseptəbl] *adj* empfindlich (*to* gegen); empfänglich (*to* für).
suspect [ˈsʌspekt] **1.** *n* Verdächtige(r) *mf*; **2.** *adj* verdächtig; **3.** [səˈspekt] *vt* verdächtigen; (*think*) vermuten.
suspend [səˈspend] *vt* verschieben; (*from work*) suspendieren; (*hang up*) aufhängen; (*SPORT*) sperren; **suspenders** *n pl* Strumpfhalter *m*; (*men's*) Sockenhalter *m*; (*US*) Hosenträger *m*.
suspense [səˈspens] *n* Spannung *f*.
suspension [səˈspenʃən] *n* (*hanging*) [Auf]hängen *nt*, Aufhängung *f*; (*postponing*) Aufschub *m*; (*from work*) Suspendierung *f*; (*SPORT*) Sperrung *f*; (*AUT*) Federung *f*; (*of wheels*) Aufhängung *f*; **suspension bridge** *n* Hängebrücke *f*.
suspicion [səˈspɪʃən] *n* Mißtrauen *nt*;

Verdacht *m*; **suspicious** *adj*, **suspiciously** *adv* [səˈspɪʃəs, -lɪ] mißtrauisch; (*causing suspicion*) verdächtig; **suspiciousness** *n* Mißtrauen *nt*.
sustain [səˈsteɪn] *vt* (*hold up*) stützen, tragen; (*maintain*) aufrechterhalten; (*confirm*) bestätigen; (*JUR*) anerkennen; (*injury*) davontragen; **sustained** *adj* (*effort*) anhaltend.
sustenance [ˈsʌstɪnəns] *n* Nahrung *f*.
swab [swɒb] **1.** *n* (*MED*) Tupfer *m*; **2.** *vt* (*decks*) schrubben; (*wound*) abtupfen.
swagger [ˈswægə⁎] *vi* stolzieren; (*behave*) prahlen, angeben.
swallow [ˈswɒləʊ] **1.** *n* (*bird*) Schwalbe *f*; (*of food etc*) Schluck *m*; **2.** *vt* [ver]schlucken; **swallow up** *vt* verschlingen.
swam [swæm] *pt of* **swim.**
swamp [swɒmp] **1.** *n* Sumpf *m*; **2.** *vt* überschwemmen; **swampy** *adj* sumpfig.
swan [swɒn] *n* Schwan *m*; **swan song** *n* Schwanengesang *m*.
swap [swɒp] **1.** *n* Tausch *m*; **2.** *vt* [ein]tauschen (*for* gegen); **3.** *vi* tauschen; **swap meet** *n* (*US*) ≈ Flohmarkt *m*.
swarm [swɔːm] **1.** *n* Schwarm *m*; **2.** *vi* wimmeln (*with* von).
swarthy [ˈswɔːðɪ] *adj* dunkel, braun.
swastika [ˈswɒstɪkə] *n* Hakenkreuz *nt*.
swat [swɒt] *vt* totschlagen.
sway [sweɪ] **1.** *vi* schwanken; (*branches*) schaukeln, sich wiegen; **2.** *vt* schwenken; (*influence*) beeinflussen, umstimmen.
swear [swɛə⁎] <**swore, sworn**> *vi* (*promise*) schwören; (*curse*) fluchen; **to ~ to sth** auf etw *akk* schwören; **swear-word** *n* Fluch *m*.
sweat [swet] **1.** *n* Schweiß *m*; **2.** *vi* schwitzen; **sweater** *n* Pullover *m*; **sweatshirt** *n* Sweatshirt *nt*; **sweaty** *adj* verschwitzt.
swede [swiːd] *n* Steckrübe *f*.
Swede [swiːd] *n* Schwede *m*, Schwedin *f*; **Sweden** *n* Schweden *nt*; **Swedish** *adj* schwedisch.
sweep [swiːp] <**swept, swept**> **1.** *vt* fegen, kehren; **2.** *vi* (*road*) sich dahinziehen; (*go quickly*) rauschen; **3.** *n* (*cleaning*) Kehren *nt*; (*wide curve*) Bogen *m*; (*with arm*) schwungvolle Bewegung; (*chimney* ~) Schornsteinfeger(in *f*) *m*; **sweep away** *vt* wegfegen; (*river*) wegspülen; **sweep past** *vi* vorbeisausen; **sweep up** *vt* zusammenkehren; **sweeping** *adj* (*gesture*) schwungvoll; (*statement*) verallgemeinernd; **sweepstake** *n* Toto *nt*.
sweet [swiːt] **1.** *n* (*course*) Nachtisch *m*; (*candy*) Bonbon *nt*; **2.** *adj* süß; **to have a**

~ **tooth** ein Leckermaul sein, gerne Süßes essen; **sweetcorn** n Zuckermais m; **sweeten** vt süßen; (fig) versüßen; **sweetener** n: artificial ~ Süßstoff m; **sweetheart** n Liebste(r) mf; **sweetness** n Süße f; **sweet pea** n Gartenwicke f.

swell [swɛl] <**swelled, swollen** o **swelled**> 1. vt (numbers) vermehren; 2. vi (also: ~ **up**) [an]schwellen; 3. n Seegang m; 4. adj (fam) todschick; **swelling** n Schwellung f.

sweltering [ˈswɛltərɪŋ] adj drückend.

swept [swɛpt] pt, pp of **sweep**.

swerve [swɜːv] vi ausscheren, zur Seite schwenken.

swift [swɪft] 1. adj geschwind, schnell, rasch; 2. n Mauersegler m; **swiftly** adv geschwind, schnell, rasch; **swiftness** n Schnelligkeit f.

swig [swɪg] n Zug m.

swill [swɪl] 1. n (for pigs) Schweinefutter nt; 2. vt spülen.

Swiss [swɪs] 1. adj schweizerisch, Schweizer; 2. n Schweizer(in f) m; ~ **German** Schweizerdeutsch nt; **the** ~ pl die Schweizer pl; **Switzerland** [ˈswɪtsələnd] n die Schweiz; **in** ~ in der Schweiz; **to go to** ~ in die Schweiz fahren.

swim [swɪm] <**swam, swum**> 1. vi schwimmen; 2. vt (cross) [durch]schwimmen; 3. n: **to go for a** ~ schwimmen gehen; **my head is** ~ **ming** mir dreht sich der Kopf; **swimmer** n Schwimmer(in f) m; **swimming** n Schwimmen nt; **to go** ~ schwimmen gehen; **swimming baths** n pl Schwimmbad nt; **swimming cap** n Badehaube f, Badekappe f; **swimming costume** n Badeanzug m; **swimming pool** n Schwimmbecken nt; (private) Swimming-Pool m; **swimsuit** n Badeanzug m.

swindle [ˈswɪndl] 1. n Schwindel m, Betrug m; 2. vt betrügen; **swindler** n Schwindler(in f) m.

swine [swaɪn] n (also fig) Schwein nt.

swing [swɪŋ] <**swung, swung**> 1. vt schwingen, [herum]schwenken; 2. vi schwingen, pendeln, schaukeln; (turn quickly) schwenken; 3. n (child's) Schaukel f; (swinging) Schwingen nt, Schwung m; (MUS) Swing m; **in full** ~ in vollem Gange; **swing bridge** n Drehbrücke f; **swing door** n Schwingtür f, Pendeltür f.

swipe [swaɪp] 1. n Hieb m; 2. vt (fam: hit) hart schlagen; (steal) klauen.

switch [swɪtʃ] 1. n (ELEC) Schalter m; (change) Wechsel m; 2. vt, vi (ELEC) schalten; (change) wechseln; **switch**

off vt abschalten, ausschalten; **switch on** vt anschalten, einschalten; **switchback** n Achterbahn f; **switchboard** n Vermittlung f, Zentrale f; (board) Schaltbrett nt.

swivel [ˈswɪvl] vt, vi (also: ~ **round**) [sich] drehen.

swollen [ˈswəʊlən] pp of **swell**.

swoop [swuːp] 1. n Sturzflug m; (esp by police) Razzia f; 2. vi (also: ~ **down**) stürzen.

swop [swɒp] see **swap**.

sword [sɔːd] n Schwert nt; **swordfish** n Schwertfisch m; **swordsman** n <**-men**> Fechter m.

swore [swɔː*] pt of **swear**; **sworn** [swɔːn] 1. pp of **swear**; 2. adj: ~ **enemies** pl Todfeinde pl.

swum [swʌm] pp of **swim**.

swung [swʌŋ] pt, pp of **swing**.

sycamore [ˈsɪkəmɔː*] n (US) Platane f; (Brit) Bergahorn m.

sycophantic [sɪkəˈfæntɪk] adj schmeichlerisch, kriecherisch.

syllable [ˈsɪləbl] n Silbe f.

syllabus [ˈsɪləbəs] n Lehrplan m.

symbol [ˈsɪmbəl] n Symbol nt; **symbolic[al]** [sɪmˈbɒlɪkəl] adj symbolisch; **symbolism** n symbolische Bedeutung; (ART) Symbolismus m; **symbolize** vt versinnbildlichen, symbolisieren.

symmetrical adj, **symmetrically** adv [sɪˈmɛtrɪkəl, -lɪ] symmetrisch, gleichmäßig; **symmetry** [ˈsɪmɪtrɪ] n Symmetrie f.

sympathetic adj, **sympathetically** adv [sɪmpəˈθɛtɪk, -əlɪ] mitfühlend; **sympathize** [ˈsɪmpəθaɪz] vi sympathisieren; mitfühlen; **sympathizer** n Mitfühlende(r) mf; (POL) Sympathisant(in f) m; **sympathy** [ˈsɪmpəθɪ] n Mitleid nt, Mitgefühl nt; (condolence) Beileid nt.

symphonic [sɪmˈfɒnɪk] adj sinfonisch; **symphony** [ˈsɪmfənɪ] n Sinfonie f; **symphony orchestra** n Sinfonieorchester nt.

symposium [sɪmˈpəʊzɪəm] n Tagung f.

symptom [ˈsɪmptəm] n Symptom nt, Anzeichen nt; **symptomatic** [sɪmptəˈmætɪk] adj (fig) bezeichnend (of für).

synagogue [ˈsɪnəgɒg] n Synagoge f.

synchromesh [ˈsɪŋkrəʊmɛʃ] n Synchrongetriebe nt.

synchronize [ˈsɪŋkrənaɪz] 1. vt synchronisieren; 2. vi gleichzeitig sein (o ablaufen).

syndicate [ˈsɪndɪkət] n Konsortium nt, Verband m, Ring m.

syndrome [ˈsɪndrəʊm] n Syndrom nt.

synonym [ˈsɪnənɪm] n Synonym nt;

synonymous [sɪ'nɒnɪməs] *adj* gleichbedeutend.

synopsis [sɪ'nɒpsɪs] *n* Abriß *m*, Zusammenfassung *f*.

syntactic [sɪn'tæktɪk] *adj* syntaktisch;
syntax ['sɪntæks] *n* Syntax *f*.

synthesis ['sɪnθəsɪs] *n* Synthese *f*.

synthetic *adj*, **synthetically** *adv*
[sɪn'θetɪk, -əlɪ] synthetisch, künstlich.

syphilis ['sɪfɪlɪs] *n* Syphilis *f*.

syphon ['saɪfən] *see* **siphon**.

Syria ['sɪrɪə] *n* Syrien *nt*.

syringe [sɪ'rɪndʒ] *n* Spritze *f*.

syrup ['sɪrəp] *n* Sirup *m*; (*of sugar*) Melasse *f*.

system ['sɪstəm] *n* System *nt*; (*COMPUT
also*) Anlage *f*; **systematic** *adj*, **sys-
tematically** *adv* [sɪstə'mætɪk, -əlɪ] systematisch, planmäßig; **system disk** *n*
(*COMPUT*) Systemdiskette *f*; **system
error** *n* (*COMPUT*) Systemfehler *m*; **systems analysis** *n* (*COMPUT*) Systemanalyse *f*; **systems analyst** *n* (*COM-
PUT*) Systemanalytiker(in *f*) *m*.

T

T, t [tiː] *n* T *nt*, t *nt*; **to a ~** genau.

ta [tɑː] *interj* (*Brit fam*) danke.

tab [tæb] *n* Schlaufe *f*, Aufhänger *m*;
(*name ~*) *n* Schild *nt*; (*tabulator*) Tabulator *m*.

tabby ['tæbɪ] **1.** *n* (*female cat*) [weibliche]
Katze *f*; **2.** *adj* (*black-striped*) getigert.

table ['teɪbl] **1.** *n* Tisch *m*; (*list*) Tabelle *f*,
Tafel *f*; **2.** *vt* (*POL: propose*) vorlegen, einbringen; **to lay sth on the ~** (*fig*) etw zur
Diskussion stellen; **tablecloth** *n* Tisch-
tuch *nt*, Tischdecke *f*; **tablemat** *n* Untersetzer *m*; **tablespoon** *n* Eßlöffel *m*.

tablet ['tæblət] *n* (*MED*) Tablette *f*; (*for
writing*) Täfelchen *nt*; (*of paper*) Schreibblock *m*; (*of soap*) Riegel *m*.

table talk ['teɪblʤɔːk] *n* Tischgespräch *nt*;
table tennis *n* Tischtennis *nt*; **table
wine** *n* Tafelwein *m*.

taboo [tə'buː] **1.** *n* Tabu *nt*; **2.** *adj* tabu.

tabulate ['tæbjuleɪt] *vt* tabellarisch ordnen; **tabulator** *n* Tabulator *m*.

tacit *adj*, **tacitly** *adv* ['tæsɪt, -lɪ] stillschweigend.

taciturn ['tæsɪtɜːn] *adj* schweigsam, wortkarg.

tack [tæk] *n* (*small nail*) Stift *m*; (*US:
thumb ~*) Reißzwecke *f*; (*stitch*) Heft-
stich *m*; (*NAUT*) Lavieren *nt*; (*course*)

Kurs *m*.

tackle ['tækl] **1.** *n* Ausrüstung *f*; (*for lift-
ing*) Flaschenzug *m*; (*NAUT*) Takelage *f*;
(*SPORT*) Tackling *nt*; **2.** *vt* (*deal with*) anpacken, in Angriff nehmen; (*person*) festhalten; (*player*) angehen; **he couldn't ~
it** er hat es nicht bewältigt.

tacky ['tækɪ] *adj* klebrig.

tact [tækt] *n* Takt *m*; **tactful** *adj*, **tact-
fully** *adv* taktvoll.

tactical ['tæktɪkəl] *adj* taktisch.

tactics ['tæktɪks] *n sing* Taktik *f*.

tactless *adj*, **tactlessly** *adv* ['tæktləs,
-lɪ] taktlos.

tadpole ['tædpəʊl] *n* Kaulquappe *f*.

taffeta ['tæfɪtə] *n* Taft *m*.

taffy ['tæfɪ] *n* (*US*) Sahnebonbon *m*.

tag [tæg] *n* (*label*) Schild *nt*, Anhänger *m*;
(*maker's name*) Etikett *nt*; (*phrase*) Floskel *f*, Spruch *m*; **tag along** *vi* mitkommen; **tag question** *n* Bestätigungsfrage
f.

tail [teɪl] **1.** *n* Schwanz *m*; (*of list*) Schluß
m; (*of comet*) Schweif *m*; **2.** *vt* folgen
+ *dat*; (*suspect*) beschatten; **~s** (*of coin*)
Zahl[seite] *f*; **tail off** *vi* abfallen, schwinden; **tail end** *n* Schluß *m*, Ende *nt*; **tailgate** *n* (*AUT*) Heckklappe *f*.

tailor ['teɪlə*] *n* Schneider(in *f*) *m*; **tailor-
ing** *n* Schneidern *nt*, Schneiderarbeit *f*;
tailor-made *adj* maßgeschneidert; (*fig*)
wie auf den Leib geschnitten (*for sb* jdm).

tailwind ['teɪlwɪnd] *n* Rückenwind *m*.

tainted ['teɪntɪd] *adj* verdorben.

take [teɪk] <**took, taken**> *vt* nehmen;
(*prize*) entgegennehmen; (*trip, exam*) machen; (*capture, person*) fassen; (*town*)
einnehmen; (*disease*) bekommen; (*carry
to a place*) bringen; (*MATH: subtract*) abziehen (*from* von); (*extract, quotation*)
entnehmen (*from dat*); (*get for oneself*)
sich *dat* nehmen; (*gain, obtain*) bekommen; (*FIN, COM*) einnehmen; (*record*)
aufnehmen; (*consume*) zu sich nehmen;
(*FOT*) aufnehmen; (*picture*) machen; (*put
up with*) hinnehmen; (*respond to*) aufnehmen; (*understand, interpret*) auffassen;
(*assume*) annehmen; (*contain*) fassen,
Platz haben für; (*LING*) stehen mit; **it
~s 4 hours** man braucht 4 Stunden; **it
~s him 4 hours** er braucht 4 Stunden; **to
~ sth from sb** jdm etw wegnehmen; **to
~ part in** teilnehmen an + *dat*; **to ~
place** stattfinden; **to be ~n with** begeistert sein von; **take after** *vt* ähnlich sein
+ *dat*; **take back** *vt* (*return*) zurückbringen; (*retract*) zurücknehmen; (*remind*)
zurückversetzen (*to in* + *akk*); **take
down** *vt* (*pull down*) abreißen; (*write
down*) aufschreiben; **take in** *vt* (*deceive*)

hereinlegen; (*understand*) begreifen; (*include*) einschließen; **take off 1.** *vi* (*plane*) starten, abheben; **2.** *vt* (*remove*) wegnehmen, abmachen; (*clothing*) ausziehen; (*imitate*) nachmachen; **take on** *vt* (*undertake*) übernehmen; (*engage*) einstellen; (*opponent*) antreten gegen; **take out** *vt* (*girl, dog*) ausführen; (*extract*) herausnehmen; (*insurance*) abschließen; (*licence*) sich *dat* geben lassen; (*book*) ausleihen; (*remove*) entfernen; **to ~ sth ~ on sb** etw an jdm auslassen; **take over 1.** *vt* übernehmen; **2.** *vi* ablösen (*from sb* jdn); **take to** *vt* (*like*) mögen; (*adopt as practice*) sich *dat* angewöhnen; **take up** *vt* (*raise*) aufnehmen; (*hem*) kürzer machen; (*occupy*) in Anspruch nehmen; (*absorb*) aufsaugen; (*engage in*) sich befassen mit; **to ~ sb ~ on sth** jdn beim Wort nehmen; **taken** ['teɪkən] *pp of* take; **takeoff** *n* (AVIAT) Abflug *m*, Start *m*; (*imitation*) Nachahmung *f*; **takeover** *n* (COM) Übernahme *f*; **~ bid** Übernahmeangebot *nt*; **takings** *n pl* (COM) Einnahmen *pl*.

talc [tælk] *n* (*also:* **talcum powder**) Talkumpuder *m*.

tale [teɪl] *n* Geschichte *f*, Erzählung *f*.

talent ['tælənt] *n* Talent *nt*, Begabung *f*; **talented** *adj* talentiert, begabt.

talk [tɔːk] **1.** *n* (*conversation*) Gespräch *nt*; (*rumour*) Gerede *nt*; (*speech*) Vortrag *m*; **2.** *vi* sprechen, reden; (*gossip*) klatschen, reden; **~ ing of ...** da wir gerade von ... sprechen; **~ about impertinence!** so eine Frechheit!; **to ~ sb into doing sth** jdn überreden, etw zu tun; **~ shop** fachsimpeln; **talk over** *vt* besprechen; **talkative** *adj* redselig, gesprächig; **talker** *n* Schwätzer(in *f*) *m*; **talk show** *n* (TV) Talkshow *f*.

tall [tɔːl] *adj* groß; (*building*) hoch; **a ~ story** ein Märchen; **tallboy** *n* Kommode *f*; **tallness** *n* Größe *f*, Höhe *f*.

tally ['tælɪ] **1.** *n* Abrechnung *f*; **2.** *vi* übereinstimmen; **3.** *vt* (*also:* **~ up**) zusammenrechnen.

talon ['tælən] *n* Kralle *f*.

tambourine [tæmbə'riːn] *n* Tamburin *nt*.

tame [teɪm] **1.** *adj* zahm; (*fig*) fade, langweilig; **2.** *vt* zähmen; **tameness** *n* Zahmheit *f*; (*fig*) Langweiligkeit *f*.

tamper ['tæmpə*] *vi*: **to ~ with** herumpfuschen an + *dat*; (*documents*) fälschen.

tampon ['tæmpən] *n* Tampon *m*.

tan [tæn] **1.** *n* (*on skin*) [Sonnen]bräune *f*; (*colour*) Gelbbraun *nt*; **2.** *adj* (*colour*) [gelb]braun.

tandem ['tændəm] *n* Tandem *nt*.

tang [tæŋ] *n* Schärfe *f*, scharfer Geschmack/Geruch.

tangent ['tændʒənt] *n* Tangente *f*; **to go off at a ~** vom Thema abkommen.

tangerine [tændʒə'riːn] *n* Mandarine *f*.

tangible ['tændʒəbl] *adj* greifbar; (*real*) handgreiflich.

tangle ['tæŋgl] **1.** *n* Durcheinander *nt*; (*trouble*) Schwierigkeiten *pl*; **2.** *vt* verwirren.

tango ['tæŋgəʊ] *n* <-s> Tango *m*.

tank [tæŋk] *n* (*container*) Tank *m*, Behälter *m*; (MIL) Panzer *m*.

tankard ['tæŋkəd] *n* Seidel *nt*, Deckelkrug *m*.

tanker ['tæŋkə*] *n* (*ship*) Tanker *m*; (*vehicle*) Tankwagen *m*.

tanned [tænd] *adj* (*skin*) gebräunt, sonnenverbrannt.

tantalizing ['tæntəlaɪzɪŋ] *adj* verlockend; (*annoying*) quälend.

tantamount ['tæntəmaʊnt] *adj* gleichbedeutend (*to* mit).

tantrum ['tæntrəm] *n* Wutanfall *m*.

tap [tæp] **1.** *n* Hahn *m*; (*gentle blow*) leichter Schlag, Klopfen *nt*; **2.** *vt* (*strike*) klopfen; (*supply*) anzapfen; (*telephone*) abhören; **tap-dance** *vi* steppen.

tape [teɪp] **1.** *n* Band *nt*; (*magnetic*) [Ton]band *nt*; (*adhesive*) Klebstreifen *m*; **2.** *vt* (*record*) [auf Band] aufnehmen; **tape measure** *n* Maßband *nt*.

taper ['teɪpə*] **1.** *n* [dünne] Wachskerze *f*; **2.** *vi* spitz zulaufen.

tape recorder ['teɪprɪkɔːdə*] *n* Tonbandgerät *nt*.

tapestry ['tæpɪstrɪ] *n* Wandteppich *m*, Gobelin *m*.

tapioca [tæpɪ'əʊkə] *n* Tapioka *f*.

tar [tɑː*] *n* Teer *m*.

tarantula [tə'ræntjʊlə] *n* Tarantel *f*.

tardy ['tɑːdɪ] *adj* langsam, spät.

target ['tɑːgɪt] *n* Ziel *nt*; (*board*) Zielscheibe *f*.

tariff ['tærɪf] *n* (*duty paid*) Zoll *m*; (*list*) Tarif *m*.

tarmac ['tɑːmæk] *n* (AVIAT) Rollfeld *nt*.

tarnish ['tɑːnɪʃ] *vt* matt machen; (*fig*) beflecken.

tarpaulin [tɑː'pɔːlɪn] *n* Plane *f*, Persenning *f*.

tart [tɑːt] **1.** *n* (*Obst*)torte *f*; (*fam*) Nutte *f*; **2.** *adj* scharf, sauer; (*remark*) scharf, spitz.

tartan ['tɑːtən] *n* Schottenkaro *nt*; (*material*) Schottenstoff *m*.

tartar ['tɑːtə*] *n* Zahnstein *m*; Weinstein *m*; Kesselstein *m*; **tartar[e] sauce** *n* Remouladensoße *f*.

tartly ['tɑːtlɪ] *adv* spitz.

Tasmania [tæz'meɪnɪə] *n* Tasmanien *nt*.

task [tɑ:sk] n Aufgabe f; (duty) Pflicht f; **task force** n (esp police) Sondertrupp m.

tassel ['tæsəl] n Quaste f.

taste [teɪst] **1.** n Geschmack m; (sense) Geschmackssinn m; (small quantity) Kostprobe f; (liking) Vorliebe f. **2.** vt schmecken; (try) versuchen; **3.** vi schmecken (of nach); **tasteful** adj, **tastefully** adv geschmackvoll; **tasteless** adj (insipid) ohne Geschmack, fade; (in bad taste) geschmacklos; **tastelessly** adv geschmacklos; **tastily** adv schmackhaft; **tastiness** n Schmackhaftigkeit f; **tasty** adj schmackhaft.

tattered ['tætəd] adj zerrissen, zerlumpt; **tatters** ['tætəz] n pl: **in** ~ in Fetzen.

tattoo [tə'tu:] **1.** n (MIL) Zapfenstreich m; (on skin) Tätowierung f; **2.** vt tätowieren.

tatty ['tætɪ] adj (fam) schäbig.

taught [tɔ:t] pt, pp of **teach**.

taunt [tɔ:nt] **1.** n höhnische Bemerkung; **2.** vt verhöhnen.

Taurus ['tɔ:rəs] n (ASTR) Stier m.

taut [tɔ:t] adj straff.

tavern ['tævən] n Taverne f.

tawdry ['tɔ:drɪ] adj [bunt und] billig.

tawny ['tɔ:nɪ] adj gelbbraun.

tax [tæks] **1.** n Steuer f; **2.** vt besteuern; (strain) strapazieren; (strength) angreifen; **taxation** [tæk'seɪʃən] n Besteuerung f; **tax collector** n Finanzbeamte(r) m, -beamtin f; **tax disc** n (Brit) Autosteuerplakette f; **tax-free** adj steuerfrei.

taxi ['tæksɪ] **1.** n Taxi nt; **2.** vi (plane) rollen.

taxidermist ['tæksɪdɜ:mɪst] n [Tier]präparator(in f) m.

taxi driver ['tæksɪdraɪvə*] n Taxifahrer(in f) m; **taxi rank** n Taxistand m.

taxpayer ['tækspeɪə*] n Steuerzahler(in f) m; **tax relief** n Steuererleichterung f, Steuervergünstigung f; **tax return** n Steuererklärung f.

tea [ti:] n Tee m; (meal) [frühes] Abendessen nt; **tea bag** n Teebeutel m; **tea break** n Teepause f; **tea cake** n Rosinenbrötchen nt.

teach [ti:tʃ] <taught, taught> vt, vi lehren; (SCH also) unterrichten; (show) zeigen, beibringen (sb sth jdm etw); **that'll** ~ **him!** das hat er nun davon!; **teacher** n Lehrer(in f) m; **teaching** n (teacher's work) Unterricht m, Lehren nt; (doctrine) Lehre f.

tea cosy ['ti:kəʊzɪ] n Teewärmer m; **teacup** n Teetasse f.

teak [ti:k] **1.** n Teakbaum m; **2.** adj Teak[holz]-.

tea leaves ['ti:li:vz] n pl Teeblätter pl; **to read the** ~ ≈ aus dem Kaffeesatz wahrsagen.

team [ti:m] n (workers) Team nt; (SPORT) Mannschaft f; (animals) Gespann nt; **team spirit** n Gemeinschaftsgeist m; (SPORT) Mannschaftsgeist m; **teamwork** n Zusammenarbeit f, Teamwork nt.

tea party ['ti:pɑ:tɪ] n ≈ Kaffeeklatsch m; **teapot** n Teekanne f.

tear [tɛə*] <tore, torn> **1.** vt zerreißen; (muscle) zerren; **2.** vi [zer]reißen; (rush) rasen, sausen; **3.** n Riß m; **I am torn between...** ich schwanke zwischen...

tear [tɪə*] n Träne f; **in** ~s in Tränen [aufgelöst]; **tearful** adj weinend; (voice) weinerlich; **tear gas** n Tränengas nt.

tearing ['tɛərɪŋ] adj: **to be in a** ~ **hurry** es schrecklich eilig haben.

tearoom ['ti:rʊm] n Teestube f.

tease [ti:z] **1.** n Schäker(in f) m; **2.** vt necken, aufziehen; (animal) quälen; **I was only teasing** ich habe nur Spaß gemacht.

tea set ['ti:set] n Teeservice nt; **teashop** n Café nt; **teaspoon** n Teelöffel m; **tea strainer** n Teesieb nt.

teat [ti:t] n (of woman) Brustwarze f; (of animal) Zitze f; (of bottle) Sauger m.

tea towel ['ti:taʊəl] n Küchenhandtuch nt; **tea urn** n Teemaschine f.

technical ['teknɪkəl] adj technisch; (knowledge, terms) Fach-; **technicality** [teknɪ'kælɪtɪ] n technische Einzelheit; (JUR) Formsache f; **technically** adv technisch; (speak) spezialisiert; (fig) genau genommen.

technician [tek'nɪʃən] n Techniker(in f) m.

technique [tek'ni:k] n Technik f.

technological [teknə'lɒdʒɪkəl] adj technologisch; **technologist** [tek'nɒlədʒɪst] n Technologe(-login f) m; **technology** [tek'nɒlədʒɪ] n Technologie f; **technology transfer** n Technologietransfer m.

teddy [bear] ['tedɪbɛə*] n Teddybär m.

tedious adj, **tediously** adv ['ti:dɪəs, -lɪ] langweilig, ermüdend.

tee [ti:] n (GOLF) Abschlagstelle f; (object) Tee nt.

teem [ti:m] vi (swarm) wimmeln (with von); (pour) gießen.

teenage ['ti:neɪdʒ] adj (fashions etc) Teenager-, jugendlich; **teenager** n Teenager m, Jugendliche(r) mf.

teens [ti:nz] n pl Jugendjahre pl; **to be in one's** ~ im Teenageralter sein.

teeter ['ti:tə*] vi schwanken.

teeth [ti:θ] pl of **tooth**.

teethe [tiːð] vi zahnen; **teething ring** n Beißring m.

teetotal [tiːˈtəʊtl] adj abstinent; **teetotaller, teetotaler** (US) n Antialkoholiker(in f) m, Abstinenzler(in f) m.

telecommunications [telɪkəmjuːnɪˈkeɪʃənz] n pl Fernmeldewesen nt.

telecopier [ˈtelɪkɒpɪə*] n Telekopierer m, Fernkopierer m; **telecopy** n Telekopie f, Fernkopie, f, Telefax nt.

telefax [ˈtelɪfæks] n Telefax nt.

telegram [ˈtelɪɡræm] n Telegramm nt.

telegraph [ˈtelɪɡrɑːf] n Telegraph m; **telegraphic** [telɪˈɡræfɪk] adj (address) Telegramm-; **telegraph pole** n Telegraphenmast m.

telemessage [ˈtelɪmesɪdʒ] n Telebrief m.

telepathic [telɪˈpæθɪk] adj telepathisch; **telepathy** [təˈlepəθɪ] n Telepathie f, Gedankenübertragung f.

telephone [ˈtelɪfəʊn] 1. n Telefon nt, Fernsprecher m; 2. vi telefonieren; 3. vt anrufen; (message) telefonisch mitteilen; **telephone booth, telephone box** n Telefonhäuschen nt, Fernsprechzelle f; **telephone call** n Telefongespräch nt, Anruf m; **telephone directory** n Telefonbuch nt; **telephone exchange** n Telefonvermittlung f, Telefonzentrale f; **telephone number** n Telefonnummer f.

telephonist [təˈlefənɪst] n Telefonist(in f) m.

telephoto lens [ˈtelɪfəʊtəʊˈlenz] n Teleobjektiv nt.

teleprinter [ˈtelɪprɪntə*] n Fernschreiber m.

telescope [ˈtelɪskəʊp] 1. n Teleskop nt, Fernrohr nt; 2. vt ineinanderschieben; **telescopic** [telɪˈskɒpɪk] adj teleskopisch; (aerial etc) ausziehbar.

telethon [ˈtelɪθɒn] n Wohltätigkeitsprogramm nt.

televiewer [ˈtelɪvjuːə*] n Fernsehteilnehmer(in f) m; **televise** [ˈtelɪvaɪz] vt im Fernsehen übertragen; **television** [ˈtelɪvɪʒən] n Fernsehen nt; **on** ~ im Fernsehen; **to watch** ~ fernsehen; **television [set]** n Fernsehapparat m, Fernseher m.

telex [ˈteleks] 1. n Telex nt; 2. vt telexen.

tell [tel] <told, told> 1. vt (story) erzählen; (secret) ausplaudern; (say, make known) sagen (sth to sb jdm etw); (distinguish) erkennen (sb by sth jdn an etw dat); (be sure) wissen; (order) sagen, befehlen (sb jdm); 2. vi (be sure) wissen; (divulge) es verraten; (have effect) sich auswirken; **to** ~ **a lie** lügen; **to** ~ **sb about sth** jdm von etw erzählen; **tell off**

vt schimpfen; **tell on** vt verraten, verpetzen; **teller** n Kassenbeamte(r) m, -beamtin f; **telling** adj verräterisch; (blow) hart; **the** ~ **moment** der Augenblick der Wahrheit; **telltale** adj verräterisch.

telly [ˈtelɪ] n (fam) Fernseher m, Glotze f.

temerity [tɪˈmerɪtɪ] n [Toll]kühnheit f.

temp [temp] Zeitarbeitskraft f; ~ **work** Zeitarbeit f.

temper [ˈtempə*] 1. n (disposition) Temperament nt, Gemütsart f; (anger) Gereiztheit f, Zorn m; 2. vt (tone down) mildern; (metal) härten; **quick** ~**ed** jähzornig, aufbrausend; **to be in a [bad]** ~ wütend (o gereizt) sein; **temperament** n Temperament nt, Veranlagung f; **temperamental** [tempərəˈmentl] adj (moody) launisch; **Ute's computer is pretty** ~ Utes Computer hat so seine Mucken.

temperance [ˈtempərəns] n Mäßigung f; (abstinence) Enthaltsamkeit f; ~ **hotel** alkoholfreies Hotel.

temperate [ˈtempərət] adj gemäßigt.

temperature [ˈtemprɪtʃə*] n Temperatur f; (MED: high ~) Fieber nt.

tempest [ˈtempɪst] n Sturm m; **tempestuous** [temˈpestjʊəs] adj stürmisch; (fig) ungestüm.

template [ˈtemplət] n Schablone f.

temple [ˈtempl] n Tempel m; (ANAT) Schläfe f.

tempo [ˈtempəʊ] n <-s> Tempo nt.

temporal [ˈtempərəl] adj (of time) zeitlich; (worldly) irdisch, weltlich.

temporarily [ˈtempərərɪlɪ] adv zeitweilig, vorübergehend.

temporary [ˈtempərərɪ] adj vorläufig; (road, building) provisorisch.

tempt [tempt] vt (persuade) verleiten, in Versuchung führen; (attract) reizen, [ver]locken; **temptation** [tempˈteɪʃən] n Versuchung f; **tempting** adj (person) verführerisch; (object, situation) verlockend.

ten [ten] num zehn.

tenable [ˈtenəbl] adj haltbar; **to be** ~ (post) vergeben werden.

tenacious adj, **tenaciously** adv [təˈneɪʃəs, -lɪ] zäh, hartnäckig; **tenacity** [təˈnæsɪtɪ] n Zähigkeit f, Hartnäckigkeit f.

tenancy [ˈtenənsɪ] n Mietverhältnis nt; Pachtverhältnis nt; **tenant** [ˈtenənt] n Mieter(in f) m; (of larger property) Pächter(in f) m.

tend [tend] 1. vt (look after) sich kümmern um; 2. vi neigen, tendieren (to zu); **to** ~ **to do sth** (things) etw gewöhnlich tun; **tendency** n Tendenz f; (of person also) Neigung f.

tender ['tendə*] 1. adj (soft) weich, zart; (delicate) zart; (loving) liebevoll, zärtlich; 2. n (COM: offer) Kostenvoranschlag m, Angebot nt; **tenderize** vt weich machen; **tenderly** adv liebevoll; (touch also) zart; **tenderness** n Zartheit f; (being loving) Zärtlichkeit f.

tendon ['tendən] n Sehne f.

tenement ['tenəmənt] n Mietshaus nt.

tennis ['tenɪs] n Tennis nt; **tennis ball** n Tennisball m; **tennis court** n Tennisplatz m; **tennis racket** n Tennisschläger m.

tenor ['tenə*] n (MUS) Tenor m; (meaning) Sinn m, wesentlicher Inhalt.

tense [tens] 1. adj angespannt; (stretched tight) gespannt, straff; 2. n Zeitform f; **tensely** adv [an]gespannt; **tenseness** n Spannung f; (strain) Angespanntheit f; **tension** ['tenʃən] n Spannung f; (strain) [An]gespanntheit f.

tent [tent] n Zelt nt.

tentacle ['tentəkl] n Fühler m; (of sea animals) Fangarm m.

tentative ['tentətɪv] adj (movement) unsicher; (offer) Probe-; (arrangement) vorläufig; (suggestion) unverbindlich; **tentatively** adv versuchsweise; (try, move) vorsichtig.

tenterhooks ['tentəhʊks] n pl: **to be on ~** auf die Folter gespannt sein.

tenth [tenθ] 1. adj zehnte(r, s); 2. adv an zehnter Stelle; 3. n (person) Zehnte(r) mf; (part) Zehntel nt.

tent peg ['tentpeg] n Hering m; **tent pole** n Zeltstange f.

tenuous ['tenjʊəs] adj fein; (air) dünn; (connection, argument) schwach.

tenure ['tenjʊə*] n (of land) Besitz m; (of office) Amtszeit f.

tepid ['tepɪd] adj lauwarm.

term [tɜːm] 1. n (period of time) Zeit[raum m] f; (limit) Frist f; (SCH) Quartal nt, Trimester nt; (expression) Ausdruck m; 2. vt [be]nennen; **~s** pl (conditions) Bedingungen pl; (relationship) Beziehungen pl; **to be on good ~s with sb** mit jdm gut auskommen.

terminal ['tɜːmɪnl] 1. n (RAIL, bus ~) (also: **terminus**) Endstation f; (AVIAT) Terminal m; (COMPUT) Terminal nt, Endgerät nt; 2. adj Schluß-; (MED) unheilbar; **~ cancer** Krebs im Endstadium.

terminate ['tɜːmɪneɪt] 1. vt beenden; 2. vi enden, aufhören (in auf + dat); **termination** [tɜːmɪ'neɪʃən] n Ende nt; (act) Beendigung f.

terminology [tɜːmɪ'nɒlədʒɪ] n Terminologie f.

termite ['tɜːmaɪt] n Termite f.

terrace ['terəs] n (of houses) Häuserreihe f; (in garden etc) Terrasse f; **terraced** adj (garden) terrassenförmig angelegt; (house) Reihen-.

terrible ['terəbl] adj schrecklich, entsetzlich, fürchterlich; **terribly** adv fürchterlich.

terrier ['terɪə*] n Terrier m.

terrific adj, **terrifically** adv [tə'rɪfɪk, -lɪ] unwahrscheinlich; **~!** klasse!

terrify ['terɪfaɪ] vt erschrecken, entsetzen; **terrifying** adj erschreckend, grauenvoll.

territorial [terɪ'tɔːrɪəl] adj Gebiets-, territorial; **~ waters** pl Hoheitsgewässer pl.

territory ['terɪtərɪ] n Gebiet nt.

terror ['terə*] n Schrecken m; (POL) Terror m; **terrorism** n Terrorismus m; **terrorist** n Terrorist(in f) m; **terrorize** vt terrorisieren.

test [test] 1. n Probe f; (examination) Prüfung f; (PSYCH, TECH) Test m; 2. vt prüfen; (PSYCH, TECH) testen.

testament ['testəmənt] n Testament nt.

test card n (TV) Testbild nt; **test case** n (JUR) Präzedenzfall m; (fig) Musterbeispiel nt; **test flight** n Probeflug m.

testicle ['testɪkl] n Hoden m.

testify ['testɪfaɪ] vi aussagen; bezeugen (to akk).

testimonial [testɪ'məʊnɪəl] n (of character) Referenz f.

testimony ['testɪmənɪ] n (JUR) Zeugenaussage f; (fig) Zeugnis nt.

test match n ['testmætʃ] n (SPORT) Länderkampf m; **test paper** n schriftliche [Klassen]arbeit; **test pilot** n Testpilot(in f) m; **test tube** n Reagenzglas nt; **~ baby** Retortenbaby nt.

testy ['testɪ] adj gereizt; reizbar.

tetanus ['tetənəs] n Wundstarrkrampf m, Tetanus m.

tether ['teðə*] vt anbinden; **to be at the end of one's ~** völlig am Ende sein.

text [tekst] n Text m; (of document) Wortlaut m; **textbook** n Lehrbuch nt.

textile ['tekstaɪl] n Gewebe nt; **~s** pl Textilien pl.

texture ['tekstʃə*] n Beschaffenheit f, Struktur f.

Thailand ['taɪlænd] n Thailand nt.

Thames [temz] n Themse f.

than [ðæn] prep, conj als.

thank [θæŋk] vt danken + dat; **you've him to ~ for your success** Sie haben Ihren Erfolg ihm zu verdanken; **thankful** adj dankbar; **thankfully** adv (luckily) zum Glück; **thankless** adj undankbar; **thanks** n pl Dank m; **~ to** dank + gen; **~s, thank you** danke, dankeschön; **Thanksgiving** n (US) Thanksgiving Day m (4. Donnerstag im November).

that [ðæt] **1.** adj der/die/das, jene(r, s); **2.** pron das; **3.** conj daß; **and ~ 's** = und damit Schluß; **~ is** das heißt; **after ~** danach; **at ~** dazu noch; **~ big** so groß.

thatched [θætʃt] adj strohgedeckt.

thaw [θɔː] **1.** n Tauwetter nt; **2.** vi tauen; (frozen food, fig, people) auftauen; **3.** vt [auf]tauen lassen.

the [ðiː, ðə] article der/die/das; **to play ~ piano** Klavier spielen; **~ sooner ~ better** je eher desto besser.

theatre, theater (US) [ˈθɪətə*] n Theater nt; (for lectures etc) Saal m; (MED) Operationssaal m; **theatregoer** n Theaterbesucher(in f) m; **theatrical** [θɪˈætrɪkəl] adj Theater-; (career) Schauspieler-; (showy) theatralisch.

theft [θeft] n Diebstahl m.

their [ðɛə*] pron (adjektivisch) ihr; **theirs** pron (substantivisch) ihre(r, s).

them [ðem, ðəm] pron direct/indirect object of **they** sie/ihnen; **it's ~** sie sind's.

theme [θiːm] n Thema nt; (MUS) Motiv nt; **~ park** Vergnügungspark m (mit einem bestimmten Motto); **~ song** Titelmusik f.

themselves [ðəmˈselvz] pron sich; **they ~** sie selbst.

then [ðen] **1.** adv (at that time) damals; (next) dann; **2.** conj also, folglich; (furthermore) ferner; **3.** adj damalig; **from ~ on** von da an; **before ~** davor; **by ~** bis dahin; **not till ~** erst dann.

theologian [θɪəˈləʊdʒən] n Theologe(-login f) m; **theological** [θɪəˈlɒdʒɪkəl] adj theologisch; **theology** [θɪˈɒlədʒɪ] n Theologie f.

theorem [ˈθɪərəm] n Lehrsatz m, Theorem nt.

theoretical adj, **theoretically** adv [θɪəˈretɪkəl, -ɪ] theoretisch.

theorize [ˈθɪəraɪz] vi theoretisieren.

theory [ˈθɪərɪ] n Theorie f; **in ~** theoretisch.

therapeutic[al] [θerəˈpjuːtɪkəl] adj (MED) therapeutisch; erholsam.

therapist [ˈθerəpɪst] n Therapeut(in f) m.

therapy [ˈθerəpɪ] n Therapie f, Behandlung f.

there [ðɛə*] **1.** adv dort; (to a place) dorthin; **2.** interj (see) na also; (to child) [sei] ruhig, na ja; **~ is, ~ are** es ist, es gibt; **~ are** es sind, es gibt; **thereabouts** adv so ungefähr; **thereafter** [ðɛərˈɑːftə*] adv danach, später; **thereby** adv dadurch; **therefore** adv daher, deshalb; **there's** = **there is**.

thermal [ˈθɜːməl] adj (springs) Thermal-; (PHYS) thermisch; **~ printer** Thermodrucker m.

thermometer [θəˈmɒmɪtə*] n Thermometer nt.

thermonuclear [θɜːməʊˈnjuːklɪə*] adj thermonuklear.

Thermos ® [ˈθɜːməs] n Thermosflasche f.

thermostat [ˈθɜːməstæt] n Thermostat m.

thesaurus [θɪˈsɔːrəs] n Synonymwörterbuch nt.

these [ðiːz] pron, adj diese.

thesis [ˈθiːsɪs] n (for discussion) These f; (SCH) Dissertation f, Doktorarbeit f.

they [ðeɪ] pron pl sie; (people in general) man; **they'd** = **they had; they would**; **they'll** = **they shall; they will**; **they're** = **they are; they've** = **they have**.

thick [θɪk] **1.** adj dick; (forest) dicht; (liquid) dickflüssig; (slow, stupid) dumm, schwer von Begriff; **2.** n: **in the ~ of** mitten in + dat; **thicken 1.** vi (fog) dichter werden; **2.** vt (sauce etc) verdicken; **thickness** n (of object) Dicke f; Dichte f; Dickflüssigkeit f; (of person) Dummheit f; **thickset** adj untersetzt; **thick-skinned** adj dickhäutig.

thief [θiːf] n <**thieves**> Dieb(in f) m; **thieving** [ˈθiːvɪŋ] **1.** n Stehlen nt; **2.** adj diebisch.

thigh [θaɪ] n Oberschenkel m; **thighbone** n Oberschenkelknochen m.

thimble [ˈθɪmbl] n Fingerhut m.

thin [θɪn] adj dünn; (person also) mager; (not abundant) spärlich; (fog, rain) leicht; (excuse) schwach.

thing [θɪŋ] n Ding nt; (affair) Sache f; **my ~s** pl meine Sachen pl.

think [θɪŋk] <**thought, thought**> vt, vi denken; (believe) meinen, denken; **to ~ of doing sth** vorhaben (o beabsichtigen), etw zu tun; **think over** vt überdenken; **think up** vt sich dat ausdenken; **thinking** adj denkend.

thinly [ˈθɪnlɪ] adv dünn; (disguised) kaum.

thinness [ˈθɪnnəs] n Dünnheit f; Magerkeit f; Spärlichkeit f.

third [θɜːd] **1.** adj dritte(r, s); **2.** adv an dritter Stelle; **3.** n (person) Dritte(r) mf; (part) Drittel nt; **the ~ world** die dritte Welt; **thirdly** adv drittens; **third party insurance** n Haftpflichtversicherung f; **third-rate** adj minderwertig.

thirst [θɜːst] n Durst m; (fig) Verlangen nt; **thirsty** adj (person) durstig; (work) durstig machend; **to be ~** Durst haben.

thirteen [ˈθɜːˈtiːn] num dreizehn.

thirty [ˈθɜːtɪ] num dreißig.

this [ðɪs] **1.** *adj* diese(r, s); **2.** *pron* dies/das; **it was ~ long** es war so lang.

thistle [ˈθɪsl] *n* Distel *f*.

thong [θɒŋ] *n* [Leder]riemen *m*.

thorn [θɔːn] *n* Dorn *m*, Stachel *m*; (*plant*) Dornbusch *m*; **thorny** *adj* dornig; (*problem*) schwierig.

thorough [ˈθʌrə] *adj* gründlich; (*contempt*) (letter) gründlich; **thoroughbred 1.** *n* Vollblut *nt*; **2.** *adj* reinrassig, Vollblut-; **thoroughfare** *n* Straße *f*; **thoroughly** *adv* gründlich; (*extremely*) vollkommen, äußerst; **thoroughness** *n* Gründlichkeit *f*.

those [ðəʊz] **1.** *pron* die [da], jene; **2.** *adj* die, jene; **~ who** diejenigen, die.

though [ðəʊ] **1.** *conj* obwohl; **2.** *adv* trotzdem; **as ~** als ob.

thought [θɔːt] **1.** *pt, pp of* **think**; **2.** *n* (*idea*) Gedanke *m*; (*opinion*) Auffassung *f*; (*thinking*) Denken *nt*, Denkvermögen *nt*; **thoughtful** *adj* (*thinking*) gedankenvoll, nachdenklich; (*kind*) rücksichtsvoll, aufmerksam; **thoughtless** *adj* gedankenlos, unbesonnen; (*unkind*) rücksichtslos.

thousand [ˈθaʊzənd] *num* (*also:* **one ~, a ~**) [ein]tausend.

thrash [θræʃ] *vt* verdreschen; (*fig*) [vernichtend] schlagen.

thread [θred] **1.** *n* Faden *m*, Garn *nt*; (*on screw*) Gewinde *nt*; (*in story*) Faden *m*, Zusammenhang *m*; **2.** *vt* (*needle*) einfädeln; **3.** *vi*: **to ~ one's way** sich hindurchschlängeln; **threadbare** *adj* abgewetzt; (*fig*) fadenscheinig.

threat [θret] *n* Drohung *f*, Gefahr *f*; (*danger*) Bedrohung *f*, Gefahr *f*; **threaten 1.** *vt* bedrohen; **2.** *vi* drohen; **to ~ sb with sth** jdm etw androhen; **threatening** *adj* drohend; (letter) Droh-.

three [θriː] *num* drei; **three-dimensional** *adj* dreidimensional; **threefold** *adj* dreifach; **three-piece suit** *n* dreiteiliger Anzug; **three-piece suite** *n* dreiteilige Polstergarnitur; **three-ply** (*wool*) dreifach; (*wood*) dreischichtig; **three-quarter** [θriːˈkwɔːtə] *adj* dreiviertel; **three-wheeler** *n* Dreiradwagen *m*.

thresh [θreʃ] *vt, vi* dreschen; **threshing machine** *n* Dreschmaschine *f*.

threshold [ˈθreʃhəʊld] *n* Schwelle *f*.

threw [θruː] *pt of* **throw**.

thrift [θrɪft] *n* Sparsamkeit *f*; **thrifty** *adj* sparsam.

thrill [θrɪl] **1.** *n* Reiz *m*, Erregung *f*; **2.** *vt* begeistern, packen; **3.** *vi* beben, zittern; **it gave me quite a ~** es war ein Erlebnis für mich, zu...; **thriller** *n* Krimi *m*; **thrilling** *adj* spannend, packend;

(*news*) aufregend.

thrive [θraɪv] *vi* gedeihen (*on* bei); **thriving** *adj* blühend, gut gedeihend.

throat [θrəʊt] *n* Hals *m*, Kehle *f*.

throb [θrɒb] *vi* klopfen, pochen.

throes [θrəʊz] *n pl*: **in the ~ of** mitten in + *dat*.

thrombosis [θrɒmˈbəʊsɪs] *n* Thrombose *f*.

throne [θrəʊn] *n* Thron *m*.

throttle [ˈθrɒtl] **1.** *n* Gashebel *m*; **2.** *vt* erdrosseln; **to open the ~** Gas geben.

through [θruː] **1.** *prep* durch; (*time*) während + *gen*; (*because of*) aus, durch; **2.** *adv* durch; **3.** *adj* (*ticket, train*) durchgehend; (*finished*) fertig; **we're ~** es ist aus zwischen uns; **to put sb ~** (*TEL*) jdn verbinden (*to* mit); **throughout** [θruːˈaʊt] **1.** *prep* (*place*) überall in + *dat*; (*time*) während + *gen*; **2.** *adv* überall; die ganze Zeit.

throw [θrəʊ] <**threw, thrown**> **1.** *vt* werfen; **2.** *n* Wurf *m*; **throw out** *vt* hinauswerfen; (*rubbish*) wegwerfen; (*plan*) verwerfen; **throw up** *vt, vi* (*vomit*) speien; **throwaway** *adj* (*disposable*) Wegwerf-; (*bottle*) Einweg-; **~ society** Wegwerfgesellschaft *f*; **throw-in** *n* Einwurf *m*; **thrown** [θrəʊn] *pp of* **throw**.

thru [θruː] *prep* (*US*) *see* **through**.

thrush [θrʌʃ] *n* Drossel *f*.

thrust [θrʌst] <**thrust, thrust**> **1.** *vt, vi* (*push*) stoßen; (*fig*) sich drängen; **2.** *n* (*TECH*) Schubkraft *f*; **to ~ oneself on sb** sich jdm aufdrängen; **thrusting** *adj* (*person*) aufdringlich, unverfroren.

thug [θʌg] *n* Schlägertyp *m*.

thumb [θʌm] **1.** *n* Daumen *m*; **2.** *vt* (*book*) durchblättern; **a well-~ed book** ein abgegriffenes Buch; **to ~ a lift** per Anhalter fahren [wollen]; **thumb index** *n* Daumenregister *nt*; **thumbnail** *n* Daumennagel *m*; **thumbtack** *n* (*US*) Reißzwecke *f*.

thump [θʌmp] **1.** *n* (*blow*) Schlag *m*; (*noise*) Bums *m*; **2.** *vi* hämmern; **3.** *vt* schlagen auf + *akk*.

thunder [ˈθʌndə*] **1.** *n* Donner *m*; **2.** *vi* donnern; **3.** *vt* brüllen; **thunderous** *adj* stürmisch; **thunderstorm** *n* Gewitter *nt*, Unwetter *nt*; **thunderstruck** *adj* wie vom Donner gerührt; **thundery** *adj* gewitterschwül.

Thursday [ˈθɜːzdeɪ] *n* Donnerstag *m*; **on ~** [am] Donnerstag; **on ~s, on a ~** donnerstags.

thus [ðʌs] *adv* (*in this way*) so; (*therefore*) somit, also, folglich.

thwart [θwɔːt] *vt* vereiteln, durchkreuzen; (*person*) hindern.

thyme [taɪm] *n* Thymian *m*.

thyroid [ˈθaɪrɔɪd] *n* Schilddrüse *f*.

tiara [tɪˈɑːrə] *n* Diadem *nt*; (*pope's*) Tiara *f*.

Tibet [tɪˈbet] *n* Tibet *nt*.

tic [tɪk] *n* Tick *m*.

tick [tɪk] **1.** *n* (*sound*) Ticken *nt*; (*mark*) Häkchen *n*; **2.** *vi* ticken; **3.** *vt* abhaken; **in a ~** (*fam*) sofort.

ticket [ˈtɪkɪt] *n* (*for travel*) Fahrkarte *f*, (*for entrance*) [Eintritts]karte *f*; (*price ~*) Preisschild *nt*; (*luggage ~*) [Gepäck]schein *m*; (*raffle ~*) Los *nt*; (*parking ~*) Strafzettel *m*; (*permission*) Parkschein *m*; **ticket[-cancelling] machine** *n* [Fahrschein]entwerter *m*; **ticket collector** *n* Fahrkartenkontrolleur(in *f*) *m*; **ticket holder** *n* Karteninhaber(in *f*) *m*; **ticket machine** *n* Fahrscheinautomat *m*; **ticket office** *n* (*RAIL etc*) Fahrkartenschalter *m*; (*THEAT etc*) Kasse *f*.

ticking-off [ˈtɪkɪŋˈɒf] *n* (*fam*) Anschnauzer *m*.

tickle [ˈtɪkl] **1.** *n* Kitzeln *nt*; *vt* kitzeln; (*amuse*) amüsieren; **that ~d her fancy** das gefiel ihr; **ticklish** [ˈtɪklɪʃ] *adj* (*also fig*) kitzlig.

tidal [ˈtaɪdl] *adj* Flut-, Tide-.

tidbit [ˈtɪdbɪt] *n* (*US*) Leckerbissen *m*.

tiddlywinks [ˈtɪdlɪwɪŋks] *n sing* Floh[hüpf]spiel *n*.

tide [taɪd] *n* Gezeiten *pl*, Ebbe und Flut *f*; **the ~ is in/out** es ist Flut/Ebbe.

tidily [ˈtaɪdɪlɪ] *adv* sauber, ordentlich.

tidiness [ˈtaɪdɪnəs] *n* Ordnung *f*.

tidy [ˈtaɪdɪ] **1.** *adj* ordentlich; **2.** *vt* aufräumen, in Ordnung bringen.

tie [taɪ] **2.** *n* (*necktie*) Krawatte *f*, Schlips *m*; (*sth connecting*) Band *nt*; (*SPORT*) Unentschieden *nt*; **2.** *vt* (*fasten, restrict*) binden; (*knot*) schnüren; **3.** *vi* (*SPORT*) unentschieden spielen; (*in competition*) punktgleich sein; **tie down** *vt* festbinden; (*fig*) binden; **tie up** *vt* (*dog*) anbinden; (*parcel*) verschnüren; (*boat*) festmachen; (*person*) fesseln; **I am ~d ~ right now** ich bin im Moment beschäftigt; **tiebreaker** *n* (*TENNIS*) Tie-Break *m o nt*.

tier [tɪə*] *n* Reihe *f*, Rang *m*; (*of cake*) Etage *f*.

tiff [tɪf] *n* kleine Meinungsverschiedenheit.

tiger [ˈtaɪgə*] *n* Tiger *m*.

tight [taɪt] *adj* (*close*) eng, knapp; (*schedule*) gedrängt; (*firm*) fest, dicht; (*screw*) festsitzend; (*control*) streng; (*stretched*) stramm [an]gespannt; (*fam*) blau, stramm; **tighten 1.** *vt* anziehen, anspannen; (*restrictions*) verschärfen; **2.** *vi* sich spannen; **tight-fisted** *adj* knauserig; **tightly** *adv* eng; fest, dicht; (*stretched*)

straff; **tightness** *n* Enge *f*; Festigkeit *f*; Straffheit *f*; (*of money*) Knappheit *f*; **tight-rope** *n* Seil *nt* (*des Seiltänzers*); **tights** *n pl* Strumpfhose *f*.

tile [taɪl] *n* (*on roof*) Dachziegel *m*; (*on wall o floor*) Fliese *f*; **tiled** *adj* (*roof*) gedeckt, Ziegel-; (*floor, wall*) mit Fliesen belegt.

till [tɪl] **1.** *n* Kasse *f*; **2.** *vt* bestellen; **3.** *prep, conj* bis; **not ~** (*in future*) nicht vor; (*in past*) erst.

tiller [ˈtɪlə*] *n* Ruderpinne *f*.

tilt [tɪlt] **1.** *vt* kippen, neigen; **2.** *vi* sich neigen.

timber [ˈtɪmbə*] *n* Holz *nt*; (*trees*) Baumbestand *m*.

time [taɪm] **1.** *n* Zeit *f*; (*occasion*) Mal *nt*; (*rhythm*) Takt *m*; **2.** *vt* (*choose right ~*) den richtigen Zeitpunkt wählen für; (*bomb*) einstellen; (*with stop-watch*) stoppen; **at all ~s** immer; **at one ~** früher; **at no ~** nie; **at ~s** manchmal; **by the ~** bis; **for the ~ being** vorläufig; **in ~** (*soon enough*) rechtzeitig; (*after some ~*) mit der Zeit; (*MUS*) im Takt; **in 2 weeks' ~** in 2 Wochen; **on ~** pünktlich, rechtzeitig; **local ~** Ortszeit; **to have a good ~** viel Spaß haben, sich amüsieren; **this ~** diesmal, dieses Mal; **five ~s** fünfmal; **what ~ is it?** wieviel Uhr ist es?, wie spät ist es?; **I have no ~ for people like him** für Leute wie ihn habe ich nichts übrig *f*; **timekeeper** *n* Zeitnehmer(in *f*) *m*; **time-lag** *n* (*in travel*) Verzögerung *f*, (*difference*) Zeitunterschied *m*; **timeless** *adj* (*beauty*) zeitlos; **time limit** *n* Frist *f*; **timely** *adj* rechtzeitig; **time-saving** *adj* zeitsparend; **time-share** *n* Anteil *m* an einer Ferienwohnung; **time-sharing** *n* Timesharing *nt*, Anteile *pl* an einer Ferienwohnung; **time switch** *n* Zeitschalter *m*; **timetable** *n* Fahrplan *m*; (*SCH*) Stundenplan *m*; **time zone** *n* Zeitzone *f*.

timid [ˈtɪmɪd] *adj* ängstlich, schüchtern; **timidity** [tɪˈmɪdɪtɪ] *n* Ängstlichkeit *f*; **timidly** *adv* ängstlich.

timing [ˈtaɪmɪŋ] *n* Wahl *f* des richtigen Zeitpunkts, Timing *nt*; (*AUT*) Einstellung *f*.

tin [tɪn] *n* (*metal*) Blech *nt*; (*container*) Büchse *f*, Dose *f*; **tinfoil** *n* Alufolie *f*.

tinge [tɪndʒ] **1.** *n* (*colour*) Färbung *f*; (*fig*) Anflug *m*; **2.** *vt* färben, einen Anstrich geben + *dat*.

tingle [ˈtɪŋgl] *vi* prickeln.

tinker [ˈtɪŋkə*] *n* Kesselflicker(in *f*) *m*; **tinker with** *vt* herumpfuschen an + *dat*.

tinkle [ˈtɪŋkl] *vi* klingeln.

tinned [tɪnd] *adj* (*food*) Dosen-, Büchsen-;

tinny ['tɪnɪ] *adj* Blech-, blechern; **tin opener** *n* Dosenöffner *m*, Büchsenöffner *m*.

tinsel ['tɪnsəl] *n* Rauschgold *nt*; Lametta *nt*.

tint [tɪnt] *n* Farbton *m*; (*slight colour*) Anflug *m*; (*hair*) Tönung *f*.

tiny ['taɪnɪ] *adj* winzig.

tip [tɪp] **1.** *n* (*pointed end*) Spitze *f*; (*money*) Trinkgeld *nt*; (*hint*) Wink *m*, Tip *m*; **2.** *vt* (*slant*) kippen; (*hat*) antippen; (~ *over*) umkippen; (*waiter*) ein Trinkgeld geben + *dat*; **it's on the ~ of my tongue** es liegt mir auf der Zunge; **tip-off** *n* Hinweis *m*, Tip *m*; **tipped** *adj* (*cigarette*) Filter-.

tipple ['tɪpl] *n* (*drink*) Schnäpschen *nt*.

tipsy ['tɪpsɪ] *adj* beschwipst.

tiptoe ['tɪptəʊ] *n*: **on ~** auf Zehenspitzen.

tiptop [tɪp'tɒp] *adj*: **in ~ condition** tipptopp, erstklassig.

tire ['taɪə*] **1.** *n* (*US*) *see* tyre; **2.** *vt, vi* ermüden, müde machen/werden; **tired** *adj* müde; **to be ~ of sth** etw satt haben; **tiredness** *n* Müdigkeit *f*; **tireless** *adj*, **tirelessly** *adv* unermüdlich; **tiresome** *adj* lästig; **tiring** *adj* ermüdend.

tissue ['tɪʃuː] *n* Gewebe *nt*; (*paper handkerchief*) Papiertaschentuch *nt*; **tissue paper** *n* Seidenpapier *nt*.

tit [tɪt] *n* (*bird*) Meise *f*; (*fam: breast*) Titte *f*; **~ for tat** wie du mir, so ich dir.

titbit ['tɪtbɪt] *n* Leckerbissen *m*.

titillate ['tɪtɪleɪt] *vt* kitzeln.

titivate ['tɪtɪveɪt] *vt* schniegeln.

title ['taɪtl] *n* Titel *m*; (*in law*) Rechtstitel *m*, Eigentumsrecht *nt*; **title deed** *n* Eigentumsurkunde *f*; **title role** *n* Hauptrolle *f*.

to [tuː, tə] **1.** *prep* (*towards*) zu; (*with countries, towns*) nach; (*indirect object*) *dat*; (*as far as*) bis; (*next to, attached to*) an + *dat*; (*per*) pro; **2.** *conj* (*in order to*) um... zu; **3.** *adv*: ~ **and fro** hin und her; **to go ~ school/the theatre/bed** in die Schule/ins Theater/ins Bett gehen; **I have never been ~ Germany** ich war noch nie in Deutschland; **to give sth ~ sb** jdm etw geben; ~ **this day** bis auf den heutigen Tag; **20 [minutes] ~ 4** 20 [Minuten] vor 4; **superior ~ sth** besser als etw; **they tied him ~ a tree** sie banden ihn an einen Baum.

toad [təʊd] *n* Kröte *f*; **toadstool** *n* Giftpilz *m*; **toady 1.** *n* Speichellecker(in *f*) *m*, Kriecher(in *f*) *m*; **2.** *vi* kriechen (*to* vor + *dat*).

toast [təʊst] **1.** *n* (*bread*) Toast *m*; (*drinking*) Trinkspruch *m*; **2.** *vt* trinken auf + *akk*; (*bread*) toasten; (*warm*) wär-

men; **toaster** *n* Toaster *m*; **toastmaster** *n* Zeremonienmeister *m*; **toastrack** *n* Toastständer *m*.

tobacco [tə'bækəʊ] *n* <-[e]s> Tabak *m*; **tobacconist** [tə'bækənɪst] *n* Tabakhändler(in *f*) *m*; ~ **'s [shop]** Tabakladen *m*.

toboggan [tə'bɒgən] *n* [Rodel]schlitten *m*.

today [tə'deɪ] **1.** *adv* heute; (*at the present time*) heutzutage; **2.** *n* (*day*) heutiger Tag; (*time*) Heute *nt*, heutige Zeit.

toddle ['tɒdl] *vi* watscheln; **toddler** *n* Kleinkind *nt*.

toddy ['tɒdɪ] *n* [Whisky]grog *m*.

to-do [tə'duː] *n* <-s> Aufheben *nt*, Theater *nt*.

toe [təʊ] **1.** *n* Zehe *f*; (*of sock, shoe*) Spitze *f*; **2.** *vt*: **to ~ the line** (*fig*) sich einfügen; **toenail** *n* Zehennagel *m*.

toffee ['tɒfɪ] *n* Sahnebonbon *m*; **toffee apple** *n* kandierter Apfel.

together [tə'geðə*] *adv* zusammen; (*at the same time*) gleichzeitig; **togetherness** *n* (*company*) Beisammensein *nt*; (*feeling*) Zusammengehörigkeitsgefühl *nt*.

toggle ['tɒgl] *n* Knebel *m*; (*on clothes*) Knebelknopf *m*; (*on tent*) Seilzug *m*; ~ **switch** Kipp[hebel]schalter *m*.

toil [tɔɪl] **1.** *n* harte Arbeit, Plackerei *f*; **2.** *vi* sich abmühen, sich plagen.

toilet ['tɔɪlɪt] **1.** *n* Toilette *f*; **2.** *adj* Toiletten-; **toilet bag** *n* Waschbeutel *m*; **toilet paper** *n* Toilettenpapier *nt*; **toiletries** ['tɔɪlɪtrɪz] *n pl* Toilettenartikel *pl*; **toilet roll** *n* Rolle *f* Toilettenpapier; **toilet soap** *n* Toilettenseife *f*; **toilet water** *n* Toilettenwasser *nt*.

token ['təʊkən] **1.** *n* Zeichen *nt*; (*gift* ~) Gutschein *m*; **2.** *adj* Alibi-, pro forma; **payment** symbolische Bezahlung; ~ **strike** Warnstreik *m*.

Tokyo ['təʊkɪəʊ] *n* Tokio *nt*.

told [təʊld] *pt, pp of* **tell**.

tolerable ['tɒlərəbl] *adj* (*bearable*) erträglich; (*fairly good*) leidlich; **tolerably** *adv* ziemlich, leidlich.

tolerance ['tɒlərəns] *n* Toleranz *f*; **tolerant** *adj*, **tolerantly** *adv* tolerant; (*patient*) geduldig.

tolerate ['tɒləreɪt] *vt* dulden; (*noise*) ertragen.

toll [təʊl] **1.** *n* Gebühr *f*; (*for road*) Autobahngebühr *f*; **2.** *vi* (*bell*) läuten; **it took a heavy ~ of human life** es forderte (*o* kostete) viele Menschenleben; **tollbridge** *n* gebührenpflichtige Brücke; **toll road** *n* gebührenpflichtige Straße.

tomato [tə'mɑːtəʊ] *n* <-es> Tomate *f*.

tomb [tuːm] *n* Grab[mal] *nt*.

tombola ['tɒm'bəʊlə] n Tombola f.
tomboy ['tɒmbɔɪ] n Wildfang m; **she's a ~** sie ist sehr burschikos.
tombstone ['tuːmstəʊn] n Grabstein m.
tomcat ['tɒmkæt] n Kater m.
tome [təʊm] n (volume) Band m; (big book) Wälzer m.
tomograph ['tɒməɡrɑːf] n Tomograph m; **tomography** [tə'mɒɡrəfɪ] n [Computer]tomographie f.
tomorrow [tə'mɒrəʊ] **1.** n Morgen m; **2.** adv morgen.
ton [tʌn] n Tonne f (1,016 kg); **~s of** (fam) eine Unmenge von.
tone [təʊn] **1.** n Ton m; **2.** vi (harmonize) zusammenpassen, harmonieren; **3.** vt eine Färbung geben + dat; **tone down** vt (criticism, demands) mäßigen; (colours) abtonen; **tone-deaf** adj ohne musikalisches Gehör.
tongs [tɒŋz] n pl Zange f; (curling ~) Lockenstab m.
tongue [tʌŋ] n Zunge f; (language) Sprache f; **with ~ in cheek** ironisch, scherzhaft; **tongue-tied** adj stumm, sprachlos; **tongue-twister** n Zungenbrecher m.
tonic ['tɒnɪk] n (MED) Stärkungsmittel nt; (MUS) Grundton m, Tonika f; **tonic water** n Tonic[water nt] m.
tonight [tə'naɪt] **1.** n heutiger Abend; diese Nacht; **2.** adv heute abend; heute nacht.
tonnage ['tʌnɪdʒ] n Tonnage f.
tonsil ['tɒnsl] n Mandel f; **tonsillitis** [tɒnsɪ'laɪtɪs] n Mandelentzündung f.
too [tuː] adv zu; (also) auch.
took [tʊk] pt of **take**.
tool [tuːl] n (also fig) Werkzeug nt; **toolbox** n Werkzeugkasten m; **toolkit** n Werkzeug nt.
toot [tuːt] vi (AUT) hupen.
tooth [tuːθ] n < **teeth** > Zahn m; **toothache** n Zahnschmerzen pl, Zahnweh nt; **toothbrush** n Zahnbürste f; **toothpaste** n Zahnpasta f; **toothpick** n Zahnstocher m.
top [tɒp] **1.** n Spitze f; (of mountain) Gipfel m; (of tree) Wipfel m; (toy) Kreisel m; (~ gear) vierter Gang; **2.** adj oberste(r, s); **3.** vt (list) an erster Stelle stehen auf + dat; **to ~ it all, he said ...** und er setzte dem noch die Krone auf, indem er sagte ...; **from ~ to toe** von Kopf bis Fuß; **topcoat** n Mantel m; **topflight** adj erstklassig, prima; **top hat** n Zylinder m; **top-heavy** adj oben schwerer als unten, kopflastig.
topic ['tɒpɪk] n Thema nt, Gesprächsgegenstand m; **topical** adj aktuell.

topless ['tɒpləs] adj (dress) oben ohne.
top-level ['tɒp'levl] adj auf höchster Ebene.
topmost ['tɒpməʊst] adj oberste(r, s), höchste(r, s).
topple ['tɒpl] vt, vi stürzen, kippen.
top-secret ['tɒp'siːkrət] adj streng geheim.
topsy-turvy ['tɒpsɪ'tɜːvɪ] **1.** adv durcheinander; **2.** adj auf den Kopf gestellt.
torch [tɔːtʃ] n (ELEC) Taschenlampe f; (with flame) Fackel f.
tore [tɔː*] pt of **tear**.
torment ['tɔːment] **1.** n Qual f; **2.** [tɔː'ment] vt (annoy) plagen; (distress) quälen.
torn [tɔːn] **1.** pp of **tear**; **2.** adj hin- und hergerissen.
tornado [tɔː'neɪdəʊ] n < **-es** > Tornado m, Wirbelsturm m.
torpedo [tɔː'piːdəʊ] n < **-es** > Torpedo m.
torrent ['tɒrənt] n Sturzbach m; **torrential** [tə'renʃəl] adj wolkenbruchartig.
tortoise ['tɔːtəs] n Schildkröte f.
tortuous ['tɔːtjʊəs] adj (winding) gewunden; (deceitful) krumm, unehrlich.
torture ['tɔːtʃə*] **1.** n Folter f; **2.** vt foltern.
Tory ['tɔːrɪ] **1.** n Tory m, Konservative(r) mf; **2.** adj Tory-, konservativ.
toss [tɒs] vt werfen, schleudern; **to ~ a coin, to ~ up for sth** etw mit einer Münze entscheiden.
tot [tɒt] n (small quantity) bißchen nt; (child) Knirps m.
total ['təʊtl] **1.** n Gesamtheit f, Ganze(s) nt; **2.** adj ganz, gesamt, total; **3.** vt (add up) zusammenzählen; (amount to) sich belaufen auf + akk.
totalitarian [təʊtælɪ'tɛərɪən] adj totalitär.
totality [təʊ'tælɪtɪ] n Gesamtheit f; **totally** adv gänzlich, total.
totem pole ['təʊtəmpəʊl] n Totempfahl m.
totter ['tɒtə*] vi wanken, schwanken, wackeln.
touch [tʌtʃ] **1.** n Berührung f; (sense of feeling) Tastsinn m; (small amount) Spur f; (style) Stil m; **2.** vt (feel) berühren; (come against) leicht anstoßen; (emotionally) bewegen, rühren; **in ~ with** in Verbindung mit; **to give sth a personal ~** einer Sache dat eine persönliche Note geben; **touch on** vt (topic) berühren, erwähnen; **touch up** vt (paint) auffrischen; **touch-and-go** adj riskant, knapp; **touchdown** n Landen nt, Niedergehen nt; **touchiness** n Empfindlichkeit f; **touching** adj rührend, ergrei-

fend; **touchline** n Seitenlinie f;
touchy adj empfindlich, reizbar.

tough [tʌf] 1. adj (strong) zäh, widerstandsfähig; (difficult) schwierig, hart; (meat) zäh; 2. n Schläger[typ] m; ~ **luck** Pech m; **toughen** 1. vt zäh machen; (make strong) abhärten; 2. vi zäh werden; **toughness** n Zähigkeit f; Härte f.

toupée [ˈtuːpeɪ] n Toupet nt.

tour [ˈtʊəˠ] 1. n Reise f, Tour f, Fahrt f; 2. vi umherreisen; (THEAT) auf Tour sein/ gehen; **touring** n Umherreisen nt; (THEAT) Tournee f.

tourism [ˈtʊərɪzəm] n Fremdenverkehr m, Tourismus m; **tourist** 1. n Tourist(in f) m; 2. adj (class) Touristen-; ~ **office** Verkehrsamt nt.

tournament [ˈtʊənəmənt] n Tournier nt.

tour operator [ˈtʊərɒpəreɪtəˠ] n Reiseveranstalter(in f) m.

tousled [ˈtaʊzld] adj zerzaust.

tow [təʊ] vt [ab]schleppen.

toward[s] [təˈwɔːdz] prep (with time) gegen; (in direction of) gegen ~ me/the town er kam auf mich zu/er ging auf die Stadt zu; my feelings ~ him meine Gefühle ihm gegenüber.

towel [ˈtaʊəl] n Handtuch nt; to throw in the ~ das Handtuch werfen.

tower [ˈtaʊəˠ] n Turm m; **tower over** vt (also fig) überragen; **towering** adj hochragend; (rage) rasend.

town [taʊn] n Stadt f; **town clerk** n Stadtdirektor(in f) m; **town hall** n Rathaus nt; **town house** n (US) Reihenhaus nt; **town planner** n Stadtplaner(in f) m.

towpath [ˈtaʊpɑːθ] n Leinpfad m, Treidelpfad m; **towrope** n Abschleppseil nt.

toxic [ˈtɒksɪk] adj giftig, Gift-; ~ **waste** Giftmüll m; **toxicological** [tɒksɪkəˈlɒdʒɪkəl] adj toxikologisch.

toy [tɔɪ] n Spielzeug nt; **toy with** vt spielen mit; **toyshop** n Spielwarengeschäft nt.

trace [treɪs] 1. n Spur f; 2. vt (follow a course) nachspüren + dat; (find out) aufspüren; (copy) nachzeichnen, durchpausen.

track [træk] 1. n (mark) Spur f; (path) Weg m, Pfad m; (race-~) Rennbahn f; (RAIL) Gleis nt; 2. vt verfolgen; to keep ~ of sb jdn im Auge behalten; to keep ~ of an argument einer Argumentation folgen können; to keep ~ of the situation die Lage verfolgen; to make ~s [for] gehen [nach]; **track down** vt aufspüren; **tracker dog** n Spürhund m.

tract [trækt] n (of land) Gebiet nt; (booklet) Abhandlung f, Traktat m.

tractor [ˈtræktəˠ] n Traktor m.

trade [treɪd] 1. n (COM) Handel m; (business) Geschäft nt, Gewerbe nt; (people) Geschäftsleute pl; (skilled manual work) Handwerk nt; 2. vi handeln (in mit); 3. vt tauschen; **trade in** vt in Zahlung geben; **trademark** n Warenzeichen nt; **trade name** n Handelsbezeichnung f; **trader** n Händler(in f) m; **tradesman** n <-men> (shopkeeper) Geschäftsmann m; (workman) Handwerker m; (delivery man) Lieferant m; **trade union** n Gewerkschaft f; **trade unionist** n Gewerkschaftler(in f) m; **trading** n Handel m; ~ **estate** Industriegelände nt; ~ **stamp** Rabattmarke f.

tradition [trəˈdɪʃən] n Tradition f; **traditional** adj traditionell, herkömmlich; **traditionally** adv üblicherweise, schon immer.

traffic [ˈtræfɪk] 1. n Verkehr m; (esp in drugs) Handel m (in mit); 2. vi (esp drugs) handeln (in mit); **traffic circle** n (US) Kreisverkehr m; **traffic jam** n Verkehrsstauung f; **traffic lights** n pl Verkehrsampel f.

tragedy [ˈtrædʒədɪ] n (also fig) Tragödie f; **tragic** [ˈtrædʒɪk] adj tragisch; **tragically** adv tragisch, auf tragische Weise.

trail [treɪl] 1. n (track) Spur f, Fährte f; (of meteor) Schweif m; (of smoke) Rauchfahne f; (of dust) Staubwolke f; (road) Pfad m, Weg m; 2. vt (animal) verfolgen; (person) folgen + dat; (drag) schleppen; 3. vi (hang loosely) schleifen; (plants) sich ranken; (be behind) hinterherhinken; (SPORT) weit zurückliegen; (walk) zuckeln; **on the ~** auf der Spur; **trail behind** vi zurückbleiben; **trailer** n Anhänger m; (US: caravan) Wohnwagen m; (CINE) Vorschau f.

train [treɪn] 1. n Zug m; (of dress) Schleppe f; (series) Folge f, Kette f; 2. vt (teach, person) ausbilden; (animal) abrichten; (mind) schulen; (SPORT) trainieren; (aim) richten (on auf + akk); (plant) wachsen lassen, ziehen; 3. vi (exercise) trainieren; (study) ausgebildet werden; **trained** adj (eye) geschult; (person, voice) ausgebildet; **trainee** n Anlernling m, Lehrling m, Praktikant(in f) m; **trainer** n (SPORT) Trainer(in f) m, Ausbilder(in f) m; **training** n (for occupation) Ausbildung f; (SPORT) Training nt; **in** ~ im Training; **training college** n Pädagogische Hochschule; Lehrerseminar nt; (for priests) Priesterseminar nt.

traipse [treɪps] vi latschen.

trait [treɪ(t)] n Zug m, Merkmal nt.

traitor [ˈtreɪtəˠ] n Verräter m; **traitress**

['treɪtrɪs] *n* Verräterin *f.*

trajectory [trə'dʒektərɪ] *n* Flugbahn *f.*

tram[car] ['træmkɑː*] *n* Straßenbahn *f;* **tram line** *n* Straßenbahnschiene *f;* (*route*) Straßenbahnlinie *f.*

tramp [træmp] **1.** *n* Landstreicher(in *f*) *m;* **2.** *vi* (*walk heavily*) stampfen, stapfen; (*travel on foot*) wandern.

trample ['træmpl] **1.** *vt* [nieder]trampeln; **2.** *vi* [herum]trampeln.

trampoline ['træpəlɪn] *n* Trampolin *nt.*

trance [trɑːns] *n* Trance *f.*

tranquil ['træŋkwɪl] *adj* ruhig, friedlich; **tranquility** [træŋ'kwɪlɪtɪ] *n* Ruhe *f;* **tranquilizer** *n* Beruhigungsmittel *nt.*

trans- [trænz] *pref* Trans-.

transact [træn'zækt] *vt* [durch]führen, abwickeln; **transaction** *n* Durchführung *f,* Abwicklung *f;* (*piece of business*) Geschäft *nt,* Transaktion *f.*

transatlantic ['trænzət'læntɪk] *adj* transatlantisch.

transcend [træn'send] *vt* übersteigen.

transcendent [træn'sendənt] *adj* transzendent.

transcript ['trænskrɪpt] *n* Abschrift *f,* Kopie *f;* (*JUR*) Protokoll *nt;* **transcription** [træn'skrɪpʃən] *n* Transkription *f;* (*product*) Abschrift *f.*

transept ['trænsept] *n* Querschiff *nt.*

transfer ['trænsfə*] **1.** *n* (*transferring*) Übertragung *f;* (*of business*) Umzug *m;* (*being transferred*) Versetzung *f;* (*design*) Abziehbild *nt;* (*SPORT*) Transfer *m;* (*player*) Transferspieler(in *f*) *m;* **2.** [træns'fɜː*] *vt* (*business*) verlegen; (*person*) versetzen; (*prisoner*) überführen; (*drawing*) übertragen; (*money*) überweisen; **transferable** [træns'fɜːrəbl] *adj* übertragbar.

transform [træns'fɔːm] *vt* umwandeln, verändern; **transformation** [trænsfə'meɪʃən] *n* Umwandlung *f,* Veränderung *f,* Verwandlung *f;* **transformer** *n* (*ELEC*) Transformator *m.*

transfusion [træns'fjuːʒən] *n* Blutübertragung *f,* Transfusion *f.*

transient ['trænzɪənt] *adj* kurz[lebig].

transistor [træn'zɪstə*] *n* (*ELEC*) Transistor *m;* (*RADIO*) Transistorradio *nt.*

transit ['trænzɪt] *n:* **in ~** unterwegs, auf dem Transport.

transition [træn'zɪʃən] *n* Übergang *m;* **transitional** *adj* Übergangs-.

transitive *adj,* **transitively** *adv* ['trænzɪtɪv, -lɪ] transitiv.

transitory ['trænzɪtərɪ] *adj* vorübergehend.

translate [trænz'leɪt] *vt, vi* übersetzen; **translation** [trænz'leɪʃən] *n* Überset-

zung *f;* **translator** [trænz'leɪtə*] *n* Übersetzer(in *f*) *m.*

transmission [trænz'mɪʃən] *n* (*of information*) Übermittlung *f;* (*ELEC, MED, RADIO*) Übertragung *f;* (*AUT*) Getriebe *nt;* (*process*) Übersetzung *f;* **transmit** [trænz'mɪt] *vt* (*message*) übermitteln; (*ELEC, MED, TV*) übertragen; **transmitter** *n* Sender *m.*

transparency [træns'pɛərənsɪ] *n* Durchsichtigkeit *f,* Transparenz *f;* (*FOT*) Dia[positiv] *nt;* **transparent** [træns'pærənt] *adj* durchsichtig; (*fig*) offenkundig.

transplant [træns'plɑːnt] **1.** *vt* umpflanzen; (*MED*) verpflanzen; (*fig: person*) verpflanzen; **2.** ['trænsplɑːnt] *n* (*MED*) Transplantation *f;* (*organ*) Transplantat *nt.*

transport ['trænspɔːt] **1.** *n* Transport *m,* Beförderung *f;* (*vehicle*) fahrbarer Untersatz; **2.** [træns'pɔːt] *vt* befördern, transportieren; **means of ~** Transportmittel *nt;* **transportable** [træns'pɔːtəbl] *adj* transportabel; **transportation** [trænspɔː'teɪʃən] *n* Transport *m,* Beförderung *f;* (*means*) Beförderungsmittel *nt;* (*cost*) Transportkosten *pl.*

transverse ['trænzvɜːs] *adj* Quer-; (*position*) horizontal; (*engine*) querliegend.

transvestite [trænz'vestaɪt] *n* Transvestit *m.*

trap [træp] **1.** *n* Falle *f;* (*carriage*) zweirädriger Einspänner; (*fam: mouth*) Klappe *f;* **2.** *vt* fangen; (*person*) in eine Falle locken; **the miners were ~ped** die Bergleute waren eingeschlossen; **trapdoor** *n* Falltür *f.*

trapeze [trə'piːz] *n* Trapez *nt.*

trapper ['træpə*] *n* Fallensteller(in *f*) *m,* Trapper(in *f*) *m.*

trappings ['træpɪŋz] *n pl* Aufmachung *f.*

trash [træʃ] *n* (*rubbish*) wertloses Zeug, Plunder *m;* (*nonsense*) Mist *m,* Blech *nt;* **trash can** *n* (*US*) Mülleimer *m;* **trashy** *adj* wertlos; (*novel etc*) Schund-.

trauma ['trɔːmə] *n* Trauma *nt;* **traumatic** [trɔː'mætɪk] *adj* traumatisch.

travel ['trævl] **1.** *n* Reisen *nt;* **2.** *vi* reisen, eine Reise machen; **3.** *vt* (*distance*) zurücklegen; (*country*) bereisen; **travel agent** *n* Reisebüro *nt;* **traveller**, **traveler** (*US*) *n* Reisende(r) *mf;* (*salesperson*) Handlungsreisende(r) *mf;* **traveller's cheque**, **traveler's check** (*US*) *n* Reisescheck *m;* **travelling**, **traveling** (*US*) *n* Reisen *nt;* **travelling bag** *n* Reisetasche *f;* **travel sickness** *n* Reisekrankheit *f.*

traverse [træ'vɜːs] *vt* (*cross*) durchqueren; (*lie across*) überspannen.

travesty ['trævəstɪ] *n* Zerrbild *nt*, Travestie *f*; **a ~ of justice** ein Hohn auf die Gerechtigkeit.

trawler ['trɔːlə'] *n* Fischdampfer *m*, Trawler *m*.

tray [treɪ] *n* (*tea ~*) Tablett *nt*; (*receptacle*) Schale *f*; (*for mail*) Ablage *f*.

treacherous ['tretʃərəs] *adj* verräterisch; (*memory*) unzuverlässig; (*road*) gefährlich; **treachery** ['tretʃərɪ] *n* Verrat *m*.

treacle ['triːkl] *n* Sirup *m*; Melasse *f*.

tread [tred] <**trod, trodden**> **1.** *vi* treten; (*walk*) gehen; **2.** *n* Schritt *m*, Tritt *m*; (*of stair*) Stufe *f*; (*on tyre*) Profil *nt*; **tread on** *vt* treten auf +*akk*.

treason ['triːzn] *n* Verrat *m* (*to an* +*dat*).

treasure ['treʒə'] **1.** *n* Schatz *m*; **2.** *vt* schätzen; **treasure hunt** *n* Schatzsuche *f*; **treasurer** *n* Kassenverwalter(in *f*) *m*, Schatzmeister(in *f*) *m*; **treasury** ['treʒərɪ] *n* (*POL*) Finanzministerium *nt*.

treat [triːt] **1.** *n* besondere Freude; (*school ~ etc*) Fest *nt*; (*outing*) Ausflug *m*; **2.** *vt* (*deal with*) behandeln; (*entertain*) bewirten; **to ~ sb to sth** jdn zu etw einladen, jdm etw spendieren.

treatise ['triːtɪz] *n* Abhandlung *f*.

treatment ['triːtmənt] *n* Behandlung *f*.

treaty ['triːtɪ] *n* Vertrag *m*.

treble ['trebl] **1.** *adj* dreifach; **2.** *vt* verdreifachen; **3.** *n* (*voice*) Sopran *m*; (*of piano*) Diskant *m*; **~ clef** Violinschlüssel *m*.

tree [triː] *n* Baum *m*; **tree-lined** *adj* baumbestanden; **tree trunk** *n* Baumstamm *m*.

trellis ['trelɪs] *n* Gitter *nt*; (*for gardening*) Spalier *nt*.

tremble ['trembl] *vi* zittern; (*ground*) beben.

tremendous [trə'mendəs] *adj* gewaltig, kolossal; (*fam: very good*) prima; **tremendously** *adv* ungeheuer, enorm; (*fam*) unheimlich.

tremor ['tremə'] *n* Zittern *nt*; (*of earth*) Beben *nt*.

trench [trentʃ] *n* Graben *m*; (*MIL*) Schützengraben *m*.

trend [trend] **1.** *n* Richtung *f*, Tendenz *f*; **2.** *vi* sich neigen, tendieren; **trendy** *adj* (*fam*) modisch.

trepidation [trepɪ'deɪʃən] *n* Beklommenheit *f*.

trespass ['trespəs] *vi* widerrechtlich betreten (*on akk*); **trespasser** *n*: '**~s will be prosecuted**' 'Betreten verboten'.

trestle ['tresl] *n* Bock *m*; **trestle table** *n* Klapptisch *m*.

tri- [traɪ] *pref* Drei-, drei-.

trial ['traɪəl] *n* (*JUR*) Prozeß *m*, Verfahren *nt*; (*test*) Versuch *m*, Probe *f*; (*hardship*) Prüfung *f*; **by ~ and error** durch Ausprobieren.

triangle ['traɪæŋgl] *n* Dreieck *nt*; (*MUS*) Triangel *m*; **triangular** [traɪ'æŋgjulə'] *adj* dreieckig.

tribal ['traɪbəl] *adj* Stammes-.

tribe [traɪb] *n* Stamm *m*; **tribesman** *n* <-**men**> Stammesangehörige(r) *m*.

tribulation [trɪbju'leɪʃən] *n* Not *f*, Mühsal *f*.

tribunal [traɪ'bjuːnl] *n* Gericht *nt*; (*inquiry*) Untersuchungsausschuß *m*.

tributary ['trɪbjutərɪ] *n* Nebenfluß *m*.

tribute ['trɪbjuːt] *n* (*admiration*) Zeichen *nt der* Hochachtung.

trice [traɪs] *n*: **in a ~** im Nu.

trick [trɪk] **1.** *n* Trick *m*; (*mischief*) Streich *m*; (*habit*) Angewohnheit *f*; (*CARDS*) Stich *m*; **2.** *vt* überlisten, beschwindeln; **trickery** *n* Betrügerei *f*, Tricks *pl*.

trickle ['trɪkl] **1.** *n* Tröpfeln *nt*; (*small river*) Rinnsal *nt*; **2.** *vi* tröpfeln; (*seep*) sickern.

tricky ['trɪkɪ] *adj* (*problem*) schwierig; (*situation*) kitzlig.

tricycle ['traɪsɪkl] *n* Dreirad *nt*.

tried [traɪd] *adj* erprobt, bewährt.

trifle ['traɪfl] **1.** *n* Kleinigkeit *f*; (*GASTR*) Trifle *m* (*Süßspeise aus Früchten und Löffelbiskuits*); **2.** *adv*: **a ~** ein bißchen; **trifling** *adj* geringfügig.

trigger ['trɪgə'] *n* Abzug *m*, Drücker *m*; **trigger off** *vt* auslösen.

trigonometry [trɪgə'nɒmətrɪ] *n* Trigonometrie *f*.

trillion ['trɪljən] *n* Billion *f*.

trim [trɪm] **1.** *adj* ordentlich, gepflegt; (*figure*) schlank; **2.** *n* Verfassung *f*; (*embellishment, on car*) Verzierung *f*; **3.** *vt* (*clip*) schneiden; (*trees, beard*) stutzen; (*decorate*) besetzen; (*sails*) trimmen; **to give sb's hair a ~** jdm die Haare etwas schneiden; **trimmings** *pl nt* (*decorations*) Verzierung[en *pl*] *f*; (*extras*) Zubehör *nt*.

Trinity ['trɪnɪtɪ] *n*: **the ~** die Dreieinigkeit.

trinket ['trɪŋkɪt] *n* kleines Schmuckstück.

trio ['triːəʊ] *n* <-**s**> Trio *nt*.

trip [trɪp] **1.** *n* Reise *f*; (*outing*) Ausflug *m*; **2.** *vi* (*walk quickly*) trippeln; (*stumble*) stolpern; **trip over** *vt* stolpern über +*akk*; **trip up 1.** *vi* stolpern; (*fig*) einen Fehler machen; **2.** *vt* zu Fall bringen; (*fig*) hereinlegen.

tripe [traɪp] *n* (*food*) Kutteln *pl*; (*rubbish*) Mist *m*.

triple ['trɪpl] *adj* dreifach; **triplets** ['trɪpləts] *n pl* Drillinge *pl*; **triplicate**

['triplɪkət] n: **in** ~ in dreifacher Ausfertigung.

tripod ['traɪpɒd] n Dreifuß m; (FOT) Stativ nt.

tripper ['trɪpə*] n Ausflügler(in f) m.

trite [traɪt] adj banal.

triumph ['traɪʌmf] **1.** n Triumph m; **2.** vi triumphieren; **triumphal** [traɪ'ʌmfəl] adj triumphal, Sieges-; **triumphant** [traɪ'ʌmfənt] adj triumphierend; (victorious) siegreich; **triumphantly** adv triumphierend; siegreich.

trivial ['trɪvɪəl] adj gering[fügig], trivial; **triviality** [trɪvɪ'ælɪtɪ] n Trivialität f, Nebensächlichkeit f.

trod [trɒd] pt of **tread**; **trodden** pp of **tread**.

trolley ['trɒlɪ] n Handwagen m; (in shop) Einkaufswagen m; (for luggage) Kofferkuli m; (table) Teewagen m; **trolley bus** n O[berleitungs]bus m.

trollop ['trɒləp] n Hure f; (slut) Schlampe f.

trombone [trɒm'bəʊn] n Posaune f.

troop [truːp] n Schar f; (MIL) Trupp m; ~s pl Truppen pl; **troop in/out** vi hinein-/hinausströmen; **trooper** n Kavallerist m; (US: state ~) Polizist(in f) m.

trophy ['trəʊfɪ] n Trophäe f.

tropic ['trɒpɪk] n Wendekreis m; **the ~s** pl die Tropen pl; **tropical** adj tropisch.

trot [trɒt] **1.** n Trott m; **2.** vi trotten.

trouble ['trʌbl] **1.** n (worry) Sorge f, Kummer m; (in country, industry) Unruhen pl; (effort) Umstand m, Mühe f; **2.** vt (disturb) beunruhigen, stören, belästigen; **to ~ to do sth** sich bemühen, etw zu tun; **to make ~** Schwierigkeiten (o Ärger) machen; **to have ~** mit Ärger haben mit; **to be in ~** Probleme (o Ärger) haben; **troubled** adj (person) beunruhigt; (country) geplagt; **trouble-free** adj sorglos; **troublemaker** n Unruhestifter(in f) m; **troubleshooter** n Vermittler(in f) m; **troublesome** adj lästig, unangenehm; (child) schwierig.

trough [trɒf] n (vessel) Trog m; (channel) Rinne f, Kanal m; (METEO) Tief nt.

trousers ['traʊzəz] n pl Hose f, Hosen pl.

trout [traʊt] n Forelle f.

trowel ['traʊəl] n Kelle f.

truant ['truːənt] n: **to play ~** [die Schule] schwänzen.

truce [truːs] n Waffenstillstand m.

truck [trʌk] n Lastwagen m, Lastauto nt; (small) Lieferwagen m; (RAIL) offener Güterwagen; (barrow) Gepäckkarren m; **to have no ~ with sb** nichts mit jdm zu tun haben wollen; **truck driver** n Lastwagenfahrer(in f) m; **truck farm** n

(US) Gemüsegärtnerei f.

truculent ['trʌkjʊlənt] adj trotzig.

trudge [trʌdʒ] vi sich [mühselig] dahinschleppen.

true [truː] adj (exact) wahr; (genuine) echt; (friend) treu.

truffle ['trʌfl] n Trüffel f.

truly ['truːlɪ] adv (really) wirklich; (exactly) genau; (faithfully) treu; **yours ~ ...** Ihr sehr ergebener...

trump [trʌmp] n (CARDS) Trumpf m; **trumped-up** adj erfunden.

trumpet ['trʌmpɪt] **1.** n Trompete f; **2.** vt ausposaunen; **3.** vi trompeten.

truncated [trʌŋ'keɪtɪd] adj verstümmelt.

truncheon ['trʌntʃən] n Gummiknüppel m.

trunk [trʌŋk] n (of tree) [Baum]stamm m; (ANAT) Rumpf m; (box) Truhe f; (of elephant) Rüssel m; ~s pl Badehose f; **trunk call** n Ferngespräch m.

trust [trʌst] **1.** n (confidence) Vertrauen nt; (for property etc) Treuhandvermögen nt; **2.** vt vertrauen + dat; (rely on) sich verlassen auf + akk; (hope) hoffen; ~ **him to break it!** er muß es natürlich kaputt machen, typisch!; **to ~ sth to sb** jdm etw anvertrauen; **trusted** adj treu; **trustee** [trʌ'stiː] n Vermögensverwalter(in f) m; **trustful, trusting** adj vertrauensvoll; **trustworthy** adj vertrauenswürdig; (account) glaubwürdig; **trusty** adj treu, zuverlässig.

truth [truːθ] n Wahrheit f; **truthful** adj ehrlich; **truthfully** adv wahrheitsgemäß; **truthfulness** n Ehrlichkeit f; (of statement) Wahrheit f.

try [traɪ] **1.** n Versuch m; **2.** vt (attempt) versuchen; (test) [aus]probieren; (JUR: person) unter Anklage stellen; (case) verhandeln; (strain) anstrengen; (courage, patience) auf die Probe stellen; **3.** vi (make effort) versuchen, sich bemühen; **to have a ~** es versuchen; **try on** vt (dress) anprobieren; (hat) aufprobieren; **try out** vt ausprobieren; **trying** adj schwierig; ~ **for** anstrengend für.

tsar [zɑː*] n Zar m; **tsarina** [tsɑː'riːnə] n Zarin f.

T-shirt ['tiːʃɜːt] n T-shirt nt; **T-square** n Reißschiene f.

tub [tʌb] n Wanne f, Kübel m; (for margarine etc) Becher m.

tubby ['tʌbɪ] adj rundlich, klein und dick.

tube [tjuːb] n (pipe) Röhre f, Rohr nt; (for toothpaste etc) Tube f; (in London) U-Bahn f; (AUT: for tyre) Schlauch m; **tubeless** adj (tyre) schlauchlos.

tuber ['tjuːbə*] n Knolle f.

tuberculosis [tjubɜ:kju'ləusɪs] n Tuberkulose f.

tube station ['tju:bsteɪʃən] n U-Bahn-Station f.

tubular ['tju:bjʊlə'] adj röhrenförmig.

tuck [tʌk] 1. n Saum m; (ornamental) Biese f; 2. vt (put) stecken; (gather) fälteln; **tuck away** vt wegstecken; **tuck in** 1. vt hineinstecken; (blanket etc) feststecken; (person) zudecken; 2. vi (eat) zulangen; **tuck up** vt (child) warm zudecken; **tuck shop** n Süßwarenladen m.

Tuesday ['tju:zdeɪ] n Dienstag m; [am] Dienstag; **on ~ s, on a ~** dienstags.

tuft [tʌft] n Büschel m.

tug [tʌg] 1. n (jerk) Zerren nt, Ruck m; (NAUT) Schleppdampfer m; 2. vt, vi zerren, ziehen; (boat) schleppen; **tug-of-war** n Tauziehen nt.

tuition [tju'ɪʃən] n Unterricht m.

tulip ['tju:lɪp] n Tulpe f.

tumble ['tʌmbl] 1. n (fall) Sturz m; 2. vi (fall) fallen, stürzen; **tumble to** vi kapieren; **tumbledown** adj baufällig; **tumbler** n (glass) Trinkglas nt, Wasserglas nt; (for drying) Trockenautomat m.

tummy ['tʌmɪ] n (fam) Bauch m.

tumour ['tju:mə'] n Tumor m, Geschwulst f.

tumult ['tju:mʌlt] n Tumult m; **tumultuous** [tju:'mʌltjʊəs] adj lärmend, turbulent.

tumulus ['tju:mjʊləs] n Grabhügel m.

tuna ['tju:nə] n Thunfisch m.

tune [tju:n] 1. n Melodie f; 2. vt (put in tune) stimmen; (AUT) richtig einstellen; **to sing in/out of ~** richtig/falsch singen; **to be out of ~ with** nicht harmonieren mit; **tune in** vi einstellen (to akk); **tune up** vi (MUS) stimmen; **tuner** n (person) [Instrumenten]stimmer(in f) m; (radio set) Empfangsgerät n, Steuergerät nt; **tuner-amplifier** n Steuergerät nt, Tuner m; **tuneful** adj melodisch.

Tunesia [tju:'nɪzɪə] n Tunesien nt.

tungsten ['tʌŋstən] n Wolfram nt.

tunic ['tju:nɪk] n Waffenrock m; (loose garment) Kasack m; (of school uniform) Kittel m.

tuning ['tju:nɪŋ] n (RADIO, AUT) Einstellen nt; (MUS) Stimmen nt.

tunnel ['tʌnl] n Tunnel m; (under road, railway) Unterführung f.

tunny ['tʌnɪ] n Thunfisch m.

turban ['tɜ:bən] n Turban m.

turbid ['tɜ:bɪd] adj trübe; (fig) verworren.

turbine ['tɜ:baɪn] n Turbine f; **turbine-engine** n (AUT) Turbomotor m.

turbocharger ['tɜ:bəutʃɑ:dʒə'] n Turbolader m.

turbot ['tɜ:bət] n Steinbutt m.

turbulence ['tɜ:bjʊləns] n (AVIAT) Turbulenz f; **turbulent** adj stürmisch.

tureen [tjʊ'ri:n] n Terrine f.

turf [tɜ:f] n <-s o turves > Rasen m; (piece) Sode f.

Turk [tɜ:k] n Türke m, Türkin f.

turkey ['tɜ:kɪ] n Puter m, Truthahn m.

Turkey ['tɜ:kɪ] n die Türkei; **Turkish** adj türkisch.

turmoil ['tɜ:mɔɪl] n Aufruhr m, Tumult m.

turn [tɜ:n] 1. n (rotation) [Um]drehung f; (performance) [Programm]nummer f; (MED) Schock m; 2. vt (rotate) drehen; (change position of) umdrehen, wenden; (page) umblättern; (transform) verwandeln; (direct) zuwenden. 3. vi (rotate) sich drehen; (change direction, in car) abbiegen; (wind) drehen; (~ round) umdrehen, wenden; (become) werden; (leaves) sich verfärben; (milk) sauer werden; (weather) umschlagen; **the ~ of the tide** der Gezeitenwechsel; **the ~ of the century** die Jahrhundertwende; **in ~, by ~s** abwechselnd; **to make a ~ to the left** nach links abbiegen; **to take a ~ for the worse** sich zum Schlechten wenden; **to take ~ s** sich abwechseln; **to ~ sb loose** jdn loslassen, jdn freilassen; **to do sb a good/bad ~** jdm einen guten/ schlechten Dienst erweisen; **it's your ~** du bist dran (o an der Reihe); **it gave me quite a ~** das hat mich schön erschreckt; **turn back** 1. vt umdrehen; (person) zurückschicken; (clock) zurückstellen; 2. vi umkehren; **turn down** vt (refuse) ablehnen; (fold down) umschlagen; **turn in** 1. vi (go to bed) ins Bett gehen; 2. vt (fold inwards) einwärts biegen; **turn into** vi sich verwandeln in + akk; **turn off** 1. vi abbiegen; 2. vt ausschalten; (tap) zudrehen; (machine, electricity) abstellen; **turn on** vt (light) anschalten, einschalten; (tap) aufdrehen; (machine) anstellen; **turn out** 1. vi (prove to be) sich herausstellen, sich erweisen; (people) sich entwickeln; 2. vt (light) ausschalten; (gas) abstellen; (produce) produzieren; **how did the cake ~ ~** ? wie ist der Kuchen geworden?; **turn to** vt sich zuwenden + dat; **turn up** 1. vi auftauchen; (happen) passieren, sich ereignen; 2. vt (collar) hochklappen, hochstellen; (nose) rümpfen; (radio) lauter stellen; (heat) höher drehen; **turnabout** n Kehrtwendung f; **turned-up** adj (nose) Stups-; **turning** n (in road) Abzweigung f; **~ point** Wendepunkt m.

turnip ['tɜ:nɪp] n Steckrübe f.

turnout ['tɜ:nəʊt] n [Besucher]zahl f;

(COM) Produktion *f*.
turnover ['tɜːnəʊvə*] *n* Umsatz *m*; *(of staff)* Wechsel *m*; *(GASTR)* Tasche *f*.
turnpike ['tɜːnpaɪk] *n (US)* gebührenpflichtige Autobahn; *(place)* [Maut]schranke *f*.
turnstile ['tɜːnstaɪl] *n* Drehkreuz *nt*.
turntable ['tɜːnteɪbl] *n (of record-player)* Plattenteller *m*; *(RAIL)* Drehscheibe *f*.
turn-up ['tɜːnʌp] *n (on trousers)* Aufschlag *m*.
turpentine ['tɜːpəntaɪn] *n* Terpentin *nt*.
turquoise ['tɜːkwɔɪz] **1.** *n (gem)* Türkis *m*; *(colour)* Türkis *nt*; **2.** *adj* türkis[farben].
turret ['tʌrɪt] *n* Turm *m*.
turtle ['tɜːtl] *n* Schildkröte *f*.
tusk [tʌsk] *n* Stoßzahn *m*.
tutor ['tjuːtə*] *n (teacher)* Privatlehrer(in *f*) *m*; *(college instructor)* Tutor(in *f*) *m*; **tutorial** [tjuːˈtɔːrɪəl] *n (SCH)* Kolloquium *nt*, Seminarübung *f*.
tuxedo [tʌkˈsiːdəʊ] *n <-s> (US)* Smoking *m*.
TV ['tiːˈviː] **1.** *n* Fernseher *m*; **2.** *adj* Fernseh-; ~ **satellite** Fernsehsatellit *m*.
twang [twæŋ] **1.** *n* scharfer Ton; *(of voice)* Näseln *nt*; **2.** *vt* zupfen; **3.** *vi* klingen; *(talk)* näseln.
tweed [twiːd] *n* Tweed *m*.
tweezers ['twiːzəz] *n pl* Pinzette *f*.
twelfth [twelfθ] *adj* zwölfte(r, s); T~ **Night** Dreikönigsabend *m*.
twelve [twelv] *num* zwölf.
twenty ['twentɪ] *num* zwanzig; **twenty-one** *num* einundzwanzig; **twenty-two** *num* zweiundzwanzig.
twerp [twɜːp] *n (fam)* Knülch *m*.
twice [twaɪs] *adv* zweimal; ~ **as much** doppelt soviel; ~ **my age** doppelt so alt wie ich.
twig [twɪg] **1.** *n* dünner Zweig; **2.** *vt (fam)* kapieren, merken.
twilight ['twaɪlaɪt] *n* Dämmerung *f*, Zwielicht *nt*.
twin [twɪn] **1.** *n* Zwilling *m*; **2.** *adj* Zwillings-; *(very similar)* Doppel-.
twinge [twɪndʒ] *n* stechender Schmerz, Stechen *nt*.
twinkle ['twɪŋkl] **1.** *n* Funkeln *nt*, Blitzen *nt*; **2.** *vi* funkeln.
twinning ['twɪnɪŋ] *n* Städtepartnerschaft *f*; **twin town** *n* Partnerstadt *f*.
twirl [twɜːl] **1.** *n* Wirbel *m*; **2.** *vt, vi* [herum]wirbeln.
twist [twɪst] **1.** *n (twisting)* Biegen *nt*, Drehung *f*; *(bend)* Kurve *f*; **2.** *vt (turn)* drehen; *(make crooked)* verbiegen; *(distort)* verdrehen; **3.** *vi (wind)* sich drehen; *(curve)* sich winden.

twit [twɪt] *n (fam)* Idiot(in *f*) *m*.
twitch [twɪtʃ] *vi* zucken.
two [tuː] *num* zwei; **to break in** ~ in zwei Teile brechen; ~ **by** ~ zu zweit; **to be in** ~ **minds** nicht genau wissen; **to put** ~ **and** ~ **together** seine Schlüsse ziehen; **two-door** *adj* zweitürig; **two-faced** *adj* falsch; **twofold** *adj, adv* zweifach, doppelt; **two-piece** *adj* zweiteilig; **two-seater** *n (plane, car)* Zweisitzer *m*; **twosome** *n* Paar *nt*; **in a** ~ zu zweit; **two-way** *adj* in beide Richtungen; *(traffic)* Gegen-; *(street)* mit Gegenverkehr; *(switch)* Wechsel-; ~ **adaptor** Doppelstecker *m*; ~ **radio** Funksprechgerät *nt*.
tycoon [taɪˈkuːn] *n* Magnat *m*.
type [taɪp] **1.** *n* Typ *m*, Art *f*; *(TYP)* Type *f*; **2.** *vt, vi* maschineschreiben, tippen; **type-cast** *adj (THEAT, TV)* auf eine Rolle festgelegt; **typeface** *n* Schriftart *f*; **typescript** *n* maschinegeschriebener Text, Typoskript *nt*; **typewriter** *n* Schreibmaschine *f*; **typewritten** *adj* maschinegeschrieben.
typhoid ['taɪfɔɪd] *n* Typhus *m*.
typhoon [taɪˈfuːn] *n* Taifun *m*.
typhus ['taɪfəs] *n* Flecktyphus *m*.
typical *adj*, **typically** *adv* ['tɪpɪkəl, -klɪ] typisch *(of* für*)*.
typify ['tɪpɪfaɪ] *vt* typisch sein für.
typing ['taɪpɪŋ] *n* Maschineschreiben *nt*; **typist** ['taɪpɪst] *n* Schreibkraft *f*.
tyranny ['tɪrənɪ] *n* Tyrannei *f*, Gewaltherrschaft *f*; **tyrant** ['taɪrənt] *n* Tyrann(in *f*) *m*.
tyre [taɪə*] *n* Reifen *m*.

U

U, u [juː] *n* U *nt*, u *nt*.
ubiquitous [juːˈbɪkwɪtəs] *adj* überall zu finden; allgegenwärtig.
udder ['ʌdə*] *n* Euter *nt*.
UFO ['juːfəʊ] *n acronym of* **unidentified flying object** Ufo *nt*.
ugliness ['ʌglɪnəs] *n* Häßlichkeit *f*.
ugly ['ʌglɪ] *adj* häßlich; *(bad)* böse, schlimm.
UK *n abbr of* **United Kingdom** Vereinigtes Königreich.
ukulele [juːkəˈleɪlɪ] *n* Ukulele *f*.
ulcer ['ʌlsə*] *n* Geschwür *nt*.
ulterior [ʌlˈtɪərɪə*] *adj:* ~ **motive** Hintergedanke *m*.
ultimate ['ʌltɪmət] *adj* äußerste(r, s), allerletzte(r, s); **ultimately** *adv* schließ-

lich, letzten Endes.

ultimatum [ʌltɪ'meɪtəm] *n* Ultimatum *nt*.

ultra- ['ʌltrə] *pref* ultra-.

ultrasound ['ʌltrəsaʊnd] *n* (*US MED*) Ultraschallaufnahme *f*.

ultraviolet [ʌltrə'vaɪələt] *adj* ultraviolett.

umbilical cord [ʌm'bɪlɪkl'kɔːd] *n* Nabelschnur *f*.

umbrage ['ʌmbrɪdʒ] *n*: **to take** ~ Anstoß nehmen (*at* an + *dat*).

umbrella [ʌm'brelə] *n* Schirm *m*.

umpire ['ʌmpaɪə•] **1.** *n* Schiedsrichter(in *f*) *m*; **2.** *vt, vi* schiedsrichtern.

umpteen ['ʌmptiːn] *num* (*fam*) zig.

un- [ʌn] *pref* un-.

UN *n sing abbr of* **United Nations** UNO *f*.

unabashed [ʌnə'bæʃt] *adj* unerschrocken.

unabated [ʌnə'beɪtɪd] *adj* unvermindert.

unable [ʌn'eɪbl] *adj* außerstande; **to be** ~ **to do sth** etw nicht tun können.

unaccompanied [ʌnə'kʌmpənɪd] *adj* ohne Begleitung.

unaccountably [ʌnə'kaʊntəblɪ] *adv* unerklärlich[erweise].

unaccustomed [ʌnə'kʌstəmd] *adj* nicht gewöhnt (*to* an + *akk*); (*unusual*) ungewohnt.

unadulterated [ʌnə'dʌltəreɪtəd] *adj* rein, unverfälscht.

unaided [ʌn'eɪdɪd] *adj* selbständig, ohne Hilfe.

unanimity [juːnə'nɪmɪtɪ] *n* Einstimmigkeit *f*; **unanimous** *adj*, **unanimously** [juː'nænɪməs, -lɪ] einmütig; (*vote*) einstimmig.

unattached [ʌnə'tætʃt] *adj* ungebunden.

unattended [ʌnə'tendɪd] *adj* (*person*) unbeaufsichtigt; (*thing*) unbewacht.

unattractive [ʌnə'træktɪv] *adj* unattraktiv.

unauthorized [ʌn'ɔːθəraɪzd] *adj* unbefugt.

unavoidable *adj*, **unavoidably** *adv* [ʌnə'vɔɪdəbl, -blɪ] unvermeidlich.

unaware [ʌnə'wɛə•] *adj*: **to be** ~ **of sth** sich der einer Sache nicht bewußt sein; **unawares** *adv* unversehens.

unbalanced [ʌn'bælənst] *adj* unausgeglichen; (*mentally*) gestört.

unbearable [ʌn'bɛərəbl] *adj* unerträglich.

unbeatable [ʌn'biːtəbl] *adj* unschlagbar.

unbecoming [ʌnbɪ'kʌmɪŋ] *adj* (*dress*) unkleidsam; (*behaviour*) unpassend, unschicklich.

unbelievable [ʌnbɪ'liːvəbl] *adj* unglaublich.

unbend [ʌn'bend] *irr* **1.** *vt* geradebiegen, gerademachen; **2.** *vi* aus sich herausgehen.

unbreakable [ʌn'breɪkəbl] *adj* unzerbrechlich.

unbridled [ʌn'braɪdld] *adj* ungezügelt.

unbroken [ʌn'brəʊkən] *adj* (*period*) ununterbrochen; (*spirit*) ungebrochen; (*record*) unübertroffen.

unburden [ʌn'bɜːdn] *vr*: ~ **oneself** sein Herz ausschütten.

unbutton [ʌn'bʌtn] *vt* aufknöpfen.

uncalled-for [ʌn'kɔːldfɔː•] *adj* unnötig.

uncanny [ʌn'kænɪ] *adj* unheimlich.

unceasing [ʌn'siːsɪŋ] *adj* unaufhörlich.

uncertain [ʌn'sɜːtn] *adj* unsicher; (*doubtful*) ungewiß; (*unreliable*) unbeständig; (*vague*) undeutlich, vage; **uncertainty** *n* Ungewißheit *f*.

unchanged [ʌn'tʃeɪndʒd] *adj* unverändert.

uncharitable [ʌn'tʃærɪtəbl] *adj* hartherzig; (*remark*) unfreundlich, lieblos.

uncharted [ʌn'tʃɑːtɪd] *adj* nicht verzeichnet.

unchecked [ʌn'tʃekt] *adj* ungeprüft; (*not stopped*, *advance*) ungehindert.

uncivil [ʌn'sɪvɪl] *adj* unhöflich, grob.

uncle ['ʌŋkl] *n* Onkel *m*.

uncomfortable [ʌn'kʌmfətəbl] *adj* unbequem, ungemütlich.

uncompromising [ʌn'kɒmprəmaɪzɪŋ] *adj* kompromißlos, unnachgiebig.

unconditional [ʌnkən'dɪʃənl] *adj* bedingungslos.

uncongenial [ʌnkən'dʒiːnɪəl] *adj* unangenehm.

unconscious [ʌn'kɒnʃəs] *adj* (*MED*) bewußtlos; (*not aware*) nicht bewußt (*of gen*); (*not meant*) unbeabsichtigt; **the** ~ das Unbewußte; **unconsciously** *adv* unwissentlich, unbewußt; **unconsciousness** *n* Bewußtlosigkeit *f*.

uncontrollable [ʌnkən'trəʊləbl] *adj* unkontrollierbar, unbändig.

uncork [ʌn'kɔːk] *vt* entkorken.

uncouth [ʌn'kuːθ] *adj* grob, ungehobelt.

uncover [ʌn'kʌvə•] *vt* aufdecken.

unctuous ['ʌŋktjʊəs] *adj* salbungsvoll.

undaunted [ʌn'dɔːntɪd] *adj* unerschrocken.

undecided [ʌndɪ'saɪdɪd] *adj* unschlüssig.

undeniable [ʌndɪ'naɪəbl] *adj* unleugbar, unbestreitbar; **undeniably** *adv* unbestreitbar.

under ['ʌndə•] **1.** *prep* unter; **2.** *adv* darunter; ~ **repair** in Reparatur; **underage** *adj* minderjährig.

undercarriage ['ʌndəkærɪdʒ] *n* Fahrgestell *nt*.

underclothes ['ʌndəkləʊðz] *n pl* Unterwäsche *f*.

undercoat ['ʌndəkəʊt] *n* (*paint*) Grundierung f.

undercover [ˈʌndəkʌvə] adj Geheim-.

undercut [ˈʌndəkʌt] irr vt unterbieten.

underdeveloped [ʌndədiˈveləpt] adj Entwicklungs-, unterentwickelt.

underdog [ˈʌndədɔg] n Unterlegene(r) mf.

underdone [ʌndəˈdʌn] adj (GASTR) nicht gar, nicht durchgebraten.

underestimate [ʌndərˈestimeit] vt unterschätzen.

underexposed [ʌndəriksˈpəuzd] adj unterbelichtet.

underfed [ʌndəˈfed] adj unterernährt.

undergo [ʌndəˈgəu] irr vt (experience) durchmachen; (operation, test) sich unterziehen + dat.

undergraduate [ʌndəˈgrædjuət] n Student(in f) m.

underground [ˈʌndəgraund] 1. n Untergrundbahn f, U-Bahn f; 2. adj (press etc) Untergrund-.

undergrowth [ˈʌndəgrəuθ] n Gestrüpp nt, Unterholz nt.

underhand [ʌndəˈhænd] adj hinterhältig.

underlie [ʌndəˈlai] irr vt (form the basis of) zugrundeliegen + dat.

underline [ʌndəˈlain] vt unterstreichen; (emphasize) betonen.

underling [ˈʌndəliŋ] n Handlanger(in f) m.

undermine [ʌndəˈmain] vt unterhöhlen; (fig) unterminieren, untergraben.

underneath [ʌndəˈniːθ] 1. adv darunter; 2. prep unter.

underpaid [ʌndəˈpeid] adj unterbezahlt.

underpants [ˈʌndəpænts] n pl Unterhose f.

underpass [ˈʌndəpɑːs] n Unterführung f.

underprice [ʌndəˈprais] vt zu niedrig ansetzen.

underprivileged [ʌndəˈprivilidʒd] adj benachteiligt, unterprivilegiert.

underrate [ʌndəˈreit] vt unterschätzen.

undershirt [ˈʌndəʃɜːt] n (US) Unterhemd nt.

undershorts [ˈʌndəʃɔːts] n pl (US) Unterhose f.

underside [ˈʌndəsaid] n Unterseite f.

underskirt [ˈʌndəskɜːt] n Unterrock m.

understand [ʌndəˈstænd] irr vt verstehen; **I ~ that...** ich habe gehört, daß...; **am I to ~ that...** soll das [etwa] heißen, daß...; **what do you ~ by that?** was verstehen Sie darunter?; **it is understood that...** es wurde vereinbart, daß...; **to make oneself understood** sich verständlich machen; **is that understood?** ist das klar?; **understandable** adj verständlich; **understanding 1.** n

Verständnis nt; **2.** adj verständnisvoll.

understatement [ˈʌndəsteitmənt] n Untertreibung f, Understatement nt.

understudy [ˈʌndəstʌdi] n Ersatz[schau]spieler(in f) m.

undertake [ʌndəˈteik] irr **1.** vt unternehmen; **2.** vi (promise) sich verpflichten; **undertaker** n Leichenbestatter(in f) m; **~'s** Beerdigungsinstitut nt; **undertaking** n (enterprise) Unternehmen nt; (promise) Verpflichtung f.

underwater [ʌndəˈwɔːtə] **1.** adv unter Wasser; **2.** adj Unterwasser-.

underwear [ˈʌndəwɛə] n Unterwäsche f.

underweight [ʌndəˈweit] adj: **to be ~** Untergewicht haben.

underworld [ˈʌndəwɜːld] n (of crime) Unterwelt f.

underwriter [ˈʌndəraitə] n Assekurant(in f) m.

undesirable [ʌndiˈzaiərəbl] adj unerwünscht.

undies [ˈʌndiz] n pl (fam) [Damen]unterwäsche f.

undiscovered [ʌndisˈkʌvəd] adj unentdeckt.

undisputed [ʌndiˈspjuːtid] adj unbestritten.

undo [ʌnˈduː] irr vt (unfasten) öffnen, aufmachen; (work) zunichte machen; **undoing** n Verderben nt.

undoubted [ʌnˈdautid] adj unbezweifelt; **undoubtedly** adv zweifellos, ohne Zweifel.

undress [ʌnˈdres] vt, vi ausziehen.

undue [ʌnˈdjuː] adj übermäßig.

undulating [ˈʌndjuleitiŋ] adj wellenförmig; (country) wellig, hügelig.

unduly [ʌnˈdjuːli] adv übermäßig.

unearth [ʌnˈɜːθ] vt (dig up) ausgraben; (discover) ans Licht bringen; **unearthly** adj schauerlich.

unease [ʌnˈiːz] n Unbehagen nt; (public) Unruhe f; **uneasy** adj (worried) unruhig; (feeling) ungut; (embarrassed) unbequem; **I feel ~ about it** mir ist nicht wohl dabei.

uneconomic[al] [ʌniːkəˈnɔmikəl] adj unwirtschaftlich.

uneducated [ʌnˈedjukeitid] adj ungebildet.

unemployed [ʌnimˈplɔid] adj arbeitslos; **the ~** pl die Arbeitslosen pl; **unemployment** [ʌnimˈplɔimənt] n Arbeitslosigkeit f; **~ benefit** Arbeitslosenhilfe f.

unending [ʌnˈendiŋ] adj endlos.

unenviable [ʌnˈenviəbl] adj wenig beneidenswert.

unerring [ʌnˈɜːriŋ] adj unfehlbar.

uneven [ʌnˈiːvən] adj (surface) uneben;

(*quality*) ungleichmäßig.

unfair *adj*, **unfairly** *adv* [ʌnˈfɛə*, -əlɪ] ungerecht, unfair.

unfaithful [ʌnˈfeɪθful] *adj* untreu.

unfasten [ʌnˈfɑːsn] *vt* öffnen, aufmachen.

unfavourable, **unfavorable** (*US*) [ʌnˈfeɪvərəbl] *adj* ungünstig.

unfeeling [ʌnˈfiːlɪŋ] *adj* gefühllos, kalt.

unfinished [ʌnˈfɪnɪʃt] *adj* unvollendet.

unfit [ʌnˈfɪt] *adj* ungeeignet (*for* zu, für); (*in bad health*) nicht fit.

unflagging [ʌnˈflægɪŋ] *adj* unermüdlich.

unflappable [ʌnˈflæpəbl] *adj* unerschütterlich.

unflinching [ʌnˈflɪntʃɪŋ] *adj* unerschrocken.

unfold [ʌnˈfəʊld] 1. *vt* entfalten; (*paper*) auseinanderfalten; 2. *vi* (*develop*) sich entfalten.

unforeseen [ʌnfɔːˈsiːn] *adj* unvorhergesehen.

unforgivable [ʌnfəˈgɪvəbl] *adj* unverzeihlich.

unfortunate [ʌnˈfɔːtʃnət] *adj* unglücklich, bedauerlich; **unfortunately** *adv* leider.

unfounded [ʌnˈfaʊndɪd] *adj* unbegründet.

unfriendly [ʌnˈfrendlɪ] *adj* unfreundlich.

unfurnished [ʌnˈfɜːnɪʃt] *adj* unmöbliert.

ungainly [ʌnˈɡeɪnlɪ] *adj* linkisch.

ungodly [ʌnˈɡɒdlɪ] *adj* (*hour*) nachtschlafend; (*row*) heillos.

unguarded [ʌnˈɡɑːdɪd] *adj* (*moment*) unbewacht.

unhappiness [ʌnˈhæpɪnəs] *n* Unglück *nt*, Unglückseligkeit *f*; **unhappy** *adj* unglücklich.

unharmed [ʌnˈhɑːmd] *adj* wohlbehalten, unversehrt.

unhealthy [ʌnˈhelθɪ] *adj* ungesund.

unheard-of [ʌnˈhɜːdɒv] *adj* unerhört.

unhurt [ʌnˈhɜːt] *adj* unverletzt.

unicorn [ˈjuːnɪkɔːn] *n* Einhorn *nt*.

unidentified [ʌnaɪˈdentɪfaɪd] *adj* unbekannt, nicht identifiziert; ~ **flying object** unbekanntes Flugobjekt.

unification [juːnɪfɪˈkeɪʃən] *n* Vereinigung *f*.

uniform [ˈjuːnɪfɔːm] 1. *n* Uniform *f*; 2. *adj* einheitlich; **uniformity** [juːnɪˈfɔːmɪtɪ] *n* Einheitlichkeit *f*.

unify [ˈjuːnɪfaɪ] *vt* vereinigen.

unilateral [juːnɪˈlætərəl] *adj* einseitig.

unimaginable [ʌnɪˈmædʒɪnəbl] *adj* unvorstellbar.

uninjured [ʌnˈɪndʒəd] *adj* unverletzt.

unintentional [ʌnɪnˈtenʃənl] *adj* unabsichtlich.

union [ˈjuːnjən] *n* (*uniting*) Vereinigung *f*;

(*alliance*) Bund *m*, Union *f*; (*trade* ~) Gewerkschaft *f*; U ~ **Jack** Union Jack *m* (*britische Flagge*).

unique [juːˈniːk] *adj* einzig[artig].

unisex [ˈjuːnɪseks] *n* Unisexmode *f*.

unison [ˈjuːnɪzn] *n* Einstimmigkeit *f*; **in** ~ einstimmig.

unit [ˈjuːnɪt] *n* Einheit *f*.

unite [juːˈnaɪt] 1. *vt* vereinigen; 2. *vi* sich vereinigen; **united** *adj* vereinigt; (*together*) vereint; U ~ **Kingdom** Vereinigtes Königreich; U ~ **Nations** *pl* Vereinte Nationen *pl*; U ~ **States** [**of America**] *pl* Vereinigte Staaten [von Amerika] *pl*.

unity [ˈjuːnɪtɪ] *n* Einheit *f*; (*agreement*) Einigkeit *f*.

universal *adj*, **universally** *adv* [juːnɪˈvɜːsəl, -ɪ] allgemein.

universe [ˈjuːnɪvɜːs] *n* All *nt*, Universum *nt*.

university [juːnɪˈvɜːsɪtɪ] *n* Universität *f*.

unjust [ʌnˈdʒʌst] *adj* ungerecht.

unjustifiable [ʌnˈdʒʌstɪfaɪəbl] *adj* ungerechtfertigt.

unkempt [ʌnˈkempt] *adj* ungepflegt, verwahrlost.

unkind [ʌnˈkaɪnd] *adj* unfreundlich.

unknown [ʌnˈnəʊn] *adj* unbekannt (*to dat*).

unleaded [ʌnˈledɪd] *adj* bleifrei, unverbleit.

unleash [ʌnˈliːʃ] *vt* entfesseln.

unleavened [ʌnˈlevnd] *adj* ungesäuert.

unless [ənˈles] *conj* wenn nicht, es sei denn…

unlicensed [ʌnˈlaɪsənst] *adj* (*to sell alcohol*) unkonzessioniert.

unlike [ʌnˈlaɪk] 1. *adj* unähnlich; 2. *prep* im Gegensatz zu.

unlimited [ʌnˈlɪmɪtɪd] *adj* unbegrenzt.

unlisted [ʌnˈlɪstɪd] *adj* (*US*): **to have an** ~ **number** nicht im Telefonbuch stehen, eine Geheimnummer haben.

unload [ʌnˈləʊd] *vt* entladen.

unlock [ʌnˈlɒk] *vt* aufschließen.

unmannerly [ʌnˈmænəlɪ] *adj* unmanierlich.

unmarried [ʌnˈmærɪd] *adj* unverheiratet, ledig.

unmask [ʌnˈmɑːsk] *vt* demaskieren; (*fig*) entlarven.

unmistakable [ʌnmɪˈsteɪkəbl] *adj* unverkennbar; **unmistakably** [ʌnmɪˈsteɪkəblɪ] *adv* unverwechselbar, unverkennbar.

unmitigated [ʌnˈmɪtɪɡeɪtɪd] *adj* ungemildert, ganz.

unnecessary [ʌnˈnesəsərɪ] *adj* unnötig.

unobtainable [ʌnəbˈteɪnəbl] *adj*: **this number is** ~ kein Anschluß unter dieser

Nummer.

unoccupied [ʌnˈɒkjupaɪd] adj (seat) frei.

unopened [ʌnˈəupənd] adj ungeöffnet.

unorthodox [ʌnˈɔːθədɒks] adj unorthodox.

unpack [ʌnˈpæk] vt, vi auspacken.

unpalatable [ʌnˈpælətəbl] adj (truth) bitter.

unparalleled [ʌnˈpærəleld] adj beispiellos.

unpleasant [ʌnˈpleznt] adj unangenehm.

unplug [ʌnˈplʌg] vt den Stecker herausziehen von.

unpopular [ʌnˈpɒpjulə*] adj unbeliebt, unpopulär.

unprecedented [ʌnˈpresɪdəntɪd] adj noch nie dagewesen; beispiellos.

unqualified [ʌnˈkwɒlɪfaɪd] adj (success) uneingeschränkt, voll; (person) unqualifiziert.

unravel [ʌnˈrævəl] vt entwirren; (knitting) aufziehen.

unreal [ʌnˈrɪəl] adj unwirklich.

unreasonable [ʌnˈriːznəbl] adj unvernünftig; (demand) übertrieben; **that's ~** das ist zuviel verlangt.

unrelenting [ʌnrɪˈlentɪŋ] adj unerbittlich.

unrelieved [ʌnrɪˈliːvd] adj (monotony) ungemildert.

unrepeatable [ʌnrɪˈpiːtəbl] adj nicht zu wiederholen.

unrest [ʌnˈrest] n (discontent) Unruhe f; (fighting) Unruhen pl.

unruly [ʌnˈruːlɪ] adj (child) wild, ungebärdig.

unsafe [ʌnˈseɪf] adj nicht sicher.

unsaid [ʌnˈsed] adj: **to leave sth ~** etw ungesagt sein lassen.

unsatisfactory [ʌnsætɪsˈfæktərɪ] adj unbefriedigend; unzulänglich.

unsavoury, (US) **unsavory** [ʌnˈseɪvərɪ] adj (fig) widerwärtig; (details) unerfreulich.

unscrew [ʌnˈskruː] vt aufschrauben.

unscrupulous [ʌnˈskruːpjuləs] adj skrupellos.

unselfish [ʌnˈselfɪʃ] adj selbstlos, uneigennützig.

unsettled [ʌnˈsetld] adj unstet; (person) rastlos; (weather) wechselhaft; (dispute) nicht beigelegt.

unshaven [ʌnˈʃeɪvn] adj unrasiert.

unsightly [ʌnˈsaɪtlɪ] adj unansehnlich.

unskilled [ʌnˈskɪld] adj ungelernt.

unsophisticated [ʌnsəˈfɪstɪkeɪtɪd] adj einfach, natürlich.

unspeakable [ʌnˈspiːkəbl] adj (joy) unsagbar; (crime) scheußlich.

unstuck [ʌnˈstʌk] adj: **to come ~** sich lösen; (plan) schiefgehen; (speaker) stecken-

kenbleiben; (in exam) ins Schwimmen kommen.

unsuccessful [ʌnsəkˈsesful] adj erfolglos.

unsuitable [ʌnˈsuːtəbl] adj unpassend.

unsuspecting [ʌnsəˈspektɪŋ] adj nichtsahnend.

untangle [ʌnˈtæŋgl] vt entwirren.

untapped [ʌnˈtæpt] adj (resources) ungenützt.

unthinkable [ʌnˈθɪŋkəbl] adj unvorstellbar.

untidy [ʌnˈtaɪdɪ] adj unordentlich.

untie [ʌnˈtaɪ] vt aufmachen, aufschnüren.

until [ənˈtɪl] prep, conj bis.

untimely [ʌnˈtaɪmlɪ] adj (death) vorzeitig.

untold [ʌnˈtəuld] adj unermeßlich.

untoward [ʌntəˈwɔːd] adj widrig, ungünstig.

untranslatable [ʌntrænsˈleɪtəbl] adj unübersetzbar.

untried [ʌnˈtraɪd] adj (plan) noch nicht ausprobiert.

unused [ʌnˈjuːzd] adj unbenutzt.

unusual adj, **unusually** adv [ʌnˈjuːʒuəl, -ɪ] ungewöhnlich.

unveil [ʌnˈveɪl] vt enthüllen.

unwavering [ʌnˈweɪvərɪŋ] adj standhaft, unerschütterlich.

unwell [ʌnˈwel] adj unpäßlich.

unwilling [ʌnˈwɪlɪŋ] adj unwillig; **to be ~ to do sth** nicht gewillt sein, etw zu tun.

unwind [ʌnˈwaɪnd] irr **1.** vt abwickeln; **2.** vi (relax) sich entspannen.

unwitting [ʌnˈwɪtɪŋ] adj unwissentlich.

unwrap [ʌnˈræp] vt aufwickeln, auspacken.

unwritten [ʌnˈrɪtn] adj ungeschrieben.

up [ʌp] **1.** prep auf; **2.** adv nach oben, hinauf; (out of bed) auf; **it is ~ to you** es liegt bei Ihnen; **what is he ~ to?** was hat er vor?; **he is not ~ to it** er kann es nicht [tun]; **what's ~ ?** was ist los?; **~ to** (temporally) bis; **the ~ s and downs** das Auf und Ab; **up-and-coming** adj im Aufstieg.

upbringing [ˈʌpbrɪŋɪŋ] n Erziehung f.

update [ʌpˈdeɪt] vt auf den neuesten Stand bringen, aktualisieren.

upgrade [ʌpˈgreɪd] vt höher einstufen.

upheaval [ʌpˈhiːvəl] n Umbruch m.

uphill [ˈʌpˈhɪl] **1.** adj ansteigend, bergauf [führend]; (fig) mühsam; **2.** adv bergauf.

uphold [ʌpˈhəuld] irr vt unterstützen; (tradition) wahren.

upholstery [ʌpˈhəulstərɪ] n Polster nt, Polsterung f.

upkeep [ˈʌpkiːp] n Instandhaltung f.

up-market [ˈʌpˈmɑːkɪt] adj für den anspruchsvollen Kunden.

upon [ə'pɒn] *prep* auf.
upper ['ʌpə*] 1. *n* (*on shoe*) Oberleder *nt*; 2. *adj* obere(r, s), höhere(r, s); **the ~ class** die Oberschicht; **upper-class** *adj* vornehm; **uppermost** *adj* oberste(r, s), höchste(r, s).
upright ['ʌpraɪt] 1. *adj* (*erect*) aufrecht; (*honest*) aufrecht, rechtschaffen; 2. *n* Pfosten *m*; **~ freezer** Gefrierschrank *m*.
uprising ['ʌpraɪzɪŋ] *n* Aufstand *m*.
uproar ['ʌprɔː*] *n* Aufruhr *m*.
upset ['ʌpset] 1. *n* Aufregung *f*; 2. [ʌp'set] *irr vt* (*overturn*) umwerfen; (*disturb*) aufregen, bestürzen; (*plans*) durcheinanderbringen; **upsetting** *adj* bestürzend; (*annoying*) störend, unangenehm; (*offending*) beleidigend.
upshot ['ʌpʃɒt] *n* [End]ergebnis *nt*, Ausgang *m*.
upside-down ['ʌpsaɪd'daʊn] *adv* verkehrt herum; (*fig*) drunter und drüber.
upstairs [ʌp'steəz] 1. *adv* oben, im oberen Stockwerk; (*go*) nach oben; 2. *adj* (*room*) obere(r, s), Ober-; 3. *n* oberes Stockwerk.
upstart ['ʌpstɑːt] *n* Emporkömmling *m*.
upstream ['ʌp'striːm] *adv* stromaufwärts.
uptake ['ʌpteɪk] *n*: **to be quick on the ~** schnell begreifen; **to be slow on the ~** schwer von Begriff sein.
uptight [ʌp'taɪt] *adj* (*fam*: *nervous*) nervös; (*inhibited*) verklemmt.
up-to-date ['ʌptə'deɪt] *adj* (*clothes*) modisch, modern; (*information*) neueste(r, s); **to bring sth ~** etw auf den neuesten Stand bringen.
upward[s] ['ʌpwədz] 1. *adj* nach oben gerichtet; 2. *adv* aufwärts.
uranium [juə'reɪnɪəm] *n* Uran *nt*.
urban ['ɜːbən] *adj* städtisch, Stadt-.
urbane [ɜː'beɪn] *adj* höflich, weltgewandt.
urchin ['ɜːtʃɪn] *n* (*boy*) Schlingel *m*; (*sea ~*) Seeigel *m*.
urge [ɜːdʒ] 1. *n* Drang *m*; 2. *vt* drängen, dringen in +*akk*; **urge on** *vt* antreiben.
urgency ['ɜːdʒənsɪ] *n* Dringlichkeit *f*; **urgent** *adj*, **urgently** *adv* dringend.
urinal ['jʊərɪnl] *n* (*MED*) Urinflasche *f*; (*public*) Pissoir *nt*.
urinate ['jʊərɪneɪt] *vi* urinieren, Wasser lassen.
urine ['jʊərɪn] *n* Urin *m*, Harn *m*.
urn [ɜːn] *n* Urne *f*; (*tea ~*) Teemaschine *f*.
us [ʌs] *pron direct/indirect object of* **we** uns; **it's ~** wir sind's.
US[A] *n sing abbr of* **United States [of America]** USA *pl*.
usage ['juːzɪdʒ] *n* Gebrauch *m*; (*esp LING*) Sprachgebrauch *m*.
use [juːs] 1. *n* Verwendung *f*; (*custom*)

Brauch *m*, Gewohnheit *f*; (*employment*) Gebrauch *m*; (*point*) Zweck *m*; 2. [juːz] *vt* gebrauchen; **~d to** gewöhnt an +*akk*; **she ~d to live here** sie hat früher mal hier gewohnt; **in ~** in Gebrauch; **out of ~** außer Gebrauch; **it's no ~** es hat keinen Zweck; **what's the ~?** was soll's?; **use up** [juːz ʌp] *vt* aufbrauchen, verbrauchen; **used** [juːzd] *adj* (*car*) Gebraucht-; **useful** *adj* nützlich; **usefulness** *n* Nützlichkeit *f*; **useless** *adj* nutzlos, unnütz; **uselessly** *adv* nutzlos; **uselessness** *n* Nutzlosigkeit *f*; **user** ['juːzə*] *n* Benutzer(in *f*) *m*; (*COMPUT also*) Anwender(in *f*) *m*; **~ program** Anwenderprogramm *nt*; **userfriendly** *adj* benutzerfreundlich.
usher ['ʌʃə*] *n* Platzanweiser *m*; **usherette** [ʌʃə'ret] *n* Platzanweiserin *f*.
USSR *n abbr of* **Union of Soviet Socialist Republics** UdSSR *f*.
usual ['juːʒʊəl] *adj* gewöhnlich, üblich; **usually** *adv* gewöhnlich.
usurp [juː'zɜːp] *vt* an sich reißen; **usurper** *n* Usurpator(in *f*) *m*.
usury ['juːʒʊrɪ] *n* Wucher *m*.
utensil [juː'tensl] *n* Gerät *nt*, Utensil *nt*.
uterus ['juːtərəs] *n* Gebärmutter *f*, Uterus *m*.
utilitarian [juːtɪlɪ'teərɪən] *adj* Nützlichkeits-.
utility [juː'tɪlɪtɪ] *n* (*usefulness*) Nützlichkeit *f*; (*also public ~*) öffentlicher Versorgungsbetrieb *m*; **~ room** Abstellraum *m*.
utilization [juːtɪlaɪ'zeɪʃən] *n* Benutzung *f*, Verwendung *f*; (*of old things*) Verwertung *f*.
utilize ['juːtɪlaɪz] *vt* benützen, verwenden; (*old things*) verwerten.
utmost ['ʌtməʊst] 1. *adj* äußerste(r, s); 2. *n*: **to do one's ~** sein möglichstes tun.
utter ['ʌtə*] 1. *adj* äußerste(r, s) höchste(r, s), völlig; 2. *vt* äußern, aussprechen; **utterance** *n* Äußerung *f*; **utterly** *adv* äußerst, absolut, völlig.
U-turn ['juː'tɜːn] *n* (*AUT*) Kehrtwendung *f*; **'no ~s'** 'Wenden verboten'.

V

V, v [viː] *n* V *nt*, *v nt*.
vacancy ['veɪkənsɪ] *n* (*job*) offene Stelle; (*room*) freies Zimmer; **vacant** ['veɪkənt] *adj* leer; (*unoccupied*) frei; (*house*) leerstehend, unbewohnt; (*stupid*) [gedanken]leer; **'~'** (*on door*) 'frei'.

vacate [vəˈkeɪt] vt (seat) frei machen; (room) räumen.

vacation [vəˈkeɪʃən] n Ferien pl, Urlaub m; **vacationist** n (US) Urlauber(in f) m.

vaccinate [ˈvæksɪneɪt] vt impfen; **vaccination** [væksɪˈneɪʃən] n Impfung f; **vaccine** [ˈvæksiːn] n Impfstoff m.

vacuum [ˈvækjʊm] n luftleerer Raum, Vakuum nt; **vacuum-packed** adj vakuumverpackt; **vacuum bottle** (US), **vacuum flask** (Brit) n Thermosflasche f; **vacuum cleaner** n Staubsauger m.

vagary [ˈveɪɡərɪ] n Laune f.

vagina [vəˈdʒaɪnə] n Scheide f, Vagina f.

vagrant [ˈveɪɡrənt] n Landstreicher(in f) m.

vague [veɪɡ] adj unbestimmt, vage; (outline) verschwommen; (absent-minded) geistesabwesend; **vaguely** adv unbestimmt, vage; (understand, correct) ungefähr; **vagueness** n Unbestimmtheit f, Verschwommenheit f.

vain [veɪn] adj (worthless) eitel, nichtig; (attempt) vergeblich; (conceited) eitel, eingebildet; **in** ~ vergebens, umsonst; **vainly** adv vergebens, vergeblich; eitel, eingebildet.

valentine [ˈvæləntaɪn] n Valentinsgruß m.

valiant adj, **valiantly** adv [ˈvælɪənt, -lɪ] tapfer.

valid [ˈvælɪd] adj gültig; (argument) stichhaltig; (objection) berechtigt; **validity** [vəˈlɪdɪtɪ] n Gültigkeit f, Stichhaltigkeit f.

valley [ˈvælɪ] n Tal nt.

valuable [ˈvæljʊəbl] adj wertvoll; (time) kostbar; **valuables** n pl Wertsachen pl.

value [ˈvæljuː] 1. n Wert m; (usefulness) Nutzen m; 2. vt (FIN: estimate) schätzen; **valued** adj (hoch)geschätzt; **valueless** adj wertlos; **valuer** n Schätzer(in f) m.

valve [vælv] n Ventil nt; (BIO) Klappe f; (RADIO) Röhre f.

vampire [ˈvæmpaɪə*] n Vampir m.

van [væn] n Lieferwagen m, Kombiwagen m.

vandal [ˈvændəl] n Rowdy m; **vandalism** n mutwillige Beschädigung, Vandalismus m.

vanilla [vəˈnɪlə] n Vanille f.

vanish [ˈvænɪʃ] n verschwinden.

vanity [ˈvænɪtɪ] n Eitelkeit f, Einbildung f; **vanity case** n Schminkkoffer m.

vantage [ˈvɑːntɪdʒ] n: ~ **point** guter Aussichtspunkt.

vapour, **vapor** (US) [ˈveɪpə*] n (mist) Dunst m; (gas) Dampf m.

variable [ˈvɛərɪəbl] adj wechselhaft, veränderlich; (speed, height) regulierbar.

variance [ˈvɛərɪəns] n: **to be at** ~ uneinig sein.

variant [ˈvɛərɪənt] n Variante f.

variation [vɛərɪˈeɪʃən] n Variation f, Veränderung f; (of temperature, prices) Schwankung f.

varicose [ˈværɪkəʊs] adj: ~ **veins** pl Krampfadern pl.

varied [ˈvɛərɪd] adj verschieden, unterschiedlich; (life) abwechslungsreich.

variety [vəˈraɪətɪ] n (difference) Abwechslung f; (varied collection) Vielfalt f; (COM) Auswahl f; (sort) Sorte f, Art f; **variety show** n Varieté nt.

various [ˈvɛərɪəs] adj verschieden; (several) mehrere.

varnish [ˈvɑːnɪʃ] 1. n Lack m; (on pottery) Glasur f; 2. vt lackieren; (truth) beschönigen.

vary [ˈvɛərɪ] 1. vt (alter) verändern; (give variety to) abwechslungsreicher gestalten; 2. vi sich [ver]ändern; (prices) schwanken; (weather) unterschiedlich sein; **to** ~ **from sth** sich von etw unterscheiden; **varying** adj unterschiedlich; veränderlich.

vase [vɑːz] n Vase f.

vast [vɑːst] adj weit, groß, riesig; **vastly** adv wesentlich; (grateful, amused) äußerst; **vastness** n Unermeßlichkeit f, Weite f.

vat [væt] n großes Faß.

VAT n abbr of **value added tax** Mehrwertsteuer, MWST f.

Vatican [ˈvætɪkən] n: **the** ~ der Vatikan.

vaudeville [ˈvəʊdəvɪl] n (US) Varieté nt.

vault [vɔːlt] 1. n (of roof) Gewölbe nt; (tomb) Gruft f; (in bank) Tresorraum m; (leap) Sprung m; 2. vt überspringen.

vaunted [ˈvɔːntɪd] adj gerühmt, gepriesen.

VCR n abbr of **video cassette recorder** Videorecorder m.

VD n abbr of **venereal disease** Geschlechtskrankheit f.

VDU n abbr of **visual display unit** Datensichtgerät nt, Bildschirm m.

veal [viːl] n Kalbfleisch nt.

veer [vɪə*] vi sich drehen; (car) ausscheren.

vegetable [ˈvedʒətəbl] n Gemüse nt; (plant) Pflanze f.

vegetarian [vedʒɪˈtɛərɪən] 1. n Vegetarier(in f) m; 2. adj vegetarisch.

vegetate [ˈvedʒɪteɪt] vi [dahin]vegetieren.

vegetation [vedʒɪˈteɪʃən] n Vegetation f.

vehemence [ˈviːɪməns] n Heftigkeit f; **vehement** adj heftig; (feelings) leidenschaftlich.

vehicle [ˈviːɪkl] n Fahrzeug nt; (fig) Mittel nt; **vehicular** [vɪˈhɪkjʊlə*] adj Fahrzeug-; (traffic) Kraft-.

veil [veɪl] 1. *n (also fig)* Schleier *m*; 2. *vt* verschleiern.

vein [veɪn] *n* Ader *f*; (ANAT) Vene *f*; (*mood*) Stimmung *f*.

Velcro ® ['velkrəʊ] *n* <-s> Klett[en]verschluß *m*.

velocity [vɪ'lɒsɪtɪ] *n* Geschwindigkeit *f*.

velvet ['velvɪt] *n* Samt *m*.

vendetta [ven'detə] *n* Fehde *f*; (*in family*) Blutrache *f*.

vending machine ['vendɪŋməʃiːn] *n* Automat *m*.

vendor ['vendɔː'] *n* Verkäufer(in *f*) *m*.

veneer [və'nɪə'] *n* Furnier[holz] *nt*; (*fig*) äußerer Anstrich.

venerable ['venərəbl] *adj* ehrwürdig.

venereal [vɪ'nɪərɪəl] *adj* (*disease*) Geschlechts-.

venetian [vɪ'niːʃən] *adj*: ~ **blind** Jalousie *f*.

vengeance ['vendʒəns] *n* Rache *f*; **with a** ~ gewaltig.

venison ['venɪsn] *n* Reh[fleisch] *nt*.

venom ['venəm] *n* Gift *nt*; **venomous** *adj*, **venomously** *adv* giftig, gehässig.

vent [vent] 1. *n* Öffnung *f*; (*in coat*) Schlitz *m*; (*fig*) Ventil *nt*; 2. *vt* (*emotion*) abreagieren.

ventilate ['ventɪleɪt] *vt* belüften; (*question*) erörtern; **ventilation** [ventɪ'leɪʃən] *n* Be]lüftung *f*, Ventilation *f*; **ventilator** ['ventɪleɪtə'] *n* Ventilator *m*.

ventriloquist [ven'trɪləkwɪst] *n* Bauchredner(in *f*) *m*.

venture ['ventʃə'] 1. *n* Unternehmung *f*, Projekt *nt*; 2. *vt* wagen; (*life*) aufs Spiel setzen; 3. *vi* sich wagen; **venture capital** *n* Risikoanlagekapital *nt*.

venue ['venjuː] *n* Schauplatz *m*; (*meeting place*) Treffpunkt *m*.

veranda[h] [və'rændə] *n* Veranda *f*.

verb [vɜːb] *n* Zeitwort *nt*, Verb *nt*; **verbal** *adj* (*spoken*) mündlich; (*translation*) wörtlich; (*of a verb*) verbal, Verbal-; **verbally** *adv* mündlich; (*as a verb*) verbal; **verbatim** [vɜː'beɪtɪm] 1. *adv* Wort für Wort; 2. *adj* wortwörtlich.

verbose [vɜː'bəʊs] *adj* wortreich.

verdict ['vɜːdɪkt] *n* Urteil *nt*.

verge [vɜːdʒ] 1. *n* Rand *m*; 2. *vi:* **to ~ on** grenzen an +*akk*; **on the ~ of doing sth** im Begriff, etw zu tun.

verger ['vɜːdʒə'] *n* Kirchendiener *m*, Küster *m*.

verification [verɪfɪ'keɪʃən] *n* Bestätigung *f*; (*checking*) Überprüfung *f*; (*proof*) Beleg *m*.

verify ['verɪfaɪ] *vt* [über]prüfen; (*confirm*) bestätigen; (*theory*) beweisen.

vermin ['vɜːmɪn] *n* Ungeziefer *nt*.

vermouth ['vɜːməθ] *n* Wermut *m*.

vernacular [və'nækjʊlə'] *n* Landessprache *f*; (*dialect*) Dialekt *m*, Mundart *f*; (*jargon*) Fachsprache *f*.

versatile ['vɜːsətaɪl] *adj* vielseitig; **versatility** [vɜːsə'tɪlɪtɪ] *n* Vielseitigkeit *f*.

verse [vɜːs] *n* (*poetry*) Poesie *f*; (*stanza*) Strophe *f*; (*of Bible*) Vers *m*; **in** ~ in Versform; **versed** *adj*: ~ **in** bewandert in +*dat*, beschlagen in +*dat*.

version ['vɜːʃən] *n* Version *f*; (*of car*) Modell *nt*.

versus ['vɜːsəs] *prep* gegen.

vertebra ['vɜːtɪbrə] *n* [Rücken]wirbel *m*; **vertebrate** ['vɜːtɪbrət] *adj* (*animal*) Wirbel-.

vertical *adj*, **vertically** *adv* ['vɜːtɪkəl, -lɪ] senkrecht, vertikal.

vertigo ['vɜːtɪgəʊ] *n* <-s> Schwindel *m*, Schwindelgefühl *nt*.

verve [vɜːv] *n* Schwung *m*.

very ['verɪ] 1. *adv* sehr; 2. *adj* (*extreme*) äußerste(r, s); **the ~ book** genau das Buch; **at that ~ moment** gerade (*o* genau) in dem Augenblick; **at the ~ latest** allerspätestens; **the ~ same day** noch am selben Tag; **the ~ thought** der Gedanke allein, der bloße Gedanke.

vespers ['vespəz] *n pl* Vesper *f*.

vessel ['vesl] *n* (*ship*) Schiff *nt*; (*container, blood* ~) Gefäß *nt*.

vest [vest] 1. *n* (*Brit*) Unterhemd *nt*; (*US: waistcoat*) Weste *f*; 2. *vt:* **to ~ sb with sth** (*o* **sth in sb**) jdm etw verleihen; **vested** *adj*: ~ **interests** *pl* finanzielle Beteiligung; (*people*) finanziell Beteiligte *pl*; (*fig*) persönliches Interesse.

vestibule ['vestɪbjuːl] *n* Vorhalle *f*.

vestige ['vestɪdʒ] *n* Spur *f*.

vestry ['vestrɪ] *n* Sakristei *f*.

vet [vet] 1. *n* Tierarzt(-ärztin *f*) *m*; 2. *vt* genau prüfen.

veteran ['vetərən] *n* Veteran(in *f*) *m*; 2. *adj* altgedient.

veterinary ['vetɪnərɪ] *adj* Veterinär-; ~ **surgeon** Tierarzt(-ärztin *f*) *m*.

veto ['viːtəʊ] 1. *n* <-es> Veto *nt*; 2. *vt* sein Veto einlegen gegen; **power of** ~ Vetorecht *nt*.

vex [veks] *vt* ärgern; **vexed** *adj* verärgert; ~ **question** umstrittene Frage; **vexing** *adj* ärgerlich.

VHF *n abbr of* **very high frequency** UKW.

via ['vaɪə] *prep* über +*akk*.

viability [vaɪə'bɪlɪtɪ] *n* (*of plan, scheme*) Durchführbarkeit *f*; (*of company*) Rentabilität *f*; (*of life forms*) Lebensfähigkeit *f*; **viable** ['vaɪəbl] *adj* (*plan*) durchführbar; (*company*) rentabel; (*plant, economy*) lebensfähig.

viaduct ['vaɪədʌkt] n Viadukt m.

vibrate [vaɪ'breɪt] vi zittern, beben; (machine, string) vibrieren; (notes) schwingen; **vibration** [vaɪ'breɪʃən] n Schwingung f; (of machine) Vibrieren nt; (of voice, ground) Beben nt.

vicar ['vɪkə*] n Pfarrer(in f) m; **vicarage** n Pfarrhaus nt.

vice [vaɪs] **1.** n (evil) Laster nt; (TECH) Schraubstock m; **2.** pref: ~-**chairman** stellvertretender Vorsitzender; ~-**president** Vizepräsident(in f) m.

vice versa ['vaɪs'vɜːsə] adv umgekehrt.

vicinity [vɪ'sɪnɪtɪ] n Umgebung f; (closeness) Nähe f.

vicious ['vɪʃəs] adj gemein, böse; ~ **circle** Teufelskreis m; **viciousness** n Bösartigkeit f, Gemeinheit f.

vicissitudes [vɪ'sɪsɪtjuːdz] n pl Wechselfälle pl.

victim ['vɪktɪm] n Opfer nt; **victimization** [vɪktɪmaɪ'zeɪʃən] n Benachteiligung f; **victimize** vt benachteiligen.

victor ['vɪktə*] n Sieger(in f) m.

Victorian [vɪk'tɔːrɪən] adj viktorianisch; (fig) [sitten]streng.

victorious [vɪk'tɔːrɪəs] adj siegreich.

victory ['vɪktərɪ] n Sieg m.

video ['vɪdɪəʊ] **1.** adj Video-; **2.** n <-s> Video nt; (recorder) Videogerät nt, Videorecorder m; **video camera** n Videokamera f; **video cassette** n Videokassette f; **video clip** n Videoclip m; **video disc** n Bildplatte f; ~ **player** Bildplattenspieler m; **video game** n Videospiel nt, Telespiel nt; **video nasty** n Gewaltvideo nt; **video player** n Videogerät nt; **video-record** vt [auf Video] aufnehmen; **video recorder** n Videorecorder m; **videotape 1.** n Videoband nt; **2.** vt [auf Video] aufnehmen; ~ **library** Videothek f; **videotex** ® n Bildschirmtext m.

vie [vaɪ] vi wetteifern.

Vietnam [vjet'næm] n Vietnam nt.

view [vjuː] **1.** n (sight) Sicht f, Blick m; (scene) Aussicht f; (opinion) Ansicht f, Meinung f; (intention) Absicht f; **2.** vt (situation) betrachten; (house) besichtigen; **to have sth in** ~ etw beabsichtigen; **in** ~ **of** wegen +gen, angesichts +gen; **viewdata** n Bildschirmtext m; **viewer** n (viewfinder) Sucher m; (FOT: small projector) Gucki m; (TV) Fernsehteilnehmer(in f) m; **viewership** n Fernsehzuschauer pl; **viewfinder** n Sucher m; **viewpoint** n Standpunkt m.

vigil ['vɪdʒɪl] n [Nacht]wache f.

vigilance ['vɪdʒɪləns] n Wachsamkeit f;

vigilant adj wachsam; **vigilantly** adv aufmerksam.

vigorous adj, **vigorously** adv ['vɪgərəs, -lɪ] kräftig; (protest) energisch, heftig.

vigour, vigor (US) ['vɪgə*] n Kraft f, Vitalität f; (of protest) Heftigkeit f.

vile [vaɪl] adj (mean) gemein; (foul) abscheulich.

vilify ['vɪlɪfaɪ] vt verleumden.

villa ['vɪlə] n Villa f.

village ['vɪlɪdʒ] n Dorf nt; **villager** n Dorfbewohner(in f) m.

villain ['vɪlən] n Schurke m, Schurkin f, Bösewicht m.

vindicate ['vɪndɪkeɪt] vt rechtfertigen; (clear) rehabilitieren.

vindictive [vɪn'dɪktɪv] adj nachtragend; rachsüchtig.

vine [vaɪn] n Rebstock m, Rebe f.

vinegar ['vɪnɪgə*] n Essig m.

vineyard ['vɪnjəd] n Weinberg m.

vintage ['vɪntɪdʒ] n (of wine) Jahrgang m; **vintage car** n Vorkriegsmodell nt; **vintage wine** n edler Wein; **vintage year** n besonderes Jahr.

vinyl ['vaɪnɪl] n Vinyl nt, PVC nt.

viola [vɪ'əʊlə] n Bratsche f.

violate ['vaɪəleɪt] vt (promise) brechen; (law) übertreten; (rights, rule, neutrality) verletzen; (sanctity, woman) schänden; **violation** [vaɪə'leɪʃən] n Verletzung f, Übertretung f; (rape) Vergewaltigung f.

violence ['vaɪələns] n (force) Heftigkeit f; (brutality) Gewalt[tätigkeit] f; **violent** adj, **violently** adv (strong) heftig; (brutal) gewalttätig, brutal; (contrast) kraß; (death) gewaltsam.

violet ['vaɪələt] **1.** n Veilchen nt; **2.** adj veilchenblau, violett.

violin [vaɪə'lɪn] n Geige f, Violine f.

VIP n abbr of **very important person** VIP mf.

viper ['vaɪpə*] n Viper f; (fig) Schlange f.

virgin ['vɜːdʒɪn] **1.** n Jungfrau f; **2.** adj jungfräulich, unberührt; **virginity** [vɜː'dʒɪnɪtɪ] n Unschuld f.

Virgo ['vɜːgəʊ] n <-s> (ASTR) Jungfrau f.

virile ['vɪraɪl] adj männlich; (fig) kraftvoll; **virility** [vɪ'rɪlɪtɪ] n Männlichkeit f.

virtual ['vɜːtjʊəl] adj eigentlich; **it was a** ~ **disaster** es war geradezu eine Katastrophe; **virtually** adv praktisch, fast.

virtue ['vɜːtjuː] n (moral goodness) Tugend f; (good quality) Vorteil m, Vorzug m; **by** ~ **of** aufgrund +gen.

virtuoso [vɜːtjʊ'əʊzəʊ] n <-s> Virtuose m, Virtuosin f.

virtuous ['vɜːtjʊəs] adj tugendhaft.

virulence ['vɪrjʊləns] n Bösartigkeit f;

virulent adj (poisonous) bösartig; (bitter) scharf, geharnischt.

virus ['vaɪərəs] n Virus nt.

visa ['viːzə] n Visum nt, Sichtvermerk m.

vis-à-vis ['viːzɑːviː] prep gegenüber.

visibility [vɪzɪ'bɪlɪtɪ] n Sichtbarkeit f; (METEO) Sicht[weite] f; **visible** ['vɪzəbl] adj sichtbar; **visibly** adv sichtlich.

vision ['vɪʒən] n (ability) Sehvermögen nt; (foresight) Weitblick m; (in dream, image) Vision f; **visionary** 1. n Hellseher(in f) m; (dreamer) Phantast(in f) m; 2. adj phantastisch.

visit ['vɪzɪt] 1. n Besuch m; 2. vt besuchen; (town, country) fahren nach; **visiting** adj (professor) Gast-; ~ **card** Visitenkarte f; ~ **hours** pl Besuchszeiten pl; **visitor** n (in house) Besucher(in f) m; (in hotel) Gast m; ~**'s book** Gästebuch nt.

visor ['vaɪzə*] n Visier nt; (on cap) Schirm m; (AUT) Blende f.

vista ['vɪstə] n Aussicht f.

visual ['vɪzjʊəl] adj Seh-, visuell; ~ **aid** Anschauungsmaterial nt; ~ **display unit** Bildschirm m, [Daten]sichtgerät nt; **visualize** vt (imagine) sich dat vorstellen; (expect) erwarten; **visually** adv visuell.

vital ['vaɪtl] adj (important) unerläßlich; (necessary for life) Lebens-, lebenswichtig; (lively) vital; **vitality** [vaɪ'tælɪtɪ] n Vitalität f, Lebendigkeit f; **vitally** adv äußerst, ungeheuer.

vitamin ['vɪtəmɪn] n Vitamin nt.

vivacious [vɪ'veɪʃəs] adj lebhaft; **vivacity** [vɪ'væsɪtɪ] n Lebhaftigkeit f, Lebendigkeit f.

vivid adj, **vividly** adv ['vɪvɪd, -lɪ] (graphic) lebendig; deutlich; (memory) lebhaft; (bright) leuchtend.

vivisection [vɪvɪ'sekʃən] n Vivisektion f.

vocabulary [vəʊ'kæbjʊlərɪ] n Wortschatz m, Vokabular m.

vocal ['vəʊkəl] adj Stimm-; (music) Vokal-; (group) Gesangs-; (fig) lautstark; ~ **cord** Stimmband nt; **vocalist** n Sänger(in f) m.

vocation [vəʊ'keɪʃən] n (calling) Berufung f; **vocational** adj Berufs-.

vociferous adj, **vociferously** adv [vəʊ'sɪfərəs, -lɪ] lautstark.

vodka ['vɒdkə] n Wodka m.

vogue [vəʊg] n Mode f.

voice [vɔɪs] 1. n Stimme f; (fig) Mitspracherecht nt; 2. vt äußern; **active/passive** ~ (LING) Aktiv nt/Passiv nt; **with one** ~ einstimmig; **voiced consonant** n stimmhafter Konsonant; **voiceless consonant** n stimmloser Konsonant.

void [vɔɪd] 1. n Leere f; 2. adj (empty) leer; (lacking) ohne (of akk), bar (of

gen); (JUR) ungültig; see also **null**.

volatile ['vɒlətaɪl] adj (gas) flüchtig; (person) impulsiv; (situation) brisant.

volcanic [vɒl'kænɪk] adj vulkanisch, Vulkan-.

volcano [vɒl'keɪnəʊ] n <-[e]s> Vulkan m.

volition [və'lɪʃən] n Wille m; **of one's own** ~ aus freiem Willen.

volley ['vɒlɪ] n (of guns) Salve f; (of stones) Hagel m; (of words) Schwall m; (TENNIS) Flugball m; **volleyball** n Volleyball m.

volt [vəʊlt] n Volt nt; **voltage** n [Volt]spannung f; ~ **detector** Spannungsprüfer m.

voluble ['vɒljʊbl] adj redselig.

volume ['vɒljuːm] n (book) Band m; (size) Umfang m, (space) Rauminhalt m, Volumen nt; (of sound) Lautstärke f.

voluntary adj, **voluntarily** adv ['vɒləntərɪ, -lɪ] freiwillig; ~ **service overseas** (Brit) Entwicklungsdienst m.

volunteer [vɒlən'tɪə*] 1. n Freiwillige(r) mf; 2. vi sich freiwillig melden; 3. vt anbieten.

voluptuous [və'lʌptjʊəs] adj sinnlich, wollüstig.

vomit ['vɒmɪt] 1. n Erbrochene(s) nt; (act) Erbrechen nt; 2. vt speien; 3. vi sich übergeben.

vote [vəʊt] 1. n Stimme f; (ballot) Wahl f, Abstimmung f; (result) Wahlergebnis nt, Abstimmungsergebnis nt; (right to vote) Wahlrecht nt; 2. vt, vi wählen; **voter** n Wähler(in f) m; **voting** n Wahl f; **low** ~ geringe Wahlbeteiligung f.

voucher ['vaʊtʃə*] n Gutschein m.

vouch for ['vaʊtʃ fɔː*] vt bürgen für.

vow [vaʊ] 1. n Versprechen nt; (REL) Gelübde nt; 2. vt geloben; (vengeance) schwören.

vowel ['vaʊəl] n Vokal m, Selbstlaut m.

voyage ['vɔɪɪdʒ] n Reise f.

vulgar ['vʌlgə*] adj (rude) vulgär; (of common people) allgemein, Volks-; **vulgarity** [vʌl'gærɪtɪ] n Gewöhnlichkeit f, Vulgarität f.

vulnerability [vʌlnərə'bɪlɪtɪ] n Verletzlichkeit f; **vulnerable** ['vʌlnərəbl] adj (easily injured) verwundbar; (sensitive) verletzlich.

vulture ['vʌltʃə*] n Geier m.

W

W, w [ˈdʌblju:] *n* W *nt*, w *nt*.

wad [wɒd] *n* (*bundle*) Bündel *nt*; (*of paper*) Stoß *m*; (*of money*) Packen *m*.

wade [weɪd] *vi* waten.

wafer [ˈweɪfə*] *n* Waffel *f*; (*REL*) Hostie *f*; (*COMPUT*) Chip *m*, Siliziumplättchen *nt*.

waffle [ˈwɒfl] **1.** *n* Waffel *f*; (*fam: empty talk*) Geschwafel *nt*; **2.** *vi* (*fam*) schwafeln.

waft [wɑ:ft] *vt, vi* wehen.

wag [wæg] **1.** *vt* (*tail*) wedeln mit; **2.** *vi* (*tail*) wedeln; **her tongue never stops ~** ging ihr Mund steht nie still.

wage [weɪdʒ] **1.** *n* [Arbeits]lohn *m*; **2.** *vt* (*war*) führen; **~s** *pl* Lohn *m*; **wage claim** *n* Lohnforderung *f*; **wage earner** *n* Lohnempfänger(in *f*) *m*; **wage freeze** *n* Lohnstopp *m*.

wager [ˈweɪdʒə*] **1.** *n* Wette *f*; **2.** *vt, vi* wetten.

waggle [ˈwægl] **1.** *vt* (*tail*) wedeln mit; **2.** *vi* wedeln.

wag(g)on [ˈwægən] *n* (*horse-drawn*) Fuhrwerk *nt*; (*US AUT*) Wagen *m*; (*Brit RAIL*) Waggon *m*.

wail [weɪl] **1.** *n* Wehgeschrei *nt*; **2.** *vi* wehklagen, jammern.

waist [weɪst] *n* Taille *f*; **waistcoat** *n* Weste *f*; **waistline** *n* Taille *f*.

wait [weɪt] **1.** *n* Wartezeit *f*; **2.** *vi* warten (*for auf* +*akk*); **~ and see!** abwarten!; **to ~ for sb to do sth** darauf warten, daß jd etw tut; **to ~ at table** servieren; **waiter** *n* Kellner *m*; (*as address*) Herr Ober; **waiting list** *n* Warteliste *f*; **waiting room** *n* (*MED*) Wartezimmer *nt*; (*RAIL*) Wartesaal *m*; **waitress** *n* Kellnerin *f*; (*as address*) Fräulein *nt*.

waive [weɪv] *vt* verzichten auf +*akk*.

wake [weɪk] <**woke** *o* **waked**, **woken** *o* **waked**> **1.** *vt* wecken; **2.** *vi* aufwachen; **2.** *n* (*NAUT*) Kielwasser *nt*; (*for dead*) Totenwache *f*; **in the ~ of** unmittelbar nach; **to ~ up to sth** (*fig*) sich *dat* einer Sache +*gen* bewußt werden; **waken** *vt* aufwecken.

Wales [weɪlz] *n* Wales *nt*.

walk [wɔ:k] **1.** *n* Spaziergang *m*; (*way of walking*) Gang *m*; (*route*) Weg *m*; **2.** *vi* gehen; (*stroll*) spazierengehen; (*longer*) wandern; **to take sb for a ~** mit jdm einen Spaziergang machen; **a 10-minute ~** 10 Minuten zu Fuß; **~s of life** *pl* Lebensbereiche *pl*; **walkabout** *n* Bad *nt* in der Menge; **walker** *n* Spaziergänger(in

f) *m*; (*hiker*) Wanderer *m*, Wand[r]erin *f*;

walkie-talkie *n* tragbares Sprechfunkgerät; **walking 1.** *n* Gehen *nt*; Spazieren[gehen] *nt*; Wandern *nt*; **2.** *adj* Wander-; **~ stick** Spazierstock *m*; **walkout** *n* Streik *m*; **walkover** *n* (*fam*) leichter Sieg.

wall [wɔ:l] *n* (*inside*) Wand *f*; (*outside*) Mauer *f*; **walled** *adj* von Mauern umgeben.

wallet [ˈwɒlɪt] *n* Brieftasche *f*.

wallow [ˈwɒləʊ] *vi* sich wälzen (*o* suhlen).

wallpaper [ˈwɔ:lpeɪpə*] *n* Tapete *f*; **wallposter** *n* Wandzeitung *f*.

walnut [ˈwɔ:lnʌt] *n* Walnuß *f*; (*tree*) Walnußbaum *m*; (*wood*) Nußbaumholz *nt*.

walrus [ˈwɔ:lrəs] *n* Walroß *nt*.

waltz [wɔ:lts] **1.** *n* Walzer *m*; **2.** *vi* Walzer tanzen.

wan [wɒn] *adj* bleich.

wand [wɒnd] *n* Stab *m*.

wander [ˈwɒndə*] *vi* (*roam*) [herum]wandern; (*fig*) abschweifen; **wanderer** *n* Wanderer *m*, Wand[r]erin *f*; **wandering** *adj* umherziehend; (*thoughts*) abschweifend.

wane [weɪn] *vi* abnehmen; (*fig*) schwinden.

want [wɒnt] **1.** *n* (*lack*) Mangel *m* (*of an* +*dat*); (*need*) Bedürfnis *nt*; **2.** *vt* (*need*) brauchen; (*desire*) wollen; (*lack*) nicht haben; **I ~ to go** ich will gehen; **he ~s confidence** ihm fehlt das Selbstvertrauen; **for ~ of** aus Mangel an +*dat*, mangels +*gen*.

wanton [ˈwɒntən] *adj* mutwillig, zügellos.

war [wɔ:*] *n* Krieg *m*.

ward [wɔ:d] *n* (*in hospital*) Station *f*; (*child*) Mündel *nt*; (*of city*) Bezirk *m*; **ward off** *vt* abwenden, abwehren.

warden [ˈwɔ:dən] *n* (*guard*) Wächter(in *f*) *m*, Aufseher(in *f*) *m*; (*in youth hostel*) Herbergsvater(-mutter *f*) *m*; (*traffic ~*) Verkehrspolizist(in *f*) *m*, Politesse *f*; (*SCH*) Heimleiter(in *f*) *m*.

warder [ˈwɔ:də*] *n* Gefängniswärter(in *f*) *m*.

wardrobe [ˈwɔ:drəʊb] *n* Kleiderschrank *m*; (*clothes*) Garderobe *f*.

warehouse [ˈwɛəhaʊs] *n* Lagerhaus *nt*.

warfare [ˈwɔ:fɛə*] *n* Krieg *m*, Kriegsführung *f*; **warhead** *n* Sprengkopf *m*, Gefechtskopf *m*.

warily [ˈwɛərɪlɪ] *adv* vorsichtig.

warlike [ˈwɔ:laɪk] *adj* kriegerisch.

warm [wɔ:m] **1.** *adj* (*welcome*) herzlich; **2.** *vt, vi* wärmen; **warm up 1.** *vt* aufwärmen; **2.** *vi* warm werden; **warm-hearted** *adj* warmherzig;

warmly adv warm; herzlich; **warm start** n (COMPUT) Warmstart m; **warmth** n Wärme f; Herzlichkeit f.

warn [wɔːn] vt warnen (of, against vor + dat); **warning** n Warnung f; **without ~** unerwartet; **warning light** n Warnlicht nt; **warning triangle** n (AUT) Warndreieck nt.

warp [wɔːp] vt verziehen; **warped** adj wellig; (fig) pervers.

warrant ['wɔrənt] n Haftbefehl m.

warranty ['wɔrənti] n Garantie f.

warrior ['wɔriə*] n Krieger(in f) m.

warship ['wɔːʃip] n Kriegsschiff nt.

wart [wɔːt] n Warze f.

wartime ['wɔːtaim] n Kriegszeit f, Krieg m.

wary ['wɛəri] adj vorsichtig; (suspicious) mißtrauisch.

was [wɔz, wəz] pt of **be**.

wash [wɔʃ] **1.** n Wäsche f; **2.** vt waschen; (dishes) abwaschen; **3.** vi sich waschen; (do washing) waschen; **to give sth a ~** etw waschen; **to have a ~** sich waschen; **wash away** vt abwaschen, wegspülen; **washable** adj waschbar; **washbag** n (US) Kulturbeutel m; **washbasin** n Waschbecken nt; **wash cloth** n (US) Waschlappen m; **washer** n (TECH) Dichtungsring m; (machine) Waschmaschine f; (dish~) Spülmaschine f; **washing** n Wäsche f; **washing machine** n Waschmaschine f; **washing powder** n Waschpulver nt; **washing-up** n Abwasch m; **washing-up liquid** n [Geschirr]spülmittel nt; **wash-out** n (fam: event) Reinfall m; (person) Niete f; **washroom** n Waschraum m.

wasn't ['wɔznt] = **was not**.

wasp [wɔsp] n Wespe f.

WASP [wɔsp] n (US) acronym of **White Anglo-Saxon Protestant**.

wastage ['weistidʒ] n Verlust m; **natural ~** Verschleiß m.

waste [weist] **1.** n (wasting) Verschwendung f; (materials) Abfall m; **2.** adj (useless) überschüssig, Abfall-; **3.** vt (materials) verschwenden; (time, energy) vergeuden; **4.** vi (also: ~ away) verfallen; ~s pl Einöde f; **wasteful** adj, **wastefully** adv verschwenderisch; (process) aufwendig; **wasteland** n Ödland nt; **waste management** n Entsorgung f; **wastepaper basket** n Papierkorb m.

watch [wɔtʃ] **1.** n Wache f; (for time) Uhr f; **2.** vt ansehen; (observe) beobachten; (be careful of) aufpassen auf +akk; (guard) bewachen; **3.** vi zusehen; (guard) Wache halten; **to ~ for sb/sth** nach jdm/etw Ausschau halten; **to ~ TV** fernsehen; **to ~ sb doing sth** jdm bei etw zuschauen; **~ it!** paß bloß auf!; **~ out!** paß auf!; **to be on the ~ [for sth]** [auf etw akk] aufpassen; **watchdog** n Wachhund m; (fig) Wächter m; **watchful** adj wachsam; **watchmaker** n Uhrmacher(in f) m; **watchman** n <-men> [Nacht]wächter m; **watch strap** n Uhrarmband nt.

water ['wɔːtə*] **1.** n Wasser nt; **2.** vt [be]gießen; (river) bewässern; (horses) tränken; **3.** vi (eye) tränen; **my mouth is ~ing** mir läuft das Wasser im Mund zusammen; **~s** pl Gewässer nt; **water down** vt verwässern; **water cannon** n Wasserwerfer m; **water closet** n [Wasser]klosett nt; **watercolour, waterco-lor** (US) (painting) Aquarell nt; (paint) Wasserfarbe f; **watercress** n [Brunnen]kresse f; **waterfall** n Wasserfall m; **water hole** n Wasserloch nt; **watering can** n Gießkanne f; **water level** n Wasserstand m; **waterlily** n Seerose f; **waterline** n Wasserlinie f; **waterlogged** adj (ground) voll Wasser; (wood) mit Wasser vollgesogen; **watermelon** n Wassermelone f; **water polo** n Wasserball[spiel] nt; **waterproof** adj wasserdicht; **watershed** n Wasserscheide f; **water-skiing** n Wasserschilaufen nt; **to go ~** wasserschilaufen gehen; **watertight** adj wasserdicht; **waterworks** n pl o sing Wasserwerk nt; **watery** adj wäss[e]rig.

watt [wɔt] n Watt nt.

wave [weiv] **1.** n Welle f; (with hand) Winken nt; **2.** vt (move to and fro) schwenken; (hand, flag) winken mit; (hair) wellen; **3.** vi (person) winken; (flag) wehen; (hair) sich wellen; **to ~ to sb** jdm zuwinken; **to ~ sb goodbye** jdm zum Abschied winken; **wavelength** n (also fig) Wellenlänge f.

waver ['weivə*] vi (hesitate) schwanken; (flicker) flackern.

wavy ['weivi] adj wellig.

wax [wæks] **1.** n Wachs nt; (sealing ~) Siegellack m; (in ear) Ohrenschmalz nt; **2.** vt (floor) wachsen; **3.** vi (moon) zunehmen; **waxworks** n pl o sing Wachsfigurenkabinett nt.

way [wei] n Weg m; (road also) Straße f; (method) Art und Weise f, Methode f; (direction) Richtung f; (habit) Eigenart f, Gewohnheit f; (distance) Entfernung f; (condition) Zustand m; **a long ~ away (o off)** weit weg; **to lose one's ~** sich verirren; **to make ~ for sb/sth** jdm/einer Sache Platz machen; **to be in a bad ~** schlecht dransein; **to get one's own ~**

seinen Willen bekommen; **do it this ~** machen Sie es so; **give ~** (AUT) Vorfahrt achten!; **~ of thinking** Meinung f; **one ~ or another** irgendwie; **under ~** im Gange; **in a ~** in gewisser Weise; **in the ~** im Wege; **by the ~** übrigens; **by ~ of** (via) über +akk; (in order to) um… zu; (instead of) statt; '**~ in**' 'Eingang'; '**~ out**' 'Ausgang'; **waylay** irr vt auflauern +dat; **wayward** adj eigensinnig.

we [wi:] pron wir.

weak adj, **weakly** adv [wi:k, -lɪ] schwach; **weaken 1.** vt schwächen, entkräften; **2.** vi schwächer werden; nachlassen; **weakling** n Schwächling m; **weakness** n Schwäche f.

wealth [welθ] n Reichtum m; (abundance) Fülle f; **wealthy** adj reich.

wean [wi:n] vt entwöhnen.

weapon ['wepən] n Waffe f.

wear [wɛə•] <**wore, worn**> **1.** vt (have on) tragen; (smile etc) haben; (use) abnutzen; **2.** vi (last) halten; (become old) verschleißen; (clothes) sich abtragen; **3.** n (clothing) Kleidung f; (use) Verschleiß m; **~ and tear** Abnutzung f, Verschleiß m; **wear away 1.** vt verbrauchen; **2.** vi schwinden; **wear down** vt (people) zermürben; **wear off** vi sich verlieren; **wear out** vt verschleißen; (person) erschöpfen; **wearer** n Träger(in f) m.

wearily ['wɪərɪlɪ] adv müde; **weariness** n Müdigkeit f; **weary 1.** adj (tired) müde; (tiring) ermüdend; **2.** vt ermüden; **3.** vi überdrüssig werden (of gen).

weasel ['wi:zl] n Wiesel nt.

weather ['weðə•] **1.** n Wetter nt; **2.** vt verwittern lassen; (resist) überstehen; **under the ~** (fig: ill) angeschlagen, mitgenommen; **weather-beaten** adj verwittert; (skin) wettergegerbt; **weathercock** n Wetterhahn m; **weather forecast** n Wettervorhersage f.

weave [wi:v] <**wove** o **weaved, woven** o **weaved**> vt weben; **to ~ one's way through sth** sich durch etw durchschlängeln; **weaver** n Weber(in f) m; **weaving** n Weben nt, Weberei f.

web [web] n Netz nt; (membrane) Schwimmhaut f; **webbed** adj Schwimm-, schwimmhäutig; **webbing** n Gewebe nt.

wed [wed] <**wed** o **wedded, wed** o **wedded**> vt (old) heiraten.

we'd [wi:d] = **we had; we would**.

wedding ['wedɪŋ] n Hochzeit f; **wedding day** n Hochzeitstag m; **wedding present** n Hochzeitsgeschenk nt; **wedding ring** n Trauring m, Ehering m.

wedge [wedʒ] **1.** n Keil m; (of cheese etc) Stück nt; **2.** vt (fasten) festklemmen; (pack tightly) einkeilen.

Wednesday ['wenzdeɪ] n Mittwoch m; **on ~** [am] Mittwoch; **on ~s, on a ~** mittwochs.

wee [wi:] adj (esp Scot) klein, winzig.

weed [wi:d] **1.** n Unkraut nt; **2.** vt jäten; **weed-killer** n Unkrautvertilgungsmittel nt.

week [wi:k] n Woche f; **a ~ today** heute in einer Woche; **weekday** n Wochentag m; **weekend** n Wochenende nt; **weekly** adj, adv wöchentlich; (wages, magazine) Wochen-.

weep [wi:p] <**wept, wept**> vi weinen.

weigh [weɪ] vt, vi wiegen; **weigh down** vt niederdrücken; **weigh up** vt prüfen, abschätzen; **weighbridge** n Brückenwaage f.

weight [weɪt] n Gewicht nt; **to lose/put on ~** ab-/zunehmen; **weighting** n (allowance) Zulage f; **weightlessness** n Schwerelosigkeit f; **weight-lifter** n Gewichtheber(in f) m; **weighty** adj (heavy) gewichtig; (important) schwerwiegend.

weir [wɪə•] n [Stau]wehr nt.

weird [wɪəd] adj seltsam.

welcome ['welkəm] **1.** n Willkommen nt, Empfang m; **2.** vt begrüßen; **welcoming** adj Begrüßungs-; (nice) freundlich.

weld [weld] **1.** n Schweißnaht f; **2.** vt schweißen; **welder** n Schweißer(in f) m; **welding** n Schweißen nt.

welfare ['welfɛə•] n Wohl nt; (social) Fürsorge f; **welfare state** n Wohlfahrtsstaat m.

well [wel] **1.** n Brunnen m; (oil ~) Quelle f; **2.** adj (in good health) gesund; **3.** interj nun, na schön; (starting conversation) nun, tja; **4.** adv gut; **~, ~!** na, na!; **are you ~?** geht es Ihnen gut?; **~ over 40** weit über 40; **it may ~ be** es kann wohl sein; **it would be [as] ~ to…** es wäre wohl gut, zu…; **you did ~** Sie haben gut daran getan, [nicht] zu…; **very ~** (O.K.) nun gut.

we'll [wi:l] = **we will; we shall**.

well-behaved [welbɪˈheɪvd] adj wohlerzogen; **well-being** n Wohl nt, Wohlergehen nt; **well-built** adj kräftig gebaut; **well-developed** adj (girl) gut entwickelt; (economy) hochentwickelt; **well-earned** adj (rest) wohlverdient; **well-heeled** adj (fam: wealthy) gut gepolstert.

wellingtons ['welɪŋtənz] n pl Gummistiefel pl.

well-known [welˈnəʊn] adj (person) weithin bekannt; **well-meaning** adj (*person*) wohlmeinend; (*action*) gutgemeint; **well-off** *adj* gut situiert; **well-read** [wel'red] *adj* belesen; **well-to-do** *adj* wohlhabend; **well-wisher** ['welwiʃə*] *n* wohlwollender Freund, wohlwollende Freundin; Gönner(in *f*) *m*.

Welsh [welʃ] **1.** *adj* walisisch; **2.** *n*: the ~ *pl* die Waliser *pl*; ~ **rarebit** überbackene Käseschnitte; **Welshman** *n* <-men> Waliser *m*; **Welshwoman** *n* <-women> Waliserin *f*.

went [went] *pt of* **go**.

wept [wept] *pt, pp of* **weep**.

were [wɜː*] *pt pl of* **be**.

we're [wɪə*] = **we are**.

weren't [wɜːnt] = **were not**.

west [west] **1.** *n* Westen *m*; **2.** *adj* West-, westlich; ~ **of** nach Westen; ~ **of** westlich von; **the W~** (*POL, GEO*) der Westen; **the W~ Bank** das Westufer; **westerly** *adj* westlich; **western 1.** *adj* westlich; **2.** *n* (*CINE*) Western *m*; **West Germany** *n* Westdeutschland *nt*, die Bundesrepublik [Deutschland]; **westward[s]** ['westwədz] *adv* nach Westen, westwärts.

we've [wiːv] = **we have**.

whack [wæk] **1.** *n* Schlag *m*; **2.** *vt* schlagen.

whale [weil] *n* Wal *m*.

wharf [wɔːf] *n* <-s *or* wharves> Kai *m*.

what [wot] **1.** *pron, interj* was; **2.** *adj* welche(r, s); ~ **a hat!** was für ein Hut!; ~ **money I had** das Geld, das ich hatte; ~ **about...** (*suggestion*) wie wär's mit...; ~ **about it?, so ~?** na und?; **well,** ~ **about him?** was ist mit ihm?; **and** ~ **about me?** und ich?; ~ **for?** wozu?; **whatever** *adj*: ~ **he says** egal, was er sagt; **no reason** ~ überhaupt kein Grund.

wheat [wiːt] *n* Weizen *m*.

wheedle ['wiːdl] *vt*: to ~ **sb into doing sth** jdn herumkriegen, etw zu tun; to ~ **sth out of sb** jdm etw abluchsen.

wheel [wiːl] **1.** *n* Rad *nt*; (*steering* ~) Lenkrad *nt*; (*disc*) Scheibe *f*; **2.** *vt* schieben; **3.** *vi* (*revolve*) sich drehen; **wheelbarrow** *n* Schubkarren *m*; **wheel brace** *n* Kreuzschlüssel *m*; **wheelchair** *n* Rollstuhl *m*; **wheel clamp** *n* [Park]kralle *f*.

wheeze [wiːz] *vi* keuchen.

when [wen] **1.** *adv* wann; **2.** *adv, conj* (*with present tense*) wenn; (*with past tense*) als; (*with indirect question*) wann;

whenever *adv* wann immer; immer wenn.

where [wɛə*] *adv* (*place*) wo; (*direction*) wohin; ~ **from** woher; **whereabouts** ['wɛərə'bauts] **1.** *adv* wo; **2.** *n pl* Aufenthalt *m*, Verbleib *m*; **whereas** [wɛər'æz] *conj* während, wo... doch; **whereby** [wɛər'bai] *adv* wonach; wodurch; woran; **whereever** [wɛər'evə*] *adv* wo [immer].

whet [wet] *vt* (*appetite*) anregen.

whether ['weðə*] *conj* ob.

which [witʃ] **1.** *adj* (*from selection*) welche(r, s); **2.** *pron* (*relative*) der/die/das; (*which fact*) was; (*interrogative*) welche(r, s); ~ **ever [book] he takes** welches [Buch] er auch nimmt.

whiff [wif] *n* Hauch *m*.

while [wail] **1.** *n* Weile *f*; **2.** *conj* während; **for a** ~ eine Zeitlang.

whim [wim] *n* Laune *f*.

whimper ['wimpə*] *vi* wimmern.

whimsical ['wimzikəl] *adj* launisch.

whine [wain] **1.** *n* Gewinsel *nt*, Gejammer *nt*; **2.** *vi* heulen, winseln.

whip [wip] **1.** *n* Peitsche *f*; (*POL*) Einpeitscher(in *f*) *m*; **2.** *vt* (*beat*) peitschen; (*snatch*) reißen; ~ **ped cream** Schlagsahne *f*; **whip-round** *n* (*fam*) Geldsammlung *f*.

whirl [wɜːl] **1.** *n* Wirbel *m*; **2.** *vt, vi* [herum]wirbeln; **whirlpool** *n* Strudel *m*; ~ **bath** Whirlpool *m*; **whirlwind** *n* Wirbelwind *m*.

whisk [wisk] **1.** *n* Schneebesen *m*; **2.** *vt* (*cream etc*) schlagen.

whisker ['wiskə*] *n* (*of animal*) Schnurrhaar *nt*; ~ **s** *pl* (*of man*) Backenbart *m*.

whisk[e]y ['wiski] *n* Whisky *m*.

whisper ['wispə*] **1.** *vi* flüstern; (*leaves*) rascheln; **2.** *vt* flüstern, munkeln.

whistle ['wisl] **1.** *n* Pfiff *m*; (*instrument*) Pfeife *f*; **2.** *vt, vi* pfeifen.

white [wait] **1.** *n* Weiß *nt*; (*of egg*) Eiweiß *nt*; (*of eye*) Weiße(s) *nt*; **2.** *adj* weiß; (*with fear*) blaß; **white-collar crimes** *n pl* Wirtschaftskriminalität *f*; **white-collar worker** *n* Angestellte(r) *mf*; **white lie** *n* Notlüge *f*; **whiteness** *n* Weiß *nt*; **whiteout** *n* (*US*) Korrekturflüssigkeit *f*, Tipp-Ex ® *nt*; **whitewash 1.** *n* (*paint*) Tünche *f*; (*fig*) Schönfärberei *f*; **2.** *vt* weißen, tünchen; (*fig*) beschönigen; (*person*) reinwaschen.

whiting ['waitiŋ] *n* Weißfisch *m*.

Whitsun ['witsn] *n* Pfingsten *nt*.

whizz [wiz] *vi* sausen, zischen, schwirren; **whizz kid** *n* (*fam*) Kanone *f*.

who [huː] *pron* (*interrogative*) wer; (*relative*) der/die/das; **whoever** [huː'evə*] *pron* wer immer; jeder, der/jede, die/jedes, das.

whole [həʊl] **1.** *adj* ganz; (*uninjured*) heil; **2.** *n* Ganze(s) *nt*; **the ~ of the year** das ganze Jahr; **on the ~** im großen und ganzen; **wholefood** *n* Vollwertkost *f*; **wholehearted** *adj* rückhaltlos; **wholeheartedly** *adv* von ganzem Herzen; **wholemeal** *adj* Vollkorn-; **wholesale 1.** *n* Großhandel *m*; **2.** *adj* (*trade*) Großhandels-; (*destruction*) vollkommen, Massen-; **wholesaler** *n* Großhändler(in *f*) *m*; **wholesome** *adj* bekömmlich, gesund; **wholly** [ˈhəʊlɪ] *adv* ganz, völlig.

whom [huːm] *pron* (*interrogative*) wen; (*relative*) den/die/das/die *pl*.

whooping cough [ˈhuːpɪŋkɒf] *n* Keuchhusten *m*.

whopper [ˈwɒpə*] *n* (*fam*) Mordsding *nt*; (*lie*) faustdicke Lüge; **whopping** *adj* (*fam*) kolossal, Riesen-.

whore [ˈhɔː*] *n* Hure *f*.

whose [huːz] *pron* (*interrogative*) wessen; (*relative*) dessen/deren/dessen/deren *pl*.

why [waɪ] **1.** *adv* warum; **2.** *interj* nanu; **that's ~** deshalb.

wick [wɪk] *n* Docht *m*.

wicked [ˈwɪkɪd] *adj* böse; **wickedness** *n* Bosheit *f*, Schlechtigkeit *f*.

wicker [ˈwɪkə*] *n* Weidengeflecht *nt*, Korbgeflecht *nt*.

wicket [ˈwɪkɪt] *n* Tor *nt*, Dreistab *m*; (*playing pitch*) Spielfeld *nt*.

wide [waɪd] **1.** *adj* breit; (*plain*) weit; (*in firing*) daneben; **2.** *adv* weit; daneben; **~ of** weitab von; **wide-angle** *adj* (*lens*) Weitwinkel-; **wide-awake** *adj* hellwach; **widely** *adv* weit; (*known*) allgemein; **widen** *vt* erweitern; **wideness** *n* Breite *f*, Ausdehnung *f*; **wide-open** *adj* weit geöffnet; **widespread** *adj* weitverbreitet.

widow [ˈwɪdəʊ] *n* Witwe *f*; **widowed** *adj* verwitwet; **widower** *n* Witwer *m*.

width [wɪdθ] *n* Breite *f*; Weite *f*.

wife [waɪf] *n* <**wives**> [Ehe]frau *f*, Gattin *f*.

wig [wɪg] *n* Perücke *f*.

wiggle [ˈwɪgl] **1.** *vt* wackeln mit; **2.** *vi* wackeln.

wigwam [ˈwɪgwæm] *n* Wigwam *m*, Indianerzelt *nt*.

wild [waɪld] *adj* wild; (*violent*) heftig; (*plan, idea*) verrückt; **the ~s** *pl* die Wildnis; **wilderness** [ˈwɪldənəs] *n* Wildnis *f*; (*fig*) Wüste *f*; **wild-goose chase** *n* fruchtloses Unternehmen; **wildlife** *n* Tierwelt *f*; **wildly** *adv* wild, ungestüm; (*exaggerated*) irrsinnig.

wilful [ˈwɪlfʊl] *adj* (*intended*) vorsätzlich;

(*obstinate*) eigensinnig.

will [wɪl] **1.** *Hilfsverb:* **he ~ come** er wird kommen; **I ~ do it!** ich werde es tun; **2.** *vt* wollen; **3.** *n* (*power to choose*) Wille *m*; (*wish*) Wunsch *m*, Bestreben *nt*; (*JUR*) Testament *nt*; **willing** *adj* gewillt, bereit; **willingly** *adv* bereitwillig, gern; **willingness** *n* [Bereit]willigkeit *f*.

willow [ˈwɪləʊ] *n* Weide *f*.

will power [ˈwɪlpaʊə*] *n* Willenskraft *f*.

willy-nilly [ˈwɪlɪˈnɪlɪ] *adv* nolens volens, wohl oder übel.

wilt [wɪlt] *vi* [ver]welken.

win [wɪn] <**won, won**> **1.** *vt* gewinnen; **2.** *vi* (*be successful*) siegen; **3.** *n* Sieg *m*; **to ~ sb over** jdn gewinnen, jdn dazu bringen.

winch [wɪntʃ] *n* Winde *f*.

wind [waɪnd] <**wound, wound**> **1.** *vt* (*rope*) winden; (*bandage*) wickeln; **2.** *vi* (*turn*) sich winden; (*change direction*) wenden; **to ~ one's way** sich schlängeln; **wind up 1.** *vt* (*clock*) aufziehen; (*debate*) [ab]schließen; **2.** *vi* (*fam*) enden, landen.

wind [wɪnd] *n* Wind *m*; (*MED*) Blähungen *pl*; **windbreak** *n* Windschutz *m*; **windfall** *n* unverhoffter Glücksfall.

winding [ˈwaɪndɪŋ] *adj* (*road*) gewunden, sich schlängelnd.

wind instrument [ˈwɪndɪnstrʊmənt] *n* Blasinstrument *nt*; **windmill** *n* Windmühle *f*.

window [ˈwɪndəʊ] *n* (*also COMPUT*) Fenster *nt*; (*fig*) Realisationsmöglichkeit *f*; **window box** *n* Blumenkasten *m*; **window cleaner** *n* Fensterputzer(in *f*) *m*; **window envelope** *n* Fensterumschlag *m*; **window ledge** *n* Fenstersims *m*; **window pane** *n* Fensterscheibe *f*; **window-shopping** *n* Schaufensterbummel *m*; **windowsill** *n* Fensterbank *f*; **window technology** *n* Fenstertechnik *f*.

windpipe [ˈwɪndpaɪp] *n* Luftröhre *f*.

windscreen, **windshield** (*US*) [ˈwɪndskriːn, ˈwɪndʃiːld] *n* Windschutzscheibe *f*; **windscreen wiper** *n* Scheibenwischer *m*.

windsurfer [ˈwɪndsɜːfə*] *n* Windsurfer(in *f*) *m*; (*board*) Windsurfbrett *nt*; **wind surfing** *n* Windsurfen *nt*.

windswept [ˈwɪndswept] *adj* vom Wind gepeitscht; (*person*) zerzaust.

windy [ˈwɪndɪ] *adj* windig.

wine [waɪn] *n* Wein *m*; **wineglass** *n* Weinglas *nt*; **wine list** *n* Weinkarte *f*, Getränkekarte *f*; **wine merchant** *n* Weinhändler(in *f*) *m*; **winery** *n* (*US*) Weingut *nt*; **wine tasting** *n* Weinprobe *f*; **wine waiter** *n* Weinkellner *m*.

wing [wɪŋ] *n* Flügel *m*; (MIL) Gruppe *f*; ~**s** *pl* (THEAT) Seitenkulisse *f*; **winger** *n* (SPORT) Flügelstürmer(in *f*) *m*.

wink [wɪŋk] **1.** *n* Zwinkern *nt*; **2.** *vi* zwinkern, blinzeln; **to** ~ **at sb, to give sb a** ~ jdm zublinzeln; **forty** ~**s** Nickerchen *nt*.

winner ['wɪnə*] *n* Gewinner(in *f*) *m*; (SPORT) Sieger(in *f*) *m*; **winning 1.** *adj* (team) siegreich, Sieger-; (goal) entscheidend; **2.** *n:* ~**s** *pl* Gewinn *m*; ~ **post** Ziel *nt*.

winter ['wɪntə*] **1.** *n* Winter *m*; **2.** *adj* (clothes) Winter-; **3.** *vi* überwintern; **in** ~ im Winter; **nuclear** ~ nuklearer Winter; ~ **sports** *pl* Wintersport *m*; **wintry** ['wɪntrɪ] *adj* Winter-, winterlich.

wipe [waɪp] *vt* wischen, abwischen; **wipe out** *vt* (debt) löschen; (destroy) auslöschen.

wire [waɪə*] **1.** *n* Draht *m*; (telegram) Telegramm *nt*; **2.** *vt* telegrafieren (sb sth jdm etw); **wireless** *n* Radio[apparat *m*] *nt*; **wireman** *n* <-**men**> (US) Abhörspezialist *m*; **wiretapping** *n* Abhören *nt*.

wiry [waɪərɪ] *adj* drahtig.

wisdom ['wɪzdəm] *n* Weisheit *f*; (of decision) Klugheit *f*; **wisdom tooth** *n* <**teeth**> Weisheitszahn *m*.

wise [waɪz] *adj* klug, weise; **wisecrack** *n* Witzelei *f*; **wisely** *adv* klug, weise.

wish [wɪʃ] **1.** *n* Wunsch *m*; **2.** *vt* wünschen; **he** ~**es us to do it** er möchte, daß wir es tun; **with best** ~**es** herzliche Grüße; **to** ~ **sb goodbye** jdm verabschieden; **to** ~ **to do sth** etw tun wollen; **wishful thinking** *n* Wunschdenken *n*.

wishy-washy ['wɪʃɪwɒʃɪ] *adj* nichtssagend; (colour) verwaschen; (ideas, argument) wischiwaschi.

wistful ['wɪstfʊl] *adj* sehnsüchtig.

wit [wɪt] *n* (also: ~**s**) Verstand *m*; (amusing ideas) Witz *m*; (person) Witzbold *m*; **at one's** ~**s' end** mit seinem Latein am Ende; **to have one's** ~**s about one** auf dem Posten sein.

witch [wɪtʃ] *n* Hexe *f*; **witchcraft** *n* Hexerei *f*.

with [wɪð, wɪθ] *prep* mit; (in spite of) trotz +gen o dat; ~ **him it's...** bei ihm ist es...; **to stay** ~ **sb** bei jdm wohnen; **I have no money** ~ **me** ich habe kein Geld bei mir; **shaking** ~ **fright** vor Angst zitternd.

withdraw [wɪð'drɔː] *irr* **1.** *vt* zurückziehen; (money) abheben; (remark) zurücknehmen; **2.** *vi* sich zurückziehen; **withdrawal** *n* Zurückziehung *f*; Abheben *nt*; Zurücknahme *f*; (from nuclear energy,

from society) Ausstieg *m*; ~ **symptoms** *pl* Entzugserscheinungen *pl*.

wither ['wɪðə*] *vi* [ver]welken; **withered** *adj* verwelkt, welk.

withhold [wɪð'həʊld] *irr vt* vorenthalten (from sb jdm).

within [wɪð'ɪn] *prep* innerhalb +gen.

without [wɪð'aʊt] *prep* ohne; **it goes** ~ **saying** es ist selbstverständlich.

withstand [wɪð'stænd] *irr vi* widerstehen +dat.

witness ['wɪtnəs] **1.** *n* Zeuge *m*, Zeugin *f*; **2.** *vt* (see) sehen, miterleben; (sign document) beglaubigen; **3.** *vi* aussagen; **witness box, witness stand** (US) *n* Zeugenstand *m*.

witticism ['wɪtɪsɪzəm] *n* witzige Bemerkung.

witty *adj*, **wittily** *adv* ['wɪtɪ, -lɪ] witzig, geistreich.

wizard ['wɪzəd] *n* Zauberer *m*, Zaub[r]erin *f*.

wobble ['wɒbl] *vi* wackeln.

woe [wəʊ] *n* Weh *nt*, Leid *nt*, Kummer *m*.

woke [wəʊk] *pt* of **wake**; **woken** *pp* of **wake**.

wolf [wʊlf] *n* <**wolves**> Wolf *m*.

woman ['wʊmən] *n* <**women**> Frau *f*; **a** ~ **teacher/doctor** eine Lehrerin/Ärztin.

womb [wuːm] *n* Gebärmutter *f*.

women ['wɪmɪn] *pl* of **woman**; **women's lib** *n* Frauenbewegung *f*; **women's libber** *n* Emanze *f*.

won [wʌn] *pt, pp* of **win**.

wonder ['wʌndə*] **1.** *n* (marvel) Wunder *nt*; (surprise) Staunen *nt*, Verwunderung *f*; **2.** *vi* sich wundern; **I** ~ **whether...** ich frage mich, ob...; **wonderful** *adj* wunderbar, herrlich; **wonderfully** *adv* wunderbar.

won't [wəʊnt] = **will not**.

wood [wʊd] *n* Holz *nt*; (forest) Wald *m*; **wood carving** *n* Holzschnitzerei *f*; **wooded** *adj* bewaldet, waldig, Wald-; **wooden** *adj* hölzern; **woodpecker** *n* Specht *m*; **woodwind** *n* Blasinstrumente *pl*; **woodwork** *n* Holz *nt*; (craft) Holzarbeiten *f*, Tischlerei *f*; **woodworm** *n* Holzwurm *m*.

wool [wʊl] *n* Wolle *f*; **woollen, woolen** (US) *adj* Woll-; **woolly, wooly** (US) *adj* wollig; (fig) schwammig.

word [wɜːd] **1.** *n* Wort *nt*; (news) Bescheid *m*; **2.** *vt* formulieren; **to have a** ~ **with sb** mit jdm reden; **to have** ~**s with sb** Worte wechseln mit jdm; **by** ~ **of mouth** mündlich; **wording** *n* Wortlaut *m*, Formulierung *f*; **word processing** *n* Textverarbeitung *f*; **word processor** *n*

Textverarbeitungsanlage f; (program) Textverarbeitungsprogramm nt.

wore [wɔː*] pt of **wear**.

work [wɜːk] 1. n Arbeit f; (ART. LITER) Werk nt; 2. vi arbeiten; (machine) funktionieren; (medicine) wirken; (succeed) klappen; **to get ~ed up** sich aufregen; **~s** sing o pl (factory) Fabrik f, Werk nt; (of watch) Werk nt; **work off** vt (debt) abarbeiten; (anger) abreagieren; **work on** 1. vi weiterarbeiten; 2. vt (be engaged in) arbeiten an + dat; (influence) bearbeiten; **work out** 1. vi (sum) aufgehen; (plan) klappen; 2. vt (problem) lösen; (plan) ausarbeiten; **work up to** vt hinarbeiten auf + akk; **workable** adj (soil) bearbeitbar; (plan) ausführbar; **workaholic** [wɜːkəˈhɒlɪk] n Arbeitstier nt; **worker** n Arbeiter(in f) m; **working class** n Arbeiterklasse f; **workingclass** adj Arbeiter-; **working man** n <-men> Werktätige(r) m; **workman** n <-men> Arbeiter m; **workmanship** n Arbeit f, Ausführung f; **workmate** n Arbeitskollege(-kollegin f) m; **workshop** n Werkstatt f; **work station** n Bildschirmarbeitsplatz m, Computerarbeitsplatz m.

world [wɜːld] n Welt f; (animal ~ etc) Reich nt; **out of this ~** himmlisch; **to come into the ~** auf die Welt kommen; **to do sb/sth the ~ of good** jdm/einer Sache sehr guttun; **to be the ~ to sb** jds ein und alles sein; **to think the ~ of sb** große Stücke auf jdn halten; **world-famous** adj weltberühmt; **worldly** adj weltlich, irdisch; **world-wide** adj weltweit.

worm [wɜːm] n Wurm m.

worn [wɔːn] 1. pp of **wear**; 2. adj (clothes) abgetragen; **worn-out** adj (object) abgenutzt; (person) völlig erschöpft.

worried [ˈwʌrɪd] adj besorgt, beunruhigt.

worrier [ˈwʌrɪə*] n: **he is a ~** er macht sich dat ewig Sorgen.

worry [ˈwʌrɪ] 1. n Sorge f, Kummer m; 2. vt quälen, beunruhigen; 3. vi (feel uneasy) sich sorgen, sich dat Gedanken machen; **worrying** adj beunruhigend.

worse [wɜːs] 1. adj <comparative of bad> schlechter, schlimmer; 2. adv <comparative of badly> schlimmer; 3. n Schlimmere(s) nt, Schlechtere(s) nt; **worsen** 1. vt verschlimmern; 2. vi sich verschlechtern.

worship [ˈwɜːʃɪp] 1. n Anbetung f, Verehrung f; (religious service) Gottesdienst m; 2. vt anbeten; **worshipper** n Gottesdienstbesucher(in f) m.

worst [wɜːst] 1. adj <superlative of bad>

schlimmste(r, s), schlechteste(r, s); 2. adv <superlative of badly> am schlimmsten, am ärgsten; 3. n Schlimmste(s) nt, Ärgste(s) nt.

worth [wɜːθ] 1. n Wert m; 2. adj wert; **~ seeing** sehenswert; **£10 ~ of food** Essen für 10 £; **it's ~ £10** es ist 10 £ wert; **worthless** adj wertlos; (person) nichtsnutzig; **worthwhile** 1. adj lohnend, der Mühe wert; 2. adv: **it's not ~ going** es lohnt sich nicht, dahin zu gehen; **worthy** [ˈwɜːðɪ] adj (having worth) wertvoll; (deserving) wert (of gen), würdig (of gen).

would [wʊd] Hilfsverb: **she ~ come** sie würde kommen; **if you asked he ~ come** wenn Sie ihn fragten, würde er kommen; **~ you like a drink?** möchten Sie etwas trinken?; **would-be** adj angeblich; **wouldn't = would not**.

wound [wuːnd] 1. pt, pp of **wind**; 2. n Wunde f; 3. vt verwunden, verletzen.

wove [wəʊv] pt of **weave**; **woven** pp of **weave**.

wrap [ræp] 1. n (stole) Umhang m, Schal m; 2. vt (also: ~ up) einwickeln; (deal) abschließen; **wrapper** n Umschlag m, Schutzhülle f; **wrapping paper** n Packpapier nt; (decorative) Geschenkpapier nt.

wreak [riːk] vt (havoc) anrichten; (vengeance) üben.

wreath [riːθ] n Kranz m.

wreck [rek] 1. n Schiffbruch m; (ship) Wrack nt; (sth ruined) Ruine f, Trümmerhaufen m; 2. vt zerstören; **a nervous ~** ein Nervenbündel; **wreckage** [ˈrekɪdʒ] n Wrack nt, Trümmer pl.

wren [ren] n Zaunkönig m.

wrench [rentʃ] 1. n (spanner) Schraubenschlüssel m; (twist) Ruck m, heftige Drehung; 2. vt reißen, zerren.

wrestle [ˈresl] vi ringen; **wrestling** n Ringen nt; **~ match** Ringkampf m.

wretched [ˈretʃɪd] adj (hovel) elend; (fam) verflixt; **I feel ~** mir ist elend.

wriggle [ˈrɪgl] vi sich winden.

wring [rɪŋ] <wrung, wrung> vt wringen.

wrinkle [ˈrɪŋkl] 1. n Falte f, Runzel f; 2. vt runzeln; 3. vi sich runzeln; (material) knittern.

wrist [rɪst] n Handgelenk nt; **wrist watch** n Armbanduhr f.

writ [rɪt] n gerichtlicher Befehl.

write [raɪt] <wrote, written> vt, vi schreiben; **write down** vt niederschreiben, aufschreiben; **write off** vt (dismiss) abschreiben; **write out** vt (essay) abschreiben; (cheque) ausstellen; **write up**

vt schreiben; **write-off** n: **it is a** ~ das kann man abschreiben; **writer** n Verfasser(in f) m; (author) Schriftsteller(in f) m; **write-up** n Besprechung f; **writing** n (act) Schreiben nt; (hand ~) [Hand]schrift f; ~ **s** pl Schriften pl, Werke pl; **writing paper** n Schreibpapier; **written** ['rɪtn] pp of **write**.

wrong [roŋ] **1.** adj (incorrect) falsch; (morally) unrecht; (out of order) nicht in Ordnung; **2.** n Unrecht nt; **3.** vt Unrecht tun + dat; **he was** ~ **in doing that** es war nicht recht von ihm, das zu tun; **what's** ~ **with your leg?** was ist mit deinem Bein los?; **to go** ~ (plan) schiefgehen; (person) einen Fehler machen; **wrongful** adj unrechtmäßig; **wrongly** adv falsch; (accuse) zu Unrecht.

wrote [rəut] pt of **write**.

wrought [rɔːt] adj: ~ **iron** Schmiedeeisen nt.

wrung [rʌŋ] pt, pp of **wring**.

wry [raɪ] adj schief, krumm; (ironical) trocken; **to make a** ~ **face** das Gesicht verziehen.

X

X, x [eks] n X nt, x nt.

Xmas ['krɪsməs] n (fam) Weihnachten nt.

X-ray ['eks'reɪ] **1.** n Röntgenaufnahme f; **2.** vt röntgen.

xylophone ['zaɪləfəun] n Xylophon nt.

Y

Y, y [waɪ] n Y nt, y nt.

yacht [jot] n Jacht f; **yachting** n [Sport]segeln nt; **yachtsman** n <-men> Sportsegler m.

Yank, Yankee [jæŋkɪ] n (fam) Ami m.

yap [jæp] vi (dog) kläffen; (people) quasseln.

yard [jɑːd] n Hof m; (measure) [englische] Elle f, Yard nt (0,91 m); **yardstick** n (fig) Maßstab m.

yarn [jɑːn] n (thread) Garn nt; (story) [Seemanns]garn nt.

yawn [jɔːn] **1.** n Gähnen nt; **2.** vi gähnen.

yeah [jeə] adv (fam) ja.

year ['jɪə*] n Jahr nt; **yearly** adj, adv jährlich.

yearn [jɜːn] vi sich sehnen (for nach); **yearning** n Verlangen nt, Sehnsucht f.

yeast [jiːst] n Hefe f.

yell [jel] **1.** n gellender Schrei; **2.** vi laut schreien.

yellow ['jeləu] adj gelb; ~ **fever** Gelbfieber nt; ~ **lines** pl ≈ Parkverbot nt; **double** ~ **lines** pl ≈ Halteverbot nt; ~ **pages** pl Gelbe Seiten pl, Branchentelefonbuch nt.

yelp [jelp] vi kläffen.

yeoman ['jəumən] n <-men>: **Y**~ **of the Guard** Leibgardist m.

yes [jes] **1.** adv ja; **2.** n Ja nt, Jawort nt; **yesman** n <-men> Jasager m.

yesterday ['jestədeɪ] **1.** adv gestern; **2.** n Gestern nt; **the day before** ~ vorgestern.

yet [jet] **1.** adv noch; (in question) schon; (up to now) bis jetzt; **2.** conj doch, dennoch; **and** ~ **again** und wieder (o noch) einmal; **as** ~ bis jetzt; (in past) bis dahin.

yew [juː] n Eibe f.

Yiddish ['jɪdɪʃ] n Jiddisch nt.

yield [jiːld] **1.** n Ertrag m; **2.** vt (result, crop) hervorbringen; (interest, profit) abwerfen; (concede) abtreten; **3.** vi nachgeben; (MIL) sich ergeben; '~' (AUT) Vorfahrt achten!

yodel ['jəudl] vi jodeln.

yoga ['jəugə] n Joga m.

yoghurt [jogət] n Joghurt m.

yoke [jəuk] n (also fig) Joch nt.

yolk [jəuk] n Eidotter m, Eigelb nt.

yonder ['jondə*] **1.** adv dort drüben, da drüben; **2.** adj jene(r, s) dort.

you [juː] **1.** pron (2nd person sing) du; (polite form) Sie; (indefinite) man; **2.** pron (2nd person pl) ihr; (polite form) Sie; **3.** pron direct/indirect object of sing **you** dich/dir; (polite form) Sie/Ihnen; (indefinite) einen/einem; **4.** pron direct/indirect object of pl **you** euch; (polite form) Sie/Ihnen; **it's** ~ du bist's; ihr seid's; Sie sind's.

you'd [juːd] = **you had; you would**.

you'll [juːl] = **you will; you shall**.

young [jʌŋ] **1.** adj jung; **2.** n: **the** ~ pl die Jungen pl; **youngish** adj ziemlich jung; **youngster** n Junge m, junger Bursche, junges Mädchen.

your ['jɔː*] **1.** pron (adjektivisch sing) dein; (polite form) Ihr; **2.** pron (adjektivisch pl) euer; (polite form) Ihr.

you're ['juə*] = **you are**.

yours ['jɔːz] **1.** pron (substantivisch sing) deine(r, s); (polite form) Ihre(r, s); **2.** pron (substantivisch pl) eure(r, s); (polite form) Ihre(r, s); ~ **sincerely/faithfully** mit freundlichen Grüßen/hochachtungs-

voll.
yourself [jɔːˈself] *pron sing* dich; (*polite form*) sich; **you** ~ du/Sie selbst; **you are not** ~ mit dir/Ihnen ist etwas nicht in Ordnung; **yourselves** *pron pl* euch; (*polite form*) sich; **you** ~ ihr/Sie selbst.
youth [juːθ] *n* Jugend *f*; (*young man*) junger Mann; (*young people*) Jugend *f*; **youth club** *n* Jugendclub *m*; **youthful** *adj* jugendlich; **youth hostel** *n* Jugendherberge *f*.
you've [juːv] = **you have.**
YTS *n abbr of* **youth training scheme** Ausbildungsförderungsprogramm *nt*.
Yugoslav [ˈjuːgəʊˈslɑːv] **1.** *adj* jugoslawisch; **2.** *n* Jugoslawe *m*, Jugoslawin *f*; **Yugoslavia** [ˈjuːgəʊˈslɑːvɪə] *n* Jugoslawien *nt*; **Yugoslavian** *adj* jugoslawisch.
yuppie, yuppy [ˈjʌpɪ] *n acronym of* **young urban professional** Yuppie *mf*.

Z

Z, z [zɛd, *US* ziː] *n* Z *nt*, z *nt*.
zany [ˈzeɪnɪ] *adj* komisch.
zap [zæp] *vt* (*COMPUT*) löschen.
zeal [ziːl] *n* Eifer *m*; **zealous** [ˈzeləs] *adj* eifrig.

zebra [ˈziːbrə] *n* Zebra *nt*; **zebra crossing** *n* Zebrastreifen *m*.
zero [ˈzɪərəʊ] *n* <-{e}s> Null *f*; (*on scale*) Nullpunkt *m*; ~ **economic growth** Nullwachstum *nt*; ~ **hour** die Stunde X; ~ **option** (*POL*) Nullösung *f*.
zest [zɛst] *n* Begeisterung *f*.
zigzag [ˈzɪgzæg] **1.** *n* Zickzack *m*; **2.** *vi* im Zickzack laufen/fahren.
Zimbabwe [zɪmˈbɑːbwɪ] *n* Zimbabwe *nt*, Simbabwe *nt*.
zinc [zɪŋk] *n* Zink *nt*.
Zionism [ˈzaɪənɪzəm] *n* Zionismus *m*.
zip [zɪp] **1.** *n* (*also:* ~ **fastener**, ~ **per**) Reißverschluß *m*; **2.** *vt* (*also:* ~ **up**) den Reißverschluß zumachen von.
ZIP-code [ˈzɪpkəʊd] *n* (*US*) Postleitzahl, PLZ *f*.
zither [ˈzɪðə*] *n* Zither *f*.
zodiac [ˈzəʊdɪæk] *n* Tierkreis *m*.
zombie [ˈzɒmbɪ] *n* Zombie *m*; (*fam also*) Trantüte *f*; **like a** ~ total im Tran.
zone [zəʊn] *n* Zone *f*; (*area*) Gebiet *nt*.
zoo [zuː] *n* Zoo *m*; **zoological** [zəʊəˈlɒdʒɪkəl] *adj* zoologisch; **zoologist** [zəʊˈɒlədʒɪst] *n* Zoologe(-login *f*) *m*; **zoology** [zəʊˈɒlədʒɪ] *n* Zoologie *f*.
zoom [zuːm] *vi* (*engine*) surren; (*plane*) aufsteigen; (*move fast*) brausen; (*prices*) hochschnellen; **zoom lens** *n* Zoomobjektiv *nt*.

Deutsch – Englisch

A

A, a *nt* A, a.

Aal *m* <-[e]s, -e> eel.

Aas *nt* <-es, -e *o* Äser> carrion; **Aas-geier** *m* vulture.

ab 1. *prep* + *dat* from; **2.** *adv* off; **links** ~ to the left; ~ **und zu** [*o* **an**] now and then [*o* again]; **von da** ~ from then on; **der Knopf ist** ~ the button has come off.

Abänderung *f* alteration.

abarbeiten *vr:* **sich** ~ wear oneself out, slave away.

Abart *f* (BIO) variety; **abartig** *adj* abnormal.

Abbau *m* <-[e]s> dismantling; (*Verminderung*) reduction (*gen* in); (*Verfall*) decline (*gen* in); (MIN) mining; (*über Tage*) quarrying; (CHEM) decomposition; **abbauen** *vt* dismantle; (MIN) mine; (*über Tage*) quarry; (*verringern*) reduce; (CHEM) break down.

abbeißen *irr vt* bite off.

abberufen *irr vt* recall.

abbestellen *vt* cancel.

abbezahlen *vt* pay off.

abbiegen *irr* **1.** *vi* turn off; (*Straße*) bend; **2.** *vt* bend; (*verhindern*) ward off.

Abbild *nt* portrayal; (*eines Menschen*) image, likeness; **abbilden** *vt* portray; **Abbildung** *f* illustration.

Abbitte *f:* ~ **leisten** [*o* **tun**] make one's apologies (*bei* to).

abblasen *irr vt* blow off; (*fig*) call off.

abblenden *vt, vi* (AUT) dip, dim US; **Abblendlicht** *nt* dipped [*o* dimmed US] headlights *pl*.

abbrechen *irr vt, vi* break off; (*Gebäude*) pull down; (*Zelt*) take down; (*aufhören*) stop.

abbrennen *irr* **1.** *vt* burn off; (*Feuerwerk*) let off; **2.** *vi* burn down; **abgebrannt sein** (*fam*) be broke.

abbringen *irr vt:* **jdn von etw** ~ dissuade sb from sth; **jdn vom Weg** ~ divert sb; **ich bringe den Verschluß nicht ab** (*fam*) I can't get the top off.

abbröckeln *vt, vi* crumble off [*o* away].

Abbruch *m* (*von Verhandlungen etc*) breaking off; (*von Haus*) demolition; **jdm/einer Sache** ~ **tun** harm sb/sth; **abbruchreif** *adj* only fit for demolition.

abbrühen *vt* scald; **abgebrüht** (*fam*) hard-boiled.

abbuchen *vt* debit.

abdanken *vi* resign; (*König*) abdicate.

abdecken *vt* uncover; (*Tisch*) clear; (*Loch*) cover.

abdichten *vt* seal; (NAUT) caulk.

abdrängen *vt* push off.

abdrehen 1. *vt* (*Gas*) turn off; (*Licht*) switch off; (*Film*) shoot; **2.** *vi* (*Schiff*) change course.

Abdruck 1. *m, pl* <-e> (*Nachdrucken*) reprinting; (*Gedrucktes*) reprint; **2.** *m, pl* <-̈e> (*Gips~, Wachs~*) impression; (*Finger~*) print; **abdrucken** *vt* print.

abdrücken 1. *vt* make an impression of; (*Waffe*) fire; (*jdn*) hug, squeeze; **2.** *vr:* **sich** ~ leave imprints; (*sich abstoßen*) push oneself away; **jdm die Luft** ~ squeeze all the breath out of sb.

abebben *vi* ebb away.

Abend *m* <-s, -e> evening; **zu** ~ **essen** have dinner [*o* supper]; **abend** *adv* evening; **Abendbrot** *nt*, **Abendessen** *nt* supper; **abendfüllend** *adj* taking up the whole evening; **Abendkurs** *m* evening classes *pl*; **Abendland** *nt* West; **abendlich** *adj* evening; **Abendmahl** *nt* Holy Communion; **Abendrot** *nt* sunset; **abends** *adv* in the evening.

Abenteuer *nt* <-s, -> adventure; **Abenteuerferien** *pl* adventure holidays *pl*; **abenteuerlich** *adj* adventurous; **Abenteurer** *m* <-s, -> adventurer; **Abenteurerin** *f* adventuress.

aber 1. *conj* but; (*jedoch*) however; **2.** *adv:* **tausend und** ~ **tausend** thousands upon thousands; **das ist** ~ **schön** that's really nice; **nun ist** ~ **Schluß!** now that's enough!; **Aber** *nt* <-s, -> but.

Aberglaube *m* superstition; **abergläubisch** *adj* superstitious.

aberkennen *irr vt:* **jdm etw** ~ deprive sb of sth, take sth [away] from sb; **Aberkennung** *f* taking away.

abermalig *adj* repeated; **abermals** *adv* once again.

abfackeln *vt* (*Gas*) burn off.

abfahren *irr* **1.** *vi* leave, depart; **2.** *vt* take [*o* cart] away; (*Strecke*) drive; (*Reifen*) wear; (*Fahrkarte*) use.

Abfahrt *f* departure; (SKI) downhill; (*Piste*) run; **Abfahrtslauf** *m* (SKI) downhill; **Abfahrt[s]tag** *m* day of departure; **Abfahrtszeit** *f* departure time.

Abfall *m* waste; (*von Speisen etc*) rubbish, garbage US; (*Neigung*) slope; (*Verschlechterung*) decline; **Abfallbeseitigung** *f* refuse disposal; **Abfalleimer** *m* rubbish bin, garbage can US.

abfallen *irr vi* (*auch fig*) fall [*o* drop] off; (*POL, vom Glauben*) break away; (*sich* *neigen*) fall [*o* drop] away.

abfällig *adj* disparaging, deprecatory.

abfangen *irr vt* intercept; (*jdn*) catch; (*unter Kontrolle bringen*) check.

abfärben *vi* lose its colour; (*Wäsche*) run; (*fig*) rub off.

abfassen *vt* write, draft.

abfertigen *vt* prepare for dispatch, process; (*an der Grenze*) clear; (*Kundschaft*) attend to; **jdn kurz ~** give sb short shrift; **Abfertigung** *f* preparing for dispatch, processing; clearance; **Abfertigungsschalter** *m* check-in desk.

abfinden *irr* 1. *vt* pay off; 2. *vr*: **sich ~** come to terms; **sich mit etw ~** come to terms with sth; **sich mit etw nicht ~** be unable to accept sth; **Abfindung** *f* (*von Gläubigern*) payment; (*Geld*) sum in settlement.

abflauen *vi* (*Wind, Erregung*) die away, subside; (*Nachfrage, Geschäft*) fall [*o* drop] off.

abfliegen *irr* 1. *vi* (*Flugzeug*) take off; (*Passagier auch*) fly; 2. *vt* (*Gebiet*) fly over.

abfließen *irr vi* drain away.

Abflug *m* departure; (*Start*) take-off; **Abflughalle** *f* departure lounge; **Abflugzeit** *f* departure time.

Abfluß *m* draining away; (*Öffnung*) outlet.

abfragen *vt* test; **jdn** [*o* **jdm**] **etw ~** question sb on sth.

Abfuhr *f* <-, -en> removal; (*fig*) snub, rebuff.

abführen 1. *vt* lead away; (*Gelder, Steuern*) pay; 2. *vi* (*MED*) have a laxative effect; **Abführmittel** *nt* laxative, purgative.

abfüllen *vt* draw off; (*in Flaschen*) bottle.

Abgabe *f* handing in; (*von Ball*) pass; (*Steuer*) tax; (*eine Erklärung*) giving; **abgabenfrei** *adj* tax-free; **abgabenpflichtig** *adj* liable to tax.

Abgang *m* (*von Schule*) leaving; (*THEAT*) exit; (*MED: Ausscheiden*) passing; (*Fehlgeburt*) miscarriage; (*Abfahrt*) departure; (*der Post, von Waren*) dispatch.

Abgas *nt* waste gas; (*AUT*) exhaust; **abgasarm** *adj* with low exhaust emission.

abgeben *irr* 1. *vt* (*Gegenstand*) hand [*o* give] in; (*Ball*) pass; (*Wärme*) give off; (*Amt*) hand over; (*Schuß*) fire; (*Erklärung, Urteil*) give; (*darstellen, sein*) make; 2. *vr*: **sich mit jdm/etw ~** associate with sb/bother with sth; **jdm etw ~** (*überlassen*) let sb have sth.

abgedroschen *adj* hackneyed; (*Witz*) corny.

abgefeimt *adj* cunning.

abgegriffen *adj* (*Buch*) well-thumbed; (*Redensart*) hackneyed.

abgehen *irr* 1. *vi* go away, leave; (*THEAT*) exit; (*Post*) go; (*MED*) be passed; (*Baby*) die; (*Knopf etc*) come off; (*abgezogen werden*) be taken off; (*Straße*) branch off; 2. *vt* (*Strecke*) go [*o* walk] along; **etw geht jdm ab** (*fehlt*) sb lacks sth.

abgelegen *adj* remote.

abgemacht *adj* fixed; **~!** done.

abgeneigt *adj* averse to, disinclined.

Abgeordnete(r) *mf* member of parliament, elected representative.

Abgesandte(r) *mf* delegate; (*POL*) envoy.

abgeschmackt *adj* tasteless.

abgesehen *adj*: **es auf jdn/etw ~ haben** be after sb/sth; **~ von...** apart from...

abgespannt *adj* tired out.

abgestanden *adj* stale; (*Bier auch*) flat.

abgestorben *adj* numb; (*BIO, MED*) dead.

abgewinnen *irr vt*: **jdm Geld ~** win money from sb; **einer Sache etw/Geschmack ~** get sth/pleasure from sth.

abgewöhnen *vt*: **jdm/sich etw ~** cure sb of sth/give sth up.

abgleiten *irr vi* slip, slide.

Abgott *m* idol; **abgöttisch** *adv*: **~ lieben** idolize.

abgrenzen *vt* (*auch fig*) mark off; (*mit Zaun*) fence off.

Abgrund *m* (*auch fig*) abyss; **abgründig** *adj* unfathomable; (*Lächeln*) cryptic.

abhaken *vt* tick off.

abhalten *irr vt* (*Versammlung*) hold; **jdn von etw ~** (*fernhalten*) keep sb away from sth; (*hindern*) keep sb from sth.

abhandeln *vt* (*Thema*) deal with; **jdm die Waren/8 Mark ~** do a deal with sb for the goods/beat sb down 8 marks.

abhanden *adj*: **~ kommen** get lost.

Abhandlung *f* treatise, discourse.

Abhang *m* slope.

abhängen 1. *vt* (*Bild*) take down; (*Anhänger*) uncouple; (*Verfolger*) shake off; 2. *irr vi* (*Fleisch*) hang; **von jdm/etw ~** depend on sb/sth.

abhängig *adj* dependent (*von* on); **Abhängigkeit** *f* dependence (*von* on).

abhärten *vr*: **sich ~** toughen [oneself] up; **sich gegen etw ~** inure oneself to sth.

abhauen *irr* 1. *vt* cut off; 2. *vi* (*fam*) clear off [*o* out].

abheben *irr* 1. *vt* lift [up]; (*Karten*) cut; (*Masche*) slip; (*Geld*) withdraw, take out; 2. *vi* (*Flugzeug*) take off; (*Rakete*) lift off; (*KARTEN*) cut; 3. *vr*: **sich ~** stand

out (*von* from), contrast (*von* with).
abhelfen *irr vi + dat* remedy.
abhetzen *vr*: sich ~ wear [*o* tire] oneself out.
Abhilfe *f* remedy; ~ **schaffen** put things right.
abholen *vt* (*Gegenstand*) fetch, collect; (*jdn*) call for; (*am Bahnhof etc*) pick up, meet.
abhorchen *vt* (*MED*) auscultate, sound.
abhören *vt* (*Vokabeln*) test; (*Telefongespräch*) tap; (*Tonband etc*) listen to; **Abhörgerät** *nt* bug.
Abitur *nt* <-s, -e> German school leaving examination; **Abiturient(in** *f*) *m* candidate for school leaving certificate.
abkämmen *vt* (*Gegend*) comb, scour.
abkanzeln *vt* (*fam*) bawl out.
abkapseln *vr*: sich ~ shut [*o* cut] oneself off.
abkaufen *vt*: **jdm etw** ~ buy sth from sb.
abkehren 1. *vt* (*Blick*) avert, turn away; 2. *vr*: sich ~ turn away.
Abklatsch *m* <-es, -e> (*fig*) [poor] copy.
abklingen *irr vi* die away.
abknöpfen *vt* unbutton; **jdm etw** ~ (*fam*) get sth off sb.
abkochen *vt* boil.
abkommen *irr vi* get away; **von der Straße/von einem Plan** ~ leave the road/give up a plan.
Abkommen *nt* <-s, -> agreement.
abkömmlich *adj* available, free.
abkratzen 1. *vt* scrape off; 2. *vi* (*fam*) kick the bucket.
abkühlen 1. *vt* cool down; 2. *vr*: sich ~ (*Mensch*) cool down [*o* off]; (*Wetter*) get cool; (*Zuneigung*) cool.
abkupfern *vt* (*fam*) crib, copy.
abkürzen *vt* shorten; (*Wort auch*) abbreviate; **den Weg** ~ take a short cut; **Abkürzung** *f* (*Wort*) abbreviation; (*Weg*) short cut.
abladen *irr vt* unload.
Ablage *f* (*für Akten*) tray; (*für Kleider*) cloakroom.
ablagern 1. *vt* deposit; 2. *vr*: sich ~ be deposited; 3. *vi* mature.
ablassen *irr* 1. *vt* (*Wasser, Dampf*) let off; (*vom Preis*) knock off; 2. *vi*: **von etw** ~ give up, abandon sth.
Ablauf *m* (*Abfluß*) drain; (*von Ereignissen*) course; (*einer Frist, Zeit*) expiry;
ablaufen 1. *vi* (*abfließen*) drain away; (*Ereignisse*) happen; (*Frist, Zeit, Paß*) expire; 2. *vt* (*Sohlen*) wear [down [*o* out]]; **jdm den Rang** ~ steal a march on sb.
ablegen *vt* put [*o* lay] down; (*Kleider*)

take off; (*Gewohnheit*) get rid of; (*Prüfung*) take, sit; (*Zeugnis*) give.
Ableger *m* <-s, -> layer; (*fig*) branch, offshoot.
ablehnen 1. *vt* reject; (*Einladung*) decline, refuse; 2. *vi* decline, refuse; **Ablehnung** *f* rejection; refusal.
ableiten *vt* (*Wasser*) divert; (*deduzieren*) deduce; (*Wort*) derive; **Ableitung** *f* diversion; deduction; derivation; (*Wort*) derivative.
ablenken 1. *vt* turn away, deflect; (*zerstreuen*) distract; 2. *vi* change the subject; **Ablenkung** *f* distraction.
ablesen *irr vt* read out; (*Meßgeräte*) read.
abliefern *vt* deliver; **etw bei jdm/einer Dienststelle** ~ hand sth over to sb/in at an office; **Ablieferung** *f* delivery.
abliegen *irr vi* be some distance away.
ablösen *vt* (*abtrennen*) take off, remove; (*in Amt*) take over from; (*Wache*) relieve; **Ablösung** *f* removal; relieving.
abmachen *vt* take off; (*vereinbaren*) agree; **Abmachung** *f* agreement.
abmagern *vi* get thinner; **Abmagerungskur** *f* diet; **eine** ~ **machen** go on a diet.
Abmarsch *m* departure; **abmarschbereit** *adj* ready to start; **abmarschieren** *vi* march off.
abmelden 1. *vt* (*Zeitungen*) cancel; (*Auto*) take off the road; 2. *vr*: sich ~ give notice of one's departure; (*im Hotel*) check out; **jdn bei der Polizei** ~ register sb's departure with the police.
abmessen *irr vt* measure; **Abmessung** *f* measurement.
abmontieren *vt* take off.
abmühen *vr*: sich ~ wear oneself out.
abnabeln *vr*: sich ~ cut oneself loose.
Abnäher *m* <-s, -> dart.
Abnahme *f* <-, -n> removal; (*COM*) buying; (*Verringerung*) decrease (*gen* in).
abnehmen *irr* 1. *vt* take off, remove; (*Führerschein*) take away; (*Geld*) get (*jdm* out of sb); (*kaufen, fam: glauben*) buy (*jdm* from sb); (*Prüfung*) hold; (*Maschen*) decrease; 2. *vi* decrease; (*schlanker werden*) lose weight; **jdm Arbeit** ~ take work off sb's shoulders.
Abnehmer(in *f*) *m* <-s, -> purchaser, customer.
Abneigung *f* aversion, dislike.
abnutzen *vt* wear out; **Abnutzung** *f* wear [and tear].
Abonnement *nt* <-s, -s> subscription; **Abonnent(in** *f*) *m* subscriber; **abonnieren** *vt* subscribe to.
Abort *m* <-[e]s, -e> lavatory.
abpacken *vt* pack.

abpassen vt (jdn, Gelegenheit) wait for.

abpfeifen irr vt, vi: [das Spiel] ~ (SPORT) blow the whistle [for the end of the game]; **Abpfiff** m final whistle.

abplagen vr: sich ~ wear oneself out.

abprallen vi bounce off; (Kugel) ricochet.

abputzen vt clean.

abquälen vr: sich ~ drive oneself frantic; sich mit etw ~ struggle with sth.

abraten irr vi advise, warn (jdm von etw sb against sth).

abräumen vt clear up [o away].

abreagieren 1. vt (Zorn) work off (an + dat on); 2. vr: sich ~ calm down.

abrechnen 1. vt deduct, take off; 2. vi settle up; (fig) get even; **Abrechnung** f settlement; (Rechnung) bill.

abregen vr: sich ~ (fam) calm [o cool] down.

abreiben irr vt rub off; (säubern) wipe; jdn mit einem Handtuch ~ towel sb down.

Abreise f departure; **abreisen** vi leave, set off.

abreißen irr vt (Haus) tear down; (Blatt) tear off.

abriegeln vt (Tür) bolt; (Straße, Gebiet) seal off.

Abriß m <-sses, -sse> (Übersicht) outline.

Abruf m: auf ~ on call; **abrufen** irr vt (jdn) call away; (COMPUT) fetch; (COM: Ware) request delivery of.

abrunden vt round off.

abrüsten vi disarm; **Abrüstung** f disarmament.

Abs. abk von **Absender**.

Absage f refusal; **absagen** 1. vt cancel, call off; (Einladung) turn down; 2. vi cry off; (ablehnen) decline.

absägen vt saw off.

absahnen vt skim; das Beste für sich ~ take the cream.

Absatz m (COM) sales pl; (neuer Abschnitt) paragraph; (Treppen~) landing; (Schuh~) heel; **Absatzflaute** f slump in the market; **Absatzgebiet** nt (COM) market.

abschaben vt scrape off; (Möhren) scrape.

abschaffen vt abolish, do away with; **Abschaffung** f abolition.

abschalten vt, vi switch off.

abschätzen vt estimate; (Lage) assess; (jdn) size up.

abschätzig adj disparaging, derogatory.

Abschaum m scum.

Abscheu m <-[e]s> loathing, repugnance; **abscheuerregend** adj repulsive, loathsome; **abscheulich** adj abominable.

abschicken vt send off.

abschieben irr vt push away; (jdn) pack off.

Abschied m <-[e]s, -e> parting; ~ nehmen say good-bye (von jdm to sb), take one's leave (von jdm of sb); zum ~ on parting; **Abschiedsbrief** m farewell letter; **Abschiedsfeier** f farewell party.

abschießen irr vt (Flugzeug) shoot down; (Geschoß) fire; (fam) get rid of.

abschirmen vt screen.

abschlagen irr vt (abhacken, COM) knock off; (ablehnen) refuse.

abschlägig adj negative.

Abschlagszahlung f interim payment.

abschleifen irr 1. vt grind down; (Rost) polish off; 2. vr: sich ~ wear off.

Abschleppdienst m (AUT) breakdown service; **abschleppen** vt take in tow; **Abschleppseil** nt towrope.

abschließen irr 1. vt (Tür) lock; (beenden) conclude, finish; (Vertrag, Handel) conclude; 2. vr: sich ~ (sich isolieren) cut oneself off.

Abschluß m (Beendigung) close, conclusion; (COM: Rechnungs~) balancing; (von Vertrag, Handel) conclusion; zum ~ in conclusion; **Abschlußfeier** f end-of-term party; **Abschlußrechnung** f final account.

abschmieren vt (AUT) grease, lubricate.

abschneiden irr 1. vt cut off; 2. vi do, come off.

Abschnitt m section; (MIL) sector; (Kontroll~) counterfoil; (MATH) segment; (Zeit~) period.

abschöpfen vt skim off.

abschrauben vt unscrew.

abschrecken vt deter, put off; (mit kaltem Wasser) plunge in cold water; **abschreckend** adj deterrent; ~es Beispiel warning; **Abschreckung** f (MIL) deterrence.

abschreiben irr vt copy; (verlorengeben) write off; (COM) deduct; **Abschreibung** f (COM) deduction; (Wertverminderung) depreciation.

Abschrift f copy.

abschürfen vt graze.

Abschuß m (eines Geschützes) firing; (Herunterschießen) shooting down; (Tötung) shooting.

abschüssig adj steep.

abschwächen 1. vt lessen; (Behauptung, Kritik) tone down; 2. vr: sich ~ lessen.

abschweifen vi wander; **Abschweifung** f digression.

abschwellen irr vi (Geschwulst) go

down; (*Lärm*) die down.

abschwören *irr vi + dat* renounce.

absehbar *adj* foreseeable; **in ~ er Zeit** in the foreseeable future; **das Ende ist ~** the end is in sight; **absehen** *irr* 1. *vt* (*Ende, Folgen*) foresee; 2. *vi:* **von etw ~** refrain from sth; (*nicht berücksichtigen*) leave sth out of consideration.

abseits 1. *adv* out of the way; 2. *prep* + *gen* away from; **Abseits** *nt* <-> (*SPORT*) offside; **im ~ stehen** be offside.

absenden *irr vt* send off, dispatch; **Absender(in** *f*) *m* <-s, -> sender.

absetzbar *adj* (*Beamter*) dismissible; (*Waren*) saleable; (*von Steuer*) deductible; **absetzen** 1. *vt* (*niederstellen, aussteigen lassen*) put down; (*abnehmen*) take off; (*COM*) sell; (*FIN*) deduct; (*entlassen*) dismiss; (*König*) depose; (*streichen*) drop; (*hervorheben*) pick out; 2. *vr:* **sich ~** (*sich entfernen*) clear off; (*sich ablagern*) be deposited.

absichern *vt* make safe; (*schützen*) safeguard.

Absicht *f* intention; **mit ~** on purpose; **absichtlich** *adj* intentional, deliberate.

absitzen *irr* 1. *vi* dismount; 2. *vt* (*Strafe*) serve.

absolut *adj* absolute; **Absolutismus** *m* absolutism.

absolvieren *vt* (*SCH*) complete.

absondern 1. *vt* separate; (*ausscheiden*) give off, secrete; 2. *vr:* **sich ~** cut oneself off.

absparen *vt:* **sich** *dat* **etw ~** scrimp and save for sth.

abspeichern *vt* (*COMPUT*) save, file.

abspeisen *vt* (*fig*) fob off.

abspenstig *adj:* **~ machen** lure away (*jdm* from sb.)

absperren *vt* block [*o* close] off; (*Tür*) lock; **Absperrung** *f* (*Vorgang*) blocking [*o* closing] off; (*Sperre*) barricade.

abspielen 1. *vt* (*Platte, Tonband*) play; (*SPORT*) pass; 2. *vr:* **sich ~** happen.

Absprache *f* arrangement.

absprechen *irr vt* (*vereinbaren*) arrange; **jdm etw ~** deny sb sth.

abspringen *irr vi* jump down/off; (*Farbe, Lack*) flake off; (*AVIAT*) bale out; (*sich distanzieren*) back out; **Absprung** *m* jump.

abspülen *vt* rinse; (*Geschirr*) wash up.

abstammen *vt* be descended; (*Wort*) be derived; **Abstammung** *f* descent; derivation.

Abstand *m* distance; (*zeitlich*) interval; **davon ~ nehmen, etw zu tun** refrain from doing sth; **~ halten** (*AUT*) keep one's distance; **mit ~ der Beste** by far

the best; **Abstandssumme** *f* compensation.

abstatten *vt* (*Dank*) give; (*Besuch*) pay.

abstauben *vt, vi* dust; (*fam: stehlen*) pinch; [**den Ball**] **~** (*SPORT*) tuck the ball away.

Abstecher *m* <-s, -> detour.

abstehen *irr vi* (*Ohren, Haare*) stick out.

absteigen *irr vi* (*vom Rad etc*) get off, dismount; (*in Gasthof*) put up (*in + dat* at*)*; (*SPORT*) be relegated (*in + akk* to).

abstellen *vt* (*niederstellen*) put down; (*entfernt stellen*) put out; (*hinstellen: Auto*) park; (*ausschalten*) turn [*o* switch] off; (*Mißstand, Unsitte*) stop; (*ausrichten*) gear (*auf + akk* to); **Abstellgleis** *nt* siding.

abstempeln *vt* stamp.

absterben *irr vi* die; (*Körperteil*) go numb.

Abstieg *m* <-[e]s, -e> descent; (*SPORT*) relegation; (*fig*) decline.

abstimmen 1. *vi* vote; 2. *vt* (*Instrument*) tune (*auf + akk* to); (*Interessen*) match (*auf + akk* with); (*Termine, Ziele*) fit in (*auf + akk* with); 3. *vr:* **sich ~** come to an agreement; **Abstimmung** *f* vote.

abstinent *adj* abstemious; (*von Alkohol*) teetotal; **Abstinenz** *f* abstinence; teetotalism; **Abstinenzler(in** *f*) *m* <-s, -> teetotaller.

abstoßen *irr vt* push off [*o* away]; (*verkaufen*) get rid of; (*anekeln*) repel, repulse; **abstoßend** *adj* repulsive.

abstrakt 1. *adj* abstract; 2. *adv* abstractly, in the abstract; **Abstraktion** *f* abstraction; **Abstraktum** *nt* <-s, -kta> abstract concept/noun.

abstreiten *irr vt* deny.

Abstrich *m* (*Abzug*) cut; (*MED*) smear; **~e machen** lower one's sights.

abstufen *vt* (*Hang*) terrace; (*Farben*) shade; (*Gehälter*) grade.

abstumpfen 1. *vt* (*auch fig*) dull, blunt; 2. *vi* (*auch fig*) become dulled.

Absturz *m* fall; (*AVIAT*) crash; **abstürzen** *vi* fall; (*AVIAT*) crash.

absuchen *vt* scour, search.

absurd *adj* absurd.

Abszeß *m* <-sses, -sse> abscess.

Abt *m* <-[e]s, ̈e> abbot.

abtasten *vt* feel, probe.

abtauen *vt, vi* thaw.

Abtei *f* <-, -en> abbey.

Abteil *nt* <-[e]s, -e> compartment.

abteilen *vt* divide up; (*abtrennen*) divide off.

Abteilung *f* (*in Firma, Kaufhaus*) department; (*MIL*) unit; **Abteilungsleiter(in** *f*) *m* head of department.

Äbtissin f abbess.
abträglich adj harmful (dat to).
abtreiben irr 1. vt (Boot, Flugzeug) drive off course; (Kind) abort; 2. vi be driven off course; abort; **Abtreibung** f abortion; **Abtreibungsversuch** m attempted abortion.
abtrennen vt (lostrennen) detach; (entfernen) take off; (abteilen) separate off.
abtreten irr 1. vt wear out; (überlassen) hand over, cede (jdm to sb); 2. vi go off; (zurücktreten) step down.
abtrocknen vt dry.
abtrünnig adj renegade.
abwägen <**wägte ab, abgewogen**> vt weigh up.
abwählen vt vote out [of office].
abwandeln vt adapt.
Abwärme f waste heat.
abwarten 1. vt wait for; 2. vi wait.
abwärts adv down.
Abwasch m <-[e]s> washing-up; **abwaschen** irr vt (Schmutz) wash off; (Geschirr) wash [up].
Abwasser nt <-s, ⍿> sewage.
abwechseln vr: sich ~ alternate; (Menschen) take turns; **abwechselnd** adv alternately; **wir haben das ~ gemacht** we took turns.
Abweg m: **auf ~e geraten/führen** go/lead astray; **abwegig** adj wrong.
Abwehr f <-> defence; (Schutz) protection; (~dienst) counter intelligence [service]; **abwehren** vt ward off; (Ball) stop; **~de Geste** dismissive gesture.
abweichen irr vi deviate; (Meinung) differ; **abweichend** adj deviant; differing.
abweisen irr vt turn away; (Antrag) turn down; **abweisend** adj (Haltung) cold.
abwenden irr 1. vt avert; 2. vr: sich ~ turn away.
abwerben irr vt woo away (jdm from sb).
abwerfen irr vt throw off; (Profit) yield; (aus Flugzeug) drop; (Spielkarte) discard.
abwerten vt (FIN) devalue.
abwesend adj absent; **Abwesenheit** f absence.
abwiegen irr vt weigh out.
abwimmeln vt (fam) get rid of; (Auftrag) get out of.
abwischen vt wipe off [o away]; (putzen) wipe.
Abwurf m throwing off; (von Bomben etc) dropping; (von Reiter, SPORT) throw.
abwürgen vt (fam) scotch; (Motor) stall.
abzahlen vt pay off.
abzählen vt, vi count [up].
Abzahlung f repayment; **auf ~ kaufen** buy on hire purchase.

Abzeichen nt badge; (Orden) decoration.
abzeichnen 1. vt draw, copy; (Dokument) initial; 2. vr: sich ~ stand out; (fig: bevorstehen) loom.
Abziehbild nt transfer.
abziehen irr 1. vt take off; (Tier) skin; (Bett) strip; (subtrahieren) take away, subtract; (kopieren) run off; 2. vi go away; (Truppen) withdraw.
abzielen vi be aimed (auf + akk at).
Abzug m departure; (von Truppen) withdrawal; (Kopie) copy; (Subtraktion) subtraction; (Betrag) deduction; (Rauch~) flue; (von Waffen) trigger.
abzüglich prep + gen less.
abzweigen 1. vi branch off; 2. vt set aside; **Abzweigung** f junction.
Accessoires pl accessories pl.
ach interj oh; **mit A~ und Krach** by the skin of one's teeth.
Achse f <-, -n> axis; (AUT) axle; **auf ~ sein** be on the move.
Achsel f <-, -n> shoulder; **Achselhöhle** f armpit; **Achselzucken** nt shrug [of one's shoulders].
Achsenbruch m (AUT) broken axle.
acht num eight; ~ **Tage** a week.
Acht f <-> attention; (HIST) proscription; **sich in a~ nehmen** be careful (vor + dat of), watch out (vor + dat for); **etw außer a~ lassen** disregard sth.
achtbar adj worthy.
achte(r, s) adj eighth; **der ~ September** the eighth of September; **Stuttgart, den 8. September** Stuttgart, September 8th; **Achte(r)** mf eighth.
Achtel nt <-s, -> (Bruchteil) eighth.
achten 1. vt respect; 2. vi pay attention (auf + akk to); **darauf ~, daß...** be careful that...
ächten vt outlaw, ban.
achtens adv in the eighth place.
Achterbahn f big dipper, roller coaster.
achtfach 1. adj eightfold; 2. adv eight times.
achtgeben irr vi take care (auf + akk of); **achtlos** adj careless.
achthundert num eight hundred; **achtjährig** adj (8 Jahre alt) eight-year-old; (8 Jahre dauernd) eight-year; **achtmal** adv eight times.
achtsam adj attentive.
Achtung f attention; (Ehrfurcht) respect; 2. interj look out; (MIL) attention; ~ **Lebensgefahr/Stufe!** danger/mind the step!
achtzehn num eighteen.
achtzig num eighty.
ächzen vi groan (vor + dat with).

Acker m <-s, ⁚> field; **Ackerbau** m agriculture.

Adapter m <-s, -> adapter, adaptor.

addieren vt add [up]; **Addition** f addition.

ade interj farewell, adieu.

Adel m <-s> nobility; **adelig** adj noble.

Ader f <-, -n> vein.

Adjektiv nt adjective.

Adler m <-s, -> eagle.

adlig adj siehe **adelig**.

Admiral(in f) m <-s, -e> admiral.

adoptieren vt adopt; **Adoption** f adoption; **Adoptiveltern** pl adoptive parents pl; **Adoptivkind** nt adopted child.

Adrenalin nt <-s> adrenalin.

Adresse f <-, -n> (auch COMPUT) address; **adressieren** vt address (an + akk to).

Advent m <-[e]s, -e> Advent; **Adventskranz** m Advent wreath.

Adverb nt adverb; **adverbial** adj adverbial.

Aerobic nt <-s> aerobics sing.

Affäre f <-, -n> affair.

Affe m <-n, -n> monkey.

affektiert adj affected.

affenartig adj like a monkey; **mit ~er Geschwindigkeit** like a flash; **Affenhitze** f (fam) incredible heat; **Affenschande** f (fam) crying shame.

affig adj affected.

Afghanistan nt Afghanistan.

Afrika nt Africa; **Afrikaner(in** f) m <-s, -> African; **afrikanisch** adj African.

After m <-s, -> anus.

AG f <-, -s> abk von **Aktiengesellschaft** plc, Ltd, inc.

Agent(in f) m agent; **Agentur** f agency.

Aggregat nt <-[e]s, -e> aggregate; (TECH) unit; **Aggregatzustand** m (PHYS) state.

Aggression f aggression; **aggressiv** adj aggressive; **Aggressivität** f aggressiveness.

Agitation f agitation.

Agrarpolitik f agricultural policy; **Agrarstaat** m agrarian state.

Ägypten nt Egypt.

aha interj aha; **Aha-Erlebnis** nt sudden insight.

Ahn m <-en, -en> forebear.

ähneln 1. vi + dat be like, resemble; 2. vr: **sich ~** be alike [o similar].

ahnen vt suspect; (Tod, Gefahr) have a presentiment of; **du ahnst es nicht** you have no idea.

ähnlich adj similar (dat to); **Ähnlichkeit** f similarity.

Ahnung f idea, suspicion; (Vor~) presentiment; **ahnungslos** adj unsuspecting.

Ahorn m <-s, -e> maple.

Ähre f <-, -n> ear.

Aids nt <-> aids, AIDS; **Aids-Hilfe** f aids-centre; **aidskrank** adj aids-infected; **aidspositiv** adj tested positive for aids.

Airbag m <-s, -s> (AUT) airbag.

Airbus m airbus.

Akademiker(in f) m <-s, -> university graduate; **akademisch** adj academic.

akklimatisieren vr: **sich ~** become acclimatized.

Akkord m <-[e]s, -e> (MUS) chord; **im ~ arbeiten** do piecework; **Akkordarbeit** f piecework.

Akkordeon nt <-s, -s> accordion.

Akkusativ m accusative [case].

Akrobat(in f) m <-en, -en> acrobat.

Akt m <-[e]s, -e> act; (KUNST) nude.

Akte f <-, -n> file; **etw zu den ~n legen** (auch fig) file sth away; **aktenkundig** adj on the files; **Aktenschrank** m filing cabinet; **Aktentasche** f briefcase.

Aktie f <-, -n> share; **Aktiengesellschaft** f joint-stock company; **Aktienkurs** m share price.

Aktion f campaign; (Polizei~, Such~) action.

Aktionär(in f) m <-s, -e> shareholder.

aktiv adj active; (MIL) regular; **Aktiv** nt <-s> (LING) active [voice]; **Aktiva** pl assets pl; **aktivieren** vt activate; **Aktivität** f activity.

aktualisieren vt (auch COMPUT) update; **Aktualität** f topicality; (einer Mode) up-to-dateness; **aktuell** adj topical; up-to-date.

Akupressur f acupressure.

Akupunktur f acupuncture.

Akustik f acoustics sing; **Akustikkoppler** m <-s, -> (COMPUT) acoustic coupler.

akut adj acute.

AKW nt <-s, -s> abk von **Atomkraftwerk** nuclear power station.

Akzent m <-[e]s, -e> accent; (Betonung) stress.

Akzeptanz f acceptance; **akzeptieren** vt accept.

Alarm m <-[e]s, -e> alarm; **alarmbereit** adj standing by; **Alarmbereitschaft** f stand-by; **alarmieren** vt alarm.

Albanien nt Albania.

albern adj silly.

Album nt <-s, Alben> album.

Algebra f <-> algebra.

Algerien nt Algeria.

algorithmisch adj algorithmic; **Algorithmus** m algorithm.

Alibi nt <-s, -s> alibi; **Alibifunktion** f: ~ **haben** be used as an alibi.

Alimente pl alimony.

Alkohol m <-s, -e> alcohol; **alkoholfrei** adj non-alcoholic; **Alkoholiker(in** f) m <-s, -> alcoholic; **alkoholisch** adj alcoholic; **Alkoholverbot** nt ban on alcohol.

All nt <-s> universe.

allabendlich adv every evening.

alle 1. adj all; **2.** adv (fam: zu Ende) finished; **wir** ~ all of us; ~ **beide** both of us/you; ~ **vier Jahre** every four years; **etw** ~ **machen** finish sth up.

Allee f <-, -n> avenue.

allein 1. adv alone; (ohne Hilfe) on one's own, by oneself; **2.** conj but, only; **nicht** ~ (nicht nur) not only; **alleinerziehend** adj: ~ **e Eltern** pl single parents pl; **Alleingang** m: **im** ~ on one's own; **alleinstehend** adj single.

allerbeste(r, s) adj very best; **allerdings** adv (zwar) admittedly; (gewiß) certainly.

Allergie f allergy; **allergisch** adj allergic; **Allergiker(in** f) m <-s, -> person suffering from an allergy; **er ist** ~ he suffers from an allergy.

allerhand adj inv (fam) all sorts of; **das ist doch** ~ ! that's a bit thick; ~ ! (lobend) good show!

Allerheiligen nt All Saints' Day.

allerhöchste(r, s) adj very highest; **allerhöchstens** adv at the very most.

allerlei adj inv all sorts of.

allerletzte(r, s) adj very last.

allerseits adv on all sides; **prost** ~ ! cheers everyone!

allerwenigste(r, s) adj very least.

alles pron everything; ~ **in allem** all in all.

allgemein adj general; **allgemeingültig** adj generally accepted; **Allgemeinheit** f (Menschen) general public; ~ **en** pl (Redensarten) general remarks pl.

Alliierte(r) mf ally.

alljährlich adj annual.

allmählich adj gradual.

Allradantrieb m all-wheel drive.

Alltag m everyday life; **alltäglich** adj daily; (gewöhnlich) commonplace.

allwissend adj omniscient.

allzu adv all too; **allzuoft** adv all too often; **allzuviel** adv too much.

Almosen nt <-s, -> alms pl.

Alpen pl Alps pl; **Alpenblume** f alpine flower.

Alphabet nt <-[e]s, -e> alphabet; **alphabetisch** adj alphabetical.

alphanumerisch adj alphanumeric.

Alptraum m nightmare.

als conj (zeitlich) when; (bei Komparativ) than; (Gleichheit) as; **nichts** ~ nothing but; ~ **ob** as if.

also conj so; (folglich) therefore; **ich komme** ~ **morgen** so I'll come tomorrow; ~ **gut** [o schön]! okay then; ~ , **so was!** well really!; **na** ~ ! there you are then!

alt adj old; ~ **aussehen** (fam) look a right fool; **ich bin nicht mehr der** ~ **e** I am not the man I was; **alles beim** ~ **en lassen** leave everything as it was.

Alt m <-s, -e> (MUS) alto.

Altar m <-[e]s, :e> altar.

Alteisen nt scrap iron.

Alter nt <-s, -> age; (hohes) old age; **im** ~ **von** at the age of; **altern** vi grow old, age.

alternativ adj (Weg, Methode, Lebensweise, Energiegewinnung) alternative; (POL) unconventional; (umweltbewußt) ecologically minded.

Alternativ- in Zusammensetzungen alternative; (Bäckerei, Landwirtschaft) organic.

Alternative f alternative.

Alternative(r) mf (POL) member of the "alternative" movement.

Altersgrenze f age limit; **Altersheim** nt old people's home; **Altersversorgung** f old age pension.

Altertum nt antiquity.

Altglascontainer m bottle bank; **altklug** adj precocious; **altmodisch** adj old-fashioned; **Altpapier** nt waste paper; **Altstadt** f old town; **Altweibersommer** m Indian summer.

Alufolie f tin foil, kitchen foil.

Aluminium nt <-s> aluminium, aluminum US.

am = an dem: ~ **Sterben** on the point of dying; ~ **15. März** on March 15th; ~ **besten/schönsten** best/most beautiful.

Amalgam nt <-s, -e> amalgam.

Amateur(in f) m amateur.

Amboß m <-sses, -sse> anvil.

ambulant adj outpatient.

Ameise f <-, -n> ant.

Amerika nt America; **in** ~ in America; **nach** ~ **fahren** go to America; **Amerikaner(in** f) m <-s, -> American; **amerikanisch** adj American.

Ampel f <-, -n> traffic lights pl.

amputieren vt amputate.

Amsel f <-, -n> blackbird.

Amt nt <-[e]s, ⸚er> office; (*Pflicht*) duty; (*TEL*) exchange; **amtieren** vi hold office; **amtlich** adj official; **Amtszeichen** nt (*TEL*) dial tone US, dialling tone Brit; **Amtszeit** f period of office.

amüsant adj amusing; **amüsieren 1.** vt amuse; **2.** vr: sich ~ enjoy oneself; **Amüsierviertel** nt nightclub district.

an 1. prep +dat (*räumlich*) at; (*auf, bei*) on; (*nahe bei*) near; (*zeitlich*) on; **2.** prep +akk (*räumlich*) [on]to; **3.** adv: von... ~ from... on; ~ die 5 DM around 5 marks; **das Licht ist** ~ the light is on; ~ **Ostern** at Easter; ~ **diesem Ort/Tag** at this place/on this day; ~ **und für sich** actually.

Anabolikum nt <-s, -ka> anabolic steroid.

analog adj analogous; (*COMPUT*) analog; **Analogrechner** m analog computer.

Analyse f <-, -n> analysis; **analysieren** vt analyse.

Ananas f <-, - o -se> pineapple.

Anarchie f anarchy.

Anarcho m <-s, -s> (*fam*) anarchist.

Anatomie f anatomy.

anbändeln vi (*fam*) flirt.

Anbau m. m (*AGR*) cultivation; **2.** m, pl <-ten> (*Gebäude*) extension; **anbauen** vt (*AGR*) cultivate; (*Gebäudeteil*) build on.

anbehalten irr vt keep on.

anbei adv enclosed.

anbeißen irr **1.** vt bite into; **2.** vi bite; (*fig*) swallow the bait; **zum A**~ (*fam*) good enough to eat.

anbelangen vt concern; **was mich anbelangt** as far as I am concerned.

anbeten vt worship.

Anbetracht m: in ~ +gen in view of.

anbiedern vr: sich ~ make up (*bei* to).

anbieten irr **1.** vt offer; **2.** vr: sich ~ volunteer.

anbinden irr vt tie up; **kurz angebunden** (*fig*) curt.

Anblick m sight; **anblicken** vt look at.

anbrechen irr **1.** vt start; (*Vorräte*) break into; **2.** vi start; (*Tag*) break; (*Nacht*) fall.

anbrennen irr vi catch fire; (*GASTR*) burn.

anbringen irr vt bring; (*Ware*) sell; (*festmachen*) fasten.

Anbruch m beginning; ~ **des Tages/der Nacht** dawn/nightfall.

anbrüllen vt roar at.

Andacht f <-, -en> devotion; (*Gottesdienst*) prayers pl; **andächtig** adj devout.

andauern vi last, go on; **andauernd** adj (*ständig*) continuous; (*anhaltend*) continual; **Marie-Pierre beklagt sich** ~ Marie-Pierre keeps on complaining.

Andenken nt <-s, -> memory; souvenir.

andere(r, s) adj other; (*verschieden*) different; **am** ~**n Tage** the next day; **ein** ~**s Mal** another time; **kein** ~**r** nobody else; **von etwas** ~**m sprechen** talk about something else; **anderenteils, andererseits** adv on the other hand.

ändern 1. vt alter, change; **2.** vr: sich ~ change.

anders adv differently (*als* from); **wer** ~**?** who else?; **jd/irgendwo** ~ sb/somewhere else; ~ **aussehen/klingen** look/ sound different; **andersartig** adj different; **andersherum** adv the other way round; **anderswo** adv elsewhere.

anderthalb num one and a half.

Änderung f alteration, change.

anderweitig adv otherwise; (*anderswo*) elsewhere.

andeuten vt indicate; (*Wink geben*) hint at; **Andeutung** f indication; hint.

Andorra nt Andorra.

Andrang m crush.

andrehen vt turn [o switch] on; **jdm etw** ~ (*fam*) unload sth onto sb.

androhen vt: **jdm etw** ~ threaten sb with sth.

aneignen vt: **sich** dat **etw** ~ acquire sth; (*widerrechtlich*) appropriate sth.

aneinander adv at/on/to one another [o each other]; **aneinandergeraten** irr vi clash; **aneinanderlegen** vt put together.

anekeln vt disgust.

Anemone f <-, -n> anemone.

anerkannt adj recognized, acknowledged.

anerkennen irr vt recognize, acknowledge; (*würdigen*) appreciate; **anerkennend** adj appreciative; **anerkennenswert** adj praiseworthy; **Anerkennung** f recognition, acknowledgement; appreciation.

anfahren irr **1.** vt deliver; (*fahren gegen*) hit; (*Hafen*) put into; (*fig*) bawl out; **2.** vi drive up; (*losfahren*) drive off.

Anfall m (*MED*) attack.

anfallen irr **1.** vt attack; (*fig*) overcome; **2.** vi (*Arbeit*) come up; (*Produkt*) be obtained.

anfällig adj delicate; ~ **für etw** prone to sth.

Anfang m <-[e]s, ⸚e> beginning, start; **von** ~ **an** right from the beginning; **zu** ~ at the beginning; ~ **Mai** at the beginning of May; **anfangen** *irr vt, vi* begin, start; (*machen*) do.

Anfänger(in *f*) *m* <**-s, ->** beginner.

anfangs *adv* at first; **Anfangsbuchstabe** *m* initial [*o* first] letter; **Anfangsstadium** *nt* initial stages *pl*.

anfassen 1. *vt* handle; (*berühren*) touch; **2.** *vi* lend a hand; **3.** *vr*: **sich ~** feel; **zum A ~** accessible; (*Mensch*) approachable.

anfechten *irr vt* dispute; (*beunruhigen*) trouble.

anfertigen *vt* make.

anfeuern *vt* (*fig*) spur on.

anflehen *vt* implore.

anfliegen *irr* **1.** *vt* fly to; **2.** *vi* fly up; **Anflug** *m* (*AVIAT*) approach; (*Spur*) trace.

anfordern *vt* demand; **Anforderung** *f* demand (*gen* for).

Anfrage *f* inquiry; **anfragen** *vi* inquire.

anfreunden *vr*: **sich ~** make friends.

anfügen *vt* add; (*beifügen*) enclose.

anführen *vt* lead; (*zitieren*) quote; **Anführer(in** *f*) *m* leader; **Anführungsstriche** *pl*, **Anführungszeichen** *pl* quotation marks *pl*.

Angabe *f* statement; (*TECH*) specification; (*fam*) boasting; (*SPORT*) service; **~n** *pl* (*Auskunft*) particulars *pl*.

angeben *irr* **1.** *vt* give; (*bestimmen*) set; **2.** *vi* (*fam*) boast; (*SPORT*) serve; **Angeber(in** *f*) *m* <**-s, ->** (*fam*) show-off; **Angeberei** *f* (*fam*) showing off.

angeblich *adj* alleged.

angeboren *adj* inborn, innate (*jdm* in sb).

Angebot *nt* offer; (*COM*) supply (*an + dat* of).

angebracht *adj* appropriate, in order.

angeheitert *adj* tipsy.

angehen *irr* **1.** *vt* concern; (*bitten*) approach (*um* for); **2.** *vi* (*Feuer*) light; (*beginnen*) begin; **angehend** *adj* prospective; **er ist ein ~er Vierziger** he is approaching forty.

angehören *vi* belong (*dat* to).

Angehörige(r) *mf* relative.

Angeklagte(r) *mf* accused.

Angel *f* <**-, -n>** fishing rod; (*Tür~*) hinge.

Angelegenheit *f* affair, matter.

Angelhaken *m* fish hook; **angeln 1.** *vt* catch; **2.** *vi* fish; **Angeln** *nt* <**-s->** angling, fishing; **Angelrute** *f* fishing rod.

angemessen *adj* appropriate, suitable.

angenehm *adj* pleasant; **~!** (*bei Vorstellung*) pleased to meet you; **jdm ~ sein** be welcome to sb.

angenommen *adj* assumed; **~, wir...** assuming we...

angesehen *adj* respected.

angesichts *prep +gen* in view of, considering.

Angestellte(r) *mf* employee.

angetan *adj*: **von jdm/etw ~ sein** be impressed by sb/sth; **es jdm ~ haben** appeal to sb.

angewiesen *adj*: **auf jdn/etw ~ sein** be dependent on sb/sth.

angewöhnen *vt*: **jdm/ sich etw ~** get sb/become accustomed to sth.

Angewohnheit *f* habit.

Angler(in *f*) *m* <**-s, ->** angler.

angreifen *irr vt* attack; (*anfassen*) touch; (*Arbeit*) tackle; (*beschädigen*) damage; **Angreifer(in** *f*) *m* <**-s, ->** attacker; **Angriff** *m* attack; **etw in ~ nehmen** make a start on sth.

Angst *f* <**-, ⁓e>** fear; **~ haben** be afraid [*o* scared] (*vor + dat* of); **~ um jdn/etw haben** be worried about sb/sth; **nur keine ~!** don't be scared; **angst** *adj*: **jdm ist ~** sb is afraid [*o* scared]; **jdm ~ machen** scare sb; **Angsthase** *m* (*fam*) chicken, scaredy-cat; **ängstigen 1.** *vt* frighten; **2.** *vr*: **sich ~** worry [oneself] (*um, vor + dat* about); **ängstlich** *adj* nervous; (*besorgt*) worried; **Ängstlichkeit** *f* nervousness.

anhaben *irr vt* have on; **er kann mir nichts ~** he can't hurt me.

anhalten *irr* **1.** *vt* stop; (*gegen etw halten*) hold up (*jdm* against sb); **2.** *vi* stop; (*andauern*) persist; **jdn zur Arbeit/Höflichkeit ~** make sb work/be polite; **anhaltend** *adj* persistent; **Anhalter(in** *f*) *m* <**-s, ->** hitch-hiker; **per ~ fahren** hitch-hike.

Anhaltspunkt *m* clue.

anhand *prep +gen* with.

Anhang *m* appendix; (*Leute*) family; (*Fans*) supporters *pl*.

anhängen 1. *vt* hang up; (*Wagen*) couple up; (*Zusatz*) add [on]; **2.** *vr*: **sich an jdn ~** attach oneself to sb; **Anhänger** *m* <**-s, ->** (*AUT*) trailer; (*am Koffer*) tag; (*Schmuck*) pendant; **Anhänger(in** *f*) *m* <**-s, ->** supporter; **Anhängerschaft** *f* supporters *pl*.

anhänglich *adj* devoted; **Anhänglichkeit** *f* devotion.

Anhängsel *nt* <**-s, ->** appendage.

Anhäufung *f* accumulation.

anheben *irr vt* lift up; (*Preise*) raise.

anheimelnd *adj* comfortable, cosy.

anheimstellen *vt*: **jdm etw ~** leave sth up to sb.

Anhieb *m*: **auf ~** at the very first go; (*kurz entschlossen*) on the spur of the moment.

anhören 1. vt listen to; (anmerken) hear; **2.** vr: **sich ~** sound.

Animateur(in f) m host/hostess.

animieren vt encourage, urge on.

Anis m <-es, -e> aniseed.

ankaufen vt purchase, buy.

Anker m <-s, -> anchor; **vor ~ gehen** drop anchor; **ankern** vt, vi anchor; **Ankerplatz** m anchorage.

Anklage f accusation; (JUR) charge; **Anklagebank** f, pl <⁓e> dock; **anklagen** vt accuse; (JUR) charge (gen with).

Anklang m: **bei jdm ~ finden** meet with sb's approval.

Ankleidekabine f changing cubicle.

anklopfen vi knock.

anknüpfen 1. vt fasten [o tie] on; (fig) start; **2.** vi (anschließen) refer (an + akk to).

ankommen irr vi arrive; (näherkommen) approach; (Anklang finden) go down (bei with); **es kommt darauf an** it depends; (wichtig) that [is what] matters; **es kommt auf ihn an** it depends on him; **es darauf ~ lassen** let things take their course; **gegen jdn/etw ~** cope with sb/sth.

ankündigen vt announce.

Ankunft f <-, ⁓e> arrival; **Ankunftszeit** f time of arrival.

Anlage f disposition; (Begabung) talent; (Park) gardens pl; (Beilage) enclosure; (TECH) plant; (EDV⁓) system; (FIN) investment; (Entwurf) layout.

Anlaß m <-sses, ⁓sse> cause (zu for); (Ereignis) occasion; **aus ~ + gen** on the occasion of; **~ zu etw geben** give rise to sth; **etw zum ~ nehmen** take the opportunity of sth.

anlassen irr **1.** vt leave on; (Motor) start; **2.** vr: **sich ~** (fam) start off.

Anlasser m <-s, -> (AUT) starter.

Anlauf m run-up; **anlaufen** irr **1.** vi begin; (Film) show; (SPORT) run up; (Fenster) mist up; (Metall) tarnish; **2.** vt call at; **rot ~ colour;** **gegen etw ~** run into [o run up against] sth; **angelaufen kommen** come running up; **Anlaufstelle** f shelter, refuge.

anläuten vt ring.

anlegen 1. vt put (an + akk against/on); (anziehen) put on; (gestalten) lay out; (Geld) invest; (Gewehr) aim (auf + akk at); **2.** vi dock; **es auf etw akk ~** be out for sth/to do sth; **sich mit jdm ~** (fam) quarrel with sb; **Anlegestelle** f landing place.

anlehnen 1. vt lean (an + akk against); (Tür) leave ajar; **2.** vr: **sich ~** lean (an + akk on).

anleiern vt (fam) launch.

anleiten vt instruct; **Anleitung** f instructions pl.

Anliegen nt <-s, -> matter; (Wunsch) wish.

Anlieger(in f) m <-s, -> resident.

anlügen irr vt lie to.

anmachen vt attach; (Elektrisches) put on; (Salat) dress; (fam: aufreizen) give the come-on to; (fam: ansprechen) chat up; (fam: beschimpfen) slam.

anmaßen vt: **sich** dat **etw ~** lay claim to sth; **anmaßend** adj arrogant; **Anmaßung** f presumption.

Anmeldeformular nt registration form; **anmelden 1.** vt announce; **2.** vr: **sich ~** (sich ankündigen) make an appointment; (polizeilich, für Kurs etc) register; **Anmeldung** f announcement; appointment; registration.

anmerken vt observe; (anstreichen) mark; **jdm etw ~** notice sb's sth; **sich** dat **nichts ~ lassen** not give anything away; **Anmerkung** f note.

Anmut f <-> grace; **anmutig** adj charming.

annähen vt sew on.

annähernd adj approximate.

Annäherung f approach; **Annäherungsversuch** m advances pl.

Annahme f <-, -n> acceptance; (Vermutung) assumption.

annehmbar adj acceptable; **annehmen** irr **1.** vt accept; (Namen) take; (Kind) adopt; (vermuten) suppose, assume; **2.** vr: **sich ~** take care (gen of); **angenommen, das ist so** assuming that is so.

Annehmlichkeit f comfort.

annektieren vt annex.

Annonce f <-, -n> advertisement; **annoncieren** vt, vi advertise.

annullieren vt annul.

Anode f <-, -n> anode.

anöden vt (fam) bore stiff.

anonym adj anonymous.

Anorak m <-s, -s> anorak.

anordnen vt arrange; (befehlen) order; **Anordnung** f arrangement; order.

anorganisch adj inorganic.

anpacken vt grasp; (fig) tackle; **mit ~** lend a hand.

anpassen 1. vt fit (jdm on sb); (fig) adapt (dat to); **2.** vr: **sich ~** adapt; **Anpassung** f fitting; adaptation; **anpassungsfähig** adj adaptable.

Anpfiff m (SPORT) [starting] whistle; (Beginn) kick-off; (fam) rocket.

anpöbeln vt abuse.

anprangern vt denounce.

anpreisen irr vt extol.

Anprobe f trying on; **anprobieren** vt

try on.

anrechnen vt charge; (fig) count; **jdm etw hoch** ~ value sb's sth greatly.

Anrecht nt right (auf + akk to).

Anrede f form of address; **anreden** vt address; (belästigen) accost.

anregen vt stimulate; **angeregte Unterhaltung** lively discussion; **anregend** adj stimulating; **Anregung** f stimulation; (Vorschlag) suggestion.

anreichern vt enrich.

Anreise f journey; **anreisen** vi arrive.

Anreiz m incentive.

Anrichte f <-, -n> sideboard; **anrichten** vt serve up; **Unheil** ~ make mischief.

anrüchig adj dubious.

Anruf m call; **Anrufbeantworter** m <-s, -> [telephone] answering machine; **anrufen** irr vt call out to; (bitten) call on; (TEL) ring up, phone, call.

anrühren vt touch; (mischen) mix.

ans = an das.

Ansage f announcement; **ansagen** 1. vt announce; **2.** vr: **sich** ~ say one will come; **angesagt sein** be recommended, be suggested; (modisch) be the in thing; **Spannung ist angesagt** we are in for a bit of excitement; **Ansager(in** f) m <-s, - > announcer.

Ansammlung f collection; (Leute) crowd.

ansässig adj resident.

Ansatz m start; (Haar~) hairline; (Hals~) base; (Verlängerungsstück) extension; **die ersten Ansätze zu etw** the beginnings of sth; **Ansatzpunkt** m starting point.

anschaffen vt buy, purchase; **Anschaffung** f purchase.

anschalten vt switch on.

anschauen vt look at; **anschaulich** adj illustrative; **Anschauung** f (Meinung) view; **aus eigener** ~ from one's own experience; **Anschauungsmaterial** nt illustrative material.

Anschein m appearance; **allem** ~ **nach** to all appearances; **den** ~ **haben** seem, appear; **anscheinend** adj apparent.

Anschlag m (Attentat) attack; (COM) estimate; (auf Klavier) touch; (auf Schreibmaschine) character; **anschlagen** irr 1. vt put up; (beschädigen) chip; (Akkord) strike; (Kosten) estimate; **2.** vi hit (an + akk against); (wirken) have an effect; (Hund) bark.

anschließen irr 1. vt connect up; (Sender) link up; **2.** vi, vr: [sich] **an etw akk** ~ adjoin sth; (zeitlich) follow sth; **3.** vr: **sich** ~ join (jdm/einer Sache sb/sth);

(beipflichten) agree (jdm/einer Sache with sb/sth); **anschließend 1.** adj adjacent; (zeitlich) subsequent; **2.** adv afterwards; ~ **an** + akk following.

Anschluß m (ELEC. EISENB) connection; (von Wasser etc) supply; **im** ~ **an** + akk following; ~ **finden** make friends; **Anschlußflug** m connecting flight.

anschmiegsam adj affectionate.

anschnallen 1. vt buckle on; **2.** vr: **sich** ~ fasten one's seat belt.

anschneiden irr vt cut into; (Thema) broach.

anschreiben irr vt write [up]; (COM) charge up; (benachrichtigen) write to; **bei jdm gut/schlecht angeschrieben sein** be well/badly thought of by sb, be in sb's good/bad books.

anschreien irr vt shout at.

Anschrift f address.

anschwellen irr vi swell [up].

anschwindeln vt lie to.

ansehen irr vt look at; **jdm etw** ~ see sth [from sb's face]; **jdn/etw als etw** ~ look on sb/sth as sth; ~ **für** consider.

Ansehen nt <-s > respect; (Ruf) reputation.

ansehnlich adj fine-looking; (beträchtlich) considerable.

ansein irr vi (fam) be on.

ansetzen 1. vt (anfügen) fix on (an + akk to); (anlegen, an Mund etc) put (an + akk to); (festlegen) fix; (entwickeln) develop; (Fett) put on; (zubereiten) prepare; **2.** vi (anfangen) start, begin; (Entwicklung) set in; (dick werden) put on weight; **3.** vr: **sich** ~ (Rost etc) start to develop; **jdn/etw auf jdn/etw** ~ set sb/sth on sb/sth; **zu etw** ~ prepare to do sth.

Ansicht f (Anblick) sight; (Meinung) view, opinion; **zur** ~ on approval; **meiner** ~ **nach** in my opinion; **Ansichtskarte** f picture postcard; **Ansichtssache** f matter of opinion.

Anspannung f strain.

Anspiel nt (SPORT) start; **anspielen** v (SPORT) start play; **auf etw** akk ~ refer [o allude] to sth; **Anspielung** f reference, allusion (auf + akk to).

Ansporn m <-[e]s > incentive.

Ansprache f address.

ansprechen irr 1. vt speak to; (bitten, ge fallen) appeal to; **2.** vi react (auf + akk to); **jdn auf etw** akk **hin** ~ ask sb about sth; **etw als etw** ~ regard sth as sth; **ansprechend** adj attractive; **Ansprech partner(in** f) m person to talk to, contact.

anspringen irr vi (AUT) start.

Anspruch m (Recht) claim (auf + akk

to); **hohe Ansprüche stellen/haben** demand/expect a lot; **jdn/ etw in ~ nehmen** occupy sb/take up sth; **anspruchslos** adj undemanding; **anspruchsvoll** adj demanding.

anspucken vt spit at.

anstacheln vt spur on.

Anstalt f <-, -en> institution; **~en machen, etw zu tun** prepare to do sth.

Anstand m decency; **anständig** adj decent; (fam) proper; (groß) considerable; **anstandslos** adv without any ado.

anstarren vt stare at.

anstatt 1. prep + gen instead of; 2. conj: **~ etw zu tun** instead of doing sth.

anstechen irr vt prick; (Faß) tap.

anstecken 1. vt pin on; (MED) infect; (Pfeife) light; (Haus) set fire to; 2. vr: **ich habe mich bei ihm angesteckt** I caught it from him; 3. vi (fig) be infectious; **ansteckend** adj infectious; **Ansteckung** f infection.

anstehen irr vi queue [up], line up US.

anstelle prep + gen in place of.

anstellen 1. vt (einschalten) turn on; (Arbeit geben) employ; (machen) do; 2. vr: **sich ~** queue [up], line up US; (fam) act; **stell dich nicht so an!** don't be stupid!

Anstellung f employment; (Posten) post, position.

Anstieg m <-[e]s, -e> climb; (fig: von Preisen etc) increase (gen in).

anstiften vt (Unglück) cause; **jdn zu etw ~** put sb up to sth.

anstimmen vt (Lied) strike up with; (Geschrei) set up; 2. vi strike up.

Anstoß m impetus; (Ärgernis) offence; (SPORT) kick-off; **der erste ~** the initiative; **~ nehmen an** + dat take offence at.

anstoßen irr 1. vt (auch) kick; 2. vi knock, bump; (mit der Zunge) lisp; (mit Gläsern) drink [a toast] (auf + akk to).

anstößig adj offensive, indecent.

anstreben vt strive for.

anstreichen irr vt paint; **Anstreicher(in** f) m <-s, -> painter.

anstrengen 1. vt (JUR) bring; 2. vr: **sich ~** make an effort; **angestrengt** adv as hard as one can; **anstrengend** adj tiring; **Anstrengung** f effort.

Anstrich m coat of paint.

Ansturm m rush; (MIL) attack.

Antagonismus m antagonism.

antasten vt touch; (Recht) infringe upon.

Anteil m share (an + dat); (Mitgefühl) sympathy; **~ nehmen an** + dat share in; (sich interessieren) take an interest in; **Anteilnahme** f <-> sympathy.

Antenne f <-, -n> aerial; (ZOOL) antenna.

Anthrazit m <-s, -e> anthracite.

Anti- in Zusammensetzungen anti; **Antialkoholiker(in** f) m teetotaller; **antiautoritär** adj antiauthoritarian; **Antibiotikum** nt <-s, -ka> antibiotic; **Antiblockiersystem** nt anti-lock braking system; **Antihistamin** nt <-s, -e> (MED) antihistamine.

antik adj antique; **Antike** f <-, -n> (Zeitalter) ancient world.

Antikörper m antibody.

Antilope f <-, -n> antelope.

Antipathie f antipathy.

Antiquariat nt secondhand bookshop.

Antiquitäten pl antiques pl; **Antiquitätenhandel** m antique business; **Antiquitätenhändler(in** f) m antique dealer.

Antrag m <-[e]s, ⸚e> proposal; (POL) motion; (Gesuch) application.

antreffen irr vt meet.

antreiben irr 1. vt drive on; (Motor) drive; (anschwemmen) wash up; 2. vi be washed up.

antreten irr 1. vt (Amt) take up; (Erbschaft) come into; (Beweis) offer; (Reise) start, begin; 2. vi (MIL) fall in; (SPORT) line up; **gegen jdn ~** play/fight against sb.

Antrieb m (auch fig) drive; **aus eigenem ~** of one's own accord.

antrinken irr vt (Flasche, Glas) start to drink from; **sich** dat **Mut/einen Rausch ~** give oneself Dutch courage/get drunk; **angetrunken sein** to be tipsy.

Antritt m beginning, commencement; (eines Amts) taking up.

antun irr vt: **jdm etw ~** do sth to sb; **sich** dat **etw ~** force oneself.

Antwort f <-, -en> answer, reply; **um ~ wird gebeten** RSVP; **antworten** vi answer, reply.

anvertrauen 1. vt: **jdm etw ~** entrust sb with sth; 2. vr: **sich jdm ~** confide in sb.

anwachsen irr vi grow; (Pflanze) take root.

Anwalt m <-[e]s, ⸚e>, **Anwältin** f solicitor; lawyer.

Anwandlung f caprice; **eine ~ von etw** a fit of sth.

Anwärter(in f) m candidate.

anweisen irr vt instruct; (zuteilen) assign (jdm etw sth to sb); **Anweisung** f instruction; (COM) remittance; (Post~, Zahlungs~) money order.

anwendbar adj practicable, applicable; **anwenden** vt use, employ; (Gesetz, Regel) apply; **Anwender(in** f) m

< -s, -> user; **Anwenderprogramm** *nt* user program; **Anwendung** *f* use; application.

anwesend *adj* present; **die A~en** *pl* those present *pl*; **Anwesenheit** *f* presence; **Anwesenheitsliste** *f* attendance register.

anwidern *vt* disgust.

Anzahl *f* number (*an + dat* of).

anzahlen *vt* pay on account; **Anzahlung** *f* deposit, payment on account.

anzapfen *vt* tap; (*jdn: um Geld*) touch.

Anzeichen *nt* sign, indication.

Anzeige *f* < -, -n> (*Zeitungs~*) announcement; (*Werbung*) advertisement; (*COMPUT*) display; (*bei Polizei*) report; **~ gegen jdn erstatten** report sb [to the police]; **anzeigen** *vt* (*zu erkennen geben*) show; (*bekanntgeben*) announce; (*bei Polizei*) report; **Anzeigenteil** *m* advertisements *pl*; **Anzeiger** *m* < -s, -> indicator.

anziehen *irr* **1.** *vt* attract; (*Kleidung*) put on; (*jdn*) dress; (*Schraube, Seil*) pull tight; (*Knie*) draw up; (*Feuchtigkeit*) absorb; **2.** *vr*: **sich ~** get dressed; **anziehend** *adj* attractive; **Anziehung** *f* (*Reiz*) attraction; **Anziehungskraft** *f* power of attraction; (*PHYS*) force of gravitation.

Anzug *m* suit; **im ~ sein** be approaching.

anzüglich *adj* (*fig*), (*anstößig*) offensive; **Anzüglichkeit** *f* offensiveness; (*Bemerkung*) personal remark.

anzünden *vt* light; **Anzünder** *m* lighter.

anzweifeln *vt* doubt.

apart *adj* distinctive.

Apathie *f* apathy; **apathisch** *adj* apathetic.

Apfel *m* < -s, ⸚> apple; **Apfelsaft** *m* apple juice; **Apfelsine** *f* orange; **Apfelwein** *m* cider.

Apostel *m* < -s, -> apostle.

Apostroph *m* < -s, -e> apostrophe.

Apotheke *f* < -, -n> chemist's [shop], drugstore *US*; **Apotheker(in** *f*) *m* < -s, -> chemist, druggist *US*.

Apparat *m* < -[e]s, -e> piece of apparatus; camera; telephone; (*RADIO, TV*) set; **am ~ bleiben** hold the line.

Appartement *nt* < -s, -s> flat *Brit*, apartment.

Appell *m* < -s, -e> (*MIL*) muster, parade; (*fig*) appeal; **appellieren** *vi* appeal (*an + akk* to).

Appetit *m* < -[e]s, -e> appetite; **guten ~!** enjoy your meal!; **appetitlich** *adj* appetizing; **Appetitlosigkeit** *f* lack of appetite.

Applaus *m* < -es, -e> applause.

Appretur *f* finish.

Aprikose *f* < -, -n> apricot.

April *m* < -[s], -e> April; **im ~** in April; **12. ~ 1988** April 12th, 1988, 12th April 1988; **Aprilwetter** *nt* April showers *pl*.

Aquaplaning *nt* < -[s]> aquaplaning.

Aquarell *nt* < -s, -e> watercolour.

Aquarium *nt* aquarium.

Äquator *m* < -s> equator.

Araber(in *f*) *m* < -s, -> Arab; **arabisch** *adj* Arabian.

Arbeit *f* < -, -en> work (*kein Artikel*); (*Stelle*) job; (*Erzeugnis*) piece of work; (*wissenschaftliche ~*) dissertation; (*Klassen~*) test; **das war eine ~** that was a hard job; **arbeiten** *vi* work; **Arbeiter(in** *f*) *m* < -s, -> worker; (*ungelernt*) labourer; **Arbeiterschaft** *f* workers *pl*, labour force; **Arbeitgeber(in** *f*) *m* < -s, -> employer; **Arbeitnehmer(in** *f*) *m* < -s, -> employee.

Arbeits- *in Zusammensetzungen* labour; **Arbeitsamt** *nt* employment exchange; **Arbeitsbeschaffungsmaßnahme** *f* job-creation scheme; **arbeitsfähig** *adj* fit for work, able-bodied; **Arbeitsgang** *m* operation; **Arbeitsgemeinschaft** *f* study group; **Arbeitskräfte** *pl* workers *pl*, labour; **arbeitslos** *adj* unemployed, out-of-work; **Arbeitslosengeld** *nt* earnings-related benefit; **Arbeitslosenhilfe** *f* unemployment benefit; **Arbeitslosigkeit** *f* unemployment; **Arbeitsplatz** *m* job; place of work; **Arbeitsspeicher** *m* working storage; **Arbeitstag** *m* work[ing] day; **Arbeitsteilung** *f* division of labour; **arbeitsunfähig** *adj* unfit for work; **Arbeitszeit** *f* working hours *pl*; **gleitende ~** flexible working hours *pl*, flex[i]time; **Arbeitszeitverkürzung** *f* reduction in working hours.

Archäologe *m* < -n, -n>, **Archäologin** *f* archaeologist.

Architekt(in *f*) *m* < -en, -en> architect; **Architektur** *f* architecture.

Archiv *nt* < -s, -e> archive.

arg **1.** *adj* bad, awful; **2.** *adv* awfully, very.

Argentinien *nt* Argentina, the Argentine.

Ärger *m* < -s> (*Wut*) anger; (*Unannehmlichkeit*) trouble; **ärgerlich** *adj* (*zornig*) angry; (*lästig*) annoying, aggravating; **ärgern** **1.** *vt* annoy; **2.** *vr*: **sich ~** get annoyed; **Ärgernis** *nt* annoyance; **öffentliches ~ erregen** be a public nuisance.

Argument *nt* argument.

Argwohn *m* < -[e]s> suspicion; **argwöhnisch** *adj* suspicious.

Arie *f* < -, -n> aria.

Aristokrat(in *f*) *m* < -en, -en> aristo-

crat; **Aristokratie** f aristocracy; **ari-stokratisch** adj aristocratic.
arithmetisch adj arithmetical.
arm adj poor.
Arm m <-[e]s, -e> arm; (Fluß~)
branch.
Armatur f (ELEC) armature; **Armatu-renbrett** nt instrument panel; (AUT)
dashboard.
Armband nt, pl <-bänder> bracelet;
Armbanduhr f [wrist] watch.
Arme(r) mf poor man/woman; **die ~ n** pl
the poor pl.
Armee f <-, -n> army.
Ärmel nt <-s, -> sleeve; **etw aus dem
~ schütteln** (fig) produce sth just like
that.
ärmlich adj poor.
armselig adj wretched, miserable.
Armut f <-> poverty.
Aroma nt <-s, Aromen> aroma; **aro-matisch** adj aromatic.
arrangieren 1. vt arrange; **2.** vr: **sich ~**
come to an arrangement.
Arrest m <-[e]s, -e> detention.
arrogant adj arrogant; **Arroganz** f ar-rogance.
Arsch m <-es, ⸚e> (fam) arse, bum.
Art f <-, -en> (Weise) way; (Sorte)
kind, sort; (BIO) species sing; **eine ~
[von] Frucht** a kind of fruit; **Häuser aller
~ en** houses of all kinds; **es ist nicht
seine ~, das zu tun** it's not like him to
do that; **ich mache das auf meine ~** I
do that my [own] way; **nach ~ des
Hauses** à la maison; **Artenschutz** m
protection of species.
Arterie f artery; **Arterienverkalkung** f
arteriosclerosis.
artig adj good, well-behaved.
Artikel m <-s, -> article.
Arznei f medicine; **Arzneimittel** nt me-dicine, medicament.
Arzt m <-es, ⸚e>, **Ärztin** f doctor;
ärztlich adj medical.
As nt <-ses, -se> ace.
Asbest m <-[e]s, -e> asbestos.
Asche f <-, -n> ash, cinder; **Aschen-bahn** f cinder track; **Aschenbecher** m
ashtray; **Aschenbrödel** nt <-s, ->
Cinderella; **Aschermittwoch** m Ash
Wednesday.
Asiat(in f) m <-en, -en> Asian; **asia-tisch** adj Asian; **Asien** nt Asia.
ASCII-Code m <-s, -s> ASCII.
asozial adj antisocial; (Familie) asocial.
Aspekt m <-[e]s, -e> aspect.
Asphalt m <-[e]s, -e> asphalt;
asphaltieren vt asphalt.
aß pt von **essen**.

Assembler m <-s, -> (COMPUT) as-sembler.
Assistent(in f) m assistant.
Assoziation f association.
Ast m <-[e]s, ⸚e> bough, branch.
Aster f <-, -n> aster.
ästhetisch adj aesthetic.
Asthma nt <-s> asthma; **Asthmati-ker(in** f) m <-s, -> asthmatic.
Astrologe m <-n, -n>, **Astrologin** f
astrologer; **Astrologie** f astrology;
Astronaut(in f) m <-en, -en> astro-naut; **Astronautik** f astronautics sing;
Astronomie f astronomy.
ASU f <-, -s> abk von **Abgassonderun-tersuchung** anti-pollution test of exhaust
fumes.
Asyl nt <-s, -e> asylum; (Heim) home;
(Obdachlosen~) shelter; **Asylant(in** f)
m, **Asylbewerber(in** f) m person seek-ing political asylum; **Asylrecht** nt right
of [political] asylum.
Atelier nt <-s, -s> studio.
Atem m <-s> breath; **den ~ anhalten**
hold one's breath; **außer ~** out of
breath; **atemberaubend** adj breath-taking; **atemlos** adj breathless; **Atem-pause** f breather; **Atemzug** m breath.
Atheismus m atheism; **Atheist(in** f) m
atheist; **atheistisch** adj atheistic.
Äther m <-s, -> ether.
Äthiopien nt Ethiopia.
Athlet(in f) m <-en, -en> athlete;
Athletik f athletics sing.
Atlantik m <-s> Atlantic [Ocean].
Atlas m <- o -ses, -sse o **Atlanten>**
atlas.
atmen vt, vi breathe.
Atmosphäre f <-, -n> atmosphere.
Atmung f respiration.
Atom nt <-s, -e> atom.
Atom- in Zusammensetzungen atomic, nu-clear.
atomar adj atomic.
Atombombe f atom bomb; **Atomener-gie** f atomic [o nuclear] energy; **Atom-kraft** f nuclear [o atomic] energy;
Atomkraftwerk nt nuclear power sta-tion; **Atomkrieg** m nuclear [o atomic]
war; **Atommacht** f nuclear [o atomic]
power; **Atommüll** m atomic waste;
Atomsperrvertrag m (POL) [nuclear]
non-proliferation treaty; **Atomversuch**
m atomic test; **Atomwaffen** pl atomic
weapons pl; **atomwaffenfrei** adj nu-clear-free; **Atomzeitalter** nt atomic
age.
Attentat nt <-[e]s, -e> [attempted] as-sassination (auf +akk of); **Attentä-ter(in** f) m [would-be] assassin.

Attest nt <-[e]s, -e> certificate.
attraktiv adj attractive.
Attrappe f <-, -n> dummy.
Attribut nt <-[e]s, -e> (LING) attribute.
ätzen vi be caustic; **ätzend** adj (fam) revolting, sickening, nauseating.
auch conj also, too, as well; (selbst, sogar) even; (wirklich) really; **oder** ~ or; ~ **das ist schön** that's nice too [o as well]; **das habe ich** ~ **nicht gemacht** I didn't do it either; **ich** ~ **nicht** nor I, me neither; ~ **wenn das Wetter schlecht ist** even if the weather is bad; **wer/was** ~ whoever/whatever; **so sieht es** ~ **aus** it looks like it too; ~ **das noch!** that's all we needed!
auf 1. prep + akk/dat (räumlich) on; **2.** prep + akk (hinauf) up; (in Richtung) to; (nach) after; **3.** adv: ~ **und ab up and down**; ~ **und davon up and away**; ~ **!** (los) come on!; ~ **daß** so that; ~ **der Reise** on the way; ~ **der Post/dem Fest** at the post office/party; ~ **das Land** into the country; ~ **der Straße** on the road; ~ **dem Land/der ganzen Welt** in the country/the whole world; ~ **deutsch** in German; ~ **Lebenszeit** for sb's lifetime; **bis** ~ **ihn** except for him; ~ **einmal** at once.
aufatmen vi heave a sigh of relief.
Aufbau 1. m (Bauen) building, construction; **2.** m, pl <-ten> (Struktur) structure; (aufgebautes Teil) superstructure; **aufbauen** vt erect, build [up]; (Existenz) make; (gestalten) construct; (gründen) found, base (auf + akk on).
aufbauschen vt (fig) exaggerate.
aufbehalten irr vt keep on.
aufbekommen irr vt (öffnen) get open; (Hausaufgaben) be given.
aufbereiten vt (Daten) edit.
aufbessern vt (Gehalt) increase.
aufbewahren vt keep; (Gepäck) put in the left-luggage office; **Aufbewahrung** f [safe]keeping; (Gepäck~) left-luggage office; **jdm etw zur** ~ **geben** give sb sth for safekeeping; **Aufbewahrungsort** m storage place.
aufbieten irr vt (Kraft) summon [up], exert; (Armee, Polizei) mobilize.
aufblasen irr vt blow up, inflate.
aufbleiben irr vi (Laden) remain open; (Mensch) stay up.
aufblenden vt (Scheinwerfer) turn on full beam.
aufbrauchen vt use up.
aufbrausen vi (fig) flare up.
aufbrechen 1. vt break [o prize] open; **2.** vi burst open; (gehen) start, set off.
aufbringen irr vt (öffnen) open; (in

Mode) bring into fashion; (beschaffen) procure; (FIN) raise; (ärgern) irritate; **Verständnis für etw** ~ be able to understand sth.
Aufbruch m departure.
aufbürden vt burden (jdm etw sb with sth).
aufdecken vt uncover.
aufdrängen 1. vt force (jdm on sb); **2.** vr: **sich** ~ intrude (jdm on sb).
aufdringlich adj pushy.
aufeinander adv (achten) after each other; (schießen) at each other; (vertrauen) each other; **aufeinanderfolgen** vi follow one another; **aufeinanderlegen** vt lay on top of one another; **aufeinanderprallen** vi hit one another.
Aufenthalt m stay; (Verzögerung) delay; (EISENB) stop; (Ort) haunt; **Aufenthaltsgenehmigung** f residence permit.
Auferstehung f resurrection.
aufessen irr vt eat up.
auffahren irr **1.** vi (Auto) run, crash (auf + akk into); (herankommen) draw up; (hochfahren) jump up; (wütend werden) flare up; **2.** vt (Kanonen, Geschütz) bring up; **Auffahrt** f (Haus~) drive; (Autobahn~) slip road; **Auffahrunfall** m pile-up.
auffallen irr vi be noticeable; **jdm** ~ strike sb; **auffallend** adj striking; **auffällig** adj conspicuous, striking.
auffangen irr vt catch; (Funkspruch) intercept; (Preise) peg; **Auffanglager** nt refugee camp.
auffassen vt understand, comprehend; (auslegen) see, view; **Auffassung** f (Meinung) opinion; (Auslegung) view, concept; (Auffassungsgabe) grasp.
auffindbar adj to be found.
auffordern vt (befehlen) call upon, order; (bitten) ask; **Aufforderung** f (Befehl) order; (Einladung) invitation.
auffrischen 1. vt freshen up; (Kenntnisse) brush up; (Erinnerungen) reawaken; **2.** vi (Wind) freshen.
aufführen 1. vt (THEAT) perform; (in einem Verzeichnis) list, specify; **2.** vr: **sich** ~ (sich benehmen) behave; **Aufführung** f (THEAT) performance; (Liste) specification.
Aufgabe f task; (SCH) exercise; (Haus~) homework; (Verzicht) giving up; (von Gepäck) registration; (von Post) posting; (von Inserat) insertion.
Aufgang m ascent; (Sonnen~) rise; (Treppe) staircase.
aufgeben irr **1.** vt (verzichten auf) give up; (Paket) send, post; (Gepäck) register;

(*Bestellung*) give; (*Inserat*) insert; (*Rätsel, Problem*) set; **2.** *vi* give up.

aufgedreht *adj* (*fam*) excited.

aufgedunsen *adj* swollen, puffed up.

aufgehen *irr vi* (*Sonne, Teig*) rise; (*sich öffnen*) open; (*klarwerden*) become clear (*jdm* to sb); (MATH) come out exactly; (*sich widmen*) be absorbed (*in + dat* in); **in Rauch/Flammen ~** go up in smoke/flames.

aufgeklärt *adj* enlightened; (*sexuell*) knowing the facts of life.

aufgelegt *adj*: **gut/ schlecht ~ sein** be in a good/bad mood; **zu etw ~ sein** be in the mood for sth.

aufgeregt *adj* excited.

aufgeschlossen *adj* open, open-minded.

aufgeweckt *adj* bright, intelligent.

aufgrund *prep* +*gen* on the basis of; (*wegen*) because of.

aufhaben *irr* **1.** *vt* have on; (*Arbeit*) have to do; **2.** *vi* (*Geschäft*) be open.

aufhalten *irr* **1.** *vt* detain; (*Entwicklung*) check; (*Tür, Hand*) hold open; (*Augen*) keep open; **2.** *vr*: **sich ~** (*wohnen*) live; (*bleiben*) stay; **sich über etw/ jdn ~** go on about sth/sb; **sich mit etw ~** waste time over.

aufhängen **1.** *vt* (*Wäsche*) hang up; (*jdn*) hang; **2.** *vr*: **sich ~** hang oneself; **Aufhänger** *m* <**-s, -**> (*am Mantel*) tab, loop; (*fig*) peg.

aufheben *irr* **1.** *vt* (*hochheben*) raise, lift; (*Sitzung*) wind up; (*Urteil*) annul; (*Gesetz*) repeal, abolish; (*aufbewahren*) keep; **2.** *vr*: **sich ~** cancel oneself out; **bei jdm gut aufgehoben sein** be well looked after at sb's; **viel A ~[s] machen** make a fuss (*von* about).

aufheitern **1.** *vt* (*jdn*) cheer up; **2.** *vr*: **sich ~** (*Himmel, Miene*) brighten.

aufhellen *vt* clear up; (*Farbe, Haare*) lighten.

aufholen **1.** *vt* make up; **2.** *vi* catch up.

aufhorchen *vi* prick up one's ears.

aufhören *vi* stop; **~, etw zu tun** stop doing sth.

aufklären **1.** *vt* (*Geheimnis etc*) clear up; (*jdn*) enlighten; (*sexuell*) tell the facts of life to; **2.** *vr*: **sich ~** clear up; **Aufklärung** *f* (*von Geheimnis*) clearing up; (*Unterrichtung, Zeitalter*) enlightenment; (*sexuell*) sex education; (MIL. AVIAT) reconnaissance.

aufkleben *vt* stick on; **Aufkleber** *m* <**-s, -**> sticker.

aufkommen *irr vi* (*Wind*) come up; (*Zweifel, Gefühl*) arise; (*Mode*) start; **für jdn/etw ~** be liable [*o* responsible] for

sb/sth.

aufladen *irr vt* load.

Auflage *f* edition; (*von Zeitung*) circulation; (*Bedingung*) condition; **jdm etw zur ~ machen** make sth a condition for sb.

auflassen *irr vt* (*offen lassen*) leave open; (*aufgesetzt lassen*) leave on.

auflauern *vi*: **jdm ~** lie in wait for sb.

Auflauf *m* (GASTR) pudding; (*Menschen~*) crowd.

aufleben *vi* revive.

auflegen *vt* put on; (*Telefon*) hang up; (TYP) print.

auflehnen **1.** *vt* lean on; **2.** *vr*: **sich ~** rebel (*gegen* against).

auflesen *irr vt* pick up.

aufleuchten *vi* light up.

aufliegen *irr vi* lie on; (COM) be available.

Auflistung *f* (COMPUT) listing.

auflockern *vt* loosen; (*fig*) liven up.

auflösen *vt* dissolve; (*Mißverständnis*) sort out; **[in Tränen] aufgelöst sein** be in tears.

aufmachen **1.** *vt* open; (*Kleidung*) undo; (*zurechtmachen*) do up; **2.** *vr*: **sich ~** set out; **Aufmachung** *f* (*Kleidung*) outfit, get-up; (*Gestaltung*) format.

aufmerksam *adj* attentive; **jdn auf etw akk ~ machen** point sth out to sb; **Aufmerksamkeit** *f* attention, attentiveness.

aufmuntern *vt* (*ermutigen*) encourage; (*erheitern*) cheer up.

Aufnahme *f* <**-, -n**> reception; (*Beginn*) beginning; (*in Verein etc*) admission; (*in Liste etc*) inclusion; (*Notieren*) taking down; (FOT) shot; (*auf Tonband etc*) recording; **Aufnahmeprüfung** *f* entrance test.

aufnehmen *irr vt* receive; (*hochheben*) pick up; (*beginnen*) take up; (*in Verein etc*) admit; (*in Liste etc*) include; (*fassen*) hold; (*notieren*) take down; (*fotografieren*) photograph; (*auf Tonband, Platte*) record; (FIN) take out; **es mit jdm ~ können** be able to compete with sb.

aufpassen *vi* (*aufmerksam sein*) pay attention; **auf jdn/etw ~** look after sb/sth, watch sb/sth; **aufgepaßt!** look out!

Aufprall *m* <**-s, -e**> impact; **aufprallen** *vi* hit, strike.

Aufpreis *m* extra charge.

aufpumpen *vt* pump up.

aufputschen *vt* (*aufhetzen*) inflame; (*erregen*) stimulate.

aufraffen *vr*: **sich ~** rouse oneself.

aufräumen *vt, vi* (*Dinge*) clear away; (*Zimmer*) tidy up.

aufrecht *adj* (*auch fig*) upright; **aufrechterhalten** *irr vt* maintain.

aufregen 1. *vt* excite; **2.** *vr*: **sich ~** get excited; **aufregend** *adj* exciting; **Aufregung** *f* excitement.

aufreiben *irr vt* (*Haut*) rub open; (*erschöpfen*) exhaust; **aufreibend** *adj* strenuous.

aufreißen *irr vt* (*Umschlag*) tear open; (*Augen*) open wide; (*Tür*) throw open; (*Straße*) take up.

aufrichtig *adj* sincere, honest.

Aufruf *m* summons *sing*; (*zur Hilfe, AVIAT. COMPUT*) call; (*des Namens*) calling out; **aufrufen** *irr vt* (*auffordern*) call upon (*zu* for); (*Namen*) call out; (*AVIAT. COMPUT*) call.

Aufruhr *m* <-[e]s, -e> uprising, revolt; **in ~ sein** be in uproar.

aufrunden *vt* (*Summe*) round up.

Aufrüstung *f* rearmament.

aufs = auf das.

aufsässig *adj* rebellious.

Aufsatz *m* (*Geschriebenes*) essay; (*auf Schrank etc*) top.

aufsaugen *vt* soak up.

aufschauen *vi* look up.

aufschieben *irr vt* push open; (*verzögern*) put off, postpone.

Aufschlag *m* (*Ärmel~*) cuff; (*Jacken~*) lapel; (*Hosen~*) turn-up; (*Aufprall*) impact; (*Preis~*) surcharge; (*TENNIS*) service; **aufschlagen** *irr* **1.** *vt* (*öffnen*) open; (*verwunden*) cut; (*hochschlagen*) turn up; (*Zelt, Lager*) pitch, erect; (*Wohnsitz*) take up; **2.** *vi* (*aufprallen*) hit; (*teurer werden*) go up; (*TENNIS*) serve.

aufschließen *irr* **1.** *vt* open up, unlock; **2.** *vi* (*aufrücken*) close up.

Aufschluß *m* information; **aufschlußreich** *adj* informative, illuminating.

aufschneiden *irr* **1.** *vt* (*Geschwür*) cut open; (*Brot*) cut up; (*MED*) lance; **2.** *vi* brag.

Aufschnitt *m* [slices of] cold meat.

aufschrecken 1. *vt* startle; **2.** *irr vi* start up.

Aufschrei *m* cry; **aufschreien** *irr vi* cry out.

aufschreiben *irr vt* write down.

Aufschrift *f* (*Inschrift*) inscription; (*auf Etikett*) label.

Aufschub *m* delay, postponement.

aufschwatzen *vt*: **jdm etw ~** talk sb into [getting/having] sth.

Aufschwung *m* (*Elan*) boost; (*wirtschaftlich*) upturn, boom; (*SPORT*) circle.

aufsehen *irr vi* (*auch fig*) look up (*zu* at) (*fig* to).

Aufsehen *nt* <-s> sensation, stir; **aufsehenerregend** *adj* sensational.

Aufseher(in *f*) *m* <-s, -> guard; (*im Betrieb*) supervisor; (*Museums~*) attendant; (*Park~*) keeper.

aufsein *irr vi* (*fam*) be open; (*Mensch*) be up.

aufsetzen 1. *vt* put on; (*Flugzeug*) put down; (*Dokument*) draw up; **2.** *vr*: **sich ~** sit upright; **3.** *vi* (*Flugzeug*) touch down.

Aufsicht *f* supervision; **die ~ haben** be in charge.

aufsitzen *irr vi* (*aufrecht hinsitzen*) sit up; (*aufs Pferd, Motorrad*) mount, get on; **jdm ~** (*fam*) be taken in by sb.

aufsperren *vt* unlock; (*Mund*) open wide.

aufspielen *vr*: **sich ~** show off; **sich als etw ~** try to come on as sth.

aufspringen *irr vi* jump (*auf* + *akk* onto); (*hochspringen*) jump up; (*sich öffnen*) spring open; (*Hände, Lippen*) become chapped.

aufstacheln *vt* incite.

Aufstand *m* insurrection, rebellion.

aufstechen *irr vt* prick open, puncture.

aufstehen *irr vi* get up; (*Tür*) be open.

aufstellen *vt* (*aufrecht stellen*) put up; (*aufreihen*) line up; (*nominieren*) put up; (*formulieren: Programm*) draw up; (*Rekord*) set up; **Aufstellung** *f* (*SPORT*) line-up; (*Liste*) list.

Aufstieg *m* <-[e]s, -e> (*auf Berg*) ascent; (*Fortschritt*) rise; (*beruflich, SPORT*) promotion.

aufstoßen *irr* **1.** *vt* push open; **2.** *vi* belch.

Aufstrich *m* spread.

aufstützen 1. *vr*: **sich ~** lean (*auf* + *akk* on); **2.** *vt* (*Körperteil*) prop, lean; (*jdn*) prop up.

aufsuchen *vt* (*besuchen*) visit; (*konsultieren*) consult.

auftakeln *vr*: **sich ~** (*fam*) deck oneself out.

Auftakt *m* (*MUS*) upbeat; (*fig*) prelude.

auftanken 1. *vi* get petrol; **2.** *vt* refuel.

auftauchen *vi* appear; (*aus Wasser etc*) emerge; (*U-Boot*) surface; (*Zweifel*) arise.

auftauen *vt, vi* thaw; (*fig*) relax.

aufteilen *vt* divide up; (*Raum*) partition; **Aufteilung** *f* division; partition.

auftischen *vt* serve [up]; (*fig*) tell.

Auftrag *m* <-[e]s, -̈e> order; (*Anweisung*) commission; (*Aufgabe*) mission; **im ~ von** on behalf of.

auftragen *irr* **1.** *vt* (*Essen*) serve; (*Farbe*) put on; **2.** *vi* (*dick machen*) make you/me look fat; **jdm etw ~** tell sb sth; **dick ~** (*fig*) exaggerate.

Auftraggeber(in *f*) *m* <-s, -> (*COM*)

purchaser, customer.

auftreiben irr vt (fam: beschaffen) raise.

auftreten irr vi appear; (mit Füßen) tread; (sich verhalten) behave; **Auftreten** nt <-s> (Vorkommen) appearance; (Benehmen) behaviour.

Auftrieb m (PHYS) buoyancy, lift; (fig) impetus.

Auftritt m (des Schauspielers) entrance; (auch fig: Szene) scene.

aufwachen vi wake up.

aufwachsen irr vi grow up.

Aufwand m <-[e]s> expenditure; (Kosten auch) expense; (Luxus) show; **bitte, keinen ~!** please don't go out of your way.

aufwärmen vt warm up; (alte Geschichten) rake up.

aufwärts adv upwards; **aufwärtsgehen** irr vi look up.

aufwecken vt wake[n] up.

aufweisen irr vt show.

aufwenden irr vt expend; (Geld) spend; (Sorgfalt) devote; **aufwendig** adj costly.

aufwerfen irr 1. vt (Fenster etc) throw open; (Probleme) throw up, raise; 2. vr: **sich zu etw ~** make oneself out to be sth.

aufwerten vt (FIN) revalue; (fig) raise in value.

aufwiegeln vt stir up, incite.

aufwiegen irr vt make up for.

Aufwind m up-current.

aufwirbeln vt whirl up; **Staub ~** (fig) create a stir.

aufwischen vt wipe up.

aufzählen vt count out.

aufzeichnen vt sketch; (schriftlich) jot down; (auf Band) record; **Aufzeichnung** f (schriftlich) note; (Tonband~) recording; (Film) record.

aufzeigen vt show, demonstrate.

aufziehen irr vt (hochziehen) raise, draw up; (öffnen) pull open; (Uhr) wind; (fam: necken) tease; (Kinder) raise, bring up; (Tiere) rear.

Aufzug m (Fahrstuhl) lift, elevator; (Kleidung) get-up; (THEAT) act.

aufzwingen irr vt: **jdm etw ~** force sth upon sb.

Auge nt <-s, -n> eye; (Fett~) globule; **jdm etw aufs ~ drücken** impose sth on sb; **ins ~ gehen** go wrong; **unter vier ~n** in private.

Augenblick m moment; **im ~** at the moment; **augenblicklich** adj (sofort) instantaneous; (gegenwärtig) present.

Augenbraue f <-, -n> eyebrow; **Augenweide** f sight for sore eyes; **Augenzeuge** m, **-zeugin** f eye witness.

August m <-[e]s o -, -e> August; **im ~** in August; **5. ~ 1990** August 5th, 1990, 5th August 1990.

Auktion f auction.

Aula f <-, **Aulen** o -s> assembly hall.

aus 1. prep +dat out of; (von... her) from; (Material) made of; **2.** adv out; (beendet) finished, over; (ausgezogen) off; **~ ihr wird nie etwas** she'll never get anywhere; **bei jdm ~ und ein gehen** visit sb frequently; **weder ~ noch ein wissen** be at sixes and sevens; **auf etw akk ~ sein** be after sth; **vom Fenster ~** out of the window; **von Rom ~** from Rome; **von sich ~** of one's own accord; **Aus** nt <-> (SPORT) touch, offside; (fig) end, finish; **ins ~ gehen** go out.

ausarbeiten vt work out.

ausarten vi degenerate; (Kind) become overexcited.

ausatmen vi breathe out.

ausbaden vt: **etw ~ müssen** (fam) carry the can for sth.

Ausbau 1. m (Herausnahme) removal; **2.** m, pl <-ten> extension, expansion; **ausbauen** vt extend, expand; (herausnehmen) take out, remove; **ausbaufähig** adj (fig) worth developing.

ausbedingen <**bedingte aus, ausbedungen**> vt: **sich** dat **etw ~** insist on sth.

ausbessern vt mend, repair.

ausbeulen vt beat out.

Ausbeute f yield; **ausbeuten** vt exploit; (MIN) work.

ausbilden vt educate; (Lehrling, Soldat) instruct, train; (Fähigkeiten) develop; (Geschmack) cultivate; **Ausbildung** f education; training, instruction; development.

ausbleiben irr vi (Menschen) stay away, not come; (Ereignisse) fail to happen, not happen.

Ausblick m (auch fig) outlook, view.

ausbomben vt bomb out.

ausbrechen irr 1. vi break out; 2. vt break off; **in Tränen/Gelächter ~** burst into tears/out laughing.

ausbreiten 1. vt spread [out]; (Arme) stretch out; 2. vr: **sich ~** spread; (über Thema) expand, enlarge (über + akk on).

Ausbruch m outbreak; (von Vulkan) eruption; (Gefühls~) outburst; (von Gefangenen) escape.

ausbrüten vt (auch fig) hatch.

ausbuhen vt boo.

ausbürsten vt brush out.

Ausdauer f perseverance, stamina.

ausdehnen vt (räumlich) expand; (Gummi) stretch; (zeitlich) stretch; (fig: Macht) extend.

ausdenken irr vt (zu Ende denken) think through; **sich** dat etw ~ think sth up.
ausdiskutieren vt talk out.
Ausdruck 1. m, pl <⁻e> expression, phrase; (Kundgabe, Gesichts~) expression; 2. m, pl <-e> (Computer~) printout.
ausdrucken vt (COMPUT) print [out].
ausdrücken 1. vt (formulieren, zeigen) express; (Zigarette) put out; (Zitrone) squeeze; 2. vr: **sich** ~ express oneself.
ausdrücklich adj express, explicit.
ausdruckslos adj expressionless, blank; **Ausdrucksweise** f mode of expression.
auseinander adv (getrennt) apart; ~ **schreiben** write as separate words; **auseinandergehen** irr vi (Menschen) separate; (Meinungen) differ; (Gegenstand) fall apart; (fam: dick werden) put on weight; **auseinanderhalten** irr vt tell apart; **auseinandersetzen** 1. vt (erklären) set forth, explain; 2. vr: **sich** ~ (sich verständigen) come to terms; (sich befassen) concern oneself; **Auseinandersetzung** f argument.
auserlesen adj select, choice.
ausfahren irr 1. vi drive out, (NAUT) put out [to sea]; 2. vt take out; (TECH: Fahrwerk) drive out.
Ausfahrt f (des Zuges etc) leaving, departure; (Autobahn~, Garagen~) exit, way out; (Spazierfahrt) drive, excursion.
Ausfall m loss; (Nichtstattfinden) cancellation; **ausfallen** irr vi (Zähne, Haare) fall [o come] out; (nicht stattfinden) be cancelled; (wegbleiben) be omitted; (Mensch) drop out; (Lohn) be stopped; (nicht funktionieren) break down; (Resultat haben) turn out; **wie ist das Spiel ausgefallen?** what was the result of the game?
ausfallend adj impertinent.
Ausfallstraße f arterial road.
ausfertigen vt draw up; (Rechnung) make out; **doppelt** ~ **duplicate; Ausfertigung** f drawing up; making out; (Exemplar) copy.
ausfindig machen vt discover.
ausfliegen irr vt, vi fly away; **sie sind ausgeflogen** (fam) they're out.
ausflippen vi (fam) freak out.
Ausflucht f <-, ⁻e> excuse.
Ausflug m excursion, outing; **Ausflügler(in** f) m <-s, -> tripper.
Ausfluß m outlet; (MED) discharge.
ausfragen vt interrogate, question.
ausfransen vi fray.
ausfressen irr vt eat up; (aushöhlen) corrode; (fam: anstellen) be up to.

Ausfuhr 1. f <-, -en> export, exportation; 2. in Zusammensetzungen export.
ausführen vt (verwirklichen) carry out; (jdn) take out; (Hund) take for a walk; (COM) export; (erklären) give details of.
ausführlich 1. adj detailed; 2. adv in detail.
Ausführung f execution, performance; (Durchführung) completion; (Herstellungsart) version; (Erklärung) explanation.
ausfüllen vt fill up; (Fragebogen etc) fill in; (Beruf) be fulfilling for.
Ausgabe f (Geld~) expenditure, outlay; (Aushändigung) giving out; (Gepäck~) left-luggage office; (COMPUT) output; (Buch) edition; (Nummer) issue.
Ausgang m way out, exit; (Ende) end; (Ausgangspunkt) starting point; (Ergebnis) result; (Ausgehtag) free time, time off; **kein** ~ no exit.
ausgeben irr 1. vt (Geld) spend; (austeilen) issue, distribute; 2. vr: **sich für etw/jdn** ~ pass oneself off as sth/sb.
ausgebucht adj fully booked.
ausgebufft adj (fam: erledigt) washed-up; (erschöpft) knackered; (trickreich) shrewd, fly.
ausgedient adj (Soldat) discharged; (verbraucht) no longer in use; ~ **haben** have done good service.
ausgefallen adj (ungewöhnlich) exceptional.
ausgeglichen adj [well-]balanced; **Ausgeglichenheit** f balance; (von Mensch) even-temperedness.
ausgehen irr vi go out; (zu Ende gehen) come to an end; (Benzin) run out; (Haare, Zähne) fall [o come] out; (Feuer, Ofen, Licht) go out; (Strom) go off; (Resultat haben) turn out; **von etw** ~ (wegführen) lead away from sth; (herrühren) come from sth; (zugrunde legen) proceed from sth; **wir können davon** ~ , **daß...** we can proceed from the assumption that..., we can take as our starting point that...; **leer** ~ get nothing; **schlecht** ~ turn out badly; **mir ging das Benzin aus** I ran out of petrol.
ausgelassen adj boisterous, high-spirited.
ausgelastet adj fully occupied.
ausgelernt adj trained, qualified.
ausgemacht adj (fam) settled; (Dummkopf etc) out-and-out, downright; **es gilt als** ~ , **daß...** it is settled that...; **es war eine** ~ **e Sache, daß...** it was a foregone conclusion that...
ausgenommen conj, prep + gen o dat except; **Anwesende sind** ~ present company excepted.

ausgeprägt adj (Gesicht) distinctive; (Eigenschaft) distinct; (Charakter, Interesse) marked, pronounced.

ausgerechnet adv just, precisely; ~ du/heute you of all people/today of all days.

ausgeschlossen adj (unmöglich) impossible, out of the question; **es ist nicht ~, daß**... it cannot be ruled out that...

ausgesprochen 1. adj (Faulheit, Lüge etc) out-and-out; (unverkennbar) marked; **2.** adv decidedly.

ausgezeichnet adj excellent.

ausgiebig adj (Gebrauch) thorough, good; (Essen) generous, lavish; ~ **schlafen** have a good sleep.

Ausgleich m <-[e]s, -e> balance; (Vermittlung) reconciliation; (SPORT) equalization; **zum ~** + gen in order to offset; **das ist ein guter ~** that's very relaxing; **ausgleichen** irr **1.** vt balance [out]; (Höhe) even up; **2.** vi (SPORT) equalize; **Ausgleichstor** nt international call; **jdm ~ erteilen** give sb information.

ausgraben irr vt dig up; (Leichen) exhume; (fig) unearth; **Ausgrabung** f excavation.

ausgrenzen vt exclude.

Ausguß m (Spüle) sink; (Abfluß) outlet; (Tülle) spout.

aushaben irr vt (fam: Kleidung) have taken off; (Buch) have finished.

aushalten irr **1.** vt bear, stand; (Geliebte) keep; **2.** vi hold out; **das ist nicht zum A ~** that is unbearable.

aushandeln vt negotiate.

aushändigen vt: **jdm etw ~** hand sth over to sb.

Aushang m notice.

aushängen 1. vt (Meldung) put up; (Fenster) take off its hinges; **2.** irr vi be displayed; **3.** vr: **sich ~** hang out; **Aushängeschild** nt [shop] sign.

aushecken vt (fam) concoct, think up.

aushelfen irr vi: **jdm ~** help sb out.

Aushilfe f help, assistance; (Mensch) [temporary] worker; **Aushilfskraft** f temporary worker; **aushilfsweise** adv temporarily, as a stopgap.

ausholen vi swing one's arm back; (zur Ohrfeige) raise one's hand; (beim Gehen) take long strides; **weit ~** (fig) be expansive.

aushorchen vt sound out, pump.

aushungern vt starve out.

auskennen irr vr: **sich ~** know thoroughly; (an einem Ort) know one's way about; (in Fragen etc) be knowledgeable.

Ausklang m end.

ausklingen irr vi (Ton, Lied) die away; (Fest) peter out.

auskochen vt boil; (MED) sterilize; **ausgekocht** (fig) cunning.

auskommen irr vi: **mit jdm ~** get on with sb; **mit etw ~** get by with sth; **Auskommen** nt: **sein ~ haben** get by.

auskugeln vt (fam: Arm) dislocate.

auskundschaften vt spy out; (Gebiet) reconnoitre.

Auskunft f <-, ¨e> information; (nähere) details pl, particulars pl; (Stelle) information office; (TEL) inquiries sing (kein Artikel); **jdm ~ erteilen** give sb information.

auskuppeln vi disengage the clutch.

auslachen vt laugh at, mock.

ausladen irr vt unload; (fam: Gäste) cancel an invitation to.

Auslage f shop window [display]; ~**n** pl outlay, expenditure.

Ausland nt foreign countries pl; **im/ins ~** abroad; **Ausländer(in** f) m <-s, -> foreigner; **ausländerfeindlich** adj hostile to foreigners, xenophobic; **ausländisch** adj foreign; **Auslandsgespräch** nt international call; **Auslandskorrespondent(in** f) m foreign correspondent.

auslassen irr **1.** vt leave out; (Wort etc auch) omit; (Fett) melt; (Wut, Ärger) vent (an + dat on); **2.** vr: **sich über etw akk ~** speak one's mind about sth.

Auslauf m (für Tiere) run; (Ausfluß) outflow, outlet; **auslaufen** irr vi (Behälter) leak; (NAUT) put out [to sea]; (langsam aufhören) run down.

Ausläufer m (von Gebirge) spur; (von Pflanze) runner; (METEO: von Hoch) ridge; (von Tief) trough.

ausleeren vt empty.

auslegen vt (Waren) lay out; (Köder) put down; (Geld) lend; (bedecken) cover; (Text etc) interpret; (technisch ausstatten) design (für, auf + akk for); **Auslegung** f interpretation.

Ausleihe f <-, -n> issuing; (Stelle) issue desk; **ausleihen** irr vt (verleihen) lend; **sich** dat **etw ~** borrow sth.

Auslese f selection; (Elite) elite; (Wein) choice wine; **auslesen** irr vt select; (fam: zu Ende lesen) finish.

ausliefern vt deliver [up], hand over; (COM) deliver; **2.** vr: **sich jdm ~** give oneself up to sb; **jdm/einer Sache ausgeliefert sein** be at the mercy of sb/sth.

auslosen vt draw lots for.

auslösen vt (Explosion, Schuß) set off; (hervorrufen) cause, produce; **Auslöser** m <-s, -> (FOT) release.

ausmachen vt (Licht, Radio) turn off; (Feuer) put out; (entdecken) make out; (vereinbaren) agree; (beilegen) settle;

(*Anteil darstellen, betragen*) represent; (*bedeuten*) matter; **das macht ihm nichts aus** it doesn't matter to him; **macht es Ihnen etwas aus, wenn...?** would you mind if...?

ausmalen *vt* paint; (*fig*) describe; **sich *dat* etw ~** imagine sth.

Ausmaß *nt* dimension; (*fig auch*) scale.

ausmerzen *vt* eliminate.

ausmessen *irr vt* measure.

Ausnahme *f* <-, -n> exception; **eine ~ machen** make an exception; **Ausnahmefall** *m* exceptional case; **Ausnahmezustand** *m* state of emergency; **ausnahmslos** *adv* without exception; **ausnahmsweise** *adv* by way of exception, for once.

ausnehmen *irr* 1. *vt* take out, remove; (*Tier*) gut; (*Nest*) rob; (*fam: Geld abnehmen*) clean out; (*ausschließen*) make an exception of; 2. *vr:* **sich ~** look, appear; **ausnehmend** *adv* exceptionally.

ausnützen *vt* (*Zeit, Gelegenheit*) use, turn to good account; (*Einfluß*) use; (*jdn, Gutmütigkeit*) take advantage of.

auspacken *vt* unpack.

auspfeifen *vt* hiss/boo at.

ausplaudern *vt* (*Geheimnis*) blab.

ausprobieren *vt* try [out].

Auspuff *m* <-[e]s, -e> (*TECH*) exhaust; **Auspuffrohr** *nt* exhaust [pipe]; **Auspufftopf** *m* (*AUT*) silencer.

ausradieren *vt* erase, rub out.

ausrangieren *vt* (*fam*) chuck out.

ausrauben *vt* rob.

ausräumen *vt* (*Dinge*) clear away; (*Schrank, Zimmer*) empty; (*Bedenken*) put aside.

ausrechnen *vt* calculate, reckon.

Ausrede *f* excuse; **ausreden** 1. *vi* have one's say; 2. *vt:* **jdm etw ~** talk sb out of sth.

ausreichend *adj* sufficient, adequate; (*SCH*) adequate.

Ausreise *f* departure; **bei der ~** when leaving the country; **Ausreiseerlaubnis** *f* exit visa; **ausreisen** *vi* leave the country.

ausreißen *irr* 1. *vt* tear [o pull] out; 2. *vi* (*Riß bekommen*) tear; (*fam*) make off, scram.

ausrenken *vt* dislocate.

ausrichten *vt* (*Botschaft*) deliver; (*Gruß*) pass on; (*Hochzeit etc*) arrange; (*erreichen*) get anywhere (*bei* with); (*in gerade Linie bringen*) get in a straight line; (*angleichen*) bring into line; **jdm etw ~** take a message for sb; **ich werde es ihm ~** I'll tell him.

ausrotten *vt* stamp out, exterminate.

ausrücken *vi* (*MIL*) move off; (*Feuerwehr, Polizei*) be called out; (*fam: weglaufen*) run away.

Ausruf *m* (*Schrei*) cry, exclamation; (*Verkünden*) proclamation; **ausrufen** *irr vt* exclaim; (*Schlagzeilen*) cry out; (*verkünden*) call out; (*Haltestelle, Streik*) call; **Ausrufezeichen** *nt* exclamation mark.

ausruhen *vi, vr:* **sich ~** rest.

ausrüsten *vt* equip, fit out; **Ausrüstung** *f* equipment.

ausrutschen *vi* slip.

Aussage *f* statement; **aussagen** 1. *vt* say, state; 2. *vi* (*JUR*) give evidence.

ausschalten *vt* switch off; (*fig*) eliminate.

Ausschank *m* <-[e]s, ˝e> dispensing, giving out; (*COM*) selling; (*Theke*) bar.

Ausschau *f:* **~ halten** look out, watch (*nach* for); **ausschauen** *vi* look out (*nach* for), be on the look-out.

ausscheiden *irr* 1. *vt* separate; (*MED*) give off, secrete; 2. *vi* leave (*aus etw* sth); (*SPORT*) be eliminated, be knocked out; **er scheidet für den Posten aus** he can't be considered for the job.

ausschenken *vt* pour out; (*COM*) sell.

ausschimpfen *vt* scold, tell off.

ausschlachten *vt* (*Auto*) cannibalize; (*fig*) make a meal of.

ausschlafen *irr* 1. *vi, vr:* **sich ~** have a long lie [in]; 2. *vt* sleep off; **ich bin nicht ausgeschlafen** I didn't have [o get] enough sleep.

Ausschlag *m* (*MED*) rash; (*Pendel~*) swing; (*von Nadel*) deflection; **den ~ geben** (*fig*) tip the balance; **ausschlagen** *irr* 1. *vt* knock out; (*auskleiden*) deck out; (*verweigern*) decline; 2. *vi* (*Pferd*) kick out; (*BOT*) sprout; (*Zeiger*) be deflected; **ausschlaggebend** *adj* decisive.

ausschließen *irr vt* shut out, lock out; (*fig*) exclude; **ich will mich nicht ~** self not excepted.

ausschließlich 1. *adv* exclusively; 2. *prep* +*gen* excluding, exclusive of.

Ausschluß *m* exclusion.

ausschmücken *vt* decorate; (*fig*) embellish.

ausschneiden *irr vt* cut out; (*Büsche*) trim.

Ausschnitt *m* (*Teil*) section; (*von Kleid*) neckline; (*Zeitungs~*) cutting; (*aus Film etc*) excerpt.

ausschreiben *irr vt* (*ganz schreiben*) write out [in full]; (*ausstellen*) write [out]; (*Stelle, Wettbewerb etc*) announce, advertise.

Ausschreitung f excess.
Ausschuß m committee, board; (Abfall) waste, scraps pl; (COM: ~ ware) reject.
ausschütten 1. vt pour out; (Eimer) empty; (Geld) pay; 2. vr: **sich ~** shake [with laughter].
ausschweifend adj (Leben) dissipated, debauched; (Phantasie) extravagant; **Ausschweifung** f excess.
ausschweigen irr vr: **sich ~** keep silent.
ausschwitzen vt exude; (Mensch) sweat out.
aussehen irr vi look; **das sieht nach nichts aus** that doesn't look anything special; **es sieht nach Regen aus** it looks like rain; **es sieht schlecht aus** things look bad; **Aussehen** nt <-s> appearance.
aussein irr vi (fam) be out; (zu Ende) be over.
außen adv outside; (nach ~) outwards; **~ ist es rot** it's red [on the] outside; **~ vor sein** be out of it; **Außenantenne** f outside aerial; **Außenbordmotor** m outboard motor.
aussenden irr vt send out, emit.
Außendienst m outside [o field] service; (von Diplomat) foreign service; **Außenhandel** m foreign trade; **Außenminister(in** f) m foreign minister; **Außenministerium** nt foreign office; **Außenpolitik** f foreign policy; **Außenseite** f outside; **Außenseiter(in** f) m <-s, ->, **Außenstehende(r)** mf outsider.
außer 1. prep + dat (räumlich) out of; (abgesehen von) except; 2. conj (ausgenommen) except; **~ Gefahr sein** be out of danger; **~ Zweifel** beyond any doubt; **~ Betrieb** out of order; **~ sich** dat **sein** be beside oneself; **~ Dienst** retired; **~ Landes** abroad; **~ wenn** unless; **~ daß** except.
außerdem conj besides, in addition.
äußere(r, s) adj outer, external.
außerehelich adj extramarital; **außergewöhnlich** adj unusual; **außerhalb** prep + gen outside; **Außerkraftsetzung** f putting out of action.
äußerlich adj external.
äußern 1. vt utter, express; (zeigen) show; 2. vr: **sich ~** give one's opinion; (sich zeigen) show itself.
außerordentlich adj extraordinary; **außerplanmäßig** adj unscheduled; **außerstande** adv not in a position, unable.
äußerst adv extremely, most; **äußerste(r, s)** adj utmost; (räumlich) farthest; (Termin) last possible; (Preis) highest; **äußerstenfalls** adv if the worst comes

to the worst.
Äußerung f remark.
aussetzen 1. vt (Kind, Tier) abandon; (Boote) lower; (Belohnung) offer; (Urteil, Verfahren) postpone; 2. vi (aufhören) stop; (Pause machen) drop out; **jdn/sich einer Sache** dat ~ lay sb/oneself open to sth; **jdm/einer Sache ausgesetzt sein** be exposed to sb/sth; **an jdm/etw etwas ~** find fault with sb/sth.
Aussicht f view; (in Zukunft) prospect; **in ~ sein** be in view; **etw in ~ haben** have sth in view; **aussichtslos** adj hopeless; **Aussichtspunkt** m viewpoint; **aussichtsreich** adj promising; **Aussichtsturm** m observation tower.
aussitzen irr vt sit out.
aussöhnen 1. vt reconcile; 2. vr: **sich ~** reconcile oneself, become reconciled; **Aussöhnung** f reconciliation.
aussondern vt separate, select.
aussortieren vt sort out.
ausspannen 1. vt spread [o stretch] out; (Pferd) unharness; (fam) steal (jdm from sb); 2. vi relax.
aussparen vt leave open.
aussperren vt lock out.
ausspielen 1. vt (Karte) play; (Geldprämie) offer as a prize; 2. vi (KARTEN) lead; **jdn gegen jdn ~** play sb off against sb; **ausgespielt haben** be finished.
Aussprache f pronunciation; (Unterredung) [frank] discussion.
aussprechen irr 1. vt pronounce; (zu Ende sprechen) speak; (äußern) say, express; 2. vr: **sich ~** speak (über + akk about); (sich anvertrauen) unburden oneself; (diskutieren) discuss; 3. vi (zu Ende sprechen) finish speaking.
Ausspruch m saying, remark.
ausspülen vt wash out; (Mund) rinse.
Ausstand m strike; **in den ~ treten** go on strike.
ausstatten vt (Zimmer etc) furnish; **jdn mit etw ~** equip sb with sth, kit sb out with sth; **Ausstattung** f (Ausstatten) provision; (Kleidung) outfit; (Aufmachung) make-up; (Einrichtung) furnishing.
ausstechen irr vt (Augen, Rasen, Graben) dig out; (Kekse) cut out; (übertreffen) outshine.
ausstehen irr 1. vt stand, endure; 2. vi (noch nicht dasein) be outstanding; **ich kann ihn/das nicht ~** I can't stand him/that.
aussteigen irr vi get out, alight.
ausstellen vt exhibit, display; (fam: ausschalten) switch off; (Rechnung etc) make out; (Paß, Zeugnis) issue; **Ausstellung**

_f_ exhibition; (_FIN_) drawing up; (_einer Rechnung_) making out; (_eines Passes etc_) issuing.

aussterben _irr vi_ die out.

Aussteuer _f_ dowry.

Ausstieg _m_ <-s, -e> withdrawal.

ausstopfen _vt_ stuff.

ausstoßen _irr vt_ (_Luft, Rauch_) give off, emit; (_aus Verein etc_) expel, exclude.

ausstrahlen _vt_ radiate; (_RADIO_) broadcast; **Ausstrahlung** _f_ radiation; (_fig_) charisma.

ausstrecken _vt_ stretch out.

ausstreichen _irr vt_ cross out; (_glätten_) smooth out.

ausströmen _vi_ (_Gas_) pour out, escape.

aussuchen _vt_ select, pick out.

Austausch _m_ exchange; **austauschbar** _adj_ exchangeable; **austauschen** _vt_ exchange, swop; **Austauschmotor** _m_ reconditioned engine.

austeilen _vt_ distribute, give out.

Auster _f_ <-, -n> oyster.

austoben _vr_: **sich** ~ (_Kind_) run wild; (_Erwachsene_) sow one's wild oats.

austragen _irr vt_ (_Post_) deliver; (_Streit etc_) decide; (_Wettkämpfe_) hold.

Australien _nt_ Australia; **in** ~ in Australia; **nach** ~ **fahren** go to Australia; **Australier(in** _f_) _m_ <-s, -> Australian; **australisch** _adj_ Australian.

austreiben _irr vt_ drive out, expel; (_Geister_) exorcize.

austreten _irr_ **1.** _vi_ (_zur Toilette_) be excused; **2.** _vt_ (_Feuer_) tread out, trample; (_Schuhe_) wear out; (_Treppe_) wear down; **aus etw** ~ leave sth.

austrinken _irr_ **1.** _vt_ (_Glas_) drain; (_Getränk_) drink up; **2.** _vi_ finish one's drink, drink up.

Austritt _m_ emission; (_aus Verein, Partei etc_) retirement, withdrawal.

austrocknen _vi_ dry up.

ausüben _vt_ (_Beruf_) practise, carry out; (_Funktion_) perform; (_Einfluß_) exert; (_Reiz, Wirkung_) exercise, have (_auf jdn_ on sb); **Ausübung** _f_ practice, exercise.

Ausverkauf _m_ sale; **ausverkaufen** _vt_ sell out; (_Geschäft_) sell up; **ausverkauft** _adj_ (_Karten, Artikel_) sold out; (_THEAT: Haus_) full.

Auswahl _f_ selection, choice (_an_ +_dat_ of); **auswählen** _vt_ select, choose.

auswandern _vi_ emigrate; **Auswanderung** _f_ emigration.

auswärtig _adj_ (_nicht am/vom Ort_) out-of-town; (_ausländisch_) foreign; **A~es Amt** Foreign Office, State Department _US_; **auswärts** _adv_ outside; (_nach außen_) outwards; ~ **essen** eat out; **Aus-**

wärtsspiel _nt_ away game.

auswechseln _vt_ change, substitute.

Ausweg _m_ way out; **ausweglos** _adj_ hopeless.

ausweichen _irr vi_: **jdm/einer Sache** ~ move aside [_o_ make way] for sb/sth; (_fig_) side-step sb/sth; **ausweichend** _adj_ evasive.

ausweinen _vr_: **sich** ~ have a [good] cry.

Ausweis _m_ <-es, -e> identity card; passport; (_Mitglieds~, Bibliotheks~_) card; **ausweisen** _irr_ **1.** _vt_ expel, banish; **2.** _vr_: **sich** ~ prove one's identity; **Ausweispapiere** _pl_ identity papers _pl_; **Ausweisung** _f_ expulsion.

auswendig _adv_ by heart; ~ **lernen** learn by heart.

auswerten _vt_ evaluate; **Auswertung** _f_ evaluation, analysis; (_Nutzung_) utilization.

auswirken _vr_: **sich** ~ have an effect; **Auswirkung** _f_ effect.

Auswuchs _m_ [out]growth; (_fig_) excess.

auswuchten _vt_ (_AUT_) balance.

auszahlen **1.** _vt_ (_Lohn, Summe_) pay out; (_Arbeiter_) pay off; (_Miterbe_) buy out; **2.** _vr_: **sich** ~ (_sich lohnen_) pay.

auszählen _vt_ (_Stimmen_) count; (_BOXEN_) count out.

auszeichnen **1.** _vt_ honour; (_MIL_) decorate; (_COM_) price; **2.** _vr_: **sich** ~ distinguish oneself; **Auszeichnung** _f_ distinction; (_COM_) pricing; (_Ehrung_) awarding of decoration; (_Ehre_) honour; (_Orden_) decoration; **mit** ~ with distinction.

ausziehen _irr_ **1.** _vt_ (_Kleidung_) take off; (_Haare, Zähne, Tisch etc_) pull out; **2.** _vr_: **sich** ~ undress; **3.** _vi_ (_aufbrechen_) leave; (_aus Wohnung_) move out.

Auszubildende(r) _mf_ trainee.

Auszug _m_ (_aus Wohnung_) removal; (_aus Buch etc_) extract; (_Konto~_) statement.

Autismus _m_ autism; **autistisch** _adj_ autistic.

Auto _nt_ <-s, -s> [motor-]car; ~ **fahren** drive; **Autob hn** _f_ motorway; **Autobahngebühr** _f_ toll; **Autobombe** _f_ car bomb; **Autofahrer(in** _f_) _m_ motorist, driver; **Autofahrt** _f_ drive; **Autogas** _nt_ liquefied petroleum gas.

autogen _adj_ autogenous.

Autogramm _nt_ <-s, -e> autograph.

Automat _m_ <-en, -en> machine.

Automatikgurt _m_ inertia-reel seat belt; **Automatikschaltung** _f_ automatic gear change _Brit_, automatic gear shift _US_; **Automatikwagen** _m_ automatic.

automatisch _adj_ automatic.

Autopsie _f_ post-mortem, autopsy.

Autor(in _f_) _m_ <-s, -en> author.

Autoradio nt car radio; **Autoreifen** m car tyre; **Autorennen** nt motor racing.
autoritär adj authoritarian.
Autorität f authority.
Autounfall m car [o motor] accident; **Autoverleih** m car hire.
Axt f <-, ̈e> axe.
Azubi m <-s, -s>, f <-, -s> Akronym von Auszubildende(r) trainee.

B

B, b nt B, b.
Baby nt <-s, -s> baby; **Babyausstattung** f layette; **Babysitter(in** f) m <-s, -> baby-sitter.
Bach m <-[e]s, ̈e> stream, brook.
Backblech nt baking tray.
Backbord nt (NAUT) port.
Backe f <-, -n> cheek.
backen <backte, gebacken> vt, vi bake.
Backenbart m sideboards pl; **Backenzahn** m molar.
Bäcker(in f) m <-s, -> baker; **Bäckerei** f bakery; (Laden) baker's [shop].
Backform f baking tin; **Backhähnchen** nt roast chicken; **Backobst** nt dried fruit; **Backofen** m oven; **Backpflaume** f prune; **Backpulver** nt baking powder; **Backstein** m brick.
backte pt von **backen**.
Bad nt <-[e]s, ̈er> bath; (Schwimmen) bathe; (Ort) spa; **Badeanstalt** f [swimming] baths pl; **Badeanzug** m bathing suit; **Badehose** f bathing [o swimming] trunks; **Badekappe** f bathing cap; **Bademantel** m bath[ing] robe; **Bademeister(in** f) m baths attendant; **baden 1.** vi bathe, have a bath; **2.** vt bath; **Badeort** m spa; **Badetuch** nt bath towel; **Badewanne** f bath [tub]; **Badezimmer** nt bathroom.
baff adj: ~ **sein** (fam) be flabbergasted.
Bafög m <-> Akronym von Bundesausbildungsförderungsgesetz grant.
Bagatelle f trifle.
Bagger m <-s, -> excavator; (NAUT) dredger; **baggern** vt, vi excavate; (NAUT) dredge.
Bahamas pl Bahamas pl.
Bahn f <-, -en> railway, railroad US; (Weg) road, way; (Spur) lane; (Renn~) track; (ASTR) orbit; (Stoff~) length; **bahnbrechend** adj pioneering; **Bahndamm** m railway embankment; **bah-**

nen vt: **sich/jdm einen Weg** ~ clear a way/a way for sb; **Bahnfahrt** f railway journey; **Bahnhof** m station; **auf dem** ~ **at the station; Bahnhofshalle** f station concourse; **Bahnhofswirtschaft** f station restaurant; **Bahnlinie** f [railway] line; **Bahnsteig** m <-[e]s, -e> platform; **Bahnsteigkarte** f platform ticket; **Bahnstrecke** f [railway] line; **Bahnübergang** m level crossing, grade crossing US; **Bahnwärter(in** f) m gatekeeper, [level crossing] attendant.
Bahre f <-, -n> stretcher.
Bakterien pl bacteria pl.
Balance f <-, -n> balance, equilibrium; **balancieren** vt, vi balance.
bald adv (zeitlich) soon; (beinahe) almost; **baldig** adj early, speedy; **baldmöglichst** adv as soon as possible.
Baldrian m <-s, -e> valerian.
Balkan m <-s> Balkans pl.
Balken m <-s, -> beam; (Trag~) girder; (Stütz~) prop.
Balkon m <-s, -s o -e> balcony; (THEAT) [dress] circle.
Ball m <-[e]s, ̈e> ball; (Tanz) dance, ball.
Ballade f ballad.
Ballast m <-[e]s, -e> ballast; (fig) weight, burden; **Ballaststoffe** pl roughage sing.
ballen 1. vt (formen) make into a ball; (Faust) clench; **2.** vr: **sich** ~ build up; (Menschen) gather.
Ballen m <-s, -> bale; (ANAT) ball.
Ballett nt <-s, -e> ballet; **Balletttänzer(in** f) m ballet dancer.
Balljunge m ball boy; **Ballkleid** nt evening dress.
Ballon m <-s, -s o -e> balloon.
Ballspiel nt ball game.
Ballung f concentration; (von Energie) build-up; **Ballungsgebiet** nt conurbation; **Ballungszentrum** nt centre.
Bambus m <-ses, -se> bamboo; **Bambusrohr** nt bamboo cane.
banal adj banal; **Banalität** f banality.
Banane f <-, -n> banana; **Bananenrepublik** f (pej) banana republic.
Banause m <-n, -n> philistine.
band pt von **binden**.
Band 1. m <-[e]s, ̈e> (Buch~) volume; **2.** nt <-[e]s, ̈er> (Stoff~) ribbon, tape; (Fließ~) production line; (Ton~) tape; (ANAT) ligament; **3.** nt <-[e]s, -e> (Freundschafts~) bond; **4.** f <-, -s> band, group; **etw auf** ~ **aufnehmen** tape sth; **am laufenden** ~ (fam) non-stop.
bandagieren vt bandage.

Bandbreite f (*RADIO*) wave band, frequency range; (*fig*) range.
Bande f <-, -n> band; (*Straßen~*) gang.
bändigen vt (*Tier*) tame; (*Trieb, Leidenschaft*) control, restrain.
Bandit(in f) m <-en, -en> bandit.
Bandmaß nt tape measure; **Bandsäge** f band saw; **Bandscheibe** f (*ANAT*) disc; **Bandwurm** m tapeworm.
bange adj scared; (*besorgt*) anxious; **jdm wird es ~** sb is becoming scared; **jdm ~ machen** scare sb; **bangen** vi: **um jdn/ etw ~** be anxious [*o* worried] about sb/ sth.
Banjo nt <-s, -s> banjo.
Bank 1. f <-, ¨e> (*Sitz~*) bench; (*Sand~*) [sand]bank, sandbar; **2.** f <-, -en > (*Geld~*) bank; **Bankanweisung** f banker's order; **Bankbeamte(r)** m, **-beamtin** f bank clerk.
Bankett nt <-[e]s, -e> (*Essen*) banquet; (*Straßenrand*) verge.
Bankier m <-s, -s> banker.
Bankkonto nt bank account; **Bankleitzahl** f bank code number; **Banknote** f banknote; **Bankraub** m bank robbery.
bankrott adj bankrupt; **Bankrott** m <-[e]s, -e> bankruptcy; **~ machen** go bankrupt.
Bankverbindung f banking arrangements pl; (*Kontonummer*) banking details pl.
Banner nt <-s, -> banner, flag.
bar adj (*unbedeckt*) bare; (*frei von*) lacking (*gen* in); (*offenkundig*) utter, sheer; **~ es Geld** cash; **etw [in] ~ bezahlen** pay sth [in] cash; **etw für ~e Münze nehmen** take sth at its face value.
Bar f <-, -s> bar.
Bär m <-en, -en> bear.
Baracke f <-, -n> hut, barrack.
barbarisch adj barbaric, barbarous.
barfuß adj barefoot.
barg pt von **bergen**.
Bargeld nt cash, ready money; **bargeldlos** adj non-cash; **Barkauf** m cash purchase.
Barkeeper m <-s, ->, **Barmann** m, pl <-männer> barman, bartender.
barmherzig adj merciful, compassionate; **Barmherzigkeit** f mercy, compassion.
Barometer nt <-s, -> barometer.
Barren m <-s, -> parallel bars pl; (*Gold~*) ingot.
Barriere f <-, -n> barrier.
Barrikade f barricade.
barsch adj brusque, gruff.
Barsch m <-[e]s, -e> perch.
Barscheck m open [*o* uncrossed] cheque.

barst pt von **bersten**.
Bart m <-[e]s, ¨e> beard; (*Schlüssel~*) bit; **bärtig** adj bearded.
Barzahlung f cash payment.
Basar m <-s, -e> bazaar.
Base f <-, -n> (*CHEM*) base; (*Kusine*) cousin.
basieren 1. vt base (*auf + akk* on); **2.** vi be based (*auf + dat* on).
Basis f <-, **Basen**> basis.
basisch adj (*CHEM*) alkaline.
Baß m <-sses, ¨sse> bass; **Baßschlüssel** m bass clef.
Bassin nt <-s, -s> pool.
Bassist(in f) m bass.
Bast m <-[e]s, -e> raffia.
basteln 1. vt make; **2.** vi do handicrafts.
bat pt von **bitten**.
Batterie f battery.
Bau 1. m <-[e]s> (*Bauen*) building, construction; (*Aufbau*) structure; (*Körper~*) frame; (*Baustelle*) building site. **2.** m, pl <-e> (*Tier~*) hole, burrow; (*MIN*) workings pl; **3.** m, pl <-ten> (*Gebäude*) building; **sich im ~ befinden** be under construction; **Bauarbeiter(in** f) m building worker.
Bauch m <-[e]s, ¨e> belly; (*ANAT*) stomach, abdomen; **Bauchfell** nt peritoneum; **Bauchmuskel** m abdominal muscle; **Bauchredner(in** f) m ventriloquist; **Bauchtanz** m belly dance; (*das Tanzen*) belly dancing; **Bauchschmerzen** pl, **Bauchweh** nt <-s> stomachache.
bauen vt, vi build; (*TECH*) construct; **auf jdn/etw ~** depend [*o* count] upon sb/sth.
Bauer 1. m <-n *o* -s, -n> farmer; (*SCHACH*) pawn; **2.** m <-s, -> (*Vogel~*) cage; **Bäuerin** f farmer; (*Frau des Bauers*) farmer's wife; **bäuerlich** adj rustic; **Bauernbrot** nt black bread; **Bauernfängerei** f deception; **Bauernhaus** nt farmhouse; **Bauernhof** m farm[yard].
baufällig adj dilapidated; **Baufälligkeit** f dilapidation; **Baufirma** f construction firm; **Baugelände** nt building site; **Baugenehmigung** f building permit; **Bauherr(in** f) m purchaser; **Baukasten** m box of bricks; **Baukosten** pl construction costs pl; **Bauland** nt building land; **baulich** adj structural.
Baum m <-[e]s, ¨e> tree.
baumeln vi dangle.
bäumen vr: **sich ~** rear [up].
Baumschule f nursery; **Baumstamm** m tree trunk; **Baumstumpf** m tree stump.
Baumwolle f cotton.

Bauplan m architect's plan; **Bauplatz** m building site.

Bausch m <-[e]s, ≃e> (Watte~) ball, wad; **in ~ und Bogen** lock, stock and barrel; **bauschen** vt, vr: **sich ~** puff out; **bauschig** adj baggy, wide.

bausparen vi save with a building society; **Bausparkasse** f building society; **Baustein** m (für Haus) stone; (Spielzeug~) brick; (fig) constituent; **elektonischer ~** chip; **Baustelle** f building site; **Bauteil** nt prefabricated part [of building]; **Bauunternehmer(in** f) m contractor, builder; **Bauweise** f [method of] construction; **Bauwerk** nt building; **Bauzaun** m hoarding.

Bayer(in f) m <-n, -n> Bavarian; **Bayern** nt Bavaria; **bayrisch** adj Bavarian.

Bazillus m <-, Bazillen> bacillus.

beabsichtigen vt intend.

beachten vt take note of; (Vorschrift) obey; (Vorfahrt) observe; **beachtenswert** adj noteworthy; **beachtlich** adj considerable; **Beachtung** f notice, attention, observation.

Beamte(r) m <-n, -n>, **Beamtin** f official, civil servant.

beängstigend adj alarming.

beanspruchen vt claim; (Zeit, Platz) take up, occupy; **jdn ~** take up sb's time.

beanstanden vt complain about, object to.

beantragen vt apply for, ask for.

beantworten vt answer.

bearbeiten vt work; (Material) process; (Thema) deal with; (Land) cultivate; (COMPUT) process; (CHEM) treat; (Buch) revise; (fam: beeinflussen wollen) work on; **Bearbeitung** f processing; treatment; cultivation; revision.

Beatmung f respiration.

beaufsichtigen vt supervise.

beauftragen vt instruct; **jdn mit etw ~** entrust sb with sth.

bebauen vt build on; (AGR) cultivate.

Beben nt <-s, -> earthquake.

bebildern vt illustrate.

Becher m <-s, -> mug; (ohne Henkel) tumbler.

Becken nt <-s, -> basin; (MUS) cymbal; (ANAT) pelvis.

Becquerel nt <-, -> Becquerel.

bedächtig adj (umsichtig) thoughtful, reflective; (langsam) slow, deliberate.

bedanken vr: **sich ~** say thank you (bei jdm to sb).

Bedarf m <-[e]s> need, requirement; (COM) demand; **je nach ~** according to demand; **bei ~** if necessary; **~ an etw**

dat haben be in need of sth; **Bedarfsartikel** m requisite; **Bedarfsfall** m case of need; **Bedarfshaltestelle** f request stop.

bedauerlich adj regrettable; **bedauern** vt be sorry for; (bemitleiden) pity; **Bedauern** nt <-s> regret; **bedauernswert** adj (Zustände) regrettable; (Mensch) pitiable, unfortunate.

bedecken vt cover; **bedeckt** adj covered; (Himmel) overcast.

bedenken irr vt think [over], consider; **Bedenken** nt <-s, -> (Überlegen) consideration; (Zweifel) doubt; (Skrupel) scruple; **bedenklich** adj doubtful; (bedrohlich) dangerous, risky; **Bedenkzeit** f time for reflection.

bedeuten vt mean; (versinnbildlichen) signify; (wichtig sein) be of importance; **bedeutend** adj important; (beträchtlich) considerable; **Bedeutung** f meaning; significance; (Wichtigkeit) importance; **bedeutungslos** adj insignificant, unimportant; **bedeutungsvoll** adj momentous, significant.

bedienen 1. vt serve; (Maschine) work, operate; 2. vr: **sich ~** (beim Essen) help oneself; (gebrauchen) make use (gen of); **Bediener(in** f) m <-s, -> operator; **Bedienung** f service; (Kellner) waiter/waitress; (Verkäufer) shop assistant; (Zuschlag) service [charge].

bedingen vt (voraussetzen) demand, involve; (verursachen) cause, occasion; **bedingt** adj limited, conditional; (Reflex) conditioned; **Bedingung** f condition; (Voraussetzung) stipulation; **bedingungslos** adj unconditional.

bedrängen vt pester, harass.

bedrohen vt threaten; **bedrohlich** adj ominous, threatening; **Bedrohung** f threat, menace.

bedrucken vt print on.

bedrücken vt oppress, trouble.

Bedürfnis nt need; **~ nach etw haben** need sth; **Bedürfnisanstalt** f public convenience, comfort station US; **bedürftig** adj in need (gen of); (arm) poor, needy.

beehren vt honour; **wir ~ uns** we have pleasure in.

beeilen vr: **sich ~** hurry.

beeindrucken vt impress, make an impression on.

beeinflussen vt influence.

beeinträchtigen vt affect adversely; (Freiheit) infringe upon.

beenden vt end, finish, terminate; (COMPUT) terminate.

beengen vt cramp; (fig) hamper, oppress.

beerben *vt* inherit from.

beerdigen *vt* bury; **Beerdigung** *f* funeral, burial; **Beerdigungsunternehmer(in** *f*) *m* undertaker.

Beere *f* <-, -n> berry; (*Trauben~*) grape.

Beet *nt* <-[e]s, -e> bed.

Befähigung *f* capability; (*Begabung*) talent, aptitude.

befahl *pt von* **befehlen**.

befahrbar *adj* passable; (*NAUT*) navigable; **befahren 1.** *irr vt* use, drive over; (*NAUT*) navigate; **2.** *adj* used.

befallen *irr vt* come over.

befangen *adj* (*schüchtern*) shy, self-conscious; (*voreingenommen*) biased; **Befangenheit** *f* shyness; bias.

befassen *vr*: **sich** ~ concern oneself.

Befehl *m* <-[e]s, -e> command, order; (*COMPUT*) instruction, command; **befehlen** <**befahl, befohlen**> **1.** *vt* order; **2.** *vi* give orders; **jdm etw** ~ order sb to do sth; **Befehlsempfänger(in** *f*) *m* subordinate; **Befehlsform** *f* (*LING*) imperative; **Befehlshaber(in** *f*) *m* <-s, ->commanding officer; **Befehlsverweigerung** *f* insubordination.

befestigen *vt* fasten (*an* + *dat* to); (*stärken*) strengthen; (*MIL*) fortify.

befeuchten *vt* damp[en], moisten.

befinden *irr* **1.** *vr*: **sich** ~ be; (*sich fühlen*) feel; **2.** *vi* decide (*über* + *akk* on); **Befinden** *nt* <-s> health, condition; (*Meinung*) view, opinion.

befohlen *pp von* **befehlen**.

befolgen *vt* comply with, follow.

befördern *vt* (*senden*) transport, send; (*beruflich*) promote; **Beförderung** *f* transport, conveyance; promotion.

befragen *vt* question.

befreien *vt* set free; (*erlassen*) exempt; **Befreiung** *f* liberation, release; (*Erlassen*) exemption.

befremden *vt* surprise, disturb; **Befremden** *nt* <-s> surprise, astonishment.

befreunden *vr*: **sich** ~ make friends; **befreundet** *adj* friendly.

befriedigen *vt* satisfy; **befriedigend** *adj* satisfactory; **Befriedigung** *f* satisfaction, gratification.

befristet *adj* limited.

befruchten *vt* fertilize; (*fig*) stimulate.

Befugnis *f* authorization, powers *pl*; **befugt** *adj* authorized, entitled.

befühlen *vt* feel, touch.

Befund *m* <-[e]s, -e> findings *pl*; (*MED*) diagnosis.

befürchten *vt* fear; **Befürchtung** *f*

fear, apprehension.

befürworten *vt* support, speak in favour of; **Befürworter(in** *f*) *m* <-s, -> supporter, advocate; **Befürwortung** *f* support[ing], favouring.

begabt *adj* gifted; **Begabung** *f* talent, gift.

begann *pt von* **beginnen**.

begeben *irr vr*: **sich** ~ (*gehen*) proceed (*zu, nach* to); (*geschehen*) occur; **Begebenheit** *f* occurrence.

begegnen 1. *vi* meet (*jdm* sb), meet with (*einer Sache dat* sth); (*behandeln*) treat (*jdm* sb); **2.** *vr*: **sich** ~ meet; **Begegnung** *f* meeting.

begehen *irr vt* (*Straftat*) commit; (*Feier*) celebrate.

begehren *vt* desire; **begehrenswert** *adj* desirable; **begehrt** *adj* in demand; (*Junggeselle*) eligible.

begeistern 1. *vt* fill with enthusiasm, inspire; **2.** *vr*: **sich für etw** ~ get enthusiastic about sth; **begeistert** *adj* enthusiastic; **Begeisterung** *f* enthusiasm.

Begierde *f* <-, -n> desire, passion.

begierig *adj* eager, keen.

begießen *irr vt* water; (*mit Alkohol*) drink to.

Beginn *m* <-[e]s> beginning; **zu** ~ at the beginning; **beginnen** <**begann, begonnen**> *vt, vi* begin, start.

beglaubigen *vt* countersign; **Beglaubigung** *f* countersignature; **Beglaubigungsschreiben** *nt* credentials *pl*.

begleiten *vt* accompany; (*MIL*) escort; **Begleiter(in** *f*) *m* <-s, ->companion; (*Freund*) escort; (*MUS*) accompanist; **Begleiterscheinung** *f* concomitant [occurrence]; **Begleitmusik** *f* accompaniment; **Begleitschreiben** *nt* covering letter; **Begleitung** *f* company; (*MIL*) escort; (*MUS*) accompaniment.

beglückwünschen *vt* congratulate (*zu* on).

begnadigen *vt* pardon; **Begnadigung** *f* pardon, amnesty.

begnügen *vr*: **sich** ~ be satisfied, content oneself.

Begonie *f* begonia.

begonnen *pp von* **beginnen**.

begraben *irr vt* bury; **Begräbnis** *nt* burial, funeral.

begradigen *vt* straighten [out].

begreifen *irr vt* understand, comprehend; **begreiflich** *adj* understandable.

Begrenztheit *f* limitation, restriction; (*fig*) narrowness.

Begriff *m* <-[e]s, -e> concept, idea; **im** ~ **sein, etw zu tun** be about to do sth; **schwer von** ~ (*fam*) slow, dense;

begriffsstutzig *adj* dense, slow.
begründen *vt* (*Gründe geben für*) justify; **begründet** *adj* well-founded, justified; **Begründung** *f* justification, reason.
begrüßen *vt* greet, welcome; **begrüßenswert** *adj* welcome; **Begrüßung** *f* greeting, welcome.
begünstigen *vt* (*jdn*) favour; (*Sache*) further, promote.
begutachten *vt* assess.
behaart *adj* hairy.
behäbig *adj* (*dick*) portly, stout; (*geruhsam*) comfortable.
behagen *vi:* **das behagt ihm nicht** he does not like it; **Behagen** *nt* <-s> comfort, ease; **behaglich** *adj* comfortable, cosy; **Behaglichkeit** *f* comfort, cosiness.
behalten *irr vt* keep, retain; (*im Gedächtnis*) remember.
Behälter *m* <-s, -> container, receptacle.
behandeln *vt* treat; (*Thema*) deal with; (*Maschine*) handle; **Behandlung** *f* treatment; (*von Maschine*) handling.
beharren *vi:* **auf etw** *dat* ~ stick [*o* keep] to sth.
beharrlich *adj* (*ausdauernd*) steadfast, unwavering; (*hartnäckig*) tenacious, dogged; **Beharrlichkeit** *f* steadfastness; tenacity.
behaupten 1. *vt* claim, assert, maintain; **2.** *vr:* **sich** ~ assert oneself; **Behauptung** *f* claim, assertion.
Behausung *f* dwelling, abode; (*armselig*) hovel.
beheimatet *adj* domiciled; (*Tier, Pflanze*) with its habitat (*in* + *dat* in).
beheizen *vt* heat.
Behelf *m* <-[e]s, -e> expedient, makeshift; **behelfen** *irr vr:* **sich mit etw** ~ make do with sth; **behelfsmäßig** *adj* improvised, makeshift; (*vorübergehend*) temporary.
behelligen *vt* trouble, bother.
beherbergen *vt* put up, house.
beherrschen 1. *vt* (*Volk*) rule, govern; (*Situation*) control; (*Sprache, Gefühle*) master; **2.** *vr:* **sich** ~ control oneself; **beherrscht** *adj* controlled; **Beherrschung** *f* rule; control; mastery.
beherzigen *vt* take to heart.
behilflich *adj* helpful; **jdm** ~ **sein** help sb (*bei* with).
behindern *vt* hinder, impede; **Behinderte(r)** *mf* disabled person; **Behinderung** *f* hindrance; (*Körper~*) handicap.
Behörde *f* <-, -n> authorities *pl*; **behördlich** *adj* official.
behüten *vt* guard; **jdn vor etw** *dat* ~

preserve sb from sth.
behutsam *adj* cautious, careful.
bei *prep* + *dat* (*örtlich*) near, by; (*zeitlich*) at, on; (*während*) during; ~ **m Friseur** at the hairdresser's; ~ **uns** at our place; (*in unserem Land*) in our country; ~ **einer Firma arbeiten** work for a firm; ~ **Nacht** at night; ~ **Nebel** in fog; ~ **Regen** if it rains; **etw** ~ **sich haben** have sth on one; **jdn** ~ **sich haben** have sb with one; ~ **Goethe** in Goethe; ~ **m Militär** in the army; ~ **m Fahren** while driving.
beibehalten *irr vt* keep, retain.
beibringen *irr vt* bring forward; (*Gründe*) adduce; **jdm etw** ~ (*zufügen*) inflict sth on sb; (*zu verstehen geben*) make sb understand sth; (*lehren*) teach sb sth.
Beichte *f* <-, -n> confession; **beichten 1.** *vt* confess; **2.** *vi* go to confession; **Beichtgeheimnis** *nt* secret of the confessional; **Beichtstuhl** *m* confessional.
beide(s) *pron* both; **meine** ~**n Brüder** my two brothers, both my brothers; **die ersten** ~**n** the first two; **wir** ~ we two; **einer von** ~**n** one of the two; **alles** ~**s** both [of them]; **beiderlei** *adj inv* of both; **beiderseitig** *adj* mutual, reciprocal; **beiderseits 1.** *adv* mutually; **2.** *prep* + *gen* on both sides of; **beidesmal** *adv* both times.
beieinander *adv* together.
Beifahrer(in *f*) *m* passenger; **Beifahrersitz** *m* passenger seat.
Beifall *m* <-[e]s> applause; (*Zustimmung*) approval.
beifügen *vt* enclose.
beige *adj inv* beige, fawn.
beigeben *irr* **1.** *vt* (*zufügen*) add; (*mitgeben*) give; **2.** *vi* (*nachgeben*) give in (*dat* to).
Beigeschmack *m* aftertaste.
Beihilfe *f* aid, assistance; (*Studien~*) grant; (*JUR*) aiding and abetting.
beikommen *irr vi* + *dat* get at; (*einem Problem*) deal with.
Beil *nt* <-[e]s, -e> axe, hatchet.
Beilage *f* (*Buch~*) supplement; (*GASTR*) vegetables and potatoes *pl*.
beiläufig 1. *adj* casual, incidental; **2.** *adv* casually, by the way.
beilegen *vt* (*hinzufügen*) enclose, add; (*beimessen*) attribute, ascribe; (*Streit*) settle.
beileibe *adv:* ~ **nicht** by no means.
Beileid *nt* condolence, sympathy; **herzliches** ~ deepest sympathy.
beiliegend *adj* (*COM*) enclosed.
beim = **bei dem**.

beimessen irr vt attribute, ascribe (dat to).

Bein nt <-[e]s, -e> leg.

beinah[e] adv almost, nearly.

Beinbruch m fracture of the leg.

beinhalten vt contain.

beipflichten vi: jdm/einer Sache ~ agree with sb/sth.

Beirat m legal adviser; (Körperschaft) advisory council; (Eltern~) parents' council.

beirren vt: sich nicht ~ lassen not let oneself be confused.

beisammen adv together; **Beisammensein** nt <-s> get-together.

Beischlaf m sexual intercourse.

Beisein nt <-s> presence.

beiseite adv to one side, aside; (stehen) on one side, aside; etw ~ legen (sparen) put sth by; jdn/etw ~ schaffen put sb/get sth out of the way.

beisetzen vt bury; **Beisetzung** f funeral.

Beispiel nt <-[e]s, -e> example; sich dat an jdm ein ~ nehmen take sb as an example; zum ~ for example; **beispiellos** adj unprecedented, unexampled; **beispielsweise** adv for instance, for example.

beißen <biß, gebissen> 1. vi, vt bite; (stechen: Rauch, Säure) burn; 2. vr: sich ~ (Farben) clash; **beißend** adj biting, caustic; (fig auch) sarcastic.

Beißzange f pliers pl.

Beistand m support, help; (JUR) adviser; **beistehen** irr vi: jdm ~ stand by sb.

beisteuern vt contribute.

Beitrag m <-[e]s, ⁻e> contribution; (Zahlung) fee, subscription; (Versicherungs~) premium; **beitragen** irr vt contribute (zu to); (mithelfen) help (zu with); **Beitragszahlende(r)** mf fee-paying member.

beitreten irr vi join (einem Verein a club); **Beitritt** m joining, membership; **Beitrittserklärung** f declaration of membership.

Beiwagen m (Motorrad~) sidecar; (Straßenbahn~) extra carriage.

Beize f <-, -n> (Holz~) stain; (GASTR) marinade.

beizeiten adv in time.

bejahen vt (Frage) say yes to, answer in the affirmative; (gutheißen) agree with.

bekämpfen 1. vt (Gegner) fight; (Seuche) combat; 2. vr: sich ~ fight; **Bekämpfung** f fight, struggle (gen against).

bekannt adj [well-]known; (nicht fremd) familiar; mit jdm ~ sein know sb; jdn

mit jdm ~ machen introduce sb to sb; das ist mir ~ I know that; es/sie kommt mir ~ vor it/she seems familiar; durch etw ~ werden become famous because of sth; **Bekannte(r)** mf friend, acquaintance; **Bekanntenkreis** m circle of friends; **bekanntgeben** irr vt announce publicly; **bekanntlich** adv as is well known, as you know; **bekanntmachen** vt announce; **Bekanntmachung** f publication; announcement; **Bekanntschaft** f acquaintance.

bekehren 1. vt convert; 2. vr: sich ~ become converted; **Bekehrung** f conversion.

bekennen irr vt confess; (Glauben) profess; **Bekennerbrief** m letter claiming responsibility; **Bekenntnis** nt admission, confession; (Religion) confession, denomination.

beklagen vr: sich ~ complain; **beklagenswert** adj lamentable, pathetic.

bekleben vt: etw mit Bildern ~ stick pictures onto sth.

Bekleidung f clothing.

beklemmen vt oppress; **beklommen** adj anxious, uneasy; **Beklommenheit** f anxiety, uneasiness.

bekommen irr 1. vt get, receive; (Kind) have; (Zug) catch, get; 2. vi: jdm ~ agree with sb.

bekräftigen vt confirm, corroborate.

bekreuzigen vr: sich ~ cross oneself.

bekümmern vt worry, trouble.

bekunden vt (sagen) state; (zeigen) show.

belächeln vt laugh at.

beladen irr vt load.

Belag m <-[e]s, ⁻e> covering, coating; (Brot~) spread; (Zahn~) tartar; (auf Zunge) fur; (Brems~) lining.

belagern vt besiege; **Belagerung** f siege; **Belagerungszustand** m state of siege.

Belang m <-[e]s, -e> importance; ~e pl interests pl; **belangen** vt (JUR) take to court; **belanglos** adj trivial, unimportant; **Belanglosigkeit** f triviality.

belassen irr vt (in Zustand, Glauben) leave; (in Stellung) retain; es dabei ~ leave it at that.

belasten 1. vt burden; (fig: bedrücken) trouble, worry; (COM: Konto) debit; (JUR) incriminate; 2. vr: sich ~ weigh oneself down; (JUR) incriminate oneself; **belastend** adj (JUR) incriminating.

belästigen vt annoy, pester; **Belästigung** f annoyance, pestering.

Belastung f load; (fig: Sorge etc) weight; (COM) charge, debit[ing]; (JUR) incriminatory evidence.

belaufen *irr vr:* sich ~ amount (*auf* + *akk* to).

belauschen *vt* eavesdrop on.

belebt *adj* (*Straße*) crowded.

Beleg *m* <-[e]s, -e> (*COM*) receipt; (*Beweis*) documentary evidence, proof; (*Beispiel*) example; **belegen** *vt* cover; (*Kuchen, Brot*) spread; (*Platz*) reserve, book; (*Kurs, Vorlesung*) register for; (*beweisen*) verify, prove; **Belegschaft** *f* personnel, staff.

belehren *vt* instruct, teach; **jdn eines Besseren** ~ teach sb better; **Belehrung** *f* instruction.

beleidigen *vt* insult, offend; **Beleidigung** *f* insult; (*JUR*) slander, libel.

belesen *adj* well-read.

beleuchten *vt* light, illuminate; (*fig*) throw light on; **Beleuchtung** *f* lighting, illumination.

Belgien *nt* Belgium; **Belgier(in** *f*) *m* <-s, -> Belgian; **belgisch** *adj* Belgian.

belichten *vt* expose; **Belichtung** *f* exposure; **Belichtungsmesser** *m* <-s, -> exposure meter.

Belieben *nt:* [ganz] nach ~ [just] as you wish.

beliebig *adj* any you like, as you like; ~ **viel** as many as you like; **ein ~es Thema** any subject you like [*o* want].

beliebt *adj* popular; **sich bei jdm** ~ **machen** make oneself popular with sb; **Beliebtheit** *f* popularity.

beliefern *vt* supply.

bellen *vi* bark.

belohnen *vt* reward; **Belohnung** *f* reward.

belügen *irr vt* lie to, deceive.

belustigen *vt* amuse; **Belustigung** *f* amusement.

bemalen *vt* paint.

bemängeln *vt* criticize.

bemannen *vt* man.

bemerkbar *adj* perceptible, noticeable; **sich** ~ **machen** (*Mensch*) make [*o* get] oneself noticed; (*Unruhe*) become noticeable.

bemerken *vt* (*wahrnehmen*) notice, observe; (*sagen*) say, mention; **bemerkenswert** *adj* remarkable, noteworthy; **Bemerkung** *f* remark; (*schriftlich auch*) note.

bemitleiden *vt* pity.

bemühen *vr:* sich ~ take trouble [*o* pains]; **Bemühung** *f* trouble, effort, pains *pl*.

bemuttern *vt* mother.

benachbart *adj* neighbouring.

benachrichtigen *vt* inform; **Benach-**

richtigung *f* notification, information.

benachteiligen *vt* [put at a] disadvantage, victimize.

benehmen *irr vr:* sich ~ behave; **Benehmen** *nt* <-s> behaviour.

beneiden *vt* envy; **beneidenswert** *adj* enviable.

Beneluxländer *pl* Benelux *sing*.

benennen *irr vt* name.

Bengel *m* <-s, -> [little] rascal [*o* rogue].

benommen *adj* dazed.

benötigen *vt* need.

benutzen *vt* use; **Benutzer(in** *f*) *m* <-s, -> user; **benutzerfreundlich** *adj* user-friendly; **Benutzeroberfläche** *f* (*COMPUT*) user/system interface; **Benutzung** *f* utilization, use.

Benzin *nt* <-s, -e> (*AUT*) petrol, gas[oline] *US*; **Benzinkanister** *m* petrol can; **Benzintank** *m* petrol tank; **Benzinuhr** *f* petrol gauge.

beobachten *vt* observe; **Beobachter(in** *f*) *m* <-s, -> observer; (*eines Unfalls*) witness; (*PRESSE, TV*) correspondent; **Beobachtung** *f* observation.

bepacken *vt* load, pack.

bepflanzen *vt* plant.

bequem *adj* comfortable; (*Ausrede*) convenient; (*Mensch*) lazy, indolent; **Bequemlichkeit** *f* convenience, comfort; (*Faulheit*) laziness, indolence.

beraten *irr* 1. *vt* advise; (*besprechen*) discuss, debate; 2. *vr:* sich ~ consult; **gut/schlecht** ~ **sein** be well/ill advised; **sich** ~ **lassen** get advice; **Berater(in** *f*) *m* <-s, -> adviser; **Beratung** *f* advice, consultation; (*Besprechung*) consultation; **Beratungsstelle** *f* advice centre.

berauben *vt* rob.

berechenbar *adj* calculable.

berechnen *vt* calculate; (*COM: anrechnen*) charge; **berechnend** *adj* (*Mensch*) calculating, scheming; **Berechnung** *f* calculation; (*COM*) charge.

berechtigen *vt* entitle, authorize; (*fig*) justify; **berechtigt** *adj* justifiable, justified; **Berechtigung** *f* authorization; (*fig*) justification.

bereden *vt* (*besprechen*) discuss; (*überreden*) persuade.

beredt *adj* eloquent.

Bereich *m* <-[e]s, -e> (*Bezirk*) area; (*PHYS*) range; (*Ressort, Gebiet*) sphere.

bereichern 1. *vt* enrich; 2. *vr:* sich ~ get rich.

bereinigen *vt* settle.

bereisen *vt* travel through.

bereit *adj* ready, prepared; **zu etw** ~ **sein** be ready for sth; **sich** ~ **erklären** declare oneself willing; **bereiten** *vt* prepare, make ready; (*Kummer, Freude*) cause; **bereithalten** *irr vt* keep in readiness; **bereitlegen** *vt* lay out.

bereits *adv* already.

Bereitschaft *f* readiness; (*bei Polizei*) alert; **in ~ sein** be on the alert, be on stand-by; **Bereitschaftsdienst** *m* emergency service.

bereitwillig *adj* willing, ready.

bereuen *vt* regret.

Berg *m* <-[e]s, -e> mountain, hill; **bergab** *adv* downhill; **bergan, bergauf** *adv* uphill; **Bergarbeiter** *m* miner; **Bergbahn** *f* mountain railway; **Bergbau** *m* mining.

bergen <**barg, geborgen**> *vt* (*retten*) rescue; (*Ladung*) salvage; (*enthalten*) contain.

Bergführer(in *f*) *m* mountain guide; **Berggipfel** *m* mountain top, peak, summit; **bergig** *adj* mountainous, hilly; **Bergkamm** *m* crest, ridge; **Bergkette** *f* mountain range; **Bergmann** *m*, *pl* <-leute> miner; **Bergrutsch** *m* landslide; **Bergschuh** *m* walking boot; **Bergsteigen** *nt* mountaineering; **Bergsteiger(in** *f*) *m* <-s, -> mountaineer, climber.

Bergung *f* (*von Menschen*) rescue; (*von Material*) recovery; (*NAUT*) salvage.

Bergwacht *f* <-, -en> mountain rescue service; **Bergwerk** *nt* mine.

Bericht *m* <-[e]s, -e> report, account; **berichten** *vt, vi* report; **Berichterstatter(in** *f*) *m* <-s, -> reporter, [newspaper] correspondent; **Berichterstattung** *f* reporting.

berichtigen *vt* correct.

beritten *adj* mounted.

Bermudainseln *pl* Bermudas *pl*; **Bermudashorts** *pl* Bermuda shorts *pl*.

Bernstein *m* amber.

bersten <**barst, geborsten**> *vi* burst, split.

berüchtigt *adj* notorious, infamous.

berücksichtigen *vt* consider, bear in mind.

Beruf *m* <-[e]s, -e> occupation, profession; (*Gewerbe*) trade.

berufen *irr* **1.** *vt* (*in Amt*) appoint (*in* + *akk* to) (*zu* as); **2.** *vr*: **sich auf jdn/etw ~** refer to sb/sth; **3.** *adj* competent, qualified.

beruflich *adj* professional.

Berufsausbildung *f* vocational [o professional] training; **Berufsberater(in** *f*) *m* careers adviser; **Berufsberatung** *f* vocational guidance; **Berufsbezeichnung** *f* job description; **Berufsgeheimnis** *nt* professional secret; **Berufs-**

krankheit *f* occupational disease; **Berufsleben** *nt* professional life; **Berufsrisiko** *nt* occupational hazard; **Berufsschule** *f* vocational [o trade] school; **Berufssoldat(in** *f*) *m* professional soldier, regular; **Berufssportler(in** *f*) *m* professional [sportsman/sportswoman]; **berufstätig** *adj* employed; **Berufsverkehr** *m* commuter traffic; **Berufswahl** *f* choice of a job.

Berufung *f* vocation, calling; (*Ernennung*) appointment; (*JUR*) appeal; **~ einlegen** appeal.

beruhen *vi*: **auf etw** *dat* **~** be based on sth; **etw auf sich ~ lassen** leave sth at that.

beruhigen **1.** *vt* calm, pacify, soothe; **2.** *vr*: **sich ~** (*Mensch*) calm [oneself] down; (*Situation*) calm down; **Beruhigung** *f* reassurance; (*der Nerven*) calming; **zu jds ~** to reassure sb; **Beruhigungsmittel** *nt* sedative; **Beruhigungspille** *f* tranquillizer.

berühmt *adj* famous; **Berühmtheit** *f* (*Ruf*) fame; (*Mensch*) celebrity.

berühren **1.** *vt* touch; (*gefühlsmäßig bewegen*) affect; (*flüchtig erwähnen*) mention, touch on; **2.** *vr*: **sich ~** meet, touch; **Berührung** *f* contact; **Berührungsangst** *f* fear of contact; **Berührungspunkt** *m* point of contact.

besagen *vt* mean; **besagt** *adj* (*Tag etc*) in question.

besänftigen *vt* soothe, calm; **besänftigend** *adj* soothing; **Besänftigung** *f* soothing, calming.

Besatz *m* trimming, edging.

Besatzung *f* garrison; (*NAUT, AVIAT*) crew; **Besatzungsmacht** *f* occupying power.

besaufen *irr vr*: **sich ~** (*fam*) get drunk [o stoned].

beschädigen *vt* damage; **Beschädigung** *f* damage; (*Stelle*) damaged spot.

beschaffen **1.** *vt* get, acquire; **2.** *adj* constituted; **Beschaffenheit** *f* constitution, nature; **Beschaffung** *f* acquisition.

beschäftigen **1.** *vt* occupy; (*beruflich*) employ; **2.** *vr*: **sich ~** occupy oneself; **sich mit etw ~** (*sich befassen, abhandeln*) deal with sth; **sich mit jdm ~** devote one's attention to sb; **beschäftigt** *adj* busy, occupied; **Beschäftigung** *f* (*Beruf*) employment; (*Tätigkeit*) occupation; (*Befassen*) concern.

beschämen *vt* put to shame; **beschämend** *adj* shameful; (*Hilfsbereitschaft*) shaming; **beschämt** *adj* ashamed.

beschatten *vt* shade; (*Verdächtige*) shadow.

beschaulich *adj* contemplative.

Bescheid *m* <-[e]s, -e> information; (*Weisung*) directions *pl*; ~ **wissen** be well-informed (*über* + *akk* about); **ich weiß** ~ I know; **jdm** ~ **geben** [*o* **sagen**] let sb know.

bescheiden 1. *irr vr*: **sich** ~ content oneself; 2. *adj* modest; **Bescheidenheit** *f* modesty.

bescheinen *irr vt* shine on.

bescheinigen *vt* certify; (*bestätigen*) acknowledge; **Bescheinigung** *f* certificate; (*Quittung*) receipt.

bescheißen *irr vt* (*fam*) cheat.

beschenken *vt* give presents to.

bescheren *vt*: **jdm etw** ~ give sb sth as a present; **jdn** ~ give presents to sb; **Bescherung** *f* giving of presents; (*fam*) mess.

beschildern *vt* signpost.

beschimpfen *vt* abuse; **Beschimpfung** *f* abuse, insult.

Beschiß *m* <-sses> : **das ist** ~ (*fam*) that is a swizz [*o* a cheat].

Beschlag *m* (*Metallband*) fitting; (*Wasserdampf*) condensation; (*auf Metall*) tarnish; (*Hufeisen*) horseshoe; **jdn/etw in** ~ **nehmen**, **jdn/etw mit** ~ **belegen** monopolize sb/sth; **beschlagen** *irr* 1. *vt* cover; (*Pferd*) shoe; 2. *vi, vr*: **sich** ~ (*Fenster etc*) mist over; 3. *adj*: ~ **sein** be well versed (*in, auf* + *dat* in).

beschlagnahmen *vt* seize, confiscate.

beschleunigen 1. *vt* accelerate, speed up; 2. *vi* (*AUT*) accelerate; **Beschleunigung** *f* acceleration.

beschließen *irr vt* decide on; (*beenden*) end, close.

Beschluß *m* decision, conclusion.

beschneiden *irr vt* cut, prune, trim; (*REL*) circumcise.

beschönigen *vt* gloss over.

beschränken 1. *vt* limit, restrict (*auf* + *akk* to); 2. *vr*: **sich** ~ restrict oneself.

beschrankt *adj* (*Bahnübergang*) with gates.

beschränkt *adj* confined, narrow; (*Mensch*) limited, narrow-minded; **Beschränktheit** *f* narrowness; **Beschränkung** *f* limitation.

beschreiben *irr vt* describe; (*Papier*) write on; **Beschreibung** *f* description.

beschriften *vt* mark, label; **Beschriftung** *f* lettering.

beschuldigen *vt* accuse; **Beschuldigung** *f* accusation.

beschummeln *vt, vi* (*fam*) cheat.

beschützen *vt* protect (*vor* + *dat* from); **Beschützer(in** *f*) *m* <-s, -> protec-

tor.

Beschwerde *f* <-, -n> complaint; (*Mühe*) hardship; ~ *n pl* (*Leiden*) pain.

beschweren 1. *vt* weight down; (*fig*) burden; 2. *vr*: **sich** ~ complain.

beschwerlich *adj* tiring, exhausting.

beschwichtigen *vt* soothe, pacify.

beschwindeln *vt* (*betrügen*) cheat; (*belügen*) fib to.

beschwingt *adj* cheery, in high spirits.

beschwipst *adj* tipsy.

beschwören *irr vt* (*Aussage*) swear to; (*anflehen*) implore; (*Geister*) conjure up.

besehen *irr vt* look at; **genau** ~ examine closely.

beseitigen *vt* remove; **Beseitigung** *f* removal.

Besen *m* <-s, -> broom; **Besenstiel** *m* broomstick.

besessen *adj* possessed.

besetzen *vt* (*Haus, Land*) occupy; (*Platz*) take, fill; (*Posten*) fill; (*Rolle*) cast; (*mit Edelsteinen*) set; **besetzt** *adj* full; (*TEL*) engaged, busy; (*Platz*) taken; (*WC*) engaged; **Besetztzeichen** *nt* engaged tone; **Besetzung** *f* occupation; (*von Platz*) filling; (*von Rolle*) casting; (*die Schauspieler*) cast.

besichtigen *vt* visit, look at; **Besichtigung** *f* visit.

besiegen *irr vt* defeat, overcome; **Besiegte(r)** *mf* loser.

besinnen *irr vr*: **sich** ~ (*nachdenken*) think, reflect; (*sich erinnern*) remember; **sich anders** ~ change one's mind.

besinnlich *adj* contemplative.

Besinnung *f* consciousness; **zur** ~ **kommen** recover consciousness; (*fig*) come to one's senses; **besinnungslos** *adj* unconscious.

Besitz *m* <-es> possession; (*Eigentum*) property; **besitzanzeigend** *adj* (*LING*) possessive; **besitzen** *irr vt* possess, own; (*Eigenschaft*) have; **Besitzer(in** *f*) *m* <-s, -> owner, proprietor.

besoffen *adj* (*fam*) drunk, pissed.

besohlen *vt* sole.

Besoldung *f* salary, pay.

besondere(r, s) *adj* special; (*eigen*) particular; (*gesondert*) separate; (*eigentümlich*) peculiar; **Besonderheit** *f* peculiarity; **besonders** *adv* especially, particularly; (*getrennt*) separately.

besonnen *adj* sensible, level-headed; **Besonnenheit** *f* prudence.

besorgen *vt* (*beschaffen*) acquire; (*kaufen auch*) purchase; (*erledigen: Geschäfte*) deal with; (*sich kümmern um*) take care of; **es jdm** ~ (*fam*) show sb what for.

Besorgnis f anxiety, concern; **besorgt** adj anxious, worried.

Besorgung f acquisition; (Kauf) purchase.

bespielen vt record.

bespitzeln vt spy on.

besprechen irr **1.** vt discuss; (Tonband etc) record, speak onto; (Buch) review; **2.** vr: **sich** ~ discuss, consult; **Besprechung** f meeting, discussion; (von Buch) review.

besser adj < Komparativ von gut > better; **nur ein** ~ **er...** just a glorified...; **bessergehen** irr vi: **es geht ihm besser** he feels better; **bessern 1.** vt make better, improve; **2.** vr: **sich** ~ improve; (Menschen) reform; **Besserung** f improvement; **gute** ~ **!** get well soon; **Besserwisser(in** f) m <-s, -> know-all.

Bestand m (Fortbestehen) duration, stability; (Kassen~) amount, balance; (Vorrat) stock; **eiserner** ~ iron rations pl; ~ **haben, von** ~ **sein** last long, endure.

beständig adj (ausdauernd) constant; (Wetter) settled; (Stoffe) resistant; (Klagen etc) continual.

Bestandsaufnahme f stocktaking; **Bestandteil** m part, component; (Zutat) ingredient.

bestärken vt: **jdn in etw** dat ~ strengthen [o confirm] sb in sth.

bestätigen vt confirm; (anerkennen) acknowledge; **Bestätigung** f confirmation; acknowledgement.

bestatten vt bury; **Bestattung** f funeral.

bestäuben vt powder, dust; (Pflanze) pollinate.

beste(r, s) adj < Superlativ von gut > best; **sie singt am** ~ **n** she sings best; **so ist es am** ~ **n** it's best that way; **am** ~ **n gehst du gleich** you'd better go at once; **jdn zum** ~ **n haben** pull sb's leg; **etw zum** ~ **n geben** tell a joke/story; **aufs** ~ in the best possible way; **zu jds B** ~ **n** for the benefit of sb.

bestechen irr vt bribe; **bestechlich** adj corruptible; **Bestechlichkeit** f corruptibility; **Bestechung** f bribery, corruption.

Besteck nt <-[e]s, -e> knife fork and spoon, cutlery; (MED) set of instruments.

bestehen irr **1.** vi be, exist; (andauern) last; **2.** vt (Kampf, Probe, Prüfung) pass; ~ **auf** +dat insist on; ~ **aus** consist of.

bestehlen irr vt rob.

besteigen irr vt climb, ascend; (Pferd) mount; (Thron) ascend.

bestellen vt order; (kommen lassen) arrange to see; (nominieren) name; (Acker) cultivate; (Grüße, Auftrag) pass on; **Bestellschein** m order coupon; **Bestellung** f (COM) order; (das Bestellen) ordering.

bestenfalls adv at best.

bestens adv very well.

besteuern vt tax.

Bestie f (auch fig) beast.

bestimmen vt (Regeln) lay down; (Tag, Ort) fix; (beherrschen) characterize; (ausersehen) mean; (ernennen) appoint; (definieren) define; (veranlassen) induce; **bestimmt 1.** adj (entschlossen) firm; (gewiß) certain, definite; (Artikel) definite; **2.** adv (gewiß) definitely, for sure; **Bestimmung** f (Verordnung) regulation; (Festsetzen) determining; (Verwendungszweck) purpose; (Schicksal) fate; (Definition) definition; **Bestimmungsort** m destination.

Bestleistung f best performance; **bestmöglich** adj best possible.

Best.-Nr. abk von Bestellnummer order number.

bestrafen vt punish; **Bestrafung** f punishment.

bestrahlen vt shine on; (MED) treat with X-rays; **Bestrahlung** f (MED) X-ray treatment, radiotherapy.

bestreichen irr vt (Brot) spread.

bestreiten irr vt (abstreiten) dispute; (finanzieren) pay for, finance.

bestreuen vt sprinkle, dust; (Straße) [spread with] grit.

bestürmen vt (mit Fragen, Bitten etc) overwhelm, swamp.

bestürzen vt dismay; **bestürzt** adj dismayed; **Bestürzung** f consternation.

Besuch m <-[e]s, -e> visit; (Mensch) visitor; **einen** ~ **bei jdm machen** pay sb a visit; ~ **haben** have visitors; **bei jdm auf** [o zu] ~ **sein** be visiting sb; **besuchen** vt visit; (SCH) attend; **gut besucht** well-attended; **Besucher(in** f) m <-s, - > visitor, guest; **Besuchserlaubnis** f permission to visit; **Besuchszeit** f visiting hours pl.

Betablocker m <-s, -> (MED) beta-blocker.

betagt adj aged.

betasten vt touch, feel.

betätigen 1. vt (bedienen) work, operate; **2.** vr: **sich** ~ involve oneself; **sich politisch** ~ be involved in politics; **sich als etw** ~ work as sth; **Betätigung** f activity; (beruflich) occupation; (TECH) operation.

betäuben vt stun; (fig: Gewissen) still; (MED) anaesthetize; **Betäubungsmit-**

tel *nt* anaesthetic.

Bete *f* <-, -n> : rote ~ beetroot.

beteiligen 1. *vr:* **sich an etw** *dat* ~ take part in sth, partcipate in sth, share in sth; (*finanziell*) have a share in sth; **2.** *vt:* **jdn an etw** *dat* ~ give sb a share in sth; **Beteiligung** *f* participation; (*Anteil*) share, interest; (*Besucherzahl*) attendance.

beten *vi* pray.

beteuern *vt* assert; (*Unschuld*) protest; **jdm etw** ~ assure sb of sth; **Beteuerung** *f* assertion, protest[ation], assurance.

Beton *m* <-s, -s> concrete.

betonen *vt* stress.

betonieren *vt* concrete.

Betonung *f* stress, emphasis.

betören *vt* beguile.

Betr. *abk von* Betreff re.

Betracht *m:* in ~ **kommen** be concerned, be relevant; **nicht in** ~ **kommen** be out of the question; **etw in** ~ **ziehen** consider sth; **betrachten** *vt* look at; (*fig auch*) consider; **Betrachter(in** *f*) *m* <-s, -> onlooker.

beträchtlich *adj* considerable.

Betrachtung *f* (*Ansehen*) examination; (*Erwägung*) consideration.

Betrag *m* <-[e]s, ⸚e> amount; **betragen** *irr* **1.** *vt* amount to; **2.** *vr:* **sich** ~ behave; **Betragen** *nt* <-s> behaviour.

betrauen *vt:* **jdn mit etw** ~ entrust sb with sth.

betreffen *irr vt* concern, affect; **was mich betrifft** as for me; **betreffend** *adj* relevant, in question; **betreffs** *prep* +*gen* concerning, regarding.

betreiben *irr vt* (*ausüben*) practise; (*Politik*) follow; (*Studien*) pursue; (*vorantreiben*) push ahead; (*TECH: antreiben*) drive; **Betreiber(in** *f*) *m* <-s, -> runner.

betreten 1. *irr vt* enter; (*Bühne etc*) step onto; **2.** *adj* embarrassed; **B~ verboten** keep off/out.

betreuen *vt* look after; (*Reisegruppe, Abteilung*) be in charge of.

Betrieb *m* <-[e]s, -e> (*Firma*) firm, concern; (*Anlage*) plant; (*Tätigkeit*) operation; (*Treiben*) traffic; **außer** ~ **sein** be out of order; **in** ~ **sein** be in operation; **Betriebsausflug** *m* firm's outing; **Betriebsferien** *pl* company holidays *pl*; **Betriebsklima** *nt* [working] atmosphere; **Betriebskosten** *pl* running costs *pl*; **Betriebsrat** *m* workers' council; **betriebssicher** *adj* safe, reliable; **Betriebsstörung** *f* breakdown; **Betriebssystem** *nt* (*COMPUT*) operating system; **Betriebsunfall** *m* indus-

trial accident; **Betriebswirtschaft** *f* business management.

betrinken *irr vr:* **sich** ~ get drunk.

betroffen *adj* (*bestürzt*) full of consternation; **von etw** ~ **werden** [*o sein*] be affected by sth.

betrüben *vt* grieve; **betrübt** *adj* sorrowful, grieved.

Betrug *m* <-[e]s> deception; (*JUR*) fraud; **betrügen** *irr* **1.** *vt* cheat; (*JUR*) defraud; (*Ehepartner*) be unfaithful to; **2.** *vr:* **sich** ~ deceive oneself; **Betrüger(in** *f*) *m* <-s, -> cheat, deceiver; **betrügerisch** *adj* deceitful; (*JUR*) fraudulent.

betrunken *adj* drunk.

Bett *nt* <-[e]s, -en> bed; **ins** [*o zu*] ~ **gehen** go to bed; **Bettbezug** *m* duvet cover; **Bettdecke** *f* blanket; (*Daunen~*) quilt; (*Überwurf*) bedspread.

bettelarm *adj* very poor, destitute; **Bettelei** *f* begging; **betteln** *vi* beg.

betten *vt* make a bed for; **bettlägerig** *adj* bedridden; **Bettlaken** *nt* sheet.

Bettler(in *f*) *m* <-s, -> beggar.

Bettnässer(in *f*) *m* <-s, -> bedwetter; **Bettvorleger** *m* bedside rug; **Bettwäsche** *f*, **Bettzeug** *nt* bedding, bedclothes *pl*.

beugen 1. *vt* bend; (*LING*) inflect; **2.** *vr:* **sich** ~ (*sich fügen*) bow (*dat* to).

Beule *f* <-, -n> bump, swelling.

beunruhigen 1. *vt* disturb, alarm; **2.** *vr:* **sich** ~ become worried; **Beunruhigung** *f* worry, alarm.

beurkunden *vt* attest, verify.

beurlauben *vt* give leave [*o holiday*] to.

beurteilen *vt* judge; (*Buch etc*) review; **Beurteilung** *f* judgement; review; (*Note*) mark.

Beute *f* <-> booty, loot.

Beutel *m* <-s, -> bag; (*Geld~*) purse; (*Tabak~*) pouch.

bevölkern *vt* populate; **Bevölkerung** *f* population.

bevollmächtigen *vt* authorize; **Bevollmächtigte(r)** *mf* authorized agent.

bevor *conj* before; **bevormunden** *vt* treat like a child; **bevorstehen** *irr vi* be in store (*dat* for); **bevorstehend** *adj* imminent, approaching; **bevorzugen** *vt* prefer; **Bevorzugung** *f* preference; (*bessere Behandlung*) preferential treatment.

bewachen *vt* watch, guard; **Bewachung** *f* (*Bewachen*) guarding; (*Leute*) guard, watch.

Bewaffnung *f* (*Vorgang*) arming; (*Ausrüstung*) armament, arms *pl*.

bewahren *vt* keep; **jdn vor jdm/etw** ~ save sb from sb/sth.

bewähren *vr*: sich ~ prove oneself; (*Maschine*) prove its worth.

bewahrheiten *vr*: sich ~ come true.

bewährt *adj* reliable, tried and tested.

Bewährung *f* probation; **Bewährungsfrist** *f* [period of] probation.

bewaldet *adj* wooded.

bewältigen *vt* overcome; (*Arbeit*) finish; (*Portion*) manage.

bewandert *adj* expert, knowledgeable.

bewässern *vt* irrigate; **Bewässerung** *f* irrigation.

bewegen *vt, vr*: sich ~ move; **jdn zu etw ~** induce sb to [do] sth; **es bewegt sich etwas** (*fig*) things happen, things get going; **Beweggrund** *m* motive; **beweglich** *adj* movable, mobile; (*flink*) quick; **bewegt** *adj* (*Leben*) eventful; (*Meer*) rough; (*ergriffen*) touched; **Bewegung** *f* movement, motion; (*innere ~*) emotion; (*körperlich*) exercise; **sich** *dat* ~ **verschaffen** take exercise; **etw kommt in ~** (*fig*) sth gets moving; **Bewegungsfreiheit** *f* freedom of movement [*o* action]; **bewegungslos** *adj* motionless.

Beweis *m* <-es, -e> proof; (*Zeichen*) sign; **beweisbar** *adj* provable; **beweisen** *irr vt* prove; (*zeigen*) show; **Beweismittel** *nt* evidence.

bewenden *irr vi*: etw dabei ~ lassen leave sth at that.

bewerben *irr vr*: sich ~ apply (*um* for); **Bewerber(in** *f*) *m* <-s, -> applicant; **Bewerbung** *f* application.

bewerten *vt* assess.

bewilligen *vt* grant, allow.

bewirken *vt* cause, bring about.

bewirten *vt* entertain.

bewirtschaften *vt* manage.

Bewirtung *f* hospitality.

bewohnbar *adj* inhabitable; **bewohnen** *vt* inhabit, live in; **Bewohner(in** *f*) *m* <-s, -> inhabitant; (*von Haus*) resident.

bewölkt *adj* cloudy, overcast; **Bewölkung** *f* clouds *pl*.

Bewunderer *m* <-s, ->, **Bewunderin** *f* admirer; **bewundern** *vt* admire; **bewundernswert** *adj* admirable, wonderful; **Bewunderung** *f* admiration.

bewußt *adj* conscious; (*absichtlich*) deliberate; **sich** *dat* **einer Sache** *gen* ~ **sein** be aware of sth; **bewußtlos** *adj* unconscious; **Bewußtlosigkeit** *f* unconsciousness; **bewußtmachen** *vt*: **jdm/sich etw** ~ make sb/oneself aware of sth; **Bewußtsein** *nt* <-s> consciousness; **bei** ~ conscious; **bewußtseinsverändernd** *adj* (*Droge*) which alters

one's [state of] awareness.

bezahlen *vt* pay [for]; **es macht sich bezahlt** it will pay; **Bezahlung** *f* payment.

bezaubern *vt* enchant, charm.

bezeichnen *vt* (*kennzeichnen*) mark; (*nennen*) call; (*beschreiben*) describe; (*zeigen*) show, indicate; **bezeichnend** *adj* characteristic, typical (*für* of); **Bezeichnung** *f* (*Zeichen*) mark, sign; (*Beschreibung*) description.

bezeugen *vt* testify to.

Bezichtigung *f* accusation.

beziehen *irr* **1.** *vt* (*mit Überzug*) cover; (*Bett*) put a cover on; (*Haus, Position*) move into; (*Standpunkt*) take up; (*erhalten*) receive; (*Zeitung*) subscribe to, take; **2.** *vr*: sich ~ refer (*auf* + *akk* to); (*Himmel*) cloud over; **etw auf jdn/etw** ~ relate sth to sb/sth.

Beziehung *f* (*Verbindung*) connection; (*Zusammenhang*) relation; (*Verhältnis*) relationship; (*Hinsicht*) respect; **~en haben** (*vorteilhaft*) have connections [*o* contacts]; **Beziehungskiste** *f* (*fam*) affair; **beziehungsweise** *adv* or; (*genauer gesagt auch*) that is, or rather.

Bezirk *m* <-[e]s, -e> district.

Bezug *m* <-[e]s, ̈e> (*Hülle*) covering; (*COM*) ordering; (*Gehalt*) income, salary; (*Beziehung*) relationship (*zu* to); **in b~ auf** + *akk* with reference to; ~ **nehmen auf** + *akk* refer to.

bezüglich *prep* + *gen* concerning, referring to.

Bezugnahme *f* <-, -n> reference (*auf* + *akk* to); **Bezugspreis** *m* retail price; **Bezugsquelle** *f* source of supply.

bezwecken *vt* aim at.

bezweifeln *vt* doubt, query.

Bhf. *abk von* **Bahnhof** station.

Bhagwan *m* <-s> Bhagwan.

Bibel *f* <-, -n> Bible.

Biber *m* <-s, -> beaver.

Bibliographie *f* bibliography; **Bibliothek** *f* <-, -en> library; **Bibliothekar(in** *f*) *m* <-s, -e> librarian.

biblisch *adj* biblical.

bieder *adj* upright, worthy; (*Kleid etc*) plain.

biegen <**bog, gebogen**> **1.** *vt, vr*: sich ~ bend; **2.** *vi* turn (*in* + *akk* into); **biegsam** *adj* supple; **Biegung** *f* bend, curve.

Biene *f* <-, -n> bee; **Bienenhonig** *m* honey; **Bienenwachs** *nt* beeswax.

Bier *nt* <-[e]s, -e> beer; **Bierbrauer(in** *f*) *m* <-s, -> brewer; **Bierdeckel** *m*, **Bierfilz** *m* beer mat; **Bierkrug** *m*, **Bierseidel** *nt* beer mug.

Biest *nt* <-[e]s, -er> (*Tier*) creature.

(*Mensch*) wretch; (*Frau*) bitch.
bieten <**bot, geboten**> **1.** *vt* offer; (*bei Versteigerung*) bid; **2.** *vr:* **sich ~** (*Gelegenheit*) be open (*dat* to); **sich** *dat* **etw ~ lassen** put up with sth.
Bikini *m* <-s, -s> bikini.
Bilanz *f* balance; (*fig*) outcome; **~ ziehen** take stock (*aus* of).
Bild *nt* <-[e]s, -er> (*auch fig*) picture; photo; (*Spiegel~*) reflection; **Bildbericht** *m* pictorial report.
bilden 1. *vt* form; (*erziehen*) educate; (*ausmachen*) constitute; **2.** *vr:* **sich ~** arise; (*kulturell*) educate oneself.
Bilderbuch *nt* picture book; **Bilderrahmen** *m* picture frame.
Bildfläche *f* screen; (*fig*) scene; **Bildhauer(in** *f*) *m* <-s, -> sculptor; **bildhübsch** *adj* lovely, pretty as a picture; **bildlich** *adj* pictorial; (*übertragen*) figurative; **Bildplatte** *f* video disc; **Bildplattenspieler** *m* video disc player.
Bildschirm *m* television screen; (*von Computer*) screen, visual display unit, VDU; **Bildschirmarbeitsplatz** *m* work station; **Bildschirmgerät** *nt* visual display unit, VDU; **Bildschirmtext** *m* viewdata, videotext.
bildschön *adj* lovely.
Bildung *f* formation; (*Wissen, Benehmen*) education; **Bildungslücke** *f* gap in one's education; **Bildungspolitik** *f* educational policy; **Bildungsurlaub** *m* educational holiday.
Bildweite *f* (FOT) distance.
Billard *nt* <-s, -e> billiards *sing;* **Billardball** *m,* **Billardkugel** *f* billiard ball.
billig *adj* cheap; (*gerecht*) fair, reasonable.
billigen *vt* approve of; **Billigung** *f* approval.
Billion *f* trillion.
bimmeln *vi* tinkle.
binär *adj* binary.
Binde *f* <-, -n> bandage; (*Arm~*) band; (*Damen~*) sanitary towel; **Bindeglied** *nt* connecting link.
binden <**band, gebunden**> **1.** *vt* bind, tie; **2.** *vr:* **sich ~** commit oneself; **er will sich nicht ~** he does not want to get involved, he does not want to tie himself down.
Bindestrich *m* hyphen.
Bindfaden *m* string.
Bindung *f* bond, tie; (*Ski~*) binding.
Binnenhafen *m* inland harbour; **Binnenhandel** *m* internal trade.
Binse <-, -n> rush, reed; **Binsenwahrheit** *f* truism.
Bio- *in Zusammensetzungen* bio-; **biody-**

namisch *adj* biodynamic; **Biogas** *nt* biogas.
Biographie *f* biography.
Biologe *m* <-n, -n>, **Biologin** *f* biologist; **Biologie** *f* biology; **biologisch** *adj* biological.
Biorhythmus *m* biorhythm; **Biotechnik** *f* biotechnology; **Biotop** *nt* <-s, -e> biotope.
Birke *f* <-, -n> birch.
Birnbaum *m* pear tree; **Birne** *f* <-, -n> pear; (ELEC) [light] bulb.
bis 1. *adv, prep* + *akk* (*räumlich, ~ zu/an*) to, as far as; (*zeitlich*) till, until; **2.** *conj* (*mit Zahlen*) to; until, till; **Sie haben ~ Dienstag Zeit** you have until [*o* till] Tuesday; **~ Dienstag muß es fertig sein** it must be ready by Tuesday; **~ hierher** this far; **~ in die Nacht** into the night; **~ auf weiteres** until further notice; **~ bald/gleich** see you later/soon; **~ auf etw** *akk* (*einschließlich*) including sth; (*ausgeschlossen*) except sth; **~ zu** up to; **von ... ~ ...** from ... to....
Bischof *m* <-s, ̈e> bishop; **bischöflich** *adj* episcopal.
bisher *adv* till now, hitherto.
Biskuit *nt* <-[e]s, -s *o* -e> biscuit; **Biskuitteig** *m* sponge mixture.
bislang *adv* hitherto.
biß *pt von* **beißen**.
Biß *m* <-sses, -sse> bite; **~ haben** (*fig*) have bite.
bißchen *adj, adv* bit.
Bissen *m* <-s, -> bite, morsel.
bissig *adj* (*Hund*) snappy; (*Bemerkung*) cutting, biting.
Bistum *nt* <-s, ̈er> bishopric.
Bit *nt* <-s, -s> bit.
bitte *interj* please; (*wie ~*) [I beg your] pardon; (*als Antwort auf Dank*) you're welcome; **~ schön!** it was a pleasure; **Bitte** *f* <-, -n> request; **bitten** <**bat, gebeten**> *vt, vi* ask (*um* for); **bittend** *adj* pleading, imploring.
bitter *adj* bitter; **bitterböse** *adj* very angry.
blähen *vt, vr:* **sich ~** swell, blow out.
Blähungen *pl* (MED) wind.
blamabel *adj* disgraceful; **Blamage** *f* <-, -n> disgrace; **blamieren 1.** *vr:* **sich ~** make a fool of oneself, disgrace oneself; **2.** *vt* let down, disgrace.
blank *adj* bright; (*unbedeckt*) bare; (*sauber*) clean, polished; (*fam: ohne Geld*) broke; (*offensichtlich*) blatant.
blanko *adv* blank; **Blankoscheck** *m* blank cheque.
Bläschen *nt* bubble; (MED) spot, blister.
Blase *f* <-, -n> bubble; (MED) blister;

(*ANAT*) bladder.
Blasebalg m bellows pl.
blasen <**blies, geblasen**> vi blow;
Blasinstrument nt brass [o wind] instrument; **Blaskapelle** f brass band.
blaß adj pale; **Blässe** f <-> paleness,
palour.
Blatt nt <-[e]s, ̈er> leaf; (von Papier)
sheet; (Zeitung) newspaper; (KARTEN)
hand; **vom ~ singen/spielen** sight-read.
blättern vi (COMPUT) scroll; **in etw** dat
~ leaf through sth.
Blätterteig m flaky [o puff] pastry.
blau adj blue; (fam: betrunken) drunk,
stoned; (GASTR) boiled; (Auge: von
Schlag etc) black; **~er Fleck** bruise;
Fahrt ins B~e mystery tour; **blauäugig** adj blue-eyed; (fig) naive; **Blau-
licht** nt flashing blue light; **blauma-
chen** vi (fam) skive off work; **Blau-
strumpf** m (fig) bluestocking.
Blech nt <-[e]s, -e> tin, sheet metal;
(Back~) baking tray; **Blechdose** f tin,
can; **blechen** vt, vi (fam) pay; **Blech-
schaden** m (AUT) damage to bodywork.
Blei nt <-[e]s, -e> lead.
Bleibe f <-, -n> roof over one's head.
bleiben <**blieb, geblieben**> vi stay,
remain; **bleibenlassen** irr vt leave
[alone].
bleich adj faded, pale; **bleichen** vt
bleach.
bleiern adj leaden.
bleifrei adj (Benzin) lead-free, unleaded;
bleihaltig adj (Benzin) containing lead.
Bleistift m pencil; **Bleistiftspitzer** m
<-s, -> pencil sharpener.
Blende f <-, -n> (FOT) aperture.
blenden vt blind, dazzle; (fig) hoodwink;
blendend adj (fam) grand; **~ aussehen**
look smashing.
Blick m <-[e]s, -e> (kurz) glance,
glimpse; (Anschauen) look, gaze; (Aussicht) view; **blicken** vi look; **sich ~
lassen** put in an appearance; **Blickfeld**
nt range of vision.
blieb pt von **bleiben**.
blies pt von **blasen**.
blind adj blind; (Glas etc) dull; **~er Passagier** stowaway; **Blinddarm** m appendix; **Blinddarmentzündung** f appendicitis; **Blindenschrift** f braille; **Blindheit** f blindness; **blindlings** adv
blindly; **Blindschleiche** f <-, -n>
slow worm; **blindschreiben** irr vi
touch-type.
blinken 1. vi twinkle, sparkle; (Licht)
flash, signal; (AUT) indicate; 2. vt flash,
signal; **Blinker** m <-s, ->, **Blinklicht**

nt (AUT) indicator.
blinzeln vi blink, wink.
Blitz m <-es, -e> [flash of] lightning;
Blitzableiter m <-s, -> lightning
conductor; **blitzen** vi (aufleuchten)
glint, shine; **es blitzt** (METEO) there's
[a flash of] lightning; **Blitzlicht** nt
flashlight; **Blitz[licht]würfel** m flash
cube; **blitzschnell** adj, adv as quick
as a flash.
Block m <-[e]s, ̈e> (auch fig) block;
(von Papier) pad.
Blockade f blockade.
Blockflöte f recorder; **blockfrei** adj
(POL) unaligned.
blockieren 1. vt block; 2. vi (Räder)
jam.
Blockschrift f block letters pl.
blöd adj silly, stupid; **blödeln** vi (fam)
fool around; **Blödheit** f stupidity;
Blödsinn m nonsense; **blödsinnig** adj
silly, idiotic.
blond adj blond, fair-haired.
bloß 1. adj (unbedeckt) bare; (nackt)
naked; (nur) mere; 2. adv only, merely;
laß das ~! just don't do that!
Blöße f <-, -n> bareness; (Nacktheit)
nakedness; (fig) weakness; **sich** dat **eine
~ geben** lay oneself open to attack.
bloßstellen vt show up.
blühen vi bloom, be in bloom; (fig) flourish.
Blume f <-, -n> flower; (von Wein)
bouquet; **Blumenkohl** m cauliflower;
Blumentopf m flowerpot; **Blumen-
zwiebel** f bulb.
Bluse f <-, -n> blouse.
Blut nt <-[e]s> blood; **blutarm** adj anaemic; **blutbefleckt** adj bloodstained;
Blutbuche f copper beech; **Blutdruck**
m blood pressure.
Blüte f <-, -n> blossom; (fig) prime;
Blütezeit f flowering period; (fig)
prime.
Blutegel m leech.
bluten vi bleed.
Blütenstaub m pollen.
Bluter(in f) m <-s, -> (MED) haemo-
philiac; **Bluterguß** m haemorrhage;
(auf Haut) bruise; **Blutgruppe** f blood
group; **blutig** adj bloody; **blutjung** adj
very young; **Blutprobe** f blood test;
Blutschande f incest; **Blutspen-
der(in** f) m blood donor; **Blutübertragung** f blood transfusion; **Blutung** f
bleeding, haemorrhage; **Blutvergiftung** f blood poisoning; **Blutwurst** f
black pudding.
BLZ abk von **Bankleitzahl**.
Bö[e] f <-, -en> squall.

Bock m <-[e]s, ⁿe> buck, ram; (*Gestell*) trestle, support; (*SPORT*) buck; **keinen ~ haben, etw zu tun** (*fam*) not to feel like doing sth.

Boden m <-s, ⁿ> ground; (*Fuß~*) floor; (*Meeres~*, *Faß~*) bottom; (*Speicher*) attic; **bodenlos** adj bottomless; (*fam*) incredible; **Bodensatz** m dregs pl; **Bodenschätze** pl mineral wealth; **Bodenturnen** nt floor exercises pl.

Body m bodystocking.

Bodybuilding nt bodybuilding.

bog pt von **biegen**.

Bogen m <-s, ⁿ> (*Biegung*) curve; (*ARCHIT*) arch; (*Waffe, MUS*) bow; (*Papier~*) sheet; **Bogengang** m arcade; **Bogenschütze** m, **-schützin** f archer.

Bohle f <-, -n> plank.

Bohne f <-, -n> bean; **Bohnenkaffee** m pure coffee.

Bohnerwachs nt floor polish.

bohren vt bore; **Bohrer** m <-s, -> drill; **Bohrinsel** f oil rig; **Bohrmaschine** f drill; **Bohrturm** m derrick.

Boje f <-, -n> buoy.

Bolivien nt Bolivia.

Bolzen m <-s, -> bolt.

bombardieren vt bombard; (*aus der Luft*) bomb.

Bombe f <-, -n> bomb; **Bombenangriff** m bombing raid; **Bombenanschlag** m bomb attack; **Bombenerfolg** m (*fam*) huge success.

Bonbon m <-s, -s> sweet.

Bonus m <- o -ses, -se o Boni> bonus; (*Punktvorteil*) bonus points pl; (*Schadenfreiheitsrabatt*) no-claims bonus.

Boot nt <-[e]s, -e> boat.

Bord 1. m <-[e]s, -e> (*AVIAT. NAUT*) board; 2. nt <-[e]s, -e> (*Brett*) shelf; **an ~ bord** on board; **Bordkarte** f boarding card, boarding pass.

Bordell nt <-s, -e> brothel.

Bordfunkanlage f radio.

Bordstein m kerb[stone].

borgen vt borrow; **jdm etw ~** lend sb sth.

borniert adj narrow-minded.

Börse f <-, -n> stock exchange; (*Geld~*) purse.

Borste f <-, -n> bristle.

Borte f <-, -n> edging; (*Band*) trimming.

bös adj bad, evil; (*zornig*) angry; **bösartig** adj malicious; (*MED*) malignant.

Böschung f slope; (*Ufer~*) embankment.

boshaft adj malicious, spiteful; **Bosheit** f malice, spite.

böswillig adj malicious.

bot pt von **bieten**.

Botanik f botany; **botanisch** adj botanical.

Bote m <-n, -n>, **Botin** f messenger.

Botschaft f message, news; (*POL*) embassy; **Botschafter(in** f) m <-s, -> ambassador.

Bottich m <-[e]s, -e> vat, tub.

Bouillon f <-, -s> consommé.

Bowle f <-, -n> punch.

boxen vi box; **Boxer(in** f) m <-s, -> boxer; **Boxhandschuh** m boxing glove; **Boxkampf** m boxing match.

boykottieren vt boycott.

brach pt von **brechen**.

brachte pt von **bringen**.

Brainstorming nt <-s> brainstorming.

Branche f <-, -n> line of business; **Branchenverzeichnis** nt yellow pages pl.

Brand m <-[e]s, ⁿe> fire; (*MED*) gangrene.

branden vi surge; (*Meer*) break.

brandmarken vt brand; (*fig*) stigmatize.

Brandsalbe f ointment for burns; **Brandstifter(in** f) m arsonist, fireraiser; **Brandstiftung** f arson.

Brandung f surf.

Brandwunde f burn.

brannte pt von **brennen**.

Branntwein m brandy.

Brasilien nt Brasil.

braten <briet, gebraten> vt roast, fry; **Braten** m <-s, -> roast, joint; **Brathuhn** nt roast chicken; **Bratkartoffeln** pl fried [o roast] potatoes; **Bratpfanne** f frying pan; **Bratrost** m grill.

Bratsche f <-, -n> viola.

Bratspieß m spit; **Bratwurst** f grilled sausage.

Brauch m <-[e]s, ⁿe> custom.

brauchbar adj usable, serviceable; (*Mensch*) capable.

brauchen vt (*bedürfen*) need; (*müssen*) have to; (*verwenden*) use.

brauen vt brew; **Brauerei** f brewery.

braun adj brown; (*von Sonne auch*) tanned; **Bräune** f <-, -n> brownness; (*Sonnen~*) tan; **bräunen** vt make brown; (*Sonne*) tan; **braungebrannt** adj tanned.

Brause f <-, -n> shower bath; (*von Gießkanne*) rose; (*Getränk*) lemonade; **Brausepulver** nt lemonade powder.

Braut f <-, ⁿe> bride; (*Verlobte*) fiancée.

Bräutigam m <-s, -e> bridegroom; (*Verlobter*) fiancé.

Brautjungfer f bridesmaid; **Brautpaar** nt bride and bridegroom, bridal pair.

brav *adj* (*artig*) good; (*ehrenhaft*) worthy, honest.

BRD *f* <-> *abk von* **Bundesrepublik Deutschland** FRG.

Brecheisen *nt* crowbar.

brechen <**brach, gebrochen**> **1.** *vt* break; (*Licht*) refract; (*er~*) vomit; **2.** *vi* break; (*er~*) vomit, be sick; **3.** *vr*: sich ~ break; (*Licht*) be refracted; **die Ehe** ~ commit adultery; **Brechreiz** *m* nausea, retching.

Brei *m* <-[e]s, -e> (*Masse*) pulp; (*GASTR*) gruel; (*Hafer~*) porridge.

breit *adj* wide, broad; **Breite** *f* <-, -n> width; breadth; (*GEO*) latitude; **breiten** *vt*: **etw über etw** *akk* ~ spread sth over sth; **Breitengrad** *m* degree of latitude; **breitmachen** *vr*: sich ~ spread oneself out; **breitschult[e]rig** *adj* broad-shouldered; **Breitwandfilm** *m* wide-screen film.

Bremsbelag *m* brake lining; **Bremse** *f* <-, -n> brake; (*ZOOL*) horsefly; **bremsen 1.** *vi* brake, apply the brakes; **2.** *vt* (*Auto*) brake; (*fig*) slow down; **Bremsflüssigkeit** *f* brake fluid; **Bremslicht** *nt* brake light; **Bremspedal** *nt* brake pedal; **Bremsschuh** *m* brake shoe; **Bremsspur** *f* tyre marks *pl*; **Bremsweg** *m* braking distance.

brennbar *adj* inflammable; **Brennelement** *nt* fuel element; **brennen** <**brannte, gebrannt**> **1.** *vi* burn, be on fire; (*Licht, Kerze etc*) burn; **2.** *vt* (*Holz etc*) burn; (*Ziegel, Ton*) fire; (*Kaffee*) roast; **darauf** ~, **etw zu tun** be dying to do sth.

Brennessel *f* nettle.

Brennmaterial *nt* fuel; **Brennspiritus** *m* methylated spirits *sing o pl*; **Brennstab** *m* fuel rod; **Brennstoff** *m* liquid fuel.

brenzlig *adj* smelling of burning, burnt; (*fig*) precarious.

Brett *nt* <-[e]s, -er> board, plank; (*Bord*) shelf; (*Spiel~*) board; **Schwarzes** ~ notice board; ~ **er** *pl* (*SKI*) skis *pl*; (*THEAT*) boards *pl*; **Bretterzaun** *m* wooden fence.

Brezel *f* <-, -n> bretzel, pretzel.

Brief *m* <-[e]s, -e> letter; **Briefbeschwerer** *m* <-s, -> paperweight; **Brieffreund(in** *f*) *m* pen pal, pen friend; **Briefkasten** *m* letterbox, mail box *US*; **elektronischer** ~ electronic mailbox; **Briefmarke** *f* [postage] stamp; **Brieföffner** *m* letter opener; **Briefpapier** *nt* notepaper; **Brieftasche** *f* wallet; **Briefträger(in** *f*) *m* postman/-woman; **Briefumschlag** *m* envelope;

Briefwechsel *m* correspondence.

briet *pt von* **braten**.

Brikett *nt* <-s, -s> briquette.

brillant *adj* (*fig*) sparkling, brilliant; **Brillant** *m* <-en, -en> brilliant, diamond.

Brille *f* <-, -n> spectacles *pl*, glasses *pl*; (*Schutz~*) goggles *pl*; (*Toiletten~*) [toilet] seat; **sie trägt keine** ~ she does not wear spectacles [*o* glasses].

bringen <**brachte, gebracht**> *vt* bring; (*mitnehmen, begleiten*) take; (*einbringen: Profit*) bring in; (*veröffentlichen*) publish; (*THEAT, CINE*) show; (*RADIO, TV*) broadcast; (*in einen Zustand versetzen*) get; (*fam: tun können*) manage; **jdn dazu** ~, **etw zu tun** make sb do sth; **jdn nach Hause** ~ take sb home; **jdn um etw** ~ make sb lose sth; **jdn auf eine Idee** ~ give sb an idea.

Brise *f* <-, -n> breeze.

Brite *m* <-n, -n>, **Britin** *f* Briton; **britisch** *adj* British; **die Britischen Inseln** *pl* the British Isles *pl*.

Brocken *m* <-s, -> piece, bit; (*Fels~*) lump of rock.

Brokat *m* <-[e]s, -e> brocade.

Brokkoli *pl* broccoli *pl*.

Brombeere *f* blackberry, bramble.

Bronchien *pl* bronchial tubes *pl*, bronchia *pl*.

Bronze *f* <-, -n> bronze.

Brosame *f* <-, -n> crumb.

Brosche *f* <-, -n> brooch.

Broschüre *f* <-, -n> pamphlet.

Brot *nt* <-[e]s, -e> bread; (~ *laib*) loaf.

Brötchen *nt* roll.

Bruch *m* <-[e]s, ¨e> breakage; (*zerbrochene Stelle*) break; (*fig*) split, breach; (*MED: Eingeweide~*) rupture, hernia; (*Knochen~*) fracture; (*MATH*) fraction; **Bruchbude** *f* (*fam*) shack.

brüchig *adj* brittle, fragile.

Bruchstrich *m* (*MATH*) line; **Bruchstück** *nt* fragment; **Bruchteil** *m* fraction.

Brücke *f* <-, -n> bridge; (*Teppich*) rug.

Bruder *m* <-s, ¨> brother; **brüderlich** *adj* brotherly; **Brüderschaft** *f* brotherhood, fellowship; ~ **trinken** fraternize, address each other as 'du'.

Brühe *f* <-, -n> broth, stock; (*pej*) muck.

brüllen *vi* bellow, scream.

brummen *vi* (*Bär, Mensch etc*) growl; (*Insekt, Radio*) buzz; (*Motoren*) roar; (*murren*) grumble; **2.** *vt* growl; **jdm brummt der Kopf** sb's head is buzzing.

brünett *adj* brunette, dark-haired.

Brunnen *m* <-s, -> fountain; (*tief*) well; (*natürlich*) spring; **Brunnen-**

kresse f watercress.
brüsk adj abrupt, brusque.
Brust f <-, ⸚e> breast; (Männer~)
chest.
brüsten vr: **sich ~** boast.
Brustfellentzündung f pleurisy;
Brustkasten m chest; **Brustschwim-**
men nt breast-stroke; **Brustwarze** f
nipple.
Brüstung f parapet.
Brut f <-, -en> brood; (Brüten) hatch-
ing.
brutal adj brutal; **Brutalität** f brutality.
Brutapparat m, **Brutkasten** m incubator.
brüten vi hatch, brood; (fig) brood.
Brüter m <-s, ->: **schneller ~** fast-
breeder [reactor].
brutto adv gross; **Bruttogehalt** nt gross
salary; **Bruttogewicht** f gross weight;
Bruttolohn m gross wages pl.
Btx abk von **Bildschirmtext**.
Bubikopf m bobbed hair, shingle.
Buch nt <-[e]s, ⸚er> book; (COM) account book; **Buchbinder(in** f) m <-s,
-> bookbinder; **Buchdrucker(in** f) m
printer.
Buche f <-, -n> beech tree.
buchen vt book; (Betrag) enter.
Bücherbrett nt bookshelf; **Bücherei** f
library; **Bücherregal** nt bookshelves pl;
Bücherschrank m bookcase.
Buchfink m chaffinch.
Buchführung f book-keeping, account-
ing; **Buchhalter(in** f) m <-s, ->
book-keeper; **Buchhandel** m book
trade; **Buchhändler(in** f) m bookseller; **Buchhandlung** f bookshop.
Büchse f <-, -n> tin, can; (Holz~)
box; (Gewehr) rifle; **Büchsenfleisch**
nt tinned meat; **Büchsenöffner** m tin
[o can] opener.
Buchstabe m <-ns, -n> letter [of the
alphabet]; **buchstabieren** vt spell;
buchstäblich adj literal.
Bucht f <-, -en> bay.
Buchung f booking; (COM) entry.
Buckel m <-s, -> hump.
bücken vr: **sich ~** bend.
Bückling m (Fisch) kipper; (Verbeugung)
bow.
Bude f <-, -en> booth, stall; (fam) digs
pl.
Budget nt <-s, -s> budget.
Büfett nt <-s, -s> (Anrichte) sideboard;
(Geschirrschrank) dresser; **kaltes ~** cold
buffet.
Büffel m <-s, -> buffalo.
Bug m <-[e]s, -e> (NAUT) bow;
(AVIAT) nose.

Bügel m <-s, -> (Kleider~) hanger;
(Steig~) stirrup; (Brillen~) arm; (von
Lift) [T-]bar.
Bügelbrett nt ironing board; **Bügelei-**
sen nt iron; **Bügelfalte** f crease; **bü-**
geln vt, vi iron.
Bühne f <-, -n> stage; **Bühnenbild** nt
set, scenery.
Buhruf m boo.
Bulette f meatball.
Bulgarien nt Bulgaria; **bulgarisch** adj
Bulgarian.
Bulldogge f bulldog.
Bulldozer m <-s, -> bulldozer.
Bulle m <-n, -n> bull; (fam: Polizist)
cop[per].
Bummel m <-s, -> stroll; (Schaufen-
ster~) window-shopping; **bummeln** vi
wander, stroll; (trödeln) dawdle; (faulen-
zen) skive, loaf around; **Bummelstreik**
m go-slow; **Bummelzug** m slow train;
Bummler(in f) m <-s, -> (langsamer
Mensch) dawdler; (Faulenzer) idler,
loafer.
bumsen vi (fam) have sex.
Bund 1. m <-[e]s, ⸚e> (Freund-
schafts~) bond; (Organisation) union;
(POL) confederacy; (Hosen~, Rock~)
waistband; 2. nt <-[e]s, -e> bunch;
(Stroh~) bundle.
Bündchen nt ribbing; (Ärmel~) cuff.
Bündel nt <-s, -> bundle, bale; **bün-**
deln vt bundle.
Bundes- in Zusammensetzungen Federal;
(auf Deutschland bezogen auch) West
German; **Bundesbahn** f Federal Rail-
ways pl; **Bundeskanzler(in** f) m
Federal Chancellor; **Bundesland** nt
Land; **Bundespräsident(in** f) m
Federal President; **Bundesrat** m upper
house of West German Parliament; **Bun-**
desrepublik f Federal Republic [of
West Germany]; **Bundesstaat** m
Federal state; **Bundesstraße** f Federal
Highway, ≈ A road; **Bundestag** m
West German Parliament; **Bundesver-**
fassungsgericht nt Federal Constitu-
tional Court; **Bundeswehr** f West Ger-
man Armed Forces pl.
bündig adj (kurz) concise.
Bundfaltenhose f pleated trousers pl.
Bündnis nt alliance.
Bunker m <-s, -> bunker.
bunt adj coloured; (gemischt) mixed; **jdm**
wird es zu ~ it's getting too much for sb;
Buntstift m coloured pencil, crayon.
Burg f <-, -en> castle.
Bürge m <-n, -n> guarantor; **bürgen**
vi vouch.
Bürger(in f) m <-s, -> citizen; **Bür-**

gerinitiative f citizens' action group; **Bürgerkrieg** m civil war; **bürgerlich** adj (Rechte) civil; (Klasse) middle-class; (pej) bourgeois; **gut ~e Küche** good home cooking; **Bürgermeister(in** f) m mayor; **Bürgerrecht** nt civil rights pl; **Bürgerschaft** f population, citizens pl; **Bürgersteig** m <-[e]s, -e> pavement.

Bürgin f garantor.

Bürgschaft f surety; **~ leisten** give security.

Büro nt <-s, -s> office; **Büroangestellte(r)** mf office worker; **Büroautomation** f, **Bürokommunikation** f office automation; **Büroklammer** f paper clip.

Bürokrat(in f) m <-en, -en> bureaucrat; **Bürokratie** f bureaucracy; **bürokratisch** adj bureaucratic.

Bursch[e] m <-en, -en> lad, fellow.

burschikos adj tomboyish; (unbekümmert) casual.

Bürste f <-, -n> brush; **bürsten** vt brush.

Bus m <-ses, -se> bus.

Busch m <-[e]s, ⁷e> bush, shrub.

Büschel nt <-s, -> tuft.

buschig adj bushy.

Busen m <-s, -> bosom; (Meer~) inlet, bay; **Busenfreund(in** f) m bosom friend.

Buße f <-, -n> atonement, penance; (Geld~) fine; **Bußgeld** nt fine; **büßen 1.** vt pay for; (Sünden) atone for; **2.** vi: **für etw ~** atone for sth; (für Leichtsinn) pay for sth.

Büste f <-, -n> bust; **Büstenhalter** m bra.

Butter f <-> butter; **Butterberg** m butter mountain; **Butterblume** f buttercup; **Butterbrot** nt [piece of] bread and butter; **Butterbrotpapier** nt greaseproof paper; **Butterdose** f butter dish; **butterweich** adj soft as butter; (fam: Mensch) soft.

Button m <-s, -s> badge, button.

b.w. abk von **bitte wenden** pto.

Byte nt <-s, -s> byte.

bzw. adv abk von **beziehungsweise**.

C

C, c nt C, c.

Café nt <-s, -s> café.

Cafeteria f <-, -s> cafeteria.

campen vi camp; **Camper(in** f) m <-s,

- > camper; **Camping** nt <-s> camping; **Campingbus** m camper, dormobile ®; **Campingplatz** m camp[ing] site.

Caravan m <-s, -s> caravan.

Cäsium nt <-s> caesium.

CD f <-, -s> abk von **Compact Disc** compact disc, CD; **CD-Spieler** m compact disc player, CD player.

Cellist(in f) m cellist; **Cello** nt <-s, -s o **Celli** cello.

Celsius nt <-, -> centigrade.

Chamäleon nt <-s, -s> chameleon.

Champagner m <-s, -> champagne.

Champignon m <-s, -s> button mushroom.

Chance f <-, -n> chance, opportunity; **Chancengleichheit** equality of opportunity.

Chaos nt <-> chaos; **Chaot(in** f) m <-en, -en> (POL) anarchist; (unordentlicher Mensch) chaotic person; **chaotisch** adj chaotic.

Charakter m <-s, -e> character; **charakterfest** adj of firm character; **charakterisieren** vt characterize; **Charakteristik** f characterization; **charakteristisch** adj characteristic, typical (für of); **charakterlos** adj unprincipled; **Charakterlosigkeit** f lack of principle; **Charakterschwäche** f weakness of character; **Charakterstärke** f strength of character; **Charakterzug** m characteristic, trait.

charmant adj charming.

Charme m <-s> charm.

Charterflug m charter flight; **Charterflugzeug** nt charter plane.

Chassis nt <-, -> chassis.

Chauffeur(in f) m chauffeur.

Chauvi m <-s, -s> (fam) male chauvinist pig, MCP; **Chauvinismus** m (POL) chauvinism, jingoism; (männlicher ~) male chauvinism; **Chauvinist(in** f) m (POL) chauvinist, jingoist; (männlicher ~) male chauvinist; **chauvinistisch** adj (POL) chauvinistic; (männlich ~) chauvinistic.

Chef(in f) m <-s, -s> head; (fam) boss; **Chefarzt** m, **-ärztin** f head physician.

Chemie f <-> chemistry; **Chemiefaser** f man-made fibre.

Chemikalie f chemical.

Chemiker(in f) m <-s, -> [industrial] chemist.

chemisch adj chemical; **~e Reinigung** dry cleaning.

Chemotherapie f chemotherapy.

Chiffre f <-, -n> (Geheimzeichen)

cipher; (*in Zeitung*) box number.
Chile *nt* Chile.
China *nt* China; **Chinese** *m* <-n, -n>, **Chinesin** *f* Chinese; **die ~n** *pl* the Chinese *pl*; **chinesisch** *adj* Chinese.
Chip *m* <-s, -s> (*COMPUT*) chip; **Chips** *pl* (*Kartoffel~*) crisps *pl*, chips *pl* US.
Chirurg(in *f*) *m* <-en, -en> surgeon; **Chirurgie** *f* surgery; **chirurgisch** *adj* surgical.
Chlor *nt* <-s> chlorine.
Chloroform *nt* <-s> chloroform.
Chlorophyll *nt* <-s> chlorophyll.
Cholera *f* <-> cholera.
cholerisch *adj* choleric.
Cholesterin *nt* <-s> cholesterol.
Chor *m* <-[e]l, ¨e> choir; (*Musikstück*, *THEAT*) chorus.
Choral *m* <-s, -äle> chorale.
Choreograph(in *f*) *m* <-en, -en> choreographer; **Choreographie** *f* choreography.
Chorgestühl *nt* choir stalls *pl*.
Christ(in *f*) *m* <-en, -en> Christian; **Christbaum** *m* Christmas tree; **Christenheit** *f* Christendom; **Christentum** *nt* Christianity; **Christkind** *nt* Father Christmas; (*Jesus*) baby Jesus; **christlich** *adj* Christian; **Christus** *m* <-> Christ.
Chrom *nt* <-s> chrome; (*CHEM*) chromium.
Chromosom *nt* <-s, -en> (*BIO*) chromosome.
Chronik *f* chronicle.
chronisch *adj* chronic.
chronologisch *adj* chronological.
Chrysantheme *f* <-, -n> chrysanthemum.
circa *adv* about, approximately.
Clown *m* <-s, -s> clown.
Compact Disc *f* <-, -s> compact disc.
Computer *m* <-s, -> computer; **Computerarbeitsplatz** *m* work station; **Computertomographie** *f* computerized axial tomography.
Conférencier *m* <-s, -s> compère.
Container *m* <-s, -> (*zum Transport*) container; (*für Bauschutt*) skip; (*für Pflanzen*) plant box.
Coupé *m* <-s, -s> (*AUT*) coupé, sports version.
Coupon *m* <-s, -s> coupon.
Cousin *m* <-s, -s> cousin; **Cousine** *f* cousin.
Creme *f* <-, -s> cream; (*Schuh~*) polish; (*Zahn~*) paste; (*GASTR*) mousse; **cremefarben** *adj* cream[-coloured].
Curry[pulver] *nt* <-s, -> curry powder.

Cursor *m* <-s, -> (*COMPUT*) cursor.
Cutter(in *f*) *m* <-s, -> (*CINE*) editor.

D

D, d *nt* D, d.
da 1. *adv* (*dort*) there; (*hier*) here; (*dann*) then; **2.** *conj* as; **~, wo** where; **dabehalten** *irr vt* keep.
dabei *adv* (*räumlich*) close to it; (*noch dazu*) besides; (*zusammen mit*) with them; (*zeitlich*) during this; (*obwohl doch*) but, however; **was ist schon ~?** what of it?; **es ist doch nichts ~, wenn...** it doesn't matter if...; **bleiben wir ~** let's leave it at that; **es soll nicht ~ bleiben** this isn't the end of it; **es bleibt ~** that's settled; **das Dumme/Schwierige ~** the stupid/difficult part of it; **er war gerade ~, zu gehen** he was just leaving; **dabeisein** *irr vi* (*anwesend*) be present; (*beteiligt*) be involved; **dabeistehen** *irr vi* stand around.
Dach *nt* <-[e]s, ¨er> roof; **Dachboden** *m* attic, loft; **Dachdecker(-in** *f*) *m* <-s, -> slater, tiler; **Dachfenster** *nt*, **Dachluke** *f* skylight; **Dachpappe** *f* roofing felt; **Dachrinne** *f* gutter; **Dachziegel** *m* roof tile.
Dachs *m* <-es, -e> badger.
dachte *pt von* **denken**.
Dackel *m* <-s, -> dachshund.
dadurch 1. *adv* (*räumlich*) through it; (*durch diesen Umstand*) thereby, in that way; (*deshalb*) because, for that reason; **2.** *conj*: **~, daß** because.
dafür *adv* for it; (*anstatt*) instead; **er kann nichts ~** he can't help it; **er ist bekannt ~** he is well-known for that; **was bekomme ich ~?** what will I get for it?; **Dafürhalten** *nt* <-s>: **nach meinem ~** in my opinion.
dagegen 1. *adv* against it; (*im Vergleich damit*) in comparison with it; (*bei Tausch*) for it; **2.** *conj* however; **ich habe nichts ~** I don't mind; **ich war ~** I was against it; **~ kann man nichts tun** one can't do anything about it.
daheim *adv* at home; **Daheim** *nt* <-s> home.
daher 1. *adv* (*räumlich*) from there; (*Ursache*) from that; **2.** *conj* (*deshalb*) that's why; **~ die Schwierigkeiten** that's what is causing the difficulties.
dahin *adv* (*räumlich*) there; (*zeitlich*) then; (*vergangen*) gone; **das tendiert ~**

it is tending towards that; **er bringt es noch ~, daß ich...** he'll make me...; **dahingehend** *adv* to this effect; **dahingestellt** *adv:* **~ bleiben** remain to be seen; **~ sein lassen** leave sth open [*o* undecided].

dahinter *adv* behind it; **dahinterkommen** *irr vi* find out; (*begreifen*) get it.

Dahlie *f* dahlia.

dalassen *irr vt* leave [behind].

damals *adv* at that time, then.

Damast *m* <-[e]s, -e> damask.

Dame *f* <-, -n> lady; (*SCHACH. KARTEN*) queen; (*Spiel*) draughts *sing*; **damenhaft** *adj* ladylike; **Damenwahl** *f* ladies' excuse-me; **Damespiel** *nt* draughts *sing*.

damit 1. *adv* with it; (*begründend*) by that; **2.** *conj* in order that [*o* to]; **was meint er ~?** what does he mean by that?; **genug ~!** that's enough; **~ basta!** and that's that; **~ eilt es nicht** there's no hurry.

Damm *m* <-[e]s, ⁓e> dyke; (*Stau~*) dam; (*Hafen~*) mole; (*Bahn~. Straßen~*) embankment.

dämmern *vi* (*Tag*) dawn; (*Abend*) fall; **Dämmerung** *f* twilight; (*Morgen~*) dawn; (*Abend~*) dusk; **dämmrig** *adj* dim, faint.

Dämon *m* <-s, -en> demon; **dämonisch** *adj* demoniacal.

Dampf *m* <-[e]s, ⁓e> steam; (*Dunst*) vapour; **Dampfbügeleisen** *nt* steam iron; **dampfen** *vi* steam.

dämpfen *vt* (*GASTR*) steam; (*bügeln*) iron with a damp cloth; (*fig*) dampen, subdue.

Dampfer *m* <-s, -> steamer.

Dampfkochtopf *m* pressure cooker; **Dampfmaschine** *f* steam engine; **Dampfwalze** *f* steamroller.

danach *adv* after that; (*zeitlich auch*) afterwards; (*gemäß*) accordingly; according to which [*o* that]; **er sieht ~ aus** he looks it.

Däne *m* <-n, -n>, **Dänin** *f* Dane.

daneben *adv* beside it; (*im Vergleich*) in comparison; **danebenbenehmen** *irr vr:* **sich ~** misbehave; **danebengehen** *irr vi* miss; (*Plan*) fail.

Dänemark *nt* Denmark; **dänisch** *adj* Danish.

dank *prep* +*dat o gen* thanks to; **Dank** *m* <-[e]s> thanks *pl:* **vielen ~** many thanks; **jdm ~ sagen** thank sb; **dankbar** *adj* grateful; (*Aufgabe*) rewarding; **Dankbarkeit** *f* gratitude; **danke** *interj* thank you, thanks; **danken** *vi:* **jdm ~** thank sb; **dankenswert** *adj* (*Arbeit*)

worthwhile; rewarding; (*Bemühung*) kind.

dann *adv* then; **~ und wann** now and then.

daran *adv* on it; (*stoßen*) against it; **es liegt ~, daß...** the cause of it is that...; **gut/schlecht ~ sein** be well/badly off; **das Beste/Dümmste ~** the best/stupidest thing about it; **ich war nahe ~, zu...** I was on the point of...; **er ist ~ gestorben** he died from [*o* of] it; **daransetzen** *vt* stake; **er hat alles darangesetzt, von Ulm wegzukommen** he has done his utmost to get away from Ulm.

darauf *adv* (*räumlich*) on it; (*zielgerichtet*) towards it; (*danach*) afterwards; **es kommt ganz ~ an, ob...** it depends whether...; **die Tage ~** the days following [*o* thereafter]; **am Tag ~** the next day; **darauffolgend** *adj* (*Tag, Jahr*) next, following; **daraufhin** *adv* (*im Hinblick darauf*) in this respect; (*aus diesem Grund*) as a result.

daraus *adv* from it; **was ist ~ geworden?** what became of it?; **~ geht hervor, daß...** this means that...

Darbietung *f* performance.

darin *adv* in [there], in it.

darlegen *vt* explain, expound, set forth.

Darlehen *nt* <-s, -> loan.

Darm *m* <-[e]s, ⁓e> intestine; (*Wurst~*) skin; **Darmsaite** *f* gut string.

darstellen 1. *vt* (*abbilden, bedeuten*) represent; (*THEAT*) act; (*beschreiben*) describe; **2.** *vr:* **sich ~** appear to be; **Darsteller(in** *f*) *m* <-s, -> actor/actress; **Darstellung** *f* portrayal, depiction.

darüber *adv* (*räumlich*) over/above it; (*fahren*) over it; (*mehr*) more; (*während-dessen*) meanwhile; (*sprechen, streiten*) about it; **~ geht nichts** there's nothing like it; **seine Gedanken ~** his thoughts about [*o* on it].

darum 1. *adv* (*räumlich*) round it; **2.** *conj* that's why; **ich tue es ~, weil...** I am doing it because...; **~ herum** round about [it]; **er bittet ~** he is asking kindly for it; **es geht ~, daß...** the thing is that...; **er würde viel ~ geben, wenn...** he would give a lot to...

darunter *adv* (*räumlich*) under it; (*dazwischen*) among them; (*weniger*) less; **ein Stockwerk ~** one floor below [it]; **was verstehen Sie ~?** what do you understand by that?

das 1. *Artikel* the; **2.** *pron* that; **~ heißt** that is.

dasein *irr vi* be there; **Dasein** *nt* <-s> (*Leben*) life; (*Anwesenheit*) presence; (*Bestehen*) existence.

daß *conj* that.

dasselbe *pron* the same.

dastehen *irr vi* stand there.

Datei *f* (*COMPUT*) file; **Dateiname** *m* file name.

Datenaustausch *m* data exchange, data interchange; **Datenbank** *f, pl* <**-en**> data bank; **Datenbasis** *f* database; **Datenbestand** *m* database; **Datenerfassung** *f* data capture; **Datenmißbrauch** *m* data abuse; **Datenschutz** *m* data protection; **Datenschutzbeauftragte(r)** *mf* person responsible for data protection; **Datenträger** *m* data carrier; **Datenverarbeitung** *f* data processing; **Datenzentrale** *f* data headquarters *pl;* **Datenzentrum** *nt* data centre.

datieren *vt* date.

Dativ *m* dative.

Dattel *f* <**-, -n**> date.

Datum *nt* <**-s, Daten**> date; **Daten** *pl* (*Angaben*) data *pl;* **das heutige ~** today's date.

Dauer *f* <**-, -n**> duration; (*gewisse Zeitspanne*) length; (*Bestand, Fortbestehen*) permanence; **es war nur von kurzer ~** it didn't last long; **auf die ~** in the long run; (*auf längere Zeit*) indefinitely; **Dauerauftrag** *m* standing order; **dauerhaft** *adj* lasting, durable; **Dauerkarte** *f* season ticket; **Dauerlauf** *m* long-distance run; **dauern** *vi* last; **es hat sehr lang gedauert, bis er…** it took him a long time to…; **dauernd** *adj* constant; **Dauerregen** *m* continuous rain; **Dauerwelle** *f* perm[anent wave]; **Dauerwurst** *f* German salami; **Dauerzustand** *m* permanent state of affairs.

Daumen *m* <**-s, -**> thumb; **Daumenlutscher(in** *f)* *m* thumb-sucker.

Daune *f* <**-, -n**> down; **Daunendecke** *f* down duvet [*o* quilt].

davon *adv* of it; (*räumlich*) away; (*weg von*) from it; (*Grund*) because of it; **das kommt ~ !** that's what you get; **~ abgesehen** apart from that; **~ sprechen/wissen** talk/know of [*o* about] it; **was habe ich ~** what's the point?; **davonkommen** *irr vi* escape; **davonlaufen** *irr vi* run away; **davontragen** *irr vt* carry off; (*Verletzung*) receive.

davor *adv* (*räumlich*) in front of it; (*zeitlich*) before [that]; **~ warnen** warn about it.

dazu *adv* (*legen, stellen*) by it; (*essen, singen*) with it; **und ~ noch** and in addition; **ein Beispiel/seine Gedanken ~** one example for/his thoughts on this; **wie komme ich denn ~ ?** why should I?;

~ fähig sein be capable of it; **sich ~ äußern** say something on it; **dazugehören** *vi* belong to it; **dazukommen** *irr vi* (*Ereignisse*) happen too; (*an einen Ort*) come along.

dazwischen *adv* in between; (*räumlich auch*) between [them]; (*zusammen mit*) among them; **der Unterschied ~** the difference between them; **dazwischenkommen** *irr vi* (*hineingeraten*) get caught in it; **es ist etwas dazwischengekommen** something cropped up; **dazwischenreden** *vi* (*unterbrechen*) interrupt; (*sich einmischen*) interfere.

DDR *f* <**->** *abk von* **Deutsche Demokratische Republik** GDR.

Deal *m* <**-s, -s**> (*fam*) deal.

dealen *vi* (*fam*) deal in drugs; **Dealer(in** *f)* *m* <**-s, ->** (*fam*) pusher; (*international*) trafficker.

Debatte *f* debate.

Deck *nt* <**-[e]s, -s** *o* **-e**> deck; **an ~ gehen** go on deck.

Decke *f* <**-, -n**> cover; (*Bett~*) blanket; (*Tisch~*) tablecloth; (*Zimmer~*) ceiling; **unter einer ~ stecken** be hand in glove.

Deckel *m* <**-s, -**> lid.

decken 1. *vt* cover; **2.** *vr:* **sich ~** coincide; **3.** *vi* (*Tisch ~*) lay the table.

Deckmantel *m:* **unter dem ~ von** under the guise of; **Deckname** *m* assumed name.

Deckung *f* (*Schützen*) covering; (*Schutz*) cover; (*SPORT*) defence; (*Übereinstimmen*) agreement; **deckungsgleich** *adj* congruent.

Decoder *m* <**-s, -**> decoder.

defekt *adj* faulty; **Defekt** *m* <**-[e]s, -e** > fault, defect.

defensiv *adj* defensive.

definieren *vt* define; **Definition** *f* definition.

definitiv *adj* definite.

Defizit *nt* <**-s, -e**> deficit.

deftig *adj* (*Essen*) solid, substantial; (*Witz*) coarse.

Degen *m* <**-s, -**> sword.

degenerieren *vi* degenerate.

degradieren *vt* degrade.

dehnbar *adj* elastic; (*fig: Begriff*) loose; **dehnen** *vt, vr:* **sich ~** stretch; **Dehnung** *f* stretching.

Deich *m* <**-[e]s, -e**> dyke.

Deichsel *f* <**-, -n**> shaft.

dein *pron* (*adjektivisch*) *in Briefen:* **D ~** your; **deine(r, s)** *pron* (*substantivisch*) yours; **deiner** *pron gen von* **du** of you; **deinerseits** *adv* as far as you are concerned; **deinesgleichen** *pron* people like you; (*gleichrangig*) your equals; **dei-netwegen** *adv* (*wegen dir*) because of you; (*dir zuliebe*) for your sake; (*um dich*) about you; (*für dich*) on your behalf; (*von dir aus*) as far as you are concerned.

dekadent *adj* decadent; **Dekadenz** *f* decadence.

Dekan *m* <-s, -e> dean.

Deklination *f* declension; **deklinieren** *vt* decline.

Dekolleté *nt* <-s, -s> low neckline.

Dekorateur(in *f*) *m* window dresser.

Dekoration *f* decoration; (*in Laden*) window dressing; **dekorativ** *adj* decorative; **dekorieren** *vt* decorate; (*Schaufenster*) dress.

Delegation *f* delegation.

delikat *adj* (*zart*, *heikel*) delicate; (*köstlich*) delicious.

Delikatesse *f* <-, -n> delicacy; **~n** *pl* (*Feinkost*) delicatessen; **Delikatessengeschäft** *nt* delicatessen [shop] *sing*.

Delikt *nt* <-[e]s, -e> (*JUR*) offence.

Delle *f* <-, -en> (*fam*) dent.

Delphin *m* <-s, -e> dolphin.

Delta *nt* <-s, -s> delta.

dem *dat von* **der, das**.

Demagoge *m* <-n, -n>, **Demagogin** *f* demagogue.

dementieren *vt* deny.

demgemäß, demnach *adv* accordingly.

demnächst *adv* shortly.

Demo *f* <-, -s> (*fam*) demo.

Demokrat(in *f*) *m* <-en, -en> democrat; **Demokratie** *f* democracy; **demokratisch** *adj* democratic; **demokratisieren** *vt* democratize.

demolieren *vt* demolish.

Demonstrant(in *f*) *m* demonstrator; **Demonstration** *f* demonstration; **demonstrativ** *adj* demonstrative; (*Protest*) pointed; **demonstrieren** *vt*, *vi* demonstrate.

Demoskopie *f* public opinion research.

Demut *f* <-> humility; **demütig** *adj* humble; **demütigen** *vt* humiliate; **Demütigung** *f* humiliation.

den *akk von* **der**.

denen *dat von* **diese**.

denkbar *adj* conceivable.

denken <**dachte, gedacht**> *vt*, *vi* think; **Denken** *nt* <-s> thinking; **Denker(in** *f*) *m* <-s, -> thinker; **Denkfähigkeit** *f* intelligence; **denkfaul** *adj* lazy; **Denkfehler** *m* logical error.

Denkmal *nt* <-s, ⸚er> monument.

denkwürdig *adj* memorable; **Denkzettel** *m*: **jdm einen ~ verpassen** teach sb a lesson.

denn 1. *conj* for; **2.** *adv* then; (*nach Komparativ*) than.

dennoch *conj* nevertheless.

Denunziant(in *f*) *m* informer.

Deo *nt* <-s, -s> **Deodorant** *nt* <-s, -s > deodorant; **Deoroller** *m* roll-on deodorant; **Deospray** *m o nt* deodorant spray.

deponieren *vt* (*COM*) deposit.

Depot *nt* <-s, -s> warehouse; (*EISENB, Bus~*) depot; (*Bank~*) strongroom.

Depression *f* depression.

deprimieren *vt* depress.

der 1. *Artikel* the; **2.** *pron* (*relativ*) that, which; (*jemand*) who; (*demonstrativ*) this one.

derart *adv* so; (*solcher Art*) such; **derartig** *adj* such, this sort of.

derb *adj* sturdy; (*Kost*) solid; (*grob*) coarse.

dergleichen *pron* such.

derjenige *pron* he; she; it; (*relativ*) the one [who]; that [which].

dermaßen *adv* to such an extent, so.

derselbe *pron* the same.

des *gen von* **der, das**.

Desaster *nt* <-s, -> disaster.

Deserteur(in *f*) *m* deserter; **desertieren** *vi* desert.

desgleichen *pron* the same.

deshalb *adv* therefore, that's why.

Desinfektion *f* disinfection; **Desinfektionsmittel** *nt* disinfectant; **desinfizieren** *vt* disinfect.

dessen *gen von* **der, das**; **dessenungeachtet** *adv* nevertheless, regardless.

Dessert *nt* <-s, -s> dessert.

destillieren *vt* distil.

desto *adv* all the, so much the; **~ besser** all the better.

deswegen *conj* therefore, hence.

Detail *nt* <-s, -s> detail; **detaillieren** *vt* specify, give details of.

Detektiv(in *f*) *m* detective.

Detektor *m* (*TECH*) detector.

deuten 1. *vt* interpret, explain; **2.** *vi* point (*auf* + *akk* to o at).

deutlich *adj* clear; (*Unterschied*) distinct; **Deutlichkeit** *f* clarity, distinctness.

deutsch *adj* German; **~ sprechen** speak German; **~er Schäferhund** Alsatian *Brit*, German shepherd *US*; **Deutsch** *nt* German; **~ lernen** learn German; **ins ~e übersetzen** translate into German; **Deutsche(r)** *mf* German; **die ~n** *pl* the Germans *pl*; **Deutschland** *nt* Germany; **in ~** in Germany; **nach ~ fahren** go to Germany.

Deutung f interpretation.
Devise f <-, -n> motto, device; ~n pl (FIN) foreign currency [o exchange].
Dezember m <-[s], -> December; **im** ~ in December; **24.** ~ **1990** 24th December, 1990, December 24th 1990.
dezent adj discreet.
dezentral adj decentralized.
dezimal adj decimal; **Dezimalbruch** m decimal [fraction]; **Dezimalsystem** nt decimal system.
Dia nt <-s, -s> slide.
Diabetes m <-, -> (MED) diabetes.
Diagnose f <-, -n> diagnosis.
diagonal adj diagonal; **Diagonale** f <-, -n> diagonal.
Diagramm nt <-s, -e> diagram.
Dialekt m <-[e]s, -e> dialect.
dialektisch adj dialectal; (Logik) dialectical.
Dialog m <-[e]s, -e> dialogue; (COMPUT) dialog.
Dialyse f <-, -n> (MED) dialysis.
Diamant m diamond.
Diapositiv nt (FOT) slide, transparency.
Diät f <-, -en> diet; **Diäten** pl (POL) allowance.
dich pron akk von **du** you.
dicht 1. adj dense; (Nebel) thick; (Gewebe) close; (undurchlässig) [water]tight; (fig) concise; **2.** adv: ~ **an/bei** close to; **dichtbevölkert** adj densely [o heavily] populated; **Dichte** f <-, -n> density; thickness; closeness; [water]tightness; (fig) conciseness.
dichten vt (LITER) compose, write; **Dichter(in** f) m <-s, -> poet; (Autor) writer; **dichterisch** adj poetical.
dichthalten irr vi (fam) keep mum.
Dichtung f (TECH) washer; (AUT) gasket; (Gedichte) poetry; (Prosa) [piece of] writing.
dick adj thick; (fett) fat; **durch** ~ **und dünn** through thick and thin; **Dicke** f <-, -n> thickness; fatness; **dickfellig** adj thickskinned; **dickflüssig** adj viscous.
Dickicht nt <-s, -e> thicket.
Dickkopf m mule; **Dickmilch** f soured milk.
die 1. Artikel der; **2.** pron (relativ) that, which; (jemand) who; (demonstrativ) this one; **3.** pl von **der, die, das**.
Dieb(in f) m <-[e]s, -e> thief; **diebisch** adj thieving; (fam) immense; **Diebstahl** m <-[e]s, ⁼e> theft.
Diele f <-, -n> (Brett) board; (Flur) hall, lobby; (Eis~) ice-cream parlour.
dienen vi serve (jdm sb); **Diener(in** f) m <-s, -> servant; **Dienerschaft** f ser-

vants pl.
Dienst m <-[e]s, -e> service; **außer** ~ (Mensch) retired; ~ **haben** be on duty; **der öffentliche** ~ the civil service.
Dienstag m Tuesday; [**am**] ~ on Tuesday; **dienstags** adv on Tuesdays, on a Tuesday.
Dienstgeheimnis nt professional secret; **Dienstgespräch** nt business call; **Dienstgrad** m rank; **diensthabend** adj (Arzt) on duty; **dienstlich** adj official; **Dienstmädchen** nt domestic servant; **Dienstreise** f business trip; **Dienststelle** f office; **Dienstweg** m official channels pl; **Dienstzeit** f office hours pl; (MIL) period of service.
diesbezüglich adj (Frage) on this matter.
diese(r, s) pron this [one].
Diesel 1. m <-s, -> (AUTO) diesel; **2.** nt <-s> (~öl) diesel [oil].
dieselbe pron the same.
diesig adj hazy, misty.
diesjährig adj this year's; **diesmal** adv this time; **diesseits** prep +gen on this side; **Diesseits** nt <-> this life.
Dietrich m picklock.
Differentialgetriebe nt differential gear; **Differentialrechnung** f differential calculus.
differenzieren vt make differences in; **differenziert** complex.
digital adj digital; **Digitaluhr** f digital clock; (Armbanduhr) digital watch.
Diktat nt dictation.
Diktator(in f) m dictator; **diktatorisch** adj dictatorial; **Diktatur** f dictatorship.
diktieren vt dictate.
Dilemma nt <-s, -s o -ta> dilemma.
dilettantisch adj amateurish.
Dimension f dimension.
Ding nt <-[e]s, -e> thing, object; **Dingsbums** nt <-> (fam) thingummybob.
Diode f <-, -n> diode.
Dioxin nt <-s, -e> dioxane.
Diözese f <-, -n> diocese.
Diphtherie f diphtheria.
Diplom nt <-[e]s, -e> diploma, certificate.
Diplomat(in f) m <-en, -en> diplomat; **Diplomatie** f diplomacy; **diplomatisch** adj diplomatic.
Diplomingenieur(in f) m qualified engineer.
dir pron dat von **du** [to] you.
direkt adj direct.
Direktor(in f) m director; (SCH) principal, headmaster/-mistress.
Direktübertragung f live broadcast;

Direktzugriffsspeicher m (COMPUT) random access memory, RAM.
Dirigent(in f) m conductor.
dirigieren vt direct; (MUS) conduct.
Dirne f <-, -n> prostitute.
Diskette f disk, diskette; **Disketten-laufwerk** nt disk drive.
Disko f <-, -s> (fam) disco.
Diskont m <-s, -e> discount; **Dis-kontsatz** m rate of discount.
Diskothek f <-, -en> disco[theque].
Diskrepanz f discrepancy.
diskret adj discreet; **Diskretion** f discretion.
Diskussion f discussion; debate; **zur ~ stehen** be under discussion.
diskutabel adj debatable.
diskutieren vt, vi discuss; debate.
Display nt <-s, -s> display.
Dissertation f dissertation, doctoral thesis.
Distanz f distance.
Distel f <-, -n> thistle.
Disziplin f <-, -en> discipline.
divers adj various.
Dividende f <-, -n> dividend.
dividieren vt divide (durch by).
DM abk von **Deutsche Mark** deutschmark.
DNS abk von **Desoxyribonukleinsäure** DNA.
doch 1. adv: **das ist nicht wahr! – ~ !** that's not true! – yes it is!; **nicht ~ !** oh no!; **er kam ~ noch** he came after all; **2.** conj (aber) but; (trotzdem) all the same.
Docht m <-[e]s, -e> wick.
Dock nt <-s, -s o -e> dock.
Dogge f <-, -n> bulldog.
Dogma nt <-s, -men> dogma; **dog-matisch** adj dogmatic.
Doktor(in f) m doctor; **Doktorand(in** f) m <-en, -en> candidate for a doctorate; **Doktorarbeit** f [doctoral] thesis; **Doktortitel** m doctorate.
Dokument nt document; **Dokumen-tarfilm** m documentary [film]; **doku-mentarisch** adj documentary; **doku-mentieren** vt (auch COMPUT) document.
Dolch m <-[e]s, -e> dagger.
dolmetschen vt, vi interpret; **Dolmet-scher(in** f) m <-s, -> interpreter.
Dolomiten pl Dolomites pl.
Dom m <-[e]s, -e> cathedral.
dominieren 1. vt dominate; **2.** vi predominate.
Dompfaff m bullfinch.
Dompteur m, **Dompteuse** f (Zirkus~) trainer.
Donau f Danube.

Donner m <-s, -> thunder; **donnern** vi thunder.
Donnerstag m Thursday; **[am] ~ on** Thursday; **donnerstags** adv on Thursdays, on a Thursday.
Donnerwetter nt thunderstorm; (fig) dressing-down.
doof adj (fam) daft, stupid.
dopen vt dope; **Doping** nt <-s> doping.
Doppel nt <-s, -> duplicate; (SPORT) doubles sing; **Doppelbeschluß** m (POL) two-track [o twin-track] solution; **Doppelbett** nt double bed; **Doppel-fenster** nt double glazing; **Doppel-gänger(in** f) m <-s, -> double; **Dop-pelpunkt** m colon; **Doppelstecker** m two-way adaptor; **doppelt** adj double; **in ~er Ausführung** in duplicate; **Dop-pelverdiener** pl double-income family, dinkies pl; **Doppelzentner** m 100 kilograms pl; **Doppelzimmer** nt double room.
Dorf nt <-[e]s, "er> village; **Dorfbe-wohner(in** f) m villager.
Dorn 1. m <-[e]s, -en> (BOT) thorn; **2.** m <-[e]s, -e> (Schnallen~) tongue, pin; **dornig** adj thorny; **Dornröschen** nt Sleeping Beauty.
dörren vt dry; **Dörrobst** nt dried fruit.
Dorsch m <-[e]s, -e> cod.
dort adv there; **~ drüben** over there; **dorther** adv from there; **dorthin** adv [to] there; **dortig** adj of that place; **in that town.**
Dose f <-, -n> box; (Blech~) tin, can; **Dosenöffner** m tin [o can] opener.
dösen vi (fam) doze.
Dosis f <-, Dosen> dose.
Dotter m <-s, -> egg yolk.
Dozent(in f) m university lecturer.
Drache m <-n, -n> (Tier) dragon; **Drachen** m <-s, -> (Spielzeug) kite; (SPORT) hang-glider; **Drachenfliegen** nt <-s> hang-gliding; **Drachenflie-ger(in** f) m hang-glider.
Draht m <-[e]s, "e> wire; **auf ~ sein** be on the ball; **Drahtseil** nt cable; **Drahtseilbahn** f cable railway, funicular.
drall adj strapping; (Frau) buxom.
Drama nt <-s, Dramen> drama, play; **Dramatiker(in** f) m <-s, -> dramatist; **dramatisch** adj dramatic.
dran = (fam) daran.
drang pt von dringen.
Drang m <-[e]s, "e> (Trieb) impulse, urge, desire (nach for); (Druck) pressure.
drängeln vt, vi push, jostle.
drängen 1. vt (schieben) push, press; (an-

treiben) urge; **2.** *vi* (*eilig sein*) be urgent; (*Zeit*) press; **auf etw** *akk* ~ press for sth.
drastisch *adj* drastic.
drauf = (*fam*) **darauf**;; **Draufgänger(in** *f*) *m* <**-s, ->** daredevil.
draußen *adv* outside, out-of-doors.
Dreck *m* <**-[e]s>** mud, dirt; **dreckig** *adj* dirty, filthy.
Dreharbeiten *pl* (*CINE*) shooting; **Drehbank** *f, pl* <**e>** lathe; **drehbar** *adj* revolving; **Drehbuch** *nt* (*CINE*) script; **drehen 1.** *vt, vi* turn, rotate; (*Zigaretten*) roll; (*Film*) shoot; **2.** *vr:* **sich** ~ turn; (*handeln von*) be (*um* about); **Drehorgel** *f* barrel organ; **Drehtür** *f* revolving door; **Drehung** *f* (*Rotation*) rotation; (*Um~, Wendung*) turn; **Drehwurm** *m:* **den** ~ **haben/bekommen** (*fam*) be/become dizzy; **Drehzahl** *f* rate of revolutions; **Drehzahlmesser** *m* <**-s, ->** rev[olution] counter.
drei *num* three; **Dreieck** *nt* triangle; **dreieckig** *adj* triangular; **Dreieinigkeit** *f*, **Dreifaltigkeit** *f* Trinity; **dreifach 1.** *adj* threefold; **2.** *adv* three times; **dreihundert** *num* three hundred; **dreijährig** *adj* (*3 Jahre alt*) three-year-old; (*3 Jahre dauernd*) three-year; **Dreikönigsfest** *nt* Epiphany; **dreimal** *adv* three times, thrice.
dreinreden *vi:* **jdm** ~ (*dazwischenreden*) interrupt sb; (*sich einmischen*) interfere with sb.
dreißig *num* thirty.
dreist *adj* bold, audacious; **Dreistigkeit** *f* boldness, audacity.
dreiviertel *num* three-quarters; **Dreiviertelstunde** *f* three-quarters of an hour.
dreizehn *num* thirteen.
dreschen <**drosch, gedroschen**> *vt* thresh.
dressieren *vt* train.
Drillbohrer *m* [light] drill.
Drilling *m* triplet.
drin = (*fam*) **darin**.
dringen <**drang, gedrungen**> *vi* (*Wasser, Licht, Kälte*) penetrate (*durch* through) (*in +akk* into); **auf etw** *akk* ~ insist on sth; **in jdn** ~ entreat sb.
dringend, dringlich *adj* urgent; **Dringlichkeit** *f* urgency.
drinnen *adv* inside, indoors.
dritte(r, s) *adj* third; **die** ~ **Welt** the third world; **der** ~ **Mai** the third of May; **den 3. Mai** Ulm, May 3rd; **Dritte(r)** *mf* third; **Drittel** *nt* <**-s, ->** (*Bruchteil*) third; **drittens** *adv* in the third place, thirdly; **Dritte-Welt-Laden** *m* ≈ OXFAM shop.

droben *adv* above, up there.
Droge *f* <**-, -n>** drug; **drogenabhängig** *adj* addicted to drugs.
Drogerie *f* chemist's shop.
Drogist(in *f*) *m* pharmacist, chemist.
drohen *vi* threaten (*jdm* sb).
dröhnen *vi* (*Motor*) roar; (*Stimme, Musik*) ring, resound.
Drohung *f* threat.
drollig *adj* droll.
drosch *pret von* **dreschen**.
Droschke *f* <**-, -n>** cab.
Drossel *f* <**-, -n>** thrush.
drüben *adv* over there, on the other side.
drüber = (*fam*) **darüber**.
Druck *m* <**-[e]s, -e** *o* PHYS **e>** (*PHYS, Zwang*) pressure; (*TYP: Vorgang*) printing; (*Produkt*) print; (*fig: Belastung*) burden, weight; **Druckbuchstabe** *m* block letter.
Drückeberger(in *f*) *m* <**-s, ->** shirker, dodger.
drücken 1. *vt, vi* (*Knopf, Hand*) press; (*zu eng sein*) pinch; (*fig: Preise*) keep down; (*fig: belasten*) oppress, weigh down; **2.** *vr:* **sich vor etw** *dat* ~ get out of [doing] sth; **jdm etw in die Hand** ~ press sth into sb's hand; **drückend** *adj* oppressive.
Drucker *m* <**-s, ->** (*COMPUT*) printer.
Drücker *m* <**-s, ->** button; (*Tür~*) handle; (*am Gewehr*) trigger.
Druckerei *f* printing works *pl*; (*Betrieb auch*) printer's; (*Druckwesen*) printing.
Druckerschwärze *f* printer's ink.
Druckfehler *m* misprint; **Druckknopf** *m* press stud, snap fastener; **Druckmittel** *nt* leverage; **Drucksache** *f* printed matter; **Druckschrift** *f* block [*o* printed] letters.
drunten *adv* below, down there.
Drüse *f* <**-, -n>** gland.
Dschungel *m* <**-s, ->** jungle.
du *pron in Briefen:* **D** ~ you.
ducken *vt, vr:* **sich** ~ duck; **Duckmäuser** *m* <**-s, ->** yes-man.
Dudelsack *m* bagpipes *pl*.
Duell *nt* <**-s, -e>** duel.
Duett *nt* <**-[e]s, -e>** duet.
Duft *m* <**-[e]s,** **e>** scent, odour; **duften** *vi* smell, be fragrant; **duftig** *adj* (*Stoff, Kleid*) delicate, diaphanous; (*Muster*) fine.
dulden *vt, vi* suffer; (*zulassen*) tolerate; **duldsam** *adj* tolerant.
dumm *adj* stupid; **das wird mir zu** ~ that's just too much; **der/die D** ~ **e sein** be the loser; **dummdreist** *adj* impudent; **dummerweise** *adv* stupidly; **Dummheit** *f* stupidity; (*Tat*) blunder,

stupid mistake; **Dummkopf** m blockhead.

dumpf adj (Ton) hollow, dull; (Luft) close; (Erinnerung, Schmerz) vague.

Düne f <-, -n> dune.

Dung m <-[e]s> dung, manure.

düngen vt manure; **Dünger** m <-s, -> dung, manure; (künstlich) fertilizer.

dunkel adj dark; (Stimme) deep; (Ahnung) vague; (rätselhaft) obscure; (verdächtig) dubious, shady; **im ~n tappen** (fig) grope in the dark.

Dünkel m <-s> self-conceit; **dünkelhaft** adj conceited.

Dunkelheit f darkness; (fig) obscurity; **Dunkelkammer** f (FOT) dark room; **Dunkelziffer** f estimated number of unnotified cases.

dünn adj thin; **dünnflüssig** adj watery, thin; **dünngesät** adj scarce.

Dunst m <-es, ⁺e> vapour; (Wetter) haze.

dünsten vt steam.

dunstig adj vaporous; (Wetter) hazy, misty.

Duplikat nt duplicate.

Dur nt <-, -> (MUS) major.

durch prep + akk through; (Mittel, Ursache) by; (Zeit) during; **den Sommer ~** during the summer; **8 Uhr ~** past 8 o'clock; **~ und ~** completely.

durcharbeiten 1. vt, vi work through; **2.** vr: **sich ~** work one's way through.

durchaus adv completely; (unbedingt) definitely.

durchbeißen irr **1.** vt bite through; **2.** vr: **sich ~** (fig) battle on.

durchblättern vt leaf through.

Durchblick m view; (fig) comprehension; **durchblicken** vi look through; (fam: verstehen) understand (bei etw sth); **etw ~ lassen** (fig) hint at sth.

durchbohren vt bore through, pierce.

durchbrechen irr vt break; (Schranken) break through; (Schallmauer) break; (Gewohnheit) break free from.

durchbrennen irr vi (Draht, Sicherung) burn through; (fam) run away.

durchbringen irr **1.** vt get through; (Geld) squander; **2.** vr: **sich ~** make a living.

Durchbruch m (Öffnung) opening; (von Gefühlen etc) eruption; (der Zähne) cutting; (fig) breakthrough; **zum ~ kommen** break through.

durchdacht adv well thought-out; **durchdenken** irr vt think out.

durchdiskutieren vt talk over, discuss.

durchdrehen 1. vt (Fleisch) mince; **2.** vi (fam) crack up.

durchdringen irr **1.** vi penetrate, get through; **2.** vt penetrate; **mit etw ~** get one's way with sth.

durcheinander adv in a mess, in confusion; (fam: verwirrt) confused; **~ trinken** mix one's drinks; **Durcheinander** nt <-s> (Verwirrung) confusion; (Unordnung) mess; **durcheinanderbringen** irr vt mess up; (verwirren) confuse; **durcheinanderreden** vi talk at the same time.

Durchfahrt f transit; (Verkehr) thoroughfare.

Durchfall m (MED) diarrhoea; **durchfallen** irr vi fall through; (in Prüfung) fail.

durchfragen vr: **sich ~** find one's way by asking.

durchführbar adj feasible, practicable; **durchführen** vt carry out; **Durchführung** f execution, performance.

Durchgang m passage[way]; (bei Produktion, Versuch) run; (SPORT) round; (bei Wahl) ballot; **'~ verboten'** 'no thoroughfare'; **Durchgangslager** nt transit camp; **Durchgangsverkehr** m through traffic.

durchgefroren adj (See) completely frozen; (Mensch) frozen stiff.

durchgehen irr **1.** vt (behandeln) go over; **2.** vi go through; (ausreißen: Pferd) break loose; (Mensch) run away; **mein Temperament ging mit mir durch** my temper got the better of me; **jdm etw ~ lassen** let sb get away with sth; **durchgehend** adj (Zug) through; (Öffnungszeiten) continuous.

durchgreifen irr vi take strong action.

durchhalten irr **1.** vi last out; **2.** vt keep up.

durchhecheln vt (fam) gossip about.

durchkommen irr vi get through; (überleben) pull through.

durchkreuzen vt thwart, frustrate.

durchlassen irr vt (jdn) let through; (Wasser) let in.

Durchlauf[wasser]erhitzer m <-s, -> [hot water] geyser.

durchleben vt live [o go] through, experience.

durchlesen irr vt read through.

durchleuchten vt X-ray.

durchlöchern vt perforate; (mit Löchern) punch holes in; (mit Kugeln) riddle.

durchmachen vt go through; **die Nacht ~** make a night of it.

Durchmarsch m march through.

Durchmesser m <-s, -> diameter.

durchnehmen irr vt go over.

durchnumerieren vt number consecutively.

durchpausen vt trace.

durchqueren vt cross.

Durchreiche f <-, -n> [serving] hatch.

Durchreise f transit; **auf der** ~ passing through; (Güter) in transit.

durchringen irr vr: **sich** ~ reach after a long struggle.

durchrosten vi rust through.

durchs = **durch das**.

Durchsage f <-, -n> intercom/radio announcement.

durchschauen 1. vi look [o see] through; **2.** vt (jdn, Lüge) see through.

durchscheinen irr vi shine through; **durchscheinend** adj translucent.

Durchschlag m (Doppel) carbon copy; (Sieb) strainer; **durchschlagen** irr **1.** vt (entzweischlagen) split [in two]; (sieben) sieve; **2.** vi (zum Vorschein kommen) emerge, come out; **3.** vr: **sich** ~ get by; **durchschlagend** adj resounding.

durchschneiden irr vt cut through.

Durchschnitt m (Mittelwert) average; **über/unter dem** ~ above/below average; **im** ~ on average; **durchschnittlich 1.** adj average; **2.** adv on average; **Durchschnittsgeschwindigkeit** f average speed; **Durchschnittsmensch** m average person, man in the street; **Durchschnittswert** m average.

Durchschrift f copy.

durchsehen irr vt look through.

durchsetzen 1. vt enforce; **2.** vr: **sich** ~ (Erfolg haben) succeed; (sich behaupten) get one's way; **seinen Kopf** ~ get one's own way.

Durchseuchung f (MED) spread of the/ an epidemic (der Bevölkerung through the population).

Durchsicht f looking through, checking; **durchsichtig** adj transparent; **Durchsichtigkeit** f transparence.

durchsickern vi seep through; (fig) leak out.

durchsprechen irr vt talk over.

durchstehen irr vt live through.

durchstöbern vt ransack, search through.

durchstreichen irr vt cross out.

durchsuchen vt search; **Durchsuchung** f search.

durchtrieben adj cunning, wily.

durchwachsen adj (Speck) streaky; (fig: mittelmäßig) so-so.

durchweg adv throughout, completely.

durchzählen 1. vt count; **2.** vi count off.

durchziehen irr **1.** vt (Faden) draw through; **2.** vi pass through.

Durchzug m (Luft) draught; (von Truppen, Vögeln) passage.

dürfen <**durfte, gedurft**> vi be allowed; **darf ich?** may I?; **es darf geraucht werden** you may smoke; **was darf es sein?** what can I for you?; **das darf nicht geschehen** that must not happen; **das** ~ **Sie mir glauben** you can believe me; **es dürfte Ihnen bekannt sein, daß...** as you will probably know...

dürftig adj (ärmlich) needy, poor; (unzulänglich) inadequate.

dürr adj dried-up; (Land) arid; (mager) skinny, gaunt; **Dürre** f <-, -n> aridity; (Zeit) drought; (Magerkeit) skinniness.

Durst m <-[e]s> thirst; ~ **haben** be thirsty; **durstig** adj thirsty.

Dusche f <-, -n> shower; **duschen** vi, vr: **sich** ~ have a shower.

Düse f <-, -n> nozzle; (Flugzeug ~) jet; **düsen** vi (fam) dash; **Düsenantrieb** m jet propulsion; **Düsenflugzeug** nt jet [plane]; **Düsenjäger** m jet fighter.

Dussel m <-s, -> (fam) twit.

düster adj dark; (Gedanken, Zukunft) gloomy; **Düsterkeit** f darkness, gloom; gloominess.

Duty-free-Shop m <-s, -s> duty free shop.

Dutzend nt <-s, -e> dozen; **dutzend[e]mal** adv a dozen times; **dutzendweise** adv by the dozen.

duzen vt, vr: **sich** ~ use the familiar form of address [o 'du'] (jdn to sb, with sb).

DV f <-> abk von **Datenverarbeitung** DP.

Dynamik f (PHYS) dynamics sing; (fig: Schwung) momentum; (von Mensch) dynamism; **dynamisch** adj (auch fig) dynamic.

Dynamit nt <-s> dynamite.

Dynamo m <-s, -s> dynamo.

D-Zug m through train.

E

E, e nt E, e.

Ebbe f <-, -n> low tide.

eben 1. adj level; (glatt) smooth; **2.** adv just; (bestätigend) exactly; ~ **deswegen** just because of that; **ebenbürtig** adj: **jdm** ~ **sein** be sb's peer; **Ebene** f <-, -n> plain; **ebenerdig** adj at ground level; **ebenfalls** adv likewise; **Ebenheit** f levelness; smoothness; **ebenso** adv just as; **ebensogut** adv just as well;

ebensooft *adv* just as often; **ebensoviel** *adv* just as much; **ebensoweit** *adv* just as far; **ebensowenig** *adv* just as little.

Eber *m* <-s, -> boar; **Eberesche** *f* mountain ash, rowan.

ebnen *vt* level.

Echo *nt* <-s, -s> echo.

echt *adj* genuine; (*typisch*) typical; **Echtheit** *f* genuineness; **Echtzeit** *f* (*COMPUT*) real time.

Eckball *m* corner [kick]; **Ecke** *f* <-, -n> corner; (*MATH*) angle; **eckig** *adj* angular; **Eckzahn** *m* eye tooth.

edel *adj* noble; **Edelmetall** *nt* precious metal; **Edelstein** *m* precious stone; (*geschliffen*) gem, jewel.

editieren *vt* (*COMPUT*) edit; **Editor** *m* <-s, -en> (*COMPUT*) editor.

EDV *f* <-> *abk von* **elektronische Datenverarbeitung** EDP; **EDV-Anlage** *f* EDP equipment.

Efeu *m* <-s> ivy.

Effekt *m* <-s, -e> effect; **Effekten** *pl* stocks *pl*; **Effektenbörse** *f* Stock Exchange; **Effekthascherei** *f* sensationalism; **effektiv** *adj* effective.

EG *f* <-> *abk von* **Europäische Gemeinschaft** EEC.

egal *adj* all the same.

Egoismus *m* selfishness, egoism; **Egoist(in** *f*) *m* egoist; **egoistisch** *adj* selfish, egoistic; **egozentrisch** *adj* egocentric, self-centred.

ehe *conj* before.

Ehe *f* <-, -n> marriage; **Ehebrecher(in** *f*) *m* <-s, -> adulterer/adulteress; **Ehebruch** *m* adultery; **Ehefrau** *f* married woman; wife; **Eheleute** *pl* married people *pl*; **ehelich** *adj* matrimonial; (*Kind*) legitimate.

ehemalig *adj* former; **ehemals** *adv* formerly.

Ehemann *m, pl* <-männer> married man; husband; **Ehepaar** *nt* married couple.

eher *adv* (*früher*) sooner; (*lieber*) rather, sooner; (*mehr*) more.

Ehering *m* wedding ring; **Ehescheidung** *f* divorce; **Eheschließung** *f* marriage.

eheste(r, s) *adj* (*früheste*) first, earliest; **am** ~**n** (*liebsten*) soonest; (*meisten*) most; (*wahrscheinlichsten*) most probably.

ehrbar *adj* honourable, respectable; **Ehre** *f* <-, -n> honour; **ehren** *vt* honour; **Ehrengast** *m* guest of honour; **ehrenhaft** *adj* honourable; **Ehrenmann** *m, pl* <-männer> man of honour; **Ehrenmitglied** *nt* honorary member; **Ehren-**

platz *m* place of honour; **Ehrenrechte** *pl* civic rights *pl*; **ehrenrührig** *adj* defamatory; **Ehrenrunde** *f* lap of honour; **Ehrensache** *f* point of honour; **ehrenvoll** *adj* honourable; **Ehrenwort** *nt* word of honour; **ehrerbietig** *adj* respectful; **Ehrfurcht** *f* awe, deep respect; **Ehrgefühl** *nt* sense of honour; **Ehrgeiz** *m* ambition; **ehrgeizig** *adj* ambitious; **ehrlich** *adj* honest; **Ehrlichkeit** *f* honesty; **ehrlos** *adj* dishonourable; **Ehrung** *f* honour[ing]; **ehrwürdig** *adj* venerable.

ei *interj* well, well; (*beschwichtigend*) now now.

Ei *nt* <-[e]s, -er> egg.

Eichamt *nt* Office of Weights and Measures.

Eiche *f* <-, -n> oak [tree]; **Eichel** *f* <-, -n> acorn.

eichen *vt* standardize.

Eichhörnchen *nt* squirrel.

Eichmaß *nt* standard; **Eichung** *f* standardization.

Eid *m* <-[e]s, -e> oath.

Eidechse *f* <-, -n> lizard.

eidesstattlich *adj*: ~**e Erklärung** affidavit; **Eidgenosse** *m*, -**genossin** *f* Swiss; **eidlich** *adj* [sworn] upon oath.

Eidotter *nt* egg yolk; **Eierbecher** *m* egg cup; **Eierkuchen** *m* omelette; pancake; **Eierschale** *f* eggshell; **Eierstock** *m* ovary; **Eieruhr** *f* egg timer.

Eifer *m* <-s> zeal, enthusiasm; **Eifersucht** *f* jealousy; **eifersüchtig** *adj* jealous (*auf + akk of*).

eifrig *adj* zealous, enthusiastic.

Eigelb *nt* <-[e]s, -> egg yolk.

eigen *adj* own; (~ *artig*) peculiar; **mit der/dem ihm** ~**en...** with that... peculiar to him; **sich** *dat* **etw zu** ~ **machen** make sth one's own; **Eigenart** *f* peculiarity; (*Eigenschaft*) characteristic; **eigenartig** *adj* peculiar; **Eigenbedarf** *m* one's own requirements *pl*; **Eigengewicht** *nt* dead weight; **eigenhändig** *adj* with one's own hand; **Eigenheim** *nt* owner-occupied house; **Eigenheit** *f* peculiarity; **Eigenlob** *nt* self-praise; **eigenmächtig** *adj* high-handed; **Eigenname** *m* proper name; **eigens** *adv* expressly, on purpose; **Eigenschaft** *f* quality, property, attribute; **Eigenschaftswort** *nt* adjective; **Eigensinn** *m* obstinacy; **eigensinnig** *adj* obstinate; **eigentlich 1.** *adj* actual, real; **2.** *adv* actually, really; **Eigentor** *nt* own goal; **Eigentum** *nt* property; **Eigentümer(in** *f*) *m* <-s, -> owner, proprietor; **eigentümlich** *adj* peculiar; **Eigen-**

tümlichkeit f peculiarity; **Eigentumswohnung** f owner-occupied flat Brit, condominium US.

eignen vr: sich ~ be suited; **Eignung** f suitability.

Eilbote m courier; **Eilbrief** m express letter; **Eile** f < - > haste; **es hat keine ~** there's no hurry; **eilen** vi (Mensch) hurry; (dringend sein) be urgent; **eilends** adv hastily; **eilfertig** adj eager, solicitous; **Eilgut** nt express goods pl, fast freight US; **eilig** adj hasty, hurried; (dringlich) urgent; **es ~ haben** be in a hurry; **Eilzug** m semi-fast train, limited stop train.

Eimer m <-s, -> bucket, pail.

ein(e) 1. num one; 2. Artikel a, an; 3. adv: **nicht ~ noch aus wissen** not know what to do; **eine(r, s)** pron one; (jemand) someone.

einander pron one another, each other.

einarbeiten vr: sich ~ familiarize oneself (in + akk with).

einarmig adj one-armed.

einatmen vt, vi inhale, breathe in.

einäugig adj one-eyed.

Einbahnstraße f one-way street.

Einband m, pl <-bände> binding, cover.

einbändig adj one-volume.

einbauen vt build in; (Motor) install, fit; **Einbaumöbel** pl built-in furniture.

einberufen irr vt convene; (MIL) call up; **Einberufung** f convocation; call-up.

einbetten vt embed.

Einbettzimmer nt single room.

einbeziehen irr vt include.

einbiegen irr vi turn.

einbilden vt: sich dat etw ~ imagine sth; **Einbildung** f imagination; (Dünkel) conceit; **Einbildungskraft** f imagination.

einbinden irr vt (Buch) bind; (einbeziehen) integrate; **Einbindung** f (fig) integration.

einblenden vt fade in.

Einblick m insight.

einbrechen irr vi (in Haus) break in; (in Land etc) invade (in ein Land a country); (Nacht) fall; (Winter) set in; (durchbrechen) break; **Einbrecher(in** f) m <-s, -> burglar.

einbringen irr 1. vt bring in; (Geld, Vorteil) yield; (Gesetzesantrag) introduce; (mitbringen) contribute; (fig: integrieren) integrate; 2. vr: sich ~ commit oneself; **jdm etw ~** bring sb sth; **das bringt nichts ein** it's not worth it.

Einbruch m (Haus~) break-in, burglary; (Eindringen) invasion; (des Winters)

onset; (Durchbrechen) break; (METEO) approach; (MIL) penetration; **bei ~ der Nacht** at nightfall; **einbruchssicher** adj burglar-proof.

einbürgern 1. vt naturalize; 2. vr: sich ~ become adopted; **das hat sich so eingebürgert** that's become a custom.

Einbuße f loss, forfeiture.

einbüßen vt lose, forfeit.

einchecken vt check in.

eindecken vr: sich ~ lay in stocks (mit of).

eindeutig adj unequivocal.

eindringen irr vt force one's way in (in + akk into); (in Haus) break in (in + akk into); (in Land) invade (in ein Land a country); (Gas, Wasser) penetrate (in etw sth); (mit Bitten) pester (auf jdn sb); **eindringlich** adj forcible, urgent; **Eindringling** m intruder.

Eindruck m, pl <-drücke> impression; **eindrucksvoll** adj impressive.

eineiig adj (Zwillinge) identical.

eineinhalb num one and a half.

einengen vt confine, restrict.

einerlei adj inv (gleichartig) the same kind of; **es ist mir ~** it is all the same to me; **Einerlei** nt <-s> sameness; **einerseits** adv on one hand.

einfach 1. adj (nicht kompliziert) simple; (Mensch) ordinary; (Essen) plain; (nicht mehrfach) single; 2. adv simply; (nicht mehrfach) once; **~e Fahrkarte** one-way ticket, single ticket Brit; **Einfachheit** f simplicity.

einfädeln vt (Nadel) thread; (fig) contrive.

einfahren irr 1. vt bring in; (Barriere) knock down; (Auto) run in; 2. vi drive in; (Zug) pull in; (MIN) go down; **Einfahrt** f (Vorgang) driving in; pulling in; (MIN) descent; (Ort) entrance.

Einfall m (Idee) idea, notion; (Licht~) incidence; (MIL) raid; **einfallen** irr vi (Licht) fall; (MIL) raid; (einstimmen) join in (in + akk with); (einstürzen) fall in, collapse; **etw fällt jdm ein** sth occurs to sb; **das fällt mir gar nicht ein** I wouldn't dream of it; **sich dat etw ~ lassen** have a good idea.

einfältig adj simple[-minded].

Einfamilienhaus nt detached house.

einfangen irr vt catch.

einfarbig adj all one colour; (Stoff etc) self-coloured.

einfassen vt set; (Stoff) edge, border; **Einfassung** f setting.

einfetten vt grease.

einfinden irr vr: sich ~ come, turn up.

einfliegen irr vt fly in.

einfließen irr vi flow in.

einflößen vt: jdm etw ~ give sb sth; (fig) instil sth in sb.

Einfluß m influence; **Einflußbereich** m sphere of influence; **einflußreich** adj influential.

einförmig adj uniform; **Einförmigkeit** f uniformity.

einfrieren irr vt, vi freeze.

einfügen vt fit in; (zusätzlich) add; (COMPUT) insert.

Einfuhr f <-> import; **Einfuhrartikel** m imported article.

einführen vt bring in; (Mensch, Sitten) introduce; (Ware) import; **Einführung** f introduction; **Einführungspreis** m introductory price.

Eingabe f petition; (Daten~) input; **Eingabetaste** f return [o enter] key.

Eingang m entrance; (COM: Ankunft) arrival; (Sendung) post; **eingangs** adv, prep + gen at the outset [of]; **Eingangsbestätigung** f acknowledgement of receipt; **Eingangshalle** f entrance hall.

eingeben irr vt (Arznei) give; (Daten etc) enter, key in; (Gedanken) inspire.

eingebildet adj imaginary; (eitel) conceited.

Eingeborene(r) mf native.

Eingebung f inspiration.

eingedenk prep + gen bearing in mind.

eingefallen adj (Gesicht) gaunt.

eingefleischt adj inveterate; ~er Junggeselle confirmed bachelor.

eingehen irr 1. vi (Aufnahme finden) come in; (verständlich sein) be comprehensible (jdm to sb); (Sendung, Geld) be received; (Tier) die; (Firma) fold; (schrumpfen) shrink; 2. vt enter into; (Wette) make; **auf etw** akk ~ go into sth; **auf jdn** ~ respond to sb; **eingehend** adj exhaustive, thorough.

Eingemachte(s) nt bottled fruit and vegetables pl; (Marmelade) preserves pl; **ans** ~ **gehen** make inroads into one's reserves.

eingemeinden vt incorporate.

eingenommen adj fond (von of), partial (von to sb); (gegen) prejudiced.

eingeschrieben adj registered.

eingespielt adj: **aufeinander** ~ **sein** be in tune with each other.

Einverständnis nt admission, confession.

eingestehen irr vt confess.

eingetragen adj (COM) registered.

Eingeweide pl innards pl.

Eingeweihte(r) mf initiate.

eingewöhnen vt accustom.

eingießen irr vt pour [out].

eingleisig adj single-track.

eingraben irr 1. vt dig in; 2. vr: **sich** ~ dig oneself in.

eingreifen irr vi intervene, interfere; (Zahnrad) mesh; **Eingriff** m intervention, interference; (Operation) operation.

einhaken 1. vt hook in; 2. vr: **sich bei jdm** ~ link arms with sb; 3. vi (sich einmischen) intervene.

Einhalt m: ~ **gebieten** + dat put a stop to; **einhalten** irr 1. vt (Regel) keep; 2. vi stop.

einhändig adj one-handed.

einhängen vt hang; (Telefon) hang up; **sich bei jdm** ~ link arms with sb.

einheimisch adj native.

Einheit f unity; (Maß, MIL) unit; **einheitlich** adj uniform; **Einheitspreis** m standard price.

einhellig adj, adv unanimous.

einholen 1. vt (Tau) haul in; (Fahne, Segel) lower; (Vorsprung aufholen) catch up with; (Verspätung) make up; (Rat, Erlaubnis) ask; 2. vi (einkaufen) buy, shop.

Einhorn nt unicorn.

einhundert num one hundred.

einig adj (vereint) united; **sich** dat ~ **sein** be in agreement; ~ **werden** agree.

einige pron pl some; (mehrere) several; **einige(r, s)** adj some; **einigemal** adv a few times.

einigen 1. vt unite; 2. vr: **sich** ~ agree (auf + akk on).

einigermaßen adv somewhat; (leidlich) reasonably.

einiges pron something; (ziemlich viel) quite some, quite a bit.

Einigkeit f unity; (Übereinstimmung) agreement; **Einigung** f agreement; (Ver~) einigung) unification.

einjährig adj (1 Jahr alt) one-year-old; (1 Jahr dauernd) one-year; (Pflanze) annual.

einkalkulieren vt take into account, allow for.

Einkauf m purchase; **einkaufen** 1. vt buy; 2. vi go shopping; **Einkaufsbummel** m shopping spree; **Einkaufsnetz** nt string bag; **Einkaufspreis** m cost price; **Einkaufswagen** m [shopping] trolley; **Einkaufszentrum** nt shopping centre.

einkerben vt notch.

einklammern vt put in brackets, bracket.

Einklang m harmony.

einkleiden vt clothe; (fig) express.

einklemmen vt jam.

einknicken 1. vt bend in; (Papier) fold; 2. vi give way.

einkochen vt boil down; (Obst) preserve

bottle.

Einkommen nt <-s, -> income; **Einkommensteuer** f income tax.

einkreisen vt encircle.

Einkünfte pl income, revenue.

einladen irr vt (jdn) invite; (Gegenstände) load; **jdn ins Kino ~** take sb to the cinema; **Einladung** f invitation.

Einlage f (Programm~) interlude; (Spar~) deposit; (Schuh~) insole; (Fußstütze) support; (Zahn~) temporary filling; (GASTR) noodles pl in soup.

einlagern vt store.

Einlaß m <-sses, -lässe> admission.

einlassen irr 1. vt let in; (einsetzen) set in; 2. vr: **sich ~ mit jdm/auf etw akk ~** get involved with sb/sth.

Einlauf m arrival; (von Pferden) finish; (MED) enema; **einlaufen** irr 1. vi arrive, come in; (in Hafen) enter; (SPORT) finish; (Wasser) run in; (Stoff) shrink; 2. vt (Schuhe) break in; 3. vr: **sich ~** (SPORT) warm up; (Motor, Maschine) run in; **jdm das Haus ~** invade sb's house.

einleben vr: sich ~ settle down.

Einlegearbeit f inlay; **einlegen** vt (einfügen: Blatt, Sohle) insert; (GASTR) pickle; (in Holz etc) inlay; (Pause) have; (Protest) make; (Veto) use; (Berufung) lodge; **ein gutes Wort bei jdm ~** put in a good word for sb; **Einlegesohle** f insole.

einleiten vt introduce, start; (Geburt) induce; **Einleitung** f introduction; induction.

einleuchten vi be clear [o evident] (jdm to sb); **einleuchtend** adj clear.

einliefern vt take (in + akk into).

einlösen vt (Scheck) cash; (Schuldschein, Pfand) redeem; (Versprechen) keep.

einmachen vt preserve.

einmal adv (früher) once; (erstens) first; (in Zukunft) some day; **nehmen wir ~ an** just let's suppose; **noch ~** once more; **nicht ~** not even; **auf ~** all at once; **es war ~** once upon a time there was/were; **Einmaleins** nt multiplication tables pl; **einmalig** adj unique; (einmal geschehend) single; (prima) fantastic.

Einmannbetrieb m one-man business; **Einmannbus** m one-man-operated bus.

Einmarsch m entry; (MIL) invasion; **einmarschieren** vi march in.

einmischen vr: sich ~ interfere (in + akk with).

einmünden vi run (in + akk into), join (in etw akk sth).

einmütig adj unanimous.

Einnahme f <-, -n> (Geld) takings pl; (von Medizin) taking; (MIL) capture, tak-

ing; **Einnahmequelle** f source of income.

einnehmen irr vt take; (Stellung, Raum) take up; **~ für/gegen** persuade in favour of/against; **einnehmend** adj charming.

einnicken vi nod off.

einnisten vr: sich ~ nest; (fig) settle oneself.

Einöde f desert, wilderness.

einordnen 1. vt arrange, fit in; 2. vr: sich ~ adapt; (AUT) get into lane.

einpacken vt pack [up].

einparken vt park.

einpendeln vr: sich ~ even out.

einpferchen vt pen in, coop up.

einpflanzen vt plant; (MED) implant.

einplanen vt plan for.

einprägen vt impress, imprint; (beibringen) impress (jdm on sb); **sich dat etw ~** memorize sth; **einprägsam** adj easy to remember; (Melodie) catchy.

einrahmen vt frame.

einrasten vi engage.

einräumen vt (ordnend) put away; (überlassen: Platz) give up; (zugestehen) admit, concede.

einrechnen vt include; (berücksichtigen) take into account.

einreden vt: **jdm/sich etw ~** talk sb/oneself into believing sth.

einreiben irr vt rub in.

einreichen vt hand in; (Antrag) submit.

Einreise f entry; **Einreisebestimmungen** pl entry regulations pl; entry permit; **einreisen** vi enter (in ein Land a country).

einreißen irr 1. vt (Papier) tear; (Gebäude) pull down; 2. vi tear; (Gewohnheit werden) catch on.

einrichten 1. vt (Haus) furnish; (schaffen) establish, set up; (arrangieren) arrange; (möglich machen) manage; 2. vr: sich ~ (in Haus) furnish one's house; (sich vorbereiten) prepare oneself (auf + akk for); (sich anpassen) adapt (auf + akk to); **Einrichtung** f (Wohnungs~) furnishings pl; (öffentliche Anstalt) organization; (Dienste) service.

einrosten vi get rusty.

einrücken 1. vi (Soldat) join up; (in Land) move in; 2. vt (Anzeige) insert; (Zeile) indent.

eins num one; **es ist mir alles ~** it's all one to me.

einsalzen vt salt.

einsam adj lonely, solitary; **Einsamkeit** f loneliness, solitude.

einsammeln vt collect.

Einsatz m (Teil) inset; (an Kleid) insertion; (Tisch) leaf; (Verwendung) use, em-

ployment; (*Spiel~*) stake; (*Risiko*) risk;
(*MIL*) operation; (*MUS*) entry; **im ~ in
action**; **einsatzbereit** *adj* ready for action.
einschalten 1. *vt* (*einfügen*) insert;
(*Pause*) make; (*ELEC*) switch on; (*AUT*:
Gang) engage; (*Anwalt*) bring in; 2. *vr*:
sich ~ (*dazwischentreten*) intervene.
einschärfen *vt* impress (*jdm etw* sth on
sb).
einschätzen 1. *vt* estimate, assess; 2. *vr*:
sich ~ rate oneself.
einschenken *vt* pour out.
einschicken *vt* send in.
einschieben *irr vt* push in; (*zusätzlich*)
insert.
einschiffen 1. *vt* take on board; 2. *vr*:
sich ~ embark, go on board.
einschlafen *irr vi* fall asleep, go to sleep;
einschläfernd *adj* (*MED*) soporific;
(*langweilig*) boring; (*Stimme*) lulling.
Einschlag *m* impact; (*AUT*) lock; (*fig*:
Beimischung) touch, hint; **einschlagen**
irr 1. *vt* knock in; (*Fenster*) smash, break;
(*Zähne, Schädel*) smash in; (*Steuer*)
turn; (*kürzer machen*) take up; (*Ware*)
pack, wrap up; (*Weg, Richtung*) take; 2.
vi hit (*in etw akk* sth) (*auf jdn* sb); (*sich
einigen*) agree; (*Anklang finden*) work,
succeed.
einschlägig *adj* relevant.
einschleichen *irr vr*: **sich ~** (*in Haus,
Fehler*) creep in, steal in; (*in Vertrauen*)
worm one's way in.
einschließen *irr* 1. *vt* (*jdn*) lock in;
(*Häftling*) lock up; (*Gegenstand*) lock
away; (*Bergleute*) cut off; (*umgeben*) surround; (*MIL*) encircle; (*fig*) include, comprise; 2. *vr*: **sich ~** lock oneself in; **einschließlich** 1. *adv* inclusive; 2. *prep*
+*gen* inclusive of, including.
einschmeicheln *vr*: **sich ~** ingratiate
oneself (*bei* with).
einschnappen *vi* (*Tür*) click to; (*fig*) be
touchy; **eingeschnappt sein** be in a huff.
einschneidend *adj* incisive.
Einschnitt *m* cutting; (*MED*) incision;
(*Ereignis*) incident.
einschränken 1. *vt* limit, restrict;
(*Kosten*) cut down, reduce; 2. *vr*: **sich ~**
cut down [on expenditure]; **einschränkend** *adj* restrictive; **Einschränkung** *f*
restriction, limitation; reduction; (*von Behauptung*) qualification.
Einschreib[e]brief *m* recorded delivery
letter; **einschreiben** *irr* 1. *vt* write in;
(*Post*) send recorded delivery; 2. *vr*: **sich
~** register; (*SCH*) enrol; **Einschreiben**
nt recorded delivery letter; **Einschreib[e]sendung** *f* recorded delivery

packet.
einschreiten *irr vi* step in, intervene; ~
gegen take action against.
Einschub *m* <-s, ⸚e> insertion.
einschüchtern *vt* intimidate.
einschweißen *vt* (*in Plastik*) shrinkwrap.
einsehen *irr vt* (*Akten*) have a look at;
(*verstehen*) see; (*Fehler*) recognize; **das
sehe ich nicht ein** I don't see why; **Einsehen** *nt* <-s> understanding; **ein ~
haben** show understanding.
einseifen *vt* soap, lather; (*fig*) take in,
cheat.
einseitig *adj* one-sided; **Einseitigkeit** *f*
one-sidedness.
einsenden *irr* *vt* send in; **Einsender(in**
f) *m* sender, contributor; **Einsendung** *f*
sending in.
einsetzen 1. *vt* put [in]; (*in Amt*) appoint,
install; (*Geld*) stake; (*verwenden*) use;
(*MIL*) employ; 2. *vi* (*beginnen*) set in;
(*MUS*) enter, come in; 3. *vr*: **sich ~** work
hard; **sich für jdn/etw ~** support sb/sth.
Einsicht *f* insight; (*in Akten*) look, inspection; **zu der ~ kommen, daß...** come to
the conclusion that...; **einsichtig** *adj*
(*Mensch*) reasonable; (*verständnisvoll*)
understanding; (*verständlich*) understandable; **Einsichtnahme** *f* <-, -n>
examination.
Einsiedler(in *f*) *m* hermit.
einsilbig *adj* (*auch fig*) monosyllabic;
Einsilbigkeit *f* (*fig*) taciturnity.
einsinken *irr vi* sink in.
Einsitzer *m* <-s, -> single-seater.
einspannen *vt* put in, insert; (*Pferde*)
harness; (*fam*: *jdn*) rope in.
einspeisen *vt* (*Strom*) feed in; (*Daten,
Programm*) enter.
einsperren *vt* lock up.
einspielen 1. *vr*: **sich ~** (*SPORT*) warm
up; (*Regelung*) work out; 2. *vt* (*Film,
Geld*) bring in; (*Instrument*) play in; **sich
aufeinander ~** become attuned to each
other; **gut eingespielt** smoothly running.
einspringen *irr vi* (*aushelfen*) help out,
step into the breach.
einspritzen *vt* inject; **Einspritzmotor**
m fuel-injection engine.
Einspruch *m* protest, objection; **Ein-
spruchsrecht** *nt* veto.
einspurig *adj* single-line.
einst *adv* once; (*zukünftig*) one [*o* some]
day.
Einstand *m* (*TENNIS*) deuce; (*Antritt*) en
trance [to office].
einstecken *vt* stick in, insert; (*Brief*)
post; (*ELEC*: *Stecker*) plug in; (*Geld*)
pocket; (*mitnehmen*) take; (*überlege*

sein) put in the shade; (*hinnehmen*) swallow.

einstehen *irr vi* guarantee (*für jdn/etw* sb/sth); (*verantworten*) answer (*für* for).

Einsteigekarte *f* (AVIAT) boarding pass, boarding card; **einsteigen** *irr vi* get in [*o* on]; (*in Schiff*) go on board; (*sich beteiligen*) come in; (*hineinklettern*) climb in.

einstellbar *adj* adjustable; **einstellen** **1.** *vt*, *vi* (*aufhören*) stop; (*Geräte*) adjust; (*Kamera*) focus; (*Sender, Radio*) tune in; (*unterstellen*) put; (*in Firma*) employ, take on; **2.** *vr:* **sich** ~ (*anfangen*) set in; (*kommen*) arrive; **sich auf jdn/etw** ~ adapt to sb/prepare oneself for sth; **Einstellung** *f* (*Aufhören*) suspension, cessation; (*von Gerät*) adjustment; (*von Kamera*) focusing; (*von Arbeiter etc*) appointment; (*Haltung*) attitude.

Einstieg *f* < -[e]s, -e> entry; (*fig*) approach.

einstig *adj* former.

einstimmen 1. *vi* join in; **2.** *vt* (MUS) tune; (*in Stimmung bringen*) put in the mood.

einstimmig *adj* unanimous; (MUS) for one voice; **Einstimmigkeit** *f* unanimity.

einstmalig *adj* former; **einstmals** *adv* once, formerly.

einstöckig *adj* single-storeyed.

einstudieren *vt* study, rehearse.

einstündig *adj* one-hour.

einstürmen *vi:* **auf jdn** ~ rush at sb; (*Eindrücke*) overwhelm sb.

Einsturz *m* collapse; **Einsturzgefahr** *f* danger of collapse; **einstürzen** *vi* fall in, collapse.

einstweilen *adv* meanwhile; (*vorläufig*) temporarily, for the time being; **einstweilig** *adj* temporary.

eintägig *adj* one-day.

eintauchen 1. *vt* immerse, dip in; **2.** *vi* dive.

eintauschen *vt* exchange.

eintausend *num* one thousand.

einteilen *vt* (*in Teile*) divide [up]; (*Menschen*) assign.

einteilig *adj* one-piece.

eintönig *adj* monotonous; **Eintönigkeit** *f* monotony.

Eintopf *m* (*auch:* ~ gericht) stew.

Eintracht *f* <-> concord, harmony; **einträchtig** *adj* harmonious.

Eintrag *m* < -[e]s, ¨e> entry; **amtlicher** ~ entry in the register; **eintragen** *irr* **1.** *vt* (*in Buch*) enter; (*Profit*) yield; **2.** *vr:* **sich** ~ put one's name down; **jdm etw** ~ bring sb sth; **einträglich** *adj* profit-

able.

eintreffen *irr vi* happen; (*ankommen*) arrive.

eintreten *irr* **1.** *vi* occur; (*hineingehen*) enter (*in etw akk* sth); (*sich einsetzen*) intercede; (*in Club, Partei*) join (*in etw akk* sth); (*in Stadium etc*) enter; **2.** *vt* (*Tür*) kick open.

Eintritt *m* (*Betreten*) entrance; (*Anfang*) commencement; (*in Club etc*) joining; **Eintrittsgeld** *nt*, **Eintrittspreis** *m* charge for admission; **Eintrittskarte** *f* [admission] ticket.

eintrocknen *vi* dry up.

einüben *vt* practise, drill.

einundzwanzig *num* twenty-one.

einverleiben *vt* incorporate; (*Gebiet*) annex; **sich** *dat* **etw** ~ (*fig: geistig*) acquire sth.

Einvernehmen *nt* <-s, -> agreement, understanding.

einverstanden 1. *interj* agreed; **2.** *adj:* ~ **sein** agree, be agreed; **Einverständnis** *nt* understanding; (*gleiche Meinung*) agreement.

Einwand *m* < -[e]s, ¨e> objection.

Einwanderer *m* **Einwand[r]erin** *f* immigrant; **einwandern** *vi* immigrate; **Einwanderung** *f* immigration.

einwandfrei *adj* perfect.

einwärts *adv* inwards.

einwecken *vt* bottle, preserve.

Einwegflasche *f* no-deposit bottle.

einweichen *vt* soak.

einweihen *vt* (*Kirche*) consecrate; (*Brücke*) open; (*Gebäude*) inaugurate; (*jdn*) initiate (*in* + *akk* into); **Einweihung** *f* consecration; opening; inauguration; initiation.

einweisen *irr vt* (*in Amt*) install; (*in Arbeit*) introduce; (*in Anstalt*) send; **Einweisung** *f* installation; introduction; sending.

einwenden *irr vt* object, oppose (*gegen* to).

einwerfen *irr vt* throw in; (*Brief*) post; (*Geld*) put in, insert; (*Fenster*) smash; (*äußern*) interpose.

einwickeln *vt* wrap up; (*fig fam*) outsmart.

einwilligen *vi* consent, agree (*in* + *akk* to); **Einwilligung** *f* consent.

einwirken *vi:* **auf jdn/etw** ~ influence sb/sth.

Einwohner(in *f*) *m* <-s, -> inhabitant; **Einwohnermeldeamt** *nt* registration office; **Einwohnerschaft** *f* population, inhabitants *pl*.

Einwurf *m* (*Öffnung*) slot; (*Einwand*) objection; (SPORT) throw-in.

Einzahl *f* singular.

einzahlen *vt* pay in; **Einzahlung** *f* paying in.

einzäunen *vt* fence in.

einzeichnen *vt* draw in.

Einzel 1. *nt* <-s, -> (TENNIS) singles sing; **2.** in Zusammensetzungen individual; single; **Einzelbett** *nt* single bed; **Einzelfall** *m* single instance, individual case; **Einzelhaft** *f* solitary confinement; **Einzelheit** *f* particular, detail; **einzeln 1.** adj single; (vereinzelt) the odd: **2.** adv singly; ~ **angeben** specify; **der/die** ~ **e** the individual; **das** ~ **e** the particular; **ins** ~ **e gehen** go into detail[s]; **Einzelteil** *nt* component [part]; **Einzelzimmer** *nt* single room.

einziehen *irr* **1.** *vt* draw in, take in; (Kopf) duck; (Fühler, Antenne, Fahrgestell) retract; (Steuern, Erkundigungen) collect; (MIL) draft, call up; (aus dem Verkehr ziehen) withdraw; (konfiszieren) confiscate; **2.** *vi* move in[to]; (Friede, Ruhe) come; (Flüssigkeit) penetrate.

einzig adj only; (ohnegleichen) unique; **das** ~ **e** the only thing; **der/die** ~ **e** the only one; **einzigartig** adj unique.

Einzug *m* entry, moving in.

Eis *n* <-es, -> ice; (Speise~) ice cream; **Eisbahn** *f* ice [o skating] rink; **Eisbär** *m* polar bear; **Eisbecher** *m* sundae; **Eisbein** *nt* pig's trotters *pl*; **Eisberg** *m* iceberg; **Eisblumen** *pl* ice fern; **Eisdecke** *f* sheet of ice; **Eisdiele** *f* ice-cream parlour.

Eisen *nt* <-s, -> iron.

Eisenbahn *f* railway, railroad US; **Eisenbahner** *m* <-s, -> railwayman, railway employee, railroader US; **Eisenbahnschaffner(in** *f)* *m* railway guard; **Eisenbahnübergang** *m* level crossing, grade crossing US; **Eisenbahnwagen** *m* railway carriage.

Eisenerz *nt* iron ore; **eisenhaltig** adj containing iron.

eisern adj iron; (Gesundheit) robust; (Energie) unrelenting; (Reserve) emergency.

eisfrei adj clear of ice; **Eishockey** *nt* ice hockey; **eisig** adj icy; **eiskalt** adj icy cold; **Eiskunstlauf** *m* figure skating; **Eislaufen** *nt* ice skating; **Eisläufer(in** *f)* *m* ice-skater; **Eispickel** *m* ice-axe; **Eisschießen** *nt* curling; **Eisschrank** *m* fridge, ice-box US; **Eiszapfen** *m* icicle; **Eiszeit** *f* ice age.

eitel adj vain; **Eitelkeit** *f* vanity.

Eiter *m* <-s> pus; **eiterig** adj suppurating; **eitern** *vi* suppurate.

Eiweiß *nt* <-es, -e> white of an egg;

Eizelle *f* ovum.

Ekel 1. *m* <-s> nausea, disgust; **2.** *nt* <-s, -> (fam: Mensch) nauseating person; **ekelerregend**, **ekelhaft**, **ek[e]lig** adj nauseating, disgusting; **ekeln 1.** *vt* disgust; **2.** *vr*: **sich** ~ loathe, be disgusted (vor + dat at); **es ekelt jdn** [o jdm] sb is disgusted.

Ekstase *f* <-, -n> ecstasy.

Ekzem *nt* <-s, -e> (MED) eczema.

Elan *m* <-s> zest, vigour.

elastisch adj elastic; **Elastizität** *f* elasticity.

Elch *m* <-[e]s, -e> elk.

Elefant *m* elephant.

elegant adj elegant; **Eleganz** *f* elegance.

Elektrifizierung *f* electrification; **Elektriker(in** *f)* *m* <-s, -> electrician; **elektrisch** adj electric; **elektrisieren 1.** *vt* (auch fig) electrify; (jdn) give an electric shock to; **2.** *vr*: **sich** ~ get an electric shock; **Elektrizität** *f* electricity; **Elektrizitätswerk** *nt* [electric] power station.

Elektrode *f* <-, -n> electrode; **Elektroherd** *m* electric cooker; **Elektrolyse** *f* <-, -n> electrolysis; **Elektron** *nt* <-s, -en> electron; **Elektronen[ge]hirn** *nt* electronic brain; **Elektronenmikroskop** *nt* electron microscope; **Elektronenrechner** *m* computer; **elektronisch** adj electronic; **Elektrorasierer** *m* <-s, -> electric razor.

Element *nt* <-s, -e> element; (ELEC) cell, battery; **elementar** adj elementary; (naturhaft) elemental.

elend adj miserable; **Elend** *nt* <-[e]s> misery; **elendiglich** adv miserably; **Elendsviertel** *nt* slum.

elf num eleven; **Elf** *f* <-, -en> (SPORT) eleven.

Elfe *f* <-, -n> elf.

Elfenbein *nt* ivory.

Elfmeter *m* (SPORT) penalty [kick].

eliminieren *vt* eliminate.

Elite *f* <-, -n> elite.

Elixier *nt* <-s, -e> elixir.

Elle *f* <-, -n> ell; (Maß) yard; **Ell[en]bogen** *m* elbow.

Ellipse *f* <-, -n> ellipse.

Elster *f* <-, -n> magpie.

elterlich adj parental; **Eltern** *pl* parents *pl*; **Elternhaus** *nt* home; **elternlos** adj parentless.

Email *nt* <-s, -s> enamel; **emaillieren** *vt* enamel.

Emanze *f* <-, -n> (fam) women's libber

Emanzipation *f* emancipation.

emanzipieren *vt* emancipate.

Embryo m < -s, -s o -nen> embryo.
Emigrant(in f) m emigrant; **Emigration** f emigration; **emigrieren** vi emigrate.
empfahl pt von **empfehlen**.
empfand pt von **empfinden**.
Empfang m < -[e]s, ⸚e> reception; (Erhalten) receipt; **in ~ nehmen** receive; **empfangen** <empfing, empfangen> 1. vt receive; 2. vi (schwanger werden) conceive; **Empfänger(in** f) m < -s, -> receiver; (COM) addressee, consignee; **empfänglich** adj receptive, susceptible; **Empfängnis** f conception; **Empfängnisverhütung** f contraception; **Empfangsbestätigung** f acknowledgement; **Empfangsdame** f receptionist; **Empfangsschein** m receipt.
empfehlen <empfahl, empfohlen> 1. vt recommend; 2. vr: **sich ~** take one's leave; **empfehlenswert** adj recommendable; **Empfehlung** f recommendation; **Empfehlungsschreiben** nt letter of recommendation.
empfinden <empfand, empfunden> vt feel; **empfindlich** adj sensitive; (Stelle) sore; (reizbar) touchy; **Empfindlichkeit** f sensitiveness; (Reizbarkeit) touchiness; **empfindsam** adj sentimental; **Empfindung** f feeling, sentiment; **empfindungslos** adj unfeeling, insensitive.
empfing pt von **empfangen**.
empfohlen pp von **empfehlen**.
empfunden pp von **empfinden**.
empor adv up, upward.
empören 1. vt make indignant; shock; 2. vr: **sich ~** become indignant; **empörend** adj outrageous.
emporkommen irr vi rise; succeed; **Emporkömmling** m upstart, parvenu.
Empörung f indignation.
emsig adj diligent, busy.
End- in Zusammensetzungen final; **Endauswertung** f final analysis; **Endbahnhof** m terminus; **Ende** nt < -s, -n > end; **am ~** at the end; (schließlich) in the end; **am ~ sein** be at the end of one's tether; ~ **Dezember** at the end of December; **zu ~ sein** be finished; **enden** vi end; **Endgerät** nt (COMPUT) terminal [equipment]; **endgültig** adj final, definite.
Endivie f endive.
Endlager nt final depot, permanent storage depot; **endlagern** vt put into permanent storage; **Endlagerung** f permanent [o final] storage.
endlich 1. adj final; (MATH) finite; 2.

adv finally; ~ **!** at last!
endlos adj endless, infinite; **Endlospapier** nt (COMPUT) continuous form [o stationary]; **Endspiel** nt final[s]; **Endspurt** m (SPORT) final spurt; **Endstation** f terminus.
Endung f ending.
Energie f energy; **energielos** adj lacking in energy, weak; **Energiewirtschaft** f energy industry.
energisch adj energetic.
eng adj narrow; (Kleidung) tight; (fig: Horizont auch) limited; (Freundschaft, Verhältnis) close; ~ **an etw** dat close to sth; **etw ~ sehen** (fam) see sth narrowly.
Engagement nt < -s, -s > engagement; (Verpflichtung) commitment.
engagieren 1. vt engage; 2. vr: **sich ~** commit oneself; **ein engagierter Schriftsteller** a committed writer.
Enge f < -, -n > narrowness; (Land~) defile; (Meer~) straits pl; **jdn in die ~ treiben** drive sb into a corner.
Engel m < -s, -> angel; **engelhaft** adj angelic; **Engelmacher(in** f) m < -s, -> (fam) backstreet abortionist.
engherzig adj petty.
England nt England; **in ~** in England; **nach ~ fahren** go to England; **Engländer(in** f) m < -s, -> Englishman/-woman; **die ~** pl the English pl; **englisch** adj English; ~ **sprechen** speak English; **Englisch** nt English; ~ **lernen** learn English; **ins ~e übersetzen** translate into English.
Engpaß m defile, pass; (Verkehr, fig) bottleneck.
en gros adv wholesale.
engstirnig adj narrow-minded.
Enkel(in f) m < -s, -> grandson/-daughter; **Enkelkind** nt grandchild.
en masse adv en masse.
enorm adj enormous.
Ensemble nt < -s, -s > company, ensemble.
entarten vi degenerate.
entbehren vt do without, dispense with; **entbehrlich** adj superfluous; **Entbehrung** f privation.
entbinden irr 1. vt release (gen from); (MED) deliver; 2. vi (MED) give birth; **Entbindung** f release; (MED) confinement; **Entbindungsheim** nt maternity hospital.
entblößen vt denude, uncover; (berauben) deprive (gen of).
entdecken vt discover; **jdm etw ~** disclose sth to sb; **Entdecker(in** f) m < -s, -> discoverer; **Entdeckung** f discovery.

Ente f <-, -n> duck; (*fig*) canard, false report.

entehren vt dishonour, disgrace.

enteignen vt expropriate; (*Besitzer*) dispossess.

enteisen vt de-ice, defrost.

enterben vt disinherit.

entfachen vt kindle.

entfallen irr vi drop, fall; (*wegfallen*) be dropped; **jdm** ~ (*vergessen*) slip sb's memory; **auf jdn** ~ be allotted to sb.

entfalten 1. vt unfold; (*Talente*) develop; **2.** vr: **sich** ~ open; (*Mensch*) develop one's potential.

entfernen 1. vt remove; (*hinauswerfen*) expel; **2.** vr: **sich** ~ go away, retire, withdraw; **entfernt** adj distant; **weit davon** ~ **sein, etw zu tun** be far from doing sth; **Entfernung** f distance; (*Wegschaffen*) removal; **Entfernungsmesser** m <-s, -> (*FOT*) rangefinder.

entfesseln vt (*fig*) arouse.

entfetten vt take the fat from.

entfremden vt estrange, alienate; **Entfremdung** f alienation, estrangement.

entfrosten vt defrost; **Entfroster** m <-s, -> (*AUT*) defroster.

entführen vt carry off, abduct; kidnap; **Entführer(in** f) m kidnapper; **Entführung** f abduction; kidnapping.

entgegen 1. prep + dat contrary to, against; **2.** adv towards; **entgegenbringen** irr vt bring; (*fig*) show (*jdm etw* sb sth); **entgegengehen** irr vi + dat go to meet, go towards; **entgegengesetzt** adj opposite; (*widersprechend*) opposed; **entgegenhalten** irr vt (*fig*) object; **entgegenkommen** irr vi approach; meet (*jdm* sb); (*fig*) accommodate (*jdm* sb); **Entgegenkommen** nt obligingness; **entgegenkommend** adj obliging; **entgegennehmen** irr vt receive, accept; **entgegensehen** irr vi + dat await; **entgegentreten** irr vi + dat step up to; (*fig*) oppose, counter; **entgegenwirken** vi + dat counteract.

entgegnen vt reply, retort; **Entgegnung** f reply, retort.

entgehen irr vi (*fig*) escape sb's notice; **sich** dat **etw** ~ **lassen** miss sth.

entgeistert adj thunderstruck.

Entgelt nt <-[e]s, -e> compensation, remuneration; **entgelten** irr vt: **jdm etw** ~ repay sb for sth.

entgleisen vi (*EISENB*) be derailed; (*fig: Mensch*) misbehave; ~ **lassen** derail; **Entgleisung** f derailment; (*fig*) faux pas, gaffe.

entgleiten irr vi slip (*jdm* from sb's hand).

entgräten vt fillet, bone.

Enthaarungsmittel nt depilatory.

enthalten irr **1.** vt contain; **2.** vr: **sich** ~ abstain, refrain (*gen* from); **enthaltsam** adj abstinent, abstemious; **Enthaltsamkeit** f abstinence.

enthemmen vt: **jdn** ~ free sb from his inhibitions.

enthüllen vt reveal, unveil.

Enthusiasmus m enthusiasm.

entkernen vt stone; core.

entkoffeiniert adj decaffeinated.

entkommen irr vi get away, escape (*dat* from).

entkorken vt uncork.

entkräften vt weaken, exhaust; (*Argument*) refute.

entladen irr **1.** vt unload; (*ELEC*) discharge; **2.** vr: **sich** ~ (*ELEC. Gewehr*) discharge; (*Ärger etc*) vent itself.

entlang prep + akk o dat: ~ **dem Fluß, den Fluß** ~ along the river; **entlanggehen** irr vi walk along.

entlarven vt unmask, expose.

entlassen irr vt discharge; (*Arbeiter*) dismiss; **Entlassung** f discharge; dismissal.

entlasten vt relieve; (*Achse*) relieve the load on; (*Angeklagte*) exonerate; (*Konto*) clear; (*Entlastung*) f relief; (*COM*) crediting; **Entlastungszeuge** m, -**zeugin** f defence witness.

entledigen vr: **sich** jds/einer Sache ~ rid oneself of sb/sth.

entlegen adj remote.

entlocken vt elicit (*jdm etw* sth from sb).

entlüften vt ventilate.

entmachten vt deprive of power.

entmenscht adj inhuman, bestial.

entmilitarisiert adj demilitarized.

entmündigen vt certify.

entmutigen vt discourage.

Entnahme f <-, -n> removal, withdrawal.

entnehmen irr vt take out (*dat* of), take (*dat* from); (*folgern*) infer (*dat* from).

entpuppen vr: **sich** ~ (*fig*) reveal oneself, turn out (*als* to be).

entrahmen vt skim.

entreißen irr vt snatch [away] (*jdm etw* sth from sb).

entrichten vt pay.

entrosten vt derust.

entrüsten 1. vt incense, outrage; **2.** vr **sich** ~ be filled with indignation; **entrüstet** adj indignant, outraged; **Entrüstung** f indignation.

entsagen vi renounce (*einer Sache dat* sth).

entschädigen vt compensate; **Ent**

schädigung f compensation.
entschärfen vt defuse; (*Kritik*) tone down.
Entscheid m <-[e]s, -e> decision; **entscheiden** irr vt, vi, vr: **sich ~** decide; **entscheidend** adj decisive; (*Stimme*) casting; **Entscheidung** f decision; **Entscheidungsspiel** nt play-off.
entschieden adj decided; (*entschlossen*) resolute; **Entschiedenheit** f firmness, determination.
entschlacken vt (*MED*) purify.
entschließen irr vr: **sich ~** decide.
entschlossen adj determined, resolute; **Entschlossenheit** f determination.
Entschluß m decision; **entschlußfreudig** adj decisive; **Entschlußkraft** f determination, decisiveness.
entschuldbar adj excusable; **entschuldigen 1.** vt excuse; **2.** vr: **sich ~** apologize; **Entschuldigung** f apology; (*Grund*) excuse; **jdn um ~ bitten** apologize to sb; **~!** excuse me; (*Verzeihung*) sorry.
Entschwefelung f desulphurization; **Entschwefelungsanlage** f desulphurization plant.
entsetzen 1. vt horrify; **2.** vr: **sich ~** be horrified [*o* appalled]; **Entsetzen** nt <-s> horror, dismay; **entsetzlich** adj dreadful, appalling; **entsetzt** adj horrified.
entsichern vt release the safety catch of.
entsinnen irr vr: **sich ~** remember (*einer Sache gen* sth).
entsorgen vt: **eine Stadt ~** dispose of a town's refuse and sewage; **Entsorgung** f waste management.
entspannen vt, vr: **sich ~** (*Körper*) relax; (*POL: Lage*) ease; **Entspannung** f relaxation, ease; (*POL*) détente; **Entspannungspolitik** f policy of détente; **Entspannungsübungen** pl relaxation exercises pl.
entsprechen irr vi + dat correspond to; (*Anforderungen, Wünschen*) meet, comply with; **entsprechend 1.** adj appropriate; **2.** adv accordingly.
entspringen irr vi spring (*dat* from).
entstehen irr vi arise, result; **Entstehung** f genesis, origin.
entstellen vt disfigure; (*Wahrheit*) distort.
Entstickungsanlage f denitration plant.
entstören vt (*RADIO*) eliminate interference from; (*AUT*) suppress.
enttäuschen vt disappoint; **Enttäuschung** f disappointment.

entwaffnen vt (*auch fig*) disarm.
Entwarnung f all clear [signal].
entwässern vt drain; **Entwässerung** f drainage.
entweder conj either.
entweichen irr vi escape.
entweihen vt desecrate.
entwenden irr vt purloin, steal.
entwerfen irr vt (*Zeichnung*) sketch; (*Modell*) design; (*Vortrag, Gesetz etc*) draft.
entwerten vt devalue; (*stempeln*) cancel; **Entwerter** m <-s, -> ticket[-cancelling] machine.
entwickeln vt, vr: **sich ~** (*auch FOT*) develop; (*Mut, Energie*) show, display; **Entwickler** m <-s, -> developer; **Entwicklung** f development; (*FOT*) developing; **Entwicklungsdienst** m voluntary service overseas Brit, Peace Corps US; **Entwicklungshilfe** f aid for developing countries; **Entwicklungsjahre** pl adolescence; **Entwicklungsland** nt developing country.
entwirren vt disentangle.
entwischen vi escape.
entwöhnen vt wean; (*Süchtige*) cure (*dat* of); **Entwöhnung** f weaning; cure, curing.
entwürdigend adj degrading.
Entwurf m outline, design; (*Vertrags~, Konzept*) draft.
entwurzeln vt uproot.
entziehen irr vt **1.** vt withdraw, take away (*dat* from); (*Flüssigkeit*) draw, extract; **2.** vr: **sich ~** escape (*einer Sache dat* from); (*jds Kenntnis*) be outside; (*der Pflicht*) shirk; **Entziehungskur** f treatment for drug addiction/alcoholism.
entziffern vt decipher; decode.
entzücken vt delight; **Entzücken** nt <-s> delight; **entzückend** adj delightful, charming.
Entzug m withdrawal; (*Behandlung*) cure for drug addiction/alcoholism; **Entzugserscheinung** f withdrawal symptom.
entzünden 1. vt light, set light to; (*fig*) inflame; (*Streit*) spark off; **2.** vr: **sich ~** catch fire; (*Streit*) start; (*MED*) become inflamed; **Entzündung** f (*MED*) inflammation.
entzwei adv broken; in two; **entzweibrechen** irr vt, vi break in two; **entzweien 1.** vt set at odds; **2.** vr: **sich ~** fall out; **entzweigehen** irr vi break [in two].
Enzian m <-s, -e> gentian.
Enzym nt <-s, -e> enzyme.
Epidemie f epidemic; **Epidemiologe** m

< -n, -n >, **Epidemiologin** f epidemiologist; **Epidemiologie** f epidemiology; **epidemiologisch** adj epidemiological.

Epilepsie f epilepsy.

episch adj epic.

Episode f < -, -n > episode.

Epoche f < -, -n > epoch; **epochemachend** adj epoch-making.

Epos nt < -s, Epen > epic [poem].

er pron he.

erachten vt: ~ für [o als] consider [to be]; **meines E~s** in my opinion.

erbarmen vr: sich ~ have pity [o mercy] (gen on); **Erbarmen** nt < -s > pity.

erbärmlich adj wretched, pitiful; **Erbärmlichkeit** f wretchedness.

erbarmungslos adj pitiless, merciless; **erbarmungsvoll** adj compassionate; **erbarmungswürdig** adj pitiable, wretched.

erbauen vt build, erect; (fig) edify; **Erbauer(in** f) m < -s, -> builder; **erbaulich** adj edifying; **Erbauung** f construction; (fig) edification.

Erbe 1. m < -n, -n > heir; **2.** nt < -s > inheritance; (fig) heritage; **erben** vt inherit.

erbeuten vt carry off; (MIL) capture.

Erbfaktor m gene; **Erbfehler** m hereditary defect; **Erbfolge** f [line of] succession; **Erbgut** nt (BIO) genotype, genetic make-up; **erbgutschädigend** adj genetically damaging.

Erbin f heiress.

erbittert adj (Kampf) fierce, bitter.

erblassen, erbleichen vi [turn] pale.

erblich adj hereditary; **Erbmasse** f estate; (BIO) genotype.

erbosen 1. vt anger; **2.** vr: sich ~ grow angry.

erbrechen irr vt, vr: sich ~ vomit.

Erbrecht nt right of succession, hereditary right; law of inheritance; **Erbschaft** f inheritance, legacy.

Erbse f < -, -n > pea.

Erbstück nt heirloom; **Erbteil** nt inherited trait; [portion of] inheritance.

Erdachse f earth's axis; **Erdbahn** f orbit of the earth; **Erdbeben** nt earthquake; **Erdbeere** f strawberry; **Erdboden** m ground; **Erde** f < -, -n > earth; **zu ebener** ~ at ground level; **erden** vt (ELEC) earth.

erdenkbar, erdenklich adj conceivable.

Erdgas nt natural gas; **Erdgeschoß** nt ground floor; **Erdkunde** f geography; **Erdnuß** f peanut; **Erdoberfläche** f surface of the earth; **Erdöl** nt [mineral] oil.

erdreisten vr: sich ~ dare, have the audacity [to do sth].

erdrosseln vt strangle, throttle.

erdrücken vt crush.

Erdrutsch m landslide; **Erdteil** m continent.

erdulden vt endure, suffer.

ereifern vr: sich ~ get excited.

ereignen vr: sich ~ happen; **Ereignis** nt event; **ereignisreich** adj eventful.

erfahren 1. irr vt learn, find out; (erleben) experience; **2.** adj experienced

Erfahrung f experience; **erfahrungsgemäß** adv according to experience.

erfassen vt seize; (COMPUT) capture; (fig: einbeziehen) include, register; (verstehen) grasp.

erfinden irr vt invent; **Erfinder(in** f) m < -s, -> inventor; **erfinderisch** adj inventive; **Erfindung** f invention; **Erfindungsgabe** f inventiveness.

Erfolg m < -[e]s, -e > success; (Folge) result; **erfolgen** vi follow; (sich ergeben) result; (stattfinden) take place; (Zahlung) be effected; **erfolglos** adj unsuccessful; **Erfolglosigkeit** f lack of success; **erfolgreich** adj successful; **erfolgversprechend** adj promising.

erforderlich adj requisite, necessary; **erfordern** vt require, demand; **Erfordernis** nt requirement; prerequisite.

erforschen vt (Land) explore; (Problem) investigate; (Gewissen) search; **Erforscher(in** f) m < -s, -> explorer; investigator; **Erforschung** f exploration; investigation; searching.

erfragen vt inquire after, ascertain.

erfreuen 1. vr: sich ~ an + dat enjoy sich einer Sache gen ~ enjoy sth; **2.** vt delight; **erfreulich** adj pleasing, gratifying; **erfreulicherweise** adv happily, luckily.

erfrieren irr vi freeze [to death]; (Glieder) get frostbitten; (Pflanzen) be killed by frost.

erfrischen vt refresh; **Erfrischung** f refreshment; **Erfrischungsraum** m snack bar, cafeteria.

erfüllen 1. vt (Raum) fill; (fig: Bitte etc) fulfil; **2.** vr: sich ~ come true.

ergänzen 1. vt supplement, complete; **2.** vr: sich ~ complement one another; **Ergänzung** f completion; (Zusatz) supplement.

ergattern vt (fam) get hold of, hunt up.

ergaunern vt: sich dat etw ~ (fam) get hold of sth by underhand methods.

ergeben irr **1.** vt yield, produce; **2.** vr: sich ~ surrender; (sich hingeben) giv oneself up, yield (*dat* to); (*folgen*) result; **3.** *adj* devoted, humble; (*dem Trunk*) addicted [to]; **Ergebenheit** *f* devotion, humility.

Ergebnis *nt* result; **ergebnislos** *adj* without result, fruitless.

ergehen *irr* **1.** *vi* be issued, go out; **2.** *vi impers:* **es ergeht ihm gut/schlecht** he's faring [*o* getting on] well/badly; **3.** *vr:* **sich in etw** *dat* ~ indulge in sth; **etw über sich** ~ **lassen** put up with sth.

ergiebig *adj* productive.

Ergonomie *f* ergonomics *sing;* **ergonomisch** *adj* ergonomic.

ergötzen *vt* amuse, delight.

ergreifen *irr* *vt* seize; (*Beruf*) take up; (*Maßnahmen*) resort to; (*rühren*) move; **ergreifend** *adj* moving, affecting; **ergriffen** *adj* deeply moved.

Erguß *m* discharge; (*fig*) outpouring, effusion.

erhaben *adj* raised, embossed; (*fig*) exalted, lofty; **über etw** *akk* ~ **sein** be above sth.

erhalten *irr* *vt* receive; (*bewahren*) preserve, maintain; **gut** ~ in good condition; **erhältlich** *adj* obtainable, available; **Erhaltung** *f* maintenance, preservation.

erhängen *vt, vr:* **sich** ~ hang.

erhärten *vt* harden; (*These*) substantiate, corroborate.

erheben *irr* **1.** *vt* raise; (*Protest, Forderungen*) make; (*Fakten*) ascertain, establish; **2.** *vr:* **sich** ~ rise [up]; **sich über etw** *akk* ~ rise above sth.

erheblich *adj* considerable.

erheitern *vt* amuse, cheer [up]; **Erheiterung** *f* amusement; **zur allgemeinen** ~ to everybody's amusement.

erhellen **1.** *vt* (*auch fig*) illuminate; (*Geheimnis*) shed light on; **2.** *vr:* **sich** ~ brighten, light up.

erhitzen **1.** *vt* heat; **2.** *vr:* **sich** ~ heat up; (*fig*) become heated [*o* aroused].

erhoffen *vt* hope for.

erhöhen *vt* raise; (*verstärken*) increase.

erholen *vr:* **sich** ~ recover; (*entspannen*) have a rest; **erholsam** *adj* restful; **Erholung** *f* recovery; relaxation, rest; **erholungsbedürftig** *adj* in need of a rest, run-down; **Erholungsheim** *nt* rest home; (*Sanatorium*) convalescent home.

erhören *vt* (*Gebet etc*) hear; (*Bitte*) yield to.

Erika *f* <-, **Eriken**> heather.

erinnern **1.** *vt* remind (*an* + *akk* of); **2.** *vr:* **sich** ~ remember (*an etw akk* sth); **Erinnerung** *f* memory; (*Andenken*) reminder; **Erinnerungstafel** *f* commem-

orative plaque.

erkälten *vr:* **sich** ~ catch cold; **erkältet** *adj* with a cold; ~ **sein** have a cold; **Erkältung** *f* cold.

erkennbar *adj* recognizable; **erkennen** *irr* *vt* recognize; (*sehen, verstehen*) see; **erkenntlich** *adj:* **sich** ~ **zeigen** show one's appreciation; **Erkenntlichkeit** *f* gratitude; (*Geschenk*) token of one's gratitude; **Erkenntnis** *f* knowledge; (*das Erkennen*) recognition; (*Einsicht*) insight; **zur** ~ **kommen** realize; **Erkennung** *f* recognition; **Erkennungsmarke** *f* identity disc.

Erker <-s, -> bay; **Erkerfenster** *nt* bay window.

erklärbar *adj* explicable; **erklären** *vt* explain; **erklärlich** *adj* explicable; (*verständlich*) understandable; **Erklärung** *f* explanation; (*Aussage*) declaration.

erklecklich *adj* considerable.

erklingen *irr* *vi* resound, ring out.

Erkrankung *f* illness.

erkunden *vt* find out, ascertain; (*bes. MIL*) reconnoitre, scout; **erkundigen** *vr:* **sich** ~ inquire (*nach* about); **Erkundigung** *f* inquiry; **Erkundung** *f* reconnaissance, scouting.

erlahmen *vi* tire; (*nachlassen*) flag, wane.

erlangen *vt* attain, achieve.

Erlaß *m* <-sses, -lasse> decree; (*Aufhebung*) remission.

erlassen *irr* *vt* (*Verfügung*) issue; (*Gesetz*) enact; (*Strafe*) remit; **jdm etw** ~ release sb from sth.

erlauben **1.** *vt* allow, permit (*jdm etw* sb to do sth); **2.** *vr:* **sich** ~ permit oneself, venture; **Erlaubnis** *f* permission.

erläutern *vt* explain; **Erläuterung** *f* explanation.

Erle *f* <-, -n> alder.

erleben *vt* experience; (*Zeit*) live through; (*mit* ~) witness; (*noch mit* ~) live to see; **Erlebnis** *nt* experience.

erledigen *vt* take care of, deal with; (*Antrag etc*) process; (*fam: erschöpfen*) wear out; (*fam: ruinieren*) finish; (*fam: umbringen*) do in.

erlegen *vt* kill.

erleichtern *vt* make easier; (*fig: Last*) lighten; (*lindern, beruhigen*) relieve; **erleichtert** *adj* relieved; **Erleichterung** *f* facilitation; lightening; relief.

erleiden *irr* *vt* suffer, endure.

erlernbar *adj* learnable; **erlernen** *vt* learn, acquire.

erlesen *adj* select, choice.

erleuchten *vt* illuminate; (*fig*) inspire; **Erleuchtung** *f* (*Einfall*) inspiration.

erlogen *adj* untrue, made-up.

Erlös *m* <-es, -e> proceeds *pl.*

erlöschen *vi* (*Feuer*) go out; (*Interesse*) cease, die; (*Vertrag, Recht*) expire.

erlösen *vt* redeem, save; **Erlösung** *f* release; (*REL*) redemption.

ermächtigen *vt* authorize, empower; **Ermächtigung** *f* authorization; authority.

ermahnen *vt* exhort, admonish; **Ermahnung** *f* admonition, exhortation.

ermäßigen *vt* reduce; **Ermäßigung** *f* reduction.

ermessen *irr vt* estimate, gauge; **Ermessen** *nt* <-s> estimation; discretion; **in jds ~ liegen** lie within sb's discretion.

ermitteln 1. *vt* determine; (*Täter*) trace; **2.** *vi:* **gegen jdn ~** investigate sb; **Ermittlung** *f* determination; (*Polizei~*) investigation.

ermöglichen *vt* make possible (*dat* for).

ermorden *vt* murder; **Ermordung** *f* murder.

ermüden *vt, vi* tire; (*TECH*) fatigue; **ermüdend** *adj* tiring; (*fig*) wearisome; **Ermüdung** *f* fatigue; **Ermüdungserscheinung** *f* sign of fatigue.

ermuntern *vt* rouse; (*ermutigen*) encourage; (*beleben*) liven up; (*aufmuntern*) cheer up.

ermutigen *vt* encourage.

ernähren 1. *vt* feed, nourish; (*Familie*) support; **2.** *vr:* **sich ~** feed o.s., earn a living; **sich ~ von** live on; **Ernährer(in** *f*) *m* <-s, -> breadwinner; **Ernährung** *f* nourishment; nutrition; (*Unterhalt*) maintenance.

ernennen *irr vt* appoint; **Ernennung** *f* appointment.

erneuern *vt* renew; (*restaurieren*) restore; (*renovieren*) renovate; (*Maschinenteile*) replace; **Erneuerung** *f* renewal; restoration;renovation; replacement; **erneut 1.** *adj* renewed, fresh; **2.** *adv* once more.

erniedrigen *vt* humiliate, degrade.

ernst *adj* serious; **Ernst** *m* <-es> seriousness; **das ist mein ~** I'm quite serious; **im ~** in earnest; **mit etw ~ machen** put sth into practice; **Ernstfall** *m* emergency; **ernstgemeint** *adj* meant in earnest, serious; **ernsthaft** *adj* serious; **Ernsthaftigkeit** *f* seriousness; **ernstlich** *adj* serious.

Ernte *f* <-, -n> harvest; **Erntedankfest** *nt* harvest festival; **ernten** *vt* harvest; (*Lob etc*) earn.

ernüchtern *vt* sober up; (*fig*) bring down to earth; **Ernüchterung** *f* sobering up; (*fig*) disillusionment.

Eroberer *m* <-s, ->, **Erob[r]erin** *f* conqueror; **erobern** *vt* conquer; **Erobe-**

rung *f* conquest.

eröffnen 1. *vt* open; **2.** *vr:* **sich ~** present itself; **jdm etw ~** disclose sth to sb; **Eröffnung** *f* opening; **Eröffnungsansprache** *f* inaugural [o opening] address.

erogen *adj* erogenous.

erörtern *vt* discuss.

Erotik *f* eroticism; **erotisch** *adj* erotic.

erpicht *adj* eager, keen (*auf* +akk on).

erpressen *vt* (*Geld etc*) extort; (*jdn*) blackmail; **Erpresser(in** *f*) *m* <-s, -> blackmailer; **Erpressung** *f* blackmail; extortion.

erproben *vt* test.

erraten *irr vt* guess.

erregbar *adj* excitable; (*reizbar*) irritable; **Erregbarkeit** *f* excitability; irritability; **erregen 1.** *vt* excite; (*ärgern*) infuriate; (*hervorrufen*) arouse, provoke; **2.** *vr:* **sich ~** get excited [o worked up]; **Erreger** *m* <-s, -> causative agent; **Erregtheit** *f* excitement; (*Beunruhigung*) agitation; **Erregung** *f* excitement.

erreichbar *adj* accessible, within reach; **erreichen** *vt* reach; (*Zweck*) achieve; (*Zug*) catch.

errichten *vt* erect, put up; (*gründen*) establish, set up.

erringen *irr vt* gain, win.

erröten *vi* blush, flush.

Errungenschaft *f* achievement; (*fam: Anschaffung*) acquisition.

Ersatz *m* <-es> substitute; replacement; (*Schaden~*) compensation; **Ersatzbefriedigung** *f* vicarious satisfaction; **Ersatzdienst** *m* (*MIL*) alternative service; **Ersatzmann** *m, pl* <-männer *o* -leute>, **Ersatzfrau** *f* replacement; (*SPORT*) substitute; **Ersatzreifen** *m* (*AUT*) spare tyre; **Ersatzteil** *nt* spare [part].

ersaufen *irr vi* (*fam*) drown.

ersäufen *vt* drown.

erschaffen *irr vt* create.

erscheinen *irr vi* appear; **Erscheinung** *f* appearance; (*Geist*) apparition; (*Gegebenheit*) phenomenon; (*Gestalt*) figure.

erschießen *irr vt* shoot [dead].

erschlaffen *vi* go limp; (*Mensch*) become exhausted.

erschlagen *irr vt* strike dead.

erschleichen *irr vt* obtain by stealth [o dubious methods].

erschöpfen *vt* exhaust; **erschöpfend** *adj* exhaustive, thorough; **erschöpft** *adj* exhausted; **Erschöpfung** *f* exhaustion.

erschrecken 1. *vt* startle, frighten; **2.** <**erschrak, erschrocken**> *vi* be frightened [o startled]; **erschreckend** *adj* alarming, frightening; **erschrocken**

adj frightened, startled.
erschüttern *vt* shake; (*ergreifen*) move deeply; **Erschütterung** *f* shaking; shock.
erschweren *vt* complicate.
erschwinglich *adj* within one's means.
ersehen *irr vt:* **aus etw ~, daß** gather from sth that.
ersetzbar *adj* replaceable; **ersetzen** *vt* replace; **jdm Unkosten ~** pay sb's expenses.
ersichtlich *adj* evident, obvious.
ersparen *vt* (*Ärger etc*) spare; (*Geld*) save; **Ersparnis** *f* saving.
ersprießlich *adj* profitable, useful; (*angenehm*) pleasant.
erst *adv* [at] first; (*nicht früher, nur*) only; (*nicht bis*) not till; **~ einmal** first.
erstarren *vi* stiffen; (*vor Furcht*) grow rigid; (*Materie*) solidify.
erstatten *vt* (*Kosten*) [re]pay; **Anzeige gegen jdn ~** report sb; **Bericht ~** make a report.
Erstaufführung *f* first performance.
erstaunen *vt* astonish; **Erstaunen** *nt* <**-s**> astonishment; **erstaunlich** *adj* astonishing.
Erstausgabe *f* first edition; **erstbeste(r, s)** *adj* first that comes along.
erste(r, s) *adj* first; **der ~ Juli** the first of July; **Bonn, den 1. Juli** Bonn, July 1st; **Erste(r)** *mf* first.
erstechen *irr vt* stab [to death].
ersteigen *irr vt* climb, ascend.
erstellen *vt* erect, build.
erstemal *adv* [the] first time; **erstens** *adv* first[ly], in the first place; **erstere(r, s)** *pron* [the] former.
ersticken 1. *vt* stifle; (*jdn*) suffocate; (*Flammen*) smother; 2. *vi* (*Mensch*) suffocate; (*Feuer*) be smothered; **in Arbeit ~** be snowed under with work; **Erstickung** *f* suffocation.
erstklassig *adj* first-class; **Erstkommunion** *f* first communion; **erstmalig** *adj* first; **erstmals** *adv* for the first time.
erstrebenswert *adj* desirable, worthwhile.
erstrecken *vr:* **sich ~** extend, stretch.
Erstschlag *m* first strike; **Ersttagsbrief** *m* first-day cover; **Ersttagsstempel** *m* first-day [date] stamp.
ersuchen *vt* request.
ertappen *vt* catch, detect.
erteilen *vt* give.
ertönen *vi* sound, ring out.
Ertrag *m* <**-[e]s, ⁔e**> yield; (*Gewinn*) proceeds *pl*; **ertragen** *irr vt* bear, stand; **erträglich** *adj* tolerable, bearable.
ertränken *vt* drown.

erträumen *vt:* **sich** *dat* **etw ~** dream of sth, imagine sth.
ertrinken *irr vi* drown; **Ertrinken** *nt* <**-s**> drowning.
erübrigen 1. *vt* spare; 2. *vr:* **sich ~** be unnecessary.
erwachen *vi* awake.
erwachsen *adj* grown-up; **Erwachsene(r)** *mf* adult; **Erwachsenenbildung** *f* adult education.
erwägen <**erwog** *o* **erwägte, erwogen**> *vt* consider; **Erwägung** *f* consideration.
erwähnen *vt* mention; **erwähnenswert** *adj* worth mentioning; **Erwähnung** *f* mention.
erwärmen 1. *vt* warm, heat; 2. *vr:* **sich ~** get warm, warm up; **sich ~ für** warm to.
erwarten *vt* expect; (*warten auf*) wait for; **etw kaum ~ können** hardly be able to wait for sth; **Erwartung** *f* expectation; **erwartungsgemäß** *adv* as expected; **erwartungsvoll** *adj* expectant.
erwecken *vt* rouse, awake; **den Anschein ~** give the impression.
erweichen *vt, vi* soften.
Erweis *m* <**-es, -e**> proof; **erweisen** *irr* 1. *vt* prove; (*Ehre, Dienst*) do (*jdm* sb*)*; 2. *vr:* **sich ~** prove (*als* to be).
Erwerb *m* <**-[e]s, -e**> acquisition; (*Beruf*) trade; **erwerben** *irr vt* acquire; **erwerbslos** *adj* unemployed; **Erwerbsquelle** *f* source of income; **erwerbstätig** *adj* [gainfully] employed; **erwerbsunfähig** *adj* unemployable.
erwidern *vt* reply; (*vergelten*) return.
erwiesen *adj* proven.
erwischen *vt* (*fam*) catch, get.
erwog *pt von* **erwägen; erwogen** *pp von* **erwägen**.
erwünscht *adj* desired.
erwürgen *vt* strangle.
Erz *nt* <**-es, -e**> ore.
erzählen *vt* tell; **Erzähler(in** *f)* *m* <**-s, ->** narrator; **Erzählung** *f* story, tale.
Erzbischof *m* archbishop; **Erzengel** *m* archangel.
erzeugen *vt* produce; (*Strom*) generate; **Erzeugnis** *nt* product, produce; **Erzeugung** *f* production; generation.
erziehen *irr vt* bring up; (*bilden*) educate, train; **Erziehung** *f* bringing up; (*Bildung*) education; **Erziehungsbeihilfe** *f* educational grant; **Erziehungsberechtigte(r)** *mf* parent; guardian; **Erziehungsheim** *nt* approved school.
erzielen *vt* achieve, obtain; (*Tor*) score.
erzwingen *irr vt* force, obtain by force.
es *pron* (*Nominativ und akk*) it.

Esche f <-, -n> ash.

Esel m <-s, -> donkey, ass; **Eselsohr** nt dog-ear.

Eskalation f escalation.

eßbar adj eatable, edible.

essen <aß, gegessen> vt, vi eat; **gegessen sein** (fig fam) be history; **Essen** nt <-s, -> meal; food; **Essenszeit** f mealtime; dinner time.

Essig m <-s, -e> vinegar; **Essiggurke** f gherkin.

Eßkastanie f sweet chestnut; **Eßlöffel** m tablespoon; **Eßtisch** m dining table; **Eßwaren** pl victuals pl. food provisions pl; **Eßzimmer** nt dining room.

etablieren vr: **sich ~** become established; set up business.

Etage f <-, -n> floor, storey; **Etagenbett** nt bunk bed; **Etagenwohnung** f flat.

Etappe f <-, -n> stage.

Etat m <-s, -s> budget.

etepetete adj (fam) fussy.

Ethik f ethics sing; **ethisch** adj ethical.

Etikett nt <-[e]s, -e> label.

Etikette f etiquette, manners pl.

etikettieren vt label.

etliche pron pl some, quite a few; **etliches** pron a thing or two.

Etui nt <-s, -s> case.

etwa adv (ungefähr) about; (vielleicht) perhaps; (beispielsweise) for instance; **nicht ~** by no means; **etwaig** adj possible.

etwas 1. pron something; anything; (ein wenig) a little; 2. adv a little.

Etymologie f etymology.

euch 1. pron akk von **ihr** you; 2. pron dat von **ihr** [to] you.

euer 1. pron (adjektivisch) your; 2. pron gen von **ihr** of you; **euere(r, s)** pron (substantivisch) yours.

Eule f <-, -n> owl.

eure(r, s) pron (substantivisch) yours; **eurerseits** adv as far as you are concerned; **euresgleichen** pron people like you; (gleichrangig) your equals; **euretwegen** adv (wegen euch) because of you; (euch zuliebe) for your sakes; (um euch) about you; (für euch) on your behalf; (von euch aus) as far as you are concerned.

Eurokrat(in f) m <-en, -en> eurocrat; **Europa** nt Europe; **Europäer(in** f) m <-s, -> European; **europäisch** adj European; **Europameister(in** f) m European champion; **Euroscheck** m eurocheque.

Euter nt <-s, -> udder.

evakuieren vt evacuate.

evangelisch adj Protestant.

Evangelium nt gospel.

Eva[s]kostüm nt: im **~** in one's birthday suit.

eventuell 1. adj possible; 2. adv possibly, perhaps.

EWG f <-> abk von **Europäische Wirtschaftsgemeinschaft** EEC, Common Market.

ewig adj eternal; **Ewigkeit** f eternity.

exakt adj exact.

Examen nt <-s, - o **Examina**> exam[ination].

Exempel nt <-s, -> example.

Exemplar nt <-s, -e> specimen; (Buch~) copy; **exemplarisch** adj exemplary.

exerzieren vi drill.

Exil nt <-s, -e> exile.

Existenz f existence; (Unterhalt) livelihood, living; **Existenzkampf** m struggle for existence; **Existenzminimum** nt subsistence level.

existieren vi exist.

exklusiv adj exclusive; **exklusive** adv, prep +gen exclusive of, not including.

exorzieren vt exorcize.

exotisch adj exotic.

Expansion f expansion.

Expedition f expedition; (COM) forwarding department.

Experiment nt experiment; **experimentell** adj experimental; **experimentieren** vi experiment.

Experte m <-n, -n>, **Expertin** f expert, specialist.

explodieren vi explode; **Explosion** f explosion; **explosiv** adj explosive.

Exponent m exponent.

Export m <-[e]s, -e> export; **Exporteur(in** f) m exporter; **Exporthandel** m export trade; **exportieren** vt export; **Exportland** nt exporting country.

Expreßgut nt express [o freight] goods; **Expreßzug** m express [train].

extra 1. adj (fam: gesondert) separate; (besondere) extra; 2. adv (gesondert) separately; (speziell) specially; (absichtlich) on purpose; (vor Adjektiven, zusätzlich) extra; **Extra** nt <-s, -s> extra; **Extraausgabe** f, **Extrablatt** nt special edition.

Extrakt m <-[e]s, -e> extract.

extrem adj extreme; **extremistisch** adj (POL) extremist; **Extremität** pl extremities pl.

Exzellenz f excellency.

exzentrisch adj eccentric.

Exzeß m <-sses, -sse> excess.

F

F, f *nt* F. f.

Fabel *f* <-, -n> fable; **fabelhaft** *adj* fabulous, marvellous.

Fabrik *f* factory; **Fabrikant(in** *f)* *m* (*Hersteller*) manufacturer; (*Besitzer*) industrialist; **Fabrikarbeiter(in** *f)* *m* factory worker.

Fabrikat *nt* manufacture, product.

Fabrikation *f* manufacture, production.

Fabrikbesitzer(in *f)* *m* factory owner; **Fabrikgelände** *nt* factory premises *pl*.

Fach *nt* <-[e]s, ⸚er> compartment; (*Sachgebiet*) subject; **ein Mann vom** ~ an expert; **Facharbeiter(in** *f)* *m* skilled worker; **Facharzt** *m*, **-ärztin** *f* [medical] specialist; **Fachausdruck** *m*, *pl* <-ausdrücke> technical term.

Fächer *m* <-s, -> fan.

fachlich *adj* professional expert [*o* specialist]; **Fachschule** *f* technical college; **fachsimpeln** *vi* talk shop; **Fachwerk** *nt* half-timbering.

fad[e] *adj* insipid; (*langweilig*) dull.

Faden *m* <-s, ⸚> thread; **Fadennudeln** *pl* vermicelli *pl*; **fadenscheinig** *adj* (*auch fig*) threadbare.

fähig *adj* capable (*zu* +*gen* of), able; **Fähigkeit** *f* ability.

Fähnchen *nt* pennon, streamer.

fahnden *vi:* ~ **nach** search for; **Fahndung** *f* search; **Fahndungsliste** *f* list of wanted criminals, wanted list.

Fahne *f* <-, -n> flag, standard; **eine** ~ **haben** (*fam*) smell of drink.

Fahrausweis *m* ticket; **Fahrbahn** *f* carriageway *Brit*, roadway.

Fähre *f* <-, -n> ferry.

fahren <fuhr, gefahren> **1.** *vt* drive; (*Rad*) ride; (*befördern*) drive, take; (*Rennen*) drive in; **2.** *vi* (*sich bewegen*) go; (*Schiff*) sail; (*abfahren*) leave; **mit dem Auto/Zug** ~ go [*o* travel] by car/train; **mit der Hand** ~ **über** + *akk* pass one's hand over.

Fahrer(in *f)* *m* <-s, -> driver; **Fahrerflucht** *f* hit-and-run.

Fahrgast *m* passenger; **Fahrgeld** *nt* fare; **Fahrgemeinschaft** *f* car pool *US*; **Fahrgestell** *nt* chassis; (*AVIAT*) undercarriage; **Fahrkarte** *f* ticket; **Fahrkartenausgabe** *f*, **Fahrkartenschalter** *m* ticket office.

fahrlässig *adj* negligent; ~ **e Tötung** manslaughter; **Fahrlässigkeit** *f* negligence.

Fahrlehrer(in *f)* *m* driving instructor; **Fahrplan** *m* timetable; **Fahrplanauszug** *m* individual timetable; **fahrplanmäßig** *adj* (*EISENB*) scheduled; **Fahrpreis** *m* fare; **Fahrpreisermäßigung** *f* fare reduction; **Fahrprüfung** *f* driving test; **Fahrrad** *nt* bicycle; **Fahrschein** *m* ticket; **Fahrscheinautomat** *m* ticket machine; **Fahrschule** *f* driving school; **Fahrschüler(in** *f)* *m* learner [driver] *Brit*, student driver *US*; **Fahrstuhl** *m* lift, elevator *US*.

Fahrt *f* <-, -en> journey; (*kurz*) trip; (*AUT*) drive; (*Geschwindigkeit*) speed.

Fährte *f* <-, -n> track, trail.

Fahrtkosten *pl* travelling expenses *pl*; **Fahrtrichtung** *f* course, direction; **Fahrtunterbrechung** *f* break in the journey.

Fahrzeug *nt* vehicle; **Fahrzeughalter(in** *f)* *m* <-s, -> owner of a vehicle.

faktisch *adj* actual.

Faktor *m* factor.

Faktum *nt* <-s, -ten> fact.

Fakultät *f* faculty.

Falke *m* <-n, -n> falcon.

Fall *m* <-[e]s, ⸚e> (*Sturz*) fall; (*JUR. LING. Sachverhalt*) case; **auf jeden** ~, **auf alle** ⸚ **e** in any case; (*bestimmt*) definitely.

Falle *f* <-, -n> trap.

fallen <fiel, gefallen> *vi* fall; **etw** ~ **lassen** drop sth.

fällen *vt* (*Baum*) fell; (*Urteil*) pass.

fallenlassen *irr vt* (*Bemerkung*) make; (*Plan*) abandon, drop.

fällig *adj* due; **Fälligkeit** *f* (*COM*) maturity.

Fallobst *nt* fallen fruit, windfall.

Fallout *m* <-s, -s> fallout.

falls *adv* in case, if.

Fallschirm *m* parachute; **Fallschirmspringer(in** *f)* *m* parachutist; **Falltür** *f* trap door.

falsch *adj* false; (*unrichtig*) wrong.

fälschen *vt* forge; **Fälscher(in** *f)* *m* <-s, -> forger.

Falschgeld *nt* counterfeit money; **Falschheit** *f* falsity, falseness; (*Unrichtigkeit*) wrongness.

fälschlich *adj* false; **fälschlicherweise** *adv* mistakenly.

Fälschung *f* forgery; **fälschungssicher** *adj* unforgeable.

Faltblatt *nt* leaflet.

Fältchen *nt* crease, wrinkle.

Falte *f* <-, -n> (*Knick*) fold, crease; (*Haut*~) wrinkle; (*Rock*~) pleat.

falten *vt* fold; (*Stirn*) wrinkle.

familiär *adj* familiar.

Familie f family; **Familienähnlichkeit** f family resemblance; **Familienkreis** m family circle; **Familienname** m surname; **Familienstand** m marital status; **Familienvater** m head of the family.

Fanatiker(in f) m <-s, -> fanatic; **fanatisch** adj fanatical; **Fanatismus** m fanaticism.

fand pt von **finden.**

Fang m <-[e]s, ¨e> catch; (Jagen) hunting; (Kralle) talon, claw; **fangen** <fing, gefangen> 1. vt catch; 2. vr: **sich ~** get caught; (Flugzeug) level out; (Mensch: nicht fallen) steady oneself; (fig) compose oneself; (in Leistung) get back on form.

Farbabzug m coloured print; **Farbaufnahme** f colour photograph; **Farbband** m, pl <-bänder> typewriter ribbon; **Farbe** f <-, -n> colour; (zum Malen etc) paint; (Stoff~) dye; **farbecht** adj colourfast.

färben vt colour; (Stoff, Haar) dye.

farbenblind adj colour-blind; **farbenfroh**, **farbenprächtig** adj colourful, gay.

Farbfernsehen nt colour television; **Farbfilm** m colour film; **farbig** adj coloured; **Farbige(r)** mf coloured; **Farbkasten** m paint-box; **farblos** adj colourless; **Farbphotographie** f colour photography; **Farbstift** m coloured pencil; **Farbstoff** m dye; **Farbton** m hue, tone.

Färbung f colouring; (Tendenz) bias.

Farn m <-[e]s, -e> fern; (Adler~) bracken.

Fasan m <-[e]s, -e[n]> pheasant.

Fasching m <-s, -e o -s> carnival.

Faschismus m fascism; **Faschist(in** f) m fascist.

faseln vi talk nonsense, drivel.

Faser f <-, -n> fibre; **fasern** vi fray.

Faß nt <-sses, Fässer> vat, barrel; (Öl~) drum; **Bier vom ~** draught beer; **faßbar** adj comprehensible; **Faßbier** nt draught beer.

fassen 1. vt (ergreifen) grasp, take; (inhaltlich) hold; (Entschluß etc) take; (verstehen) understand; (Ring etc) set; (formulieren) formulate, phrase; 2. vr: **sich ~** calm down; **nicht zu ~** unbelievable.

faßlich adj intelligible.

Fassung f (Umrahmung) mounting; (Lampen~) socket; (Wortlaut) version; (Beherrschung) composure; **jdn aus der ~ bringen** upset sb; **fassungslos** adj speechless; **Fassungsvermögen** nt capacity; (Verständnis) comprehension.

fast adv almost, nearly.

fasten vi fast; **Fasten** nt <-s> fasting; **Fastenzeit** f Lent.

Fastnacht f Shrove Tuesday; carnival.

fatal adj fatal; (peinlich) embarrassing.

faul adj rotten; (Mensch) lazy; (Ausreden) lame; **daran ist etwas ~** there's something fishy about it; **faulen** vi rot.

faulenzen vi idle; **Faulenzer(in** f) m <-s, -> idler, loafer; **Faulheit** f laziness.

faulig adj putrid.

Fäulnis f decay, putrefaction.

Faust f <-, Fäuste> fist; **Fausthandschuh** m mitten.

Favorit(in f) m <-en, -en> favourite.

faxen vi, vt fax, send by fax.

Februar m <-[s], -e> February; **im ~** in February; **23. ~ 1949** February 23rd, 1949, 23rd February 1949.

fechten <focht, gefochten> vi fence.

Feder f <-, -n> feather; (Schreib~) pen nib; (TECH) spring; **Federball** m shuttlecock; **Federballspiel** nt badminton; **Federbett** nt continental quilt; **Federhalter** m penholder, pen; **federleicht** adj light as a feather; **federn** 1. vi (nachgeben) be springy; (sich bewegen) bounce; 2. vt spring; **Federung** f suspension; **Federvieh** nt poultry.

Fee f <-, -n> fairy; **feenhaft** adj fairy-like.

Fegefeuer nt purgatory.

fegen vt sweep.

fehl adj: **~ am Platz** [o Ort] out of place.

fehlen vi be wanting, be missing; (abwesend sein) be absent; **etw fehlt jdm** sb lacks sth; **du fehlst mir** I miss you; **was fehlt ihm?** what's wrong with him?

Fehler m <-s, -> mistake, error; (Mangel, Schwäche) fault; **fehlerfrei** adj faultless; without any mistakes; **fehlerhaft** adj incorrect; faulty.

Fehlgeburt f miscarriage; **fehlgehen** irr vi go astray; **Fehlgriff** m blunder; **Fehlkonstruktion** f badly designed thing; **Fehlschlag** m failure; **fehlschlagen** irr vi fail; **Fehlschluß** m wrong conclusion; **Fehlstart** m (SPORT) false start; **Fehltritt** m false move; (fig) blunder, slip; **Fehlzündung** f (AUT) misfire, backfire.

Feier f <-, -n> celebration; **Feierabend** m time to stop work; **~ machen** stop, knock off; **was machst du am ~?** what are you doing after work?; **jetzt ist ~!** that's enough!; **feierlich** adj solemn; **Feierlichkeit** f solemnity; **~ en** pl festivities pl; **feiern** vt, vi celebrate; **Feiertag** m holiday.

feig[e] adj cowardly.
Feige f <-, -n> fig.
Feigheit f cowardice; **Feigling** m cow-ard.
Feile f <-, -n> file; **feilen** vt, vi file.
feilschen vi haggle.
fein adj fine; (vornehm) refined; (Gehör) keen; ~! great!
Feind(in f) m <-[e]s, -e> enemy; **feindlich** adj hostile; **Feindschaft** f enmity; **feindselig** adj hostile; **Feindseligkeit** f hostility.
feinfühlig adj sensitive; **Feingefühl** nt delicacy, tact; **Feinheit** f fineness, refinement; keenness; **Feinkostgeschäft** nt delicatessen [shop] sing; **Feinschmecker(in** f) m <-s, -> gourmet.
feist adj fat.
Feld nt <-[e]s, -er> (auch COMPUT) field; (SCHACH) square; (SPORT) pitch; **Feldblume** f wild flower; **Feldherr(in** f) m commander; **Feldwebel(in** f) m <-s, -> sergeant; **Feldweg** m path; **Feldzug** m (auch fig) campaign.
Felge f <-, -n> [wheel] rim; **Felgenbremse** f caliper brake.
Fell nt <-[e]s, -e> fur; (von lebendem Tier auch) coat; (von Schaf) fleece; (von toten Tieren) skin.
Fels m <-en, -en>, **Felsen** m <-s, -> rock; (von Dover etc) cliff; **felsenfest** adj firm; **Felsenvorsprung** m ledge; **felsig** adj rocky; **Felsspalte** f crevice.
feminin adj feminine; (pej) effeminate.
Feminismus m feminism; **Feminist(in** f) m feminist; **feministisch** adj feminist.
Fenchel m <-s, -> fennel.
Fenster nt <-s, -> (auch COMPUT) window; **Fensterbrett** nt windowsill; **Fensterladen** m shutter; **Fensterputzer(in** f) m <-s, -> window cleaner; **Fensterscheibe** f windowpane; **Fenstersims** m windowsill; **Fenstertechnik** f (COMPUT) window technology.
Ferien pl holidays pl; ~ **haben** be on holiday; **Ferienkurs** m holiday course; **Ferienreise** f holiday; **Ferienzeit** f holiday period.
Ferkel nt <-s, -> piglet.
fern adj, adv far-off, distant; ~ **von hier** a long way [away] from here; **Fernamt** nt (TEL) exchange; **Fernbedienung** f remote control; **Ferne** f <-, -n> distance; **ferner** adj, adv further; (weiterhin) in future; **Fernflug** m long-distance flight; **Ferngespräch** nt long distant call, trunk call Brit; **Fernglas** nt binoculars pl; **fernhalten** irr vt, vr: sich ~

keep away; **Fernkopie** f fax; **fernkopieren** vt fax, send by fax; **Fernkopierer** m telecopier, fax terminal, facsimile terminal; **Fernlenkung** f remote control; **fernliegen** irr vi: **jdm** ~ be far from sb's mind; **Fernrohr** nt telescope; **Fernschreiber** m teleprinter; **fernschriftlich** adj by telex.
Fernsehapparat m television set; **fernsehen** irr vi watch television; **Fernsehen** nt <-s> television; **im** ~ on television; **Fernseher** m television; **Fernsehsatellit** m TV satellite.
Fernsprecher m telephone; **Fernsprechzelle** f telephone box, telephone booth US.
Ferse f <-, -n> heel.
fertig adj (bereit) ready; (beendet) finished; (gebraucht~) ready-made; **Fertigbau** m, pl <-bauten> prefab[ricated house]; **fertigbringen** irr vt (fähig sein) manage, be capable of; (beenden) finish; **Fertigkeit** f skill; **fertigmachen** 1. vt (beenden) finish; (fam: jdn) finish; (körperlich) exhaust; (moralisch) get down; 2. vr: sich ~ get ready; **fertigstellen** vt complete; **Fertigware** f finished product.
Fessel f <-, -n> fetter; **fesseln** vt bind; (mit Fesseln) fetter; (fig) spellbind; **fesselnd** adj fascinating, captivating.
fest 1. adj firm; (Nahrung) solid; (Gehalt) regular; 2. adv (schlafen) soundly.
Fest nt <-[e]s, -e> party; festival.
festangestellt adj permanently employed.
Festbeleuchtung f illumination.
festbinden irr vt tie, fasten; **festbleiben** irr vt stand firm.
Festessen nt banquet.
festfahren irr vr: sich ~ get stuck; **festhalten** irr 1. vt seize, hold fast; (Ereignis) record; 2. vr: sich ~ hold on (an + dat to).
festigen vt strengthen; **Festigkeit** f strength.
festklammern vr: sich ~ cling on (an + dat to); **Festland** nt mainland; **festlegen** 1. vt fix; 2. vr: sich ~ commit oneself.
festlich adj festive.
festmachen vt fasten; (Termin etc) fix; **Festnahme** f <-, -n> capture; **festnehmen** irr vt capture, arrest; **Festplatte** f (COMPUT) hard disk; **Festplattenlaufwerk** nt (COMPUT) hard disk drive.
Festrede f address.
festschnallen 1. vt strap down; 2. vr: sich ~ fasten one's seat belt; **fest-**

schreiben *irr vt* establish; **festsetzen** *vt* fix, settle.

Festspiel *nt* festival.

feststehen *irr vi* be certain; **feststellen** *vt* establish; (*sagen*) remark.

Festung *f* fortress.

fett *adj* fat; (*Essen etc*) greasy; **Fett** *nt* <-[e]s, -e> fat, grease; **fettarm** *adj* low fat; **fetten** *vt* grease; **Fettfleck** *m* grease spot [*o* stain]; **fettgedruckt** *adj* bold-type; **Fettgehalt** *m* fat content; **fettig** *adj* greasy, fatty; **Fettnäpfchen** *nt*: **ins ~ treten** put one's foot in it.

Fetzen *m* <-s, -> scrap.

fetzig *adj* (*fam*) racy.

feucht *adj* damp; (*Luft*) humid; **Feuchtigkeit** *f* dampness; humidity.

Feuer *nt* <-s, -> fire; (*zum Rauchen*) a light; (*fig: Schwung*) spirit; **Feueralarm** *m* fire alarm; **Feuereifer** *m* zeal; **feuerfest** *adj* fireproof; **Feuergefahr** *f* danger of fire; **feuergefährlich** *adj* inflammable; **Feuerleiter** *f* fire escape ladder; **Feuerlöscher** *m* <-s, -> fire extinguisher; **Feuermelder** *m* <-s, -> fire alarm; **feuern** *vt, vi* (*auch fig*) fire; **feuersicher** *adj* fireproof; **Feuerstein** *m* flint; **Feuerwehr** *f* <-, -en> fire brigade; **Feuerwerk** *nt* fireworks *pl*; **Feuerzeug** *nt* [cigarette] lighter.

Fichte *f* <-, -n> spruce, pine.

fidel *adj* jolly.

Fieber *nt* <-s, -> fever, temperature; **fieberhaft** *adj* feverish; **Fiebermesser** *m* <-s, ->, **Fieberthermometer** *nt* thermometer.

fiel *pt von* **fallen**.

fies *adj* (*fam*) nasty.

Figur *f* <-, -en> figure; (*Schach~*) chessman, chess piece.

Filiale *f* <-, -n> (*COM*) branch.

Film *m* <-[e]s, -e> film; **Filmaufnahme** *f* shooting; **filmen** *vt, vi* film; **Filmkamera** *f* cine-camera; **Filmvorführgerät** *nt* cine-projector.

Filter *m* <-s, -> filter; **filtern** *vt* filter; **Filtermundstück** *nt* filter tip; **Filterpapier** *nt* filter paper; **Filterzigarette** *f* tipped cigarette.

Filz *m* <-es, -e> felt; **filzen** 1. *vt* (*fam: durchsuchen*) frisk; 2. *vi* (*Wolle*) go felty; **Filzschreiber** *m*, **Filzstift** *m* felt[-tip] pen, felt-tip.

Finale *nt* <-s, -[s]> finale; (*SPORT*) final[s].

Finanz *f* finance; **Finanzamt** *nt* Inland Revenue Office; **Finanzbeamte(r)** *m*, **-beamtin** *f* revenue officer; **finanziell** *adj* financial; **finanzieren** *vt* finance; **Finanzminister(in** *f)* *m* Chancellor of the Exchequer *Brit*, Minister of Finance.

finden <**fand, gefunden**> 1. *vt* find; (*meinen*) think; 2. *vr*: **sich ~** be [found]; (*sich fassen*) compose oneself; **ich finde nichts dabei, wenn...** I don't see what's wrong if...; **das wird sich ~** things will work out; **Finder(in** *f)* *m* <-s, -> finder; **Finderlohn** *m* reward; **findig** *adj* resourceful.

fing *pt von* **fangen**.

Finger *m* <-s, -> finger; **Fingerabdruck** *m, pl* <-**abdrücke**> fingerprint; **Fingerhandschuh** *m* glove; **Fingerhut** *m* thimble; (*BOT*) foxglove; **Fingerring** *m* ring; **Fingerspitze** *f* fingertip; **Fingerzeig** *m* <-[e]s, -e> hint, pointer.

fingieren *vt* feign; **fingiert** *adj* made-up, fictitious.

Fink *m* <-en, -en> finch.

Finne *m* <-n, -n>, **Finnin** *f* Finn, Finnish man/woman; **finnisch** *adj* Finnish; **Finnland** *nt* Finland.

finster *adj* dark, gloomy; (*verdächtig*) dubious; (*verdrossen*) grim; (*Gedanke*) dark; **Finsternis** *f* darkness, gloom.

Finte *f* <-, -n> feint, trick.

Firma *f* <-, -**men**> firm; **Firmenschild** *nt* [shop] sign; **Firmenzeichen** *nt* registered trademark.

Firnis *m* <-ses, -se> varnish.

Fisch *m* <-[e]s, -e> fish; **~e** *pl* (*ASTR*) Pisces *sing*; **Adelheid ist ein ~** Adelheid is Pisces [*o* a Piscean]; **fischen** *vt, vi* fish; **Fischer(in** *f)* *m* <-s, -> fisherman/-woman; **Fischerei** *f* fishing, fishery; **Fischfang** *m* fishing; **Fischgeschäft** *nt* fishmonger's [shop]; **Fischgräte** *f* fishbone; **Fischzug** *m* catch [*o* draught] of fish.

fit *adj* fit; **Fitneß** *f* <-> fitness; **Fitneßcenter** *nt* <-s, -> health centre.

fix *adj* fixed; (*Mensch*) alert, smart; **~ und fertig** finished; (*erschöpft*) done in.

fixen *vi* (*fam*) fix, shoot; **Fixer(in** *f)* *m* <-s, -> (*fam*) fixer.

fixieren *vt* fix; (*anstarren*) stare at.

flach *adj* flat; (*Gefäß*) shallow.

Fläche *f* <-, -n> area; (*Ober~*) surface; **flächendeckend** *adj* complete, allover; **Flächeninhalt** *m* surface area.

Flachheit *f* flatness; shallowness; **Flachland** *nt* lowland.

flackern *vi* flare, flicker.

Flagge *f* <-, -n> flag.

flagrant *adj* flagrant; **in ~i** red-handed.

Flamme *f* <-, -n> flame.

Flanell *m* <-s, -e> flannel.

Flanke *f* <-, -n> flank; (*SPORT: Seite*) wing.

Flasche f <-, -n> bottle; (fam: Versager) wash-out; **Flaschenbier** nt bottled beer; **Flaschenöffner** m bottle opener; **Flaschenzug** m pulley.

flatterhaft adj flighty, fickle.

flattern vi flutter.

flau adj weak, listless; (Nachfrage) slack; **jdm ist ~** sb feels queasy.

Flaum m <-[e]s> (Feder) down; (Haare) fluff.

flauschig adj fluffy.

Flausen pl silly ideas pl; (Ausflüchte) weak excuses pl.

Flaute f <-, -n> calm; (COM) recession.

Flechte f <-, -n> plait; (MED) dry scab; (BOT) lichen; **flechten** <flocht, geflochten> vt plait; (Kranz) twine.

Fleck m <-[e]s, -e>, **Flecken** m <-s, -> spot; (Schmutz~) stain; (Stoff~) patch; (Makel) blemish; **nicht vom ~ kommen** not get any further; **vom ~ weg** straight away; **fleckenlos** adj spotless; **Fleckenmittel** nt, **Fleckenwasser** nt stain remover; **fleckig** adj spotted; stained.

Fledermaus f bat.

Flegel m <-s, -> flail; (Mensch) lout; **flegelhaft** adj loutish, unmannerly; **Flegeljahre** pl adolescence; **flegeln** vr: sich ~ lounge about.

flehen vi implore; **flehentlich** adj imploring.

Fleisch nt <-[e]s> flesh; (Essen) meat; **Fleischbrühe** f beef tea, stock; **Fleischer(in** f) m <-s, -> butcher; **Fleischerei** f butcher's [shop]; **fleischig** adj fleshy; **fleischlich** adj carnal; **Fleischpastete** f meat pie; **Fleischwolf** m mincer; **Fleischwunde** f flesh wound.

Fleiß m <-es> diligence, industry; **fleißig** adj diligent, industrious.

flektieren vt inflect.

flennen vi (fam) cry, blubber.

fletschen vt (Zähne) show.

flexibel adj flexible.

flicken vt mend; **Flicken** m <-s, -> patch.

Flieder m <-s, -> lilac.

Fliege f <-, -n> fly; (Kleidung) bow tie.

fliegen <flog, geflogen> vt, vi fly; **auf jdn/etw ~** (fam) be mad about sb/sth.

Fliegenpilz m fly agaric.

Flieger(in f) m <-s, -> flier, airman; **Fliegeralarm** m air-raid warning.

fliehen <floh, geflohen> vi flee.

Fliese f <-, -n> tile.

Fließband nt, pl <-bänder> production [o assembly] line.

fließen <floß, geflossen> vi flow; **fließend** adj flowing; (Rede, Deutsch) fluent; (Übergänge) smooth; **Fließheck** nt fastback; **Fließkomma** nt floating decimal point; **Fließpapier** nt blotting paper.

flimmern vi glimmer.

flink adj nimble, lively.

Flinte f <-, -n> rifle; shotgun.

Flip-Chart f <-, -s> flip chart.

flippig adj (fam) kooky, eccentric.

Flitterwochen pl honeymoon.

flitzen vi flit.

flocht pt von flechten.

Flocke f <-, -n> flake; **flockig** adj flaky.

flog pt von fliegen.

floh pt von fliehen.

Floh m <-[e]s, ⁈e> flea; **Flohmarkt** m flea market.

Flop m <-s, -s> flop.

florieren vi flourish.

Floskel f <-, -n> empty phrase.

floß pt von fließen.

Floß nt <-es, ⁈e> raft, float.

Flosse f <-, -n> fin.

Flöte f <-, -n> flute; (Block~) recorder; **Flötist(in** f) f flautist.

flott adj lively; (elegant) smart; (NAUT) afloat.

Flotte f <-, -n> fleet, navy.

Flöz nt <-es, -e> layer, seam.

Fluch m <-[e]s, ⁈e> curse; **fluchen** vi curse, swear.

Flucht f <-, -en> flight; (Fenster~) row; (Reihe) range; (Zimmer~) suite; **fluchtartig** adj hasty.

flüchten vi, vr: sich ~ flee, escape.

flüchtig adj fugitive; (CHEM) volatile; (vergänglich) transitory; (oberflächlich) superficial; (eilig) fleeting; **Flüchtigkeit** f transitoriness; volatility; superficiality; **Flüchtigkeitsfehler** m careless slip.

Flüchtling m fugitive, refugee.

Flug m <-[e]s ⁈e> flight; **im ~** airborne, in flight; **Flugabwehr** f anti-aircraft defence; **Flugbegleiter(in** f) m flight attendant; **Flugblatt** nt leaflet; **Flugdatenschreiber** m flight recorder.

Flügel m <-s, -> wing; (MUS) grand piano.

Fluggast m airline passenger.

flügge adj [fully-]fledged.

Fluggeschwindigkeit f flying speed; **Fluggesellschaft** f airline [company]; **Flughafen** m airport; **Flughöhe** f altitude [of flight]; **Fluglotse** m air-traffic controller, flight controller; **Flugnummer** f flight number; **Flugplan** m flight schedule; **Flugplatz** m airport; (klein) airfield; **Flugschein** m plane ticket, air ticket; **Flugstrecke** f air route; **Flugverkehr** m air traffic; **Flugwesen** nt aviation; **Flugzeug** nt [aero]plane, airplane US; **Flugzeugentführung** f hijacking of a plane; **Flugzeughalle** f hangar; **Flugzeugträger** m aircraft carrier.

Flunder f <-, -n> flounder.

flunkern vi fib, tell stories.

Fluor nt <-s> fluorine.

Flur m <-[e]s, -e> hall; (Treppen~) staircase.

Fluß m <-sses, ⸚sse> river; (Fließen) flow; **im ~ sein** (fig) be in a state of flux; **Flußdiagramm** nt flow chart, flow diagram.

flüssig adj liquid; **flüssigmachen** vt (Geld) make available; **Flüssigkeit** f liquid; (Zustand) liquidity; **Flüssigkristall** m liquid crystal; **Flüssigkristallanzeige** f liquid crystal display.

flüstern vt, vi whisper; **Flüsterpropaganda** f whispering campaign.

Flut f <-, -en> (auch fig) flood; (Gezeiten) high tide; **fluten** vi flood; **Flutlicht** nt floodlight.

fl. W. abk von **fließendes Wasser** running water.

focht pt von **fechten**.

Fohlen nt <-s, -> foal.

Föhn ® m <-[e]s, -e> foehn, warm south wind.

Föhre f <-, -n> Scots pine.

Folge f <-, -n> series sing, sequence; (Fortsetzung) instalment; (Auswirkung) result; **in rascher ~** in quick succession; **etw zur ~ haben** result in sth; **~n haben** have consequences; **einer Sache** dat **~ leisten** comply with sth; **folgen** vi follow (jdm sb); (gehorchen) obey (jdm sb); **jdm ~ können** (fig) be able to follow sb, understand sb; **folgend** adj following; **folgendermaßen** adv as follows, in the following way; **folgenschwer** adj momentous; **folgerichtig** adj logical.

folgern vt conclude (aus from); **Folgerung** f conclusion.

folglich adv consequently.

folgsam adj obedient.

Folie f foil.

Folter f <-, -n> torture; (Gerät) rack; **foltern** vt torture.

Fön ® m <-[e]s, -e> hair-dryer; **fönen** vt [blow-]dry.

Fontäne f <-, -n> fountain.

foppen vt tease.

Förderband nt, pl <-bänder> conveyor belt; **Förderkorb** m pit cage; **för-**

derlich adj beneficial.

fordern vt demand.

fördern vt promote; (unterstützen) help; (Kohle) extract; **Förderung** f promotion; help; extraction.

Forderung f demand.

Forelle f trout.

Form f <-, -en> shape; (Gestaltung) form; (Guß~) mould; (Back~) baking tin; **in ~ sein** be in good form [o shape]; **in ~ von** in the shape of.

Formaldehyd m <-s> formaldehyde.

formalisieren vt formalize.

Formalität f formality.

Format nt format; (fig) distinction; **formatieren** vt (Diskette) format.

Formation f formation.

formbar adj malleable.

Formel f <-, -n> formula.

formell adj formal.

formen vt form, shape.

Formfehler m faux-pas, gaffe; (JUR) irregularity.

förmlich adj formal; (fam) real; **Förmlichkeit** f formality.

formlos adj shapeless; (Benehmen) informal.

Formular nt <-s, -e> form.

formulieren vt formulate.

forsch adj energetic, vigorous.

forschen 1. vt search (nach for); **2.** vi (wissenschaftlich) [do] research; **forschend** adj searching; **Forscher(in** f) m <-s, -> research scientist; (Natur~) explorer; **Forschung** f research; **Forschungsreise** f scientific expedition; **Forschungssatellit** m research satellite.

Forst m <-[e]s, -e> forest; **Forstarbeiter(in** f) m forestry worker; **Forstwirtschaft** f forestry; **Förster(in** f) m <-s, -> forester; (für Wild) gamekeeper.

fort adv away; (verschwunden) gone; (vorwärts) on; **und so ~** and so on; **in einem ~** on and on; **fortbestehen** irr vi survive; **fortbewegen 1.** vt move away; **2.** vr: **sich ~** move; **fortbilden** vr: **sich ~** continue one's education; **fortbleiben** irr vi stay away; **fortbringen** irr vt take away; **Fortdauer** f continuance, continuation; **fortfahren** irr vi depart; (fortsetzen) go on, continue; **fortführen** vt continue, carry on; **fortgehen** irr vi go away; **fortgeschritten** adj advanced; **fortkommen** irr vi get on; (wegkommen) get away; **fortkönnen** irr vi be able to get away; **fortmüssen** irr vi have to go.

fortpflanzen vr: **sich ~** reproduce;

Fortpflanzung f reproduction.
Fortschritt m advance; **~e machen** make progress; **fortschrittlich** adj progressive.
fortsetzen vt continue; **Fortsetzung** f continuation; (folgender Teil) instalment; **~ folgt** to be continued.
fortwährend adj incessant, continual.
fortziehen irr 1. vt pull away; 2. vi move on; (umziehen) move away.
fossil adj (Brennstoff) fossil.
Foto 1. nt <-s, -s> photo[graph]; 2. m <-s, -s> (~apparat) camera; **Fotograf(in** f) m <-en, -en> photographer; **Fotografie** f photography; (Bild) photograph; **fotografieren** 1. vt photograph; 2. vi take photographs; **Fotokopierer** m photocopier.
Foul nt <-s, -s> foul.
Fracht f <-, -en> freight; (NAUT) cargo; (Preis) carriage; **Frachter** m <-s, -> freighter, cargo boat; **Frachtgut** nt freight.
Frack m <-[e]s, ⸚e> tails pl.
Frage f <-, -en> question; **etw in ~ stellen** question sth; **jdm eine ~ stellen** ask sb a question, put a question to sb; **nicht in ~ kommen** be out of the question; **Fragebogen** m questionnaire; **fragen** vt, vi ask; **Fragezeichen** nt question mark; **fraglich** adj questionable, doubtful; **fraglos** adj unquestionably.
Fragment nt fragment; **fragmentarisch** adj fragmentary.
fragwürdig adj questionable, dubious.
Fraktion f parliamentary party.
frankieren vt stamp, frank; **franko** adv post-paid; carriage paid.
Frankreich nt France.
Franse f <-, -n> fringe; **fransen** vi fray.
Franzose m <-n, -n>, **Französin** f Frenchman/-woman; **die ~n** pl the French pl; **französisch** adj French; **die ~e Schweiz** French-speaking Switzerland.
fraß pt von **fressen**.
Fratze f <-, -n> grimace.
Frau f <-, -en> woman; (Ehe~) wife; (Anrede) Mrs; ~ **Doktor** Doctor, **Frauenarzt** m, **-ärztin** f gynaecologist; **Frauenbeauftragte(r)** mf official women's representative; **Frauenbewegung** f feminist movement, women's lib; **Frauenhaus** nt refuge [for battered women].
Fräulein nt young lady; (Anrede) Miss.
fraulich adj womanly.
Freak m <-s, -s> (fam) freak.
frech adj cheeky, impudent; **Frech-**

dachs m cheeky monkey; **Frechheit** f cheek, impudence.
Fregatte f frigate.
frei adj free; (Stelle, Sitzplatz auch) vacant; (Mitarbeiter) freelance; (Geld) available; (unbekleidet) bare; **sich dat einen Tag ~ nehmen** take a day off; **von etw ~ sein** be free of sth; **im F~en** in the open air; ~ **sprechen** talk without notes; **Freibad** nt open-air swimming pool; **freibekommen** irr vt: **jdn/einen Tag ~** get sb freed/get a day off; **freigebig** adj generous; **Freigebigkeit** f generosity; **freihalten** irr vt keep free; **freihändig** adv (fahren) with no hands; **Freiheit** f freedom; **freiheitlich** adj liberal; **Freiheitsstrafe** f prison sentence; **Freikarte** f free ticket; **freikommen** irr vi get free; **freilassen** irr vt [set] free; **Freilauf** m freewheeling; **freilegen** vt expose.
freilich adv certainly, admittedly; **ja ~** yes of course.
Freilichtbühne f open-air theatre; **freimachen** 1. vt (Post) frank; 2. vr: **sich ~** arrange to be free; **Tage ~** take days off; **freisprechen** irr vt acquit (von of); **Freispruch** m acquittal; **freistellen** vt: **jdm etw ~** leave sth [up] to sb; **Freistoß** m free kick.
Freitag m Friday; **[am] ~** on Friday; **freitags** adv on Fridays, on a Friday.
freiwillig adj voluntary; **Freiwillige(r)** mf volunteer.
Freizeit f spare [o free] time; **Freizeitausgleich** m free time compensation.
freizügig adj liberal, broad-minded; (mit Geld) generous.
fremd adj (unvertraut) strange; (ausländisch) foreign; (nicht eigen) someone else's; **etw ist jdm ~** sth is foreign to sb; **fremdartig** adj strange; **Fremde(r)** mf stranger; (Ausländer) foreigner; **Fremdenführer(in** f) m [tourist] guide; **Fremdenlegion** f foreign legion; **Fremdenverkehr** m tourism; **Fremdenzimmer** nt guest room; **Fremdkörper** m foreign body; **fremdländisch** adj foreign; **Fremdling** m stranger; **Fremdsprache** f foreign language; **fremdsprachig** adj foreign-language; **Fremdwort** nt foreign word.
Frequenz f (RADIO) frequency.
fressen <fraß, gefressen> vt, vi eat.
Freude f <-, -n> joy, delight; **freudig** adj joyful, happy; **freudlos** adj joyless.
freuen 1. vt impers make happy [o pleased]; 2. vr: **sich ~** be glad, be happy; **sich auf etw** akk **~** look forward to sth; **sich über etw** akk **~** be pleased

about sth.

Freund m <-[e]s, -e> friend; boyfriend; **Freundin** f friend; girlfriend; **freundlich** adj kind, friendly; **freundlicherweise** adv kindly; **Freundlichkeit** f friendliness, kindness; **Freundschaft** f friendship; **freundschaftlich** adj friendly.

Frevel m <-s, -> crime, offence (an + dat against); **frevelhaft** adj wicked.

Frieden m <-s, -> peace; **im ~** in peacetime; **Friedensbewegung** f peace movement; **Friedensverhandlungen** pl peace negotiations pl; **Friedensvertrag** m peace treaty; **Friedenszeit** f peacetime.

Friedhof m cemetery.

friedlich adj peaceful.

frieren <fror, gefroren> vt, vi freeze; **ich friere, es friert mich** I am freezing, I'm cold.

Fries m <-es, -e> (ARCHIT) frieze.

frigid[e] adj frigid.

Frikadelle f meatball.

Frisbeescheibe® f frisbee disc®.

frisch adj fresh; (lebhaft) lively; **~ gestrichen!** wet paint!; **sich ~ machen** freshen [oneself] up; **Frische** f <-> freshness; liveliness; **Frischhaltefolie** f cling film; **Frischzellentherapie** f cellular therapy; live-cell therapy.

Friseur m, **Friseuse** f hairdresser.

frisieren vt, vr: **sich ~** do [one's hair]; (fig: Abrechnung) fiddle, doctor; **Frisiersalon** m hairdressing salon; **Frisiertisch** m dressing table.

Frisör m <-s, -e> hairdresser.

Frist f <-, -en> period; (Termin) deadline; **fristen** vt (Dasein) lead; (kümmerlich) eke out; **fristlos** adj (Entlassung) instant.

Frisur f hairdo, hairstyle.

fritieren vt deep-fry.

frivol adj frivolous.

Frl. abk von **Fräulein** Miss.

froh adj happy, cheerful; **ich bin ~, daß...** I'm glad that...

fröhlich adj merry, happy; **Fröhlichkeit** f merriness, gaiety.

frohlocken vi exult; (pej) gloat.

Frohsinn m cheerfulness.

fromm adj pious, good; (Wunsch) idle.

Frömmelei f false piety.

Frömmigkeit f piety.

frönen vi indulge (einer Sache dat in sth).

Fronleichnam m <-[e]s> Corpus Christi.

Front f <-, -en> front.

frontal adj frontal.

fror pt von **frieren.**

Frosch m <-[e]s, ¨e> frog; (Feuerwerk) squib; **Froschmann** m, pl <-männer> frogman; **Froschschenkel** m frog's leg.

Frost m <-[e]s, ¨e> frost; **Frostbeule** f chilblain.

frösteln vi shiver.

frostig adj frosty.

Frostschutzmittel nt anti-freeze.

Frottee nt o m <-[s], -s> towelling.

frottieren vt rub, towel; **Frottier[hand]tuch** nt towel.

Frucht f <-, ¨e> (auch fig) fruit; (Getreide) corn; **Fruchtbarkeit** f fertility; **fruchten** vi be of use; **fruchtlos** adj fruitless; **Fruchtsaft** m fruit juice.

früh adj, adv early; **heute ~** this morning; **Frühaufsteher(in** f) m <-s, -> early riser; **Frühe** f <-> early morning; **früher 1.** adj earlier; (ehemalig) former; **2.** adv formerly; **~ war das anders** that used to be different; **frühestens** adv at the earliest; **Frühgeburt** f premature birth/baby.

Frühjahr nt **Frühling** m spring; **im ~** in spring.

frühreif adj precocious.

Frühstück nt breakfast; **frühstücken** vi [have] breakfast.

frühzeitig adj early.

Frust m <-s> (fam) frustration; **frustrieren** vt frustrate.

Fuchs m <-es, ¨e> fox; **fuchsen 1.** vt (fam) rile, annoy; **2.** vr: **sich ~** be annoyed; **fuchsteufelswild** adj (fam) hopping mad; **Füchsin** f vixen.

fuchteln vi gesticulate wildly.

Fuge f <-, -n> joint; (MUS) fugue.

fügen 1. vt place, join; **2.** vr: **sich ~** be obedient (in + akk to); (anpassen) adapt oneself (in + akk to); **3.** vr impers: **sich ~** happen; **fügsam** adj obedient.

fühlbar adj perceptible, noticeable; **fühlen** vt, vi, vr: **sich ~** feel; **Fühler** m <-s, -> feeler.

fuhr pt von **fahren.**

führen 1. vt lead; (Geschäft) run; (Name) bear; (Buch) keep; **2.** vi lead; **3.** vr: **sich ~** behave; **Führer(in** f) m <-s, -> leader; (Fremden~) guide; **Führerschein** m driving licence.

Fuhrmann m, pl <-leute> carter.

Führung f leadership; (eines Unternehmens) management; (MIL) command; (Benehmen) conduct; (Museums~) conducted tour; **Führungszeugnis** nt certificate of good conduct.

Fuhrwerk nt cart.

Fülle f <-> wealth, abundance; **füllen** vt, vr: **sich ~** fill; (GASTR) stuff.

Füllen nt <-s, -> foal.
Füller, Füllfederhalter m <-s, -> fountain pen.
Füllung f filling; (Holz~) panel.
fummeln vi (fam) fumble.
Fund m <-[e]s, -e> find.
Fundament nt foundation; **fundamental** adj fundamental; **Fundamentalist(in** f) m (POL) fundamentalist; **fundamentalistisch** adj (POL) fundamentalist.
Fundbüro nt lost property office, lost and found; **Fundgrube** f (fig) treasure trove.
Fundi m <-s, -s>, f <-, -s> fundamentalist [of the ecology movement].
fundieren vt back up; **fundiert** adj sound.
fünf num five; **fünffach 1.** adj fivefold; **2.** adv five times; **fünfhundert** num five hundred; **fünfjährig** adj (5 Jahre alt) five-year-old; (5 Jahre dauernd) five-year; **fünfmal** adv five times.
fünfte(r, s) adj fifth; **der ~ Juni** the fifth of June; **Botnang, den ~ Juni** Botnang, June 5th; **Fünfte(r)** mf fifth.
Fünftel nt <-s, -> (Bruchteil) fifth.
fünftens adv in the fifth place.
fünfzehn num fifteen.
fünfzig num fifty.
fungieren vi function; (Mensch) act.
Funk m <-s> radio, wireless.
Funke[n] m <-ns, -n> (auch fig) spark.
funkeln vi sparkle.
funken vt radio; **Funker(in** f) m <-s, -> radio operator; **Funkgerät** nt radio set; **Funkhaus** nt broadcasting centre; **Funkspruch** m radio message; **Funkstation** f radio station; **Funktaxi** nt radio taxi, radio cab.
Funktion f function.
funktionieren vi work, function.
Funktionstaste f (COMPUT) function key.
für prep +akk for; **was ~** what kind [o sort] of; **das F~ und Wider** the pros and cons pl; **Schritt ~ Schritt** step by step.
Furan nt <-s, -e> furan[e].
Fürbitte f intercession.
Furche f <-, -n> furrow; **furchen** vt furrow.
Furcht f <-> fear; **furchtbar** adj terrible, frightful.
fürchten 1. vt be afraid of, fear; **2.** vr: **sich ~** be afraid (vor + dat of).
fürchterlich adj awful.
furchtlos adj fearless; **furchtsam** adj timid.
füreinander adv for each other.
Furnier nt <-s, -e> veneer.
fürs = für das.

Fürsorge f care; (Sozial~) welfare; **Fürsorgeamt** nt welfare office; **Fürsorger(in** f) m <-s, ->, m welfare worker; **Fürsorgeunterstützung** f social security, welfare benefit US.
Fürsprache f recommendation; (um Gnade) intercession; **Fürsprecher(in** f) m advocate.
Fürst(in f) m <-en, -en> prince/princess; **Fürstentum** nt principality; **fürstlich** adj princely.
Furt f <-, -en> ford.
Fürwort nt pronoun.
Fuß m <-es, -̈e> foot; (von Glas, Säule etc) base; (von Möbel) leg; **zu ~** on foot; **Fußball** m football; **Fußballspiel** nt football match; **Fußballspieler(in** f) m footballer; **Fußboden** m floor; **Fußbremse** f (AUT) footbrake; **fußen** vi rest, be based (auf + dat on); **Fußende** nt foot; **Fußgänger(in** f) m <-s, -> pedestrian; **Fußgängerzone** f pedestrian precinct; **Fußnote** f footnote; **Fußpfleger(in** f) m chiropodist; **Fußspur** f footprint; **Fußtritt** m kick; (Spur) footstep; **Fußweg** m footpath.
Futter nt <-s, -> fodder, feed; (Stoff) lining.
Futteral nt <-s, -e> case.
füttern vt feed; (Kleidung) line.
Futur nt <-s, -e> future.

G

G, g nt G, g.
gab pt von **geben.**
Gabe f <-, -n> gift.
Gabel f <-, -n> fork; **Gabelfrühstück** nt mid-morning snack; **Gabelung** f fork.
gackern vi cackle.
gaffen vi gape.
Gage f <-, -n> fee; (regelmäßig) salary.
gähnen vi yawn.
Gala f <-> formal dress; **Galavorstellung** f (THEAT) gala performance.
galant adj gallant, courteous.
Galerie f gallery.
Galgen m <-s, -> gallows pl; **Galgenfrist** f respite; **Galgenhumor** m macabre humour.
Galle f <-, -n> gall; (Organ) gall-bladder.
Galopp m <-s, -s o -e> gallop; **galoppieren** vi gallop.
galt pt von **gelten.**

galvanisieren vt galvanize.
Gamasche f <-, -n> gaiter; (kurz) spat.
Gammler(in f) m <-s, -> loafer, layabout.
gang adj: ~ und gäbe usual, normal.
Gang 1. m <-|e|s, ⁈e> walk; (Boten~) errand; (~art) gait; (Abschnitt eines Vorgangs) operation; (Essens~, Ablauf) course; (Flur etc) corridor; (Durch~) passage; (TECH) gear; **2.** f <-, -s> gang; **in ~ bringen** start up; (fig) get off the ground; **in ~ sein** be in operation; (fig) be underway; **gangbar** adj passable; (Methode) practicable.
gängeln vt spoonfeed, treat like a child.
gängig adj common, current; (Ware) in demand, selling well.
Gangschaltung f gears pl.
Ganove m <-n, -n> (fam) crook.
Gans f <-, ⁈e> goose.
Gänseblümchen nt daisy; **Gänsebraten** m roast goose; **Gänsefüßchen** pl (fam) inverted commas pl Brit, quotes pl; **Gänsehaut** f goose pimples pl; **Gänsemarsch** m: im ~ in single file; **Gänserich** m gander.
ganz 1. adj whole; (vollständig) complete; **2.** adv quite; (völlig) completely; ~ **Europa** all Europe; **sein ~es Geld** all his money; ~ **und gar nicht** not at all; **es sieht ~ so aus** it really looks like it; **aufs G ~e gehen** go for the lot.
gar 1. adj cooked, done; **2.** adv quite; ~ **nicht/nichts/keiner** not/nothing/nobody at all; ~ **nicht schlecht** not bad at all.
Garage f <-, -n> garage.
Garantie f guarantee; **garantieren** vt guarantee.
Garbe f <-, -n> sheaf.
Garde f <-, -n> guard[s]; **die alte ~** the old guard.
Garderobe f <-, -n> wardrobe; (Abgabe) cloakroom; **Garderobenständer** m hallstand.
Gardine f curtain.
gären <gor o gärte, gegoren o gegärt> vi ferment.
Garn nt <-|e|s, -e> thread; (fig auch) yarn.
Garnele f <-, -n> shrimp, prawn.
garnieren vt decorate; (Speisen) garnish.
Garnison f <-, -en> garrison.
Garnitur f (Satz) set; (Unterwäsche) set of [matching] underwear; **erste ~** (fig) top rank; **zweite ~** second rate.
garstig adj nasty, horrid.
Garten m <-s, ⁈> garden; **Gartenarbeit** f gardening; **Gartenbau** m horticulture; **Gartenfest** nt garden party; **Gartenhaus** nt summerhouse; **Gar-**

tenkresse f cress; **Gartenlokal** nt garden café; **Gartenschere** f pruning shears pl.
Gärtner(in f) m <-s, -> gardener; **Gärtnerei** f nursery; (Gemüse~) market garden Brit, truck farm US; **gärtnern** vi garden.
Gärung f fermentation.
Gas nt <-es, -e> gas; ~ **geben** (AUT) accelerate, step on the gas; **gasförmig** adj gaseous; **Gasherd** m gas cooker; **Gasleitung** f gas pipe; **Gasmaske** f gasmask; **Gaspedal** nt accelerator, gas pedal.
Gasse f <-, -n> lane, alley; **Gassenjunge** m street urchin.
Gast m <-es, ⁈e> guest; **Gastarbeiter(in** f) m foreign worker; **Gästebuch** nt visitors' book, guest book; **gastfreundlich** adj hospitable; **Gastgeber(in** f) m <-s, -> host/hostess; **Gasthaus** nt, **Gasthof** m hotel, inn.
gastieren vi (THEAT) [appear as a] guest.
gastlich adj hospitable.
gastronomisch adj gastronomic[al].
Gastspiel nt (SPORT) away game; **Gaststätte** f restaurant; pub; **Gastwirt(in** f) m innkeeper; **Gastwirtschaft** f hotel, inn; **Gastzimmer** nt [guest] room.
Gasvergiftung f gas poisoning; **Gaswerk** nt gasworks sing o pl; **Gaszähler** m gas meter.
Gatte m <-n, -n> husband, spouse; **die ~n** pl husband and wife.
Gatter nt <-s, -> railing, grating; (Eingang) gate.
Gattin f wife, spouse.
Gattung f (BIO) genus; (LITER, MUS) genre; (fig) type, kind.
Gau, GAU m <-s, -s> Akronym von größter anzunehmender Unfall nuclear catastrophe.
Gaul m <-|e|s, Gäule> horse; nag.
Gaumen m <-s, -> palate.
Gauner(in f) m <-s, -> rogue; **Gaunerei** f swindle.
Gaze f <-, -n> gauze.
geb. abk von **1.** adj **geboren** born; **2.** adj **geborene** née.
Gebäck nt <-|e|s, -e> pastry.
gebacken pp von **backen**.
Gebälk nt <-|e|s> timberwork.
gebar pt von **gebären**.
Gebärde f <-, -n> gesture; **gebärden** vr: **sich ~** behave.
gebären <gebar, geboren> vt give birth to, bear; **Gebärmutter** f uterus, womb.
Gebäude nt <-s, -> building; **Gebäudekomplex** m [building] complex.

Gebein *nt* <-[e]s, -e> bones *pl*.
Gebell *nt* <-[e]s> barking.
geben <gab, gegeben> 1. *vt, vi* give *(jdm etw* sb sth, sth to sb); *(Karten)* deal; 2. *vb impers*: **es gibt** there is/are; there will be; 3. *vr*: **sich ~** *(sich verhalten)* behave, act; *(aufhören)* abate; **sich geschlagen ~** admit defeat; **das wird sich schon ~** that'll soon sort itself out; **ein Wort gab das andere** one angry word led to another.
Gebet *nt* <-[e]s, -e> prayer.
gebeten *pp von* **bitten**.
Gebiet *nt* <-[e]s, -e> area; *(Hoheits~)* territory; *(fig)* field.
gebieten *irr vt* command, demand; **gebieterisch** *adj* imperious.
Gebilde *nt* <-s, -> object, structure.
gebildet *adj* cultured, educated.
Gebirge *nt* <-s, -> mountains *pl*. mountain chain; **gebirgig** *adj* mountainous; **Gebirgszug** *m* mountain range.
Gebiß *nt* <-sses, -sse> teeth *pl*; *(künstlich)* dentures *pl*.
gebissen *pp von* **beißen**.
geblasen *pp von* **blasen**.
geblieben *pp von* **bleiben**.
geblümt *adj* flowery.
gebogen *pp von* **biegen**.
geboren 1. *pp von* **gebären**; 2. *adj* born; **Manika Braun, ~e Schlüter** Manika Braun, née Schlüter.
geborgen 1. *pp von* **bergen**; 2. *adj* secure, safe.
geborsten *pp von* **bersten**.
Gebot *nt* <-[e]s, -e> command; *(biblisch)* commandment; *(bei Auktion)* bid.
geboten *pp von* **bieten**.
gebracht *pp von* **bringen**.
gebrannt *pp von* **brennen**.
gebraten *pp von* **braten**.
Gebräu *nt* <-[e]s, -e> brew, concoction.
Gebrauch *m* <-[e]s, ⁴e> use; *(Sitte)* custom; **gebrauchen** *vt* use.
gebräuchlich *adj* usual, customary.
Gebrauchsanweisung *f* directions *pl* for use; **Gebrauchsartikel** *m* article of everyday use; **gebrauchsfertig** *adj* ready for use; **Gebrauchsgegenstand** *m* commodity.
gebraucht *adj* used; **Gebrauchtwagen** *m* secondhand [o used] car.
gebrechlich *adj* frail.
gebrochen *pp von* **brechen**.
Gebrüder *pl* brothers *pl*.
Gebrüll *nt* <-[e]s> roaring.
Gebühr *f* <-, -en> charge, fee; **über ~** unduly.
gebühren 1. *vi*: **jdm ~** be sb's due, be

due to sb; 2. *vr*: **sich ~** be fitting.
Gebührenerlaß *m* remission of fees; **Gebührenermäßigung** *f* reduction of fees; **gebührenfrei** *adj* free of charge; **gebührenpflichtig** *adj* subject to charges.
gebunden *pp von* **binden**.
Geburt <-, -en> birth; **Geburtenkontrolle** *f* birth control; **Geburtenziffer** *f* birth-rate.
gebürtig *adj* born in, native of; **~e Schweizerin** native of Switzerland, Swiss-born.
Geburtsanzeige *f* birth notice; **Geburtsdatum** *nt* date of birth; **Geburtsjahr** *nt* year of birth; **Geburtsort** *m* birthplace; **Geburtstag** *m* birthday; **herzlichen Glückwunsch zum ~** happy birthday, many happy returns; **Geburtsurkunde** *f* birth certificate.
Gebüsch *nt* <-[e]s, -e> bushes *pl*.
gedacht *pp von* **denken**.
Gedächtnis *nt* memory; **Gedächtnisschwund** *m* loss of memory, failing memory; **Gedächtnisverlust** *m* amnesia.
Gedanke *m* <-ns, -n> thought; **sich** *dat* **über etw** *akk* **~n machen** think about sth; *(sich sorgen)* worry about sth; **Gedankenaustausch** *m* exchange of ideas; **gedankenlos** *adj* thoughtless; **Gedankenlosigkeit** *f* thoughtlessness; **Gedankenstrich** *m* dash; **Gedankenübertragung** *f* thought transference, telepathy.
Gedärm *nt* <-[e]s, -e> intestines *pl*, bowels *pl*.
Gedeck *nt* <-[e]s, -e> cover[ing]; *(Speisenfolge)* menu; **ein ~ auflegen** lay a place.
gedeihen <gedieh, gediehen> *vi* thrive, prosper.
gedenken *irr vi* *(sich erinnern)* remember *(jds/einer Sache* sb/sth); *(beabsichtigen)* intend; **Gedenkfeier** *f* commemoration; **Gedenkminute** *f* minute's silence; **Gedenktag** *m* remembrance day.
Gedicht *nt* <-[e]s, -e> poem.
gediegen *adj* [good] quality; *(Mensch)* reliable, honest.
gedieh *pt von* **gedeihen**; **gediehen** *pp von* **gedeihen**.
Gedränge *nt* <-s> crush, crowd; **ins ~ kommen** *(fig)* get into difficulties.
gedrängt *adj* compressed; **~ voll** packed.
gedroschen *pp von* **dreschen**.
gedrungen 1. *pp von* **dringen**; 2. *adj* thickset, stocky.

Geduld f <-> patience; **gedulden** vr: **sich ~** be patient; **geduldig** adj patient, forbearing; **Geduldsprobe** f trial of [one's] patience.

gedurft pp von **dürfen**.

geeignet adj suitable.

Gefahr f <-, -en> danger; **~ laufen, etw zu tun** run the risk of doing sth; **auf eigene ~** at one's own risk.

gefährden vt endanger.

gefahren pp von **fahren**.

Gefahrenquelle f source of danger; **Gefahrenzulage** f danger money.

gefährlich adj dangerous.

Gefährte m <-n, -n>, **Gefährtin** f companion.

Gefälle nt <-s, -> gradient, incline.

gefallen 1. pp von **fallen**; **2.** irr vi: **jdm ~** please sb; **er/es gefällt mir** I like him/it; **das gefällt mir an ihm** that's one thing I like about him; **sich** dat **etw ~ lassen** put up with sth; **Gefallen 1.** m <-s, -> favour; **2.** nt <-s> pleasure; **an etw** dat **~ finden** derive pleasure from sth; **jdm etw zu ~ tun** do sth to please sb.

gefällig adj (hilfsbereit) obliging; (erfreulich) pleasant; **Gefälligkeit** f favour; helpfulness; **etw aus ~ tun** do sth as a favour; **gefälligst** adv kindly.

gefangen 1. pp von **fangen**; **2.** adj captured; (fig) captivated; **Gefangene(r)** mf prisoner, captive; **Gefangenenlager** nt prisoner-of-war camp; **gefangenhalten** irr vt keep prisoner; **Gefangennahme** f <-, -n> capture; **Gefangenschaft** f captivity.

Gefängnis nt prison; **Gefängnisstrafe** f prison sentence; **Gefängniswärter(in** f) m prison warder/wardress.

Gefasel nt <-s> twaddle, drivel.

Gefäß nt <-es, -e> (Behälter) container, receptacle; (ANAT, BOT) vessel.

gefaßt adj composed, calm; **auf etw** akk **~ sein** be prepared [o ready] for sth.

Gefecht nt <-[e]s, -e> fight; (MIL) engagement.

gefeit adj: **gegen etw ~ sein** be immune to sth.

Gefieder nt <-s, -> plumage, feathers pl; **gefiedert** adj feathered.

gefleckt adj spotted, mottled.

geflissentlich adj, adv intentional[ly].

geflochten pp von **flechten**.

geflogen pp von **fliegen**.

geflohen pp von **fliehen**.

geflossen pp von **fließen**.

Geflügel nt <-s> poultry.

gefochten pp von **fechten**.

Gefolge nt <-s, -> retinue; **Gefolgschaft** f following; (Arbeiter) personnel;

Gefolgsmann m, pl <-leute> follower.

gefragt adj in demand.

gefräßig adj voracious.

Gefreite(r) mf <-n, -n> lance corporal; (NAUT) able seaman, seaman apprentice; (AVIAT) aircraftman.

gefressen pp von **fressen**.

gefrieren irr vi freeze; **Gefrierfach** nt icebox; **Gefrierfleisch** nt frozen meat; **gefriergetrocknet** adj freeze-dried; **Gefrierpunkt** m freezing point; **Gefrierschrank** m [upright] freezer; **Gefriertruhe** f deep-freeze.

gefroren pp von **frieren**.

Gefüge nt <-s, -> structure.

gefügig adj pliant; (Mensch) obedient.

Gefühl nt <-[e]s, -e> feeling; **etw im ~ haben** have a feel for sth; **gefühllos** adj unfeeling; **gefühlsbetont** adj emotional; **Gefühlsduselei** f emotionalism; **gefühlsmäßig** adj instinctive.

gefunden pp von **finden**.

gegangen pp von **gehen**.

gegeben 1. pp von **geben**; **2.** adj given; **zu ~er Zeit** in good time; **gegebenenfalls** adv if need be.

gegen prep +akk against; (in Richtung auf, jdn betreffend, kurz vor) towards; (im Austausch für) [in return] for; (ungefähr) round about; **Gegenangriff** m counterattack; **Gegenbeweis** m counter-evidence.

Gegend f <-, -en> area, district.

gegeneinander adv against one another.

Gegenfahrbahn f oncoming carriageway; **Gegenfrage** f counter-question; **Gegengewicht** nt counterbalance; **Gegengift** nt antidote; **Gegenleistung** f service in return; **Gegenlichtaufnahme** f contre-jour photograph; **Gegenmaßnahme** f counter-measure; **Gegenprobe** f cross-check; **Gegensatz** m contrast; **≈e überbrücken** overcome differences; **gegensätzlich** adj contrary, opposite; (widersprüchlich) contradictory; **Gegenschlag** m counterattack; **Gegenseite** f opposite side; (Rückseite) reverse; **gegenseitig** adj mutual, reciprocal; **sich ~ helfen** help each other; **Gegenseitigkeit** f reciprocity; **das beruht auf ~** it's mutual; **Gegenspieler(in** f) m opponent.

Gegenstand m object; **gegenständlich** adj concrete.

Gegenstimme f vote against; **Gegenstück** nt counterpart.

Gegenteil nt opposite; **im ~** on the contrary; **ins ~ umschlagen** swing to the other extreme; **gegenteilig** adj opposite, contrary.

gegenüber 1. *prep* + *dat* opposite; (*zu*) to[wards]; (*angesichts*) in the face of; **2.** *adv* opposite; **Gegenüber** *nt* < -s, -> person opposite; (*bei Diskussion*) opposite number; **gegenüberliegen** *irr vr*: **sich** ~ face each other; **gegenüberstellen** *vt* confront; (*fig*) contrast; **Gegenüberstellung** *f* confrontation; (*fig: Vergleich*) comparison; **gegenübertreten** *irr vi* face (*jdm sb*).

Gegenverkehr *m* oncoming traffic; **Gegenvorschlag** *m* counterproposal; **Gegenwart** *f* < -> present; **gegenwärtig 1.** *adj* present; **2.** *adv* at present; **das ist mir nicht mehr** ~ that has slipped my mind; **Gegenwert** *m* equivalent; **Gegenwind** *m* headwind; **Gegenwirkung** *f* reaction; **gegenzeichnen** *vt, vi* countersign; **Gegenzug** *m* countermove; (*EISENB*) corresponding train in the other direction.

gegessen *pp von* **essen**.

geglichen *pp von* **gleichen**.

geglitten *pp von* **gleiten**.

geglommen *pp von* **glimmen**.

Gegner(in *f*) *m* < -s, -> opponent; **gegnerisch** *adj* opposing; **Gegnerschaft** *f* opposition.

gegolten *pp von* **gelten**.

gegoren *pp von* **gären**.

gegossen *pp von* **gießen**.

gegraben *pp von* **graben**.

gegriffen *pp von* **greifen**.

gehabt *pp von* **haben**.

Gehackte(s) *nt* mince[d meat].

Gehalt 1. *m* < -[e]s, -e> content; **2.** *nt* < -[e]s, ⁻er> salary.

gehalten *pp von* **halten**.

Gehaltsempfänger(in *f*) *m* salary earner; **Gehaltserhöhung** *f* [salary] increase; **Gehaltszulage** *f* [salary] increment.

gehangen *pp von* **hängen**.

geharnischt *adj* forceful, angry.

gehässig *adj* spiteful, nasty; **Gehässigkeit** *f* spitefulness.

gehauen *pp von* **hauen**.

Gehäuse *nt* < -s, -> case; casing; (*von Apfel etc*) core.

Gehege *nt* < -s, -> enclosure, preserve; **jdm ins** ~ **kommen** (*fig*) poach on sb's preserves.

geheim *adj* secret; **Geheimdienst** *m* secret service, intelligence service; **geheimhalten** *irr vt* keep secret; **Geheimnis** *nt* secret; (*rätselhaft*) mystery; **Geheimniskrämer(in** *f*) *m* secretive type; **geheimnisvoll** *adj* mysterious; **Geheimnummer** *f*: **eine** ~ **haben**

(*TEL*) be exdirectory *Brit*, have an unlisted number *US*; **Geheimpolizei** *f* secret police; **Geheimschrift** *f* code, secret writing.

geheißen *pp von* **heißen**.

gehen < **ging, gegangen** > **1.** *vt, vi* go; (*zu Fuß* ~) walk; **2.** *vi impers:* **wie geht es** [**dir**]? how are you [*o* things]?; **mir/ihm geht es gut** I'm/he's [doing] fine; **geht das?** is that possible?; **geht's noch?** can you manage?; **es geht** not too bad, O.K.; **das geht nicht** that's not on; **es geht um etw** sth is concerned, it's about sth; ~ **nach** (*Fenster*) face.

geheuer *adj*: **nicht** ~ eery; (*fragwürdig*) dubious.

Geheul *nt* < -[e]s > howling.

Gehilfe *m* < -n, -n >, **Gehilfin** *f* assistant.

Gehirn *nt* < -[e]s, -e > brain; **Gehirnerschütterung** *f* concussion; **Gehirnwäsche** *f* brainwashing.

gehoben *pp von* **heben**.

geholfen *pp von* **helfen**.

Gehör *nt* < -[e]s > hearing; **musikalisches** ~ ear; ~ **finden** gain a hearing; **jdm** ~ **schenken** give sb a hearing.

gehorchen *vi* obey (*jdm sb*).

gehören 1. *vi* belong (*jdm* to sb); **2.** *vr impers:* **sich** ~ be right, be proper.

gehörig *adj* proper; ~ **zu** belonging to; part of.

gehorsam *adj* obedient; **Gehorsam** *m* < -s> obedience.

Gehsteig *m* pavement, sidewalk *US*.

Geier *m* < -s, -> vulture; **weiß der** ~ (*fam*) God knows.

geifern *vi* salivate; (*fig*) bitch.

Geige *f* < -, -n > violin; **Geiger(in** *f*) *m* < -s, -> violinist.

Geigerzähler *m* geiger counter.

geil *adj* randy, horny *US*; (*fam: toll*) fantastic, brilliant.

Geisel *f* < -, -n > hostage.

Geißel *f* < -, -n > scourge, whip; **geißeln** *vt* scourge.

Geist *m* < -[e]s, -er > spirit; (*Gespenst*) ghost; (*Verstand*) mind; **geisterhaft** *adj* ghostly; **Geisterfahrer(in** *f*) *m* ghost-driver (*person driving in the wrong direction*); **geistesabwesend** *adj* absent-minded; **Geistesblitz** *m* brainwave; **Geistesgegenwart** *f* presence of mind; **geisteskrank** *adj* mentally ill; **Geisteskranke(r)** *mf* mentally ill person; **Geisteskrankheit** *f* mental illness; **Geisteswissenschaften** *pl* arts *pl*; **Geisteszustand** *m* state of mind; **geistig** *adj* intellectual; (*PSYCH*) mental; (*Getränke*) alcoholic; ~ **behindert**

mentally handicapped.

geistlich *adj* spiritual, religious; clerical; **Geistliche(r)** *m* clergyman; **Geistlichkeit** *f* clergy.

geistlos *adj* uninspired, dull; **geistreich** *adj* clever; (*witzig*) witty; **geisttötend** *adj* soul-destroying.

Geiz *m* <-es> miserliness, meanness; **geizen** *vi* be miserly; **Geizhals** *m*, **Geizkragen** *m* miser; **geizig** *adj* miserly, mean.

gekannt *pp von* **kennen**.

Geklapper *nt* <-s> rattling.

geklungen *pp von* **klingen**.

geknickt *adj* (*fig*) dejected.

gekniffen *pp von* **kneifen**.

gekommen *pp von* **kommen**.

gekonnt 1. *pp von* **können**; 2. *adj* skilful, masterly.

Gekritzel *nt* <-s> scrawl, scribble.

gekrochen *pp von* **kriechen**.

gekünstelt *adj* artificial, affected.

Gel *nt* <-s, -s> gel.

Gelächter *nt* <-s, -> laughter.

geladen 1. *pp von* **laden**; 2. *adj* loaded; (*ELEC*) live; (*fig*) furious.

Gelage *nt* <-s, -> feast, banquet.

gelähmt *adj* paralysed.

Gelände *nt* <-s, -> land, terrain; (*von Fabrik, Sport~*) grounds *pl*; (*Bau~*) site; **geländegängig** *adj* able to go cross-country; **Geländelauf** *m* cross-country race.

Geländer *nt* <-s, -> railing; (*Treppen~*) banister[s].

gelang *pt von* **gelingen**.

gelangen *vi* reach (*zu etw, an etw akk* sth); (*erwerben*) attain; **in jds Besitz ~** come into sb's possession.

gelassen 1. *pp von* **lassen**; 2. *adj* calm, composed; **Gelassenheit** *f* calmness, composure.

Gelatine *f* gelatine.

gelaufen *pp von* **laufen**.

geläufig *adj* (*üblich*) common; **das ist mir nicht ~** I'm not familiar with that.

gelaunt *adj:* **schlecht/gut ~** in a bad/good mood; **wie ist er ~?** what sort of mood is he in?

Geläut[e] *nt* <-[e]s> ringing; (*Läutwerk*) chime.

gelb *adj* yellow; (*Ampellicht*) amber; **gelblich** *adj* yellowish; **Gelbsucht** *f* jaundice.

Geld *nt* <-[e]s, -er> money; **etw zu ~ machen** sell sth off; **Geldanlage** *f* investment; **Geldautomat** *m* cash dispenser; **Geldbeutel** *m* purse; **Geldeinwurf** *m* slot; **Geldgeber(in** *f) m* <-s, - > financial backer; **geldgierig** *adj*

avaricious; **Geldmittel** *pl* capital, means *pl;* **Geldschein** *m* banknote; **Geldschrank** *m* safe, strongbox; **Geldstrafe** *f* fine; **Geldstück** *nt* coin; **Geldverlegenheit** *f:* **in ~ sein/kommen** to be/run short of money; **Geldwechsel** *m* exchange [of money]; (*Ort*) bureau de change.

Gelee *nt* <-s, -s> jelly.

gelegen 1. *pp von* **liegen**; 2. *adj* situated; (*passend*) convenient, opportune; **etw kommt jdm ~** sth is convenient for sb.

Gelegenheit *f* opportunity; (*Anlaß*) occasion; **bei jeder ~** at every opportunity; **Gelegenheitsarbeit** *f* casual work; **Gelegenheitsarbeiter(in** *f) m* casual worker; **Gelegenheitskauf** *m* bargain.

gelegentlich 1. *adj* occasional; 2. *adv* occasionally; (*bei Gelegenheit*) some time [or other]; 3. *prep +gen* on the occasion of.

gelehrig *adj* quick to learn, intelligent.

gelehrt *adj* learned; **Gelehrte(r)** *mf* scholar; **Gelehrtheit** *f* scholarliness.

Geleise *nt* <-s, -> track; *siehe auch* **Gleis**.

Geleit *nt* <-[e]s, -e> escort; **Geleitschutz** *m* escort.

Gelenk *nt* <-[e]s, -e> joint; **gelenkig** *adj* supple, agile.

gelernt *adj* skilled.

gelesen *pp von* **lesen**.

Geliebte(r) *mf* sweetheart, beloved.

geliehen *pp von* **leihen**.

gelind[e] *adj* mild, light; **~e gesagt** to put it mildly.

gelingen <**gelang, gelungen**> *vi* succeed; **die Arbeit gelingt mir nicht** I'm not being very successful with this piece of work; **es ist mir gelungen, etw zu tun** I succeeded in doing sth.

gelitten *pp von* **leiden**.

gellen *vi* shrill.

geloben *vt, vi* vow, swear.

gelogen *pp von* **lügen**.

gelten <**galt gegolten**> 1. *vt* (*wert sein*) be worth; 2. *vi* (*gültig sein*) be valid; (*erlaubt sein*) be allowed; 3. *vb impers:* **es gilt, etw zu tun** it is necessary to do sth; **jdm ~** (*gemünzt sein auf*) be meant for [o aimed at] sb; **etw gilt bei jdm viel/wenig** sb values sth highly/sb doesn't value sth very highly; **jdm viel/wenig ~** mean a lot/not mean much to sb; **was gilt die Wette?** do you want to bet?; **etw ~ lassen** accept sth; **als** [*o* **für**] **etw ~** be considered to be sth; **jdm** [*o* **für jdn**] **~** (*betreffen*) apply to [*o* for] sb; **geltend** *adj* prevailing; **etw ~ machen** assert sth; **sich ~ machen** make itself/oneself felt;

Geltung *f:* ~ **haben** have validity; **sich/einer Sache** *dat* ~ **verschaffen** establish oneself/sth; **etw zur** ~ **bringen** show sth to its best advantage; **zur** ~ **kommen** be seen/heard to its best advantage; **Geltungsbedürfnis** *nt* desire for admiration.

Gelübde *nt* <-**s,** -> vow.

gelungen 1. *pp von* **gelingen**; 2. *adj* successful.

gemächlich *adj* leisurely.

Gemahl(in *f*) *m* <-[e]**s,** -e> husband/wife.

gemahlen *pp von* **mahlen**.

Gemälde *nt* <-**s,** -> picture, painting.

gemäß 1. *prep* + *dat* in accordance with; 2. *adj* appropriate (*dat* to).

gemäßigt *adj* moderate; (*Klima*) temperate.

gemein *adj* common; (*niederträchtig*) mean; **etw** ~ **haben** [**mit**] have sth in common [with].

Gemeinde *f* <-**,** -n> district, community; (*Pfarr*~) parish; (*Kirchen*~) congregation; **Gemeindesteuer** *f* local rates *pl;* **Gemeindeverwaltung** *f* local administration; **Gemeindewahl** *f* local election; **Gemeindezentrum** *nt* community centre.

gemeingefährlich *adj* dangerous to the public; **Gemeingut** *nt* public property.

Gemeinheit *f* (*Niedertracht*) meanness; (*Vulgarität*) vulgarity; (*Tat*) mean trick, dirty trick; (*Behandlung*) mean treatment; (*Worte*) mean thing [to say]; (*Ärgernis*) nuisance.

gemeinsam 1. *adj* joint, common; 2. *adv* together, jointly; ~ **e Sache mit jdm machen** be in cahoots with sb; **etw** ~ **haben** have sth in common.

Gemeinschaft *f* community; **in** ~ **mit** jointly with, together with; **Gemeinschaftsarbeit** *f* teamwork; team effort.

Gemenge *nt* <-**s,** -> mixture; (*Hand*~) scuffle.

gemessen 1. *pp von* **messen**; 2. *adj* measured.

Gemetzel *nt* <-**s,** -> slaughter, carnage, butchery.

gemieden *pp von* **meiden**.

Gemisch *nt* <-**es,** -e> mixture; **gemischt** *adj* mixed.

gemocht *pp von* **mögen**.

gemolken *pp von* **melken**.

Gemse *f* <-**,** -n> chamois.

Gemunkel *nt* <-**s**> gossip.

Gemüse *nt* <-**s,** -> vegetables *pl;* **Gemüsegarten** *m* vegetable garden; **Gemüsehändler(in** *f*) *m* greengrocer.

gemußt *pp von* **müssen**.

Gemüt *nt* <-[e]**s,** -er> disposition, nature; (*Mensch*) person; **sich** *dat* **etw zu** ~ **e führen** (*fam*) indulge in sth; **die** ~ **er erregen** arouse strong feelings.

gemütlich *adj* comfortable, cosy; (*Mensch*) good-natured; **Gemütlichkeit** *f* comfortableness, cosiness; amiability.

Gemütsbewegung *f* emotion; **Gemütsmensch** *m* good-natured person; **Gemütsruhe** *f* composure; **Gemütszustand** *m* state of mind.

genannt *pp von* **nennen**.

genas *pt von* **genesen**.

genau *adj, adv* exact[ly], precise[ly]; **etw** ~ **nehmen** take sth seriously; **genaugenommen** *adv* strictly speaking; **Genauigkeit** *f* exactness, accuracy.

genehm *adj* agreeable, acceptable.

genehmigen *vt* approve, authorize; **sich** *dat* **etw** ~ indulge in sth; **Genehmigung** *f* approval, authorization.

geneigt *adj* well-disposed, willing; ~ **sein, etw zu tun** be inclined to do sth.

General(in *f*) *m* <-**s,** -e *o* ⸚**e**> general; **Generaldirektor(in** *f*) *m* director general; **Generalkonsulat** *nt* consulate general; **Generalprobe** *f* dress rehearsal; **Generalstabskarte** *f* ordnance survey map; **Generalstreik** *m* general strike; **generalüberholen** *vt* thoroughly overhaul.

Generation *f* generation; **Generationskonflikt** *m* generation gap.

Generator *m* generator.

genesen <**genas, genesen**> *vi* convalesce, recover, get well; **Genesung** *f* recovery, convalescence.

genetisch *adj* genetic.

Genf *nt* Geneva.

genial *adj* brilliant; **Genialität** *f* brilliance, genius.

Genick *nt* <-[e]**s,** -e> [back of the] neck.

Genie *nt* <-**s,** -s> genius.

genieren 1. *vt* bother; 2. *vr:* **sich** ~ feel awkward, feel self-conscious; **genierst es Sie, wenn...?** do you mind if...?

genießbar *adj* edible; drinkable.

genießen <**genoß, genossen**> *vt* enjoy; eat; drink; **Genießer(in** *f*) *m* <-**s,** -> pleasure lover; **genießerisch** 1. *adj* appreciative; 2. *adv* with relish.

genommen *pp von* **nehmen**.

genoß *pt von* **genießen**.

Genosse *m* <-**n,** -n>, **Genossin** *f* comrade; (*bes. POL.*) companion.

genossen *pp von* **genießen**.

Genossenschaft *f* cooperative [association].

Gentechnik f genetic engineering.

genug adv enough.

Genüge f < - > : **jdm/einer Sache ~ tun** satisfy sb/sth; **zur ~** enough; **genügen** vi be enough, be sufficient (*jdm* for sb), satisfy (*jdm* sb); **genügend** adj sufficient.

genügsam adj modest, easily satisfied; **Genügsamkeit** f moderation.

Genugtuung f satisfaction.

Genuß m <-sses, ¨sse> pleasure; (*Zusichnehmen*) consumption; **in den ~ von etw kommen** receive the benefit of sth; **Genußmittel** pl [semi-]luxury items pl.

genüßlich adv with relish.

Geograph(in f) m <-en, -en> geographer; **Geographie** f geography; **geographisch** adj geographical.

Geologe m <-n, -n>, **Geologin** f geologist; **Geologie** f geology.

Geometrie f geometry.

Gepäck nt <-[e]s> luggage, baggage; **Gepäckabfertigung** f, **Gepäckannahme** f, **Gepäckausgabe** f luggage desk/office; **Gepäckaufbewahrung** f left-luggage office, checkroom US; **Gepäcknetz** nt luggage-rack; **Gepäckschein** m luggage ticket; **Gepäckträger** m porter; (*an Fahrrad*) carrier; **Gepäckwagen** m luggage van, baggage car US.

gepfiffen pp von **pfeifen**.

gepflegt adj well-groomed; (*Park etc*) well looked after.

Gepflogenheit f custom.

Geplapper nt <-s> chatter.

Geplauder nt <-s> chat[ting].

gepriesen pp von **preisen**.

gequollen pp von **quellen**.

gerade 1. adj straight; (*Zahl*) even; **2.** adv (*genau*) exactly; (*örtlich*) straight; (*eben*) just; **warum ~ ich?** why me?; **~ weil** just [o precisely] because; **nicht ~ schön** not exactly nice; **das ist es ja ~** that's just it; **~ noch** just; **~ neben** right next to you; **Gerade** f <-n, -n> straight line; (*SPORT*) straight; (*BOXEN*) straight right/left; **geradeaus** adv straight ahead; **geradeheraus** adv straight out, bluntly; **geradeso** adv just so; **~ dumm** just as stupid; **~ wie** just as; **geradezu** adv (*beinahe*) virtually, almost.

gerannt pp von **rennen**.

Gerät nt <-[e]s, -e> device; (*Werkzeug*) tool; (*SPORT*) apparatus; (*Zubehör*) equipment.

geraten 1. pp von **raten**; **2.** <**geriet, geraten** > vi (*gelingen*) turn out well (*jdm* for sb); (*gedeihen*) thrive; **gut/ schlecht ~** turn out well/badly; **an jdn ~** come across sb; **in etw** akk **~** get into sth; **in Angst ~** get frightened; **nach jdm ~** take after sb.

Geratewohl nt: **aufs ~** on the off chance; (*bei Wahl*) at random.

geraum adj: **seit ~er Zeit** for some considerable time.

geräumig adj roomy.

Geräusch nt <-[e]s, -e> sound, noise; **geräuschlos** adj silent; **geräuschvoll** adj noisy.

gerben vt tan; **Gerber(in** f) m <-s, -> tanner; **Gerberei** f tannery.

gerecht adj just, fair; **jdm/einer Sache ~ werden** do justice to sb/sth; **Gerechtigkeit** f justice.

Gerede nt <-s> talk, gossip.

gereizt adj irritable.

Gericht nt <-[e]s, -e> court; (*Essen*) dish; **mit jdm ins ~ gehen** judge sb harshly; **über jdn zu ~ sitzen** sit in judgement on sb; **das Letzte ~** the Last Judgement; **Gerichtsbarkeit** f jurisdiction; **Gerichtshof** m court [of law]; **Gerichtskosten** pl [legal] costs pl; **Gerichtssaal** m courtroom; **Gerichtsverfahren** nt legal proceedings pl; **Gerichtsverhandlung** f court proceedings pl; **Gerichtsvollzieher(in** f) m bailiff.

gerieben 1. pp von **reiben**; **2.** adj grated.

geriet pt von **geraten**.

gering adj slight, small; (*niedrig*) low; (*Zeit*) short; **geringachten** vt think little of; **geringfügig** adj trivial; **geringschätzig** adj disparaging; **Geringschätzung** f disdain; **geringste(r, s)** adj slightest, least.

gerinnen irr vi congeal; (*Blut*) clot; (*Milch*) curdle; **Gerinnsel** nt clot.

Gerippe nt <-s, -> skeleton.

gerissen 1. pp von **reißen**; **2.** adj wily, smart.

geritten pp von **reiten**.

gern[e] adv willingly, gladly; **~ haben**, **~ mögen** like; **etw ~ tun** like doing sth; **Gernegroß** m <-, -e> show-off.

gerochen pp von **riechen**.

Geröll nt <-[e]s, -e> scree.

geronnen pp von **rinnen**.

Gerste f <-, -n> barley; **Gerstenkorn** nt (*im Auge*) stye.

Gerte f <-, -n> switch, rod; **gertenschlank** adj willowy.

Geruch m <-[e]s, ¨-e> smell, odour; **geruchlos** adj odourless; **geruchtilgend** adj deodorant.

Gerücht nt <-[e]s, -e> rumour.

gerufen pp von **rufen**.
geruhen vi deign.
Gerümpel nt <-s> junk.
gerungen pp von **ringen**.
Gerüst nt <-[e]s, -e> (Bau~) scaffolding; (Gestell) trestle; (fig) framework (zu of).

gesalzen pp von **salzen**.
gesamt adj whole, entire; (Kosten) total; (Werke) complete; **im ~en** all in all; **Gesamtausgabe** f complete edition; **gesamtdeutsch** adj all-German; **Gesamteindruck** m general impression; **Gesamtheit** f totality, whole; **Gesamtschule** f comprehensive school.
gesandt pp von **senden**; **Gesandte(r)** mf envoy; **Gesandtschaft** f legation.
Gesang m <-[e]s, ⁓e> song; (Singen) singing; **Gesangbuch** nt (REL) hymn book; **Gesangverein** m choral society.
Gesäß nt <-es, -e> seat, bottom.
gesch. adj abk von **geschieden** divorced.
Geschäft nt <-[e]s, -e> business; (Laden) shop; (~sabschluß) deal; **Geschäftemacher(in** f) m <-s, ->profiteer; **geschäftig** adj active, busy; (pej) officious; **geschäftlich 1.** adj commercial; **2.** adv on business; **Geschäftsbericht** m financial report; **Geschäftsführer(in** f) m manager; (von Klub) secretary; **Geschäftsjahr** nt financial year; **Geschäftslage** f business conditions pl; **Geschäftsmann** m, pl **-leute** businessman; **geschäftsmäßig** adj businesslike; **Geschäftsreise** f business trip; **Geschäftsschluß** m closing time; **Geschäftssinn** m business sense; **Geschäftsstelle** f office, place of business; (Zweigstelle) branch; **geschäftstüchtig** adj efficient.
geschaffen pp von **schaffen**.
geschehen <geschah, geschehen> vi happen; **es war um ihn ~** that was the end of him.
gescheit adj clever.
Geschenk nt <-[e]s, -e> present, gift; **Geschenkpackung** f gift pack.
Geschichte f <-, -n> story; (Sache) affair; (HIST) history; **Geschichtenerzähler(in** f) m storyteller; **geschichtlich** adj historical; **Geschichtsschreiber(in** f) m historian.
Geschick nt <-[e]s, -e> aptitude; (Schicksal) fate; **Geschicklichkeit** f skill, dexterity; **geschickt** adj skilful.
geschieden 1. pp von **scheiden**; **2.** adj divorced.
geschienen pp von **scheinen**.
Geschirr nt <-[e]s, -e> crockery; pots

and pans pl; (von Pferd) harness; **Geschirrspülmaschine** f dishwasher; **Geschirrspülmittel** nt washing-up liquid; **Geschirrtuch** nt dish cloth.
geschlafen pp von **schlafen**.
geschlagen pp von **schlagen**.
Geschlecht nt <-[e]s, -er> sex; (LING) gender; **geschlechtlich** adj sexual; **Geschlechtskrankheit** f venereal disease; **Geschlechtsteil** nt genitals pl; **Geschlechtsverkehr** m sexual intercourse; **Geschlechtswort** nt (LING) article.
geschlichen pp von **schleichen**.
geschliffen pp von **schleifen**.
geschlossen pp von **schließen**.
geschlungen pp von **schlingen**.
Geschmack m <-[e]s, ⁓e> taste; **nach jds ~** to sb's taste; **an etw dat ~ finden** [come to] like sth; **geschmacklos** adj tasteless; (fig) in bad taste; **Geschmack[s]sache** f matter of taste; **Geschmacksinn** m sense of taste; **geschmackvoll** adj tasteful.
geschmeidig adj supple; (formbar) malleable.
geschmissen pp von **schmeißen**.
geschmolzen pp von **schmelzen**.
geschnitten pp von **schneiden**.
geschoben pp von **schieben**.
gescholten pp von **schelten**.
Geschöpf nt <-[e]s, -e> creature.
geschoren pp von **scheren**.
Geschoß nt <-sses, -sse> (MIL) projectile, missile; (Stockwerk) floor.
geschossen pp von **schießen**.
Geschrei nt <-s> cries pl; (fig) noise, fuss.
geschrieben pp von **schreiben**.
geschrie[e]n pp von **schreien**.
geschritten pp von **schreiten**.
geschunden pp von **schinden**.
Geschütz nt <-es, -e> gun, cannon; **ein schweres ~ auffahren** (fig) bring out the big guns.
geschützt adj protected.
Geschwader nt <-s, -> (NAUT) squadron; (AVIAT) group.
Geschwafel nt <-s> silly talk.
Geschwätz nt <-es> chatter, gossip; **geschwätzig** adj talkative.
geschweige adv: ~ [denn] let alone, not to mention.
geschwiegen pp von **schweigen**.
geschwind adj quick, swift; **Geschwindigkeit** f speed, velocity; **Geschwindigkeitsbegrenzung** f speed limit; **Geschwindigkeitsmesser** m <-s, -> (AUT) speedometer; **Geschwindigkeitsüberschreitung** f

exceeding the speed limit.

Geschwister pl brothers and sisters pl.

geschwollen 1. pp von **schwellen; 2.** adj (Rede) pompous.

geschwommen pp von **schwimmen.**

geschworen pp von **schwören; Geschworene(r)** mf juror; **die ~n** pl the jury.

Geschwulst f <-, ⁔e> growth.

Geschwür nt <-[e]s, -e> ulcer.

geschwunden pp von **schwinden.**

geschwungen pp von **schwingen.**

gesehen pp von **sehen.**

Geselle m <-n, -n> fellow; (Handwerks~) journeyman.

gesellig adj sociable; **Geselligkeit** f sociability; (Fest) social gathering.

Gesellschaft f society; (Begleitung) company; (Abend~) party; **gesellschaftlich** adj social; **Gesellschaftsanzug** m evening dress; **gesellschaftsfähig** adj socially acceptable; **Gesellschaftsordnung** f social structure; **Gesellschaftsschicht** f social stratum.

gesessen pp von **sitzen.**

Gesetz nt <-es, -e> law; **Gesetzbuch** nt civil code; **Gesetzentwurf** m, **Gesetzesvorlage** f bill; **gesetzgebend** adj legislative; **Gesetzgeber(in** f) m <-s, -> legislator; **Gesetzgebung** f legislation; **gesetzlich** adj legal, lawful; **gesetzlos** adj lawless; **gesetzmäßig** adj lawful.

gesetzt adj (Mensch) sedate.

gesetztenfalls adv supposing [that].

gesetzwidrig adj illegal, unlawful.

Gesicht nt <-[e]s, -er> face; **das zweite ~** second sight; **das ist mir nie zu ~ gekommen** I've never laid eyes on that; **Gesichtsausdruck** m, pl <-ausdrücke> [facial] expression; **Gesichtsfarbe** f complexion; **Gesichtspunkt** m point of view; **Gesichtszüge** pl features pl.

Gesindel nt <-s> rabble.

gesinnt adj disposed, minded.

Gesinnung f disposition; (Ansicht) views pl; **Gesinnungsgenosse** m, **-genossin** f like-minded person; **Gesinnungslosigkeit** f lack of conviction; **Gesinnungswandel** m change of opinion, volte-face.

gesittet adj well-mannered.

gesoffen pp von **saufen.**

gesogen pp von **saugen.**

gesonnen pp von **sinnen.**

Gespann nt <-[e]s, -e> team; (fam) couple.

gespannt adj tense, strained; (begierig)

eager; **ich bin ~, ob** I wonder if [o whether]; **auf etw/jdn ~ sein** look forward to sth/meeting sb.

Gespenst nt <-[e]s, -er> ghost, spectre; **gespensterhaft** adj ghostly.

gespie[e]n pp von **speien.**

Gespiele m <-n, -n>, **Gespielin** f playmate.

gesponnen pp von **spinnen.**

Gespött nt <-[e]s> mockery; **zum ~ werden** become a laughing stock.

Gespräch nt <-[e]s, -e> conversation; discussion[s]; (Anruf) call; **zum ~ werden** become a topic of conversation; **gesprächig** adj talkative; **Gesprächigkeit** f talkativeness; **Gesprächsthema** nt subject, topic [of conversation].

gesprochen pp von **sprechen.**

gesprungen pp von **springen.**

Gespür nt <-s> feeling.

Gestalt f <-, -en> form, shape; (Mensch) figure; **in ~ von** in the form of; **~ annehmen** take shape; **gestalten 1.** vt (formen) shape, form; (organisieren) arrange, organize; **2.** vr: **sich ~** turn out (zu to be); **Gestaltung** f formation; organization.

gestanden pp von **stehen.**

geständig adj: **~ sein** have confessed; **Geständnis** nt confession.

Gestank m <-[e]s> stench.

gestatten vt permit, allow; **~ Sie?** may I?; **sich** dat **~, etw zu tun** take the liberty of doing sth.

Geste f <-, -n> gesture.

gestehen irr vt confess.

Gestein nt <-[e]s, -e> rock.

Gestell nt <-[e]s, -e> frame; (Regal) rack, stand.

gestern adv yesterday; **~ abend/morgen** yesterday evening/morning.

gestiegen pp von **steigen.**

gestikulieren vi gesticulate.

Gestirn nt <-[e]s, -e> star; (Sternbild) constellation.

gestochen pp von **stechen.**

gestohlen pp von **stehlen.**

gestorben pp von **sterben.**

gestoßen pp von **stoßen.**

Gesträuch nt <-[e]s, -e> shrubbery, bushes pl.

gestreift adj striped.

gestrichen pp von **streichen.**

gestrig adj yesterday's.

gestritten pp von **streiten.**

Gestrüpp nt <-[e]s, -e> undergrowth.

gestunken pp von **stinken.**

Gestüt nt <-[e]s, -e> stud farm.

Gesuch nt <-[e]s, -e> petition; (Antrag) application.

gesucht adj (COM) in demand; (Verbrecher) wanted; (fig) contrived.

gesund adj healthy; **wieder ~ werden** get better; **Gesundheit** f health[iness]; **~!** bless you!; **gesundheitlich** 1. adj health, physical; 2. adv healthwise; **wie geht es Ihnen ~?** how's your health?; **gesundheitsschädlich** adj unhealthy; **Gesundheitswesen** nt health service; **Gesundheitszustand** m state of health.

gesungen pp von **singen**.

gesunken pp von **sinken**.

getan pp von **tun**.

Getöse nt <-s> din, racket.

getragen pp von **tragen**.

Getränk nt <-[e]s, -e> drink.

getrauen vr: **sich ~** dare, venture.

Getreide nt <-s, -> cereal, grain; **Getreidespeicher** m granary.

getrennt adj separate.

getreten pp von **treten**.

Getriebe nt <-s, -> (von Leuten) bustle; (AUT) gearbox.

getrieben pp von **treiben**.

Getriebeöl nt transmission oil.

getroffen pp von **treffen**.

getrogen pp von **trügen**.

getrost adv without any bother; **~ sterben** die in peace.

getrunken pp von **trinken**.

Getue nt <-s> fuss.

geübt adj experienced.

Gewächs nt <-es, -e> growth; (Pflanze) plant.

gewachsen 1. pp von **wachsen**; 2. adj: **jdm/einer Sache ~ sein** be sb's equal/equal to sth.

Gewächshaus nt greenhouse.

gewagt adj daring, risky.

gewählt adj (Sprache) refined, elegant.

Gewähr f <-> guarantee; **keine ~ übernehmen für** accept no responsibility for; **gewährleisten** vt guarantee.

Gewahrsam m <-s, -e> safekeeping; (Polizei~) custody.

Gewährsmann m, pl <-männer o -leute> informant, source.

Gewalt f <-, -en> power; (große Kraft) force; (~taten) violence; **mit aller ~** with all one's might; **Gewaltanwendung** f use of force; **Gewaltherrschaft** f tyranny.

gewaltig adj tremendous; (Irrtum) huge.

gewaltsam adj forcible; **gewalttätig** adj violent.

Gewand nt <-[e]s, -er> garment.

gewandt 1. pp von **wenden**; 2. adj deft, skilful; (erfahren) experienced; **Gewandtheit** f dexterity, skill.

gewann pt von **gewinnen**.

gewaschen pp von **waschen**.

Gewässer nt <-s, -> waters pl.

Gewebe nt <-s, -> (Stoff) fabric; (BIO) tissue.

Gewehr nt <-[e]s, -e> gun; rifle; **Gewehrlauf** m rifle barrel.

Geweih nt <-[e]s, -e> antlers pl.

Gewerbe nt <-s, -> trade, occupation; **Handel und ~** trade and industry; **Gewerbeschule** f technical school; **gewerbetreibend** adj carrying on a trade; industrial; **gewerblich** adj industrial; trade; **gewerbsmäßig** adj professional; **Gewerbszweig** m line of trade.

Gewerkschaft f trade union; **Gewerkschaft[l]er(in** f) m <-s, -> trade unionist; **Gewerkschaftsbund** m trade unions federation.

gewesen pp von **sein**.

gewichen pp von **weichen**.

Gewicht nt <-[e]s, -e> weight; (fig) importance; **gewichtig** adj weighty.

gewieft adj shrewd, cunning.

gewiesen pp von **weisen**.

gewillt adj willing, prepared.

Gewimmel nt <-s> swarm.

Gewinde nt <-s, -> (Kranz) wreath; (von Schraube) thread.

Gewinn m <-[e]s, -e> profit; (bei Spiel) winnings pl; **etw mit ~ verkaufen** sell sth at a profit; **Gewinnbeteiligung** f profit-sharing; **gewinnbringend** adj profitable; **gewinnen** <gewann, gewonnen> 1. vt win; (erwerben) gain; (Kohle, Öl) extract; 2. vi win; (profitieren) gain; **an etw** dat **~** gain in sth; **gewinnend** adj winning, attractive; **Gewinner(in** f) m <-s, -> winner; **Gewinnspanne** f profit margin; **Gewinnsucht** f love of gain; **Gewinnnummer** f winning number; **Gewinnung** f winning; gaining; (von Kohle etc) extraction.

Gewirr nt <-[e]s, -e> tangle; (von Straßen) maze.

gewiß 1. adj (sicher) certain, sure; (attributiv) certain; 2. adv certainly; **ein gewisser Herr Kaul** a certain Mr Kaul.

Gewissen nt <-s, -> conscience; **gewissenhaft** adj conscientious; **Gewissenhaftigkeit** f conscientiousness; **Gewissensbisse** pl pangs pl of conscience; **Gewissensfrage** f matter of conscience; **Gewissensfreiheit** f freedom of conscience; **Gewissenskonflikt** m moral conflict.

gewissermaßen adv more or less, in a way.

Gewißheit f certainty.

Gewitter nt <-s, -> thunderstorm; **gewittern** vi impers: **es gewittert** there's a thunderstorm.

gewoben pp von **weben**.

gewogen 1. pp von **wiegen**; **2.** adj well-disposed (dat towards).

gewöhnen 1. vt: **jdn an etw** akk ~ accustom sb to sth; (erziehen zu) teach sb sth; **2.** vr: **sich an etw** akk ~ get used [o accustomed] to sth.

Gewohnheit f habit; (Brauch) custom; **aus ~** from habit; **zur ~ werden** become a habit; **Gewohnheits-** in Zusammensetzungen habitual; **Gewohnheitsmensch** m creature of habit; **Gewohnheitsrecht** nt common law; **Gewohnheitstier** nt (fam) creature of habit.

gewöhnlich adj usual; (durchschnittlich) ordinary; (pej) common; **wie ~** as usual.

gewohnt adj usual; **etw ~ sein** be used to sth.

Gewöhnung f getting accustomed (an + akk to).

Gewölbe nt <-s, -> vault.

gewonnen pp von **gewinnen**.

geworben pp von **werben**.

geworden pp von **werden**.

geworfen pp von **werfen**.

gewrungen pp von **wringen**.

Gewühl nt <-[e]s> throng.

gewunden pp von **winden**.

Gewürz nt <-es, -e> spice, seasoning; **Gewürznelke** f clove.

gewußt pp von **wissen**.

Gezeiten pl tides pl.

Gezeter nt <-s> clamour, yelling.

gezielt adj with a particular aim in mind, purposeful; (Kritik) pointed.

geziert adj affected.

gezogen pp von **ziehen**.

Gezwitscher nt <-s> twitter[ing], chirping.

gezwungen 1. pp von **zwingen**; **2.** adj forced; **gezwungenermaßen** adv of necessity.

Gibraltar nt Gibraltar.

Gicht f <-> gout.

Giebel m <-s, -> gable.

Gier f <-> greed; **gierig** adj greedy.

gießen <goß, gegossen> vt pour; (Blumen) water; (Metall) cast; (Wachs) mould; **Gießerei** f foundry; **Gießkanne** f watering can.

Gift nt <-[e]s, -e> poison; **giftig** adj poisonous; (fig) venomous; **Giftmüll** m toxic waste; **Giftzahn** m fang.

Gilde f <-, -n> guild.

ging pt von **gehen**.

Ginster m <-s, -> broom.

Gipfel m <-s, -> summit, peak; (fig) height; **gipfeln** vi culminate; **Gipfeltreffen** nt summit [meeting].

Gips m <-es, -e> plaster; (MED) plaster [of Paris]; **Gipsabdruck** m, pl <-abdrücke> plaster cast; **Gipsfigur** f plaster figure; **Gipsverband** m, pl <-verbände> plaster [cast].

Giraffe f <-, -n> giraffe.

Girlande f <-, -n> garland.

Giro nt <-s, -s> giro; **Girokonto** nt current account.

Gischt m <-[e]s, -e> spray, foam.

Gitarre f <-, -n> guitar.

Gitter nt <-s, -> grating, bars pl; (für Pflanzen) trellis; (Zaun) railing[s]; **Gitterbett** nt cot; **Gitterfenster** nt barred window.

Glace nt <-, -> (schweizerisch) ice cream.

Glacéhandschuh m kid glove.

Gladiole f <-, -n> gladiolus.

Glanz m <-es> shine, lustre; (fig) splendour; **glänzen 1.** vi (auch fig) shine; **2.** vt polish; **glänzend** adj shining; (fig) brilliant; **Glanzleistung** f brilliant achievement; **glanzlos** adj dull; **Glanzzeit** f heyday.

Glas nt <-es, ⁻er> glass; **Glasbläser** m <-s, -> glass blower; **Glascontainer** m bottle bank; **Glaser(in** f) m <-s, -> glazier; **gläsern** adj (aus Glas) glass; (fig: durchschaubar) transparent; **Glasfaserkabel** nt optic-fibre cable.

glasieren vt glaze.

glasig adj glassy; **Glasscheibe** f pane.

Glasur f glaze; (GASTR) icing.

glatt adj smooth; (rutschig) slippery; (Absage) flat; (Lüge) downright; **Glatteis** nt [black] ice; **jdn aufs ~ führen** take sb for a ride; **Glätte** f <-, -n> smoothness; slipperiness; **glätten** vt smooth [out].

Glatze f <-, -n> bald head; **eine ~ bekommen** go bald; **glatzköpfig** adj bald.

Glaube m <-ns, -n> faith (an + akk in), belief (an + akk in); **glauben** vt, vi believe (an + akk in); (meinen) think; **jdm ~** believe sb; **Glaubensbekenntnis** nt creed; **glaubhaft** adj credible.

gläubig adj (REL) religious; (vertrauensvoll) trustful; **Gläubige(r)** mf believer; **die ~n** pl the faithful pl.

Gläubiger(in f) m <-s, -> creditor.

glaubwürdig adj credible; (Mensch) trustworthy.

gleich 1. adj equal; (identisch) [the] same,

identical; **2.** adv equally; (sofort) straight away; (bald) in a minute; ~ **groß** the same size; ~ **nach/an** right after/at; **es ist mir** ~ it's all the same to me; **2 mal 2** ~ **4** 2 times 2 is [o equals] 4; **gleichaltrig** adj of the same age; **gleichartig** adj similar; **gleichbedeutend** adj synonymous; **gleichberechtigt** adj having equal rights; **Gleichberechtigung** f equal rights pl; **gleichbleibend** adj constant.

gleichen <glich, geglichen> **1.** vi: **jdm/einer Sache** ~ be like sb/sth; **2.** vr: **sich** ~ be alike.

gleichfalls adv likewise; **danke** ~ ! the same to you; **gleichgesinnt** adj like-minded; **Gleichgewicht** nt equilibrium, balance; **gleichgültig** adj indifferent; (unbedeutend) unimportant; **Gleichgültigkeit** f indifference; **Gleichheit** f equality; **gleichkommen** irr vi + dat be equal to; **Gleichmacherei** f egalitarianism; **gleichmäßig** adj even, equal; **Gleichmut** m equanimity.

Gleichnis nt parable.

gleichsehen irr vi: **jdm** ~ be [o look] like sb; **Gleichstrom** m (ELEC) direct current.

Gleichung f equation.

gleichzeitig adj simultaneous.

Gleis nt <-es, -e> track, rails pl; (Bahnsteig) platform.

gleiten <glitt, geglitten> vi glide; (rutschen) slide; ~**de Arbeitszeit** flex[i]-time; **Gleitflug** m glide; gliding.

Gletscher m <-s, -> glacier; **Gletscherspalte** f crevasse.

glich pt von **gleichen**.

Glied nt <-[e]s, -er> member; (Arm, Bein) limb; (von Kette) link; (MIL) rank[s].

gliedern vt organize, structure; **Gliederung** f structure, organization.

Gliedmaßen pl limbs pl.

glimmen <glomm, geglommen> vi glow, gleam; **Glimmer** m <-s, -> glow, gleam; (Mineral) mica; **Glimmstengel** m (fam) fag.

glimpflich adj mild, lenient; ~ **davonkommen** get off lightly.

glitt pt von **gleiten**.

glitzern vi glitter, twinkle.

Globus m <- o -ses, -se o Globen> globe.

Glöckchen nt [little] bell.

Glocke f <-, -n> bell; **etw an die große** ~ **hängen** shout sth from the rooftops; **Glockenspiel** nt chime[s]; (MUS) glockenspiel.

glomm pt von **glimmen**.

Glosse f <-, -n> comment.

glotzen vi (fam) stare.

Glück nt <-[e]s> luck, fortune; (Freude) happiness; ~ **haben** be lucky; **viel** ~ good luck; **zum** ~ fortunately; **glücken** vi succeed; **es glückte ihm, es zu bekommen** he succeeded in getting it.

gluckern vi glug.

glücklich adj fortunate; (froh) happy; **glücklicherweise** adv fortunately.

Glücksbringer m <-s, -> lucky charm; **Glücksfall** m stroke of luck; **Glückskind** nt lucky person; **Glückssache** f matter of luck; **Glücksspiel** nt game of chance; **Glücksstern** m lucky star.

Glückwunsch m congratulations pl, best wishes pl.

Glühbirne f light bulb; **glühen** vi glow; **Glühwein** m mulled wine; **Glühwürmchen** nt glow-worm.

Glut f <-, -en> (Röte) glow; (Feuers~) fire; (Hitze) heat; (fig) ardour.

GmbH f <-, -s> abk von **Gesellschaft mit beschränkter Haftung** Ltd, plc.

Gnade f <-, -n> (Gunst) favour; (Erbarmen) mercy; (Milde) clemency; **Gnadenfrist** f reprieve, respite; **Gnadengesuch** nt petition for clemency; **Gnadenstoß** m coup de grâce.

gnädig adj gracious; (voll Erbarmen) merciful.

Gold nt <-[e]s> gold; **golden** adj golden; **Goldfisch** m goldfish; **Goldgrube** f goldmine; **Goldregen** m laburnum; **Goldschnitt** m gilt edging; **Goldwährung** f gold standard.

Golf 1. m <-[e]s, -e> gulf; **2.** m <-s> golf; **der** ~ **von Biskaya** the Bay of Biscay; **Golfkrieg** m Gulf war; **Golfplatz** m golf course; **Golfschläger** m golf club; **Golfspieler(in** f) m golfer; **Golfstaat** m Gulf state; **Golfstrom** m Gulf Stream.

Gondel f <-, -n> gondola; (Seilbahn) cable-car.

gönnen vt: **jdm etw** ~ not begrudge sb sth; **sich** dat **etw** ~ allow oneself sth; **Gönner(in** f) m <-s, -> patron/patroness; **gönnerhaft** adj patronizing; **Gönnermiene** f patronizing air.

gor pt von **gären**.

goß pt von **gießen**.

Gosse f <-, -n> gutter.

Gott m <-es, ¨er> god; **um** ~**es willen!** for heaven's sake! ~ **sei Dank!** thank God! **Gottesdienst** m service; **Gotteshaus** nt place of worship; **Gottheit** f deity; **Göttin** f goddess; **gött-**

lich adj divine; **gottlos** adj godless; **Gottvertrauen** nt trust in God.

Götze m <-n, -n> idol.

Grab nt <-[e]s, ¨er> grave.

graben <grub, gegraben> vt dig; **Graben** m <-s, ¨> ditch; (MIL) trench.

Grabrede f funeral oration; **Grabstein** m gravestone.

Grad m <-[e]s, -e> degree; **Gradeinteilung** f graduation; **gradweise** adv gradually.

Graf m <-en, -en> count, earl.

Graffiti pl graffiti pl.

Grafikbildschirm m graphics screen.

Gräfin f countess.

Grafschaft f county.

Gram m <-[e]s> grief, sorrow; **grämen** vr: sich ~ grieve.

Gramm nt <-s, -e> gram[me].

Grammatik f grammar; **grammatisch** adj grammatical.

Grammophon nt <-s, -e> gramophone.

Granat m <-[e]s, -e> (Stein) garnet; **Granatapfel** m pomegranate.

Granate f <-, -n> (MIL) shell; (Hand~) grenade.

Granit m <-s, -e> granite.

graphisch adj graphic; ~e Darstellung graph.

Gras nt <-es, ¨er> grass; **grasen** vi graze; **Grashalm** m blade of grass; **grasig** adj grassy; **Grasnarbe** f turf.

grassieren vi be rampant, rage.

gräßlich adj horrible.

Grat m <-[e]s, -e> ridge.

Gräte f <-, -n> fishbone.

gratis adj, adv free [of charge]; **Gratisprobe** f free sample.

Gratulation f congratulation[s]; **gratulieren** vi: jdm ~ [zu etw] congratulate sb [on sth]; [ich] **gratuliere!** congratulations!

grau adj grey.

grauen 1. vi (Tag) dawn; 2. vi impers: es graut jdm vor etw sb dreads sth, sb is afraid of sth; 3. vr: sich ~ vor dread, have a horror of; **Grauen** nt <-s> horror; **grauenhaft** adj horrible.

grauhaarig adj grey-haired; **graumeliert** adj grey-flecked.

grausam adj cruel; **Grausamkeit** f cruelty.

gravieren vt engrave.

gravierend adj grave.

Grazie f grace; **graziös** adj graceful.

greifbar adj tangible, concrete; (Nähe) within reach.

greifen <griff, gegriffen> 1. vt seize; grip; 2. vi (Regel etc) have an ef-

fect (bei on); **nach etw ~** reach for sth; **um sich ~** (fig) spread; **zu etw ~** (fig) turn to sth.

Greis(in f) m <-es, -e> old man/woman; **Greisenalter** nt old age.

grell adj harsh.

Grenzbeamte(r) m, **-beamtin** f frontier official.

Grenze f <-, -n> boundary; (Staats~) frontier; (Schranke) limit; **grenzen** vi border (an + akk on); **grenzenlos** adj boundless; **Grenzfall** m borderline case; **Grenzlinie** f boundary; **Grenzübergang** m frontier crossing; **Grenzwert** m limit.

Greuel m <-s, -> horror, revulsion; **etw ist jdm ein ~** sb loathes sth; **Greueltat** f atrocity.

Grieche m <-n, -n>, **Griechin** f Greek; **Griechenland** nt Greece; **griechisch** adj Greek.

griesgrämig adj grumpy.

Grieß m <-es, -e> (GASTR) semolina.

griff pt von greifen.

Griff m <-[e]s, -e> grip; (Vorrichtung) handle; **griffbereit** adj handy.

Griffel m <-s, -> slate pencil; (BOT) style.

Grille f <-, -n> cricket; (fig) whim.

grillen vt grill.

Grimasse f <-, -n> grimace.

Grimm m <-[e]s> fury; **grimmig** adj furious; (heftig) fierce, severe.

grinsen vi grin.

Grippe f <-, -n> influenza, flu.

grob adj coarse; (Fehler, Verstoß) gross; **Grobheit** f coarseness; (Äußerung) coarse expression; **Grobian** m <-s, -e > brute; **grobknochig** adj large-boned.

Groll m <-[e]s> resentment; **grollen** vi bear ill will (dat towards); (Donner) rumble.

groß 1. adj big, large; (hoch) tall; (fig) great; 2. adv greatly; **im ~en und ganzen** on the whole; **großartig** adj great, splendid; **Großaufnahme** f (CINE) close-up; **Großbritannien** nt [Great] Britain; **in ~** in [Great] Britain; **nach ~ fahren** go to [Great] Britain; **Großcomputer** m mainframe.

Größe f <-, -n> size; (fig) greatness; (Länge) height.

Großeinkauf m bulk purchase; **Großeltern** pl grandparents pl; **großenteils** adv mostly.

Größenunterschied m difference in size; **Größenwahn** m megalomania.

Großformat nt large size; **Großhandel** m wholesale trade; **Großhändler(in** f) *m* wholesaler; **großherzig** *adj* generous; **Großmacht** *f* great power; **Großmarkt** *m* hypermarket; **Großmaul** *nt* braggart; **Großmut** *f* <-> magnanimity; **großmütig** *adj* magnanimous; **Großmutter** *f* grandmother; **großspurig** *adj* pompous; **Großstadt** *f* city, large town.

größtenteils *adv* for the most part.

Großvater *m* grandfather; **großziehen** *irr vt* raise; **großzügig** *adj* generous; *(Planung)* on a large scale.

grotesk *adj* grotesque.

Grotte *f* <-, -n> grotto.

grub *pt von* **graben**.

Grübchen *nt* dimple.

Grube *f* <-, -n> pit; *(MIN)* mine; **Grubengas** *nt* firedamp.

grübeln *vi* brood; **Grübler(in** *f)* *m* <-s, -> brooder; **grüblerisch** *adj* brooding, pensive.

Gruft *f* <-, ⁼e> tomb, vault.

grün *adj* green; *(POL)* green, ecologist; **Grünanlage** *f* park.

Grund *m* <-[e]s, ⁼e> ground; *(von See, Gefäß)* bottom; *(Ursache etc)* reason; **im ~e genommen** basically; **Grundausbildung** *f* basic training; **Grundbedeutung** *f* basic meaning; **Grundbedingung** *f* fundamental condition; **Grundbesitz** *m* land[ed property], real estate; **Grundbuch** *nt* land register; **grundehrlich** *adj* thoroughly honest. **gründen** 1. *vt* found; 2. *vr*: **sich ~** be based *(auf +dat* on); **~ auf** +*akk* base on; **Gründer(in** *f)* *m* <-s, -> founder. **gründlich** *adj* thorough.

Gründung *f* foundation.

grundfalsch *adj* utterly wrong; **Grundgebühr** *f* basic charge; **Grundgedanke** *m* basic idea; **Grundgesetz** *nt* constitution; **Grundlage** *f* foundation; **grundlegend** *adj* fundamental; **grundlos** *adj* groundless; **Grundmauer** *f* foundation wall; **Grundregel** *f* basic rule; **Grundriß** *m* plan; *(fig)* outline; **Grundsatz** *m* principle; **grundsätzlich** *adj* fundamental; *(Frage)* principle; *(prinzipiell)* on principle; **Grundschule** *f* elementary school; **Grundstein** *m* foundation stone; **Grundsteuer** *f* rates *pl;* **Grundstück** *nt* plot; *(Anwesen)* estate; *(Bau ~)* site; **grundverschieden** *adj* utterly different; **Grundzug** *m* characteristic.

Grüne(r) *mf* *(POL)* Ecologist, Green. **Grüne(s)** *nt* <-s>: **im ~n** in the open air; **Grünkohl** *m* kale; **Grünschnabel** *m* greenhorn; **Grünspan** *m* verdigris; **Grünstreifen** *m* central reservation.

grunzen *vi* grunt.

Gruppe *f* <-, -n> group; **gruppenweise** *adv* in groups.

gruppieren *vt, vr:* **sich ~** group.

gruselig *adj* creepy; **gruseln 1.** *vi impers:* **es gruselt jdm vor etw** sth gives sb the creeps; **2.** *vr:* **sich ~** have the creeps.

Gruß *m* <-es, ⁼e> greeting; *(MIL)* salute; **viele ⁼e** best wishes; **⁼e an** +*akk* regards to; **grüßen** *vt* greet; *(MIL)* salute; **jdn von jdm ~** give sb sb's regards; **jdn ~ lassen** send sb one's regards.

gucken *vi* look.

Gulasch *nt o m* <-[e]s, -e> goulash.

gültig *adj* valid; **Gültigkeit** *f* validity; **Gültigkeitsdauer** *f* period of validity.

Gummi *nt o m* <-s, -s> rubber; *(~harze)* gum; **Gummiband** *nt, pl* <-bänder> rubber [o elastic] band; *(Hosen ~)* elastic; **gummieren** *vt* gum; **Gummiknüppel** *m* rubber truncheon; **Gummistrumpf** *m* elastic stocking.

Gunst *f* <-> favour.

günstig *adj* favourable.

Gurgel *f* <-, -n> throat; **gurgeln** *vi* gurgle; *(im Mund)* gargle.

Gurke *f* <-, -n> cucumber; **saure ~** pickled cucumber, gherkin.

Gurt *m* <-[e]s, -e> belt.

Gürtel *m* <-s, -> belt; *(GEO)* zone; **Gürtelreifen** *m* radial tyre.

Guru *m* <-s, -s> guru.

Guß *m* <-sses, Güsse> casting; *(Regen~)* downpour; *(GASTR)* glazing; **Gußeisen** *nt* cast iron.

gut <**besser, am besten**> **1.** *adj* good; **2.** *adv* well; **laß es ~ sein** that'll do.

Gut *nt* <-[e]s, ⁼er> *(Besitz)* possession; *(Land~)* estate; **⁼e** *er pl* goods *pl.*

Gutachten *nt* <-s, -> [expert] opinion; **Gutachter(in** *f)* *m* <-s, -> expert.

gutartig *adj* good-natured; *(MED)* benign; **gutbürgerlich** *adj* *(Küche)* [good] plain; **Gutdünken** *nt* <-s>: **nach ~** at one's discretion.

Güte *f* <-> goodness, kindness; *(Qualität)* quality.

Güterabfertigung *f* *(EISENB)* goods office; **Güterbahnhof** *m* goods station; **Güterwagen** *m* goods waggon, freight car *US;* **Güterzug** *m* goods train, freight train *US.*

gutgehen *irr vi* work, come off; **es geht jdm gut** sb's doing fine; **gutgelaunt** *adj* good-humoured, in a good mood; **gutgemeint** *adj* well meant; **gutgläubig** *adj* trusting; **Guthaben** *nt* <-s> credit; **gutheißen** *irr vt* approve [of];

gutherzig adj kind[-hearted].
gütig adj kind.
gütlich adj amicable.
gutmütig adj good-natured; **Gutmütigkeit** f good nature.
Gutsbesitzer(in f) m landowner.
Gutschein m voucher; **gutschreiben** irr vt credit (jdm etw sth to sb); **Gutschrift** f credit.
Gutsherr m squire.
guttun irr vi: jdm ~ do sb good; **gutwillig** adj willing.
Gymnasium nt grammar school Brit, high school US.
Gymnastik f exercises pl, keep fit; **Gymnastikanzug** m leotard.

H

H, h nt H, h.
Haar nt <-[e]s, -e> hair; **um ein** ~ nearly; **Haarbürste** f hairbrush; **haaren** vi, vr: **sich** ~ lose hair; **Haaresbreite** f: **um** ~ by a hair's breadth; **haargenau** adv precisely; **haarig** adj hairy; (fig) nasty; **Haarklemme** f hair grip; **Haarnadel** f hairpin; **Haarnadelkurve** f hairpin bend; **haarscharf** adj (beobachten) very sharply; (daneben) by a hair's breadth; **Haarschnitt** m haircut; **Haarschopf** m head of hair; **Haarspalterei** f hair-splitting; **Haarspange** f hair slide; **haarsträubend** adj hair-raising; **Haarteil** nt hairpiece; **Haartrockner** m <-s, -> hair-drier; **Haarwaschmittel** nt shampoo.
Habe f <-> property.
haben <hatte, gehabt> vt, Hilfsverb have; **Hunger/Angst** ~ be hungry/afraid; **woher hast du das?** where did you get that from?; **was hast du denn?** what's the matter [with you]?; **Haben** nt <-s, -> credit.
Habgier f avarice; **habgierig** adj avaricious.
Habicht m <-[e]s, -e> hawk.
Habseligkeiten pl belongings pl.
Hachse f <-, -n> (GASTR) knuckle.
Hacke f <-, -n> hoe; (Ferse) heel; **hacken** vt hack, chop; (Erde) hoe; **Hacker(in** f) m <-s, -> (COMPUT) hacker; **Hackfleisch** nt mince, minced meat.
Häcksel m <-s> chopped straw, chaff.
hadern vi quarrel (mit with).

Hafen m <-s, ⸚> harbour, port; **Hafenarbeiter(in** f) m docker; **Hafenstadt** f port.
Hafer m <-s, -> oats pl; **Haferbrei** m porridge; **Haferflocken** pl porridge oats pl; **Haferschleim** m gruel.
Haft f <-> custody; **haftbar** adj liable, responsible; **Haftbefehl** m warrant [of arrest]; **haften** vi stick, cling; ~ **für** be liable [o responsible] for; **haftenbleiben** irr vi stick (an + dat to)); **Haftnotiz** f [removable] self-stick note; **Haftpflicht** f liability; **Haftpflichtversicherung** f third party insurance; **Haftung** f liability.
Hagebutte f <-, -n> rose hip; **Hagedorn** m hawthorn.
Hagel m <-s> hail; **hageln** vb impers hail.
hager adj gaunt.
Häher m <-s, -> jay.
Hahn m <-[e]s, ⸚e> cock; (Wasser~) tap, faucet US; **Hähnchen** nt cockerel; (GASTR) chicken.
Hai[fisch] m <-[e]s, -e> shark.
Häkchen nt small hook; (Häkelnadel) crochet hook; **Häkelarbeit** f crochet work; **häkeln** vt crochet; **Häkelnadel** f crochet hook.
Haken m <-s, -> hook; (fig) catch; **Hakenkreuz** nt swastika; **Hakennase** f hooked nose.
halb adj half; ~ **eins** half past twelve; **ein** ~**es Dutzend** half a dozen; **Halbdunkel** nt semi-darkness.
halber prep + gen (wegen) on account of; (für) for the sake of.
Halbheit f half-measure; **halbieren** vt halve; **Halbinsel** f peninsula; **halbjährlich** adj half-yearly; **Halbkreis** m semicircle; **Halbkugel** f hemisphere; **halblaut** adv in an undertone, in a low voice; **Halbleiter** m semiconductor; **Halblinks** m <-, -> (SPORT) inside-left; **Halbmond** m (ASTR) half-moon; (Symbol) crescent; **halboffen** adj half-open; **Halbrechts** m <-, -> (SPORT) inside-right; **Halbschuh** m shoe; **Halbtagsarbeit** f part-time work; **halbwegs** adv half-way; ~ **besser** more or less better; **Halbwertszeit** f half-life; **Halbwüchsige(r)** mf adolescent; **Halbzeit** f (SPORT) half; (Pause) half-time.
Halde f <-, -n> tip; (Schlacken~) slag heap; (von Vorräten) pile.
half pt von **helfen**.
Hälfte f <-, -n> half.
Halfter f <-, -n> halter; (Pistolen~) holster.

Halle f <-, -n> hall; (AVIAT) hangar.
hallen vi echo, resound.
Hallenbad nt indoor swimming pool.
hallo interj hello.
Halluzination f hallucination.
Halm m <-[e]s, -e> blade, stalk.
Hals m <-es, ⸚e> neck; (Kehle) throat; ~ **über Kopf** in a rush; **Halsentzündung** f sore throat; **Halskette** f necklace; **Halskrause** f ruff; **Hals-Nasen-Ohren-Arzt** m, **-Ärztin** f ear nose and throat specialist; **Halsschlagader** f carotid artery; **Halsschmerzen** pl sore throat; **halsstarrig** adj stubborn, obstinate; **Halstuch** nt scarf; **Halsweh** nt sore throat; **Halswirbel** m cervical vertebra.
Halt m <-[e]s, -e> stop; (fester ~) hold; (innerer ~) stability; **h~!** stop!, halt!
haltbar adj durable; (Lebensmittel) nonperishable; (MIL) tenable; **Haltbarkeit** f durability; [non-]perishability; tenability; **Haltbarkeitsdatum** nt sell-by date.
halten <hielt, gehalten> 1. vt keep; (fest~) hold; 2. vi hold; (frisch bleiben) keep; (stoppen) stop; 3. vr: **sich ~** (frisch bleiben) keep; (sich behaupten) hold out; **sich rechts/links ~** keep to the right/left; ~ **für** regard as; ~ **von** think of; **an sich** akk ~ restrain oneself.
Haltestelle f stop; **Halteverbot** nt ban on stopping; **haltlos** adj unstable; **Haltlosigkeit** f instability; **haltmachen** vi stop.
Haltung f posture; (fig) attitude; (Selbstbeherrschung) composure.
Halunke m <-n, -n> rascal.
hämisch adj malicious.
Hammel m <-s, -> wether; **Hammelfleisch** nt mutton; **Hammelkeule** f leg of mutton.
Hammer m <-s, ⸚> hammer; **hämmern** vt, vi hammer.
Hämorrhoiden pl piles pl.
Hampelmann m, pl <-männer> (auch fig) puppet.
Hamster m <-s, -> hamster; **hamstern** vi hoard.
Hand f <-, ⸚e> hand; **Handarbeit** f manual work; (Nadelarbeit) needlework; **Handarbeiter(in)** f) m manual worker; **Handbesen** m brush; **Handbremse** f handbrake; **Handbuch** nt handbook, manual; **Händedruck** m handshake.
Handel m <-s> trade; (Geschäft) transaction; ⸚ **haben** quarrel.
handeln 1. vi act; (COM) trade; 2. vr impers: **sich ~ um** be a question of, be

about; ~ **von** be about; **Handeln** nt <-s> action.
Handelsbilanz f balance of trade; **handelseinig** adj: **mit jdm ~ werden** conclude a deal with sb; **Handelskammer** f chamber of commerce; **Handelsmarine** f merchant navy; **Handelsrecht** nt commercial law; **Handelsreisende(r)** mf commercial traveller; **Handelsschule** f business school; **Handelsvertreter(in)** f) m sales representative.
Handfeger m <-s, -> brush; **handgearbeitet** adj handmade; **Handgelenk** nt wrist; **Handgemenge** nt scuffle; **Handgepäck** nt hand luggage; **handgeschrieben** adj handwritten; **handgreiflich** adj palpable; ~ **werden** become violent; **Handgriff** m handle; (Bewegung) movement; **mit ein paar ~en** (schnell) in no time at all; **Handkarren** m handcart; **Handkuß** m kiss on the hand.
Händler(in f) m <-s, -> trader, dealer.
handlich adj handy.
Handlung f act[ion]; (in Buch) plot; (Geschäft) shop; **Handlungsbevollmächtige(r)** mf authorized agent; **Handlungsweise** f manner of dealing.
Handpflege f manicure; **Handschelle** f handcuff; **Handschlag** m handshake; **Handschrift** f handwriting; (Text) manuscript; **Handschuh** m glove; **Handtasche** f handbag, purse US; **Handtuch** nt towel; **das ~ werfen** throw in the sponge [o towel]; **Handwerk** nt trade, craft; **Handwerker(in** f) m <-s -> [skilled] manual worker; (Kunst~) craftsperson, craftsman/-woman; **wir haben die ~ im Haus** we have workmen in the house; **Handwerkzeug** nt tools pl.
Hanf m <-[e]s> hemp.
Hang m <-[e]s, ⸚e> inclination; (Ab~) slope.
Hängebrücke f suspension bridge; **Hängematte** f hammock.
hängen 1. <hing, gehangen> vi hang; 2. vt hang (an + akk on[to]); ~ **an** (fig) be attached to; **sich ~ an** + akk hang on to, cling to; **hängenbleiben** irr vi be caught (an + dat on); (fig) remain, stick.
hänseln vt tease.
hantieren vi work, be busy; **mit etw ~** handle sth.
hapern vi impers: **es hapert an etw** dat sth leaves something to be desired.
Happen m <-s, -> mouthful.
Happy-End nt <-s, -s> happy ending.

Hardware f <-, -s> hardware.
Harfe f <-, -n> harp.
Harke f <-, -n> rake; **harken** vt, vi rake.
harmlos adj harmless; **Harmlosigkeit** f harmlessness.
Harmonie f harmony; **harmonieren** vi harmonize.
Harmonika f <-, -s> (Zieh~) concertina.
harmonisch adj harmonious.
Harmonium nt harmonium.
Harn m <-[e]s, -e> urine; **Harnblase** f bladder.
Harnisch m <-[e]s, -e> armour; **jdn in ~ bringen** infuriate sb; **in ~ geraten** become angry.
Harpune f <-, -n> harpoon.
harren vi wait (auf +akk for).
hart adj hard; (fig) harsh; **Härte** f <-, -n > hardness; (fig) harshness; **härten** vt, vr: **sich ~ harden**; **hartgekocht** adj hard-boiled; **hartgesotten** adj tough, hard-boiled; **hartherzig** adj hard-hearted; **hartnäckig** adj stubborn.
Harz nt <-es, -e> resin.
Haschee nt <-s, -s> hash.
haschen 1. vt catch, snatch; **2.** vi (fam) smoke hash.
Haschisch nt <-> hashish.
Hase m <-n, -n> hare.
Haselnuß f hazelnut.
Hasenfuß m coward; **Hasenscharte** f harelip.
Haß m <-sses> hate, hatred; **hassen** vt hate; **hassenswert** adj hateful.
häßlich adj ugly; (gemein) nasty; **Häßlichkeit** f ugliness; nastiness.
Hast f <-> haste, rush; **hastig** adj hasty.
hätscheln vt pamper; (zärtlich) cuddle.
hatte pt von **haben**.
Haube f <-, -n> hood; (Mütze) cap; (AUT) bonnet, hood US.
Hauch m <-[e]s, -e> breath; (Luft ~) breeze; (fig) trace; **hauchen** vi breathe; **hauchfein** adj very fine.
Haue f <-, -n> hoe, pick; (fam: Schläge) hiding; **hauen** <haute o hieb, gehauen > vt hew, cut; (fam) thrash.
Haufen m <-s, -> heap; (Leute) crowd; **ein ~ [x]** loads [o a lot] [of x]; **auf einem ~** in one heap; **haufenweise** adv in heaps; **etw ~ haben** have piles of sth.
häufen 1. vt pile up; **2.** vr: **sich ~ accumulate**.
häufig adj, adv frequent[ly]; **Häufigkeit** f frequency.
Haupt <-[e]s, **Häupter** > head;

(Ober ~) chief.
Haupt- in Zusammensetzungen main; **Hauptbahnhof** m central station; **hauptberuflich** adv as one's main occupation; **Hauptbuch** nt (COM) ledger; **Hauptdarsteller(in** f) m leading actor/actress; **Haupteingang** m main entrance; **Hauptfach** nt main subject; **Hauptfilm** m main film; **Hauptgewinn** m first prize.
Häuptling m chief[tain].
Hauptmann m, pl <-leute> captain; **Hauptpostamt** nt main post office; **Hauptquartier** nt headquarters pl; **Hauptrolle** f leading part; **Hauptsache** f main thing; **Hauptsatz** m main clause; **Hauptschlagader** f aorta; **Hauptspeicher** m (COMPUT) main storage; **Hauptstadt** f capital; **Hauptstraße** f main street; **Hauptwort** nt noun.
Haus nt <-es, **Häuser**> house; **nach ~ e** home; **zu ~ e** at home; **ins ~ stehen** be forthcoming; **Hausarbeit** f housework; (SCH) homework; **Hausarzt** m, **-ärztin** f family doctor; **Hausaufgabe[n]** f (SCH) homework; **Hausbesetzer(in** f) m squatter; **Hausbesetzung** f squatting; **Hausbesitzer(in** f) m, **Hauseigentümer(in** f) m house-owner.
hausen vi live [in poverty]; (pej) wreak havoc.
Häuserblock m block [of houses]; **Häusermakler(in** f) m estate agent.
Hausfrau f housewife; **Hausfreund** m family friend; (fam) lover; **hausgemacht** adj home-made; **Haushalt** m household; (POL) budget; **haushalten** irr vi keep house; (sparen) economize; **Haushälterin** f housekeeper; **Haushaltsgeld** nt housekeeping [money]; **Haushaltsgerät** nt domestic appliance; **Haushaltsplan** m budget; **Haushaltung** f housekeeping; **Hausherr(in** f) m host/hostess; (Vermieter) landlord/-lady; **haushoch** adv: ~ **verlieren** lose by a mile.
hausieren vi hawk, peddle; **Hausierer(in** f) m <-s, -> hawker, peddlar.
häuslich adj domestic; **Häuslichkeit** f domesticity.
Hausmann m, pl <-männer> househusband; **Hausmeister(in** f) m caretaker, janitor; **Hausordnung** f house rules pl; **Hausputz** m house cleaning; **Hausratversicherung** f household contents insurance; **Hausschlüssel** m front-door key; **Hausschuh** m slipper; **Haussuchung** f police raid; **Haustier**

nt domestic animal; (*nicht Nutztier*) pet; **Hausverwalter(in** *f*) *m* caretaker; **Hauswirt(in** *f*) *m* landlord/-lady; **Hauswirtschaft** *f* domestic science.

Haut *f* <-, **Häute**> skin; (*Tier~*) hide; **Hautarzt** *m*, **-ärztin** *f* dermatologist; **häuten 1.** *vt* skin; **2.** *vr*: **sich ~** slough one's skin; **hauteng** *adj* skin-tight; **Hautfarbe** *f* complexion.

Haxe *f* <-, **-n**> *siehe* **Hachse**.

Hbf. *abk von* **Hauptbahnhof** central station.

Hebamme *f* <-, **-n**> midwife.

Hebel *m* <-s, -> lever.

heben <**hob, gehoben**> *vt* raise, lift.

hecheln *vi* (*Hund*) pant.

Hecht *m* <-[e]s, -e> pike.

Heck *nt* <-[e]s, -e> stern; (*von Auto*) rear.

Hecke *f* <-, **-n**> hedge; **Heckenrose** *f* dog rose; **Heckenschütze** *m* sniper. **Heckklappe** *f* tailgate; **Heckmotor** *m* rear engine.

Heer *nt* <-[e]s, -e> army.

Hefe *f* <-, **-n**> yeast.

Heft *nt* <-[e]s, -e> exercise book; (*Zeitschrift*) number; (*von Messer*) haft; **heften** *vt* fasten (*an + akk* to); (*nähen*) tack; **Hefter** *m* <-s, -> folder.

heftig *adj* fierce, violent; **Heftigkeit** *f* fierceness, violence.

Heftklammer *f* paper clip; **Heftmaschine** *f* stapling machine; **Heftpflaster** *nt* sticking plaster; **Heftzwecke** *f* drawing pin.

hegen *vt* nurse; (*fig*) harbour, foster.

Hehl *m o nt*: **kein[en] ~ aus etw machen** make no secret of sth.

Hehler(in *f*) *m* <-s, -> receiver [of stolen goods], fence.

Heide *f* <-, **-n**> heath, moor; (*~ kraut*) heather.

Heide *m* <-n, **-n**>, **Heidin** *f* heathen, pagan.

Heidekraut *nt* heather.

Heidelbeere *f* bilberry, blueberry.

Heidentum *nt* paganism; **heidnisch** *adj* heathen, pagan.

heikel *adj* awkward, thorny; (*wählerisch*) fussy.

heil 1. *adj* in one piece, intact; **2.** *interj* hail; **Heil** *nt* <-[e]s> well-being; (*Seelen~*) salvation; **Heiland** *m* <-[e]s, -e> saviour; **heilbar** *adj* curable; **heilen 1.** *vt* cure; **2.** *vi* heal; **heilfroh** *adj* very relieved; **Heilgymnast(in** *f*) *m* physiotherapist.

heilig *adj* holy; **Heiligabend** *m* Christmas Eve; **Heilige(r)** *mf* saint; **Heiligenschein** *m* halo; **Heiligkeit** *f* holiness; **heiligsprechen** *irr vt* canonize; **Heiligtum** *nt* shrine; (*Gegenstand*) relic.

heillos *adj* unholy; **Heilmittel** *nt* remedy; **Heilpraktiker(in** *f*) *m* naturopathic doctor *US*, non-medical practitioner; **heilsam** *adj* (*fig*) salutary; **Heilsarmee** *f* Salvation Army; **Heilung** *f* cure.

heim *adv* home; **Heim** *nt* <-[e], -e> home.

Heimat *f* <-, -en> home [town/country]; **Heimatland** *nt* native country; **heimatlich** *adj* native, home; (*Gefühle*) nostalgic; **heimatlos** *adj* homeless; **Heimatort** *m* home town/area; **Heimatvertriebene(r** *mf* displaced person.

heimbegleiten *vt* accompany home; **Heimcomputer** *m* home computer.

heimelig *adj* homely, cosy.

heimfahren *irr vi* drive/go home; **Heimfahrt** *f* journey home; **heimgehen** *irr vi* go home; (*sterben*) pass away.

heimisch *adj* (*gebürtig*) native; **sich ~ fühlen** feel at home.

Heimkehr *f* <-, -en> homecoming; **heimkehren** *vi* return home.

heimlich *adj* secret; **Heimlichkeit** *f* secrecy.

Heimreise *f* journey home.

heimsuchen *vt* afflict; (*Geist*) haunt.

heimtückisch *adj* malicious.

heimwärts *adv* homewards; **Heimweg** *m* way home; **Heimweh** *nt* homesickness; **~ haben** be homesick; **heimzahlen** *vt*: **jdm etw ~** pay back sb for sth.

Heirat *f* <-, -en> marriage; **heiraten** *vt, vi* marry; **Heiratsantrag** *m* proposal.

heiser *adj* hoarse; **Heiserkeit** *f* hoarseness.

heiß *adj* hot; **~er Draht** hot line; **heißblütig** *adj* hot-blooded.

heißen <**hieß, geheißen**> **1.** *vi* be called; (*bedeuten*) mean; **2.** *vt* command; (*nennen*) name; **3.** *vb impers* it says; (*man sagt*) it is said.

heißersehnt *adj* longed for; **Heißhunger** *m* ravenous hunger; **heißlaufen** *irr vi* overheat; (*Telefon*) buzz; **Heißluftherd** *m* convection oven.

heiter *adj* cheerful; (*Wetter*) bright; **Heiterkeit** *f* cheerfulness; (*Belustigung*) amusement.

heizbar *adj* (*Heckscheibe*) heated; (*Raum*) with heating; **leicht ~** easily heated; **Heizdecke** *f* electric blanket; **heizen** *vt* heat; **Heizer** *m* <-s, -> stoker; **Heizkörper** *m* radiator; **Heizöl** *nt* fuel oil; **Heizung** *f* heating; **Hei-**

zungsanlage f heating system.
hektisch adj hectic.
Held m <-en, -en> hero; **Heldin** f heroine.
helfen <**half, geholfen**> 1. vi help (jdm bei sb with); (nützen) be of use; 2. vi impers: **es hilft nichts, du mußt...** it's no use, you have to...; **sich** dat **zu ~ wissen** be resourceful; **Helfer(in** f) m <-s, -> helper, assistant; **Helfershelfer(in** f) m accomplice.
hell adj clear, bright; (Farbe) light; **hellblau** adj light blue; **hellblond** adj ashblond; **Helle** f <-> clearness, brightness; **hellhörig** adj keen of hearing; (Wand) poorly soundproofed; ~ **werden** prick up one's ears; **Helligkeit** f clearness, brightness; lightness; **Helligkeitsregelung** f brightness control; **Hellseher(in** f) m clairvoyant; **hellwach** adj wide-awake.
Helm m <-[e]s, -e> (auf Kopf) helmet.
Hemd nt <-[e]s, -en> shirt; (Unter~) vest; **Hemdbluse** f blouse; **Hemdenknopf** m shirt button.
hemmen vt check, hold up; **gehemmt sein** be inhibited; **Hemmschwelle** f inhibition threshold; **Hemmung** f check; (PSYCH) inhibition; **hemmungslos** adj unrestrained, without restraint.
Hengst m <-es, -e> stallion.
Henkel m <-s, -> handle.
henken vt hang; **Henker** m <-s, -> hangman.
Henne f <-, -n> hen.
her adv: ~ **näher** ~ ! come closer!; ~ **damit!** hand it over!
herab adv down, downward[s]; **herabhängen** irr vi hang down; **herablassen** irr 1. vt let down; 2. vr: **sich** ~ condescend; **Herablassung** f condescension; **herabsehen** irr vi look down (auf + akk on); **herabsetzen** vt lower, reduce; (fig) belittle, disparage; **Herabsetzung** f reduction; disparagement; **herabwürdigen** vt belittle, disparage.
heran adv: ~ **zu mir!** come up to me!; **heranbilden** vt train; **heranbringen** irr vt bring up (an + akk to); **heranfahren** irr vi drive up (an + akk to); **herankommen** irr vi approach, come near (an etw akk sth); **heranmachen** vr: **sich an jdn** ~ make up to sb; **heranwachsen** irr vi grow up; **heranziehen** irr vt pull nearer; (aufziehen) raise; (ausbilden) train; **jdn zu etw** ~ call upon sb to help in sth.
herauf adv up, upward[s], up here; **heraufbeschwören** irr vt conjure up, evoke; **heraufbringen** irr vt bring up;

heraufziehen irr 1. vt draw [o pull] up; 2. vi approach; (Sturm) gather.
heraus adv out; outside; **herausarbeiten** vt work out; **herausbekommen** irr vt get out; (Wechselgeld) get back; (fig) find out; **herausbringen** irr vt bring out; (Geheimnis) elicit; **herausfinden** irr vt find out; **herausfordern** vt challenge; **Herausforderung** f challenge, provocation; **herausgeben** irr vt give up, surrender; (Geld) give back; (Buch) edit; (veröffentlichen) publish; **Herausgeber(in** f) m <-s, -> editor; (Verleger) publisher; **herausgehen** irr vi: **aus sich** ~ come out of one's shell; **heraushalten** irr vr: **sich aus etw** ~ keep out of sth; **herausholen** irr vt get out (aus of); **herauskommen** irr vi come out; **dabei kommt nichts heraus** nothing will come of it; **herausnehmen** irr vt take out; **sich** dat **Freiheiten** ~ take liberties; **herausrücken** vt fork out, hand over; **mit etw** ~ (fig) come out with sth; **herausrutschen** vi slip out; **herausschlagen** irr vt knock out; (fig) obtain; **herausstellen** vr: **sich** ~ turn out (als to be); **herauswachsen** irr vi grow out (aus of); **herausziehen** irr vt pull out, extract.
herb adj [slightly] bitter, acid; (Wein) dry; (fig: schmerzlich) bitter; (streng) stern, austere.
Herberge f <-, -n> (Unterkunft) lodging; (fig) refuge, shelter; (Jugend~) hostel; **Herbergsmutter** f, **-vater** m warden.
herbitten irr vt ask to come [here]; **herbringen** irr vt bring here.
Herbst m <-[e]s, -e> autumn, fall US; **im** ~ in autumn, in fall; **herbstlich** adj autumnal.
Herd m <-[e]s, -e> cooker; (fig) focus, centre.
Herde f <-, -n> herd; (Schaf~) flock.
herein adv in [here], here; ~ ! come in!; **hereinbitten** irr vt ask in; **hereinbrechen** irr vi set in; **hereinbringen** irr vt bring in; **hereindürfen** irr vi have permission to enter; **hereinfallen** irr vi be caught, taken in; ~ **auf** + akk fall for; **hereinkommen** irr vi come in; **hereinlassen** irr vt admit; **hereinlegen** vt: **jdn** ~ take sb in; **hereinplatzen** vi burst in.
Herfahrt f journey here; **herfallen** irr vi: ~ **über** attack; (kritisieren) pull to pieces; **über das Essen** ~ pounce upon the food; **Hergang** m course of events, circumstances pl; **hergeben** irr vt give, hand [over]; **sich zu etw** ~ lend one's

name to sth; **hergehen** *irr vi:* **hinter jdm** ~ follow sb; **es geht hoch her** there are a lot of goings-on; **herhalten** *irr vt* hold out; ~ **müssen** (*fam*) have to suffer; **herhören** *vi* listen; **hör mal her!** listen here!

Hering *m* <-**s, -e**> herring.

herkommen *irr vi* come; **komm mal her!** come here!; **herkömmlich** *adj* traditional; **Herkunft** *f* <-, ⁝e> origin; **herlaufen** *irr vi:* **hinter einer Sache/jdm** ~ run after sth/sb; **herleiten** *vt* derive; **hermachen** *vr:* **sich** ~ **über** + *akk* set about, set upon.

Hermelin *nt* <-**s, -e**> ermine.

hermetisch *adj* hermetic.

heroisch *adj* heroic.

Herold *m* <-**[e]s, -e**> herald.

Herpes *m* <-> (*MED*) herpes.

Herr *m* <-**[e]n, -en**> master; (*Mann*) gentleman; (*adliger*) Lord; (*vor Namen*) Mr.; **mein** ~ **!** sir!; **meine** ~ **en!** gentlemen!; **Herrenbekanntschaft** *f* gentleman friend; **Herrendoppel** *nt* men's doubles *sing*; **Herreneinzel** *nt* men's singles *sing*; **Herrenhaus** *nt* mansion; **herrenlos** *adj* ownerless.

herrichten *vt* prepare.

Herrin *f* mistress; **herrisch** *adj* domineering, overbearing.

herrlich *adj* marvellous, splendid; **Herrlichkeit** *f* splendour, magnificence.

Herrschaft *f* power, rule; (*Herr und Herrin*) master and mistress; **meine** ~ **en!** ladies and gentlemen!

herrschen *vi* rule; (*bestehen*) prevail, be; **Herrscher(in** *f*) *m* <-**s, -**> ruler; **Herrschsucht** *f* domineering behaviour.

herrühren *vi* arise, originate (*von* from); **herstellen** *vt* make, manufacture; **Hersteller(in** *f*) *m* <-**s, -**> manufacturer; **Herstellung** *f* manufacture; **Herstellungskosten** *pl* manufacturing costs *pl*.

herüber *adv* over [here], across.

herum *adv* about, [a]round; **um etw** ~ around sth; **herumärgern** *vr:* **sich** ~ keep struggling (*mit* with); **herumführen** *vt* show around; **herumgehen** *irr vi* walk [o go] round (*um etw* sth), walk about; **herumirren** *vi* wander about; **herumkriegen** *vt* bring [o talk] around; **herumlungern** *vi* lounge about; **herumsprechen** *irr vr:* **sich** ~ get around, be spread; **herumtreiben** *irr vi, vr:* **sich** ~ drift about; **herumziehen** *irr vi* wander about.

herunter *adv* downward[s], down [there]; **heruntergekommen** *adj* run-down; **herunterhängen** *irr vi* hang down;

herunterholen *vt* bring down; **herunterkommen** *irr vi* come down; (*fig*) come down in the world; **heruntermachen** *vt* take down; (*schimpfen*) abuse, criticise severely.

hervor *adv* out, forth; **hervorbringen** *irr vt* produce; (*Wort*) utter; **hervorgehen** *irr vi* emerge, result; **hervorheben** *irr vt* stress; (*als Kontrast*) set off; **hervorragend** *adj* excellent; (*vorstehend*) projecting; **hervorrufen** *irr vt* cause, give rise to; **hervortreten** *irr vi* come out.

Herz *nt* <-**ens, -en**> heart; **Herzanfall** *m* heart attack; **Herzenslust** *f:* **nach** ~ to one's heart's content; **Herzfehler** *m* heart defect; **herzhaft** *adj* hearty; **Herzinfarkt** *m* heart attack; **Herzklopfen** *nt* palpitation; **herzlich** *adj* (*Empfang*) warm; (*Mensch*) warmhearted; (*Lachen*) hearty; ~ **en Glückwunsch** congratulations; ~ **e Grüße** best wishes; ~ **wenig** precious little; **Herzlichkeit** *f* warmth; warmheartedness; **herzlos** *adj* heartless.

Herzog *m* <-**[e]s**, ⁝e> duke; **Herzogin** *f* duchess; **herzoglich** *adj* ducal; **Herzogtum** *nt* duchy.

Herzschlag *m* heartbeat; (*MED*) heart attack; **herzzerreißend** *adj* heartrending.

heterogen *adj* heterogeneous.

Hetze *f* <-, -**n**> (*Eile*) rush; **hetzen 1.** *vt* hunt; (*verfolgen*) chase; **2.** *vi* (*eilen*) rush; ~ **gegen** stir up feeling against; **jdn/etw auf jdn/etw** ~ set sb/sth on sb/sth; **Hetzerei** *f* (*Eile*) rush.

Heu *nt* <-**[e]s**> hay; **Heuboden** *m* hayloft.

Heuchelei *f* hypocrisy; **heucheln 1.** *vt* pretend, feign; **2.** *vi* be hypocritical; **Heuchler(in** *f*) *m* <-**s, -**> hypocrite; **heuchlerisch** *adj* hypocritical.

Heugabel *f* pitchfork.

heulen *vi* howl; cry; **das** ~ **de Elend bekommen get the blues.**

heurig *adj* this year's.

Heuschnupfen *m* hay fever; **Heuschrecke** *f* <-, -**n**> grasshopper, locust.

heute *adv* today; ~ **abend/früh** this evening/morning; **das H** ~ today; **heutig** *adj* today's; **heutzutage** *adv* nowadays.

Hexe *f* <-, -**n**> witch; **hexen** *vi* practise witchcraft; **ich kann doch nicht** ~ I can't work miracles; **Hexenkessel** *m* cauldron; (*fig*) pandemonium; **Hexenmeister** *m* wizard; **Hexenschuß** *m* lumbago; **Hexerei** *f* witchcraft.

Hickhack *nt* <-**s**> squabbling.

hieb pt von **hauen**; **Hieb** m <-[e]s, -e> blow; (Wunde) cut, gash; (Stichelei) cutting remark; ~ **e bekommen** get a thrashing.

hielt pt von **halten**.

hier adv here; **hierauf** adv thereupon; (danach) after that; **hierbehalten** irr vt keep here; **hierbei** adv herewith, enclosed; **hierbleiben** irr vi stay here; **hierdurch** adv by this means; (örtlich) through here; **hierher** adv this way, here; **hierlassen** irr vt leave here; **hiermit** adv hereby; **hiernach** adv hereafter; **hiervon** adv about this, hereof; **hierzulande** adv in this country.

hiesig adj of this place, local.

hieß pt von **heißen**.

Hi-Fi-Anlage f hi-fi [set].

high adj (fam) high; **Highlife** nt <-s> high life; ~ **machen** live it up; **High Tech** nt <-s> high-tech.

Hilfe f <-, -n> help; (für Notleidende, finanziell) aid; **Erste** ~ first aid; ~! help!; **hilflos** adj helpless; **Hilflosigkeit** f helplessness; **hilfreich** adj helpful; **Hilfsaktion** f relief measures pl; **Hilfsarbeiter(in** f) m labourer; **hilfsbedürftig** adj needy; **hilfsbereit** adj ready to help, helpful; **Hilfsdatei** f (COMPUT) scratch file; **Hilfskraft** f assistant, helper; **Hilfsschule** f school for backward children; **Hilfszeitwort** nt auxiliary verb.

Himbeere f raspberry.

Himmel m <-s, -> sky; (REL) heaven; **himmelangst** adj: **es ist mir** ~ I'm scared to death; **himmelblau** adj sky-blue; **Himmelfahrt** f Ascension; **himmelschreiend** adj outrageous; **Himmelsrichtung** f direction; **himmlisch** adj heavenly.

hin adv there; ~ **und her** to and fro; **bis zur Mauer** ~ up to the wall; **Geld** ~, **Geld her** money or no money; **mein Glück ist** ~ my happiness has gone.

hinab adv down; **hinabgehen** irr vi go down; **hinabsehen** irr vi look down.

hinauf adv up; **hinaufarbeiten** vr: **sich** ~ work one's way up; **hinaufsteigen** irr vi climb (auf etw akk sth).

hinaus adv out; **hinausbefördern** vt kick/throw out; **hinausgehen** irr vi go out; ~ **über** + akk exceed; **hinauslaufen** irr vi run out; ~ **auf** + akk come to, amount to; **hinausschieben** irr vt put off, postpone; **hinauswerfen** irr vt throw out; **hinauswollen** vi want to go out; ~ **auf** + akk drive at, get at; **hinausziehen** irr **1.** vt draw out; **2.** vr: **sich** ~ be protracted.

Hinblick m: **in** [o **im**] ~ **auf** + akk in view of.

hinderlich adj awkward; **hindern** vt hinder, hamper; **jdn an etw** dat ~ prevent sb from doing sth; **Hindernis** nt obstacle.

hindeuten vi point (auf + akk to).

hindurch adv through; across; (zeitlich) over.

hinein adv in; **hineinfallen** irr vi fall in; ~ **in** + akk fall into; **hineingehen** irr vi go in; ~ **in** + akk go into, enter; **hineingeraten** irr vi: ~ **in** + akk get into; **hineinpassen** irr vi fit in; ~ **in** + akk fit into; **hineinreden** vi: **jdm** ~ interfere in sb's affairs; **hineinsteigern** vr: **sich** ~ get worked up; **hineinversetzen** vr: **sich** ~ **in** + akk put oneself in the position of.

hinfahren irr **1.** vi go; drive; **2.** vt take; drive; **Hinfahrt** f journey there; **hinfallen** irr vi fall down; **hinfällig** adj frail, decrepit; (Regel) invalid.

hing pt von **hängen**.

Hingabe f devotion; **hingeben** vr: **sich** ~ + dat give oneself up to, devote oneself to; **hingehen** irr vi go; (Zeit) pass; **hinhalten** irr vt hold out; (warten lassen) put off, stall.

hinken vi limp; (Vergleich) be unconvincing.

hinlegen 1. vt put down; **2.** vr: **sich** ~ lie down; **hinnehmen** irr vt (fig) put up with, take; **Hinreise** f journey out; **hinreißen** irr vt carry away, enrapture; **sich** ~ **lassen, etw zu tun** get carried away and do sth; **hinrichten** vt execute; **Hinrichtung** f execution; **hinsichtlich** prep + gen with regard to; **Hinspiel** nt (SPORT) first leg; **hinstellen 1.** vt put [down]; **2.** vr: **sich** ~ place oneself.

hintanstellen vt put last; (vernachlässigen) neglect.

hinten adv at the back; behind; **hintenherum** adv round the back; (fig) secretly.

hinter prep + dat/akk behind; (nach) after; ~ **jdm hersein** be after sb; **Hinterachse** f rear axle; **Hinterbein** nt hind leg; **sich auf die** ~ **e stellen** get tough; **Hinterbliebene(r)** mf surviving relative; **hinterdrein** adv afterwards; **hintere(r, s)** adj rear, back; **hintereinander** adv one after the other; **Hintergedanke** m ulterior motive; **hintergehen** irr vt deceive; **Hintergrund** m background; **Hinterhalt** m ambush; **hinterhältig** adj underhand, sneaky; **hinterher** adv afterwards; **Hinterhof** m backyard; **Hinterkopf** m back of one's head; **hinterlassen** irr vt leave;

Hinterlassenschaft f [testator's] estate; **hinterlegen** vt deposit; **Hinterlist** f cunning, trickery; (Handlung) trick, dodge; **hinterlistig** adj cunning, crafty; **Hintermänner** pl people behind pl; **Hinterrad** nt back wheel, rear wheel; **Hinterradantrieb** m (AUT) rear wheel drive; **hinterrücks** adv from behind; **Hinterteil** nt behind; **Hintertreffen** nt: **ins ~ kommen** lose ground; **hintertreiben** irr vt prevent, frustrate; **Hintertür** f back door; (fig: Ausweg) escape, loophole; **hinterziehen** irr vt (Steuern) evade [paying].

hinüber adv across, over; **hinübergehen** irr vi go over [o across].

hinunter adv down; **hinunterbringen** irr vt take down; **hinunterschlucken** vt (auch fig) swallow; **hinuntersteigen** irr vi descend.

Hinweg m journey out.

hinwegsetzen vr: **sich ~ über** + akk disregard.

Hinweis m <-es, -e> (Andeutung) hint; (Anweisung) instruction; (Verweis) reference; **hinweisen** irr vi (anzeigen) point (auf + akk to); (sagen) point out, refer (auf + akk to).

hinzu adv in addition; **hinzufügen** vt add.

Hirn nt <-[e]s, -e> brain[s]; **Hirngespinst** nt <-[e]s, -e> fantasy; **hirnverbrannt** adj half-baked, crazy.

Hirsch m <-[e]s, -e> stag.

Hirse f <-, -n> millet.

Hirt(in f) m <-en, -en> herdsperson; (Schaf~, fig) shepherd/shepherdess.

hissen vt hoist.

Historiker(in f) m <-s, -> historian; **historisch** adj historical.

Hitparade f charts pl.

Hitze f <-> heat; **hitzebeständig** adj heat-resistant; **Hitzewelle** f heatwave.

hitzig adj hot-tempered; (Debatte) heated.

Hitzkopf m hothead; **Hitzschlag** m heatstroke.

HIV-positiv adj tested positive for aids.

H-Milch f long-life milk.

hob pt von **heben**.

Hobel m <-s, -> plane; **Hobelbank** f, pl <-bänke> carpenter's bench; **hobeln** vt, vi plane; **Hobelspäne** pl wood shavings pl.

hoch adj <höher, am höchsten> high; **Hoch** nt <-s, -s> (Ruf) cheer; (METEO) anticyclone.

Hochachtung f respect, esteem; **hochachtungsvoll** adv (in Briefen) yours faithfully; **Hochamt** nt high mass;

hocharbeiten vr: **sich ~** work one's way up; **hochauflösend** adj high-resolution; **hochbegabt** adj extremely gifted; **hochbetagt** adj very old, aged; **Hochbetrieb** m intense activity; (COM) peak time; **hochbringen** irr vt bring up; **Hochburg** f stronghold; **Hochdeutsch** nt High German; **hochdotiert** adj highly paid; **Hochdruck** m (METEO) high pressure; **Hochebene** f plateau; **hocherfreut** adj highly delighted; **hochfliegend** adj (fig) high-flown; **Hochform** f top form; **Hochgeschwindigkeitszug** m high-speed train; **hochgradig** adj intense, extreme; **hochhalten** irr vt hold up; (fig) uphold, cherish; **Hochhaus** nt multi-storey building; **hochheben** irr vt lift [up]; **Hochkonjunktur** f boom; **Hochland** nt highlands pl; **hochleben** vi: **jdn ~ lassen** give sb three cheers; **Hochmut** m pride; **hochmütig** adj proud, haughty; **hochnäsig** adj stuck-up, snooty; **Hochofen** m blast furnace; **hochprozentig** adj strong; **Hochrechnung** f projected result; **hochrüsten** vt (TECH) upgrade; **Hochsaison** f high season; **Hochschätzung** f high esteem; **Hochschule** f college; university; **Hochsommer** m middle of summer; **Hochspannung** f high tension; **hochspringen** irr vi jump up; **Hochsprung** m high jump.

höchst adv highly, extremely.

Hochstapler(in f) m <-s, -> swindler.

höchste(r, s) adj <Superlativ von hoch> highest; (äußerste) extreme; **höchstens** adv at the most; **Höchstgeschwindigkeit** f maximum speed; **höchstpersönlich** adv in person; **Höchstpreis** m maximum price; **höchstwahrscheinlich** adv most probably.

hochtrabend adj pompous; **Hochverrat** m high treason; **Hochwasser** nt high water; (Überschwemmung) floods pl; **hochwertig** adj high-class, first-rate; **Hochwürden** m <-s, -> Reverend; **Hochzahl** f (MATH) exponent.

Hochzeit f <-, -en> wedding; **Hochzeitsreise** f honeymoon.

hocken vi, vr: **sich ~** squat, crouch.

Hocker m <-s, -> stool.

Höcker m <-s, -> hump.

Hoden m <-s, -> testicle.

Hof m <-[e]s, =e> (Hinter~) yard; (Bauern~) farm; (Königs~) court.

hoffen vi hope (auf + akk for); **hoffentlich** adv I hope, hopefully; **Hoffnung** f hope; **hoffnungslos** adj hopeless;

Hoffnungslosigkeit f hopelessness; **Hoffnungsschimmer** m glimmer of hope; **Hoffnungsträger(in** f) m carrier of hope; **hoffnungsvoll** adj hopeful.

höflich adj polite, courteous; **Höflichkeit** f courtesy, politeness.

hohe(r, s) adj siehe **hoch**.

Höhe f <-, -n> height; (An~) hill.

Hoheit f (POL) sovereignty; (Titel) Highness; **Hoheitsgebiet** nt sovereign territory; **Hoheitsgewässer** nt territorial waters pl; **Hoheitszeichen** nt national emblem.

Höhenangabe f altitude reading; (auf Karte) height marking; **Höhenmesser** m <-s, -> altimeter; **Höhensonne** f sun lamp; **Höhenunterschied** m difference in altitude; **Höhenzug** m mountain chain.

Höhepunkt m climax.

höher adj, adv < Komparativ von **hoch**> higher.

hohl adj hollow.

Höhle f <-, -n> cave, hole; (Mund~) cavity; (fig) den.

Hohlmaß nt hollowness; **Hohlmaß** nt measure of capacity; **Hohlsaum** m hemstitch.

Hohn m <-[e]s> scorn; **höhnen** vt taunt, scoff at; **höhnisch** adj scornful, taunting.

holen vt get, fetch; (Atem) take; jdn/etw ~ lassen send for sb/sth.

Holland nt Holland; **Holländer(in** f) m <-s, -> Dutchman/-woman; **die ~** pl the Dutch pl; **holländisch** adj Dutch.

Hölle f <-, -n> hell; **Höllenangst** f: **eine ~ haben** be scared to death; **höllisch** adj hellish, infernal.

Hologramm nt <-s, -e> hologram.

holperig adj rough, bumpy; **holpern** vi jolt.

Holunder m <-s, -> elder.

Holz nt <-es, ⁻er> wood; **hölzern** adj (auch fig) wooden; **Holzfäller(in** f) m <-s, -> lumberjack, woodcutter; **holzig** adj woody; **Holzklotz** m wooden block; **Holzkohle** f charcoal; **Holzscheit** nt log; **Holzschuh** m clog; **Holzweg** m (fig) wrong track; **Holzwolle** f fine wood shavings pl; **Holzwurm** m woodworm.

homosexuell adj homosexual.

Honig m <-s, -e> honey; **Honigmelone** f honeydew melon; **Honigwabe** f honeycomb.

Honorar nt <-s, -e> fee.

honorieren vt remunerate; (Scheck) honour.

Hopfen m <-s, -> (BOT) hop; (beim Brauen) hops pl.

hopsen vi hop.

Hörapparat m hearing aid; **hörbar** adj audible.

horch interj listen; **horchen** vi listen; (pej) eavesdrop; **Horcher(in** f) m <-s, -> listener; eavesdropper.

Horde f <-, -n> horde.

hören vt, vi hear; **Hörensagen** nt: **vom ~** from hearsay; **Hörer(in** f) m <-s, -> hearer; (RADIO) listener; (SCH) student; (Telefon~) receiver.

Horizont m <-[e]s, -e> horizon; **horizontal** adj horizontal.

Hormon nt <-s, -e> hormone.

Hörmuschel f (TEL) earpiece.

Horn nt <-[e]s, ⁻er> horn; **Hornhaut** f horny skin; (des Auges) cornea.

Hornisse f <-, -n> hornet.

Horoskop nt <-s, -e> horoscope.

Hörrohr nt ear trumpet; (MED) stethoscope; **Hörsaal** m lecture room; **Hörspiel** nt radio play.

Hort m <-[e]s, -e> hoard; (SCH) nursery school; **horten** vt hoard.

Hose f <-, -n> trousers pl, pants pl; (Damen~ auch) slacks pl; (Unter~) [under]pants pl; **eine ~** a pair of pants; **tote sein** (fam: langweilig) be a drag; (erfolglos) be a dead loss; **in die ~ gehen** (fam) be a flop; **Hosenanzug** m trouser suit; **Hosenrock** m culottes pl; **Hosentasche** f [trouser] pocket; **Hosenträger** m braces pl, suspenders pl US.

Hostie f (REL) host.

Hotel nt <-s, -s> hotel; **Hotelier** m <-s, -s> hotelkeeper, hotelier.

Hub m <-[e]s, ⁻e> lift; (TECH) stroke.

hüben adv on this side, over here.

Hubraum m (AUT) cubic capacity.

hübsch adj pretty, nice.

Hubschrauber m <-s, -> helicopter.

hudeln vi (fam) be sloppy.

Huf m <-[e]s, -e> hoof; **Hufeisen** nt horseshoe.

Hüfte f <-, -n> hip; **Hüfthalter** f <-s, -> girdle.

Hügel m <-s, -> hill; **hügelig** adj hilly.

Huhn nt <-[e]s, ⁻er> hen; (GASTR) chicken; **Hühnerauge** nt corn; **Hühnerbrühe** f chicken broth.

huldigen vi pay homage (jdm to sb); **Huldigung** f homage.

Hülle f <-, -n> cover; (Schallplatten~) sleeve; (für Ausweis) case; (Zellophan~) wrapping; **in ~ und Fülle** galore; **hüllen** vt cover, wrap (in + akk with).

Hülse f <-, -n> husk, shell; **Hülsenfrucht** f legume.

human adj humane; **humanitär** adj humanitarian; **Humanität** f humanity.

Hummel f <-, -n> bumblebee.

Hummer m <-s, -> lobster.

Humor m <-s> humour; ~ **haben** have a sense of humour; **Humorist(in** f) m humorist; **humoristisch** adj, **humorvoll** adj humorous.

humpeln vi hobble.

Humpen m <-s, -> tankard.

Hund m <-[e]s, -e> dog; **Hundehütte** f [dog] kennel; **Hundekuchen** m dog biscuit; **hundemüde** adj (fam) dog-tired.

hundert num hundred; **Hundertjahrfeier** f centenary; **hundertprozentig** adj, adv one hundred per cent.

Hündin f bitch.

Hunger m <-s> hunger; ~ **haben** be hungry; **Hungerlohn** m starvation wages pl; **hungern** vi starve; **Hungersnot** f famine; **Hungerstreik** m hunger strike; **hungrig** adj hungry.

Hupe f <-, -n> horn, hooter; **hupen** vi hoot, sound one's horn.

hüpfen vi hop, jump.

Hürde f <-, -n> hurdle; (für Schafe) pen; **Hürdenlauf** m hurdling.

Hure f <-, -n> whore.

huschen vi flit, scurry.

husten vi cough; **Husten** m <-s> cough; **Hustenanfall** m coughing fit; **Hustenbonbon** m o nt cough drop; **Hustensaft** m cough mixture.

Hut 1. m <-[e]s, ⁼e> hat; 2. f <-> care; **auf der** ~ **sein** be on one's guard.

hüten 1. vt guard; 2. vr: **sich** ~ **watch** out; **sich** ~, **zu** take care not to; **sich** ~ **vor** + dat beware of.

Hütte f <-, -n> hut, cottage; (Eisen~) forge; **Hüttenwerk** nt foundry.

hutzelig adj shrivelled.

Hyäne f <-, -n> hyena.

Hyazinthe f <-, -n> hyacinth.

Hydrant m hydrant.

hydraulisch adj hydraulic.

Hydrierung f hydrogenation.

Hydrokultur f hydroponics sing.

Hygiene f <-> hygiene; **hygienisch** adj hygienic.

Hymne f <-, -n> hymn, anthem.

hyper- pref hyper-.

Hypnose f <-, -n> hypnosis; **hypnotisch** adj hypnotic; **Hypnotiseur(in** f) m hypnotist; **hypnotisieren** vt hypnotize.

Hypothek f <-, -en> mortgage.

Hypothese f hypothesis; **hypothe-** tisch adj hypothetical.

Hysterie f hysteria; **hysterisch** adj hysterical.

I

I, i nt I, i.

i.A. abk von **im Auftrag** for, pp.

IC m <-, -s> abk von **Intercity** Intercity.

ICE m <-, -s> abk von **Intercity Experimental** Intercity experimental train.

ich pron I; ~ **bin's!** it's me!; **Ich** nt <-[s], -[s]> self; (PSYCH) ego.

IC-Zuschlag m Intercity supplement.

ideal adj ideal; **Ideal** nt <-s, -e> ideal; **Idealist(in** f) m idealist; **idealistisch** adj idealistic.

Idee f <-, -n> idea; **ideell** adj ideal.

identifizieren vt identify; **identisch** adj identical; **Identität** f identity.

Ideologe m <-n, -n>, **Ideologin** f ideologist; **Ideologie** f ideology; **ideologisch** adj ideological.

idiomatisch adj idiomatic.

Idiot(in f) m <-en, -en> idiot; **idiotisch** adj idiotic.

idyllisch adj idyllic.

Igel m <-s, -> hedgehog.

ignorieren vt ignore.

ihm 1. pron dat von **er** [to] him; 2. pron dat von **es** [to] it.

ihn pron akk von **er** him.

ihnen pron dat von pl **sie** [to] them.

Ihnen pron dat von **Sie** [to] you.

ihr 1. pron (2. Person pl) you; 2. pron dat von sing **sie** [to] her; 3. pron possessiv von sing **sie** (adjektivisch) her; 4. pron possessiv von pl **sie** (adjektivisch) their.

Ihr pron (adjektivisch) your.

ihre(r, s) 1. pron possessiv von sing **sie** (substantivisch) hers; 2. pron possessiv von pl **sie** (substantivisch) theirs.

Ihre(r, s) pron (substantivisch) yours.

ihrer 1. pron gen von sing **sie** of her; 2. pron gen von pl **sie** of them.

Ihrer pron gen von **Sie** of you.

ihrerseits 1. adv bezüglich auf sing **sie** as far as she is concerned; 2. adv bezüglich auf pl **sie** as far as they are concerned; **Ihrerseits** adv as far as you are concerned; **ihresgleichen** 1. pron bezüglich auf sing **sie** people like her; (gleichrangig) her equals; 2. pron bezüglich auf pl **sie** people like them; (gleichrangig) their equals; **Ihresgleichen** pron people like you; (gleichrangig) your equals; **ihretwegen 1.** adv (wegen ihr) because of her; (ihr zuliebe) for her sake; (um sie) about her; (für sie) on her behalf; (von ihr aus) as far as she is concerned; **2.** adv (wegen ihnen) because of them; (ihnen zuliebe) for their sake; (um sie) about them; (für sie) on their behalf; (von ihnen aus) as far as they are concerned; **ihretwegen** adv (wegen Ihnen) because of you; (Ihnen zuliebe) for your sake; (um Sie) about you; (für Sie) on your behalf; (von Ihnen aus) as far as you are concerned.

Ikone f <-, -n> icon.

illegal adj illegal.

Illusion f illusion.

illusorisch adj illusory.

illustrieren vt illustrate; **Illustrierte** f <-n, -n> picture magazine.

Iltis m <-ses, -se> polecat.

im = in dem.

imaginär adj imaginary.

Imbiß m <-sses, -sse> snack; **Imbißstube** f snack bar.

imitieren vt imitate.

Imker(in f) m <-s, -> beekeeper.

Immatrikulation f (SCH) registration; **immatrikulieren** vi, vr: **sich ~** register.

immer adv always; **~ wieder** again and again; **~ noch** still; **~ noch nicht** still not; **für ~** forever; **~ wenn ich...** everytime I...; **~ schöner/trauriger** more and more beautiful/sadder and sadder; **was/wer [auch] ~** whatever/ whoever; **immerhin** adv all the same; **immerzu** adv all the time.

Immobilien pl real estate.

immun adj immune; **Immunität** f immunity; **Immunschwäche** f immunodeficiency; **Immunschwächekrankheit** f immune deficiency syndrome; **Immunsystem** nt immune system.

Imperativ m imperative.

Imperfekt nt <-s, -e> imperfect [tense].

imperialistisch adj imperialistic.

impfen vt vaccinate; **Impfstoff** m vaccine; **Impfung** f vaccination; **Impfzwang** m compulsory vaccination.

implizieren vt imply (mit by).

imponieren vi impress (jdm sb).

Import m <-[e]s, -e> import; **importieren** vt import.

imposant adj imposing.

impotent adj impotent.

imprägnieren vt [water]proof.

Improvisation f improvization; **improvisieren** vt, vi improvize.

Impuls m <-es, -e> impulse; impul-

siv adj impulsive.

imstande adj: **~ sein** be in a position; (fähig) be able.

in 1. prep + akk in[to]; to; **2.** prep + dat in; **~ der/die Stadt** in/into town; **~ der/ die Schule** at/to school.

Inanspruchnahme f <-, -n> demands pl (gen on).

Inbegriff m embodiment, personification; **inbegriffen** adv included.

inbrünstig adj ardent.

indem conj while; **~ man etw macht** (dadurch) by doing sth.

Inder(in f) m <-s, -> Indian.

Indianer(in f) m <-s, -> [Red] Indian; **indianisch** adj [Red] Indian.

Indien nt India.

indigniert adj indignant.

Indikativ m indicative.

indirekt adj indirect.

indisch adj Indian.

indiskret adj indiscreet; **Indiskretion** f indiscretion.

indiskutabel adj out of the question.

Individualist(in f) m individualist; **Individualität** f individuality; **individuell** adj individual; **Individuum** nt <-s, -en >** individual.

Indiz nt <-es, -ien> sign (für of); (JUR) clue; **Indizienbeweis** m circumstantial evidence.

indoktrinieren vt indoctrinate.

Indonesien nt Indonesia.

industrialisieren vt industrialize.

Industrie f industry; **Industrie-** in Zusammensetzungen industrial; **Industriegebiet** nt industrial area; **industriell** adj industrial; **Industriezweig** m branch of industry.

ineinander adv in[to] one another [o each other].

Infanterie f infantry.

Infarkt m <-[e]s, -e> coronary [thrombosis].

Infektion f infection; **Infektionskrankheit** f infectious disease.

Infinitiv m infinitive.

infizieren 1. vt infect; **2.** vr: **sich ~** be infected (bei by).

Inflation f inflation; **inflatorisch** adj inflationary.

Info f <-, -s> info.

infolge prep + gen as a result of, owing to; **infolgedessen** adv consequently.

Informatik f information studies pl; **Informatiker(in** f) m <-s, -> information [o computer] scientist.

Information f information; **informationell** adj informational; **Informationsstand** (mit Material) information

stand.
informieren 1. *vt* inform; **2.** *vr:* **sich ~**
find out (*über + akk* about).
Infrastruktur *f* infrastructure.
Infusion *f* infusion.
Ingenieur(in *f*) *m* engineer; **Ingenieur-
schule** *f* school of engineering.
Ingwer *m* <-s> ginger.
Inhaber(in *f*) *m* <-s, -> owner;
(*Haus~*) occupier; (*Lizenz~*) licensee,
holder; (*FIN*) bearer.
inhaftieren *vt* take into custody.
inhalieren *vt, vi* inhale.
Inhalt *m* <-[e]s, -e > contents *pl;* (*eines
Buchs etc*) content; (*MATH*) area; volume; **inhaltlich** *adj* as regards content;
Inhaltsangabe *f* summary; **inhalts-
los** *adj* empty; **inhalt[s]reich** *adj* full;
Inhaltsverzeichnis *nt* table of contents.
inhuman *adj* inhuman.
Initiative *f* initiative.
Injektion *f* injection.
inklusive *prep, adv* inclusive (*gen* of).
inkognito *adv* incognito.
inkonsequent *adj* inconsistent.
inkorrekt *adj* incorrect.
Inkrafttreten *nt* <-s> coming into
force.
Inland *nt* (*GEO*) inland; (*POL, COM*)
home [country]; **Inlandsporto** *nt* inland
postage.
inmitten *prep + gen* in the middle of; **~
von** amongst.
innehaben *irr vt* hold.
innen *adv* inside; **Innenaufnahme** *f* indoor photograph; **Inneneinrichtung** *f*
[interior] furnishings *pl;* **Innenmini-
ster(in** *f*) *m* minister of the interior,
Home Secretary *Brit;* **Innenpolitik** *f*
domestic policy; **Innenstadt** *f* town/
city centre.
innere(r, s) *adj* inner; (*im Körper, inlän-
disch*) internal; **Innere(s)** *nt* inside;
(*Mitte*) centre; (*fig*) heart.
Innereien *pl* innards *pl.*
innerhalb *adv, prep + gen* within; (*räumlich*) inside.
innerlich *adj* internal; (*geistig*) inward.
innerste(r, s) *adj* innermost; **Inner-
ste(s)** *nt* heart.
innig *adj* profound; (*Freundschaft*) intimate.
Innovation *f* innovation; **innovativ** *adj*
innovative.
inoffiziell *adj* unofficial.
ins = in das.
Insasse *m* <-n, -n>, **Insassin** *f* (*von
Anstalt*) inmate; (*AUT*) passenger.
insbesondere *adv* [e]specially.

Inschrift *f* inscription.
Insekt *nt* <-[e]s, -en> insect; **Insektenbekämpfungsmittel** *nt* insecticide.
Insel *f* <-, -n> island.
Inserat *nt* advertisement; **Inserent(in** *f*)
m advertiser; **inserieren** *vt, vi* advertise.
insgeheim *adv* secretly.
insgesamt *adv* altogether, all in all.
Insider(in *f*) *m* <-s, -> insider.
insofern 1. *adv* in this respect; **2.** *conj* if;
(*deshalb*) [and] so; **~ als** in so far as.
Installateur(in *f*) *m* electrician; plumber.
Instandhaltung *f* maintenance; **In-
standsetzung** *f* overhaul; (*eines Ge-
bäudes*) restoration.
Instanz *f* authority; (*JUR*) court; **Instan-
zenweg** *m* official channels *pl.*
Instinkt *m* <-[e]s, -e > instinct; **instinktiv** *adj* instinctive.
Institut *nt* <-[e]s, -e > institute.
Instrument *nt* instrument.
Insulin *nt* <-s> insulin.
inszenieren *vt* direct; (*fig*) stage-manage.
integrieren *vt* integrate; **integrierte
Schaltung** integrated circuit.
intellektuell *adj* intellectual.
intelligent *adj* intelligent; **Intelligenz** *f*
intelligence; (*Leute*) intelligentsia *pl.*
Intendant(in *f*) *m* director.
intensiv *adj* intensive; **Intensivkurs** *m*
intensive course; **Intensivstation** *f* intensive care unit.
interaktiv *adj* interactive.
Intercity *m* <-s, -s> Intercity [train].
interessant *adj* interesting; **interes-
santerweise** *adv* interestingly enough.
Interesse *nt* <-s, -n> interest; **~
haben** be interested (*an + dat* in); **Inter-
essent(in** *f*) *m* interested party; **interessieren 1.** *vt* interest; **2.** *vr:* **sich ~** be
interested (*für* in).
Interface *nt* <-, -s > (*COMPUT*) interface.
Internat *nt* boarding school.
international *adj* international.
internieren *vt* intern.
interpretieren *vt* interpret.
Interpunktion *f* punctuation.
Interrail-Karte *f* interrail ticket.
Intervall *nt* <-s, -e > interval.
Interview *nt* <-s, -s > interview; **interviewen** *vt* interview.
intim *adj* intimate; **Intimität** *f* intimacy;
Intimkontakt *m* intimate contact.
intolerant *adj* intolerant.
intransitiv *adj* (*LING*) intransitive.
Intrige *f* <-, -n> intrigue, plot.
Invasion *f* invasion.

Inventar nt <-s, -e> inventory; (*Einrichtung*) fittings pl.
Inventur f stocktaking; ~ **machen** stocktake.
investieren vt invest.
inwiefern adv how far, to what extent.
inzwischen adv meanwhile.
Irak m: [der] ~ Iraq.
Iran m: [der] ~ Iran.
irdisch adj earthly.
Ire m <-n, -n> Irishman; **die** ~ **n** pl the Irish pl.
irgend adv at all; **wann/was/wer** ~ whenever/whatever/whoever; ~ **jemand/etwas** somebody/something; anybody/anything; **irgendein(e, s)** adj some, any; **irgendeinmal** adv sometime or other; (*fragend*) ever; **irgendwann** adv sometime; **irgendwie** adv somehow; **irgendwo** adv somewhere; anywhere.
Irin f Irishwoman; **irisch** adj Irish; **Irland** nt Ireland; **in** ~ in Ireland; **nach** ~ **fahren** go to Ireland.
Ironie f irony; **ironisch** adj ironic[al].
irre adj crazy, mad; **Irre(r)** mf lunatic; **irreführen** vt mislead; **irremachen** vt confuse; **irren** vi, vr: **sich** ~ be mistaken; (*umher* ~) wander, stray; **Irrenanstalt** f lunatic asylum.
irrig adj incorrect, wrong.
irrsinnig adj mad, crazy; (*fam*) terrific.
Irrtum m <-s, -tümer> mistake, error; **irrtümlich** adj mistaken.
Island nt Iceland; **Isländer(in** f) m <-s, -> Icelander; **isländisch** adj Icelandic.
Isolation f isolation; (*ELEC*) insulation; **Isolator** m insulator; **Isolierband** nt, pl <-bänder> insulating tape; **isolieren** vt isolate; (*ELEC*) insulate; **Isolierkanne** f thermos jug, insulated flask; **Isolierstation** f (*MED*) isolation ward; **Isolierung** f (*ELEC*) insulation.
Isomatte f thermomat, karrymat ®.
Israel nt Israel.
Italien nt Italy; **Italiener(in** f) m <-s, -> Italian; **italienisch** adj Italian.

J

J, j nt J, j.
ja adv yes; **tu das** ~ **nicht!** don't do that!
Jacht f <-, -en> yacht.
Jacke f <-, -n> jacket; (*Woll* ~) cardigan.

Jackett nt <-s, -s o -e> jacket.
Jagd f <-, -en> hunt; (*Jagen*) hunting; **Jagdbeute** f kill; **Jagdflugzeug** nt fighter; **Jagdgewehr** nt sporting gun.
jagen 1. vi hunt; (*eilen*) race; 2. vt hunt; (*weg* ~) drive [off]; (*verfolgen*) chase.
Jäger(in f) m <-s, -> hunter/huntress.
jäh adj sudden, abrupt; (*steil*) steep, precipitous.
Jahr nt <-[e]s, -e> year; **jahrelang** adv for years; **Jahresabonnement** nt annual subscription; **Jahresabschluß** m end of the year; (*COM*) annual statement of account; **Jahresbericht** m annual report; **Jahreswechsel** m turn of the year; **Jahreszahl** f date, year; **Jahreszeit** f season; **Jahrgang** m age group; (*von Wein*) vintage; **Jahrhundert** nt <-s, -e> century; **Jahrhundertfeier** f centenary.
jährlich adj yearly.
Jahrmarkt m fair; **Jahrzehnt** nt <-s, -e> decade.
Jähzorn m sudden anger; hot temper; **jähzornig** adj hot-tempered.
Jalousie f venetian blind.
Jammer m <-s> misery; **es ist ein** ~, **daß...** it is a crying shame that...
jämmerlich adj wretched, pathetic.
jammern 1. vi wail; 2. vt impers: **es jammert jdn** it makes sb feel sorry.
jammerschade adj: **es ist** ~ it is a crying shame.
Januar m <-s, -e> January; **im** ~ in January; **6.** ~ **1988** January 6th, 1988, 6th January 1988.
Japan nt Japan; **Japaner(in** f) m <-s, -> Japanese; **die** ~ pl the Japanese pl; **japanisch** adj Japanese.
Jargon m <-s, -s> jargon.
jäten vt: **Unkraut** ~ weed.
jauchzen vi rejoice, shout [with joy]; **Jauchzer** m <-s, -> shout of joy.
jaulen vi howl.
jawohl adv yes [of course]; **Jawort** nt consent.
Jazz m <-> Jazz.
je adv ever; (*jeweils*) each; ~ **nach** depending on; ~ **nachdem** it depends; ~ ... **desto** [o ~] the... the.
Jeans f <-, -> jeans pl, denims pl.
jede(r, s) 1. adj every, each; 2. pron everybody; (~ *einzelne*) each; **ohne** ~ **x** without any x; **jedenfalls** adv in any case; **jedermann** pron everyone; **jederzeit** adv at any time; **jedesmal** adv every time, each time.
jedoch adv however.
jeher adv: **von** ~ all along.
jemals adv ever.

jemand *pron* somebody; anybody.
jene(r, s) 1. *adj* that; 2. *pron* that one.
jenseits 1. *adv* on the other side; 2. *prep* + *gen* on the other side of, beyond; **das J ~** the hereafter, the beyond.
jetzig *adj* present.
jetzt *adv* now.
jeweilig *adj* respective; **jeweils** *adv:* ~ **zwei zusammen** two at a time; **zu ~ 5 DM** at 5 marks each; ~ **das erste** the first each time.
Job *m* <-s, -s> (*auch COMPUT*) job; **Job-sharing** *nt* <-s> job-sharing.
Joch *nt* <-[e]s, -e> yoke.
Jockei *m* <-s, -s> jockey.
Jod *nt* <-[e]s> iodine.
jodeln *vi* yodel.
joggen *vi* jog; **Jogger(in** *f*) *m* <-s, -> jogger; **Jogging** *nt* <-s> jogging; **Jogginganzug** *m* jogging suit.
Joghurt *m o nt* <-s, -s> yogurt.
Johannisbeere *f* redcurrant; **schwarze ~** blackcurrant.
johlen *vi* yell.
Joint *m* <-s, -s> (*fam*) joint.
Jolle *f* <-, -n> dinghy.
jonglieren *vi* juggle.
Joule *nt* <-[s], -> joule.
Journalismus *m* journalism; **Journalist(in** *f*) *m* journalist; **journalistisch** *adj* journalistic.
Jordanien *nt* Jordan.
Jubel *m* <-s> rejoicing; **jubeln** *vi* rejoice.
Jubiläum *nt* <-s, Jubiläen> anniversary, jubilee.
jucken 1. *vi* itch; 2. *vt:* **es juckt mich am Arm** my arm is itching; **das juckt mich** that's itchy; **Juckreiz** *m* itch.
Jude *m* <-n, -n> Jew; **Judentum** *nt* <-s> Judaism; Jewry; **Judenverfolgung** *f* persecution of the Jews; **Jüdin** *f* Jewess; **jüdisch** *adj* Jewish.
Judo *nt* <-[s]> judo.
Jugend *f* <-> youth; **Jugendherberge** *f* youth hostel; **Jugendkriminalität** *f* juvenile crime; **jugendlich** *adj* youthful; **Jugendliche(r)** *mf* teenager, young person; **Jugendrichter(in** *f*) *m* juvenile court judge.
Jugoslawe *m* <-n, -n> Yugoslav; **Jugoslawien** *nt* Yugoslavia; **Jugoslawin** *f* Yugoslav; **jugoslawisch** *adj* Yugoslav[ian].
Juli *m* <-[s], -s> July; **im ~** in July; **25. ~ 1946** July 25th, 1946, 25th July 1946.
jung *adj* young.
Junge *m* <-n, -n> boy, lad.
Junge(s) *nt* young animal; **die ~n** *pl* the young *pl*.

Jünger *m* <-s, -> disciple.
jünger *adj* younger.
Jungfer *f* <-, -n>: **alte ~** old maid; **Jungfernfahrt** *f* maiden voyage.
Jungfrau *f* virgin; (*ASTR*) Virgo.
Junggeselle *m*, **-gesellin** *f* bachelor/single woman.
Jüngling *m* youth.
jüngste(r, s) *adj* youngest; (*neueste*) latest.
Juni *m* <-[s], -s> June; **im ~** in June; **24. Juni 1987** June 24th, 1987, 24th June 1987.
Junior(in *f*) *m* <-s, -en> junior; **Junior-Paß** *m* junior rail-pass.
Jurist(in *f*) *m* jurist, lawyer; **juristisch** *adj* legal.
Justiz *f* <-> justice; **Justizbeamte(r)** *m*, **-beamtin** *f* judicial officer; **Justizirrtum** *m* miscarriage of justice.
Juwel *nt* <-s, -en> jewel; **Juwelier(in** *f*) *m* <-s, -e> jeweller; **Juweliergeschäft** *nt* jeweller's [shop].
Jux *m* <-es, -e> joke, lark.

K

K, k *nt* K, k.
K *abk von* **Kilobyte** K.
Kabarett *nt* <-s, -e *o* -s> cabaret; **Kabarettist(in** *f*) *m* cabaret artist.
Kabel *nt* <-s, -> (*ELEC*) wire; (*stark*) cable; **Kabelfernsehen** *nt* cable television.
Kabeljau *m* <-s, -e *o* -s> cod.
Kabine *f* cabin; (*Zelle*) cubicle.
Kabinett *nt* <-s, -e> (*POL*) cabinet.
Kachel *f* <-, -n> tile; **kacheln** *vt* tile; **Kachelofen** *m* tiled stove.
Kadaver *m* <-s, -> carcass.
Kadett *m* <-en, -en> cadet.
Käfer *m* <-s, -> beetle.
Kaff *nt* <-s, -s> dump, hole.
Kaffee *m* <-s, -s> coffee; **Kaffeekanne** *f* coffeepot; **Kaffeeklatsch** *m*, **Kaffeekränzchen** *nt* hen party; coffee morning; **Kaffeelöffel** *m* coffee spoon; **Kaffeemaschine** *f* coffee machine; **Kaffeemühle** *f* coffee grinder; **Kaffeesatz** *m* coffee grounds *pl*.
Käfig *m* <-s, -e> cage.
kahl *adj* bald; **kahlfressen** *irr vt* strip bare; **kahlgeschoren** *adj* shaven, shorn; **Kahlheit** *f* baldness; **kahlköpfig** *adj* bald-headed.

Kahn m <-[e]s, ⁇e> boat, barge.
Kai m <-s, -e o -s> quay.
Kaiser(in f) m <-s, -> emperor/empress; **kaiserlich** adj imperial; **Kaiserreich** nt empire; **Kaiserschnitt** m (MED) Caesarian [section].
Kajüte f <-, -n> cabin.
Kakao m <-s, -s> cocoa.
Kaktee f <-, -n>, **Kaktus** m <-, -se > cactus.
Kalb nt <-[e]s, ⁇er> calf; **kalben** vi calve; **Kalbfleisch** nt veal; **Kalbsleder** nt calf[skin].
Kalender m <-s, -> calendar; (Taschen~) diary.
Kali nt <-s, -s> potash.
Kaliber nt <-s, -> (auch fig) calibre.
Kalk m <-[e]s, -e> lime; (BIO) calcium; **Kalkstein** m limestone.
Kalkulation f calculation; **kalkulieren** vt calculate.
Kalorie f calorie; **kalorienarm** adj low-calorie.
kalt adj cold; **mir ist [es]** ~ I am cold; **kaltbleiben** irr vi be unmoved; **kaltblütig** adj cold-blooded; (ruhig) cool; **Kaltblütigkeit** f cold-bloodedness; coolness.
Kälte f <-> cold; coldness; **Kältegrad** m degree of frost [o below zero]; **Kältewelle** f cold spell.
kaltherzig adj cold-hearted; **kaltschnäuzig** adj cold, unfeeling; **Kaltstart** m (COMPUT) cold start; **kaltstellen** vt chill; (fig) leave out in the cold.
Kalzium nt <-s> Calcium.
Kamel nt <-s, -e> camel.
Kamera f <-, -s> camera.
Kamerad(in f) m <-en, -en> comrade, friend; **Kameradschaft** f comradeship; **kameradschaftlich** adj comradely.
Kamerafrau f camerawoman; **Kameraführung** f camera work; **Kameramann** m, pl <-leute o -männer> cameraman.
Kamille f <-, -n> camomile; **Kamillentee** m camomile tea.
Kamin m <-s, -e> (außen) chimney; (innen) fireside, fireplace; **Kaminfeger(in** f) m <-s, ->, **Kaminkehrer(in** f) m <-s, -> chimney sweep.
Kamm m <-[e]s, ⁇e> comb; (Berg~) ridge; (Hahnen~) crest; **kämmen** vt comb.
Kammer f <-, -n> chamber; small bedroom; **Kammerdiener** m valet; **Kammerzofe** f chambermaid.
Kampf m <-[e]s, ⁇e> fight, battle; (Wettbewerb) contest; (fig: Anstrengung)

struggle; **kampfbereit** adj ready for action.
kämpfen vi fight.
Kampfer m <-s> camphor.
Kämpfer(in f) m <-s, -> fighter, combatant.
Kampfhandlung f action; **kampflos** adj without a fight; **kampflustig** adj pugnacious; **Kampfrichter(in** f) m (SPORT) referee; (TENNIS) umpire.
Kanada nt Canada; **Kanadier(in** f) m <-s, -> Canadian; **kanadisch** adj Canadian.
Kanal m <-s, Kanäle > (Fluß) canal; (Rinne, Ärmel~) channel; (für Abfluß) drain; **Kanalinseln** pl Channel Islands pl; **Kanalisation** f sewage system; **kanalisieren** vt provide with a sewage system.
Kanarienvogel m canary.
Kandidat(in f) m <-en, -en> candidate; **Kandidatur** f candidature, candidacy; **kandidieren** vi stand, run.
Kandis[zucker] m <-> rock candy.
Känguruh nt <-s, -s> kangaroo.
Kaninchen nt rabbit.
Kanister m <-s, -> can, canister.
Kanne f <-, -n> (Krug) jug; (Kaffee~) pot; (Milch~) can; (Gieß~) can.
kannte pt von **kennen**.
Kanon m <-s, -s> canon.
Kanone f <-, -n> gun; (HIST) cannon; (fig: Mensch) ace.
Kante f <-, -n> edge.
Kantine f canteen.
Kanton m <-s, -e> canton.
Kanu nt <-s, -s> canoe.
Kanzel f <-, -n> pulpit.
Kanzlei f chancery; (Büro) chambers pl.
Kanzler(in f) m <-s, -> chancellor.
Kap nt <-s, -s> cape.
Kapazität f capacity; (Fachmann) authority.
Kapelle f (Gebäude) chapel; (MUS) band.
Kaper f <-, -n> caper.
kapern vt capture.
kapieren vt, vi (fam) understand.
Kapital nt <-s, -e o -ien> capital; **Kapitalanlage** f investment; **Kapitalismus** m capitalism; **Kapitalist(in** f) m capitalist; **kapitalkräftig** adj wealthy; **Kapitalmarkt** m money market.
Kapitän m <-s, -e> captain.
Kapitel nt <-s, -> chapter.
Kapitulation f capitulation; **kapitulieren** vi capitulate.
Kaplan m <-s, Kapläne > chaplain.
Kaposy-Sarkom nt <-s, -e> Kaposi's sarcoma.
Kappe f <-, -n> cap; (Kapuze) hood.

kappen vt cut.
Kapsel f <-, -n> capsule.
kaputt adj (fam) smashed, broken; (Mensch) exhausted, finished; **kaputtgehen** irr vi break; (Schuhe) fall apart; (Firma) go bust; (Stoff) wear out; (sterben) cop it; **kaputtlachen** vr: **sich ~** laugh oneself silly; **kaputtmachen** vt break; (Mensch) exhaust, wear out.
Kapuze f <-, -n> hood.
Karaffe f <-, -n> carafe; (geschliffen) decanter.
Karambolage f <-, -n> (Zusammenstoß) crash.
Karamel m <-s> caramel, toffee.
Karat nt carat.
Karate nt <-s> karate.
Karawane f <-, -n> caravan.
Kardinal m <-s, Kardinäle> cardinal; **Kardinalzahl** f cardinal number.
Karfreitag m Good Friday.
karg adj scanty, poor; (Mahlzeit auch) meagre; **kärglich** adj poor, scanty.
kariert adj checked; (Papier) squared.
Karies f <-> caries.
Karikatur f caricature; **Karikaturist(in** f) m cartoonist; **karikieren** vt caricature.
Karneval m <-s, -e o -s> carnival.
Karo nt <-s, -s> square; (KARTEN) diamonds pl.
Karosserie f (AUT) body[work].
Karotte f <-, -n> carrot.
Karpfen m <-s, -> carp.
Karren m <-s, -> cart, barrow.
Karriere f <-, -n> career; ~ **machen** get on, get to the top; **Karrieremacher(in** f) m <-s, -> careerist.
Karte f <-, -n> (auch COMPUT) card; (Land~) map; (Speise~) menu; (Eintritts~, Fahr~) ticket; **alles auf eine ~ setzen** put all one's eggs in one basket.
Kartei f card index; **Karteikarte** f index card, file card.
Kartell nt <-s, -e> cartel.
Kartenhaus nt (auch fig) house of cards; **Kartenspiel** nt card game; pack of cards; **Kartentelefon** nt cardphone.
Kartoffel f <-, -n> potato; **Kartoffelbrei** m, **Kartoffelpüree** nt mashed potatoes pl; **Kartoffelsalat** m potato salad; **Kartoffelschäler** m <-s, -> potato peeler.
Karton m <-s, -s> cardboard; (Schachtel) cardboard box; **kartoniert** adj hardback.
Karussell nt <-s, -s> roundabout Brit, merry-go-round.
Karwoche f Holy Week.
karzinogen adj carcinogenic; **Karzi-**

nom nt <-s, -e> carcinoma, malignant growth.
Kaschemme f <-, -n> dive.
Käse m <-s, -> cheese; **Käseblatt** nt (fam) [local] rag; **Käsekuchen** m cheesecake.
Kaserne f <-, -n> barracks pl; **Kasernenhof** m parade ground.
Kasino nt <-s, -s> club; (MIL) officers' mess; (Spiel~) casino.
Kasper m <-s, -> Punch; (fig) clown.
Kasse f <-, -n> (Geldkasten) cashbox; (in Geschäft) till, cash register; (Kino~, Theater~) box office; ticket office; (Kranken~) health insurance; (Spar~) savings bank; ~ **machen** count the money; **getrennte ~ führen** pay separately; **an der ~** (in Geschäft) at the desk; **gut bei ~ sein** be in the money; **Kassenarzt** m, **-ärztin** f panel doctor Brit; **Kassenbestand** m cash balance; **Kassenpatient(in** f) m panel patient Brit; **Kassenprüfung** f audit; **Kassensturz** m: ~ **machen** check one's money; **Kassenzettel** m receipt.
Kasserolle f <-, -n> casserole.
Kassette f small box; (Tonband) cassette; (Bücher~) case; **Kassettendeck** nt cassette deck; **Kassettenrecorder** m <-s, -> cassette recorder.
kassieren 1. vt take; **2.** vi: **darf ich ~?** would you like to pay now?; **Kassierer(in** f) m <-s, -> cashier; (von Klub) treasurer.
Kastanie f chestnut; **Kastanienbaum** m chestnut tree.
Kästchen nt small box, casket.
Kaste f <-, -n> caste.
Kasten m <-s, ⇌> box; (SPORT auch) case; (Truhe) chest; **Kastenwagen** m van.
kastrieren vt castrate.
Katalog m <-[e]s, -e> catalogue; **katalogisieren** vt catalogue.
Katalysator m (PHYS) catalyst; (AUT) catalytic converter.
Katapult nt <-[e]s, -e> catapult.
Katarrh m <-s, -e> catarrh.
katastrophal adj catastrophic; **Katastrophe** f <-, -n> catastrophe, disaster; **Katastrophenschutz** m disaster control.
Kategorie f category.
kategorisch adj categorical.
kategorisieren vt categorize.
Kater m <-s, -> tomcat; (fam) hangover.
Katheder nt <-s, -> lecture desk.
Kathedrale f <-, -n> cathedral.
Kathode f <-, -n> cathode.

Katholik(in f) m <-en, -en> Catholic;
katholisch adj Catholic; **Katholizis-
mus** m Catholicism.

Kätzchen nt kitten.

Katze f <-, -n> cat; **für die Katz** (fam)
in vain, for nothing; **Katzenauge** nt
cat's eye; (an Fahrrad) rear light; **Kat-
zenjammer** m (fam) hangover; **Kat-
zensprung** m (fam) stone's throw;
short journey; **Katzenwäsche** f lick
and a promise.

Kauderwelsch nt <-[s]> (Fachjargon)
jargon; (unverständlich) double Dutch.

kauen vt, vi chew.

kauern vi crouch.

Kauf m <-[e]s, Käufe> purchase, buy;
(Kaufen) buying; **ein guter ~ a bargain**;
etw in ~ nehmen put up with sth; **kaufen** vt buy; **Käufer(in** f) m <-s, ->
buyer; **Kaufhaus** nt department store;
Kaufkraft f purchasing power; **Kauf-
laden** m shop, store; (Spielzeug) toy
shop; **käuflich** adj for sale; (pej) venal;
~ erwerben purchase; **kauflustig** adj
interested in buying; **Kaufmann** m, pl
<-leute> business man; shopkeeper;
kaufmännisch adj commercial; **~ er
Angestellter** clerk.

Kaugummi m chewing gum.

Kaulquappe f <-, -n> tadpole.

kaum adv hardly, scarcely.

Kaution f deposit; (JUR) bail.

Kautschuk m <-s, -e> indiarubber.

Kauz m <-es, Käuze> owl; (fig) queer
fellow.

Kavalier m <-s, -e> gentleman; **Kava-
liersdelikt** nt peccadillo.

Kavallerie f cavalry.

Kaviar m caviar.

Kbyte nt kilobyte.

keck adj daring, bold; **Keckheit** f daring, boldness.

Kegel m <-s, -> skittle; (MATH) cone;
Kegelbahn f skittle alley; bowling
alley; **kegelförmig** adj conical; **kegeln** vi play skittles.

Kehle f <-, -n> throat; **Kehlkopf** m
larynx; **Kehllaut** m guttural.

Kehre f <-, -n> turn[ing], bend; **kehren** vt, vi (wenden) turn; (mit Besen)
sweep; **Kehricht** m <-s> sweepings
pl; **Kehrmaschine** f sweeper; **Kehr-
reim** m refrain; **Kehrseite** f reverse,
other side; wrong side; bad side; **kehrt-
machen** vi turn about, about-turn.

keifen vi scold, nag.

Keil m <-[e]s, -e> wedge; **Keilriemen**
m (AUT) fan belt.

Keim m <-[e]s, -e> bud; (MED) germ;
etw im ~ ersticken nip sth in the bud;

keimen vi germinate; **keimfrei** adj
sterile; **keimtötend** adj antiseptic, ger-
micidal; **Keimzelle** f (fig) nucleus.

kein adj no, not any; **keine(r, s**) pron no
one, nobody; none; **keinesfalls** adv on
no account; **keineswegs** adv by no
means; **keinmal** adv not once.

Keks m <-es, -e> biscuit; **jdm auf den
~ gehen** (fam) get on sb's nick.

Kelch m <-[e]s, -e> cup, goblet,
chalice.

Kelle f <-, -n> ladle; (Maurer~) trowel.

Keller m <-s, -> cellar; **Kellerassel** f
<-, -n> woodlouse; **Kellerwohnung**
f basement flat.

Kellner(in f) m <-s, -> waiter/waitress.

keltern vt press.

Kenia nt Kenya.

kennen <kannte, gekannt> vt
know; **kennenlernen** vt get to know;
sich ~ get to know each other; (zum erstenmal) meet; **Kenner(in** f) m <-s, -
> connoisseur; **kenntlich** adj distin-
guishable, discernible; **etw ~ machen**
mark sth.

Kenntnis f knowledge; **etw zur ~
nehmen** note sth; **von etw ~ nehmen**
take notice of sth; **jdn in ~ setzen** inform sb.

Kennwort nt (auch COMPUT) password,
keyword; **Kennzeichen** nt mark, sign;
(AUT) number plate Brit, license plate
US; **unveränderliche ~ pl** distinguish-
ing marks pl; **kennzeichnen** vt mark; (charakterisieren) characterize; **Kennziffer** f
reference number.

kentern vi capsize.

Keramik f ceramics pl, pottery.

Kerbe f <-, -n> notch, groove.

Kerbel m <-s, -> chervil.

Kerbholz nt: **etw auf dem ~ haben** have
done sth wrong.

Kerker m <-s, -> prison.

Kerl m <-s, -e> chap, bloke Brit, guy.

Kern m <-[e]s, -e> (Obst~) pip, stone;
(Nuß~) kernel; (Atom~) nucleus; (fig)
heart, core; **Kernarbeitszeit** f core
time; **Kernbrennstoff** m nuclear fuel;
Kernenergie f nuclear energy; **Kern-
forschung** f nuclear research; **Kern-
frage** f central issue; **Kerngehäuse** nt
core; **kerngesund** adj thoroughly
healthy, fit as a fiddle.

kernig adj robust; (Ausspruch) pithy.

Kernkraft f nuclear power; **Kernkraft-
gegner(in** f) m anti-nuke activist,
antinuclear; **Kernkraftwerk** nt nuclear
power station.

kernlos adj seedless, pipless; **Kernphy-**

sik f nuclear physics sing; **Kernreaktion** f nuclear reaction; **Kernschmelze** f <-, -n> meltdown; **Kernspaltung** f nuclear fission; **Kernspeicher** m (COMPUT) core memory; **Kernwaffen** pl nuclear weapons pl.

Kerze f <-, -n> candle; (Zünd~) plug; **kerzengerade** adj straight as a die; **Kerzenständer** m candle holder.

keß adj saucy.

Kessel m <-s, -> kettle; (von Lokomotive etc) boiler; (GEO) depression; (MIL) encirclement.

Kette f <-, -n> chain; **ketten** vt chain; **Kettenrauchen** nt chain smoking; **Kettenreaktion** f chain reaction.

Ketzer(in f) m <-s, -> heretic; **ketzerisch** adj heretical.

keuchen vi pant, gasp; **Keuchhusten** m whooping cough.

Keule f <-, -n> club; (GASTR) leg.

keusch adj chaste; **Keuschheit** f chastity.

Keyboard nt <-s, -s> (MUS) keyboards pl.

Kfz nt abk von **Kraftfahrzeug.**

kichern vi giggle.

kidnappen vt kidnap.

Kiebitz m <-es, -e> peewit.

Kiefer 1. m <-s, -> jaw; **2.** f <-, -n> pine; **Kiefernzapfen** m pine cone.

kiffen vi (fam) smoke [pot].

Kiel m <-[e]s, -e> (Feder~) quill; (NAUT) keel; **Kielwasser** nt wake.

Kieme f <-, -n> gill.

Kies m <-es, -e> gravel; **Kiesel** m <-s, -> pebble; **Kieselstein** m pebble; **Kiesgrube** f gravel pit; **Kiesweg** m gravel path.

Kilo nt <-s, -[s]> kilo; **Kilogramm** nt <-s, -> kilogram; **Kilojoule** nt kilojoule; **Kilometer** m kilometre; **Kilometerzähler** m milometer.

Kimme f <-, -n> notch; (an Gewehr) backsight.

Kind nt <-[e]s, -er> child; von ~ auf from childhood; **sich bei jdm lieb ~ machen** ingratiate oneself with sb; **Kinderbett** nt cot; **Kinderei** f childishness; **Kinderfahrkarte** f child's ticket, half; **Kindergarten** m nursery school, playgroup; **Kindergeld** nt family allowance; **Kinderlähmung** f polio[myelitis]; **kinderleicht** adj childishly easy; **kinderlos** adj childless; **Kindermädchen** nt nanny; **kinderreich** adj with a lot of children; **Kinderspiel** nt child's play; **Kinderstube** f: **eine gute ~ haben** be well-mannered; **Kinderwagen** m pram, baby carriage US; **Kindesalter** nt in-

fancy; **Kindesbeine** pl: **von ~n an** from early childhood; **Kindheit** f childhood; **kindisch** adj childish; **kindlich** adj childlike.

Kinn nt <-[e]s, -e> chin; **Kinnlade** f jaw.

Kino nt <-s, -s> cinema; **Kinobesucher(in** f) m cinema-goer; **Kinoprogramm** nt film programme; (Übersicht) film guide.

Kiosk m <-[e]s, -e> kiosk.

Kippe f <-, -n> (fam) cigarette end, fag; **auf der ~ stehen** (fig) be touch and go; **kippen 1.** vi topple over, overturn; **2.** vt tilt; (fig: umstoßen) drop; (Regierung, Minister) topple; **Kippschalter** m toggle switch.

Kirche f <-, -n> church; **Kirchendiener** m churchwarden; **Kirchenfest** nt church festival; **Kirchenlied** nt hymn; **Kirchensteuer** f church tax; **Kirchgänger(in** f) m <-s, -> churchgoer; **Kirchhof** m churchyard; **kirchlich** adj ecclesiastical; **Kirchturm** m church tower, steeple.

Kirsche f <-, -n> cherry.

Kissen nt <-s, -> cushion; (Kopf~) pillow; **Kissenbezug** m pillowslip.

Kiste f <-, -n> box; chest.

Kitsch m <-[e]s> trash; **kitschig** adj trashy.

Kitt m <-[e]s, -e> putty.

Kittchen nt (fam) clink.

Kittel m <-s, -> overall, smock.

kitten vt putty; (fig) cement.

Kitz m <-es, -e> kid; (Reh~) fawn.

kitzelig adj (auch fig) ticklish; **kitzeln** vi tickle.

Kiwi f <-, -s> (Frucht) kiwi.

KKW nt <-s, -s> abk von **Kernkraftwerk** nuclear power station.

klaffen vi gape.

kläffen vi yelp.

Klage f <-, -n> complaint; (JUR) action; **klagen** vi (weh~) lament, wail; (sich beschweren) complain; (JUR) take legal action; **Kläger(in** f) m <-s, -> plaintiff.

kläglich adj wretched.

klamm adj numb; (feucht) damp.

Klamm f <-, -en> ravine.

Klammer f <-, -n> clamp; (in Text) bracket; (Büro~) clip; (Wäsche~) peg; (Zahn~) brace; **klammern** vr: **sich ~ cling** (an + akk to).

klang pt von **klingen; Klang** m <-[e]s, ⁼e> sound; **klangvoll** adj sonorous; (Name) fine-sounding.

Klappe f <-, -n> valve; (Ofen~) damper; (fam: Mund) trap.

klappen 1. vi (Geräusch) click; **2.** vt, vi (Sitz etc) tip; **3.** vi impers work.
Klapper f <-, -n> rattle.
klapprig adj run-down, worn-out.
klappern vi clatter, rattle; **Klapperschlange** f rattlesnake; **Klapperstorch** m stork.
Klappmesser nt jack-knife; **Klapprad** nt collapsible bicycle; **Klappstuhl** m folding chair.
Klaps m <-es, -e> slap.
klar adj clear; (NAUT) ready for sea; (MIL) ready for action; **sich** dat **im ~ en sein** be clear (über + akk about).
Kläranlage f purification plant.
klären 1. vt (Flüssigkeit) purify; (Probleme) clarify; **2.** vr: **sich ~** clear [itself] up.
Klarheit f clarity.
Klarinette f clarinet.
klarlegen vt clear up, explain; **klarmachen** vt (Schiff) get ready for sea; **jdm etw ~** make sth clear to sb.
Klärschlamm m sludge.
klarsehen irr vi see clearly; **Klarsichtfolie** f transparent film; **klarstellen** vt clarify.
Klärung f purification; clarification.
klasse adj inv (fam) smashing.
Klasse f <-, -n> class; (SCH) form.
Klassenarbeit f test; **Klassenbewußtsein** nt class consciousness; **Klassengesellschaft** f class society; **Klassenkampf** m class conflict; **Klassenlehrer(in** f) m form master/mistress; **klassenlos** adj classless; **Klassensprecher(in** f) m form prefect; **Klassenzimmer** nt classroom.
klassifizieren vt classify; **Klassifizierung** f classification.
Klassik f (Zeit) classical period; (Stil) classicism; **Klassiker(in** f) m <-s, -> classic; **klassisch** adj (auch fig) classical.
Klatsch m <-[e]s, -e> smack, crack; (Gerede) gossip; **Klatschbase** f gossip, scandalmonger.
Klatsche f <-, -n> (fam) crib.
klatschen vi (Geräusch) clash; (reden) gossip; (Beifall) applaud, clap.
Klatschmohn m [corn] poppy; **klatschnaß** adj soaking wet; **Klatschspalte** f gossip column.
klauben vt pick.
Klaue f <-, -n> claw; (fam: Schrift) scrawl; **klauen** vt (fam) pinch.
Klause f <-, -n> cell; hermitage.
Klausel f <-, -n> clause.
Klausur f seclusion; **Klausurarbeit** f examination paper.

Klaviatur f keyboard.
Klavier nt <-s, -e> piano.
Klebemittel nt glue; **kleben** vt stick (an + akk to); **klebrig** adj sticky; **Klebstoff** m glue; **Klebstreifen** m adhesive tape.
kleckern vi slobber.
Klecks m <-es, -e> blot, stain; **klecksen** vi blot.
Klee m <-s> clover; **Kleeblatt** nt cloverleaf; (fig) trio.
Kleid nt <-[e]s, -er> garment; (Frauen~) dress; **~ er** pl clothes pl; **Kleiderbügel** m coat hanger; **Kleiderbürste** f clothes brush; **Kleiderschrank** m wardrobe; **kleidsam** adj becoming; **Kleidung** f clothing; **Kleidungsstück** nt garment.
Kleie f <-, -n> bran.
klein adj little, small; **Kleinbürgertum** nt petite bourgeoisie; **Kleine(r)** mf, **Kleine(s)** nt little one; **Kleinformat** nt small size; **im ~** small-scale; **Kleingeld** nt small change; **kleingläubig** adj of little faith; **kleinhacken** vt chop up, mince; **Kleinholz** nt firewood; **aus jdm ~ machen** make mincemeat of sb.
Kleinigkeit f trifle.
Kleinkind nt infant; **Kleinkram** m details pl; **kleinlaut** adj dejected, quiet; **kleinlich** adj petty, paltry; **kleinmütig** adj faint-hearted; **kleinschneiden** irr vt chop up; **kleinstädtisch** adj provincial; **kleinstmöglich** adj smallest possible.
Kleister m <-s, -> paste; **kleistern** vt paste.
Klemme f <-, -n> clip; (MED) clamp; (fig) jam; **klemmen 1.** vt (festhalten) jam; (quetschen) pinch, nip; **2.** vr: **sich ~** catch oneself; (sich hineinzwängen) squeeze oneself; **3.** vi (Tür) stick, jam; **sich hinter jdn/etw ~** get on to sb/get down to sth.
Klempner(in f) m <-s, -> plumber.
Kleptomanie f kleptomania.
Klerus m <-> clergy.
Klette f <-, -n> burr.
Kletterer m <-s, ->, **Klett[r]erin** f climber; **klettern** vi climb; **Kletterpflanze** f creeper.
Klettverschluß m Velcro ®.
klicken vi click.
Klient(in f) m client.
Klima nt <-s, -s o -te> climate; **Klimaanlage** f air conditioning; **klimatisieren** vt air-condition; **Klimawechsel** m change of air.
klimpern vi tinkle; (auf Gitarre) strum.
Klinge f <-, -n> blade; sword.

Klingel f <-, -n> bell; **Klingelbeutel** m collection bag; **klingeln** vi ring.

klingen <klang, geklungen> vi sound; (Gläser) clink.

Klinik f hospital, clinic; **klinisch** adj clinical.

Klinke f <-, -n> handle.

Klinker m <-s, -> clinker.

Klippe f <-, -n> cliff; (im Meer) reef; (fig) hurdle.

klipp und klar adj clear and concise.

Klips m <-es, -e> clip; (Ohr~) ear-ring.

klirren vi clank, jangle; (Gläser) clink; ~ de Kälte biting cold.

Klischee nt <-s, -s> (Druckplatte) plate, block; (fig) cliché; **Klischeevorstellung** f stereotyped idea.

Klo nt <-s, -s> (fam) loo.

Kloake f <-, -n> sewer.

klobig adj clumsy.

Klonen nt <-s> (BIO) cloning.

klopfen 1. vt, vi knock; (Herz) thump; **2.** vt beat; **es klopft** somebody's knocking; **jdm auf die Schulter** ~ tap sb on the shoulder; **Klopfer** m <-s, -> (Teppich~) beater; (Tür~) knocker.

Klöppel m <-s, -> (von Glocke) clapper; **klöppeln** vi make lace.

Klops m <-es, -e> meatball.

Klosett nt <-s, -e o -s> lavatory, toilet; **Klosettpapier** nt toilet paper.

Kloß m <-es, e> (Erd~) clod; (im Hals) lump; (GASTR) dumpling.

Kloster nt <-s, > (Männer~) monastery; (Frauen~) convent; **klösterlich** adj monastic; convent.

Klotz m <-es, e> log; (Hack~) block; **ein** ~ **am Bein** (fig) a drag, a millstone round sb's neck.

Klub m <-s, -s> club; **Klubsessel** m easy chair.

Kluft f <-, e> cleft, gap; (GEO) gorge, chasm.

klug adj clever, intelligent; **Klugheit** f cleverness, intelligence.

Klümpchen nt clot, blob.

Klumpen m <-s, -> (Erd~) clod; (Blut~) lump, clot; (Gold~) nugget; (GASTR) lump; **klumpen** vi go lumpy, clot.

Klumpfuß m club-foot.

knabbern vt, vi nibble.

Knabe m <-n, -n> boy; **knabenhaft** adj boyish.

Knäckebrot nt crispbread.

knacken vt, vi crack.

Knackpunkt m critical point, crucial point.

Knall m <-[e]s, -e> bang; (Peitschen~) crack; ~ **und Fall** (fam) unexpectedly; **Knallbonbon** nt cracker; **Knalleffekt** m surprise effect, spectacular effect; **knallen** vi bang; crack; **knallrot** adj bright red.

knapp adj tight; (Geld) scarce; (Sprache) concise; **knapphalten** irr vt stint; **Knappheit** f tightness; scarcity; conciseness.

knarren vi creak.

knattern vi rattle; (MG) chatter.

Knäuel nt <-s, -> (Woll~) ball; (Menschen~) knot.

Knauf m <-[e]s, Knäufe> knob; (Schwert~) pommel.

knauserig adj miserly; **knausern** vi be mean.

knautschen vt, vi crumple; **Knautschzone** f (AUT) crumple zone.

Knebel m <-s, -> gag; **knebeln** vt gag.

Knecht m <-[e]s, -e> farm labourer; servant; **knechten** vt enslave; **Knechtschaft** f servitude.

kneifen <kniff, gekniffen> vt, vi pinch; (sich drücken) back out; **vor etw** ~ dodge sth.

Kneipe f <-, -n> (fam) pub.

kneten vt knead; (Wachs) mould; **Knetmasse** f Plasticine ®.

Knick m <-[e]s, -e> (Sprung) crack; (Kurve) bend; (Falte) fold; **knicken** vt, vi (springen) crack; (brechen) break; (Papier) fold; **geknickt sein** be downcast.

Knicks m <-es, -e> curtsey; **knicksen** vi curtsey.

Knie nt <-s, -> knee; **Kniebeuge** f <-, -n> knee bend; **knien** vi kneel; **Kniefall** m genuflection; **Kniegelenk** nt knee joint; **Kniekehle** f back of the knee; **Kniescheibe** f kneecap; **Kniestrumpf** m knee-length sock.

kniff pt von kneifen.

Kniff m <-[e]s, -e> (Zwicken) pinch; (Falte) fold; (fig) trick, knack; **kniffelig** adj tricky.

knipsen vt, vi punch; (FOT) take a snap [of], snap.

Knirps m <-es, -e> little chap; (® Schirm) telescopic umbrella.

knirschen vi crunch; **mit den Zähnen** ~ grind one's teeth.

knistern vi crackle.

knitterfrei adj non-crease; **knittern** vi crease.

Knoblauch m garlic.

Knöchel m <-s, -> knuckle; (Fuß~) ankle.

Knochen m <-s, -> bone; **Knochenbau** m bone structure; **Knochenbruch** m fracture; **Knochengerüst** nt skele-

ton.
knöchern *adj* bone.
knochig *adj* bony.
Knödel *m* <-s, -> dumpling.
Knolle *f* <-, -n> bulb.
Knopf *m* <-[e]s, ⁿe> button; (*Kragen~*) stud; **Knopfloch** *nt* buttonhole.
knöpfen *vt* button.
Knorpel *m* <-s, -> cartilage, gristle; **knorpelig** *adj* gristly.
knorrig *adj* gnarled, knotted.
Knospe *f* <-, -n> bud; **knospen** *vi* bud.
knoten *vt* knot; **Knoten** *m* <-s, -> knot; (*BOT*) node; (*MED*) lump; **Knotenpunkt** *m* junction.
Know-how *nt* <-[s]> know-how.
Knüller *m* <-s, -> (*fam*) hit; (*Reportage*) scoop.
knüpfen *vt* tie; (*Teppich*) knot; (*Freundschaft*) form.
Knüppel *m* <-s, -> cudgel; (*Polizei~*) baton, truncheon; (*AVIAT*) [joy]stick; **Knüppelschaltung** *f* (*AUT*) floor-mounted gear change.
knurren *vi* (*Hund*) snarl, growl; (*Magen*) rumble; (*Mensch*) mutter.
knusperig *adj* crisp; (*Keks*) crunchy.
k.o. *adj inv* (*SPORT*) knocked out; (*fig*) whacked.
Koalition *f* coalition.
Kobalt *m* <-s> cobalt.
Kobold *m* <-[e]s, -e> goblin, imp.
Kobra *f* <-, -s> cobra.
Koch *m* <-[e]s, ⁿe> cook; **Kochbuch** *nt* cookery book, cookbook; **kochen** *vt, vi* cook; (*Wasser*) boil; **Kocher** *m* <-s, - > stove, cooker.
Köcher *m* <-s, -> quiver.
Kochgelegenheit *f* cooking facilities *pl*; **Köchin** *f* cook; **Kochlöffel** *m* kitchen spoon; **Kochnische** *f* kitchenette; **Kochplatte** *f* boiling ring, hotplate; **Kochsalz** *nt* cooking salt; **Kochtopf** *m* saucepan, pot.
Köder *m* <-s, -> bait, lure; **ködern** *vt* lure, entice.
Koexistenz *f* coexistence.
Koffein *nt* <-s> caffeine; **koffeinfrei** *adj* decaffeinated.
Koffer *m* <-s, -> suitcase; (*Schrank~*) trunk; **Kofferradio** *nt* portable radio; **Kofferraum** *m* (*AUT*) boot, trunk *US*.
Kognak *m* <-s, -s> brandy, cognac.
Kohl *m* <-[e]s, -e> cabbage.
Kohle *f* <-, -n> coal; (*Holz~*) charcoal; (*CHEM*) carbon.
Kohlehydrat *nt* carbohydrate.
Kohlekraftwerk *nt* coal power station; **Kohlendioxyd** *nt* <-[e]s, -e> carbon

dioxide; **Kohlensäure** *f* carbonic acid; (*in Getränken*) fizz; **Kohlenstoff** *m* carbon; **Kohlepapier** *nt* carbon paper; **Kohlestift** *m* charcoal pencil.
Köhler(in *f*) *m* <-s, -> charcoal burner.
Kohlrübe *f* turnip; **kohlschwarz** *adj* coal-black.
Koje *f* <-, -n> cabin; (*Bett*) bunk.
Kokain *nt* <-s> cocaine.
kokett *adj* coquettish, flirtatious; **kokettieren** *vi* flirt.
Kokosnuß *f* coconut.
Koks *m* <-es, -e> coke.
Kolben *m* <-s, -> (*Gewehr~*) rifle butt; (*Keule*) club; (*CHEM*) flask; (*TECH*) piston; (*Mais~*) cob.
Kolchose *f* <-, -n> collective farm.
Kolik *f* colic, gripe.
Kollaps *m* <-es, -e> collapse.
Kolleg *nt* <-s, -s o -ien> lecture course; **Kollege** *m* <-n, -n>, **Kollegin** *f* colleague; **Kollegium** *nt* board; (*SCH*) staff.
Kollekte *f* <-, -n> (*REL*) collection.
kollektiv *adj* collective.
kollidieren *vi* collide; (*zeitlich*) clash; **Kollision** *f* collision; (*zeitlich*) clash.
Köln *nt* Cologne.
kolonial *adj* colonial.
Kolonie *f* colony.
kolonisieren *vt* colonize.
Kolonne *f* <-, -n> column; (*von Fahrzeugen*) convoy.
Koloß *m* <-sses, -sse> colossus.
kolossal *adj* colossal.
Koma *nt* <-s, -s o -ta> coma.
Kombination *f* combination; (*Vermutung*) conjecture; (*Hemdhose*) combinations *pl*; (*AVIAT*) flying suit; **kombinieren** 1. *vt* combine; 2. *vi* deduce, work out; (*vermuten*) guess; **Kombiwagen** *m* station wagon; **Kombizange** *f* [pair of] pliers *pl*.
Komet *m* <-en, -en> comet.
Komfort *m* <-s> luxury.
Komik *f* humour, comedy; **Komiker(in** *f*) *m* <-s, -> comedian; **komisch** *adj* funny.
Komitee *nt* <-s, -s> committee.
Komma *nt* <-s, -s o -ta> comma.
Kommandant(in *f*) *m* commander, commanding officer; **Kommandeur(in** *f*) *m* commanding officer; **kommandieren** *vt, vi* command; **Kommando** *nt* <-s, -s> command, order; (*Truppe*) detachment, squad; **auf ~** to order; **Kommandokapsel** *f* space module.
kommen <kam, gekommen > *vi* come; (*näher~*) approach; (*passieren*) happen; (*gelangen, geraten*) get;

(*Blumen, Zähne, Tränen etc*) appear; (*in die Schule, das Zuchthaus etc*) go; ~ **lassen** send for; **zu sich** ~ come round [*o* to]; **zu etw** ~ acquire sth; **um etw** ~ lose sth; **nichts auf jdn/etw** ~ **lassen** have nothing said against sb/sth; **jdm frech** ~ get cheeky with sb; **unter ein Auto** ~ be run over by a car; **das kommt in den Schrank** that goes in the cupboard; **auf jeden vierten kommt ein Platz** there's one place to every fourth person; **wer kommt zuerst?** who's first?; **wie hoch kommt das?** what does that cost?; **Kommen** *nt* <-s> coming.

Kommentar *m* commentary; **kein** ~ no comment; **kommentarlos** *adj* without comment; **Kommentator(in** *f*) *m* (*TV*) commentator; **kommentieren** *vt* comment on.

kommerziell *adj* commercial.

Kommilitone *m* <-n, -n>, **Kommilitonin** *f* fellow student.

Kommiß *m* <-sses> [life in the] army; **Kommißbrot** *nt* rye bread.

Kommissar(in *f*) *m* police inspector.

Kommission *f* (*COM*) commission; (*Ausschuß*) committee.

Kommode *f* <-, -n> chest of drawers.

Kommune *f* <-, -n> commune.

Kommunikation *f* communication.

Kommunion *f* communion.

Kommuniqué *nt* <-s, -s> communiqué.

Kommunismus *m* communism; **Kommunist(in** *f*) *m* communist; **kommunistisch** *adj* communist.

kommunizieren *vi* communicate; (*REL*) receive communion.

Komödiant(in *f*) *m* comedian/comedienne.

Komödie *f* comedy.

Kompagnon *m* <-s, -s> (*COM*) partner.

kompakt *adj* compact; **Kompaktkamera** *f* compact camera.

Kompanie *f* company.

Komparativ *m* comparative.

Kompaß *m* <-sses, -sse> compass.

kompatibel *adj* compatible; **Kompatibilität** *f* compatibility.

kompetent *adj* competent; **Kompetenz** *f* competence, authority.

komplett *adj* complete.

Komplex *m* <-es, -e> complex; (*Minderwertigkeits~*) hang-up.

Komplikation *f* complication.

Kompliment *nt* compliment.

Komplize *m* <-n, -n>, **Komplizin** *f* accomplice.

komplizieren *vt* complicate; **kompli-**

ziert *adj* complicated.

Komplott *nt* <-[e]s, -e> plot.

komponieren *vt* compose; **Komponist(in** *f*) *m* composer; **Komposition** *f* composition.

Kompost *m* <-[e]s, -e> compost; **Komposthaufen** *m* compost heap.

Kompott *nt* <-[e]s, -e> stewed fruit.

Kompresse *f* <-, -n> compress.

Kompressor *m* compressor.

Kompromiß *m* <-sses, -sse> compromise; **kompromißbereit** *adj* willing to compromise; **Kompromißlösung** *f* compromise solution.

kompromittieren *vt* compromise.

Kondensation *f* condensation; **Kondensator** *m* condenser; **kondensieren** *vt* condense; **Kondensmilch** *f* condensed milk, evaporated milk; **Kondensstreifen** *m* vapour trail; **Kondenswasser** *nt* condensation.

Konditor(in *f*) *m* pastrycook; **Konditorei** *f* café; cake shop.

kondolieren *vi* condole (*jdm* with sb).

Kondom *nt* <-s, -e> condom.

Konfektion *f* production of ready-made clothing; **Konfektionskleidung** *f* ready-made clothing.

Konferenz *f* conference, meeting.

Konfession *f* religion; (*christlich*) denomination; **konfessionell** *adj* denominational; **konfessionslos** *adj* non-denominational; **Konfessionsschule** *f* denominational school.

Konfetti *nt* <-[s]> confetti.

Konfirmand(in *f*) *m* candidate for confirmation.

Konfirmation *f* (*REL*) confirmation.

konfirmieren *vt* confirm.

konfiszieren *vt* confiscate.

Konfitüre *f* <-, -n> jam.

Konflikt *m* <-[e]s, -e> conflict.

konform *adj* concurring; ~ **gehen** be in agreement.

konfrontieren *vt* confront.

konfus *adj* confused.

Kongreß *m* <-sses, -sse> congress.

Kongruenz *f* agreement, congruence.

König(in *f*) *m* <-[e]s, -e> king/queen; **Königinpastete** *f* vol-au-vent; **königlich** *adj* royal; **Königreich** *nt* kingdom; **Königtum** *nt* <-[e]s, -tümer> kingship.

konisch *adj* conical.

Konjugation *f* conjugation; **konjugieren** *vt* conjugate.

Konjunktion *f* conjunction.

Konjunktiv *m* subjunctive.

Konjunktur *f* economic situation; (*Hoch~*) boom.

konkav adj concave.
konkret adj concrete.
Konkurrent(in f) m competitor; **Konkurrenz** f competition; **konkurrenzfähig** adj competitive; **Konkurrenzkampf** m competition; (fam) rat race; **konkurrieren** vi compete.
Konkurs m <-es, -e> bankruptcy.
können <konnte, gekonnt> vt, vi be able to, can; (wissen) know; ~ **Sie Deutsch?** can you speak German?; **ich kann nicht...** I can't [o cannot]...; **kann ich gehen?** can I go?; **das kann sein** that's possible; **ich kann nicht mehr** I can't go on; **Können** nt <-s> ability.
konsequent adj consistent; **Konsequenz** f consistency; (Folgerung) conclusion.
konservativ adj conservative.
Konservatorium nt academy of music, conservatory.
Konserve f <-, -n> tinned food; **Konservenbüchse** f tin, can.
konservieren vt preserve; **Konservierung** f preservation; **Konservierungsmittel** nt preservative.
Konsonant m consonant.
konstant adj constant.
Konstitution f constitution; **konstitutionell** adj constitutional.
konstruieren vt construct; **Konstrukteur(in** f) m engineer, designer; **Konstruktion** f construction.
konstruktiv adj constructive.
Konsul(in f) m <-s, -n> consul; **Konsulat** nt consulate.
konsultieren vt consult.
Konsum m <-s> consumption; **Konsumartikel** m consumer article; **Konsument(in** f) m consumer; **konsumieren** vt consume.
Kontakt m <-[e]s, -e> contact; **kontaktarm** adj unsociable; **kontaktfreudig** adj sociable; **Kontaktlinsen** pl contact lenses pl; **Kontaktperson** f contact.
konterkarieren vt counteract; (Aussage) contradict.
Konterrevolution f counter-revolution.
Kontinent m continent.
Kontingent nt <-[e]s, -e> quota; (Truppen~) contingent.
kontinuierlich adj continuous.
Kontinuität f continuity.
Konto nt <-s, **Konten**> account; **Kontoauszug** m statement [of account]; **Kontoinhaber(in** f) m account holder; **Kontonummer** f account number; **Kontostand** m state of account.

Kontra nt <-s, -s> (KARTEN) double; **jdm ~ geben** (fig) contradict sb; **Kontrabaß** m double bass; **kontraproduktiv** adj counterproductive.
Kontrahent(in f) m (bei Vertrag) contracting party; (Gegner) opponent.
Kontrapunkt m counterpoint.
Kontrast m <-[e]s, -e> contrast; **Kontrastregler** m contrast control.
Kontrolle f <-, -n> control, supervision; (Paß~) passport control; **Kontrolleur(in** f) m inspector; **kontrollieren** vt control, supervise; (nachprüfen) check; **Kontrollzentrum** nt control centre, mission control.
Kontur f contour.
Konvention f convention; **konventionell** adj conventional.
Konversation f conversation; **Konversationslexikon** nt encyclopaedia.
konvex adj convex.
Konvoi m <-s, -s> convoy.
Konzentration f concentration; **Konzentrationslager** nt concentration camp.
konzentrieren vt, vr: **sich ~** concentrate; **konzentriert 1.** adj concentrated; **2.** adv (zuhören, arbeiten) intently.
Konzept nt <-[e]s, -e> rough draft; **jdn aus dem ~ bringen** confuse sb.
Konzern m <-s, -e> combine.
Konzert nt <-[e]s, -e> concert; (Stück) concerto; **Konzertsaal** m concert hall.
Konzession f licence; (Zugeständnis) concession; **konzessionieren** vt license.
Konzil nt <-s, -e o -ien> council.
konzipieren vt conceive.
Kopf m <-[e]s, ⁻e> head; (Nachrichten~) heading; (Spreng~) warhead; **Kopfbedeckung** f headgear.
köpfen vt behead; (Baum) lop; (Ei) take the top off; (Ball) head.
Kopfhaut f scalp; **Kopfhörer** m headphone; **Kopfkissen** nt pillow; **kopflos** adj panic-stricken; **kopfrechnen** vi do mental arithmetic; **Kopfsalat** m lettuce; **Kopfschmerzen** pl headache; **Kopfsprung** m header, dive; **Kopfstand** m headstand; **Kopftuch** nt headscarf; **kopfüber** adv head over heels; **Kopfweh** nt headache; **Kopfzerbrechen** nt: **jdm ~ machen** give sb a lot of headaches.
Kopie f copy; **kopieren** vt (auch COMPUT) copy; **Kopierer** m <-s, ->, **Kopiergerät** nt copier; **Kopierschutz** m (COMPUT) copyright protection.
koppeln vt couple; **Koppelung** f coupling; **Koppelungsmanöver** nt dock-

ing manoeuvre.

Koralle f <-, -n> coral; **Korallenriff** nt coral reef.

Korb m <-[e]s, ⁺e> basket; **jdm einen ~ geben** (fig) turn sb down; **Korbball** m basketball; **Korbstuhl** m wicker chair.

Kord m <-[e]s, -e> corduroy.

Kordel f <-, -n> cord, string.

Korea nt Korea.

Kork m <-[e]s, -e> cork; **Korken** m <-s, -> stopper, cork; **Korkenzieher** m <-s, -> corkscrew.

Korn m <-[e]s, ⁺er> corn, grain; (von Gewehr) sight; **Kornblume** f cornflower; **Kornkammer** f granary.

Körnchen nt grain, granule.

Körper m <-s, -> body; **Körperbau** m build; **körperbehindert** adj disabled; **Körpergewicht** nt weight; **Körpergröße** f height; **Körperhaltung** f carriage, deportment; **körperlich** adj physical; **Körperpflege** f personal hygiene; **Körperschaft** f corporation; **Körperteil** m part of the body.

Korps nt <-, -> (MIL) corps; (SCH) student's club.

korpulent adj corpulent.

korrekt adj correct; **Korrektheit** f correctness; **Korrektor(in** f) m proofreader; **Korrektur** f (eines Textes) proofreading; (Text) proof; (SCH) marking, correction; **Korrekturband** nt, pl <-bänder> correction tape; **Korrekturflüssigkeit** f correction fluid, whiteout US; **Korrekturspeicher** m correction memory; **Korrekturtaste** f correction key.

Korrespondent(in f) m correspondent; **Korrespondenz** f correspondence; **korrespondieren** vi correspond.

Korridor m <-s, -e> corridor.

korrigieren vt correct.

Korrosion f corrosion.

korrumpieren vt corrupt.

Korruption f corruption.

Korsett nt <-[e]s, -e> corset.

Koseform f pet form; **Kosename** m pet name; **Kosewort** nt term of endearment.

Kosmetik f cosmetics pl; **Kosmetiker(in** f) f beautician; **Kosmetiktuch** nt paper tissue; **kosmetisch** adj cosmetic; (Chirurgie) plastic.

kosmisch adj cosmic; **Kosmonaut(in** f) m <-en, -en> cosmonaut; **Kosmopolit(in** f) m <-en, -en> cosmopolitan; **Kosmos** m <-> cosmos.

Kost f <-> (Nahrung) food; (Verpflegung) board.

kostbar adj precious; (teuer) costly, expensive; **Kostbarkeit** f preciousness; costliness, expensiveness; (Wertstück) valuable.

kosten 1. vt cost; **2.** vt, vi (versuchen) taste.

Kosten pl cost[s]; (Ausgaben) expenses pl; **auf ~ von** at the expense of; **kostenlos** adj free [of charge]; **Kostenvoranschlag** m estimate.

köstlich adj precious; (Einfall) delightful; (Essen) delicious; **sich ~ amüsieren** have a marvellous time.

Kostprobe f taste; (fig) sample; **kostspielig** adj expensive.

Kostüm nt <-s, -e> costume; (Damen~) suit; **Kostümfest** nt fancydress party; **kostümieren** vt, vr: **sich ~** dress up; **Kostümverleih** m costume agency.

Kot m <-[e]s> excrement.

Kotelett nt <-[e]s, -e o -s> cutlet, chop; **Koteletten** pl sideboards pl.

Köter m <-s, -> cur.

Kotflügel m (AUT) wing.

Krabbe f <-, -n> shrimp.

krabbeln vi crawl.

Krach m <-[e]s, -s o -e> crash; (andauernd) noise; (fam: Streit) quarrel, row; **krachen 1.** vi crash; (beim Brechen) crack; **2.** vr: **sich ~** (fam) row, quarrel.

krächzen vi croak.

kraft prep +gen by virtue of.

Kraft f <-, ⁺e> strength, power, force; (Arbeits~) worker; **in ~ treten** come into effect; **Kraftausdruck** m, pl <-drücke> swearword.

Kraftfahrzeug nt motor vehicle; **Kraftfahrzeugbrief** m logbook; **Kraftfahrzeugsteuer** f ≈ road tax; **Kraftfahrzeugversicherung** f car insurance.

kräftig adj strong; **kräftigen** vt strengthen.

kraftlos adj weak; (JUR) invalid; **Kraftprobe** f trial of strength; **Kraftrad** nt motorcycle; **kraftvoll** adj vigorous; **Kraftwagen** m motor vehicle; **Kraftwerk** nt power station.

Kragen m <-s, -> collar; **Kragenweite** f collar size.

Krähe f <-, -n> crow; **krähen** vi crow.

krakeelen vi (fam) make a din.

Kralle f <-, -n> claw; (Vogel~) talon; (Park~) wheel clamp; **krallen** vt clutch; (krampfhaft) claw.

Kram m <-[e]s> stuff, rubbish; **kramen** vi rummage; **Kramladen** m (pej) small shop.

Krampf m <-[e]s, ¨e> cramp; (zuk-kend) spasm; **Krampfader** f varicose vein; **krampfhaft** adj convulsive; (fig) desperate.

Kran m <-[e]s, ¨e> crane; (Wasser~) tap.

Kranich m <-s, -e> (ZOOL) crane.

krank adj ill, sick; **Kranke(r)** mf sick person; invalid, patient.

kränkeln vi be in bad health.

kranken vi: an etw dat ~ (fig) suffer from sth.

kränken vt hurt.

Krankenbericht m medical report; **Krankengeld** nt sick pay; **Kranken-haus** nt hospital; **Krankenkasse** f health insurance; **Krankenpfleger**(in f) m nursing orderly; **Krankenschein** m medical insurance record card; **Kran-kenschwester** f nurse; **Krankenver-sicherung** f health insurance; **Kran-kenwagen** m ambulance.

krankhaft adj diseased; (Angst etc) mor-bid; **Krankheit** f illness, disease; **Krankheitserreger** m disease-carrying agent.

kränklich adj sickly.

Kränkung f insult, offence.

Kranz m <-es, ¨e> wreath, garland.

Kränzchen nt small wreath; (Kaffee~ etc) ladies' party.

Krapfen m <-s, -> fritter; (Berliner) doughnut.

kraß adj crass.

Krater m <-s, -> crater.

Kratzbürste f (fig) crosspatch; **kratzen** vt, vi scratch; **Kratzer** m <-s, -> scratch; (Werkzeug) scraper.

kraulen 1. vi (schwimmen) do the crawl; **2.** vt (streicheln) pet.

kraus adj crinkly; (Haar) frizzy; (Stirn) wrinkled; **Krause** f <-, -n> frill, ruffle; (Haare) frizzy hair; **kräuseln 1.** vt make frizzy; (Stoff) gather; (Stirn) wrinkle; **2.** vr: sich ~ (Haar) go frizzy; (Stirn) wrinkle; (Wasser) ripple.

Kraut nt <-[e]s, **Kräuter**> plant; (Gewürz) herb; (Gemüse) cabbage.

Krawall m <-s, -e> row, uproar.

Krawatte f tie.

kreativ adj creative; **Kreativität** f crea-tivity.

Kreatur f creature.

Krebs m <-es, -e> (ZOOL) crab; (MED) cancer; (ASTR) Cancer; **krebs-erregend** adj carcinogenic.

Kredit m <-[e]s, -e> credit; **Kredit-karte** f credit card.

Kreide f <-, -n> chalk; **kreidebleich** adj as white as a sheet.

Kreis m <-es, -e> circle; (Stadt~ etc) district.

kreischen vi shriek, screech.

Kreisel m <-s, -> top; (Verkehrs~) roundabout.

kreisen vi circle; (um Achse, Gedanken) revolve; (Satellit) orbit; (Blut etc) circu-late.

kreisförmig adj circular; **Kreislauf** m (MED) circulation; (fig: der Natur etc) cycle; **Kreissäge** f circular saw; **Kreis-stadt** f county town; **Kreisverkehr** m roundabout traffic, traffic cercle US.

Kreißsaal m delivery room.

Krem f <-, -s> cream, mousse.

Krematorium nt crematorium.

Krempe f <-, -n> brim.

Krempel m <-s> (fam) rubbish.

krepieren vi (fam: sterben) die, kick the bucket.

Krepp m <-s, -s o -e> crepe; **Kreppa-pier** nt crepe paper; **Kreppsohle** f crepe sole.

Kresse f <-, -n> cress.

Kreuz nt <-es, -e> cross; (ANAT) small of the back; (KARTEN) clubs pl; **kreu-zen 1.** vt, vr: sich ~ cross; **2.** vi (NAUT) cruise; **Kreuzer** m <-s, -> (Schiff) cruiser; **Kreuzfahrt** f cruise; **Kreuz-feuer** nt: im ~ stehen (fig) be caught in the crossfire; **Kreuzgang** m cloisters pl.

kreuzigen vt crucify; **Kreuzigung** f cru-cifixion.

Kreuzotter f adder; **Kreuzschlitz-schraubenzieher** m Phillips screw-driver; **Kreuzschlüssel** m (AUT) wheel brace.

Kreuzung f (Verkehrs~) crossing, junc-tion; (Züchten) cross.

Kreuzverhör nt cross-examination; **Kreuzweg** m crossroads sing o pl; (REL) Way of the Cross; **Kreuzwort-rätsel** nt crossword puzzle; **Kreuzzei-chen** nt sign of the cross; **Kreuzzug** m crusade.

kriechen <kroch, gekrochen> vi crawl, creep; (pej) grovel, crawl; **Krie-cher**(in f) m <-s, -> crawler; **Kriech-spur** f crawler lane; **Kriechtier** nt rep-tile.

Krieg m <-[e]s, -e> war.

kriegen vt (fam) get.

Krieger(in f) m <-s, -> warrior; **krie-gerisch** adj warlike; **Kriegführung** f warfare.

Kriegsbemalung f war paint; **Kriegs-dienstverweigerer** m <-s, -> con-scientious objector; **Kriegserklärung** f declaration of war; **Kriegsfuß** m: mit jdm/etw auf ~ stehen be at loggerheads with sb/not get on with sth; **Kriegsge-fangene(r)** mf prisoner of war; **Kriegsgefangenschaft** f captivity; **Kriegsgericht** nt court-martial; **Kriegsschiff** nt warship; **Kriegsverbrecher(in** f) m war criminal; **Kriegsversehrte(r)** mf person disabled in the war.

Krimi m <-s, -s> (fam) thriller.
Kriminalbeamte(r) m, **-beamtin** f detective.
Kriminalität f criminality.
Kriminalpolizei f detective force, CID Brit; **Kriminalroman** m detective story.
kriminell adj criminal; **Kriminelle(r)** mf criminal.
Krippe f <-, -n> manger, crib; (Kinder~) crèche.
Krise f <-, -n> crisis; **kriseln** vi impers: **es kriselt** there's a crisis; **Krisenherd** m trouble spot; **Krisenstab** m action committee.
Kristall 1. m <-s, -e> crystal; 2. nt <-s> (Glas) crystal.
Kriterium nt criterion.
Kritik f criticism; (Zeitungs~) review, write-up; **Kritiker(in** f) m <-s, -> critic; **kritiklos** adj uncritical; **kritisch** adj critical; **kritisieren** vt, vi criticize.
kritzeln vt, vi scribble, scrawl.
kroch pt von **kriechen**.
Krokodil nt <-s, -e> crocodile.
Krokus m <-, - o -se> crocus.
Krone f <-, -n> crown; (Baum~) top.
krönen vt crown.
Kronkorken m bottle top; **Kronleuchter** m chandelier; **Kronprinz** m, **-prinzessin** f crown prince/princess.
Krönung f coronation.
Kropf m <-[e]s, ⁻e> (MED) goitre; (von Vogel) crop.
Kröte f <-, -n> toad.
Krücke f <-, -n> crutch.
Krug m <-[e]s, ⁻e> jug; (Bier~) mug.
Krümel m <-s, -> crumb; **krümeln** vt, vi crumble.
krumm adj (auch fig) crooked; (kurvig) curved; **krummbeinig** adj bandy-legged.
krümmen vt, vr: **sich ~** curve, bend; **Krümmung** f bend, curve.
krummlachen vr: **sich ~** (fam) laugh oneself silly; **krummnehmen** irr vt: **jdm etw ~** (fam) take sth amiss.
Krüppel m <-s, -> cripple.
Kruste f <-, -n> crust.
Kruzifix nt <-es, -e> crucifix.
Kuba nt Cuba.
Kübel m <-s, -> tub; (Eimer) pail.
Küche f <-, -n> kitchen; (Kochen)

cooking, cuisine.
Kuchen m <-s, -> cake; **Kuchenblech** nt baking tray; **Kuchenform** f baking tin; **Kuchengabel** f pastry fork; **Kuchenteig** m cake mixture.
Küchenherd m range; (Gas etc) cooker, stove; **Küchenmaschine** f kitchen appliance, food processor; **Küchenschabe** f cockroach; **Küchenschrank** m kitchen cabinet.
Kuckuck m <-s, -e> cuckoo.
Kufe f <-, -n> (Schlitten~) runner; (AVIAT) skid.
Kugel f <-, -n> ball; (MATH) sphere; (MIL) bullet; (Erd~) globe; (SPORT) shot; **kugelförmig** adj spherical; **Kugelkopf** m golf ball; **Kugelkopfschreibmaschine** f golf-ball typewriter; **Kugellager** nt ball bearing; **kugelrund** adj (Gegenstand) round; (fam) tubby; **Kugelschreiber** m ball-point [pen], biro ®; **kugelsicher** adj bulletproof; **Kugelstoßen** nt <-s> shot-put.
Kuh f <-, ⁻e> cow.
kühl adj (auch fig) cool; **Kühlanlage** f refrigerating plant; **Kühlbecken** nt (für Brennelemente) cooling pond; **Kühlbox** f <-, -en> cold box; **Kühle** f <-> coolness; **kühlen** vt cool; **Kühler** m <-s, -> (AUT) radiator; **Kühlerhaube** f (AUT) bonnet, hood US; **Kühlraum** m cold-storage chamber; **Kühlschrank** m refrigerator; **Kühltruhe** f freezer; **Kühlung** f cooling; **Kühlwagen** m (EISENB) refrigerator van; **Kühlwasser** nt cooling water.
kühn adj bold, daring; **Kühnheit** f boldness.
Küken nt <-s, -> chicken.
kulant adj obliging.
Kuli m <-s, -s> coolie; (umg: Kugelschreiber) biro ®.
Kulisse f <-, -n> scene.
kullern vi roll.
Kult m <-[e]s, -e> worship, cult; **mit etw ~ treiben** make a cult out of sth; **Kultfigur** f cult figure.
kultivieren vt cultivate; **kultiviert** adj cultivated, refined.
Kultur f culture; civilization; (des Bodens) cultivation; **kulturell** adj cultural; **Kulturbeutel** m washbag, toilet bag.
Kümmel m <-s, -> caraway seed; (Branntwein) kümmel.
Kummer m <-s> grief, sorrow.
kümmerlich adj miserable, wretched.
kümmern 1. vr: **sich um jdn ~** look after sb; **sich um etw ~** see to sth; 2. vt concern; **das kümmert mich nicht** that

doesn't worry me.

Kumpan *m* <-s, -e> mate; (*pej*) accomplice.

Kumpel *m* <-s, -> (*fam*) mate.

kündbar *adj* redeemable, recallable; (*Vertrag*) terminable.

Kunde *f* <-, -n> (*Botschaft*) news *sing*.

Kunde *m* <-n, -n>, **Kundin** *f* customer; **Kundendienst** *m* after-sales service.

kundgeben *irr vt* announce; **Kundgebung** *f* announcement; (*Versammlung*) rally.

kundig *adj* expert, experienced.

kündigen 1. *vi* give in one's notice; **2.** *vt* cancel; **jdm** ~ give sb his notice; **[jdm] die Stellung/Wohnung** ~ give [sb] notice; **Kündigung** *f* notice; **Kündigungsfrist** *f* period of notice.

Kundschaft *f* customers *pl*.

künftig 1. *adj* future; **2.** *adv* in future.

Kunst *f* <-, =e> art; (*Können*) skill; **das ist doch keine** ~ it's easy; **Kunstakademie** *f* academy of art; **Kunstdünger** *m* artificial fertilizer; **Kunstfaser** *f* synthetic fibre; **Kunstfertigkeit** *f* skilfulness; **Kunstgeschichte** *f* history of art; **Kunstgewerbe** *nt* arts and crafts *pl*; **Kunstgriff** *m* trick, knack; **Kunsthändler(in** *f*) *m* art dealer; **Kunstharz** *nt* artificial resin; **Kunstherz** *nt* artificial heart.

Künstler(in *f*) *m* <-s, -> artist; **künstlerisch** *adj* artistic; **Künstlername** *m* stagename; pseudonym.

künstlich *adj* artificial; ~**e Intelligenz** artificial intelligence.

Kunstsammler(in *f*) *m* art collector; **Kunstseide** *f* artificial silk; **Kunststoff** *m* synthetic material; **kunststoffbeschichtet** *adj* synthetic-coated; **Kunststopfen** *nt* <-s> invisible mending; **Kunststück** *nt* trick; **kein** ~ nothing special; **Kunstturnen** *nt* gymnastics *sing*; **kunstvoll** *adj* ingenious, artistic; **Kunstwerk** *nt* work of art.

kunterbunt *adj* higgledy-piggledy.

Kupfer *nt* <-s, -> copper; **Kupfergeld** *nt* coppers *pl*; **kupfern** *adj* copper; **Kupferstich** *m* copperplate engraving.

Kuppe *f* <-, -n> (*Berg*~) top; (*Finger*~) tip.

Kuppel *f* <-, -n> cupola, dome.

Kuppelei *f* (*JUR*) procuring; **kuppeln 1.** *vi* (*JUR*) procure; (*AUT*) declutch; **2.** *vt* join; **Kuppler(in** *f*) *m* <-s, -> matchmaker; (*JUR*) procurer/procuress; **Kupplung** *f* coupling; (*AUT*) clutch.

Kur *f* <-, -en> cure, treatment.

Kür *f* <-, -en> (*SPORT*) free skating/exercises *pl*.

Kurbel *f* <-, -n> crank, winch; (*AUT*) starting handle; **Kurbelwelle** *f* crankshaft.

Kürbis *m* <-ses, -se> pumpkin; (*exotisch*) gourd.

Kurgast *m* visitor [to a health resort].

kurieren *vt* cure.

kurios *adj* curious, odd; **Kuriosität** *f* curiosity.

Kurort *m* health resort; **Kurpfuscher(in** *f*) *m* quack.

Kurs *m* <-es, -e> course; (*FIN*) rate; (*Wechsel*~) exchange rate; **hoch im** ~ **stehen** (*fig*) be highly thought of; **Kursbuch** *nt* timetable.

kursieren *vi* circulate.

kursiv *adv* (*TYP*) in italics; **Kursive** *f* italics *pl*.

Kursus *m* <-, Kurse> course.

Kurswagen *m* (*EISENB*) through carriage.

Kurve *f* <-, -n> curve; (*Straßen*~) bend; **kurvenreich, kurvig** *adj* (*Straße*) bendy.

kurz *adj* short; **zu** ~ **kommen** come off badly; **den kürzeren ziehen** get the worst of it; **Kurzarbeit** *f* short-time work; **kurzärm[e]lig** *adj* short-sleeved.

Kürze *f* <-, -n> shortness, brevity.

kürzen *vt* cut short; (*in der Länge*) shorten; (*Gehalt*) reduce.

kurzerhand *adv* on the spot.

Kurzfassung *f* shortened version; **kurzfristig** *adj* short-term; **Kurzgeschichte** *f* short story; **kurzhalten** *irr vt* keep short; **kurzlebig** *adj* short-lived.

kürzlich *adv* lately, recently.

Kurzschluß *m* (*ELEC*) short circuit; **Kurzschrift** *f* shorthand; **kurzsichtig** *adj* short-sighted; **Kurzstreckenrakete** *f* short-range rocket [*o* missile]; **Kurzwelle** *f* short wave; **Kurzzeitspeicher** *m* (*COMPUT*) register.

kuscheln *vr*: **sich** ~ snuggle up.

Kusine *f* cousin.

Kuß *m* <-sses, =sse> kiss; **küssen** *vt, vr*: **sich** ~ kiss.

Küste *f* <-, -n> coast, shore; **Küstenwache** *f* coastguard [station].

Küster(in *f*) *m* <-s, -> sexton, verger.

Kutsche *f* <-, -n> coach, carriage; **Kutscher(in** *f*) *m* <-s, -> coachman/-woman.

Kutte *f* <-, -n> habit.

Kutteln *pl* tripe.

Kuvert *nt* <-s, -e *o* -s> envelope.

Kybernetik *f* cybernetics *sing*; **kyber-**

netisch *adj* cybernetic.
KZ *nt* <-s, -s> *abk von* **Konzentrationslager** concentration camp.

L

L, l *nt* L, l.
laben *vr*: **sich ~** refresh oneself; (*fig*) relish (*an etw dat* sth).
Labor *nt* <-s, -e *o* -s> lab; **Laborant(in** *f*) *m* lab[oratory] assistant; **Laboratorium** *nt* laboratory.
Labyrinth *nt* <-s, -e> labyrinth.
Lache *f* <-, -n> (*Wasser*) pool, puddle; (*fam: Gelächter*) laugh.
lächeln *vi* smile; **Lächeln** *nt* <-s> smile.
lachen *vi* laugh.
lächerlich *adj* ridiculous; **Lächerlichkeit** *f* absurdity.
Lachgas *nt* laughing gas; **lachhaft** *adj* laughable.
Lachs *m* <-es, -e> salmon.
Lack *m* <-[e]s, -e> lacquer, varnish; (*von Auto*) paint; **lackieren** *vt* varnish; (*Auto*) spray; **Lackleder** *nt* patent leather.
Lackmus *nt o m* <-> litmus.
laden <lud, geladen> *vt* (*auch COMPUT*) load; (*JUR*) summon; (*einladen*) invite.
Laden *m* <-s, ⁚> shop; (*Fenster~*) shutter; **Ladenbesitzer(in** *f*) *m* shopkeeper; **Ladendieb(in** *f*) *m* shoplifter; **Ladendiebstahl** *m* shoplifting; **Ladenhüter** *m* <-s, -> unsaleable item; **Ladenpreis** *m* retail price; **Ladenschluß** *m* closing time; **Ladentisch** *m* counter.
Laderaum *m* (*NAUT*) hold.
Ladung *f* (*Last*) cargo, load; (*Beladen*) loading; (*JUR*) summons *sing*; (*Einladung*) invitation; (*Spreng~*) charge.
lag *pt von* **liegen**.
Lage *f* <-, -n> position, situation; (*Schicht*) layer; **in der ~ sein** be in a position; **lagenweise** *adv* in layers.
Lager *nt* <-s, ⁚> camp; (*COM*) warehouse; (*Schlaf~*) bed; (*von Tier*) lair; (*TECH*) bearing; **Lagerarbeiter(in** *f*) *m* storehand; **Lagerbestand** *m* stocks *pl*; **Lagerhaus** *nt* warehouse, store; **lagern 1.** *vi* (*Dinge*) be stored; (*Menschen*) camp; (*rasten*) rest down; **2.** *vt* store; (*betten*) lay down; (*Maschine*) bed; **Lagerstätte** *f* resting place; **Lagerung** *f* storage.
Lagune *f* <-, -n> lagoon.

lahm *adj* lame; **lahmen** *vi* be lame, limp.
lähmen *vt* paralyse.
lahmlegen *vt* paralyse.
Lähmung *f* paralysis.
Laib *m* <-s, -e> loaf.
Laich *m* <-[e]s, -e> spawn; **laichen** *vi* spawn.
Laie *m* <-n, -n> layman; **laienhaft** *adj* amateurish.
Lakai *m* <-en, -en> lackey.
Laken *nt* <-s, -> sheet.
Lakritze *f* <-, -n> liquorice.
lallen *vt*, *vi* slur; (*Baby*) babble.
Lamelle *f* lamella; (*ELEC*) lamina; (*TECH*) plate.
Lametta *nt* <-s> tinsel.
Lamm *nt* <-[e]s, ⁚er> lamb; **Lammfell** *nt* lambskin; **lammfromm** *adj* like a lamb; **Lammwolle** *f* lambswool.
Lampe *f* <-, -n> lamp; **Lampenfieber** *nt* stage fright; **Lampenschirm** *m* lampshade.
Lampion *m* <-s, -s> Chinese lantern.
Land *nt* <-[e]s, ⁚er> land; (*Nation, nicht Stadt*) country; (*Bundes~*) state; **auf dem ~[e]** in the country; **Landarbeiter(in** *f*) *m* farm [*o* agricultural] worker; **Landbesitz** *m* landed property; **Landbesitzer(in** *f*) *m* landowner.
Landebahn *f* runway; **landeinwärts** *adv* inland.
landen *vt*, *vi* land.
Ländereien *pl* estates *pl*.
Landesfarben *pl* national colours *pl*; **Landesinnere(s)** *nt* inland region; **Landestracht** *f* national costume; **landesüblich** *adj* customary; **Landesverrat** *m* high treason; **Landeswährung** *f* national currency.
Landgut *nt* estate; **Landhaus** *nt* country house; **Landkarte** *f* map; **Landkreis** *m* administrative region; **landläufig** *adj* customary.
ländlich *adj* rural.
Landschaft *f* countryside; (*KUNST*) landscape; **landschaftlich** *adj* scenic; regional; **Landsmann** *m*, *pl* <-leute>, **-männin** *f* compatriot, fellow countryman/-woman; **Landstraße** *f* country road; **Landstreicher(in** *f*) *m* <-s, -> tramp; **Landstrich** *m* region; **Landtag** *m* (*POL*) regional parliament.
Landung *f* landing; **Landungsboot** *nt* landing craft; **Landungsbrücke** *f* jetty, pier; **Landungsstelle** *f* landing place.
Landvermesser(in *f*) *m* <-s, -> surveyor; **Landwirt(in** *f*) *m* farmer; **Landwirtschaft** *f* agriculture; **Landzunge** *f* spit.
lang *adj* long; (*Mensch*) tall; **langatmig**

adj long-winded; **lange** *adv* for a long time; (*dauern, brauchen*) a long time.
Länge *f* <-, -n> length; (GEO) longitude.
langen *vi* (*ausreichen*) do, suffice; (*fassen*) reach (*nach* for); **es langt mir** I've had enough.
Längengrad *m* longitude; **Längenmaß** *nt* linear measure.
Langeweile *f* boredom.
Langlauf *m* cross-country skiing; **Langläufer(in** *f)* *m* cross-country skier; **Langlaufski** *m* cross-country ski.
langlebig *adj* long-lived.
länglich *adj* longish.
Langmut *f* <-> forbearance, patience; **langmütig** *adj* forbearing.
längs 1. *prep* + *gen* along; 2. *adv* lengthwise.
langsam *adj* slow; **Langsamkeit** *f* slowness.
Langschläfer(in *f)* *m* late riser; **Langspielplatte** *f* long-playing record.
längst *adv:* **das ist** ~ **fertig** that was finished a long time ago, that has been finished for a long time; **längste(r, s)** *adj* longest.
Langstreckenrakete *f* long-range missile [*o* rocket].
Languste *f* <-, -n> crayfish, crawfish *US*.
langweilig *adj* boring, tedious; **Langwelle** *f* long wave; **langwierig** *adj* lengthy, long-drawn-out.
Lanze *f* <-, -n> lance.
lapidar *adj* terse, pithy.
Lappalie *f* trifle.
Lappen *m* <-s, -> cloth, rag; (ANAT) lobe.
läppisch *adj* foolish.
Lapsus *m* <-, -> slip.
Lärche *f* <-, -n> larch.
Lärm *m* <-[e]s -> noise; **lärmen** *vi* be noisy, make a noise; **Lärmschutz** *m* noise prevention; **Lärmschutzwall** *m* soundproof barrier.
Larve *f* <-, -n> mask; (BIO) larva.
las *pt von* **lesen**.
lasch *adj* slack; (*Geschmack*) tasteless.
Lasche *f* <-, -n> (*Schuh~*) tongue; (EISENB) fishplate.
Laser *m* <-s, -> laser; **Laserdrucker** *m* laser printer.
lassen <**ließ, gelassen**> *vi, vt* leave; (*erlauben*) let; (*aufhören mit*) stop; (*veranlassen*) make; **etw machen** ~ to have sth done; **es läßt sich machen** it can be done; **es läßt sich öffnen** it opens, it opens.
lässig *adj* casual; **Lässigkeit** *f* casual-

ness.
läßlich *adj* pardonable, venial.
Last *f* <-, -en> load, burden; (NAUT. AVIAT) cargo; (*meist pl: Gebühr*) charge; **jdm zur** ~ **fallen** be a burden to sb; **lasten** *vi* weigh (*auf* + *dat* on).
Laster *nt* <-s, -> vice; **lasterhaft** *adj* immoral.
lästerlich *adj* scandalous.
lästern *vt, vi* (*Gott*) blaspheme; (*schlecht sprechen*) mock; **Lästerung** *f* jibe; (*Gottes~*) blasphemy.
lästig *adj* troublesome, tiresome.
Lastkahn *m* barge; **Lastkraftwagen** *m* heavy goods vehicle; **Lastschrift** *f* debiting; debit item; **Lasttier** *nt* beast of burden; **Lastwagen** *m* lorry, truck.
latent *adj* latent.
Laterne *f* <-, -n> lantern; (*Straßen~*) lamp, light; **Laternenpfahl** *m* lamppost.
Latrine *f* latrine.
Latsche *f* <-, -n> dwarf pine.
latschen *vi* (*fam*) wander, go; (*lässig*) slouch.
Latte *f* <-, -n> slat; (SPORT) bar; (*quer*) crossbar; **Lattenzaun** *m* lattice fence.
Latz *m* <-es, ~e> bib; (*Hosen~*) flies *pl;* **Lätzchen** *nt* bib; **Latzhose** *f* dungarees *pl.*
lau *adj* balmy; (*Wasser*) lukewarm.
Laub *nt* <-[e]s> foliage; **Laubbaum** *m* deciduous tree.
Laube *f* <-, -n> arbour.
Laubfrosch *m* tree frog; **Laubsäge** *f* fretsaw.
Lauch *m* <-[e]s, -e> leek.
Lauer *f:* **auf der** ~ **sein** [*o* **liegen**] lie in wait; **lauern** *vi* lie in wait; (*Gefahr*) lurk.
Lauf *m* <-[e]s, **Läufe**> (*auch* COMPUT) run; (*Wett~*) race; (*Entwicklung*) course; (*von Gewehr*) barrel; **einer Sache** *dat* **ihren** ~ **lassen** let sth take its course; **Laufbahn** *f* career.
laufen <**lief, gelaufen**> *vi, vt* run; (*fam: gehen*) walk; **laufend** *adj* running; (*Monat, Ausgaben*) current; **auf dem** ~**en sein/halten** be/keep up to date; **am** ~**en Band** (*fig*) continuously; **laufenlassen** *irr vt* let go.
Läufer(in *f)* *m* <-s, -> (SPORT. *Teppich*) runner; (*Fußball*) half-back; (SCHACH) bishop.
Laufkundschaft *f* passing trade; **Laufmasche** *f* run, ladder *Brit;* **Laufstall** *m* playpen; **Laufsteg** *m* catwalk; **Laufwerk** *nt* (COMPUT) drive; **Laufzettel** *m* circular.
Lauge *f* <-, -n> soapy water; (CHEM) alkaline solution.

Laune f <-, -n> mood; (*Einfall*) caprice; (*schlechte* ~) temper; **launenhaft** adj capricious, changeable; **launisch** adj moody; (*schlechtgelaunt*) bad-tempered.

Laus f <-, **Läuse**> louse; **Lausbub** m rascal, imp.

lauschen vi eavesdrop, listen in.

lauschig adj snug.

lausen vt delouse.

lausig adj lousy.

laut 1. adj loud; 2. adv loudly; (*lesen*) aloud; 3. prep +gen o dat according to; **Laut** m <-[e]s, -e > sound.

Laute f <-, -n> lute.

lauten vi say; (*Urteil*) be.

läuten vt, vi ring, sound.

lauter adj (*Wasser*) clear, pure; (*Wahrheit, Charakter*) honest; (*Freude, Dummheit etc*) sheer; (*mit pl*) nothing but, only.

läutern vt purify.

lauthals adv at the top of one's voice; **lautlos** adj noiseless, silent; **lautmalend** adj onomatopoeic; **Lautschrift** f phonetics pl; **Lautsprecher** m loudspeaker; **Lautsprecherbox** f <-, -en > speaker; **Lautsprecherwagen** m loudspeaker van; **lautstark** adj vociferous; **Lautstärke** f loudness; (*RADIO*) volume.

lauwarm adj (*auch fig*) lukewarm.

Lava f <-, **Laven**> lava.

Lavendel m <-s, -> lavender.

Lawine f avalanche; **Lawinengefahr** f danger of avalanches.

lax adj lax.

Lazarett nt <-[e]s, -e > (*MIL*) hospital, infirmary.

LCD-Anzeige f LCD-display.

leasen vt lease; **Leasing** nt <-s > leasing.

Lebehoch nt three cheers pl; **Lebemann** m, pl <-männer> man about town.

leben vt, vi live; **Leben** nt <-s, -> life; **lebend** adj living; **lebendig** adj living, alive; (*lebhaft*) lively; **Lebendigkeit** f liveliness.

Lebensart f way of life; **Lebenserwartung** f life expectancy; **lebensfähig** adj able to live; **lebensfroh** adj full of the joys of life; **Lebensgefahr** f: ~ ! danger!; **in** ~ dangerously ill; **lebensgefährlich** adj dangerous; (*Verletzung*) critical; **Lebenshaltungskosten** pl cost of living; **Lebenslage** f situation in life; **Lebenslauf** m curriculum vitae; **lebenslustig** adj cheerful, lively; **Lebensmittel** pl food; **Lebensmittel-**

geschäft nt grocer's; **lebensmüde** adj tired of life; **Lebensretter(in** f) m lifesaver; **Lebensstandard** m standard of living; **Lebensstellung** f permanent post; **Lebensunterhalt** m livelihood; **Lebensversicherung** f life insurance; **Lebenswandel** m way of life; **Lebensweise** f way of life, habits pl; **Lebenszeichen** nt sign of life; **Lebenszeit** f lifetime.

Leber f <-, -n > liver; **Leberfleck** m mole; **Lebertran** m cod-liver oil; **Leberwurst** f liver sausage.

Lebewesen nt creature, living thing; **Lebewohl** nt farewell, goodbye.

lebhaft adj lively, vivacious; **Lebhaftigkeit** f liveliness, vivacity; **Lebkuchen** m gingerbread; **leblos** adj lifeless.

lechzen vi: **nach etw** ~ long for sth.

leck adj leaky, leaking; **Leck** nt <-[e]s, -e > leak; **lecken** 1. vi (*Loch haben*) leak; 2. vt, vi (*schlecken*) lick.

lecker adj delicious, tasty; **Leckerbissen** m dainty morsel; **Leckermaul** nt: **ein** ~ **sein** enjoy one's food.

led. adj abk von **ledig** single.

Leder nt <-s, -> leather; **ledern** adj leather; **Lederwaren** pl leather goods pl.

ledig adj single; **einer Sache** gen ~ **sein** be free of sth.

lediglich adv merely, solely.

leer adj empty; **Leere** f <-> emptiness; **leeren** 1. vt empty; 2. vr: **sich** ~ become empty; **Leergewicht** nt weight when empty; **Leerlauf** m neutral; **leerstehend** adj empty; **Leerung** f (*emptying, von Post*) collection.

legal adj legal, lawful; **legalisieren** vt legalize; **Legalität** f legality.

legen 1. vt lay, put, place; (*Ei*) lay; 2. vr: **sich** ~ lie down; (*fig*) subside.

Legende f <-, -n > legend.

leger adj casual.

legieren vt alloy; **Legierung** f alloy.

Legislative f legislature.

legitim adj legitimate; **Legitimation** f legitimation; **legitimieren** 1. vt legitimate; 2. vr: **sich** ~ prove one's identity; **Legitimität** f legitimacy.

Lehm m <-[e]s, -e > loam; **lehmig** adj loamy.

Lehne f <-, -n > arm; (*Rücken* ~) back; **lehnen** vt, vr: **sich** ~ lean; **Lehnstuhl** m armchair.

Lehramt nt teaching profession; **Lehrbrief** m indentures pl; **Lehrbuch** nt textbook.

Lehre f <-, -n > teaching, doctrine; (*beruflich*) apprenticeship; (*moralisch*) lesson; (TECH) gauge; **lehren** vt teach; **Lehrer(in** f) m <-s, -> teacher.

Lehrgang m course; **Lehrjahre** pl apprenticeship; **Lehrkraft** f teacher; **Lehrling** m apprentice; **Lehrplan** m syllabus; **lehrreich** adj instructive; **Lehrsatz** m theorem; **Lehrstelle** f position as an apprentice; **Lehrstuhl** m chair; **Lehrzeit** f apprenticeship.

Leib m <-[e]s, -er> body; **halt ihn mir vom ~!** keep him away from me; **Leibeserziehung** f physical education; **Leibesübung** f physical exercise; **leibhaftig** adj personified; (Teufel) incarnate; **leiblich** adj bodily; (Vater) own; **Leibwache** f bodyguard.

Leiche f <-, -n> corpse. **Leichenbeschauer(in** f) m <-s, -> doctor conducting a post-mortem; **Leichenhemd** nt shroud; **Leichenträger** m bearer; **Leichenwagen** m hearse.

Leichnam m <-[e]s, -e> corpse.

leicht adj light; (einfach) easy; **Leichtathletik** f athletics sing; **leichtfallen** irr vi: **jdm ~** be easy for sb; **leichtfertig** adj frivolous; **leichtgläubig** adj gullible; **Leichtgläubigkeit** f gullibility, credulity; **leichthin** adv lightly; **Leichtigkeit** f easiness; **mit ~** with ease; **leichtlebig** adj easy-going; **leichtmachen** vt: **es sich** dat **~** make things easy for oneself; **leichtnehmen** irr vt take lightly; **Leichtsinn** m carelessness; **leichtsinnig** adj careless; **Leichtwasserreaktor** m light water reactor.

leid adj: **etw ~ haben** [o **sein**] be tired of sth; **es tut mir/ihm ~** I am/he is sorry; **er/das tut mir ~** I am sorry for him/it.

Leid nt <-[e]s> grief, sorrow.

leiden <litt, gelitten> 1. vi suffer; (erlauben) permit; 2. vt suffer; **jdn/etw nicht ~ können** not be able to stand sb/ sth; **Leiden** nt <-s, -> suffering; (Krankheit) complaint.

Leidenschaft f passion; **leidenschaftlich** adj passionate.

leider adv unfortunately; **ja, ~** yes, I'm afraid so; **~ nicht** I'm afraid not.

leidig adj miserable, tiresome.

leidlich 1. adj tolerable; 2. adv tolerably.

Leidtragende(r) mf bereaved; (Benachteiligter) one who suffers; **Leidwesen** nt: **zu jds ~** to sb's dismay.

Leier f <-, -n> lyre; (fig) old story; **Leierkasten** m barrel organ.

Leihbibliothek f lending library; **leihen** <lieh, geliehen> vt lend; **sich** dat **etw ~** borrow sth; **Leihgebühr** f hire charge; **Leihhaus** nt pawnshop; **Leih-**

mutter f surrogate mother; **Leihschein** m pawn ticket; (für Buch) borrowing slip; **Leihwagen** m hired car.

Leim m <-[e]s, -e> glue; **leimen** vt glue; (fam: reinlegen) take for a ride.

Leine f <-, -n> line, cord; (Hunde~) leash, lead.

Leinen nt <-s, -> linen; **Leintuch** nt (für Bett) sheet; **Leinwand** f (KUNST) canvas; (CINE) screen.

leise adj quiet; (sanft) soft, gentle.

Leiste f <-, -n> ledge; (Zier~) strip; (ANAT) groin.

leisten vt (Arbeit) do; (Gesellschaft) keep; (Ersatz) supply; (vollbringen) achieve; **sich** dat **etw ~ können** be able to afford sth.

Leistung f performance; (gute ~) achievement; **Leistungsdruck** m pressure [to do well]; **leistungsfähig** adj efficient; **Leistungsfähigkeit** f efficiency; **Leistungskurs** m set; **Leistungszulage** f productivity bonus.

Leitartikel m leader; **Leitbild** nt model.

leiten vt lead; (Firma) manage; (in eine Richtung) direct; (ELEC) conduct; **leitend** adj leading; (Stellung) managerial; **~er Angestellter** executive.

Leiter 1. f <-, -n> ladder; **2.** m <-s, -> (ELEC) conductor.

Leiter(in f) m <-s, -> leader; (von Geschäft) manager; (von Orchester) director.

Leitfaden m guide; **Leitfähigkeit** f conductivity; **Leitmotiv** nt leitmotiv; **Leitplanke** f <-, -n> crash barrier.

Leitung f (Führung) direction; (CINE, THEAT) production; (von Firma) management; (Wasser~) pipe; (Kabel) cable; **eine lange ~ haben** be slow on the uptake; **Leitungsrohr** nt pipe; **Leitungswasser** nt tap water.

Leitwerk nt (AVIAT) tail unit.

Lektion f lesson.

Lektor(in f) m (SCH) lector; (im Verlag) editor.

Lektüre f <-, -n> (Lesen) reading; (Lesestoff) reading matter.

Lemming m <-s, -e> lemming.

Lende f <-, -n> loin.

lenkbar adj steerable; (Kind) manageable; **lenken** vt steer; (Kind) guide; (Blick, Aufmerksamkeit) direct (auf +akk at); **Lenkrad** nt steering wheel; **Lenkstange** f handlebars pl.

Leopard m <-en, -en> leopard.

Lepra f <-> leprosy.

Lerche f <-, -n> lark.

lernbegierig adj eager to learn; **lernbehindert** adj educationally handicapped;

Lerndiskette f didactic disk; **lernen** vt learn.

lesbar adj legible.

Lesbierin f lesbian; **lesbisch** adj lesbian.

Lese f <-, -n> gleaning; (Wein~) harvest; **Lesebuch** nt reading book, reader; **Lesegerät** nt (COMPUT) reading device; **lesen** <las, gelesen> vi, vt (auch COMPUT) read; (ernten) gather, pick; **Leser(in** f) m <-s, -> reader; **Leserbrief** m reader's letter; **leserlich** adj legible; **Lesesaal** m reading room; **Lesespeicher** m read only memory, ROM; **Lesezeichen** nt bookmark.

Lesung f (POL) reading; (REL) lesson.

letzte(r, s) adj last; (neueste) latest; **zum ~nmal** for the last time; **letztens** adv lately; **letztere(r, s)** adj latter.

Leuchtanzeige f illuminated display; **Leuchtdiode** f LED, light-emitting diode.

Leuchte f <-, -n> lamp, light.

leuchten vi shine, gleam; **Leuchter** m <-s, -> candlestick; **Leuchtfarbe** f fluorescent colour; **Leuchtfeuer** nt beacon; **Leuchtrakete** f flare; **Leuchtreklame** f neon sign; **Leuchtröhre** f strip light; **Leuchtstift** m highlighter; **Leuchtturm** m lighthouse; **Leuchtzifferblatt** nt luminous dial.

leugnen vt, vi deny.

Leukämie f leukaemia.

Leukoplast ® nt <-[e]s, -e> elastoplast ®.

Leumund m <-[e]s, -e> reputation; **Leumundszeugnis** nt character reference.

Leute pl people pl.

Leutnant m <-s, -s o -e> lieutenant.

leutselig adj affable; **Leutseligkeit** f affability.

Lexikon nt <-s, Lexika> dictionary.

Libanon m: **der ~** the Lebanon.

Libelle f dragonfly; (TECH) spirit level.

liberal adj liberal; **Liberalismus** m liberalism.

Libero m <-s, -s> (Fußball) sweeper.

Libyen nt Libya.

Licht nt <-[e]s, -er> light; **Lichtbild** nt photograph; (Dia) slide; **Lichtblick** m cheering prospect; **lichtempfindlich** adj sensitive to light.

lichten 1. vt clear; (Anker) weigh; 2. vr: **sich ~** clear up; (Haar) thin.

lichterloh adv: ~ **brennen** be ablaze.

Lichtgriffel m light pen; **Lichthupe** f flashing of headlights; **Lichtjahr** nt light year; **Lichtmaschine** f dynamo; **Lichtmeß** f <-> Candlemas; **Licht-**

schalter m light switch; **Lichtschutzfaktor** m protection factor.

Lichtung f clearing, glade.

Lid nt <-[e]s, -er> eyelid; **Lidschatten** m eyeshadow.

lieb adj dear; **liebäugeln** vi: **mit etw ~ haben** have an eye on sth; **mit dem Gedanken ~, etw zu tun** be toying with the idea of doing sth.

Liebe f <-, -n> love; **liebebedürftig** adj: ~ **sein** need love; **Liebelei** f flirtation; **lieben** vt love; (gern mögen) like; **liebenswert** adj loveable; **liebenswürdig** adj kind; **liebenswürdigerweise** adv kindly; **Liebenswürdigkeit** f kindness.

lieber adv rather, preferably; **ich gehe ~ nicht** I'd rather not go; siehe auch gern, lieb.

Liebesbrief m love letter; **Liebesdienst** m good turn; **Liebeskummer** m: ~ **haben** be lovesick; **Liebespaar** nt courting couple, lovers pl.

liebevoll adj loving.

liebgewinnen irr vt get fond of; **liebhaben** irr vt be fond of; **Liebhaber(in** f) m <-s, -> lover; **Liebhaberei** f hobby; **liebkosen** vt caress; **lieblich** adj lovely, charming.

Liebling m darling.

Lieblings- in Zusammensetzungen favourite.

lieblos adj unloving; **Liebschaft** f love affair.

Liechtenstein nt Liechtenstein.

Lied nt <-[e]s, -er> song; (REL) hymn; **Liederbuch** nt songbook; hymn book.

liederlich adj slovenly; (Lebenswandel) loose, immoral.

Liedermacher(in f) m <-s, -> singer-songwriter.

lief pt von laufen.

Lieferant(in f) m supplier.

liefern vt deliver; (versorgen mit) supply; (Beweis) provide.

Lieferschein 'n delivery note; **Liefertermin** m delivery date; **Lieferung** f delivery; **Lieferwagen** m van.

Liege f <-, -n> bed.

liegen <lag, gelegen> vi lie; (sich befinden) be; **mir liegt nichts/viel daran** it doesn't matter to me/it matters a lot to me; **es liegt bei Ihnen, ob...** it rests with you whether...; **Sprachen ~ mir nicht** languages are not my line; **woran liegt es?** what's the cause?; **liegenbleiben** irr vi (Mensch) stay in bed; (nicht ausstehen) stay lying down; (Ding) be left [behind]; **liegenlassen** irr vt (vergessen) leave behind.

Liegenschaft f real estate.

Liegesitz m reclining seat; **Liegestuhl** m deck chair; **Liegewagen** m (EISENB) couchette.

lieh pt von **leihen**.

ließ pt von **lassen**.

Lift m <-|e|s, -e o -s> lift.

Lift-off-Korrekturband nt, pl <-bänder> lift-off correction tape.

Likör m <-s, -e> liqueur.

lila adj inv purple, lilac.

Lilie f lily.

Limonade f lemonade.

lind adj gentle, mild.

Linde f <-, -n> lime tree, linden.

lindern vt alleviate, soothe; **Linderung** f alleviation.

lindgrün adj lime green.

Lineal nt <-s, -e> ruler.

Linie f line; **Linienblatt** nt ruled sheet; **Linienflug** m scheduled flight; **Linienrichter(in** f) m linesperson.

liniieren vt line.

Linke f <-, -n> left side; left hand; (POL) left; **linke(r, s**) adj left; ~ **Masche** purl.

linken vt (fam) con.

linkisch adj awkward, gauche.

links adv left; to [o on] the left; ~ **von mir** on [o to] my left; **Linksaußen** m <-, -> (SPORT) outside left; **Linkshänder(in** f) m <-s, -> left-handed person; **Linkskurve** f left-hand bend; **linksradikal** adj (POL) extreme leftwing; **Linksverkehr** m driving on the left.

Linoleum nt <-s> lino|leum|.

Linse f <-, -n> lentil; (optisch) lens.

Lippe f <-, -n> lip; **Lippenstift** m lipstick.

liquidieren vt liquidate.

lispeln vi lisp.

List f <-, -en> cunning; trick, ruse.

Liste f <-, -n> list.

listig adj cunning, sly.

Litanei f litany.

Liter m o nt <-s, -> litre.

literarisch adj literary.

Literatur f literature; **Literaturpreis** m award for literature.

Litfaßsäule f advertising pillar.

Lithographie f lithography.

litt pt von **leiden**.

Liturgie f liturgy; **liturgisch** adj liturgical.

Litze f <-, -n> braid; (ELEC) flex.

live adv (RADIO, TV) live.

Livree f <-, -n> livery.

Lizenz f licence.

Lkw m <-|s|, -|s|> abk von **Lastkraft-wagen**.

Lob nt <-|e|s> praise; **loben** vt praise; **lobenswert** adj praiseworthy; **löblich** adj praiseworthy, laudable; **Lobrede** f eulogy.

Loch nt <-|e|s, ¨er> hole; **lochen** vt punch holes in; **Locher** m <-s, -> punch; **löcherig** adj full of holes; **Lochkarte** f punch card; **Lochstreifen** m punch tape.

Locke f <-, -n> lock, curl; **locken** vt entice; (Haare) curl; **Lockenwickler** m <-s, -> curler.

locker adj loose; **lockerlassen** irr vi: **nicht** ~ not let up; **lockern** vt loosen.

lockig adj curly.

Lockruf m call; **Lockung** f enticement; **Lockvogel** m decoy, bait.

Lodenmantel m thick woollen coat.

lodern vi blaze.

Löffel m <-s, -> spoon; **löffeln** vt [eat with a] spoon; **löffelweise** adv by the spoonful.

log pt von **lügen**.

Logarithmentafel f log|arithm| tables pl; **Logarithmus** m logarithm.

Loge f <-, -n> (THEAT) box; (Freimaurer~) |masonic| lodge; (Pförtner~) lodge.

logieren vi lodge, stay.

Logik f logic; **logisch** adj logical.

Lohn m <-|e|s, ¨e> reward; (Arbeits~) pay, wages pl; **Lohnausgleich** m wage adjustment; **bei vollem** ~ with full pay; **Lohnempfänger(in** f) m wage earner.

lohnen 1. vt reward (jdm etw sb for sth); 2. vr: **sich** ~ be worth it; **lohnend** adj worthwhile.

Lohnsteuer f income tax; **Lohnsteuerjahresausgleich** m annual adjustment of income tax; **Lohnsteuerkarte** f [income] tax card; **Lohnstreifen** m pay slip; **Lohntüte** f pay packet.

Loipe f <-, -n> cross-country ski run.

lokal adj local; **Lokal** nt <-|e|s, -e> pub|lic house|; **lokalisieren** vt localize; **Lokalisierung** f localization.

Lokomotive f locomotive; **Lokomotivführer(in** f) m engine driver.

Lorbeer m <-s, -en> (auch fig) laurel; **Lorbeerblatt** nt (GASTR) bay leaf.

Lore f <-, -n> (MIN) truck.

los adj loose; ~ ! go on!; **etw** ~ **sein** be rid of sth; **was ist** ~ ? what's the matter?; **dort ist nichts/viel** ~ there's nothing/a lot going on there; **etw** ~ **haben** (fam) be clever.

Los nt <-es, -e> (Schicksal) lot, fate; (Lotterie~) lottery ticket.

losbinden irr vt untie.

löschen 1. vt (Feuer, Licht) put out, extinguish; (Durst) quench; (COM) cancel; (Tonband) erase; (Speicher, Bildschirm) clear; (Daten) erase; (Information) cancel; (Zeile) delete; (Fracht) unload; 2. vi (Feuerwehr) put out a fire; (Papier) blot; **Löschfahrzeug** nt fire engine; fire boat; **Löschgerät** nt fire extinguisher; **Löschpapier** nt blotting paper; **Löschtaste** f erase key; **Löschung** f extinguishing; (COM) cancellation; (von Fracht) unloading.

lose adj loose.

Lösegeld nt ransom.

losen vi draw lots.

lösen 1. vt loosen; (Rätsel) solve; (CHEM) dissolve; (Verlobung) call off; (Partnerschaft) break up; (Fahrkarte) buy; 2. vr: sich ~ (aufgehen) come loose; (Zucker etc) dissolve; (Problem, Schwierigkeit) [re]solve itself.

losfahren irr vi leave; **losgehen** irr vi set out; (anfangen) start; (Bombe) go off; **auf jdn** ~ go for sb; **loskaufen** vt (Gefangene, Geiseln) pay ransom for; **loskommen** irr vi: **von etw** ~ get away from sth; **loslassen** irr vt let go of; (Schimpfe) let loose.

löslich adj soluble.

losmachen 1. vt loosen; (Boot) unmoor; 2. vr: sich ~ get free; **lossagen** vr: sich ~ renounce (von jdm/etw sb/sth); **lossprechen** irr vt absolve.

Losung f watchword, slogan.

Lösung f (Lockermachen) loosening; (eines Rätsels) solution; **Lösungsmittel** nt solvent.

loswerden irr vt get rid of.

Lot nt < -[e]s, -e > plummet; **im** ~ vertical; (fig) on an even keel; **loten** vt, vi plumb, sound.

löten vt solder; **Lötkolben** m soldering iron.

Lotse m < -n, -n > pilot; (AVIAT) air traffic controller; **lotsen** vt pilot; (fam) lure.

Lotterie f lottery.

Löwe m < -n, -n > (ZOOL) lion; (ASTR) Leo; **Löwenanteil** m lion's share; **Löwenmaul** m snapdragon; **Löwenzahn** m dandelion; **Löwin** f lioness.

loyal adj loyal; **Loyalität** f loyalty.

Luchs m < -es, -e > lynx.

Lücke f < -, -n > gap; **Lückenbüßer(in** f) m < -s, -> stopgap; **lückenhaft** adj defective, full of gaps; **lückenlos** adj complete.

lud pt von **laden**.

Luder nt < -s, -> (pej: Frau) hussy; (bedauernswert) poor wretch.

Luft f < -, ⸚e > air; (Atem) breath; **in der** ~ **liegen** be in the air; **jdn wie** ~ **behandeln** ignore sb; **Luftangriff** m air raid; **Luftballon** m balloon; **Luftblase** f air bubble; **luftdicht** adj airtight; **Luftdruck** m atmospheric pressure.

lüften vt, vi air; (Hut) lift, raise.

Luftfahrt f aviation; **luftgekühlt** adj air-cooled; **luftig** adj (Ort) breezy; (Raum) airy; (Kleider) summery; **Luftkissenfahrzeug** nt hovercraft; **Luftkurort** m health resort; **luftleer** adj: ~ **er Raum** vacuum; **Luftlinie** f: in der ~ as the crow flies; **Luftloch** nt airhole; (AVIAT) air-pocket; **Luftmatratze** f lilo ®, air mattress; **Luftpirat(in** f) m hijacker; **Luftpost** f airmail; **Luftreinhaltung** f air-purity maintenance; **Luftrettungsdienst** m air rescue service; **Luftröhre** f (ANAT) wind pipe; **Luftschlange** f streamer; **Luftschutz** m anti-aircraft defence; **Luftschutzkeller** m air-raid shelter; **Luftsprung** m: **einen** ~ **machen** (fig) jump for joy.

Lüftung f ventilation.

Luftverkehr m air traffic; **Luftverschmutzung** f air pollution; **Luftwaffe** f air force; **Luftzug** m draught.

Lüge f < -, -n > lie; **jdn/etw** ~ **n strafen** give the lie to sb/sth; **lügen** < log, gelogen > vi lie; **Lügner(in** f) m < -s, -> liar.

Luke f < -, -n > dormer window, hatch.

Lümmel m < -s, -> lout; **lümmeln** vr: sich ~ lounge [about].

Lump m < -en, -en > scamp, rascal.

lumpen vi: sich nicht ~ lassen not be mean.

Lumpen m < -s, -> rag.

lumpig adj shabby.

Lunge f < -, -n > lung; **Lungenentzündung** f pneumonia; **lungenkrank** adj consumptive.

lungern vi hang about.

Lunte f < -, -n > fuse; ~ **riechen** smell a rat.

Lupe f < -, -n > magnifying glass; **unter die** ~ **nehmen** (fig) scrutinize.

Lupine f lupin.

Lust f < -, ⸚e > joy, delight; (Neigung) desire; ~ **auf etw** akk **haben,** ~ **zu etw haben** feel like sth; ~ **haben, etw zu tun** feel like doing sth.

Lüsterklemme f (ELEC) connector.

lüstern adj lustful, lecherous.

Lustgefühl nt pleasurable feeling.

lustig adj (komisch) amusing, funny; (fröhlich) cheerful.

Lüstling m lecher.

lustlos adj unenthusiastic; **Lustmord** m sex[ual] murder; **Lustspiel** nt comedy; **lustwandeln** vi stroll about.

lutschen vt, vi suck; **am Daumen** ~ suck one's thumb; **Lutscher** m <-s, -> lollipop.

Luxemburg nt Luxembourg; **luxemburgisch** adj Luxembourgian.

luxuriös adj luxurious.

Luxus m <-> luxury; **Luxusartikel** pl luxury goods pl; **Luxushotel** nt luxury hotel; **Luxussteuer** f tax on luxuries.

Lymphe f <-, -n> lymph.

lynchen vt lynch.

Lyrik f lyric poetry; **Lyriker(in** f) m <-s, -> lyric poet; **lyrisch** adj lyrical.

M

M, m nt M, m.

Machart f make; **machbar** adj feasible; **Mache** f <-> (fam) show, sham; **machen 1.** vt make; (tun) do; (fam: reparieren) fix; (betragen) be; **2.** vr: **sich** ~ come along [nicely]; **3.** vi: **in etw** dat ~ (COM) be [o deal] in sth; **das macht nichts** that doesn't matter; **mach's gut!** good luck!; **sich an etw** akk ~ set about sth.

Macho m <-s, -s> (fam) macho.

Macht f <-s, ⁻e> power; **Machthaber(in** f) m <-s, -> ruler.

mächtig adj powerful, mighty; (fam: ungeheuer) enormous.

machtlos adj powerless; **Machtprobe** f trial of strength; **Machtstellung** f position of power; **Machtwort** nt: **ein** ~ **sprechen** lay down the law.

Machwerk nt work; (schlechte Arbeit) botched-up job.

Mädchen nt girl; **mädchenhaft** adj girlish; **Mädchenname** m maiden name.

Made f <-, -n> maggot; **madig** adj maggoty; **jdm etw** ~ **machen** spoil sth for sb.

Magazin nt <-s, -e> magazine.

Magd f <-, ⁻e> maid[servant].

Magen m <-s, - o ⁻> stomach; **Magenschmerzen** pl stomachache.

mager adj lean; (dünn) thin; **Magerkeit** f leanness; thinness; **Magersucht** f anorexia.

Magie f magic; **Magier(in** f) m <-s, -> magician; **magisch** adj magical.

Magnet m <-s o -en, -en> magnet; **Magnetband** nt, pl <-bänder> magnetic tape; **magnetisch** adj magnetic; **magnetisieren** vt magnetize; **Magnetnadel** f magnetic needle; **Magnetstreifen** m magnetic strip.

Mahagoni nt <-s> mahogany.

mähen vt, vi mow.

Mahl nt <-[e]s, -e> meal; **mahlen** <mahlte, gemahlen> vt grind; **Mahlzeit 1.** f meal; **2.** interj enjoy your meal.

Mahnbrief m reminder.

Mähne f <-, -n> mane.

mahnen vt remind; (warnend) warn; (wegen Schulden) demand payment from; **Mahnung** f reminder; admonition, warning.

Mai m <-[e]s, -e> May; **im** ~ in May; **25.** ~ **1986** May 25th, 1986, 25th May 1986; **Maiglöckchen** nt lily of the valley; **Maikäfer** m cockchafer.

Mailbox f <-, -en> (COMPUT) mailbox.

Mais m <-es, -e> maize, corn US; **Maiskolben** m corn cob; (GASTR) corn on the cob; **Maisstärke** f cornstarch US, cornflour Brit.

Majestät f majesty; **majestätisch** adj majestic.

Major(in f) m <-s, -e> (MIL) major; (AVIAT) squadron leader.

Majoran m <-s, -e> marjoram.

makaber adj macabre.

Makel m <-s, -> blemish; (moralisch) stain; **makellos** adj immaculate, spotless.

mäkeln vi find fault.

Makkaroni pl macaroni sing.

Makler(in f) m <-s, -> broker.

Makrele f <-, -n> mackerel.

Makrone f <-, -n> macaroon.

mal adv times; (fam) siehe **einmal**; **Mal** nt <-[e]s, -e> mark, sign; (Zeitpunkt) time.

malen vt, vi paint; **Maler(in** f) m <-s, -> painter; **Malerei** f painting; **malerisch** adj picturesque; **Malkasten** m paintbox.

malnehmen irr vt, vi multiply.

Malta nt Malta.

Malz nt <-es> malt; **Malzbonbon** nt cough drop; **Malzkaffee** m malt coffee.

Mama, Mami f <-, -s> (fam) mum[my].

Mammut nt <-s, -e o -s> mammoth.

man pron one, people pl, you.

manche(r, s) 1. adj many a; (mit pl) a number of; **2.** pron some; **mancherlei 1.** adj inv various; **2.** pron a variety of things; **manchmal** adv sometimes.

Mandant(in f) m (JUR) client.

Mandarine f mandarin, tangerine.
Mandat nt mandate.
Mandel f <-, -n> almond; (ANAT) tonsil.
Manege f <-, -n> ring, arena.
Mangel 1. f <-, -n> (Wäsche~) mangle; **2.** m <-s, :> (Fehlen) lack; (Knappheit) shortage (an + dat of); (Fehler) defect, fault; **Mangelerscheinung** f deficiency symptom; **mangelhaft** adj poor; (fehlerhaft) defective, faulty; **mangeln 1.** vi impers: **es mangelt jdm an etw** + dat sb lacks sth; **2.** vt (Wäsche) mangle; **mangels** prep + gen for lack of.
Mango f <-, -s> mango.
Manie f mania.
Manier f <-> manner; style; (pej) mannerism; **Manieren** pl manners pl; **manierlich** adj well-mannered.
Manifest nt <-es, -e> manifesto.
Maniküre f <-, -n> manicure; **maniküren** vt manicure.
manipulieren vt manipulate.
Manko nt <-s, -s> deficiency; (COM) deficit.
Mann m <-[e]s, :er> man; (Ehe~) husband; (NAUT) hand; **seinen ~ stehen** hold one's own.
Männchen nt little man; (Tier) male.
Mannequin nt <-s, -s> fashion model.
mannigfaltig adj various, varied; **Mannigfaltigkeit** f variety.
männlich adj masculine; (BIO) male.
Mannschaft f (SPORT, fig) team; (NAUT, AVIAT) crew; (MIL) other ranks pl; **Mannsleute** pl (fam) menfolk pl; **Mannweib** nt (pej) mannish woman.
Manöver nt <-s, -> manoeuvre; **manövrieren** vt, vi manoeuvre.
Mansarde f <-, -n> attic.
Manschette f cuff; (Papier~) paper frill; (TECH) sleeve; **Manschettenknopf** m cufflink.
Mantel m <-s, :> coat; (TECH) casing, jacket.
Manuskript nt <-[e]s, -e> manuscript.
Mappe f <-, -n> briefcase; (Akten~) folder.
Maracuja f <-, -s> maracuja.
Märchen nt fairy tale; **märchenhaft** adj fabulous; **Märchenprinz** m prince charming.
Marder m <-s, -> marten.
Margarine f margarine.
Marienkäfer m ladybird.
Marine f navy; **marineblau** adj navy-blue.
marinieren vt marinate.
Marionette f puppet.

Mark 1. f <-, -> (Münze) mark; **2.** nt <-[e]s> (Knochen~) marrow; **jdm durch ~ und Bein gehen** go right through sb; **markant** adj striking.
Marke f <-, -n> mark; (Warensorte) brand; (Fabrikat) make; (Rabatt~) Brief~) stamp; (Essens~) ticket; (aus Metall etc) token, disc.
markieren 1. vt mark; **2.** vt, vi (fam) act; **Markierung** f marking.
markig adj (fig) pithy.
Markise f <-, -n> awning.
Markstück nt one-mark piece.
Markt m <-[e]s, :e> market; **Marktanteil** m share of the market; **Marktforschung** f market research; **Marktplatz** m market place; **Marktwirtschaft** f market economy.
Marmelade f jam.
Marmor m <-s, -e> marble; **marmorieren** vt marble.
Marokko nt Morocco.
Marone f <-, -n o **Maroni**> chestnut.
Marotte f <-, -n> fad, quirk.
marsch interj march; **Marsch 1.** m <-[e]s, :e> march; **2.** f <-, -en> marsh; **Marschbefehl** m marching orders pl; **marschbereit** adj ready to move; **Marschflugkörper** m cruise missile; **marschieren** vi march.
Märtyrer(in f) m <-s, -> martyr.
März m <-[es], -e> March; **im ~** in March; **4. ~ 1900** March 4th, 1900, 4th March 1900.
Marzipan nt <-s, -e> marzipan.
Masche f <-, -n> mesh; (beim Stricken) stitch; **das ist die neueste ~** that's the latest thing; **Maschendraht** m wire mesh.
Maschine f machine; (Motor) engine; **maschinell** adj machine[-]; mechanical; **Maschinenbauer(in** f) m <-s, -> mechanical engineer; **Maschinengewehr** nt machine gun; **maschinenlesbar** adj machine readable; **Maschinenpistole** f submachine gun; **Maschinenschaden** m mechanical fault; **Maschinenschlosser(in** f) m fitter; **Maschinenschrift** f typescript; **maschine[n]schreiben** irr vi type.
Maschinist(in f) m engineer.
Masern pl (MED) measles sing.
Maserung f grain[ing].
Maske f <-, -n> (auch COMPUT) mask; **Maskenball** m fancy-dress ball; **Maskerade** f masquerade; **maskieren 1.** vt mask; (verkleiden) dress up; **2.** vr: **sich ~** disguise oneself, dress up.
maß pt von **messen**.
Maß 1. nt <-es, -e> measure; (Mäßi-

gung) moderation; *(Grad)* degree, extent; **2.** *f* <-, -[e]> litre of beer.
Massage *f* <-, -n> massage.
Maßanzug *m* made-to-measure suit; **Maßarbeit** *f* *(fig)* neat piece of work.
Masse *f* <-, -n> mass; **Massenarbeitslosigkeit** *f* mass unemployment; **Massenartikel** *m* mass-produced article; **Massengrab** *nt* mass grave; **massenhaft** *adj inv* loads of; **Massenmedien** *pl* mass media *pl.*
Masseur(in *f)* *m* *(Berufsbezeichnung)* masseur/masseuse; **Masseuse** *f* *(in Eroscenter etc)* masseuse.
maßgebend *adj* authoritative; **maßhalten** *irr vi* exercise moderation.
massieren *vt* massage; *(MIL)* mass.
massig *adj* massive; *(fam)* a massive amount of.
mäßig *adj* moderate; **mäßigen** *vt* restrain, moderate; **Mäßigkeit** *f* moderation.
massiv *adj* solid; *(fig)* heavy, rough; **Massiv** *nt* <-s, -e> massif.
Maßkrug *m* tankard; **maßlos** *adj* extreme.
Maßnahme *f* <-, -n> measure, step.
Maßstab *m* rule, measure; *(fig)* standard; *(GEO)* scale; **maßvoll** *adj* moderate.
Mast *m* <-[e]s, -e[n]> mast; *(ELEC)* pylon.
mästen *vt* fatten.
Material *nt* <-s, -ien> material[s]; **Materialfehler** *m* material defect; **Materialismus** *m* materialism; **Materialist(in** *f)* *m* materialist; **materialistisch** *adj* materialistic.
Materie *f* matter, substance; **materiell** *adj* material.
Mathematik *f* mathematics *sing;* **Mathematiker(in** *f)* *m* <-s, -> mathematician; **mathematisch** *adj* mathematical.
Matratze *f* <-, -n> mattress.
Matrixdrucker *m* dot-matrix printer.
Matrize *f* <-, -n> matrix; *(zum Abziehen)* stencil.
Matrose *m* <-n, -n> sailor.
Matsch *m* <-[e]s> mud; *(Schnee~)* slush; **matschig** *adj* muddy; slushy.
matt *adj* weak; *(glanzlos)* dull; *(FOT)* matt; *(SCHACH)* mate.
Matte *f* <-, -n> mat; **auf der ~ stehen** *(fam)* be there and ready for action.
Mattigkeit *f* weakness; dullness.
Mattscheibe *f* *(TV)* screen; **~ haben** *(fam)* be not quite with it.
Mauer *f* <-, -n> wall; **mauern** *vt, vi* build; lay bricks; *(fig)* stall, stonewall;

Mauerwerk *nt* brickwork; *(aus Stein)* masonry.
Maul *nt* <-[e]s, **Mäuler**> mouth; **maulen** *vi (fam)* grumble; **Maulesel** *m* mule; **Maulkorb** *m* muzzle; **Maulsperre** *f* lockjaw; **Maultier** *nt* mule; **Maulwurf** *m* mole; **Maulwurfshaufen** *m* molehill.
Maurer(in *f)* *m* <-s, -> bricklayer.
Maus *f* <-, **Mäuse**> *(auch COMPUT)* mouse; **mäuschenstill** *adj* very quiet; **Mausefalle** *f* mousetrap.
mausern *vr:* **sich ~** moult.
maus[e]tot *adj* stone dead.
maximal *adj* maximum.
Maxime *f* <-, -n> maxim.
Mayonnaise *f* <-, -n> mayonnaise.
Mechanik *f* mechanics *sing;* *(Getriebe)* mechanics *pl;* **Mechaniker(in** *f)* *m* <-s, -> mechanic, engineer; **mechanisch** *adj* mechanical; **mechanisieren** *vt* mechanize; **Mechanismus** *m* mechanism.
meckern *vi* bleat; *(fam)* moan.
Medaille *f* <-, -n> medal.
Medaillon *nt* <-s, -s> *(Schmuck)* locket.
Medikament *nt* medicine.
meditieren *vi* meditate.
Medizin *f* <-, -en> medicine; **medizinisch** *adj* medical.
Meer *nt* <-[e]s, -e> sea; **Meerbusen** *m* bay, gulf; **Meerenge** *f* straits *pl;* **Meeresspiegel** *m* sea level; **Meerrettich** *m* horseradish; **Meerschweinchen** *nt* guinea-pig.
Megabyte *nt* megabyte.
Megaphon *nt* <-s, -e> megaphone.
Mehl *nt* <-[e]s, -e> flour; **mehlig** *adj* floury.
mehr *adj, adv* more; **Mehraufwand** *m* additional expenditure; **Mehrbereichsöl** *nt* *(AUT)* multigrade oil; **mehrdeutig** *adj* ambiguous; **mehrere** *adj* several; **mehreres** *pron* several things; **mehrfach** *adj* multiple; *(wiederholt)* repeated; **Mehrheit** *f* majority; **mehrmalig** *adj* repeated; **mehrmals** *adv* repeatedly; **Mehrplatzrechner** *m* *(COMPUT)* multistation system; **mehrplatzfähig** *adj* *(COMPUT)* multistation; **mehrstimmig** *adj* for several voices; **~ singen** harmonize; **Mehrwertsteuer** *f* value added tax, VAT; **Mehrzahl** *f* majority; *(LING)* plural.
meiden <**mied, gemieden**> *vt* avoid.
Meile *f* <-, -n> mile; **Meilenstein** *m* milestone; **meilenweit** *adv* for miles.
mein *pron (adjektivisch)* my; **meine(r, s)** *pron (substantivisch)* mine.

Meineid m perjury.

meinen vt, vi think; (sagen) say; (sagen wollen) mean; **das will ich ~** I should think so.

meiner pron gen von **ich** of me; **meinerseits** adv as far as I am concerned; **meinesgleichen** pron people like me; (gleichrangig) my equals; **meinetwegen** adv (wegen mir) because of me; (mir zuliebe) for my sake; (um mich) about me; (für mich) on my behalf; (von mir aus) as far as I'm concerned; **na ~** I don't mind.

Meinung f opinion; **jdm die ~ sagen** give sb a piece of one's mind; **Meinungsaustausch** m exchange of views; **Meinungsumfrage** f opinion poll; **Meinungsverschiedenheit** f difference of opinion.

Meise f <-, -n> tit[mouse].

Meißel m <-s, -> chisel; **meißeln** vt chisel.

meist adv mostly; **meiste(r, s)** pron < Superlativ von **viel**> (adjektivisch) most [of]; (substantivisch) most of them; **das ~** most of it; **die ~n Leute** most people; **am ~n** the most; (adverbial) most of all; **meistens** adv mostly; (zum größten Teil) for the most part.

Meister(in f) m <-s, -> master; (SPORT) champion; **meisterhaft** adj masterly; **meistern** vt master; **Meisterschaft** f mastery; (SPORT) championship; **Meisterstück** nt, **Meisterwerk** nt masterpiece.

Melancholie f melancholy; **melancholisch** adj melancholy.

Meldefrist f registration period; **melden** 1. vt report; 2. vr: **sich ~** report (bei to); (SCH) put one's hand up; (freiwillig) volunteer; (auf etw, am Telefon) answer; **sich zu Wort ~** ask to speak; **Meldepflicht** f (auch MED) compulsory registration; **Meldestelle** f registration office; **Meldung** f announcement; (Bericht) report.

meliert adj mottled, speckled.

melken <molk, gemolken> vt milk.

Melodie f melody, tune.

melodisch adj melodious, tuneful.

Melone f <-, -n> melon; (Hut) bowler [hat] Brit, derby US.

Membran[e] f <-, -en> (TECH) diaphragm.

Memoiren pl memoirs pl.

Menge f <-, -n> quantity; (Menschen~) crowd; (große Anzahl) lot [of].

mengen 1. vt mix; 2. vr: **sich ~ in** + akk meddle with.

Mengenlehre f (MATH) set theory;

Mengenrabatt m bulk discount.

Mensa f <-, **Mensen**> canteen.

Mensch 1. m <-en, -en> human being, man; person; 2. nt <-[e]s, -er> hussy; **kein ~** nobody; **Menschenalter** nt generation; **Menschenfeind(in** f) m misanthrope; **menschenfreundlich** adj philanthropical; **Menschenkenner(in** f) m <-s, -> judge of human nature; **Menschenkette** f human chain; **Menschenliebe** f philanthropy; **menschenmöglich** adj humanly possible; **Menschenrechte** pl human rights pl; **menschenscheu** adj shy; **menschenunwürdig** adj degrading; **menschenverachtend** adj inhuman; **Menschenverstand: ~ gesunder ~** common sense; **Menschheit** f humanity, mankind; **menschlich** adj human; (human) humane; **Menschlichkeit** f humanity.

Menstruation f menstruation.

Mentalität f mentality.

Menü nt <-s, -s> (auch COMPUT) menu; **Menüanzeige** f menu display; **menügesteuert** adj menu-driven.

Merkblatt nt instruction sheet [o leaflet]; **merken** vt notice; **sich** dat **etw ~** remember sth; **merklich** adj noticeable; **Merkmal** nt <-[e]s, -e> sign, characteristic; **merkwürdig** adj odd.

meßbar adj measurable; **Meßbecher** m measuring cup; **Meßbuch** nt missal.

Messe f <-, -n> fair; (REL) mass; (MIL) mess.

messen <maß, gemessen> 1. vt measure; 2. vr: **sich ~** compete.

Messer nt <-s, -> knife; **Messerspitze** f knife point; (in Rezept) pinch.

Messestand m exhibition stand.

Meßgerät nt measuring device, gauge; **Meßgewand** nt chasuble.

Messing nt <-s> brass.

Metall nt <-s, -e> metal; **metallen, metallisch** adj metallic.

Metaphysik f metaphysics sing.

Metastase f <-, -n> (MED) secondary growth, metastasis.

Meteor m <-s, -e> meteor.

Meter m o nt <-s, -> metre; **Metermaß** nt tape measure.

Methode f <-, -n> method; **methodisch** adj methodical.

Metropole f <-, -n> metropolis.

Metzger(in f) m <-s, -> butcher; **Metzgerei** f butcher's [shop].

Meuchelmord m assassination.

Meute f <-, -n> pack.

Meuterei f mutiny; **Meuterer** m <-s, ->, **Meut[r]erin** f mutineer; **meutern**

vi mutiny.
Mexiko *nt* Mexico.
miauen *vi* miaow.
mich *pron akk von* **ich** me.
mied *pt von* **meiden**.
Miene *f* <-, -n> look, expression.
mies *adj (fam)* lousy.
Mietauto *nt* hired car; **Miete** *f* <-, -n>
rent; **zur** ~ **wohnen** live in rented accom-
modation; **mieten** *vt* rent; *(Auto)* hire;
Mieter(in *f)* *m* <-s, -> tenant;
Mietshaus *nt* tenement, block of flats;
Mietvertrag *m* lease.
Migräne *f* <-, -n> migraine.
Mikrobe *f* <-, -n> microbe.
Mikrochip *m* microchip.
Mikrocomputer *m* micro[computer].
Mikroelektonik *f* microelectronics
sing.
Mikrophon *nt* <-s, -e> microphone.
Mikroprozessor *m* microprocessor.
Mikroskop *nt* <-s, -e> microscope;
mikroskopisch *adj* microscopic.
Mikrowelle *f* microwave; **Mikrowel-
lenherd** *m* microwave [oven].
Milch *f* <-> milk; *(Fisch~)* milt, roe;
Milchglas *nt* frosted glass; **milchig**
adj milky; **Milchkaffee** *m* white coffee; **Milchpulver** *nt* powdered milk;
Milchstraße *f* Milky Way; **Milch-
zahn** *m* milk tooth.
mild *adj* mild; *(Richter)* lenient; *(freundlich)* kind, charitable; **Milde** *f* <-, -n>
mildness; leniency.
mildern *vt* mitigate, soften; *(Schmerz)* alleviate; ~ **de Umstände** extenuating circumstances.
Milieu *nt* <-s, -s> background, environment; **milieugeschädigt** *adj* maladjusted.
militant *adj* militant.
Militär *nt* <-s> military, army; **Mili-
tärgericht** *nt* military court, court martial; **militärisch** *adj* military; **Militarismus** *m* militarism; **militaristisch**
adj militaristic.
Milliardär(in *f)* *m* multimillionaire; **Milliarde** *f* <-, -n> billion.
Millimeter *m* millimetre.
Million *f* million; **Millionär(in** *f)* *m* millionaire.
Millirem *nt* millirem.
Milz *f* <-, -en> spleen.
Mimik *f* facial expression[s].
Mimose *f* <-, -n> mimosa; *(fig)* over-
sensitive person.
mindere(r, s) **l.** *adj* inferior; **2.** *adv* less.
Minderheit *f* minority.
minderjährig *adj* minor; **Minderjäh-
rigkeit** *f* minority.

mindern *vt, vr:* **sich** ~ decrease, diminish; **Minderung** *f* decrease.
minderwertig *adj* inferior; **Minder-
wertigkeitsgefühl** *nt,* **Minderwertigkeitskomplex** *m* inferiority complex.
Mindestalter *nt* minimum age; **Min-
destbetrag** *m* minimum amount; **min-
deste(r, s)** *adj* least; **mindestens** *adv*
at least; **Mindestlohn** *m* minimum
wage; **Mindestmaß** *nt* minimum.
Mine *f* <-, -n> mine; *(Bleistift~)* lead;
(Kugelschreiber~) refill; **Minenfeld** *nt*
minefield.
Mineral *nt* <-s, -e *o* -ien> mineral;
mineralisch *adj* mineral; **Mineralwasser** *nt* mineral water.
Miniatur *f* miniature.
minimal *adj* minimal.
Minister(in *f)* *m* <-s, -> minister; **mi-
nisteriell** *adj* ministerial; **Ministerium** *nt* ministry; **Ministerpräsi-
dent(in** *f)* *m* prime minister.
minus *adv* minus; **Minus** *nt* <-, ->
deficit; **Minuspol** *m* negative pole; **Minuszeichen** *nt* minus sign.
Minute *f* <-, -n> minute; **Minuten-
zeiger** *m* minute hand.
mir *pron dat von* **ich** [to] me; ~ **nichts, dir
nichts** just like that.
Mischehe *f* mixed marriage; **mischen**
vt mix; **Mischling** *m* half-caste; **Mischung** *f* mixture.
mißachten *vt* disregard; **Mißachtung** *f*
disregard; **Mißbehagen** *nt* discomfort,
uneasiness; **Mißbildung** *f* deformity;
mißbilligen *vt* disapprove of; **Mißbilligung** *f* disapproval; **Mißbrauch** *m*
abuse; *(falscher Gebrauch)* misuse; **mißbrauchen** *vt* abuse; misuse *(zu* for);
mißdeuten *vt* misinterpret; **Mißerfolg** *m* failure.
Missetat *f* misdeed; **Missetäter(in** *f)*
m criminal; *(fam)* scoundrel.
mißfallen *irr vi* displease *(jdm* sb); **Mißfallen** *nt* <-s> displeasure; **Mißgeburt** *f* freak; *(fig)* abortion; **Mißgeschick** *nt* misfortune; **mißglücken** *vi*
fail; **jdm mißglückt etw** sb does not succeed with sth; **Mißgriff** *m* mistake;
Mißgunst *f* envy; **mißgünstig** *adj* envious; **mißhandeln** *vt* ill-treat; **Miß-
handlung** *f* ill-treatment.
Mission *f* mission; **Missionar(in** *f)* *m*
missionary.
Mißklang *m* discord; **Mißkredit** *m* discredit; **mißlingen** <mißlang, miß-
lungen> *vi* fail; **Mißmanagement**
nt <-s> mismanagement; **Mißmut** *m*
bad temper; **mißmutig** *adj* cross; **miß-**

raten 1. *irr vi* turn out badly; 2. *adj* ill-bred; **Mißstand** *m* disgrace; *(allgemeiner Zustand)* bad state of affairs; *(Ungerechtigkeit)* abuse; *(Mangel)* defect; ⁓ **e beseitigen** remedy things which are wrong; **Mißstimmung** *f* ill-humour, discord.

mißtrauen *vi* mistrust *(jdm/einer Sache* sb *sth)*; **Mißtrauen** *nt* <-s> distrust, suspicion *(gegenüber* of*)*; **Mißtrauensantrag** *m (POL)* motion of no confidence; **Mißtrauensvotum** *nt* <-s, -voten > *(POL)* vote of no confidence; **mißtrauisch** *adj* distrustful, suspicious. **Mißverhältnis** *nt* disproportion; **Mißverständnis** *nt* misunderstanding; **mißverstehen** *irr vt* misunderstand.

Mist *m* <-[e]s> dung; *(als Dünger)* manure; *(fam)* rubbish; **so ein** ⁓ what a nuisance.

Mistel *f* <-, -n> mistletoe.

Misthaufen *m* dungheap.

mit 1. *prep + dat* with; *(mittels)* by; 2. *adv* along, too; **wollen Sie** ⁓ **?** do you want to come along?; ⁓ **der Bahn** by train; ⁓ **10 Jahren** at the age of 10.

Mitarbeit *f* cooperation; **mitarbeiten** *vi* cooperate, collaborate; **Mitarbeiter(in** *f)* *m* collaborator; co-worker; **die** ⁓ *pl* the staff.

Mitbestimmung *f* participation in decision-making; *(POL)* co-determination. **mitbringen** *irr vt* bring along. **Mitbürger(in** *f)* *m* fellow citizen. **mitdenken** *irr vi* follow; **du hast ja mitgedacht!** good thinking! **miteinander** *adv* together, with one another.

miterleben *vt* see, witness. **Mitesser** *m* <-s, -> blackhead. **Mitfahrerzentrale** *f* agency for arranging lifts.

mitgeben *irr vt* give. **Mitgefühl** *nt* sympathy. **mitgehen** *irr vi* go/come along. **mitgenommen** *adj* done in, in a bad way.

Mitgift *f* dowry. **Mitglied** *nt* member; **Mitgliedsbeitrag** *m* membership fee; **Mitgliedschaft** *f* membership. **mithalten** *irr vi* keep up. **Mithilfe** *f* help, assistance. **mithören** *vt* listen to; *(Gespräch)* overhear; *(heimlich)* listen in on. **mitkommen** *irr vi* come along; *(verstehen)* keep up, follow. **Mitläufer(in** *f)* *m* hanger-on; *(POL)* fellow-traveller.

Mitleid *nt* sympathy; *(Erbarmen)* com-

passion; **Mitleidenschaft** *f*: **in** ⁓ **ziehen** affect; **mitleidig** *adj* sympathetic; **mitleidslos** *adj* pitiless, merciless. **mitmachen** *vt* join in, take part in. **Mitmensch** *m* fellow creature. **mitnehmen** *irr vt* take along/away; *(anstrengen)* wear out, exhaust. **mitsamt** *prep + dat* together with. **Mitschuld** *f* complicity; **mitschuldig** *adj* also guilty *(an + dat* of*)*; **Mitschuldige(r)** *f* accomplice. **Mitschüler(in** *f)* *m* schoolmate. **mitspielen** *vi* join in, take part in, play too; **Mitspieler(in** *f)* *m* player; *(THEAT)* member of the cast.

Mitspracherecht *nt* voice, say. **Mittag** *m* midday, lunchtime; **zu** ⁓ **essen** have lunch; **mittag** *adv* at lunchtime [*o* noon]; **Mittagessen** *nt* lunch, dinner; **mittags** *adv* at lunchtime [*o* noon]; **Mittagspause** *f* lunch break; **Mittagsschlaf** *m* early afternoon nap, siesta.

Mittäter(in *f)* *m* accomplice. **Mitte** *f* <-, -n> middle; **aus unserer** ⁓ from our midst.

mitteilen *vt*: **jdm etw** ⁓ inform sb of sth, communicate sth to sb; **mitteilsam** *adj* communicative; **Mitteilung** *f* communication.

Mittel *nt* <-s -> means *sing*; *(Maßnahme, Methode)* method; *(MATH)* average; *(MED)* medicine; **ein** ⁓ **zum Zweck** a means to an end; **ein** ⁓ **gegen Flecke** something to remove stains.

Mittelalter *nt* Middle Ages *pl*; **mittelalterlich** *adj* medieval. **mittelbar** *adj* indirect. **Mittelding** *nt* cross. **mittellos** *adj* without means. **mittelmäßig** *adj* mediocre, middling; **Mittelmäßigkeit** *f* mediocrity. **Mittelmeer** *nt* Mediterranean [Sea]. **Mittelpunkt** *m* centre. **mittels** *prep + gen* by means of. **Mittelstand** *m* middle class; **Mittelstreckenrakete** *f* intermediate-range missile, medium-range rocket; **Mittelstreifen** *m* central reservation; **Mittelstürmer(in** *f)* *m* centre-forward; **Mittelweg** *m* middle course; **Mittelwelle** *f (RADIO)* medium wave; **Mittelwert** *m* average value, mean.

mitten *adv* in the middle; ⁓ **auf der Straße/in der Nacht** in the middle of the street/night; ⁓ **hindurch** through the middle.

Mitternacht *f* midnight. **mittlere(r, s)** *adj (durchschnittlich)* medium, average.

mittlerweile *adv* meanwhile.

Mittwoch m <-[e]s, -e> Wednesday; [am] ~ on Wednesday; **mittwochs** adv on Wednesdays, on a Wednesday.
mitunter adv occasionally, sometimes.
mitverantwortlich adj also responsible.
mitwirken vi contribute (bei to); (THEAT) take part (bei in); **Mitwirkung** f contribution; participation.
Mitwisser(in f) m <-s, -> sb in the know; (JUR) accessory.
Mixer m <-s, -> (Gerät) blender; (zum Rühren) mixer.
Möbel nt <-s, -> [piece of] furniture; **Möbelwagen** m removal van.
mobil adj mobile; (MIL) mobilized.
Mobiliar nt <-s, -e> movable assets pl.
möblieren vt furnish; **möbliert wohnen** live in furnished accommodation.
mochte pt von **mögen**.
Mode f <-, -n> fashion.
Modell nt <-s, -e> model; **modellieren** vt model.
Modem m <-s, -s> (COMPUT) modem.
Mode[n]schau f fashion show.
modern adj modern; (modisch) fashionable; **modernisieren** vt modernize.
Modeschmuck m fashion jewellery; **Modewort** nt in-word.
modisch adj fashionable.
Modul m <-s, -e> module; **modular** adj modular.
Modus m <-, Modi> (COMPUT) mode; (fig) way; (LING) mood.
Mofa nt <-s, -s> small moped.
mogeln vi (fam) cheat.
mögen <mochte, gemocht> vt, vi like; **ich möchte...** I would like...; **das mag wohl sein** that may well be so.
möglich adj possible; **möglicherweise** adv possibly; **Möglichkeit** f possibility; **nach ~** if possible; **möglichst** adv as... as possible.
Mohn m <-[e]s, -e> (~ blume) poppy; (~ samen) poppy seed.
Möhre f <-, -n>, **Mohrrübe** f carrot.
mokieren vr: **sich ~** make fun (über + akk of).
Mole f <-, -n> [harbour] mole.
Molekül nt <-s, -e> molecule.
molk pt von **melken**.
Molkerei f dairy.
Moll nt <-, -> (MUS) minor [key].
mollig adj cosy; (dicklich) plump.
Moment 1. m <-[e]s, -e> moment; **2.** nt <-[e]s, -e> factor, element; **im ~** at the moment; **momentan 1.** adj momentary; **2.** adv at the moment.
Monaco nt Monaco.
Monarch(in f) m <-en, -en> monarch; **Monarchie** f monarchy.

Monat m <-[e]s, -e> month; **monatelang** adv for months; **monatlich** adj monthly; **Monatskarte** f monthly ticket.
Mönch m <-[e]s, -e> monk.
Mond m <-[e]s, -e> moon; **Mondfähre** f lunar [excursion] module; **Mondfinsternis** f eclipse of the moon; **mondhell** adj moonlit; **Mondlandung** f moon landing; **Mondschein** m moonlight; **Mondsonde** f moon probe.
monegassisch adj Monegasque.
Monitor m (COMPUT) monitor.
Monolog m <-s, -e> monologue.
Monopol nt <-s, -e> monopoly; **monopolisieren** vt monopolize.
monoton adj monotonous; **Monotonie** f monotony.
Monsun m <-s, -e> monsoon.
Montag m <-[e]s, -e> Monday; [am] ~ on Monday; **montags** adv on Mondays, on a Monday.
Montage f <-, -n> (FOT etc) montage; (TECH) assembly; (Einbauen) fitting.
Monteur(in f) m fitter, assembly person.
montieren vt assemble, set up.
Monument nt monument; **monumental** adj monumental.
Moonboots pl moonboots pl.
Moor nt <-[e]s, -e> moor.
Moos nt <-es, -e> moss.
Moped nt <-s, -s> moped.
Mops m <-es, ⁻e> pug.
Moral f <-> morality; (einer Geschichte) moral; **moralisch** adj moral.
Moräne f <-, -n> moraine.
Morast m <-[e]s, -e> morass, mire; **morastig** adj boggy.
Mord m <-[e]s, -e> murder; **Mordanschlag** m assassination attempt.
Mörder(in f) m <-s, -> murderer/murderess.
Mordkommission f murder squad, homicide squad US; **Mordsglück** m (fam) amazing luck; **mordsmäßig** adj (fam) terrific, enormous; **Mordsschreck** m (fam) terrible fright; **Mordverdacht** m suspicion of murder; **Mordwaffe** f murder weapon.
morgen adv tomorrow; ~ **früh** tomorrow morning.
Morgen m <-s, -> morning; **Morgenmantel** m, **Morgenrock** m dressing gown; **Morgenröte** f dawn.
morgens adv in the morning.
morgig adj tomorrow's; **der ~e Tag** tomorrow.
Morphium nt morphine.
morsch adj rotten.
Morsealphabet nt Morse code; **mor-**

sen vt send a message in Morse code.
Mörtel m <-s, -> mortar.
Mosaik nt <-s, -en o -e> mosaic.
Moschee f <-, -n> mosque.
Moskito m <-s, -s> mosquito.
Moslem m <-s, -s> Moslem.
Most m <-[e]s, -e> [unfermented] fruit juice; (Apfelwein) cider.
Motel nt <-s, -s> motel.
Motiv nt motive; (MUS) theme; **motivieren** vt motivate; **Motivierung** f motivation.
Motor m engine; (bes. ELEC) motor; **Motorboot** nt motorboat; **Motorenöl** nt motor oil; **motorisieren** vt motorize; **Motorrad** nt motorcycle; **Motorroller** m motor scooter; **Motorschaden** m engine trouble [o failure].
Motte f <-, -n> moth; **Mottenkugel** f, **Mottenpulver** nt mothball[s].
Motto nt <-s, -s> motto.
Möwe f <-, -n> seagull.
Mucke f <-, -n> (meist pl) caprice; (von Ding) snag, bug; **seine ~n haben** be temperamental.
Mücke f <-, -n> midge, gnat; **Mückenstich** m midge [o gnat] bite.
mucksen vr: **sich ~** (fam) budge; (Laut geben) open one's mouth.
müde adj tired; **Müdigkeit** f tiredness.
Muff m <-[e]s, -e> (Handwärmer) muff.
Muffel m <-s, -> (fam) killjoy, sourpuss.
muffig adj (Geruch) musty; (Gesicht, Mensch) grumpy.
Mühe f <-, -n> trouble, pains pl; **mit Müh und Not** with great difficulty; **sich dat ~ geben** go to a lot of trouble; **mühelos** adj without trouble, easy.
muhen vi low, moo.
mühevoll adj laborious, arduous.
Mühle f <-, -n> mill; (Kaffee~) grinder.
Mühsal f <-, -e> hardship, tribulation; **mühsam** adj arduous, troublesome; **mühselig** adj arduous, laborious.
Mulatte m <-n, -n>, **Mulattin** f mulatto.
Mulde f <-, -n> hollow, depression.
Mull m <-[e]s, -e> thin muslin; (MED) gauze.
Müll m <-[e]s> refuse; **Müllabfuhr** f rubbish disposal; (Leute) dustmen pl; **Mülladeplatz** m rubbish dump.
Mullbinde f gauze bandage.
Müllcontainer m waste container; **Mülleimer** m dustbin, garbage can US.
Müller(in f) m <-s, -> miller.
Müllhaufen m rubbish heap; **Müll-**

schlucker m <-s, -> garbage disposal unit; **Müllverbrennungsanlage** f incinerating plant; **Müllwagen** m dustcart, garbage truck US.
mulmig adj uncomfortable; **jdm ist ~** sb feels funny.
Multi m <-s, -s> multinational [organization].
multifunktional adj (COMPUT) multifunction.
Multifunktionstastatur f (COMPUT) multiple-function keyboard.
multiplizieren vt multiply.
Mumie f mummy.
Mumm m <-s> (fam) gumption, nerve.
München nt Munich.
Mund m <-[e]s, ⁻er> mouth; **Mundart** f dialect.
Mündel nt <-s, -> ward.
münden vi flow (in + akk into).
mundfaul adj taciturn; **Mundfäule** f <-> (MED) stomatitis; **Mundgeruch** m bad breath; **Mundharmonika** f mouth organ.
mündig adj of age; **Mündigkeit** f majority.
mündlich adj oral.
Mundstück nt mouthpiece; (Zigaretten~) tip; **mundtot** adj: **jdn ~ machen** muzzle sb.
Mündung f mouth; (Gewehr~) muzzle.
Mundwasser nt mouthwash; **Mundwerk** nt: **ein großes ~ haben** have a big mouth; **Mundwinkel** m corner of the mouth.
Munition f ammunition; **Munitionslager** nt ammunition dump.
munkeln vi whisper, mutter.
Münster nt <-s, -> minster, cathedral.
munter adj lively; **Munterkeit** f liveliness.
Münze f <-, -n> coin; **münzen** vt coin, mint; **auf jdn gemünzt sein** be aimed at sb; **Münzfernsprecher** m callbox, pay phone US.
mürb[e] adj (Gestein) crumbly; (Holz) rotten; (Gebäck) crisp; **jdn ~ machen** wear sb down; **Mürb[e]teig** m shortcrust pastry.
murmeln vt, vi murmur, mutter.
Murmeltier nt marmot.
murren vi grumble, grouse.
mürrisch adj sullen.
Mus nt <-es, -e> puree.
Muschel f <-, -n> mussel; (~schale) shell; (Telefon~) receiver.
Muse f <-, -n> muse.
Museum nt <-s, Museen> museum.
Musik f music; (Kapelle) band; **musikalisch** adj musical; **Musikbox** f <-,

-en> jukebox; **Musiker(in** f) m <-s, -> musician; **Musikhochschule** f college of music; **Musikinstrument** nt musical instrument; **Musikkassette** f music cassette; **Musiktruhe** f radiogram.

musizieren vi make music.

Muskat m <-[e]s, -e> nutmeg; **Muskatblüte** f mace.

Muskel m <-s, -n> muscle; **Muskelkater** m: einen ~ haben be stiff.

Muskulatur f muscular system.

muskulös adj muscular.

Muß nt <-> necessity, must.

Muße f <-> leisure.

müssen <mußte, gemußt> vi must, have to; er hat gehen ~ he [has] had to go.

müßig adj idle; **Müßiggang** m idleness.

mußte pt von **müssen**.

Muster nt <-s, -> model; (Dessin) pattern; (Probe) sample; ~ ohne Wert free sample; **mustergültig** adj exemplary; **mustern** vt (Tapete) pattern; (fig) examine; (Truppen) inspect; **Musterschüler(in** f) m model pupil; **Musterung** f (von Stoff) pattern; (MIL) inspection.

Mut m <-[e]s> courage; nur ~! cheer up!; jdm ~ machen encourage sb; **mutig** adj courageous; **mutlos** adj discouraged, despondent.

mutmaßlich 1. adj presumed; 2. adv probably.

Mutter 1. f <-, ¨> mother; 2. f <-, -n > (Schrauben~) nut; **mütterlich** adj motherly; **mütterlicherseits** adv on the mother's side; **Mutterliebe** f motherly love; **Muttermal** nt <-[e]s, -e > birthmark, mole; **Mutterschaft** f motherhood, maternity; **Mutterschaftsurlaub** m maternity leave; **Mutterschutz** m maternity regulations pl; **mutterseelenallein** adj all alone; **Muttersprache** f native language; **Muttersprachler(in** f) m <-s, -> native speaker; **Muttertag** m Mother's Day.

mutwillig adj malicious, deliberate.

Mütze f <-, -n> cap.

MWSt abk von **Mehrwertsteuer** VAT.

mysteriös adj mysterious.

Mystik f mysticism; **Mystiker(in** f) m <-s, -> mystic.

Mythos m <-, **Mythen** > myth.

N

N, n nt N, n.

na interj well.

Nabel m <-s, -> navel; **Nabelschnur** f umbilical cord.

nach prep + dat after; (in Richtung) to; (gemäß) according to; ~ **oben/hinten** up/back; **ihm** ~! after him!; ~ **wie vor** still; ~ **und** ~ gradually; **dem Namen** ~ judging by his name; **nachäffen** vt ape; **nachahmen** vt imitate; **Nachahmung** f imitation.

Nachbar(in f) m <-s, -n> neighbour; **Nachbarhaus** nt: **im** ~ next door; **nachbarlich** adj neighbourly; **Nachbarschaft** f neighbourhood; **Nachbarstaat** m neighbouring state.

nachbestellen vt order again; **Nachbestellung** f (COM) repeat order.

nachbilden vt copy; **Nachbildung** f imitation, copy.

nachblicken vi look [o gaze] after (jdm sb).

nachdatieren vt postdate.

nachdem conj after; (weil) since; **je** ~ [ob] it depends [whether].

nachdenken irr vi think (über + akk about); **nachdenklich** adj thoughtful, pensive.

Nachdruck 1. m emphasis; 2. m, pl <-drucke> (TYP) reprint, reproduction; **nachdrücklich** adj emphatic.

nacheifern vi emulate (jdm sb).

nacheinander adv one after the other.

nachempfinden irr vt: jdm etw ~ feel sth with sb.

Nacherzählung f reproduction [of a story].

Nachfahr(in f) m <-s, -en> descendant.

Nachfolge f succession; **nachfolgen** vi follow (jdm/einer Sache sb/sth); **Nachfolger(in** f) m <-s, -> successor.

nachforschen vt, vi investigate; **Nachforschung** f investigation.

Nachfrage f inquiry; (COM) demand; **nachfragen** vi inquire.

nachfühlen vt siehe **nachempfinden**.

nachfüllen vt refill.

nachgeben irr vi give way, yield.

Nachgebühr f surcharge; (POST) excess postage.

Nachgeburt f afterbirth.

nachgehen irr vi follow (jdm sb); (erforschen) inquire (einer Sache into sth); (Uhr) be slow.

Nachgeschmack m aftertaste.

nachgiebig adj soft, accommodating; **Nachgiebigkeit** f softness.

nachhaltig adj lasting; (Widerstand) persistent.

nachhelfen irr vi assist, help (jdm sb).

nachher adv afterwards.

Nachhilfeunterricht m extra tuition.

nachholen vt catch up with; (Versäumtes) make up for.

Nachkomme m <-n, -n> descendant; **nachkommen** irr vi follow; (einer Verpflichtung) fulfil; **Nachkommenschaft** f descendants pl.

Nachkriegs- in Zusammensetzungen postwar: **Nachkriegszeit** f postwar period.

Nachlaß m <-lasses, -lässe> (COM) discount, rebate; (Erbe) estate.

nachlassen irr **1.** vt (Strafe) remit; (Summe) take off; (Schulden) cancel; **2.** vi decrease, ease off; (Sturm auch) die down; (schlechter werden) deteriorate; **er hat nachgelassen** he has got worse; **nachlässig** adj negligent, careless; **Nachlässigkeit** f negligence, carelessness.

nachlaufen irr vi run after, chase (jdm sb).

nachmachen vt imitate, copy (jdm etw sth from sb); (fälschen) counterfeit.

Nachmittag m afternoon; **am ~**, **nachmittags** in the afternoon.

Nachnahme f <-, -n> cash on delivery; **per ~** C.O.D.

Nachname m surname.

Nachporto nt excess postage.

nachprüfen vt check, verify.

nachrechnen vt check.

Nachrede f: **üble ~** defamation of character.

Nachricht f <-, -en> [piece of] news sing; (Mitteilung) message; **Nachrichten** pl news sing; **Nachrichtenagentur** f news agency; **Nachrichtendienst** m (MIL) intelligence service; **Nachrichtensprecher(in** f) m newsreader; **Nachrichtentechnik** f telecommunications sing.

nachrücken vi move up.

Nachruf m obituary [notice].

nachrüsten 1. vt (Gerät, Auto) refit; **2.** vi (MIL) re-equip, rearm; **Nachrüstung** f (von Gerät, Auto) refitting; (MIL) arms modernization.

nachsagen vt repeat; **jdm etw ~** (fig) say sth of sb.

nachschicken vt forward.

nachschlagen irr **1.** vt look up; **2.** vi: **jdm ~** take after sb; **Nachschlagewerk** nt reference boook.

Nachschlüssel m master key.

Nachschub m supplies pl; (Truppen) reinforcements pl.

nachsehen irr **1.** vt (prüfen) check; **2.** vi look after (jdm sb); (erforschen) look and see; **jdm etw ~** forgive sb sth; **das N~ haben** come off worst.

nachsenden irr vt send on, forward.

Nachsicht f indulgence, leniency; **nachsichtig** adj indulgent, lenient.

nachsitzen irr vi (SCH) be kept in.

Nachspeise f dessert, sweet, pudding.

Nachspiel nt epilogue; (fig) sequel.

nachsprechen irr vt repeat (jdm after sb).

nächst prep + dat (räumlich) next to; (außer) apart from; **nächstbeste(r, s)** adj first that comes along; (zweitbeste) next best; **nächste(r, s)** adj next; (nächstgelegen) nearest; **Nächste(r)** mf neighbour; **Nächstenliebe** f love for one's fellow men; **nächstens** adv shortly, soon; **nächstliegend** adj nearest; (fig) obvious; **nächstmöglich** adj next possible.

Nacht f <-, ⁻e> night.

Nachteil m disadvantage; **nachteilig** adj disadvantageous.

Nachthemd nt nightshirt; nightdress.

Nachtigall f <-, -en> nightingale.

Nachtisch m siehe **Nachspeise**.

nächtlich adj nightly, night.

Nachtrag m <-[e]s, -träge> supplement; **nachtragen** irr vt carry (jdm after sb); (zufügen) add; **jdm etw ~** hold sth against sb; **nachtragend** adj resentful.

nachtrauern vi: **jdm/einer Sache ~** mourn the loss of sb/sth.

Nachtruhe f sleep; **nachts** adv by night; **Nachtschicht** f nightshift; **nachtsüber** adv during the night; **Nachttarif** m off-peak tariff; **Nachttisch** m bedside table; **Nachttopf** m chamberpot; **Nachtwächter** m night watchman.

Nachuntersuchung f checkup.

nachwachsen irr vi grow again.

Nachwehen pl afterpains pl; (fig) aftereffects pl.

Nachweis m <-es, -e> proof; **nachweisbar** adj provable, demonstrable; **nachweisen** irr vt prove; **jdm etw ~** point sth out to sb; **nachweislich** adj evident, demonstrable.

nachwinken vi wave (jdm after sb).

nachwirken vi have after-effects; **Nachwirkung** f after-effect.

Nachwort nt appendix.

Nachwuchs m offspring; (beruflich etc) new recruits pl.

nachzahlen vt. vi pay extra; **Nachzahlung** f additional payment; (zurückdatiert) back pay.

nachzählen vt count again.

Nachzügler(in f) m <-s, -> straggler.

Nacken m <-s, -> nape of the neck.

nackt adj naked; (Tatsachen) plain, bare; **Nacktheit** f nakedness; **Nacktkultur** f nudism.

Nadel f <-, -n> needle; (Steck~) pin; **Nadeldrucker** m stylus printer; **Nadelkissen** nt pincushion; **Nadelöhr** nt eye of a needle; **Nadelwald** m coniferous forest.

Nagel m <-s, :> nail; :~ mit Köpfen machen do the job properly; **Nagelfeile** f nailfile; **Nagelhaut** f cuticle; **Nagellack** m nail varnish; **Nagellackentferner** m <-s, -> nail polish [o varnish] remover; **nageln** vt, vi nail; **nagelneu** adj brand-new; **Nagelschere** f nail scissors pl.

nagen vt, vi gnaw; **Nagetier** nt rodent.

nah[e] 1. adj, adv (räumlich) near[by]; (Verwandte) near; (Freunde) close; (zeitlich) near, close; 2. prep + dat near [to], close to; **Nahaufnahme** f close-up.

Nähe f <-> nearness, proximity; (Umgebung) vicinity; **in der** ~ close by; at hand; **aus der** ~ from close to.

nahegehen irr vi grieve (jdm sb); **nahekommen** irr vi get close (jdm to sb); **nahelegen** vt: jdm etw ~ suggest sth to sb; **naheliegen** irr vi be obvious; **naheliegend** adj obvious; **nahen** vi approach, draw near.

nähen vt, vi sew.

nähere(r, s) adj (Erklärung, Erkundigung) more detailed; **Nähere(s)** nt details pl.

Näherei f sewing, needlework; **Näherin** f seamstress.

näherkommen irr vi, vr: sich ~ get closer; **nähern** vr: sich ~ approach; **Näherungswert** m approximate value.

nahestehen irr vi be close (jdm to sb); **einer Sache** dat ~ sympathize with sth; **nahestehend** adj close; **nahetreten** irr vi: jdm [zu] ~ offend sb.

Nähgarn nt thread; **Nähkasten** m workbox.

nahm pt von nehmen.

Nähmaschine f sewing machine; **Nähnadel** f needle.

nähren vt, vr: sich ~ feed; **nahrhaft** adj nourishing, nutritious; **Nährgehalt** m nutritional value; **Nährstoffe** pl nutrients pl; **Nahrung** f food; (fig auch) sustenance; **Nahrungskette** f food chain; **Nahrungsmittel** nt foodstuffs

pl; **Nahrungsmittelindustrie** f food industry; **Nahrungssuche** f search for food; **Nährwert** m nutritional value.

Naht f <-, :e> seam; (MED) suture; (TECH) join; **nahtlos** adj seamless; ~ ineinander übergehen follow without a gap.

Nahverkehr m local traffic; **Nahverkehrszug** m local train; **Nahziel** nt immediate objective.

naiv adj naive; **Naivität** f naivety.

Name m <-ns, -n> name; **im** ~n name on behalf of; **namens** adv by the name of; **namentlich 1.** adj by name; **2.** adv particularly, especially.

namhaft adj (berühmt) famed, renowned; (beträchtlich) considerable; ~ machen name.

nämlich adv that is to say, namely; (denn) since; **der/die/das** ~e the same.

nannte pt von nennen.

Napf m <-[e]s, :e> bowl, dish.

Narbe f <-, -n> scar; **narbig** adj scarred.

Narkose f <-, -n> anaesthetic.

Narr m <-en, -en> fool; **narren** vt fool; **Närrin** f fool; **närrisch** adj foolish, crazy.

Narzisse f <-, -n> narcissus; daffodil.

naschen vt, vi nibble; eat secretly; **naschhaft** adj sweet-toothed.

Nase f <-, -n> nose; **Nasenbluten** nt <-s> nosebleed; **Nasenloch** nt nostril; **Nasenrücken** m bridge of the nose; **Nasentropfen** pl nose drops pl; **naseweis** adj pert, cheeky; (neugierig) nosey.

Nashorn nt rhinoceros.

naß adj wet; **Nässe** f <-> wetness; **nässen** vi (Wunde) weep, discharge; **naßkalt** adj wet and cold; **Naßrasur** f wet shave.

Nation f nation; **national** adj national; **Nationalhymne** f national anthem; **nationalisieren** vt nationalize; **Nationalismus** m nationalism; **nationalistisch** adj nationalistic; **Nationalität** f nationality; **Nationalmannschaft** f national team; **Nationalsozialismus** m national socialism.

Natrium nt sodium.

Natron nt <-s> soda.

Natter f <-, -n> adder.

Natur f nature; (körperlich) constitution; **Naturalien** pl natural produce; **in** ~ in kind; **Naturalismus** m naturalism; **Naturerscheinung** f natural phenomenon [o event]; **naturfarben** adj natural coloured; **naturgemäß** adj natural; **Naturgesetz** nt law of nature; **Naturka-**

tastrophe f natural disaster.
natürlich 1. adj natural; **2.** adv naturally; **natürlicherweise** adv naturally, of course; **Natürlichkeit** f naturalness.
Naturprodukt nt natural product; **naturrein** adj natural, pure; **Naturschutzgebiet** nt nature reserve; **Naturwissenschaft** f natural science; **Naturwissenschaftler(in** f) m scientist; **Naturzustand** m natural state.
nautisch adj nautical.
Navelorange f navel orange.
Navigation f navigation; **Navigationsfehler** m navigational error; **Navigationsinstrumente** pl navigation instruments pl.
Nazi m <-s, -s> Nazi.
Nebel m <-s, -> fog, mist; **nebelig** adj foggy, misty; **Nebelscheinwerfer** m foglamp; **Nebelschlußleuchte** f (AUT) rear foglight.
neben prep +akk/dat next to; (außer) apart from, besides; **nebenan** adv next door; **Nebenanschluß** m (TEL) extension; **nebenbei** adv at the same time; (außerdem) additionally; (beiläufig) incidentally; **Nebenbeschäftigung** f sideline; **Nebenbuhler(in** f) m <-s, -> rival.
nebeneinander adv side by side; **nebeneinanderlegen** vt put next to each other.
Nebeneingang m side entrance; **Nebenerscheinung** f side effect; **Nebenfach** nt subsidiary subject; **Nebenfluß** m tributary; **Nebengeräusch** nt (RADIO) atmospherics pl, interference.
nebenher adv (zusätzlich) besides; (gleichzeitig) at the same time; (daneben) alongside; **nebenherfahren** irr vi drive alongside.
Nebenkosten pl extra charges pl, extras pl; **Nebenprodukt** nt by-product; **Nebenrolle** f minor part; **Nebensache** f trifle, side issue; **nebensächlich** adj minor, peripheral; **Nebenstraße** f side street; **Nebenzimmer** nt adjoining room.
Necessaire nt <-s, -s> (Näh~) needlework box; (Nagel~) manicure case.
necken vt tease; **Neckerei** f teasing; **neckisch** adj coy; (Einfall, Lied) amusing.
Neffe m <-n, -n> nephew.
negativ adj negative; **Negativ** nt (FOT) negative.
Neger(in f) m <-s, -> negro/negress.
nehmen <nahm, genommen> vt take; jdn zu sich ~ take sb in; sich ernst ~ take oneself seriously; nimm dir noch

einmal help yourself.
Neid m <-[e]s> envy; **Neider(in** f) m <-s, -> envier; **neidisch** adj envious, jealous.
neigen 1. vt incline, lean; (Kopf) bow; **2.** vi: zu etw ~ tend to sth.
Neigung f (des Geländes) slope; (Tendenz) tendency, inclination; (Vorliebe) liking; (Zuneigung) affection; **Neigungswinkel** m angle of inclination.
nein adv no.
Nektarine f nectarine.
Nelke f <-, -n> carnation, pink; (Gewürz) clove.
nennen <nannte, genannt> vt name; (mit Namen) call; **nennenswert** adj worth mentioning; **Nenner** m <-s, -> (MATH) denominator; **Nennung** f naming; **Nennwert** m nominal value; (COM) par.
Neon nt <-s> neon; **Neonlicht** nt neon light; **Neonröhre** f neon tube.
Nerv m <-s, -en> nerve; jdm auf die ~n gehen get on sb's nerves; **nerven** vt (fam) irritate; **nervenaufreibend** adj nerve-racking; **Nervenbündel** nt bundel of nerves; **Nervenheilanstalt** f mental home; **nervenkrank** adj mentally ill; **Nervenschwäche** f neurasthenia; **Nervensystem** nt nervous system; **Nervenzusammenbruch** m nervous breakdown; **nervös** adj nervous; **Nervosität** f nervousness; **nervtötend** adj nerve-racking; (Arbeit) soul-destroying.
Nerz m <-es, -e> mink.
Nessel f <-, -n> nettle.
Nest nt <-[e]s, -er> nest; (fam: Ort) dump.
nesteln vi fumble [o fiddle] about (an +dat with).
nett adj nice; (freundlich) kind; **netterweise** adv kindly.
netto adv net.
Netz nt <-es, -e> net; (Gepäck~) rack; (Einkaufs~) string bag; (Spinnen~) web; (System, COMPUT) network; **ans** ~ **gehen** go into service, join up with the national grid; jdm ins ~ **gehen** (fig) fall into sb's trap; **Netzanschluß** m mains connection; **Netzhaut** f retina.
neu adj new; (Sprache, Geschichte) modern; **seit** ~**estem** [since] recently; ~ **schreiben** rewrite, write again; **Neuanschaffung** f new purchase [o acquisition]; **neuartig** adj new kind of; **Neuauflage** f, **Neuausgabe** f new edition; **Neubau** m, pl <-bauten> new building; **neuerdings** adv (kürzlich) [since]

recently; (*von neuem*) again; **Neuerung** *f* innovation, new departure.

Neugier *f* curiosity; **neugierig** *adj* curious.

Neuheit *f* novelty; **Neuigkeit** *f* news *sing:* **Neujahr** *nt* New Year; **neulich** *adv* recently, the other day; **Neuling** *m* novice; **Neumond** *m* new moon.

neun *num* nine; **neunfach 1.** *adj* ninefold; **2.** *adv* nine times; **neunhundert** *num* nine hundred; **neunjährig** *adj* (*9 Jahre alt*) nine-year-old; (*9 Jahre dauernd*) nine-year; **neunmal** *adv* nine times.

neunte(r, s) *adj* ninth; **der ~ September** the ninth of September; **Stuttgart, den 9. September** Stuttgart, September 9th; **Neunte(r)** *mf* ninth.

Neuntel *nt* <-s, -> (*Bruchteil*) ninth.

neuntens *adv* in the ninth place.

neunzehn *num* nineteen.

neunzig *num* ninety.

neureich *adj* nouveau riche.

Neurose *f* <-, -n> neurosis; **Neurotiker(in** *f*) *m* <-s, -> neurotic; **neurotisch** *adj* neurotic.

Neuseeland *nt* New Zealand; **Neuseeländer(in** *f*) *m* <-s, -> New Zealander; **neuseeländisch** *adj* New Zealand.

neutral *adj* neutral; **Neutralität** *f* neutrality; **neutralisieren** *vt* neutralize.

Neutron *nt* <-s, -en> neutron; **Neutronenbombe** *f* neutron bomb.

Neutrum *nt* <-s, -a *o* -en> neuter.

Neuwert *m* purchase price; **Neuzeit** *f* modern age; **neuzeitlich** *adj* modern, recent.

nicht 1. *adv* not; **2.** *pref* non-; **~ wahr?** isn't it/he?, don't you?; **~ doch!** don't!; **~ berühren!** do not touch!; **was du ~ sagst!** the things you say!; **Nichtachtung** *f* disregard; **Nichtangriffspakt** *m* non-aggression pact.

Nichte *f* <-, -n> niece.

nichtig *adj* (*ungültig*) null, void; (*wertlos*) futile; **Nichtigkeit** *f* nullity, invalidity; (*Sinnlosigkeit*) futility.

Nichtraucher(in *f*) *m* non-smoker; **nichtrostend** *adj* stainless.

nichts *pron* nothing; **für ~ und wieder ~** for nothing at all; **Nichts** *nt* <-> nothingness; (*pej*) nonentity; **nichtsdestoweniger** *adv* nevertheless; **Nichtsnutz** *m* <-es, -e> good-for-nothing; **nichtsnutzig** *adj* worthless, useless; (*unartig*) good-for-nothing; **nichtssagend** *adj* meaningless; **Nichtstun** *nt* <-s> idleness.

Nickel *nt* <-s> nickel.

nicken *vi* nod.

Nickerchen *nt* nap.

nie *adv* never; **~ wieder** [*o* **mehr**] never again; **~ und nimmer** never ever.

nieder 1. *adj* low; (*gering*) inferior; **2.** *adv* down; **Niedergang** *m* decline; **niedergehen** *vi* descend; (*AVIAT*) come down; (*Regen*) fall; (*Boxer*) go down; **niedergeschlagen** *adj* depressed, dejected; **Niedergeschlagenheit** *f* depression, dejection; **Niederlage** *f* defeat; (*Lager*) depot; (*Filiale*) branch; **Niederlande** *pl* Netherlands *pl;* **niederlassen** *irr vr:* **sich ~** (*sich setzen*) sit down; (*an Ort*) settle [down]; (*Arzt, Rechtsanwalt*) set up a practice; **Niederlassung** *f* (*COM*) branch; **niederlegen** *vt* lay down; (*Arbeit*) stop; (*Amt*) resign; **Niederschlag** *m* (*CHEM*) precipitate, sediment; (*METEO*) precipitation; rainfall; (*BOXEN*) knockdown; **niederschlagen** *irr* **1.** *vt* (*Gegner*) beat down; (*Gegenstand*) knock down; (*Augen*) lower; (*JUR: Prozeß*) dismiss; (*Aufstand*) put down; **2.** *vr:* **sich ~** (*CHEM*) precipitate.

niederträchtig *adj* base, mean.

Niederung *f* (*GEO*) depression; flats *pl.*

niedlich *adj* sweet, nice, cute.

niedrig *adj* low; (*Stand*) lowly, humble; (*Gesinnung*) mean.

niemals *adv* never.

niemand *pron* nobody, no one; **Niemandsland** *nt* no-man's land.

Niere *f* <-, -n> kidney; **jdm an die ~n gehen** (*fam*) get sb down; **Nierenentzündung** *f* kidney infection, nephritis.

nieseln *vi impers* drizzle.

niesen *vi* sneeze.

Niet *m* <-[e]s, -e>, **Niete** *f* <-, -n> (*TECH*) rivet.

Niete *f* <-, -n> (*Los*) blank; (*Reinfall*) flop; (*Mensch*) failure.

nieten *vt* rivet.

Nihilismus *m* nihilism; **Nihilist(in** *f*) *m* nihilist; **nihilistisch** *adj* nihilistic.

Nikotin *nt* <-s> nicotine.

Nilpferd *nt* hippopotamus.

nimmersatt *adj* insatiable; **Nimmersatt** *m* <-[e]s, -e> glutton.

nippen *vt, vi* sip.

Nippsachen *pl* knick-knacks *pl.*

nirgends, nirgendwo *adv* nowhere.

Nische *f* <-, -n> niche.

nisten *vi* nest.

Nitrat *nt* nitrate.

Niveau *nt* <-s, -s> level.

Nixe *f* <-, -n> water nymph.

noch 1. *adv* still; (*in Zukunft*) still, yet; one day; (*außerdem*) else; **2.** *conj* nor; **~**

nie never [yet]; ~ **nicht** not yet; **immer ~** still; ~ **heute** today; ~ **vor einer Woche** only a week ago; **und wenn es ~ so schwer ist** however hard it is; ~ **einmal** again; ~ **dreimal** three more times; ~ **und** ~ again and again; **nochmal[s]** adv again, once more; **nochmalig** adj repeated.

Nockenwelle f camshaft.
Nominativ m nominative.
nominell adj nominal.
Nonne f <-, -n> nun; **Nonnenkloster** nt convent.
Nordamerika nt North America; **norddeutsch** adj North German; **Norddeutschland** nt North[ern] Germany; **Norden** m <-s> north; (von Land) North; **Nordirland** nt Northern Ireland; **nordisch** adj northern; ~ **e Kombination** (SKI) nordic combination; **nördlich 1.** adj northern; (Kurs, Richtung) northerly; **2.** adv [to the] north; ~ **von Ulm** north of Ulm; **Nordosten** m north-east; (von Land) North-East; **Nordpol** m North Pole; **Nordsee** f North Sea; **Nordstaaten** pl (von Amerika) Northern States pl, North; **Nordwesten** m north-west; (von Land) North-West.

Nörgelei f grumbling; **nörgeln** vi grumble; **Nörgler(in** f) m <-s, -> grumbler.
Norm f <-, -en> norm; (Größenvorschrift) standard.
normal adj normal; **Normalbenzin** nt regular [petrol]; **normalerweise** adv normally; **normalisieren 1.** vt normalize; **2.** vr: **sich** ~ return to normal.
normen vt standardize.
Norwegen nt Norway; **Norweger(in** f) m <-s, -> Norwegian; **norwegisch** adj Norwegian.
Not f <-, ⁼e> need; (Mangel) want; (Mühe) trouble; (Zwang) necessity; **zur** ~ if necessary; (gerade noch) just about.
Notar(in f) m notary; **notariell** adj notarial.
Notarztwagen m emergency doctor's car; **Notausgang** m emergency exit; **Notbehelf** m <-s, -e> makeshift; **Notbremse** f emergency brake; **notdürftig** adj scanty; (behelfsmäßig) makeshift; **sich** ~ **verständigen** just about understand each other.
Note f <-, -n> note; (SCH) mark; **Notenblatt** nt sheet of music; **Notenschlüssel** m clef; **Notenständer** m music stand.
Notfall m [case of] emergency; **notfalls** adv if need be; **notgedrungen** adj

necessary, unavoidable; **etw ~ machen** be forced to do sth.
notieren vt note; (COM) quote; **Notierung** f (COM) quotation.
nötig adj necessary; **etw ~ haben** need sth.
nötigen vt compel, force.
nötigenfalls adv if necessary.
Notiz f <-, -en> note; (Zeitungs~) item; ~ **nehmen** take notice; **Notizbuch** nt notebook; **Notizzettel** m piece of paper.
Notlage f crisis, emergency; **notlanden** vi make a forced [o emergency] landing; **notleidend** adj needy; **Notlösung** f temporary solution; **Notlüge** f white lie.
notorisch adj notorious.
Notruf m emergency call; **Notrufsäule** f emergency telephone; **Notrutsche** f escape chute; **Notstand** m state of emergency; **Notstandsgesetz** nt emergency law; **Notunterkunft** f emergency accommodation; **Notverband** m, pl <-verbände> emergency dressing; **Notwehr** f <-> self-defence; **notwendig** adj necessary; **Notwendigkeit** f necessity.
Notzucht f rape.
Novelle f short story; (JUR) amendment.
November m <-[s], -> November; **im** ~ in November; **9.** ~ **1969** November 9th, 1969, 9th November 1969.
Nu m: **im** ~ in an instant.
Nuance f <-, -n> nuance.
nüchtern adj sober; (Magen) empty; (Urteil) prudent; **Nüchternheit** f sobriety.
Nudel f <-, -n> noodle.
null num zero; (Fehler) no; (TEL) O, zero US; (SPORT) nil, nothing; (TENNIS) love; ~ **Uhr** midnight; ~ **und nichtig** null and void; **Null** f <-, -en> nought, zero; (pej: Mensch) washout; **Nullösung** f (POL) zero option; **Nullpunkt** m zero; **auf dem** ~ at zero; **Nulltarif** m free travel; (Eintritt) free admission; **zum** ~ free of charge.
numerieren vt number.
numerisch adj numerical.
Numerus clausus m <-> restricted entry.
Nummer f <-, -n> number; **Nummernscheibe** f telephone dial; **Nummernschild** nt (AUT) number plate, license plate US.
nun 1. adv now; **2.** interj well.
nur adv just only.
Nuß f <-, Nüsse> nut; **Nußbaum** m walnut tree; hazelnut tree; **Nußknacker** m <-s, -> nutcracker.

Nüster f < -,-n > nostril.
Nutte f < -, -n > tart.
nutz, nütze adj **zu nichts ~ sein** be useless; **nutzbar** adj: **~ machen** utilize; **Nutzbarmachung** f utilization; **nutzbringend** adj profitable; **nutzen, nützen 1.** vt use (zu etw for sth); **2.** vi be of use; **was nützt es?** what's the use?, what use is it?; **Nutzen** m usefulness; (Gewinn) profit; **von ~** useful.
nützlich adj useful; **Nützlichkeit** f usefulness.
nutzlos adj useless; **Nutzlosigkeit** f uselessness; **Nutznießer(in** f) m < -s, - > beneficiary.
Nymphe f < -, -n > nymph.

O

O, o nt O, o.
Oase f < -, -n > oasis.
ob conj if, whether; **~ das wohl wahr ist?** can that be true?; **und ~!** you bet!
Obacht f: **~ geben** pay attention.
Obdach nt shelter, lodging; **obdachlos** adj homeless; **Obdachlose(r)** mf homeless person.
Obduktion f post-mortem; **obduzieren** vt do a post mortem on.
O-Beine pl bow [o bandy] legs.
oben adv above; (in Haus) upstairs; **nach ~ up**; **von ~ down**; **~ ohne** topless; **jdn von ~ bis unten ansehen** look sb up and down; **Befehl von ~** orders from above; **obenan** adv at the top; **obenauf 1.** adv up above, on the top; **2.** adj (munter) in form; **obendrein** adv into the bargain; **obenerwähnt, obengenannt** adj above-mentioned.
Ober m < -s, -> waiter.
Oberarm m upper arm; **Oberarzt** m, **-ärztin** f senior physician; **Oberaufsicht** f supervision; **Oberbefehl** m supreme command; **Oberbefehlshaber(in** f) m commander-in-chief; **Oberbegriff** m generic term; **Oberbekleidung** f outer clothing; **Oberbürgermeister(in** f) m mayor; **Oberdeck** nt upper [o top] deck.
obere(r, s) adj upper; **die O~en** pl the bosses pl; (REL) the superiors pl.
Oberfläche f surface; **oberflächlich** adj superficial.
Obergeschoß nt upper storey; **oberhalb** adv, prep +gen above; **Oberhaupt** nt head, chief; **Oberhaus** nt

upper house; (in Großbritannien) House of Lords; **Oberhemd** nt shirt; **Oberherrschaft** f supremacy, sovereignty.
Oberin f matron; (REL) Mother Superior.
Oberkellner(in f) m head waiter/waitress; **Oberkiefer** m upper jaw; **Oberkommando** nt supreme command; **Oberkörper** m trunk, upper part of body; **Oberleitung** f direction; (ELEC) overhead cable; **Oberlicht** nt skylight; **Oberlippe** f upper lip; **Oberschenkel** m thigh; **Oberschicht** f upper classes pl; **Oberschule** f grammar school Brit, high school US; **Oberschwester** f (MED) matron.
Oberst m < -en o -s, -e[n] > colonel.
oberste(r, s) adj very top, topmost.
Oberstufe f upper school; **Oberteil** nt upper part; (von Kleidung) top; **Oberwasser** nt: **~ haben/bekommen** be/get on top [of things]; **Oberweite** f bust/chest measurement.
obgleich conj although.
Obhut f < -> care, protection; **in jds ~ sein** be in sb's care.
obig adj above.
Objekt nt < -[e]s, -e > object.
objektiv adj objective; **Objektiv** nt lens; **Objektivität** f objectivity.
obligatorisch adj compulsory, obligatory.
Oboe f < -, -n > oboe.
Obrigkeit f (Behörden) authorities pl; (Regierung) government.
obschon conj although.
Observatorium nt observatory.
obskur adj obscure; (verdächtig) dubious.
Obst nt < -[e]s > fruit; **Obstbau** m fruitgrowing; **Obstbaum** m fruit tree; **Obstgarten** m orchard; **Obsthändler(in** f) m fruiterer, fruit merchant; **Obstkuchen** m fruit tart.
obszön adj obscene; **Obszönität** f obscenity.
obwohl conj although.
Ochse m < -n, -n > ox; **Ochsenschwanzsuppe** f oxtail soup; **Ochsenzunge** f oxtongue.
OCR-Schrift f OCR font.
öd[e] adj waste, barren; (fig) dull; **Öde** f < -, -n > desert, waste[land]; (fig) tedium.
oder conj or.
Ofen m < -s, ˝ > oven; (Heiz~) fire, heater; (Kohle~) stove; (Hoch~) furnace; (Herd) cooker, stove; **Ofenrohr** nt stovepipe.
offen adj open; (aufrichtig) frank; (Stelle) vacant; **~ gesagt** to be honest.
offenbar adj obvious; **offenbaren** vt re-

veal, manifest; **Offenbarung** f (REL) revelation.

offenbleiben irr vi (Fenster) stay open; (Frage, Entscheidung) remain open; **offenhalten** irr vt keep open.

Offenheit f candour, frankness.

offenkundig adj well-known; (klar) evident; **offenlassen** irr vt leave open; **offensichtlich** adj evident, obvious.

offensiv adj offensive; **Offensive** f offensive.

offenstehen irr vi be open; (Rechnung) be unpaid; **es steht Ihnen offen, es zu tun** you are at liberty to do it.

öffentlich adj public; **Öffentlichkeit** f (Leute) public; (einer Versammlung etc) public nature; **in aller ~** in public; **an die ~ dringen** reach the public ear.

Offerte f <-, -n > offer.

offiziell adj official.

Offizier(in f) m <-s, -e > officer; **Offizierskasino** nt officers' mess.

Offline-Betrieb m (COMPUT) off-line mode.

öffnen vt, vr: **sich ~** open; **jdm die Tür ~** open the door for sb; **Öffner** m <-s, - > opener; **Öffnung** f opening; **Öffnungszeiten** pl opening times pl.

oft adv often; **öfter** adv more often [o frequently]; **öfters** adv often, frequently.

ohne conj, prep + akk without; **das ist nicht ~** (fam) it's not bad; **~ weiteres** without a second thought; (sofort) immediately; **ohnedies** adv anyway; **ohnegleichen** adj unsurpassed, without equal; **ohnehin** adv anyway, in any case.

Ohnmacht f, pl <-machten > faint; (fig) impotence; **in ~ fallen** faint; **ohnmächtig** adj in a faint, unconscious; (fig) weak, impotent; **sie ist ~** she has fainted.

Ohr nt <-[e]s, -en > ear; (Gehör) hearing.

Öhr nt <-[e]s, -e > eye.

Ohrenarzt m, -ärztin f ear specialist; **ohrenbetäubend** adj deafening; **Ohrenschmalz** nt earwax; **Ohrenschmerzen** pl earache; **Ohrenschützer** m <-s, -> earmuff; **Ohrfeige** f slap on the face; box on the ears; **ohrfeigen** vt: **jdn ~** slap sb's face; box sb's ears; **Ohrläppchen** nt ear lobe; **Ohrringe** pl earrings pl; **Ohrwurm** m earwig; (MUS) catchy tune.

okkupieren vt occupy.

ökonomisch adj economical.

Ökopartei f ecology party; **Ökopax** m <-en, -en > pacifist member of the ecology movement; **Ökosystem** nt ecosys-tem.

Oktanzahl f (bei Benzin) octane rating.

Oktave f <-, -n > octave.

Oktober m <-[s], -> October; **im ~** in October; **5. ~ 1990** October 5th, 1990, 5th October 1990.

ökumenisch adj ecumenical.

Öl nt <-[e]s, -e > oil; **Ölbaum** m olive tree; **ölen** vt oil; (TECH) lubricate; **Ölfarbe** f oil paint; **Ölfeld** nt oilfield; **Ölfilm** m film of oil; **Ölfilter** m oil filter; **Ölheizung** f oil-fired central heating; **ölig** adj oily.

oliv adj inv olive-green; **Olive** f <-, -n > olive.

Ölmeßstab m dipstick; **Ölpest** f oil pollution; **Ölsardine** f sardine; **Ölscheich** m oil sheik[h]; **Ölstandanzeiger** m (AUT) oil gauge; **Ölung** f lubrication; oiling; (REL) anointment; **die Letzte ~** the extreme unction; **Ölwechsel** m oil change; **Ölzeug** nt oilskins pl.

Olympiade f Olympic Games pl; **Olympiasieger(in** f) m Olympic champion; **Olympiateilnehmer(in** f) m Olympic competitor; **olympisch** adj Olympic.

Oma f <-, -s > (fam) granny.

Omelett nt <-[e]s, -s >, **Omelette** f omelet[te].

Omen nt <-s, - o **Omina** > omen.

Omnibus m [omni]bus.

onanieren vi masturbate.

Onkel m <-s, -> uncle.

Online-Betrieb m (COMPUT) on-line mode.

Opa m <-s, -s > (fam) grandpa.

Opal m <-s, -e > opal.

Oper f <-, -n > opera; opera house.

Operation f operation; **Operationssaal** m operating theatre.

Operette f operetta.

operieren I. vi operate; **2.** vt operate on.

Opernglas nt opera glasses pl; **Opernhaus** nt opera house; **Opernsänger(in** f) m operatic singer.

Opfer nt <-s, -> sacrifice; (Mensch) victim; **opfern** I. vt sacrifice; **2.** vr: **sich ~** sacrifice oneself; (fig fam) be a martyr; **Opferstock** m (REL) offertory box; **Opferung** f sacrifice.

Opium nt <-s > opium.

opponieren vi oppose (gegen jdn/etw sb/sth).

opportun adj opportune; **Opportunismus** m opportunism; **Opportunist(in** f) m opportunist.

Opposition f opposition; **oppositionell** adj opposing.

Optik f optics sing; **Optiker(in** f) m <-s, -> optician.

optimal *adj* optimal, optimum.

Optimismus *m* optimism; **Optimist(in** *f*) *m* optimist; **optimistisch** *adj* optimistic.

optisch *adj* optical.

Orakel *nt* <-s, -> oracle.

orange *adj inv* orange; **Orange** *f* <-, -n > orange; **Orangeade** *f* orangeade; **Orangeat** *nt* candied peel; **Orangenmarmelade** *f* marmelade; **Orangenschale** *f* orange peel.

Orchester *nt* <-s, -> orchestra.

Orchidee *f* <-, -n > orchid.

Orden *m* <-s, -> (*REL*) order; (*MIL*) decoration; **Ordensschwester** *f* nun.

ordentlich 1. *adj* (*anständig*) decent, respectable; (*geordnet*) tidy, neat; (*fam: annehmbar*) not bad; (*fam: tüchtig*) real, proper; **2.** *adv* properly; ~ **er Professor** [full] professor; **Ordentlichkeit** *f* respectability; tidiness, neatness.

Ordinalzahl *f* ordinal number.

ordinär *adj* common, vulgar.

ordnen *vt* order, put in order.

Ordner *m* <-s, -> steward; (*COM*) file.

Ordnung *f* order; (*Ordnen*) ordering; (*Geordnetsein*) tidiness; **ordnungsgemäß** *adj* proper, according to the rules; **ordnungshalber** *adv* as a matter of form; **Ordnungsliebe** *f* tidiness, orderliness; **Ordnungsstrafe** *f* fine; **ordnungswidrig** *adj* contrary to the rules, irregular; **Ordnungszahl** *f* ordinal number.

Organ *nt* <-s, -e > organ; (*Stimme*) voice.

Organisation *f* organisation; **Organisationstalent** *nt* organizing ability; (*Mensch*) good organizer; **Organisator(in** *f*) *m* organizer.

organisch *adj* organic.

organisieren 1. *vt* organize, arrange; (*fam: beschaffen*) acquire; **2.** *vr*: **sich** ~ organize.

Organismus *m* organism.

Organist(in *f*) *m* organist.

Organverpflanzung *f* transplantation [of organs].

Orgasmus *m* orgasm.

Orgel *f* <-, -n > organ; **Orgelpfeife** *f* organ pipe; **wie die** ~ **n stehen** stand in order of height.

Orgie *f* orgy.

Orient *m* <-s > Orient, East; **Orientale** *m* <-n, -n >, **Orientalin** *f* person from the Middle East; **orientalisch** *adj* oriental.

orientieren 1. *vt* (*örtlich*) locate; (*fig*) inform; **2.** *vr*: **sich** ~ find one's way [o bearings]; inform oneself; **Orientie-**

rung *f* orientation; (*fig*) information; **Orientierungssinn** *m* sense of direction.

original *adj* original; **Original** *nt* <-s, -e > original; **Originalfassung** *f* original version; **Originalität** *f* originality; **Originalton** *m* original version.

originell *adj* original.

Orkan *m* <-[e]s, -e > hurricane.

Ornament *nt* decoration, ornament; **ornamental** *adj* decorative, ornamental.

Ort *m* <-[e]s, -e *o* ̈er > place; **an** ~ **und Stelle, vor** ~ on the spot; **orten** *vt* locate.

orthodox *adj* orthodox.

Orthographie *f* spelling, orthography; **orthographisch** *adj* orthographic.

Orthopäde *m* <-n, -n >, **-pädin** *f* orthopaedic specialist, orthopaedist; **Orthopädie** *f* orthopaedics *sing*; **orthopädisch** *adj* orthopaedic.

örtlich *adj* local; **Örtlichkeit** *f* locality.

Ortsangabe *f* [name of the] town; **ortsansässig** *adj* local; **Ortschaft** *f* village, small town; **ortsfremd** *adj* nonlocal; **Ortsfremde(r)** *mf* stranger; **Ortsgespräch** *nt* local [phone]call; **Ortsname** *m* place name; **Ortsnetz** *nt* (*TEL*) local telephone exchange area; **Ortssinn** *m* sense of direction; **Ortszeit** *f* local time.

Ortung *f* locating.

Öse *f* <-, -n > loop, eye.

Ostberlin *nt* East Berlin; **Ostblock** *m* (*POL*) Eastern bloc; **Osten** *m* <-s > east; (*von Land*) East; **der Nahe** ~ the Middle East, the Near East; **der Mittlere** ~ the Middle East; **der Ferne** ~ the Far East.

ostentativ *adj* pointed, ostentatious.

Osterei *nt* Easter egg; **Osterfest** *nt* Easter; **Osterglocke** *f* daffodil; **Osterhase** *m* Easter bunny; **Ostermontag** *m* Easter Monday; **Ostern** *nt* <-, -> Easter.

Österreich *nt* Austria; **in** ~ in Austria; **nach** ~ **fahren** go to Austria; **Österreicher(in** *f*) *m* <-s, -> Austrian; **österreichisch** *adj* Austrian.

Ostersonntag *m* Easter Day, Easter Sunday.

östlich 1. *adj* eastern; (*Kurs, Richtung*) easterly; **2.** *adv* [to the] east; ~ **von Ulm** east of Ulm; **Ostsee** *f* Baltic Sea.

oszillieren *vi* oscillate.

O-Ton *m* original version.

Otter 1. *m* <-s, -> (*Fisch* ~) otter; **2.** *f* <-, -n > (*Schlange*) adder.

out *adj* (*fam*) out.

Ouvertüre *f* <-, -n > overture.

oval *adj* oval.
Overheadprojektor *m* overhead projector.
Overkill *m* <-s> overkill.
Ovulation *f* ovulation.
Oxyd *nt* <-[e]s, -e> oxide; **oxydieren** *vt, vi* oxidize.
Ozean *m* <-s, -e> ocean; **Ozeandampfer** *m* [ocean-going] liner; **ozeanisch** *adj* oceanic.
Ozon *nt* <-s> ozone; **Ozonloch** *nt* hole in the ozone layer; **Ozonschicht** *f* ozone layer; **Ozonschild** *m* ozone barrier, ozone shield.

P

P, p *nt* P, p.
paar *adj inv:* **ein ~** a few.
Paar *nt* <-[e]s, -e> pair; (*Ehe~*) couple; **paaren** *vt, vr:* **sich ~** couple; (*Tiere*) mate; **Paarlauf** *m* pair skating.
paarmal *adv:* **ein ~** a few times.
Paarung *f* combination; mating; **paarweise** *adv* in pairs; in couples.
Pacht *f* <-, -en> lease; **pachten** *vt* lease; **Pächter(in** *f*) *m* <-s, -> leaseholder, tenant.
Pack 1. *m* <-[e]s, -e> bundle, pack; **2.** *nt* <-[e]s> (*pej*) mob, rabble.
Päckchen *nt* small package; (*Zigaretten~*) packet; (*Post~*) small parcel.
packen *vt* pack; (*fassen*) grasp, seize; (*fam: schaffen*) manage; (*fig: fesseln*) grip.
Packen *m* <-s, -> bundle; (*fig: Menge*) heaps *pl* of.
Packesel *m* (*auch fig*) packhorse; **Packpapier** *nt* brown paper, wrapping paper.
Packung *f* packet; (*Pralinen~*) box; (*MED*) compress.
Pädagoge *m* <-n, -n>, **Pädagogin** *f* teacher; **Pädagogik** *f* education; **pädagogisch** *adj* educational, pedagogical.
Paddel *nt* <-s, -> paddle; **Paddelboot** *nt* canoe; **paddeln** *vi* paddle.
paffen *vt, vi* puff.
Page *m* <-n, -n> page; **Pagenkopf** *m* pageboy.
Paillette *f* sequin.
Paket *nt* <-[e]s, -e> packet; (*Post~*) parcel; (*COMPUT*) package; **Paketkarte** *f* dispatch note; **Paketpost** *f* parcel post; **Paketschalter** *m* parcels counter.
Pakistan *nt* Pakistan.

Pakt *m* <-[e]s, -e> pact.
Palast *m* <-es, **Paläste**> palace.
Palästinenser(in *f*) *m* <-s, -> Palestinian.
Palette *f* palette; (*Lade~*) pallet.
Palme *f* <-, -n> palm [tree]; **Palmsonntag** *m* Palm Sunday.
Pampelmuse *f* <-, -n> grapefruit.
pampig *adj* (*fam: frech*) fresh.
panieren *vt* (*GASTR*) coat with egg and breadcrumbs; **Paniermehl** *nt* breadcrumbs *pl*.
Panik *f* panic; **panisch** *adj* panic-stricken.
Panne *f* <-, -n> (*AUT etc*) breakdown; (*Mißgeschick*) slip.
panschen 1. *vi* splash about; **2.** *vt* (*Wein*) adulterate; (*verwässern*) water down.
Panther *m* <-s, -> panther.
Pantoffel *m* <-s, -n> slipper; **Pantoffelheld** *m* (*fam*) henpecked husband.
Pantomime *f* <-, -n> mime.
Panzer *m* <-s, -> armour; (*Platte*) armour plate; (*Fahrzeug*) tank; **Panzerglas** *nt* bulletproof glass; **panzern** *vt, vr:* **sich ~** armour; (*fig*) arm oneself; **Panzerschrank** *m* strongbox.
Papa *m* <-s, -s> (*fam*) dad, daddy.
Papagei *m* <-s, -en> parrot.
Papaya *f* <-, -s> papaya.
Papier *nt* <-s, -e> paper; (*Wert~*) share; **Papierfabrik** *f* paper mill; **Papiergeld** *nt* paper money; **Papierkorb** *m* wastepaper basket; **Papierkrieg** *m* red tape; **Papiertüte** *f* paper bag; **Papiervorschub** *m* (*bei Drucker*) paper feed.
Pappbecher *m* paper cup; **Pappdeckel** *m*, **Pappe** *f* <-, -n> cardboard; **Pappeinband** *m, pl* <-**bände**> pasteboard.
Pappel *f* <-, -n> poplar.
Pappenstiel *m:* **keinen ~ wert sein** (*fam*) not be worth a thing; **für einen ~ bekommen** get for a song.
papperlapapp *interj* rubbish.
pappig *adj* sticky.
Pappmaché *nt* <-s, -s> papier-mâché; **Pappteller** *m* paper plate.
Paprika *m* <-s, -s> (*Gewürz*) paprika; (*~schote*) pepper.
Papst *m* <-[e]s, *ä*e> pope; **päpstlich** *adj* papal.
Parabel *f* <-, -n> parable; (*MATH*) parabola.
Parade *f* (*MIL*) parade, review; (*SPORT*) parry; **Parademarsch** *m* march-past; **Paradeschritt** *m* goose-step.
Paradies *nt* <-es, -e> paradise; **para-**

diesisch *adj* heavenly.
paradox *adj* paradoxical; **Paradox** *nt* <**-es, -e**> paradox.
Paragraph *m* <**-en, -en**> paragraph; (*JUR*) section.
parallel *adj* parallel; **Parallele** *f* <**-, -n** > parallel.
Parameter *m* parameter.
paramilitärisch *adj* paramilitary.
Paranuß *f* Brazil nut.
paraphieren *vt* (*Vertrag*) initial.
Parasit *m* <**-en, -en**> (*auch fig*) parasite.
parat *adj* ready.
Pärchen *nt* couple.
Parfüm *nt* <**-s, -s** *o* **-e**> perfume; **Parfümerie** *f* perfumery; **Parfümflasche** *f* scent bottle; **parfümieren** *vt* scent, perfume.
parieren 1. *vt* parry; 2. *vi* (*fam*) obey.
Parität *f* (*auch COMPUT*) parity.
Park *m* <**-s, -s**> park.
Park-and-ride-System *nt* park-and-ride system.
Parkanlage *f* park; (*um Gebäude*) grounds *pl*.
parken *vt, vi* park.
Parkett *nt* <**-[e]s, -e**> parquet [floor]; (*THEAT*) stalls *pl*.
Parkhaus *nt* multi-storey car park; **Parkkralle** *f* (*AUT*) wheel clamp; **Parklücke** *f* parking space; **Parkplatz** *m* (*für 1 Auto*) parking place; (*für mehrere Autos*) car park, parking lot *US*; **Parkscheibe** *f* parking disc; **Parkuhr** *f* parking meter; **Parkverbot** *nt* no parking.
Parlament *nt* parliament; **Parlamentarier(in** *f*) *m* <**-s, -**> parliamentarian; **parlamentarisch** *adj* parliamentary; **Parlamentsmitglied** *nt* member of parliament.
Parodie *f* parody; **parodieren** *vt* parody.
Parole *f* <**-, -n**> password; (*Wahlspruch*) motto.
Parsing *nt* <**-s**> (*COMPUT*) parsing.
Partei *f* party; **für jdn ~ ergreifen** take sb's side; **Parteiführung** *f* party leadership; **Parteigenosse** *m*, **-genossin** *f* party member; **parteiisch** *adj* partial, biased; **parteilos** *adj* independent; **Parteinahme** *f* <**-, -n**> support, taking the part of; **Parteitag** *m* party conference.
Parterre *nt* <**-s, -s**> ground floor; (*THEAT*) stalls *pl*.
Partie *f* part; (*Spiel*) game; (*Ausflug*) outing; (*Mann, Frau*) catch; (*COM*) lot; **mit von der ~ sein** join in.

Partikel *f* <**-, -n**> particle.
Partisan *m* <**-s** *o* **-en, -en**>, **Partisanin** *f* partisan.
Partitur *f* (*MUS*) score.
Partizip *nt* <**-s, -ien**> participle.
Partner(in *f*) *m* <**-s, ->** partner; **partnerschaftlich** *adj* as partners.
Party *f* <**-, -s** *o* **Parties**> party.
Parzelle *f* plot, allotment.
Paß *m* <**-sses, ⸚sse**> pass; (*Ausweis*) passport.
passabel *adj* passable, reasonable.
Passage *f* <**-, -n**> passage.
Passagier *m* <**-s, -e**> passenger; **Passagierdampfer** *m* passenger steamer; **Passagierflugzeug** *nt* airliner.
Passant(in *f*) *m* passer-by.
Paßamt *nt* passport office; **Paßbild** *nt* passport photograph.
passen *vi* fit; (*Farbe*) go (*zu* with); (*auf Frage*) pass; **das paßt mir nicht** that doesn't suit me; **er paßt nicht zu dir** he's not right for you; **passend** *adj* suitable; (*zusammen~*) matching; (*angebracht*) fitting; (*Zeit*) convenient.
passierbar *adj* passable.
passieren 1. *vt* pass; (*durch Sieb*) strain; 2. *vi* happen; **Passierschein** *m* pass, permit.
Passion *f* passion; **passioniert** *adj* enthusiastic, passionate; **Passionsspiel** *nt* Passion Play.
passiv *adj* passive; **Passiv** *nt* passive; **Passiva** *pl* (*COM*) liabilities *pl*; **Passivität** *f* passiveness; **Passivrauchen** *nt* passive smoking.
Paßkontrolle *f* passport control; **Paßstraße** *f* [mountain] pass; **Paßwort** *nt* (*COMPUT*) password, keyword; **Paßzwang** *m* requirement to carry a passport.
Paste *f* <**-, -n**> paste.
Pastell *nt* <**-[e]s, -e**> pastel.
Pastete *f* <**-, -n**> pie.
pasteurisieren *vt* pasteurize.
Pastor(in *f*) *m* vicar; pastor, minister.
Pate *m* <**-n, -n**> godfather; **Patenkind** *nt* godchild.
patent *adj* clever.
Patent *nt* <**-[e]s, -e**> patent; **Patentamt** *nt* patent office; **patentieren** *vt* patent; **Patentinhaber(in** *f*) *m* patentee; **Patentschutz** *m* patent right.
Pater *m* <**-s, -** *o* **Patres**> (*REL*) Father.
pathetisch *adj* emotional.
Pathologe *m* <**-n, -n**>, **-login** *f* pathologist; **pathologisch** *adj* pathological; **Pathos** *nt* <**->** emotiveness, emotionalism.

Patient(in *f*) *m* patient.
Patin *f* godmother.
Patina *f* <-> patina.
Patriarch(in *f*) *m* <-en, -en> patriarch; **patriarchalisch** *adj* patriarchal.
Patriot(in *f*) *m* <-en, -en> patriot; **patriotisch** *adj* patriotic; **Patriotismus** *m* patriotism.
Patron *m* <-s, -e> patron; (*pej*) beggar.
Patrone *f* <-, -n> cartridge; **Patronenhülse** *f* cartridge case.
Patronin *f* patroness.
Patrouille *f* <-, -n> patrol; **patrouillieren** *vi* patrol.
Patsche *f* <-, -n> (*fam: Händchen*) paw; (*Fliegen~*) swat; (*Feuer~*) beater; (*Bedrängnis*) mess, jam; **patschnaß** *adj* soaking wet.
patzig *adj* (*fam*) cheeky, saucy.
Pauke *f* <-, -n> kettledrum; **auf die ~ hauen** live it up; **pauken** *vt, vi* (*SCH*) swot, cram; **Pauker(in** *f*) *m* <-s, -> (*fam*) teacher.
pausbäckig *adj* chubby-cheeked.
pauschal *adj* (*Kosten*) inclusive; (*Urteil*) sweeping; **Pauschale** *f* <-, -n>, **Pauschalgebühr** *f* flat rate [charge]; **Pauschalpreis** *m* flat rate; **Pauschalreise** *f* package tour; **Pauschalsumme** *f* lump sum.
Pause *f* <-, -n> break; (*THEAT*) interval; (*Innehalten*) pause; (*Kopie*) tracing; **pausen** *vt* trace; **pausenlos** *adj* nonstop; **Pausenzeichen** *nt* call sign; (*MUS*) rest; **Pauspapier** *nt* tracing paper.
Pavian *m* <-s, -e> baboon.
Pazifik *m* <-s> Pacific [Ocean].
Pazifist(in *f*) *m* pacifist; **pazifistisch** *adj* pacifist.
PC *m* <-s, -s> *abk von* **Personal Computer** PC.
Pech *nt* <-s, -e> pitch; (*fig*) bad luck; **~ haben** be unlucky; **pechschwarz** *adj* pitch-black; **Pechsträhne** *f* (*fam*) unlucky patch; **Pechvogel** *m* (*fam*) unlucky person.
Pedal *nt* <-s, -e> pedal.
Pedant(in *f*) *m* pedant; **Pedanterie** *f* pedantry; **pedantisch** *adj* pedantic.
Peddigrohr *nt* cane.
Pegel *m* <-s, -> water gauge; **Pegelstand** *m* water level.
peilen *vt* get a fix on.
Pein *f* <-> agony, pain; **peinigen** *vt* torture; (*plagen*) torment.
peinlich *adj* (*unangenehm*) embarrassing, awkward, painful; (*genau*) painstaking; **Peinlichkeit** *f* painfulness, awkwardness; scrupulousness.

Peitsche *f* <-, -n> whip; **peitschen** *vt* whip; (*Regen*) lash.
Pelikan *m* <-s, -e> pelican.
Pelle *f* <-, -n> skin; **pellen** *vt* skin, peel; **Pellkartoffeln** *pl* jacket potatoes *pl*.
Pelz *m* <-es, -e> fur.
Pendel *nt* <-s, -> pendulum; **Pendelverkehr** *m* shuttle traffic; (*für Pendler*) commuter traffic; **Pendler(in** *f*) *m* <-s, -> commuter.
penetrant *adj* sharp; (*Mensch*) pushing.
Penis *m* <-, -se> penis.
Pension *f* (*Geld*) pension; (*Ruhestand*) retirement; (*für Gäste*) boarding house, guest-house; **halbe/volle ~** half/full board; **Pensionär(in** *f*) *m* pensioner; **pensionieren** *vt* pension [off]; **pensioniert** *adj* retired; **Pensionierung** *f* retirement; **Pensionsgast** *m* boarder, [paying] guest.
Pensum *nt* <-s, **Pensen**> quota; (*SCH*) curriculum.
per *prep* + *akk* by, per; (*pro*) per; (*bis*) by.
perfekt *adj* perfect.
Perfekt *nt* <-[e]s, -e> perfect.
Perfektionismus *m* perfectionism.
perforieren *vt* perforate.
Pergament *nt* parchment; **Pergamentpapier** *nt* greaseproof paper.
Periode *f* <-, -n> period; **periodisch** *adj* periodic; (*dezimal*) recurring.
Peripherie *f* periphery; (*um Stadt*) outskirts *pl*; (*MATH*) circumference; **Peripheriegerät** *nt* (*COMPUT*) peripheral.
Perle *f* <-, -n> (*auch fig*) pearl; **perlen** *vi* sparkle; (*Tropfen*) trickle; **Perlmutt** *nt* <-s> mother-of-pearl.
Permissivität *f* permissiveness.
perplex *adj* dumbfounded.
Perron *m* <-s, -s> (*schweizerisch*) platform.
Persianer *m* <-s, -> Persian lamb.
Person *f* <-, -en> person; **ich für meine ~** personally I; **klein von ~** of small build.
Personal *nt* <-s> personnel; (*Bedienung*) servants *pl*; **Personalabteilung** *f* personnel [department]; **Personalausweis** *m* identity card.
Personal Computer *m* personal computer.
Personalien *pl* particulars *pl*.
Personalpronomen *nt* personal pronoun.
Personenaufzug *m* lift, elevator *US*; **Personenkraftwagen** *m* private motorcar; **Personenkreis** *m* group of people; **Personenschaden** *m* injury to

persons; **Personenwaage** f scales pl; **Personenzug** m stopping train, passenger train.

personifizieren vt personify.

persönlich 1. adj personal; **2.** adv personally; (auf Briefen) private; (selbst) in person; **Persönlichkeit** f personality.

Perspektive f perspective.

Perücke f <-, -n> wig.

pervers adj perverted; **Perversität** f perversity.

Pessimismus m pessimism; **Pessimist(in** f) m pessimist; **pessimistisch** adj pessimistic.

Pest f <-> plague.

Petersilie f parsley.

Petroleum nt <-s> paraffin, kerosene US.

petzen vi (fam) tell tales.

Pfad m <-{e}s, -e> (auch COMPUT) path; **Pfadfinder** m <-s, -> boy scout; **Pfadfinderin** f girl guide.

Pfahl m <-{e}s, ⁼e> post, stake; **Pfahlbau** m, pl <-bauten> pile dwelling.

Pfand m <-{e}s, ⁼er> pledge, security; (Flaschen~) deposit; (im Spiel) forfeit; (fig: der Liebe etc) pledge; **Pfandbrief** m bond.

pfänden vt seize.

Pfänderspiel nt game of forfeits.

Pfandflasche f bottle with deposit; **Pfandhaus** nt pawnshop; **Pfandleiher(in** f) m <-s, -> pawnbroker; **Pfandschein** m pawn ticket.

Pfändung f seizure.

Pfanne f <-, -n> [frying] pan.

Pfannkuchen m pancake; (Berliner) doughnut.

Pfarrei f parish; **Pfarrer(in** f) m <-s, -> priest; (anglikanisch) vicar; (von Freikirchen) minister; **Pfarrhaus** nt vicarage; (schottisch, methodistisch) manse.

Pfau m <-{e}s, -en> peacock; **Pfauenauge** nt peacock butterfly.

Pfeffer m <-s, -> pepper; **Pfefferkorn** nt peppercorn; **Pfefferkuchen** m gingerbread; **Pfefferminz** nt <-es, -e> peppermint; **Pfeffermühle** f pepper-mill; **pfeffern** vt pepper; (fam: werfen) fling; **gepfefferte Preise/Witze** steep prices/spicy jokes.

Pfeife f <-, -n> whistle; (Tabak~, Orgel~) pipe; **pfeifen** <pfiff, gepfiffen> vt, vi whistle.

Pfeil m <-{e}s, -e> arrow.

Pfeiler m <-s, -> pillar, prop; (Brücken~) pier.

Pfennig m <-{e}s, -e> pfennig (hundredth part of a mark).

Pferd nt <-{e}s, -e> horse; **Pferderennen** nt horse-race; horse-racing; **Pferdeschwanz** m (Frisur) ponytail; **Pferdestall** m stable.

pfiff pt von pfeifen; **Pfiff** m <-{e}s, -e> whistle; (Kniff) trick.

Pfifferling m yellow chanterelle; **keinen ~ wert** not worth a thing.

pfiffig adj sly, sharp.

Pfingsten nt <-, -> Whitsun; **Pfingstrose** f peony.

Pfirsich m <-s, -e> peach.

Pflanze f <-, -n> plant; **pflanzen** vt plant; **Pflanzenfett** nt vegetable fat; **Pflanzung** f plantation.

Pflaster nt <-s, -> plaster; (Straßen~) pavement; **pflastermüde** adj dead on one's feet; **pflastern** vt pave; **Pflasterstein** m paving stone.

Pflaume f <-, -n> plum.

Pflege f <-, -n> care; (von Idee) cultivation; (Kranken~) nursing; **in ~ sein** (Kind) be fostered out; **pflegebedürftig** adj needing care; **Pflegeeltern** pl foster parents pl; **Pflegekind** nt foster child; **pflegeleicht** adj easy-care; (fig) easy to handle; **Pflegemutter** f foster mother; **pflegen** vt look after; (Kranke) nurse; (Beziehungen) foster; (Daten) maintain; **Pfleger** m <-s, -> orderly; male nurse; **Pflegerin** f nurse, attendant; **Pflegevater** m foster father.

Pflicht f <-, -en> duty; (SPORT) compulsory section; **pflichtbewußt** adj conscientious; **Pflichtfach** nt (SCH) compulsory subject; **Pflichtgefühl** nt sense of duty; **pflichtgemäß 1.** adj dutiful; **2.** adv as in duty bound; **pflichtvergessen** adj irresponsible; **Pflichtversicherung** f compulsory insurance.

Pflock m <-{e}s, ⁼e> peg; (für Tiere) stake.

pflücken vt pick; (Blumen auch) pluck.

Pflug m <-{e}s, ⁼e> plough; **pflügen** vt plough.

Pforte f <-, -n> gate; door; **Pförtner(in** f) m <-s, -> porter, doorkeeper; doorman/-woman.

Pfosten m <-s, -> post.

Pfote f <-, -n> paw; (fam: Schrift) scrawl.

Pfropf m <-{e}s, -e>, **Pfropfen** m <-s, -> (Flaschen~) stopper; (Blut~) clot; **pfropfen** vt (stopfen) cram; (Baum) graft.

pfui interj ugh; (na na) tut tut.

Pfund nt <-{e}s, -e> pound.

pfuschen vi (fam) be sloppy; **jdm in etw** akk ~ interfere in sth; **Pfuscher(in** f) m <-s, -> (fam) sloppy worker; (Kur~) quack; **Pfuscherei** f (fam)

sloppy work.
Pfütze f <-, -n> puddle.
Phänomen nt <-s, -e> phenomenon; **phänomenal** adj phenomenal.
Phantasie f imagination; **phantasielos** adj unimaginative; **phantasieren** vi fantasize; **phantasievoll** adj imaginative.
phantastisch adj fantastic.
Pharisäer m <-s, -> pharisee.
Pharmaindustrie f pharmaceutical industry; **Pharmazeut(in** f) m <-en, -en > pharmacist.
Phase f <-, -n> phase.
Phenol nt <-s, -e> phenol.
Philanthrop m <-en, -en> philanthropist; **philanthropisch** adj philanthropic.
Philippinen pl Philippines pl.
Philologe m <-n, -n>, **-login** f philologist; **Philologie** f philology.
Philosoph(in f) m <-en, -en > philosopher; **Philosophie** f philosophy; **philosophisch** adj philosophical.
Phlegma nt <-s> lethargy; **phlegmatisch** adj lethargic.
Phonetik f phonetics sing; **phonetisch** adj phonetic.
Phosphat nt phosphate; **phosphatfrei** adj phosphate-free.
Phosphor m <-s> phosphorus; **phosphoreszieren** vi phosphoresce.
Photo nt <-s, -s> siehe **Foto**.
Phrase f <-, -n> phrase; (pej) hollow phrase.
pH-Wert m pH.
Physik f physics sing; **physikalisch** adj of physics; **Physiker(in** f) m <-s, -> physicist.
Physiologe m <-n, -n>, **-login** f physiologist; **Physiologie** f physiology.
physisch adj physical.
Pianist(in f) m pianist.
picheln vi (fam) booze.
Pickel m <-s, -> pimple; (Werkzeug) pickaxe; (Berg~) ice-axe; **pickelig** adj pimply.
picken vi pick, peck.
Picknick nt <-s, -e o -s> picnic; ~ **machen** have a picnic.
piepen, piepsen vi chirp.
piesacken vt (fam) torment.
Pietät f piety, reverence; **pietätlos** adj impious, irreverent.
Pigment nt pigment.
Pik nt <-s, -s> (KARTEN) spade[s]; **einen** ~ **auf jdn haben** (fam) have it in for sb.
pikant adj spicy, piquant; (anzüglich) suggestive.

pikiert adj offended.
Piktogramm nt <-s, -e> pictogram.
Pilger(in f) m <-s, -> pilgrim; **Pilgerfahrt** f pilgrimage.
Pille f <-, -n> pill.
Pilot(in f) m <-en, -en> pilot; **Pilotprojekt** nt pilot scheme.
Pilz m <-es, -e> fungus; (eßbar) mushroom; (giftig) toadstool; **Pilzkrankheit** f fungal disease.
pingelig adj (fam) fussy.
Pinguin m <-s, -e> penguin.
Pinie f pine.
pinkeln vi (fam) pee.
Pinsel m <-s, -> paintbrush.
Pinzette f tweezers pl.
Pionier(in f) m <-s, -e> pioneer; (MIL) sapper, engineer.
Pirat(in f) m <-en, -en> pirate; **Piratensender** m pirate radio station.
Pirsch f <-> stalking.
Piste f <-, -n> (SKI) run, piste; (AVIAT) runway.
Pistole f <-, -n> pistol.
Pizza f <-, -s> pizza.
Pkw m <-[s], -[s]> abk von **Personenkraftwagen** car.
Plackerei f drudgery.
plädieren vi plead.
Plädoyer nt <-s, -s> speech for the defence; (fig) plea.
Plage f <-, -n> plague; (Mühe) nuisance; **Plagegeist** m pest, nuisance; **plagen 1.** vt torment; **2.** vr: **sich** ~ toil, slave.
Plakat nt poster.
Plan m <-[e]s, ¨e> plan; (Karte) map.
Plane f <-, -n> tarpaulin.
planen vt plan; (Mord etc) plot; **Planer(in** f) m <-s, -> planner.
Planet m <-en -en> planet; **Planetenbahn** f orbit [of a planet].
planieren vt plane, level; **Planierraupe** f bulldozer.
Planke f <-, -n> plank.
Plänkelei f skirmish[ing]; **plänkeln** vi skirmish.
Plankton nt <-s> plankton.
planlos adj (Vorgehen) unsystematic; (Umherlaufen) aimless; **planmäßig** adj according to plan; systematic; (EISENB) scheduled.
Planschbecken nt paddling pool; **planschen** vi splash.
Plansoll nt <-s> output target; **Planstelle** f post.
Plantage f <-, -n> plantation.
Planung f planning.
Planwagen m covered wagon.
Planwirtschaft f planned economy.

plappern *vi* chatter.

plärren *vi* (*Mensch*) cry, whine; (*Radio*) blare.

Plasma *nt* <-s, **Plasmen**> plasma.

Plastik 1. *f* sculpture; **2.** *nt* <-s> (*Kunststoff*) plastic; **Plastikfolie** *f* plastic film; **Plastiktüte** *f* plastic bag.

Plastilin *nt* <-s> plasticine ®.

plastisch *adj* plastic; **stell dir das ~ vor!** just picture it!

Platane *f* <-, -n> plane [tree].

Platin *nt* <-s> platinum.

Platitüde *f* <-, -n> platitude.

platonisch *adj* platonic.

platsch *interj* splash; **platschen** *vi* splash; **platschnaß** *adj* drenched.

plätschern *vi* babble.

platt *adj* flat; (*fam: überrascht*) flabbergasted; (*fig: geistlos*) flat, boring.

plattdeutsch *adj* low German.

Platte *f* <-, -n> (*FOT. TECH. Speisen~*) plate; (*Stein~*) flag; (*Kachel*) tile; (*Schall~*) record; (*COMPUT*) disk.

plätten *vt, vi* iron.

Plattenspieler *m* record player; **Plattenteller** *m* turntable.

Plattfuß *m* flat foot; (*Reifen*) flat tyre.

Platz *m* <-es, ¨e> place; (*Sitz~*) seat; (*Raum*) space, room; (*in Stadt*) square; (*Sport~*) playing field; **jdm ~ machen** make room for sb; **Platzangst** *f* (*MED*) agoraphobia; (*fam*) claustrophobia; **Platzanweiser(in** *f*) *m* usher/usherette.

Plätzchen *nt* spot; (*Gebäck*) biscuit.

platzen *vi* burst; (*Bombe*) explode; **vor Wut ~** (*fam*) be bursting with anger.

Platzkarte *f* seat reservation; **Platzmangel** *m* lack of space; **Platzpatrone** *f* blank cartridge; **Platzregen** *m* downpour; **Platzwunde** *f* cut.

Plauderei *f* chat, conversation; (*RADIO*) talk; **plaudern** *vi* chat, talk.

plausibel *adj* plausible; **Plausibilität** *f* plausibility; **Plausibilitätskontrolle** *f* (*COMPUT*) plausibility check, parity check.

plazieren 1. *vt* place; **2.** *vr*: **sich ~** (*SPORT*) be placed; (*TENNIS*) be seeded.

Plebejer(in *f*) *m* <-s, -> plebeian.

pleite *adj* (*fam*) broke; **Pleite** *f* <-, -n> bankruptcy; (*fam: Reinfall*) flop; **~ machen** go bust.

Plenum *nt* <-s, **Plena**> plenum.

Pleuelstange *f* connecting rod.

Plissee *nt* <-s, -s> pleating.

Plombe *f* <-, -n> lead seal; (*Zahn~*) filling; **plombieren** *vt* seal; (*Zahn*) fill.

Plotter *m* <-s, -> (*COMPUT*) plotter.

plötzlich 1. *adj* sudden; **2.** *adv* suddenly.

plump *adj* clumsy; (*Hände*) coarse; (*Körper*) shapeless.

plumpsen *vi* (*fam*) plump down, fall.

Plunder *m* <-s> rubbish.

plündern *vt, vi* plunder; (*Stadt*) sack; **Plünderung** *f* plundering, sack, pillage.

Plural *m* <-s, -e> plural; **pluralistisch** *adj* pluralistic.

plus *adv* plus; **Plus** *nt* <-, -> plus; (*FIN*) profit; (*Vorteil*) advantage.

Plüsch *m* <-[e]s, -e> plush.

Pluspol *m* (*ELEC*) positive pole; **Pluspunkt** *m* point; (*fig*) advantage, point in sb's favour.

Plusquamperfekt *nt* pluperfect.

Plutonium *nt* plutonium.

PLZ *abk von* **Postleitzahl** postcode *Brit*, zip code *US*.

Po *m* <-s, -s> (*fam*) bottom, bum.

Pöbel *m* <-s> mob, rabble; **Pöbelei** *f* vulgarity; **pöbelhaft** *adj* low, vulgar.

pochen *vi* knock; (*Herz*) pound; **auf etw akk ~** (*fig*) insist on sth.

Pocken *pl* smallpox.

Podium *nt* podium; **Podiumsdiskussion** *f* panel discussion.

Poesie *f* poetry; **Poet(in** *f*) *m* <-en, -en> poet; **poetisch** *adj* poetic.

Pointe *f* <-, -n> point.

Pokal *m* <-s, -e> goblet; (*SPORT*) cup; **Pokalspiel** *nt* cup-tie.

Pökelfleisch *nt* salt meat; **pökeln** *vt* pickle, salt.

Pol *m* <-s, -e> pole; **polar** *adj* polar; **Polarkreis** *m* arctic circle.

Pole *m* <-n, -n> Pole.

Polemik *f* polemics *sing*; **polemisch** *adj* polemical; **polemisieren** *vi* polemicize.

Polen *nt* Poland.

Police *f* <-, -n> insurance policy.

Polier *m* <-s, -e> foreman.

polieren *vt* polish.

Poliklinik *f* outpatients *sing*.

Polin *f* Pole, Polish woman.

Politik *f* politics *sing*; (*eine bestimmte*) policy; **Politiker(in** *f*) *m* <-s, -> politician; **politisch** *adj* political; **politisieren 1.** *vi* talk politics; **2.** *vt* politicize.

Politur *f* polish.

Polizei *f* police *pl*; **Polizeibeamte(r)** *m*, **-beamtin** *f* police officer; **polizeilich** *adj* police; **sich ~ melden** register with the police; **Polizeirevier** *nt* police station; **Polizeistaat** *m* police state; **Polizeistunde** *f* closing time; **polizeiwidrig** *adj* illegal.

Polizist(in *f*) *m* policeman/-woman.

Pollen *m* <-s, -> pollen.

polnisch *adj* Polish.

Polster *nt* <-s, -> cushion; (*Polsterung*)

upholstery; (*in Kleidung*) padding; (*fig: Geld*) reserves *pl*; **Polstermöbel** *pl* upholstered furniture; **polstern** *vt* upholster; pad; **Polsterung** *f* upholstery.

Polterabend *m* party on eve of wedding.

poltern *vi* (*Krach machen*) crash; (*schimpfen*) rant.

Polygamie *f* polygamy.

Polyp *m* <-en -en> polyp; (*fam: Polizist*) cop; ~ **en** *pl* adenoids *pl*.

Pomade *f* pomade.

Pommes frites *pl* chips *pl*, French fried potatoes *pl*.

Pomp *m* <-[e]s> pomp; **pompös** *adj* grandiose.

Pony 1. *m* <-s, -s> (*Frisur*) fringe; **2.** *nt* <-s, -s> (*Pferd*) pony.

Popcorn *nt* <-s> popcorn.

Popmusik *f* pop.

Popo *m* <-s, -s> (*fam*) bottom, bum.

populär *adj* popular; **Popularität** *f* popularity.

Pore *f* <-, -n> pore.

Pornographie *f* pornography.

porös *adj* porous.

Porree *m* <-s, -s> leek.

Portal *nt* <-s, -e> portal.

Portemonnaie *nt* <-s, -s> purse.

Portier *m* <-s, -s> porter; *siehe auch* Pförtner.

Portion *f* portion, helping; (*fam: Anteil*) amount.

Porto *nt* <-s, -s> postage; **portofrei** *adj* post-free, [postage] prepaid.

Porträt *nt* <-s, -s> portrait; **porträtieren** *vt* paint, portray.

Portugal *nt* Portugal; **Portugiese** *m* <-n, -n>, **Portugiesin** *f* Portuguese; **die** ~ **n** *pl* the Portuguese *pl*; **portugiesisch** *adj* Portuguese.

Porzellan *nt* <-s, -e> china, porcelain; (*Geschirr*) china.

Posaune *f* <-, -n> trombone.

Pose *f* <-, -n> pose; **posieren** *vi* pose.

Position *f* position; **positionieren** *vt* (*COMPUT*) position; **Positionslichter** *pl* (*AVIAT*) position lights *pl*.

positiv *adj* positive; **Positiv** *nt* (*FOT*) positive.

Positur *f* posture, attitude.

possessiv *adj* possessive; **Possessivpronomen** *nt* possessive pronoun.

possierlich *adj* funny.

Post *f* <-, -en> post [office]; (*Briefe*) mail; **Postamt** *nt* post office; **Postanweisung** *f* postal order, money order; **Postbote** *m*, **-botin** *f* postman/-woman.

Posten *m* <-s, -> post, position; (*COM*) item; (*auf Liste*) entry; (*MIL*) sentry;

(*Streik* ~) picket.

Poster *nt* <-s, -> poster.

Postfach *nt* post-office box, PO box; **Postkarte** *f* postcard; **postlagernd** *adv* poste restante; **Postleitzahl** *f* postcode *Brit*, zip code *US*.

postmodern *adj* postmodern.

Postscheckkonto *nt* postal giro account; **Postsparkasse** *f* post office savings bank; **Poststempel** *m* postmark; **postwendend** *adv* by return [of post].

potent *adj* potent; (*fig*) high-powered.

Potential *nt* <-s, -e> potential.

potentiell *adj* potential.

Potenz *f* power; (*eines Mannes*) potency.

Pracht *f* <-> splendour, magnificence; **prächtig** *adj* splendid; **Prachtstück** *nt* showpiece; **prachtvoll** *adj* splendid, magnificent.

Prädikat *nt* title; (*LING*) predicate; (*Zensur*) distinction; (*von Wein*) special quality.

prägen *vt* stamp; (*Münze*) mint; (*Ausdruck*) coin; (*Charakter*) form.

prägnant *adj* concise, terse; **Prägnanz** *f* conciseness, terseness.

Prägung *f* minting; forming; (*Eigenart*) character, stamp.

prahlen *vi* boast, brag; **Prahlerei** *f* boasting; **prahlerisch** *adj* boastful.

Praktik *f* practice; **praktikabel** *adj* practicable; **Praktikant(in** *f*) *m* trainee; **Praktikum** *nt* <-s, Praktika> practical training; **praktisch** *adj* practical, handy; ~ **er Arzt** general practitioner; **praktizieren** *vt, vi* practise.

Praline *f* chocolate.

prall *adj* firmly rounded; (*Segel*) taut; (*Arme*) plump; (*Sonne*) blazing; **prallen** *vi* bounce, rebound; (*Sonne*) blaze.

Prämie *f* premium; (*Belohnung*) award, prize; **prämieren** *vt* give an award to.

Pranger *m* <-s, -> (*HIST*) pillory; **jdn an den** ~ **stellen** (*fig*) pillory sb.

Präparat *nt* (*BIO*) preparation; (*MED*) medicine.

Präposition *f* preposition.

Prärie *f* prairie.

Präsens *nt* <-> present tense.

präsentieren *vt* present.

Präservativ *nt* contraceptive.

Präsident(in *f*) *m* president; **Präsidentschaft** *f* presidency; **Präsidentschaftskandidat(in** *f*) *m* presidential candidate.

Präsidium *nt* presidency, chair[manship]; (*Polizei* ~) police headquarters *pl*.

prasseln *vi* (*Feuer*) crackle; (*Hagel*) drum; (*Wörter*) rain down.

prassen vi live it up.
Präteritum nt <-s, Präterita> pre-
terite.
Pratze f <-, -n> paw.
Präventiv- pref preventive.
Praxis f <-, Praxen> practice; (Be-
handlungsraum) surgery; (von Anwalt)
office.
Präzedenzfall m precedent.
präzis[e] adj precise; **Präzision** f preci-
sion.
predigen vt, vi preach; **Prediger(in** f)
m <-s, -> preacher; **Predigt** f <-,
-en > sermon.
Preis m <-es, -e> price; (Sieges~)
prize; **um keinen ~** not at any price.
Preiselbeere f cranberry.
preisen <pries, gepriesen> vi
praise.
preisgeben irr vt abandon; (opfern) sacrifice; (zeigen) expose.
preisgekrönt adj prize-winning; **Preisgericht** nt jury; **preisgünstig** adj inexpensive; **Preislage** f price range;
preislich adj price, in price; **Preis-
sturz** m slump; **Preisträger(in** f) m
prizewinner; **preiswert** adj inexpensive.
prekär adj precarious.
Prellbock m buffers pl; **prellen** vt
bump; (fig) cheat, swindle; **Prellung** f
bruise.
Premiere f <-, -n> premiere.
Premierminister(in f) m prime minister, premier.
Presse f <-, -n> press; **Pressefrei-
heit** f freedom of the press; **Presse-
meldung** f press report.
pressen vt press.
Preßluft f compressed air; **Preßluftbohrer** m pneumatic drill.
Prestige nt f prestige.
prickeln vt, vi tingle, tickle.
pries pt von **preisen.**
Priester(in f) m <-s, -> priest.
prima adj inv first-class, excellent.
primär adj primary.
Primel f <-, -n> primrose.
primitiv adj primitive.
Prinz m <-en, -en> prince; **Prinzessin** f princess.
Prinzip nt <-s, -ien> principle; **prinzi-
pienlos** adj unprincipled.
Priorität f priority; **Prioritätenliste** f
list of priorities.
Prise f <-, -n> pinch.
Prisma nt <-s, Prismen> prism.
privat adj privat; **Privat-** in Zusammensetzungen private.
pro prep + akk per; **Pro** nt <-s> pro.

Probe f <-, -n> test; (Teststück)
sample; (THEAT) rehearsal; **jdn auf die
~ stellen** put sb to the test; **Probe-
exemplar** nt specimen copy; **Probe-
fahrt** f test drive; **proben** vt try;
(THEAT) rehearse; **probeweise** adv on
approval; **Probezeit** f probation period.
probieren vt, vi try; (Wein, Speise) taste,
sample.
Problem nt <-s, -e> problem; **Pro-
blematik** f problem, problematic nature; **problematisch** adj problematic;
problemlos adj problem-free.
Produkt nt <-[e]s, -e> product; (AGR)
produce; **Produktion** f production;
output; **produktiv** adj productive; **Produktivität** f productivity.
Produzent(in f) m manufacturer; (CINE)
producer.
produzieren vt produce.
Professor(in f) m professor; **Professur**
f chair.
Profil nt <-s, -e> profile; (fig) image;
profilieren vr: sich ~ create an image
for oneself.
Profit m <-[e]s, -e> profit; **profitieren** vi profit (von from).
Prognose f <-, -n> prediction, prog-
nosis.
Programm nt <-s, -e> programme;
(COMPUT) program; **programmieren**
vt program; **Programmierer(in** f) m
<-s, -> programmer; **Programmier-
fehler** m bug, programming error; **Pro-
grammierkurs** m programming
course; **Programmiersprache** f programming language.
Progammkino nt alternative cinema.
progressiv adj progressive.
Projekt nt <-[e]s, -e> project.
Projektor m projector.
projizieren vt project.
proklamieren vt proclaim.
Prolet(in f) m <-en, -en> prole, pleb;
Proletariat nt proletariat; **Proleta-
rier(in** f) m <-s, -> proletarian.
Prolog m <-[e]s, -e> prologue.
Promenade f promenade.
Promille nt <-[s], -> alcohol level.
prominent adj prominent; **Prominenz** f
VIPs pl.
promisk adj promiscuous; **Promiskui-
tät** f promiscuity.
Promotion f doctorate, Ph.D; **promo-
vieren** vi do a doctorate [o Ph.D].
prompt adj prompt.
Pronomen nt <-s, -> pronoun.
Propaganda f <-> propaganda.
Propeller m <-s, -> propeller.
Prophet(in f) m <-en, -en> prophet/

prophetess; **prophezeien** vt prophesy;
Prophezeiung f prophecy.

Proportion f proportion; **proportional**
adj proportional; **Proportionalschrift**
f proportional spacing.

Prosa f < -> prose; **prosaisch** adj
prosaic.

prosit interj cheers.

Prospekt m < -[e]s, -e > leaflet, brochure.

prost interj cheers.

Prostituierte(r) mf prostitute; **Prostitution** f prostitution.

Protest m < -[e]s, -e > protest; **protestantisch** adj Protestant.

Protestant(in f) m Protestant; **protestantisch** adj Protestant.

protestieren vi protest; **Protestkund-
gebung** f [protest] rally.

Prothese f < -, -n > artificial limb;
(Zahn~) dentures pl.

Protokoll nt < -s, -e > register; (von Sitzung) minutes pl; (diplomatisch) protocol; (Polizei~) statement; **protokollie-
ren** vt take down in the minutes.

Proton m < -s, -en > proton.

Protz m < -en, -e[n] > swank; **protzen**
vi show off; **protzig** adj ostentatious.

Proviant m < -s, -e > provisions pl.

Provinz f < -, -en > province; **provinziell** adj provincial.

Provision f (COM) commission.

provisorisch adj provisional.

Provokation f provocation.

provozieren vt provoke.

Prozedur f procedure; (pej) carry-on.

Prozent nt < -[e]s, -e > per cent, percentage; **Prozentrechnung** f percentage calculation; **Prozentsatz** m percentage; **prozentual** adj percentage; as
a percentage.

Prozeß m < -sses, -sse > trial, case;
Prozeßkosten pl [legal] costs pl; **prozessieren** vi bring an action, go to law
(mit against).

Prozession f procession.

Prozessor m (COMPUT) processor.

prüde adj prudish; **Prüderie** f prudery.

prüfen vt examine, test; (nach~) check;
Prüfer(in f) m < -s, -> examiner;
Prüfling m examinee; **Prüfstein** m
touchstone; **Prüfung** f examination;
checking; **Prüfungskommission** f
examining board.

Prügel m < -s, -> cudgel; ~ pl beating;
Prügelei f fight; **Prügelknabe** m
scapegoat; **prügeln 1.** vt beat; **2.** vr:
sich ~ fight; **Prügelstrafe** f corporal
punishment.

Prunk m < -[e]s > pomp, show; **prunk-
voll** adj splendid, magnificent.

Psalm m < -s, -en > psalm.

pseudo- pref pseudo; **Pseudokrupp** m
< -s > (MED) pseudo-croup.

Psychiater(in f) m < -s, -> psychiatrist.

psychisch adj psychological.

Psychoanalyse f psychoanalysis.

Psychologe m < -n, -n >, **-login** f psychologist; **Psychologie** f psychology;
psychologisch adj psychological.

Psychopharmaka pl psychopharmaco-
logical drugs pl.

psychosomatisch adj psychosomatic.

Psychoterror m psychological terror.

Pubertät f puberty.

Publikum nt < -s > audience; (SPORT)
crowd.

publizieren vt publish, publicize.

Pudding m < -s, -e o -s > blancmange.

Pudel m < -s, -> poodle.

Puder m < -s, -> powder; **Puderdose**
f powder compact; **pudern** vt powder;
Puderzucker m icing sugar.

Puff 1. m < -s, -e > (Wäsche~) linen
basket; (Sitz~) pouf; (fam: Bordell)
brothel; **2.** m < -s, ¨e > (fam: Stoß)
push.

Puffer m < -s, -> (auch COMPUT) buffer; **Pufferstaat** m buffer state.

Pulli m < -s, -s >, **Pullover** m < -s, ->
pullover, jumper.

Puls m < -es, -e > pulse; **Pulsader** f
artery; **pulsieren** vi throb, pulsate.

Pult nt < -[e]s, -e > desk.

Pulver nt < -s, -> powder; **pulverig**
adj powdery; **pulverisieren** vt pulverize; **Pulverschnee** m powdery
snow.

pummelig adj chubby.

Pumpe f < -, -n > pump; **pumpen** vt
pump; (fam: verleihen) lend; (sich ausleihen) borrow.

Punk m < -s, -s > (Musik, Mensch)
punk.

Punkt m < -[e]s, -e > point; (bei Muster)
dot; (Satzzeichen) full stop; **etw auf den
~ bringen** get to the heart of sth, bring
sth into focus; **punktieren** vt dot;
(MED) aspirate.

pünktlich adj punctual; **Pünktlichkeit**
f punctuality.

Punktsieg m victory on points; **Punktzahl** f score.

Pupille f < -, -n > pupil.

Puppe f < -, -n > doll; (Marionette) puppet; (Insekten~) pupa, chrysalis; **Pup-
penspieler(in** f) m puppeteer; **Pup-
penstube** f doll's house.

pur adj pure; (völlig) sheer; (Whisky) neat.

Püree nt < -s, -s > puree; (Kartoffel~)

mashed potatoes *pl.*

Purzelbaum *m* somersault; **purzeln** *vi* tumble.

Puste *f* <-> (*fam*) puff; (*fig*) steam.

Pustel *f* <-, -n> pustule.

pusten *vi* puff, blow.

Pute *f* turkey-hen; **Puter** *m* <-s, -> turkey-cock.

Putsch *m* <-[e]s, -e> revolt, putsch; **putschen** *vi* revolt; **Putschist(in** *f*) *m* rebel.

Putz *m* <-es> (*Mörtel*) plaster, roughcast.

putzen 1. *vt* clean; (*Nase*) wipe, blow; 2. *vr*: **sich ~** clean oneself; **Putzfrau** *f* charwoman, cleaner.

putzig *adj* quaint, funny.

Putzlappen *m* cloth; **Putzmann** *m, pl* <-männer *o* -leute> cleaner; **Putztag** *m* cleaning day; **Putzzeug** *nt* cleaning things *pl.*

Puzzle *nt* <-s, -s> jigsaw.

Pyjama *m* <-s, -s> pyjamas *pl.*

Pyramide *f* <-, -n> pyramid.

Q

Q, q *nt* Q, q.

quabb[e]lig *adj* wobbly; (*Frosch*) slimy.

Quacksalber(in *f*) *m* <-s, -> quack [doctor].

Quader *m* <-s, -> square stone; (*MATH*) cuboid.

Quadrat *nt* square; **quadratisch** *adj* square; **Quadratmeter** *m* square metre.

quaken *vi* croak; (*Ente*) quack.

quäken *vi* screech.

Qual *f* <-, -en> pain, agony; (*seelisch*) anguish; **quälen** 1. *vt* torment; 2. *vr*: **sich ~** struggle; (*geistig*) torment oneself; **Quälerei** *f* torture, torment; **Quälgeist** *m* pest.

qualifizieren *vt, vr*: **sich ~** qualify; (*einstufen*) label.

Qualität *f* quality; **Qualitätsware** *f* article of high quality.

Qualle *f* <-, -n> jellyfish.

Qualm *m* <-[e]s> thick smoke; **qualmen** *vt, vi* smoke.

qualvoll *adj* excruciating, painful, agonizing.

Quantentheorie *f* quantum theory.

Quantität *f* quantity; **quantitativ** *adj* quantitative.

Quantum *nt* <-s, **Quanten**> quantity,

amount.

Quarantäne *f* <-, -n> quarantine.

Quark *m* <-s> curd cheese; (*fam*) rubbish.

Quartal *nt* <-s, -e> quarter [year].

Quartier *nt* <-s, -e> accommodation; (*MIL*) quarters *pl*; (*Stadt~*) district.

Quarz *m* <-es, -e> quartz.

quasseln *vi* (*fam*) natter.

Quatsch *m* <-es> rubbish; **quatschen** *vi* chat, natter.

Quecksilber *nt* mercury.

Quelle *f* <-, -n> spring; (*eines Flusses*) source; **quellen** <**quoll, gequollen**> *vi* (*hervor~*) pour [*o* gush] forth; (*schwellen*) swell.

Quengelei *f* (*fam*) whining; **quengelig** *adj* (*fam*) whining; **quengeln** *vi* (*fam*) whine.

quer *adv* crossways, diagonally; (*rechtwinklig*) at right angles; **~ auf dem Bett** across the bed; **Querbalken** *m* crossbeam; **querfeldein** *adv* across country; **Querflöte** *f* flute; **Querkopf** *m* awkward customer; **Querschiff** *nt* transept; **Querschnitt** *m* cross-section; **querschnittsgelähmt** *adj* paralysed below the waist, paraplegic; **Querstraße** *f* intersecting road; **Quertreiber(in** *f*) *m* <-s, -> obstructionist; **Querverbindung** *f* connection, link.

quetschen *vt* squash, crush; (*MED*) bruise; **Quetschung** *f* bruise, contusion.

quieken *vi* squeak.

quietschen *vi* squeak.

Quintessenz *f* quintessence.

Quintett *nt* <-[e]s, -e> quintet.

Quirl *m* <-[e]s, -e> whisk.

quitt *adj* quits, even.

Quitte *f* <-, -n> quince; **quittengelb** *adj* sickly yellow.

quittieren *vt* give a receipt for; (*Dienst*) leave; **Quittung** *f* receipt.

Quiz *nt* <-, -> quiz.

quoll *pt von* **quellen**.

Quote *f* <-, -n> number, rate.

R

R, r *nt* R, r.

Rabatt *m* <-[e]s, -e> discount.

Rabatte *f* flowerbed, border.

Rabattmarke *f* trading stamp.

Rabe *m* <-n, -n> raven; **Rabenmutter** *f* bad mother.

rabiat *adj* furious.
Rache *f* <-> revenge, vengeance.
Rachen *m* <-s, -> throat.
rächen 1. *vt* avenge, revenge; 2. *vr:* **sich ~** take [one's] revenge; **das wird sich ~** you'll pay for that.
Rachitis *f* <-> rickets *sing.*
Rachsucht *f* vindictiveness; **rachsüchtig** *adj* vindictive.
Rad *nt* <-[e]s, ¨er> wheel; (*Fahr~*) bike.
Radar *nt o m* <-s> radar; **Radarfalle** *f* speed trap; **Radarkontrolle** *f* radar-controlled speed trap.
Radau *m* <-s> (*fam*) row.
Raddampfer *m* paddle steamer.
radebrechen *vt, vi:* **deutsch ~** speak broken German.
radeln *vi,* **radfahren** *irr vi* cycle; **Radfahrer(in** *f*) *m* cyclist; **Radfahrweg** *m* cycle track [*o* path].
Radicchio *m* <-s> (*Salatsorte*) radicchio.
radieren *vt* rub out, erase; (*KUNST*) etch; **Radiergummi** *m* rubber, eraser; **Radierung** *f* etching.
Radieschen *nt* radish.
radikal *adj* radical; **Radikale(r)** *mf* radical.
Radio *nt* <-s, -s> radio, wireless.
radioaktiv *adj* radioactive; **Radioaktivität** *f* radioactivity.
Radioapparat *m* radio, wireless set; **Radiorecorder** *m* <-s, -> radio cassette recorder; **Radiowecker** *m* radio alarm [clock].
Radium *nt* radium.
Radius *m* <-, **Radien**> radius.
Radkappe *f* (*AUT*) hub cap.
Radler(in *f*) *m* <-s, -> cyclist.
Radrennbahn *f* cycling [race]track; **Radrennen** *nt* cycle race; cycle racing; **Radsport** *m* cycling.
RAF *f abk von* **Rote Armee Fraktion** Red Army Faction.
Raffinade *f* refined sugar; **raffinieren** *vt* refine; **raffiniert** *adj* crafty, cunning; (*Zucker*) refined.
ragen *vi* tower, rise.
Rahm *m* <-s> cream.
rahmen *vt* frame; **Rahmen** *m* <-s, -> frame[work]; **im ~ des Möglichen** within the bounds of possibility.
rahmig *adj* creamy.
Rakete *f* <-, -n> rocket; **ferngelenkte ~** guided missile; **Raketenabwehrsystem** *nt* missile-defence system.
rammen *vt* ram.
Rampe *f* <-, -n> ramp; **Rampenlicht** *vt* (*THEAT*) footlights *pl;* (*fig*) limelight.

ramponieren *vt* (*fam*) damage.
Ramsch *m* <-[e]s, -e> junk.
ran = (*fam*) **heran.**
Rand *m* <-[e]s, ¨er> edge; (*von Brille, Tasse etc*) rim; (*Hut~*) brim; (*auf Papier*) margin; (*Schmutz~, unter Augen*) ring; (*fig*) verge, brink; **außer ~ und Band** wild; **am ~e bemerkt** mentioned in passing.
Randale *f* <-, -n> (*fam*) rioting; **~ machen** go on a riot; **randalieren** *vi* [go on the] rampage.
Randbemerkung *f* marginal note; (*fig*) odd comment; **Randerscheinung** *f* unimportant side effect, marginal phenomenon.
rang *pt von* **ringen.**
Rang *m* <-[e]s, ¨e> rank; (*Stand*) standing; (*Wert*) quality; (*THEAT*) circle; **¨e** *pl* (*SPORT*) stands *pl.*
Rangierbahnhof *m* marshalling yard; **rangieren** 1. *vt* (*EISENB*) shunt, switch *US;* 2. *vi* rank, be classed; **Rangiergleis** *nt* siding.
Rangordnung *f* hierarchy; (*MIL*) ranks *pl;* **Rangunterschied** *m* social distinction; (*MIL*) difference in rank.
Ranke *f* <-, -n> tendril, shoot.
rann *pt von* **rinnen.**
rannte *pt von* **rennen.**
Ranzen *m* <-s, -> satchel; (*fam: Bauch*) gut, belly.
ranzig *adj* rancid.
Rappe *m* <-n, -n> black horse.
Raps *m* <-es, -e> (*BOT*) rape.
rar *adj* rare; **sich ~ machen** (*fam*) keep oneself to oneself; **Rarität** *f* rarity; (*Sammelobjekt*) curio.
rasant *adj* quick, rapid.
rasch *adj* quick.
rascheln *vi* rustle.
rasen *vi* rave; (*schnell*) race.
Rasen *m* <-s, -> lawn; grass.
rasend *adj* furious; **~e Kopfschmerzen** a splitting head-ache.
Rasenmäher *m* <-s, -> lawnmower; **Rasenplatz** *m* lawn.
Raserei *f* raving, ranting; (*schnelles Fahren*) reckless speeding.
Rasierapparat *m* shaver; **Rasiercreme** *f* shaving cream; **rasieren** *vt, vr:* **sich ~** shave; **Rasierklinge** *f* razor blade; **Rasiermesser** *nt* razor; **Rasierpinsel** *m* shaving brush; **Rasierschaum** *m* shaving foam; **Rasierseife** *f* shaving soap [*o* stick]; **Rasierwasser** *nt* shaving lotion.
Rasse *f* <-, -n> race; (*Tier~*) breed.
Rassehund *m* thoroughbred dog.
Rassel *f* <-, -n> rattle; **rasseln** *vi*

rattle, clatter.
Rassenhaß m race [o racial] hatred;
Rassentrennung f racial segregation.
Rast f <-, -en> rest; **rasten** vi rest.
Rasterfahndung f computer scan
search.
Rasthaus nt (AUT) service station; **rastlos** adj tireless; (unruhig) restless; **Rastplatz** m (AUT) layby.
Rasur f shave.
Rat m <-[e]s, ~schläge> [piece of]
advice; **jdn zu ~e ziehen** consult sb;
keinen ~ wissen not know what to do.
Rate f <-, -n> instalment.
raten <riet, geraten> vt, vi guess;
(empfehlen) advise (jdm sb).
ratenweise adv by instalments; **Raten-
zahlung** f hire purchase.
Ratgeber(in f) m <-s, -> adviser; **Rathaus** nt town hall.
ratifizieren vt ratify; **Ratifizierung** f
ratification.
Ration f ration.
rational adj rational.
rationalisieren vt rationalize.
'ationell adj efficient.
\tionieren vt ration.
\tlos adj at a loss, helpless; **Ratlosig-
\eit** f helplessness; **ratsam** adj advis-
\e; **Ratschlag** m [piece of] advice.
\el nt <-s, -> puzzle; (Wort~)
; **rätselhaft adj mysterious; **es ist
**** it's a mystery to me.
\ter m town-hall restaurant.
**<-, -n> rat; **Rattenfänger m
**** ratcatcher.
\attern vi rattle, clatter.
Raub m <-[e]s> robbery; (Beute) loot,
booty; **Raubbau** m ruthless exploitation; **rauben** vt rob; (jdn) kidnap, abduct; **Räuber(in** f) m <-s, -> robber;
räuberisch adj thieving; **raubgierig**
adj rapacious; **Raubmord** m robbery
with murder; **Raubtier** nt predator;
Raubüberfall m robbery with violence;
Raubvogel m bird of prey.
Rauch m <-[e]s> smoke; **rauchen** vt,
vi smoke; **Raucher(in** f) m <-s, ->
smoker; **Raucherabteil** nt (EISENB)
smoker.
räuchern vt smoke, cure.
Rauchfleisch nt smoked meat; **rauchig**
adj smoky.
räudig adj mangy.
rauf = (fam) herauf.
Raufbold m <-[e]s, -e> rowdy, hooligan; **raufen 1.** vt (Haare) pull out; **2.** vi,
vr: **sich ~** fight; **Rauferei** f brawl, fight.
rauh adj rough, coarse; (Wetter) harsh;
rauhhaarig adj wire-haired; **Rauhreif**

m hoarfrost.
Raum m <-[e]s, Räume> space; (Zimmer, Platz) room; (Gebiet) area.
räumen vt clear; (Wohnung, Platz) vacate; (wegbringen) shift, move; (in
Schrank etc) put away.
Raumfähre f space shuttle; **Raumfahrt**
f space travel; (~ technik) space technology; **Rauminhalt** m cubic capacity, volume; **Raumlabor** nt space lab.
räumlich adj spatial; **Räumlichkeiten**
pl premises pl.
Raummangel m lack of space; **Raum-
meter** m cubic metre; **Raumpfle-
ger(in** f) m cleaner; **Raumschiff** nt
spaceship; **Raumsonde** f space probe;
Raumstation f space station.
Räumung f vacating, evacuation; clearing
[away]; **Räumungsverkauf** m clearance sale.
raunen vt, vi whisper mysteriously.
Raupe f <-, -n> caterpillar; (~ nkette)
[caterpillar] track; **Raupenschlepper**
m caterpillar tractor.
raus = (fam) heraus, hinaus.
Rausch m <-[e]s, Räusche> intoxication.
rauschen vi (Wasser) rush; (Baum)
rustle; (Radio etc) hiss; (Mensch) sweep,
sail; **rauschend** adj (Beifall) thunderous; (Fest) sumptuous.
Rauschgift nt drug; **Rauschgiftdezernat** nt drug squad; **Rauschgift-
süchtige(r)** mf drug addict.
räuspern vr: **sich ~** clear one's throat.
Raute f <-, -n> diamond; (MATH)
rhombus; **rautenförmig** adj rhombic.
Razzia f <-, Razzien> raid.
Reagenzglas nt test tube.
reagieren vi react (auf + akk to).
Reaktion f reaction.
reaktionär adj reactionary.
Reaktionsgeschwindigkeit f speed of
reaction.
Reaktor m reactor; **Reaktorblock** m
reactor block; **Reaktorkern** m core [of
the reactor]; **Reaktorsicherheit** f reactor safety.
real adj real, material.
Realismus m realism; **Realist(in** f) m
realist; **realistisch** adj realistic.
Realo m <-s, -s> (POL) political realist
[of the ecology movement].
Realpolitiker(in f) m political realist.
Rebe f <-, -n> vine.
Rebell(in f) m <-en, -en> rebel; **Rebellion** f rebellion; **rebellisch** adj rebellious.
Rebhuhn nt partridge; **Rebstock** m
vine.

Rechaud m <-s, -s> spirit burner.
rechen vt, vi rake; **Rechen** m <-s, -> rake.
Rechenaufgabe f sum, mathematical problem; **Rechenfehler** m miscalculation; **Rechenmaschine** f calculating machine; **Rechenschaft** f account; **Rechenschaftsbericht** m report; **Rechenschieber** m slide rule; **Rechenzentrum** nt computer centre.
rechnen 1. vt, vi calculate; **2.** vr: **sich ~** pay off, turn out to be profitable; **jdn/etw ~ zu** [o unter] count sb/sth among; **~ mit** reckon with; **~ auf** + akk count on; **Rechner** m <-s, -> calculator; (Computer) computer; **Rechnung** f calculation[s]; (COM) bill, check US; **jdm/einer Sache ~ tragen** take sb/sth into account; **Rechnungsjahr** nt financial year; **Rechnungsprüfer(in** f) m auditor; **Rechnungsprüfung** f audit[ing].
recht adj, adv right; (vor Adjektiv) really, quite; **das ist mir ~** that suits me; **jetzt erst ~** now more than ever; **~ haben** be right; **jdm ~ geben** agree with sb.
Recht nt <-[e]s, -e> right; (JUR) law; **~ sprechen** administer justice; **mit ~** rightly, justly; **von ~s wegen** by rights.
Rechte f <-n, -n> right side; right hand; (POL) right.
rechte(r, s) adj right; **Rechte(r)** mf right person; **Rechte(s)** nt right thing; **etwas/nichts ~s** something/nothing proper.
Rechteck nt <-s, -e> rectangle; **rechteckig** adj rectangular.
rechtfertigen vt, vr: **sich ~** justify [oneself]; **Rechtfertigung** f justification; **rechthaberisch** adj dogmatic; **rechtlich** adj, **rechtmäßig** adj legal, lawful.
rechts adv right; to [o on] the right; **~ von mir** on [o to] my right.
Rechtsanwalt m, **-anwältin** f lawyer, barrister; **Rechtsaußen** m <-, -> (SPORT) outside right; **Rechtsbeistand** m legal adviser.
rechtschaffen adj upright.
Rechtschreibung f spelling.
Rechtsfall m [law] case; **Rechtsfrage** f legal question; **Rechtshänder(in** f) m <-s, -> right-handed person; **rechtskräftig** adj valid, legal; **Rechtskurve** f right-hand bend; **rechtsradikal** adj (POL) extreme right-wing; **Rechtsschutzversicherung** f legal costs insurance; **Rechtsverkehr** m driving on the right; **rechtswidrig** adj illegal.
rechtwinklig adj right-angled; **rechtzeitig 1.** adj timely; **2.** adv in time.
Reck nt <-[e]s, -e> horizontal bar.

recken vt, vr: **sich ~** stretch.
Recycling nt <-s> recycling; **Recyclingpapier** nt recycling paper.
Redakteur(in f) m editor; **Redaktion** f editing; (Leute) editorial staff; (Büro) editorial office[s].
Rede f <-, -n> speech; (Gespräch) talk; **jdn zur ~ stellen** take sb to task; **Redefreiheit** f freedom of speech; **redegewandt** adj eloquent; **reden 1.** vi talk, speak; **2.** vt say; (Unsinn etc) talk; **Reden** nt <-s> talking, speech; **Redensart** f set phrase; **Redewendung** f expression, idiom.
redlich adj honest.
Redner(in f) m <-s, -> speaker, orator; **redselig** adj talkative, loquacious.
reduzieren vt reduce.
Reede f <-, -n> protected anchorage; **Reeder(in** f) m <-s, -> shipowner; **Reederei** f shipping line [o firm].
reell adj fair, honest; (MATH) real.
Referat nt report; (Vortrag) paper; (Gebiet) section.
Referent(in f) m speaker; (Berichterstatter) reporter; (Sachbearbeiter) expert.
Referenz f reference.
referieren vi: **~ über** + akk speak [o talk] on.
reflektieren vt, vi reflect; **~ auf** + akk be interested in.
Reflex m <-es, -e> reflex; **Reflexbewegung** f reflex action; **reflexiv** adj reflexive.
Reform f <-, -en> reform.
Reformation f reformation; **Reformator(in** f) m reformer; **reformatorisch** adj reformatory, reforming.
Reformhaus nt health food shop.
reformieren vt reform.
Refrain m <-s, -s> refrain, chorus.
Regal nt <-s, -e> [book]shelves pl, bookcase; stand, rack.
rege adj lively, active; (Geschäft) brisk.
Regel f <-, -n> rule; (MED) period; **regelmäßig** adj regular; **Regelmäßigkeit** f regularity; **regeln 1.** vt regulate, control; (Angelegenheit) settle; **2.** vr: **sich von selbst ~** take care of itself; **regelrecht** adj regular, proper, thorough; **Regelung** f regulation; (Erledigung) settlement; (Abmachung) arrangement; (Bestimmung) ruling; **regelwidrig** adj irregular, against the rules.
regen vt, vr: **sich ~** move, stir.
Regen m <-s, -> rain; **Regenbogen** m rainbow; **Regenbogenhaut** f (ANAT) iris; **Regenguß** m downpour; **Regenmantel** m raincoat, mac[kintosh]; **Regenschauer** m shower [of

rain]; **Regenschirm** m umbrella.
Regent(in f) m regent; **Regentschaft** f regency.
Regentag m rainy day; **Regenwurm** m earthworm; **Regenzeit** f rainy season, rains pl.
Regie f (CINE etc) direction; (THEAT) production.
regieren vt, vi govern, rule; **Regierung** f government; (bei Monarchie) reign; **Regierungswechsel** m change of government; **Regierungszeit** f period in government; (von König) reign.
Regiment nt <-s, -er> regiment.
Region f region.
Regisseur(in f) m director; (THEAT) [stage] producer.
Register nt <-s, -> register; (in Buch) table of contents, index.
Registratur f registry, record office.
registrieren vt register.
Regler m <-s, -> regulator, governor.
regnen vb impers rain; **regnerisch** adj rainy.
regulär adj regular.
regulieren vt regulate; (COM) settle.
Regung f motion; (Gefühl) feeling, impulse; **regungslos** adj motionless.
Reh nt <-[e]s, -e> deer, roe; **Rehbock** m roebuck; **Rehkalb** nt, **Rehkitz** nt fawn.
Rehabilitationszentrum nt (MED) rehabilitation centre.
Reibe f <-, -n>, **Reibeisen** nt grater; **reiben** <rieb, gerieben> vt rub; (GASTR) grate.
Reiberei f friction; **Reibfläche** f rough surface.
Reibung f friction; **reibungslos** adj smooth.
reich adj rich.
Reich nt <-[e]s, -e> empire, kingdom; (fig) realm; **das Dritte ~** the Third Reich.
reichen 1. vi reach; (genügen) be enough, be sufficient; (jdm für sb); **2.** vt hold out; (geben) pass, hand; (anbieten) offer.
reichhaltig adj ample, rich; **reichlich** adj ample, plenty of; **Reichtum** m <-s, -tümer > wealth.
Reichweite f range.
reif adj ripe; (Mensch, Urteil) mature.
Reif 1. m <-[e]s> (Rauh~) hoarfrost; **2.** m <-[e]s, -e> (Ring) ring, hoop.
Reife f <-> ripeness; (von Mensch) maturity; **reifen** vi mature; (Obst) ripen.
Reifen m <-s, -> ring, hoop; (Fahrzeug~) tyre; **Reifenschaden** m puncture.
Reifeprüfung f school leaving exam;

Reifezeugnis nt school leaving certificate.
Reihe f <-, -n> row; (von Tagen etc, fam: Anzahl) series sing; **der ~** nach in turn; **er ist an der ~** it's his turn; **an die ~ kommen** have one's turn; **reihen** vt set in a row; arrange in series; (Perlen) string; **Reihenfolge** f sequence; **alphabetische ~** alphabetical order; **Reihenhaus** nt terraced house, town house US.
Reiher m <-s, -> heron.
Reim m <-[e]s, -e> rhyme; **reimen** vt rhyme.
rein 1. = (fam) herein, hinein; **2.** adj pure; (sauber) clean; **3.** adv (ausschließlich) purely; (fam: völlig) absolutely; **etw ins ~e schreiben** make a fair copy of sth; **etw ins ~e bringen** clear up sth; **Rein-** in Zusammensetzungen (COM) net[t]; **Rein[e]machefrau** f charwoman; **Reinfall** m (fam) let-down; **Reingewinn** m net profit; **Reinheit** f purity; (Sauberkeit) cleanliness.
reinigen vt clean; (Wasser) purify; **Reinigung** f cleaning; purification; (Geschäft) cleaner's; **chemische ~** dry cleaning; dry cleaner's.
reinlich adj clean; **Reinlichkeit** f cleanliness.
reinrassig adj pedigree; **Reinschrift** f fair copy; **reinwaschen** irr vr: **sich ~** clear oneself.
Reis 1. m <-es, -e> rice; **2.** nt <-es, -er > (Zweig) twig, sprig.
Reise f <-, -n> journey; (Schiffs~) voyage; **~n** pl travels pl; **Reiseandenken** nt souvenir; **Reisebüro** nt travel agency; **reisefertig** adj ready to start; **Reiseführer(in** f) m (Mensch) travel guide; (Buch) guide[book]; **Reisegepäck** nt luggage; **Reisegesellschaft** f party of travellers; **Reisekosten** pl travelling expenses pl; **Reiseleiter(in** f) m courier; **Reiselektüre** f reading matter for the journey; **reisen** vi travel; go (nach to); **Reisende(r)** mf traveller; **Reisepaß** m passport; **Reisepläne** pl plans pl for a journey; **Reiseproviant** m provisions pl for the journey; **Reisescheck** m traveller's cheque; **Reisetasche** f travelling bag [o case]; **Reiseveranstalter(in** f) m travel agent, tour operator; **Reiseverkehr** m tourist/holiday traffic; **Reisewetter** nt holiday weather; **Reiseziel** nt destination.
Reisig nt <-s> brushwood.
Reißaus m: **~ nehmen** run away, flee; **Reißbrett** nt drawing board; **reißen** <riß, gerissen> vt, vi tear; (ziehen)

pull, drag; (*Witz*) crack; **etw an sich ~** snatch sth up; (*fig*) take over sth; **sich um etw ~** scramble for sth; **reißend** *adj* (*Fluß*) torrential; (*COM*) rapid.

Reißer *m* <-s, -> (*fam*) thriller; **reißerisch** *adj* sensationalistic.

Reißleine *f* (*AVIAT*) ripcord; **Reißnagel** *m* drawing pin, thumbtack *US*; **Reißschiene** *f* drawing rule, square; **Reißverschluß** *m* zip[per], zip fastener; **Reißzeug** *nt* geometry set; **Reißzwecke** *f* drawing pin, thumbtack *US*.

reiten <ritt, geritten> *vt*, *vi* ride; **Reiter(in** *f*) *m* <-s, -> rider; (*MIL*) cavalryman, trooper; **Reithose** *f* riding breeches *pl*; **Reitpferd** *nt* saddle horse; **Reitstiefel** *m* riding boot; **Reitzeug** *nt* riding outfit.

Reiz *m* <-es, -e> stimulus; (*angenehm*) charm; (*Verlockung*) attraction; **reizbar** *adj* irritable; **Reizbarkeit** *f* irritability; **reizen** *vt* stimulate; (*unangenehm*) irritate; (*verlocken*) appeal to, attract; **reizend** *adj* charming; **Reizgas** *nt* shock gas, strong gas irritant; **reizlos** *adj* unattractive; **Reizthema** *nt* explosive topic; **reizvoll** *adj* attractive; **Reizwäsche** *f* sexy underwear.

rekeln *vr*: **sich ~** stretch out; (*lümmeln*) lounge [*o* loll] about.

Reklamation *f* complaint.

Reklame *f* <-, -n> advertising; advertisement; **~ für etw machen** advertise sth.

reklamieren *vt*, *vi* complain [about]; (*zurückfordern*) reclaim.

rekonstruieren *vt* reconstruct.

Rekonvaleszenz *f* convalescence.

Rekord *m* <-[e]s, -e> record; **Rekordleistung** *f* record performance.

Rekrut(in *f*) *m* <-en, -en> recruit; **rekrutieren 1.** *vt* recruit; **2.** *vr*: **sich ~** be recruited.

Rektor(in *f*) *m* (*von Universität*) rector, vice-chancellor; (*SCH*) headmaster/-mistress; **Rektorat** *nt* rectorate, vice-chancellorship; headship; (*Zimmer*) rector's office; headmaster's/headmistress's office.

Relais *nt* <-, -> relay.

relational *adj* (*COMPUT*) relational.

relativ *adj* relative; **Relativität** *f* relativity.

relevant *adj* relevant.

Relief *nt* <-s, -s> relief.

Religion *f* religion; **Religionsunterricht** *m* religious instruction; **religiös** *adj* religious.

Relikt *nt* <-[e]s, -e> relic.

Reling *f* <-, -s> (*NAUT*) rail.

Reliquie *f* relic.

Rem *nt* <-, -> rem.

Reminiszenz *f* reminiscence, recollection.

Remoulade *f* remoulade.

Ren *nt* <-s, -s *o* -e> reindeer.

Rendezvous *nt* <-, -> rendezvous.

Rennbahn *f* racecourse; (*AUT*) circuit, race track; **rennen** <rannte, gerannt> *vt*, *vi* run, race; **Rennen** *nt* <-s, -> running; (*Wettbewerb*) race; **Rennfahrer(in** *f*) *m* racing driver; **Rennpferd** *nt* racehorse; **Rennplatz** *m* racecourse; **Rennwagen** *m* racing car.

renovieren *vt* renovate; **Renovierung** *f* renovation.

rentabel *adj* profitable, lucrative; **Rentabilität** *f* profitability.

Rente *f* <-, -n> pension; **Rentenempfänger(in** *f*) *m* pensioner.

Rentier *nt* reindeer.

rentieren *vr*: **sich ~** pay, be profitable.

Rentner(in *f*) *m* <-s, -> pensioner.

Reparatur *f* repairing; repair; **reparaturbedürftig** *adj* in need of repair; **Reparaturwerkstatt** *f* repair shop; (*AUT*) garage; **reparieren** *vt* repair.

Repertoire *nt* <-s, -s> repertoire.

Reportage *f* <-, -n> report; **Reporter(in** *f*) *m* <-s, -> reporter, commentator.

Repräsentant(in *f*) *m* representative; **repräsentativ** *adj* representative; (*Geschenk etc*) prestigious; **repräsentieren 1.** *vt* represent; **2.** *vi* perform official duties.

Repressalien *pl* reprisals *pl*.

Reproduktion *f* reproduction; **reproduzieren** *vt* reproduce.

Reptil *nt* <-s, -ien> reptile.

Republik *f* republic; **Republikaner(in** *f*) *m* <-s, -> republican; **republikanisch** *adj* republican.

Reservat *nt* reservation.

Reserve *f* <-, -n> reserve; **Reserverad** *nt* (*AUT*) spare wheel; **Reservespieler(in** *f*) *m* reserve; **Reservetank** *m* reserve tank; **reservieren** *vt* reserve; **Reservist(in** *f*) *m* reservist.

Reservoir *nt* <-s, -e> reservoir.

Residenz *f* residence, seat.

Resignation *f* resignation; **resignieren** *vi* resign.

resolut *adj* resolute.

Resolution *f* resolution.

Resonanz *f* resonance; **Resonanzboden** *m* sounding board; **Resonanzkasten** *m* resonance box.

Resopal® *nt* <-s> formica®.

Resozialisierung f rehabilitation.

Respekt m <-[e]s> respect; **respektabel** adj respectable; **respektieren** vt respect; **respektlos** adj disrespectful; **Respektsperson** f person commanding respect; **respektvoll** adj respectful.

Ressort nt <-s, -s> department.

Rest m <-[e]s, -e> remainder, rest; (Über~) remains pl; ~ e pl (COM) remnants pl.

Restaurant nt <-s, -s> restaurant.

restaurieren vt restore.

Restbetrag m remainder, outstanding sum; **restlich** adj remaining; **restlos** adj complete; **Restrisiko** nt minimal risk.

Resultat nt result.

Retorte f <-, -n> retort; **Retortenbaby** nt test-tube baby.

Retrovirus nt retrovirus.

retten vt save, rescue; **Retter(in** f) m <-s, -> rescuer, saviour.

Rettich m <-s, -e> radish.

Rettung f rescue; (Hilfe) help; **seine letzte ~** his last hope; **Rettungsboot** nt lifeboat; **Rettungsgürtel** m, **Rettungsring** m lifebelt, life preserver US; **rettungslos** adj hopeless.

retuschieren vt (FOT) retouch.

Reue f <-> remorse; (Bedauern) regret; **reuen** vt regret; **es reut ihn** he regrets [it], he is sorry [about it]; **reuig** adj penitent.

Revanche f <-, -n> revenge; **revanchieren** vr: **sich ~** (sich rächen) get one's own back, have one's revenge; (erwidern) reciprocate, return the compliment.

Revers m o nt <-, -> lapel.

revidieren vt revise.

Revier nt <-s, -e> district; (Jagd~) preserve; (Polizei~) police station/beat; (MIL) sick-bay.

Revision f revision; (COM) auditing; (JUR) appeal.

Revolte f <-, -n> revolt.

Revolution f revolution; **Revolutionär(in** f) m revolutionary; **revolutionieren** vt revolutionize.

Revolver m <-s, -> revolver.

Rezensent(in f) m reviewer, critic; **rezensieren** vt review; **Rezension** f review, criticism.

Rezept nt <-[e]s, -e> recipe; (MED) prescription; **rezeptpflichtig** adj available only on prescription.

rezitieren vt recite.

Rhabarber m <-s> rhubarb.

Rhein m Rhine.

Rhesusfaktor m rhesus factor.

Rhetorik f rhetoric; **rhetorisch** adj rhetorical.

Rheuma m <-s>, **Rheumatismus** m rheumatism.

Rhinozeros nt <-, -se o -ses> rhinoceros.

rhythmisch adj rythmical; **Rhythmus** m rhythm.

richten 1. vt direct (an + akk at); (fig) direct (an + akk to); (Waffe) aim (auf + akk at); (einstellen) adjust; (instand setzen) repair; (zurechtmachen) prepare; (bestrafen) pass judgement on; **2.** vr: **sich ~ nach** go by.

Richter(in f) m <-s, -> judge; **richterlich** adj judicial.

richtig 1. adj right, correct; (echt) proper; **2.** adv (fam: sehr) really; **der/die ~ e** the right one [o person]; **das ~ e** the right thing; **Richtigkeit** f correctness; **Richtigstellung** f correction, rectification.

Richtpreis m recommended price.

Richtung f direction; (Tendenz) tendency, orientation.

rieb pt von **reiben**.

riechen <roch, gerochen> vt, vi smell (an etw dat sth) (nach of); **ich kann das/ihn nicht ~** (fam) I can't stand it/ him.

rief pt von **rufen**.

Riege f <-, -n> team, squad.

Riegel m <-s, -> bolt, bar.

Riemen m <-s, -> strap; (Gürtel) belt; (NAUT) oar.

Riese m <-n, -n> giant.

rieseln vi trickle; (Schnee) fall gently.

Riesenerfolg m enormous success; **riesengroß** adj, **riesenhaft** adj colossal, gigantic, huge; **riesig** adj enormous, huge, vast; **Riesin** f giantess.

riet pt von **raten**.

Riff nt <-[e]s, -e> reef.

Rille f <-, -n> groove.

Rind nt <-[e]s, -er> ox; cow; cattle pl; (GASTR) beef.

Rinde f <-, -n> rind; (Baum~) bark; (Brot~) crust.

Rindfleisch nt beef; **Rindsbraten** m roast beef; **Rindvieh** nt cattle pl; (fam) blockhead, stupid oaf.

Ring m <-[e]s, -e> ring; **Ringbuch** nt loose-leaf book.

Ringelnatter f grass snake.

ringen <rang, gerungen> vi wrestle; **Ringen** nt <-s> wrestling.

Ringfinger m ring finger; **ringförmig** adj ring-shaped; **Ringkampf** m wrestling bout; **Ringrichter(in** f) m referee; **ringsum** adv round; **ringsherum** adv round about; **Ringstraße** f ring road;

ringsum[her] adv (rundherum) round about; (überall) all round.

Rinne f <-, -n> gutter, drain; **rinnen** <rann, geronnen> vi run, trickle; **Rinnsal** nt <-s, -e> trickle of water; **Rinnstein** m gutter.

Rippchen nt small rib; cutlet.

Rippe f <-, -n> rib; **Rippenfellentzündung** f pleurisy.

Risiko nt <-s, -s o Risiken> risk; **Risikogruppe** f risk group.

riskant adj risky, hazardous; **riskieren** vt risk.

riß pt von **reißen; Riß** m <-sses, -sse> tear; (in Mauer, Tasse etc) crack; (in Haut) scratch; (TECH) design; **rissig** adj torn; cracked; scratched.

ritt pt von **reiten; Ritt** m <-[e]s, -e> ride.

Ritter m <-s, -> knight; **ritterlich** adj chivalrous; **Ritterschlag** m knighting; **Rittertum** nt <-s> chivalry; **Ritterzeit** f age of chivalry.

rittlings adv astride.

Ritus m <-, Riten> rite.

Ritze f <-, -n> crack, chink; **ritzen** vt scratch.

Rivale m <-n, -n>, **Rivalin** f rival; **Rivalität** f rivalry.

Rizinusöl nt castor oil.

RNS f abk von **Ribonukleinsäure** RNA.

Robbe f <-, -n> seal.

Robe f <-, -n> robe.

Roboter m <-s, -> robot.

roch pt von **riechen.**

röcheln vi wheeze.

Rock m <-[e]s, :e> skirt; (Jackett) jacket; (Uniform~) tunic.

Rockband f, pl <-bands> (Musikgruppe) rock band.

Rodel m <-s, -> toboggan; **Rodelbahn** f toboggan run; **rodeln** vi toboggan.

roden vt, vi clear.

Rogen m <-s, -> roe, spawn.

Roggen m <-s, -> rye; **Roggenbrot** nt rye bread, black bread.

roh adj raw; (Mensch) coarse, crude; **Rohbau** m, pl <-bauten> shell of a building; **Roheisen** nt pig iron; **Rohling** m ruffian; **Rohmaterial** nt raw material; **Rohöl** nt crude oil.

Rohr nt <-[e]s, -e> pipe, tube; (BOT) cane; (Schilf) reed; (Gewehr~) barrel; **Rohrbruch** m burst pipe.

Röhre f <-, -n> tube, pipe; (RADIO) valve; (Back~) oven.

Rohrleitung f pipeline; **Rohrpost** f pneumatic post; **Rohrstock** m cane; **Rohrstuhl** m basket chair; **Rohrzuk-**

ker m cane sugar.

Rohseide f raw silk; **Rohstoff** m raw material.

Rokoko nt <-s> rococo.

Rolladen m shutter; **Rollbrett** nt (Skateboard) skateboard.

Rolle f <-, -n> roll; (THEAT) role; (Garn~ etc) reel, spool; (Walze) roller; **keine ~ spielen** not matter; **rollen** vt, vi roll; (AVIAT) taxi; **Rollenbesetzung** f (THEAT) cast; **Rollentausch** m role-swapping; **Rollenverteilung** f role allocation.

Roller m <-s, -> scooter; (Welle) roller.

Rollfeld nt (AVIAT) runway; **Rollmops** m pickled herring; **Rollschuh** m roller skate; **Rollstuhl** m wheelchair; **Rollstuhlfahrer(in** f) m wheelchair driver; **rollstuhlgerecht** adj suitable for wheelchairs; **Rolltreppe** f escalator.

Roman m <-s, -e> novel; **Romanschreiber(in** f) m, **Romanschriftsteller(in** f) m novelist.

Romantik f romanticism; **Romantiker(in** f) m <-s, -> romanticist; **romantisch** adj romantic.

Romanze f <-, -n> romance.

Römer(in f) m <-s, -> (Mensch) Roman; (für Wein) wineglass.

röntgen vt X-ray; **Röntgenaufnahme** f, **Röntgenbild** nt X-ray; **Röntgenstrahlen** pl X-rays pl.

rosa adj inv pink, rose[-coloured].

Rose f <-, -n> rose; **Rosenkohl** m Brussel[s] sprouts pl; **Rosenkranz** m rosary; **Rosenmontag** m Shrove Monday.

Rosette f rosette.

rosig adj rosy.

Rosine f raisin, currant.

Roß nt <-sses, -sse> horse, steed; **Roßkastanie** f horse chestnut.

Rost m <-[e]s, -e> rust; (Gitter) grill, gridiron; (Bett~) springs pl; **Rostbraten** m roast[ed] meat, joint; **rosten** vi rust.

rösten vt roast; toast; grill.

rostfrei adj rust-free, rustproof; stainless; **rostig** adj rusty; **Rostschutz** m rustproofing.

rot adj red.

Rotation f rotation.

rotbäckig adj red-cheeked; **rotblond** adj strawberry blond.

Röte f <-> redness.

Röteln pl German measles sing.

röten vt, vr: **sich ~** redden.

rothaarig adj red-haired.

rotieren vi rotate.

Rotkäppchen nt Little Red Riding

Hood; **Rotkehlchen** nt robin; **Rotstift** m red pencil; **Rotwein** m red wine.

Rotz m <-es, -e> (fam) snot.

Roulade f (GASTR) beef olive.

Route f <-, -n> route.

Routine f experience; (Trott) routine.

Rübe f <-, -n> turnip; **gelbe ~** carrot; **rote ~** beetroot; **Rübenzucker** m beet sugar.

Rubin m <-s, -e> ruby.

Rubrik f heading; (Spalte) column.

Ruck m <-[e]s, -e> jerk, jolt.

Rückantwort f reply, answer; **rückbezüglich** adj reflexive; **rückblenden** f flash back; **rückblickend** adj retrospective.

rücken vt, vi move.

Rücken m <-s, -> back; (Berg~) ridge; **Rückendeckung** f backing; **Rückenlehne** f back [of chair]; **Rückenmark** nt spinal cord; **Rückenschwimmen** nt backstroke; **Rückenwind** m following wind.

Rückerstattung f return, restitution; **Rückfahrt** f return journey; **Rückfall** m relapse; **rückfällig** adj relapsing; **~ werden** relapse; **Rückflug** m return flight; **Rückfrage** f question; **Rückgabe** f return; **Rückgang** m decline, fall; **rückgängig** adj: **etw ~ machen** cancel sth; **Rückgrat** nt <-[e]s, -e> spine, backbone; **Rückgriff** m recourse; **Rückhalt** m (Unterstützung) backing; (Einschränkung) reservation; **rückhaltlos** adj unreserved; **Rückkehr** f <-, -en > return; **Rückkopplung** f feedback; **Rücklage** f reserve, savings pl; **rückläufig** adj declining, falling; **Rücklicht** nt back light; **rücklings** adv from behind; backwards; **Rücknahme** f <-, -n> taking back; **Rückporto** nt return postage; **Rückreise** f return journey; (NAUT) home voyage; **Rückruf** m recall.

Rucksack m rucksack, backpack US; **Rucksacktourist(in** f) m backpacker.

Rückschluß m conclusion; **Rückschritt** m retrogression; **rückschrittlich** adj reactionary; (Entwicklung) retrograde; **Rückseite** f back; (von Münze etc) reverse.

Rücksicht f consideration; **~ nehmen auf** + akk show consideration for; **rücksichtslos** adj inconsiderate; (Fahren) reckless; (unbarmherzig) ruthless; **rücksichtsvoll** adj considerate.

Rücksitz m back seat; **Rückspiegel** m (AUT) rear-view mirror; **Rückspiel** nt return match; **Rücksprache** f further

discussion [o talk]; **Rückstand** m arrears pl; **rückständig** adj backward, out-of-date; (Zahlungen) in arrears; **Rückstoß** m recoil; **Rückstrahler** m <-s, -> rear reflector; **Rücktaste** f backspace key; **Rücktritt** m resignation; **Rücktrittbremse** f pedal brake; **Rückvergütung** f repayment; (COM) refund; **rückwärtig** adj rear; **rückwärts** adv backward[s], back; **Rückwärtsgang** m (AUT) reverse gear; **Rückweg** m return journey, way back; **rückwirkend** adj retroactive; **Rückwirkung** f repercussion; **mit ~ vom...** backdated to...; **Rückzahlung** f repayment; **Rückzug** m retreat.

rüde adj blunt, gruff.

Rüde m <-n, -n> male dog/fox/wolf.

Rudel nt <-s, -> pack; (von Hirschen, Wildschweinen) herd.

Ruder nt <-s, -> oar; (Steuer) rudder; **Ruderboot** nt rowing boat; **Ruderer** m <-s, ->, **Rud[r]erin** f rower; **rudern** vt, vi row.

Ruf m <-[e]s, -e> call, cry; (Ansehen) reputation; **rufen** <rief, gerufen> vt, vi call; cry; **Rufname** m usual [first] name; **Rufnummer** f [tele]phone number; **Rufzeichen** nt (RADIO) call sign; (TEL) ringing tone.

Rüge f <-, -n> reprimand, rebuke; **rügen** vt reprimand.

Ruhe f <-> rest; (Ungestörtheit) peace, quiet; (Gelassenheit, Stille) calm; (Schweigen) silence; **sich zur ~ setzen** retire; **~! be quiet!, silence!; **ruhelos** adj restless; **ruhen** vi rest; **Ruhepause** f break; **Ruhestand** m retirement; **Ruhestätte** f: **letzte ~** final resting place; **Ruhestörung** f breach of the peace; **Ruhetag** m closing day.

ruhig adj quiet; (bewegungslos) still; (Hand) steady; (gelassen, friedlich) calm; (Gewissen) clear; **tu das ~** feel free to do that.

Ruhm m <-[e]s> fame, glory; **rühmen** 1. vt praise; 2. vr: **sich ~** boast; **rühmlich** adj laudable; **ruhmlos** adj inglorious; **ruhmreich** adj glorious.

Ruhr f <-> dysentery.

Rührei nt scrambled egg[s]; **rühren** 1. vt, vr: **sich ~** move; (um~) stir; 2. vi: **~ von** come [o stem] from; **~ an** + akk touch; (fig) touch on; **rührend** adj touching, moving; **rührig** adj active, lively; **rührselig** adj sentimental, emotional; **Rührung** f emotion.

Ruin m <-s> ruin.

Ruine f <-, -n> ruin.

ruinieren vt ruin.

rülpsen vi burp, belch.
Rum m <-s, -s> rum.
Rumäne m <-n, -n>, **Rumänin** f Romanian; **Rumänien** nt Romania; **rumänisch** adj Romanian.
Rummel m <-s> (fam) hubbub; (Jahrmarkt) fair; **Rummelplatz** m fairground, fair.
rumoren vi be noisy, make a noise.
Rumpelkammer f junk room.
rumpeln vi rumble; (holpern) jolt.
Rumpf m <-[e]s, ⸚e> trunk, torso; (AVIAT) fuselage; (NAUT) hull.
rümpfen vt (Nase) turn up.
Run m <-s, -s> run (auf + akk on).
rund 1. adj round; 2. adv (etwa) around; ~ um etw round sth; **Rundbogen** m Norman [o Romanesque] arch; **Rundbrief** m circular.
Runde f <-, -n> round; (in Rennen) lap; (Gesellschaft) circle.
runden 1. vt make round; 2. vr: sich ~ (fig) take shape.
runderneuert adj (Reifen) remoulded; **Rundfahrt** f [round] trip.
Rundfunk m broadcasting; (~anstalt) broadcasting service; **im** ~ on the radio; **Rundfunkempfang** m reception; **Rundfunkgebühr** f radio licence fee; **Rundfunkgerät** nt wireless set; **Rundfunksendung** f broadcast, radio programme.
rundlich adj plump, rounded.
Rundreise f round trip; **Rundschreiben** nt circular.
Rundung f curve, roundness.
runter = (fam) herunter, hinunter.
Runzel f <-, -n> wrinkle; **runzelig** adj wrinkled; **runzeln** vt wrinkle; **die Stirn** ~ frown.
Rüpel m <-s, -> lout; **rüpelhaft** adj loutish.
rupfen vt pluck.
Rupfen m <-s, -> sackcloth.
ruppig adj rough, gruff.
Rüsche f <-, -n> frill.
Ruß m <-es> soot; (Ofen) be sooty; **rußig** adj sooty.
Russe m <-n, -n> Russian.
Rüssel m <-s, -> snout; (Elefanten~) trunk.
Russin f Russian; **russisch** adj Russian; ~ **sprechen** speak Russian; **Russisch** nt Russian; **Rußland** nt Russia.
rüsten vt, vi, vr: sich ~ prepare; (MIL) arm.
rüstig adj sprightly, vigorous.
Rüstung f preparation; (mit Waffen) arming; (Ritter~) armour; (Waffen etc) armaments pl; **Rüstungskontrolle** f

arms control; **Rüstungswettlauf** m arms race.
Rüstzeug nt tools pl; (fig) capacity.
Rute f <-, -n> rod, switch.
Rutsch m <-[e]s, -e> slide; (Erd~) landslide; **Rutschbahn** f slide; **rutschen** vi slide; (aus~) slip; **rutschig** adj slippery.
rütteln vt, vi shake, jolt.

S

S, s nt S, s.
Saal m <-[e]s, Säle> hall; (für Sitzungen) room.
Saat f <-, -en> seed; (Pflanzen) crop; (Säen) sowing.
sabbern vi (fam) slobber.
Säbel m <-s, -> sabre, sword.
Sabotage f <-, -n> sabotage; **sabotieren** vt sabotage.
Sachbearbeiter(in f) m specialist; **sachdienlich** adj relevant, helpful.
Sache f <-, -n> thing; (Angelegenheit) affair, business; (Frage) matter; (Pflicht) task; **zur** ~ to the point.
sachgemäß adj appropriate, suitable; **sachkundig** adj expert; **Sachlage** f situation, state of affairs; **sachlich** adj matter-of-fact, objective; (Irrtum, Angabe) factual.
sächlich adj neuter.
Sachschaden m material damage.
sacht[e] adv softly, gently.
Sachverständige(r) mf expert; **Sachzwang** m situational requirement [o pressure], necessity.
Sack m <-[e]s, ⸚e> sack.
sacken vi sag, sink.
Sackgasse f cul-de-sac, dead-end street US.
Sadismus m sadism; **Sadist(in** f) m sadist; **sadistisch** adj sadistic.
säen vt, vi sow.
Saft m <-[e]s, ⸚e> juice; (BOT) sap; **saftig** adj juicy; **saftlos** adj dry.
Sage f <-, -n> legend, saga.
Säge f <-, -n> saw; **Sägemehl** nt sawdust; **sägen** vt, vi saw.
sagen vt, vi say (jdm to sb), tell (jdm sb).
sagenhaft adj legendary; (fam) great, smashing.
Sägewerk nt sawmill.
sah pt von **sehen**.
Sahne f <-> cream.
Saison f <-, -s> season; **Saison-**

arbeiter(in f) m seasonal worker.
Saite f <-, -n> string; **Saiteninstrument** nt string instrument.
Sakko m o nt <-s, -s> jacket.
Sakrament nt sacrament.
Sakristei f sacristy.
Salat m <-[e]s, -e> salad; (Kopfsalat) lettuce; **Salatsoße** f salad dressing.
Salbe f <-, -n> ointment.
Salbei m <-s> sage.
salben vt anoint; **Salbung** f anointing; **salbungsvoll** adj unctuous.
Saldo m <-s, **Salden**> balance.
Salmiak m <-s> sal ammoniac; **Salmiakgeist** m liquid ammonia.
Salmonellen pl salmonellae pl.
Salon m <-s, -s> salon.
salopp adj casual.
Salpeter m <-s> saltpetre; **Salpetersäure** f nitric acid.
Salut m <-[e]s, -e> salute; **salutieren** vi salute.
Salve f <-, -n> salvo.
Salz nt <-es, -e> salt; **salzen** <salzte, gesalzen> vt salt; **salzig** adj salty; **Salzkartoffeln** pl boiled potatoes pl; **Salzsäure** f hydrochloric acid.
Samen m <-s, -> seed; (ANAT) sperm.
Sammelband m, pl <-bände> anthology; **Sammelbecken** nt reservoir; **Sammelbestellung** f collective order; **sammeln 1.** vt collect; (sich konzentrieren) concentrate; **Sammelsurium** nt <-s> hotchpotch.
Sammlung f collection; (An~, Konzentration) concentration.
Samstag m Saturday; [am] ~ on Saturday; **samstags** adv on Saturdays, on a Saturday.
samt prep +dat [along] with, together with; ~ **und sonders** each and every one [of them].
Samt m <-[e]s, -e> velvet.
sämtliche adj all [the], entire.
Sand m <-[e]s, -e> sand.
Sandale f <-, -n> sandal.
Sandbank f, pl <-bänke> sandbank; **sandig** adj sandy; **Sandkasten** m sandpit; **Sandkuchen** m Madeira cake; **Sandpapier** nt sandpaper; **Sandstein** m sandstone; **sandstrahlen** vt sandblast.
sandte pt von **senden**.
Sanduhr f hourglass.
sanft adj soft, gentle; **sanftmütig** adj gentle, meek.
sang pt von **singen**.
Sänger(in f) m <-s, -> singer.
sanieren 1. vt redevelop; (Betrieb) make

financially sound; **2.** vr: **sich** ~ line one's pockets; (Unternehmen) become financially sound; **Sanierung** f redevelopment; (von Unternehmen) making viable.
sanitär adj sanitary; ~ **e Anlagen** pl sanitation.
Sanitäter(in f) m <-s, -> first-aid attendant; (MIL) [medical] orderly.
sank pt von **sinken**.
sanktionieren vt sanction.
sann pt von **sinnen**.
Saphir m <-s, -e> sapphire.
Sardelle f anchovy.
Sardine f sardine.
Sarg m <-[e]s, ¨e> coffin.
Sarkasmus m sarcasm; **sarkastisch** adj sarcastic.
saß pt von **sitzen**.
Satan m <-s, -e> Satan, devil.
Satellit m <-en, -en> satellite; **Satellitenstadt** f satellite town.
Satire f <-, -n> satire; **satirisch** adj satirical.
satt adj full; (Farbe) rich, deep; **jdn/etw** ~ **sein** [o **haben**] be fed up with sb/sth; **sich** ~ **hören/sehen an** +dat see/hear enough of; **sich** ~ **essen** eat one's fill; ~ **machen** be filling.
Sattel m <-s, ¨> saddle; (Berg~) ridge; **sattelfest** adj (fig) proficient; **satteln** vt saddle.
sättigen vt satisfy; (CHEM) saturate.
Satz m <-es, ¨e> (LING) sentence; (Neben~, Adverbial~) clause; (Lehr~) theorem; (MUS) movement; (TENNIS) set; (Kaffee~) grounds pl; (COM) rate; (Sprung) jump; **Satzgegenstand** m (LING) subject; **Satzlehre** f syntax; **Satzteil** m constituent [of a sentence].
Satzung f statute, rule; **satzungsgemäß** adj statutory.
Satzzeichen nt punctuation mark.
Sau f <-, **Säue**> sow; (fam) dirty pig.
sauber adj clean; (ironisch) fine; **sauberhalten** irr vt keep clean; **Sauberkeit** f cleanness; (eines Menschen) cleanliness; **säuberlich** adv neatly; **Saubermann** m, pl <-männer> Mr. Clean; **säubern** vt clean; (POL etc) purge.
Sauce f <-, -n> sauce, gravy.
Saudi-Arabien nt Saudi Arabia.
sauer adj sour; (CHEM) acid; (fam) cross; **saurer Regen** acid rain.
Sauerei f (fam) rotten state of affairs, scandal; (Schmutz etc) mess; (Unanständigkeit) obscenity.
säuerlich adj sourish, tart.
Sauermilch f sour milk; **Sauerstoff** m oxygen; **Sauerstoffgerät** nt breathing

apparatus; **Sauerteig** m leaven.
saufen <**soff, gesoffen**> vt, vi (fam)
drink, booze; **Säufer(in** f) m <**-s, ->**
(fam) boozer; **Sauferei** f drinking,
boozing; (Saufgelage) booze-up.
saugen <sog o **saugte, gesogen** o
gesaugt> vt, vi suck.
säugen vt suckle.
Sauger m <**-s, ->** dummy, comforter
US; (auf Flasche) teat; (Staub~) vacuum cleaner, hoover ®.
Säugetier nt mammal; **Säugling** m infant, baby.
Säule f <**-, -n**> column, pillar; **Säulengang** m arcade.
Saum m <-[e]s, **Säume**> hem; (Naht)
seam; **säumen** vt hem; seam; (Straße)
line.
Sauna f <**-, -s**> sauna; **saunieren** vi
take a sauna, take saunas.
Säure f <**-, -n**> acid; (Geschmack)
sourness, acidity; **säurebeständig** adj
acid-proof; **säurehaltig** adj acidic.
säuseln vt, vi (Wind) murmur; (Blätter)
rustle; (Mensch) purr.
sausen vi blow; (fam) rush; (Ohren)
buzz; etw ~ **lassen** (fam) give sth a miss;
einen ~ lassen (fam) let off.
Saustall m (fam) pigsty.
Saxophon nt <**-s, -e**> saxophone.
S-Bahn f suburban railway.
SB-Bank f, pl <**-banken**> self-service
bank.
Schabe f <**-, -n**> cockroach.
schaben vt scrape.
Schabernack m <-[e]s, **-e**> trick,
prank.
schäbig adj shabby; **Schäbigkeit** f
shabbiness.
Schablone f <**-, -n**> stencil; (Muster)
pattern; (fig) convention; **schablonen-
haft** adj stereotyped, conventional.
Schach nt <**-s, -s**> chess; (Stellung)
check; **Schachbrett** nt chessboard;
Schachfigur f chessman; **schachmatt** adj checkmate; **Schachpartie** f,
Schachspiel nt game of chess.
Schacht m <-[e]s, **⁝e**> shaft.
Schachtel f <**-, -n**> box; (pej) bag,
cow.
schade 1. adj a pity, a shame; 2. interj
[what a] pity [o shame]; **sich** dat **für etw
zu ~ sein** consider oneself too good for
sth.
Schädel m <**-s, ->** skull; **Schädel-
bruch** m fractured skull.
schaden vi hurt (jdm sb); damage sth; **Schaden** m <**-s, ⁝>**
damage; (Verletzung) injury; (Nachteil)
disadvantage; **Schadenersatz** m com-

pensation, damages pl; **schadener-
satzpflichtig** adj liable for damages;
Schadenfreiheitsrabatt m no-claims
bonus; **Schadenfreude** f malicious delight; **schadenfroh** adj gloating, with
malicious delight.
schadhaft adj faulty, damaged.
schädigen vt damage; (jdn) do harm to,
harm.
schädlich adj harmful (für to); **Schäd-
lichkeit** f harmfulness; **Schädling** m
pest; **Schädlingsbekämpfungsmittel** nt pesticide.
schadlos adj: **sich ~ halten an** +dat
take advantage of; **Schadstoff** m harmful substance; **schadstoffarm** adj low-
pollution.
Schaf nt <-[e]s, **-e**> sheep; **Schaf-
bock** m ram; **Schäfchen** nt lamb;
Schäfchenwolken pl cirrus clouds pl;
Schäfer m <**-s, -e**> shepherd; **Schäferhund** m Alsatian, German shepherd
US; **Schäferin** f shepherdess.
schaffen 1. <**schuf, geschaffen**> vt
create; (Platz) make; 2. vt (erreichen)
manage, do; (erledigen) finish; (Prüfung)
pass; (transportieren) take; 3. vi (fam)
work; **sich an etw** dat **zu ~ machen** busy
oneself with sth; **sich** dat **etw ~** get oneself sth; **Schaffen** nt <**-s**> [creative]
activity; **Schaffensdrang** m creative
urge; energy; **Schaffenskraft** f creativ-
ity.
Schaffner(in f) m <**-s, ->** (Bus~)
conductor/conductress; (EISENB) guard.
Schaft m <-[e]s, **⁝e**> shaft; (von Gewehr) stock; (von Stiefel) leg; (BOT)
stalk; **Schaftstiefel** m high boot.
Schakal m <**-s, -e**> jackal.
schäkern vi flirt; joke.
schal adj flat; (fig) insipid.
Schal m <**-s, -e** o **-s**> scarf.
Schälchen nt cup, bowl.
Schale f <**-, -n**> skin; (abgeschält)
peel; (Nuß~, Muschel~, Ei~) shell;
(Geschirr) dish, bowl.
schälen 1. vt (Tomate, Mandel)
skin; (Erbsen, Eier, Nüsse) shell; (Getreide) husk; 2. vr: **sich ~** peel.
Schall m <-[e]s, -e o **⁝e**> sound; **Schalldämpfer** m <**-s, ->** (AUT) silencer;
schalldicht adj soundproof; **schallen**
vi [re]sound; **schallend** adj resounding,
loud; **Schallmauer** f sound barrier;
Schallplatte f record; **Schallschluckhaube** f (COMPUT) noise reducer.
schalt pt von **schelten**.
Schaltbild nt circuit diagram; **Schaltbrett** nt switchboard; **schalten** 1. vt

switch, turn; **2.** vi (AUT) change [gear]; (fam: begreifen) catch on; ~ **und walten** do as one pleases.

Schalter m <-s, -> counter; (an Gerät) switch; **Schalterbeamte(r)** m, **-beamtin** f counter clerk.

Schalthebel m switch; (AUT) gear-lever; **Schaltjahr** nt leap year; **Schaltung** f switching; (ELEC) circuit; (AUT) gear change.

Scham f <-> shame; (~gefühl) modesty; (Organe) private parts pl: **schämen** vr: **sich ~** be ashamed; **Schamhaare** pl pubic hair; **schamhaft** adj modest, bashful; **schamlos** adj shameless.

Schande f <-> disgrace; **schändlich** adj disgraceful, shameful.

Schandtat f (fam) escapade, shenanigan; **Rudi ist zu jeder ~ bereit** Rudi is game for anything.

Schändung f violation, defilement.

Schanze f <-, -n> (MIL) fieldwork, earthworks pl: (Sprung~) skijump.

Schar f <-, -en> band, company; (Vögel) flock; (Menge) crowd; **in ~ en** in droves.

Scharade f charade.

scharen vr: **sich ~** assemble, rally; **scharenweise** adv in droves.

scharf adj sharp; (Essen) hot; (Munition) live; ~ **nachdenken** think hard; **auf etw** akk ~ **sein** (fam) be keen on sth; **Scharfblick** m (fig) penetration.

Schärfe f <-, -n> sharpness; (Strenge) rigour; **schärfen** vt sharpen.

Scharfrichter m executioner; **Scharfschütze** m marksman, sharpshooter; **Scharfsinn** m penetration, astuteness; **scharfsinnig** adj astute, shrewd.

Scharmützel nt <-s, -> skirmish.

Scharnier nt <-s, -e> hinge.

Schärpe f <-, -n> sash.

scharren vt, vi scrape, scratch.

Scharte f <-, -n> notch, nick; **schartig** adj jagged.

Schaschlik m o nt <-s, -s> [shish] kebab.

Schatten m <-s, -> shadow; **Schattenbild** nt, **Schattenriß** m silhouette; **Schattenseite** f shady side, dark side.

schattieren vt shade; **Schattierung** f shading.

schattig adj shady.

Schatulle f <-, -n> casket; (Geld~) coffer.

Schatz m <-es, ¨e> treasure; (Mensch) darling; **Schatzamt** nt treasury.

Schätzchen nt darling, love.

schätzen vt (ab~) estimate; (Gegen-

stand) value; (würdigen) value, esteem; (vermuten) reckon; **schätzenlernen** vt learn to appreciate; **Schätzung** f estimate; estimation; valuation; **nach meiner ~ ...** I reckon that...; **schätzungsweise** adv approximately; **Schätzwert** m estimated value.

Schau f <-> show; (Ausstellung) display, exhibition; **etw zur ~ stellen** make a show of sth, show sth off; **Schaubild** nt diagram.

Schauder m <-s, -s> shudder; (wegen Kälte) shiver; **schauderhaft** adj horrible; **schaudern** vi shudder; shiver.

schauen vi look.

Schauer m <-s, -> (Regen~) shower; (Schreck) shudder; **Schauergeschichte** f horror story; **schauerlich** adj horrific, spine-chilling.

Schaufel f <-, -n> shovel; (NAUT) paddle; (TECH) scoop; **schaufeln** vt shovel, scoop.

Schaufenster nt shop window; **Schaufensterauslage** f window display; **Schaufensterbummel** m window shopping [expedition]; **Schaufensterdekorateur(in** f) m window dresser; **Schaugeschäft** nt show business; **Schaukasten** m showcase.

Schaukel f <-, -n> swing; **schaukeln** vi swing, rock; **Schaukelpferd** nt rocking horse; **Schaukelstuhl** m rocking chair.

Schaulustige(r) mf onlooker.

Schaum m <-[e]s, **Schäume** > foam; (Seifen~) lather; **schäumen** vi foam; **Schaumfestiger** m styling mousse; **Schaumgummi** m foam [rubber]; **schaumig** adj frothy, foamy; **Schaumwein** m sparkling wine.

Schauplatz m scene.

schaurig adj horrific, dreadful.

Schauspiel nt spectacle; (THEAT) play; **Schauspieler(in** f) m actor/actress; **schauspielern** vi act.

Scheck m <-s, -s> cheque; **Scheckbuch** nt cheque book.

scheckig adj dappled, piebald.

Scheckkarte f cheque card.

scheel adj (fam) dirty; **jdn ~ ansehen** give sb a dirty look.

scheffeln vt amass.

Scheibe f <-, -n> disc; (Brot etc) slice; (Glas~) pane; (MIL) target; **Scheibenbremse** f (AUT) disc brake; **Scheibenwaschanlage** f (AUT) windscreen washers pl: **Scheibenwischer** m (AUT) windscreen wiper.

Scheich m <-s, -e o -s> sheik[h].

Scheide f <-, -n> sheath; (Grenze)

boundary; (*ANAT*) vagina.
scheiden <**schied, geschieden**> 1.
vt separate; (*Ehe*) dissolve; 2. *vi* [de]part;
sich ~ lassen get a divorce; **Scheidung** *f* divorce; **Scheidungsgrund** *m*
grounds *pl* for divorce; **Scheidungsklage** *f* divorce suit.
Schein *m* <-[e]s, -e> light; (*An~*) appearance; (*Geld~*) [bank]note; (*Bescheinigung*) certificate; **zum ~** in
pretence; **scheinbar** *adj* apparent;
scheinen <**schien, geschienen**>
vi shine; (*den Anschein haben*) seem;
scheinheilig *adj* hypocritical;
Scheintod *m* apparent death; **Scheinwerfer** *m* <-s, -> floodlight; (*im
Theater*) spotlight; (*Such~*) searchlight;
(*AUT*) headlamp.
Scheiß- *nt in Zusammensetzungen* (*fam*)
bloody; **Scheiße** *f* <-> (*fam*) shit.
Scheit *nt* <-[e]s, -e *o* -er> log, billet.
Scheitel *m* <-s, -> top; (*Haar~*) parting; **scheiteln** *vt* part; **Scheitelpunkt**
m zenith, apex.
scheitern *vi* fail.
Schellfisch *m* haddock.
Schelm *m* <-[e]s, -e> rogue; **schelmisch** *adj* mischievous, roguish.
Schelte *f* <-, -n> scolding; **schelten**
<**schalt, gescholten**> *vt* scold.
Schema *nt* <-s, -s *o* -ta> scheme,
plan; (*Darstellung*) schema; **nach ~**
quite mechanically; **schematisch** *adj*
schematic; (*pej*) mechanical.
Schemel *m* <-s, -> [foot]stool.
Schenkel *m* <-s, -> thigh.
schenken *vt* give; (*Getränk*) pour; **sich**
dat **etw ~** (*fam*) skip sth; **das ist geschenkt!** (*billig*) that's a giveaway!;
(*nichts wert*) that's worthless!; **Schenkung** *f* gift.
Scherbe *f* <-, -n> broken piece, fragment; (*archäologisch*) potsherd.
Schere *f* <-, -n> scissors *pl*; (*groß*)
shears *pl*; **eine ~** a pair of scissors/
shears; **scheren** 1. <**schor, geschoren**> *vt* cut; (*Schaf*) shear; 2. *vt* (*kümmern*) bother; 3. *vr*: **sich ~** care; **scher
dich** [**zum Teufel**]! get lost!; **Scherenschleifer(in** *f*) *m* <-s, -> knife-grinder.
Schererei *f* (*fam*) bother, trouble.
Scherflein *nt* mite, bit.
Scherz *m* <-es, -e> joke; **Scherzfrage** *f* conundrum; **scherzhaft** *adj*
joking, jocular.
scheu *adj* shy; **Scheu** *f* <-> shyness;
(*Angst*) fear (*vor* + *dat* of); (*Ehrfurcht*)
awe.
scheuchen *vt* scare [off].

scheuen 1. *vr*: **sich ~ vor** + *dat* be afraid
of, shrink from; 2. *vt* shun; 3. *vi* (*Pferd*)
shy.
Scheuerbürste *f* scrubbing brush;
Scheuerlappen *m* floorcloth; **Scheuerleiste** *f* skirting board; **scheuern** *vt*
scour, scrub.
Scheuklappe *f* blinker.
Scheune *f* <-, -n> barn.
Scheusal *nt* <-s, -e> monster.
scheußlich *adj* dreadful, frightful;
Scheußlichkeit *f* dreadfulness.
Schi *m* <-s, -er> *siehe* **Ski**.
Schicht *f* <-, -en> layer; (*Klasse*)
class, level; (*in Fabrik etc*) shift;
Schichtarbeit *f* shift work; **schichten** *vt* layer, stack.
schick *adj* stylish, chic.
schicken 1. *vt* send; 2. *vr*: **sich ~** resign
oneself (*in* + *akk* to); (*anständig sein*) be
fitting.
Schickimicki *m* <-s, -s> trendy.
schicklich *adj* proper, fitting.
Schicksal *nt* <-s, -e> fate; **Schicksalsschlag** *m* great misfortune, blow.
Schiebedach *nt* (*AUT*) sunshine roof;
schieben <**schob, geschoben**>
vt, vi push; (*Schuld*) put (*auf jdn* on sb);
Schiebetür *f* sliding door; **Schieblehre** *f* (*MATH*) calliper rule.
Schiebung *f* fiddle.
schied *pt von* **scheiden**.
Schiedsgericht *nt* court of arbitration;
Schiedsrichter(in *f*) *m* referee, umpire; (*Schlichter*) arbitrator; **Schiedsspruch** *m* [arbitration] award.
schief 1. *adj* crooked; (*Ebene*) sloping;
(*Turm*) leaning; (*Winkel*) oblique;
(*Blick*) funny; (*Vergleich*) distorted; 2.
adv crooked[ly]; (*ansehen*) askance; **etw
~ stellen** slope sth.
Schiefer *m* <-s, -> slate; **Schieferdach** *nt* slate roof; **Schiefertafel** *f*
[child's] slate.
schiefgehen *irr vi* (*fam*) go wrong;
schieflachen *vr*: **sich ~** (*fam*) double
up with laughter; **schiefliegen** *irr vi*
(*fam*) be wrong.
schielen *vi* squint; **nach etw ~** (*fig*) eye
sth.
schien *pt von* **scheinen**.
Schienbein *nt* shinbone.
Schiene *f* <-, -n> rail; (*MED*) splint;
schienen *vt* put in splints; **Schienenstrang** *m* (*EISENB etc*) [section of]
track.
schier 1. *adj* pure; (*Fleisch*) lean and
boneless; (*fig*) sheer; 2. *adv* nearly, almost.
Schießbude *f* shooting gallery;

Schießbudenfigur *f* (*fam*) clown, ludicrous figure; **schießen** <**schoß, geschossen** > *vt. vi* shoot (*auf + akk* at); (*Ball*) kick; (*Geschoß*) fire; (*Salat etc*) run to seed; **Schießerei** *f* shooting incident, shoot-up; **Schießplatz** *m* firing range; **Schießpulver** *nt* gunpowder; **Schießscharte** *f* embrasure; **Schießstand** *m* rifle [*o* shooting] range.

Schiff *nt* <-[e]s, -e> ship, vessel; (*Kirchen~*) nave; **Schiffahrt** *f* shipping; (*Reise*) voyage; **Schiffahrtslinie** *f* shipping route; **schiffbar** *adj* navigable; **Schiffbau** *m* shipbuilding; **Schiffbruch** *m* shipwreck; **schiffbrüchig** *adj* shipwrecked; **Schiffchen** *nt* small boat; (*zum Weben*) shuttle; (*Mütze*) forage cap; **Schiffer** *m* <-s, -> bargeman, boatman; **Schiffsjunge** *m* cabin boy; **Schiffsladung** *f* cargo, shipload.

Schikane *f* <-, -n> harassment; dirty trick; **mit allen ~n** with all the trimmings; **schikanieren** *vt* harass, torment.

Schild 1. *m* <-[e]s, -e> shield; (*Mützen~*) peak, visor; 2. *nt* <-[e]s, -er > sign; (*Namens~*) nameplate; (*Etikett*) label; **etw im ~e führen** be up to sth; **Schildbürger** *m* duffer, blockhead; **Schilddrüse** *f* thyroid gland.

schildern *vt* depict, portray; **Schilderung** *f* description, portrayal.

Schildkröte *f* tortoise; (*Wasser~*) turtle.

Schilf *nt* <-[e]s, -e>, **Schilfrohr** *nt* (*Pflanze*) reed; (*Material*) reeds *pl*.

schillern *vi* shimmer; **schillernd** *adj* iridescent.

Schimmel *m* <-s, -> mould; (*Pferd*) white horse; **schimmelig** *adj* mouldy; **schimmeln** *vi* get mouldy.

Schimmer *m* <-s> glimmer; **schimmern** *vi* glimmer, shimmer.

Schimpanse *m* <-n, -n> chimpanzee.

schimpfen 1. *vt. vi* scold; 2. *vi* curse, complain; **Schimpfwort** *nt* term of abuse.

Schindel *f* <-, -n> shingle.

schinden <**schindete, geschunden** > 1. *vt* maltreat, drive too hard; 2. *vr*: **sich ~** sweat and strain, toil away (*mit* at); **Eindruck ~** (*fam*) create an impression; **Schinder(in** *f*) *m* <-s, -> knacker; (*fig*) slave driver; **Schinderei** *f* grind, drudgery; **Schindluder** *nt*: **~ treiben mit** muck [*o* mess] about; (*Vorrecht*) abuse.

Schinken *m* <-s, -> ham.

Schippe *f* <-, -n> shovel; **schippen** *vt* shovel.

Schirm *m* <-[e]s, -e> (*Regen~*) umbrella; (*Sonnen~*) parasol, sunshade; (*Wand~, Bild~*) screen; (*Lampen~*) [lamp]shade; (*Mützen~*) peak; (*Pilz~*) cap; **Schirmbildaufnahme** *f* X-ray; **Schirmherr(in** *f*) *m* patron/patroness, protector; **Schirmmütze** *f* peaked cap; **Schirmständer** *m* umbrella stand.

schizophren *adj* schizophrenic.

Schlacht *f* <-, -en> battle.

schlachten *vt* slaughter, kill.

Schlachtenbummler(in *f*) *m* football supporter.

Schlachter(in *f*) *m* <-s, -> butcher.

Schlachtfeld *nt* battlefield; **Schlachthaus** *nt*, **Schlachthof** *m* slaughterhouse, abattoir; **Schlachtplan** *m* (*auch fig*) battle plan; **Schlachtruf** *m* battle cry, war cry; **Schlachtschiff** *nt* battleship; **Schlachtvieh** *nt* animals kept for meat; (*Rinder*) beef cattle.

Schlacke *f* <-, -n> slag.

Schlaf *m* <-[e]s> sleep; **Schlafanzug** *m* pyjamas *pl*; **Schläfchen** *nt* nap.

Schläfe *f* <-, -n> temple.

schlafen <**schlief, geschlafen** > *vi* sleep; **Schlafenszeit** *f* bedtime; **Schläfer(in** *f*) *m* <-s, -> sleeper.

schlaff *adj* slack; (*energielos*) limp; (*erschöpft*) exhausted; **Schlaffheit** *f* slackness; limpness; exhaustion.

Schlafgelegenheit *f* sleeping accommodation; **Schlaflied** *nt* lullaby; **schlaflos** *adj* sleepless; **Schlaflosigkeit** *f* sleeplessness, insomnia; **Schlafmittel** *nt* soporific, sleeping pill; **schläfrig** *adj* sleepy; **Schlafsaal** *m* dormitory; **Schlafsack** *m* sleeping bag; **Schlafstadt** *f* dormitory town; **Schlaftablette** *f* sleeping pill; **schlaftrunken** *adj* drowsy, half-asleep; **Schlafwagen** *m* sleeping car, sleeper; **schlafwandeln** *vi* sleepwalk; **Schlafzimmer** *nt* bedroom.

Schlag *m* <-[e]s, ⁺e> (*auch fig*) blow; (*auch* MED) stroke; (*Puls~, Herz~*) beat; (*ELEC*) shock; (*Blitz~*) bolt, stroke; (*Autotür*) car door; (*fam: Portion*) helping; (*Art*) kind, type; **⁺e** *pl* (*Prügel*) a beating; **mit einem ~** all at once; **~ auf ~** in rapid succession; **Schlagabtausch** *m* (*verbal*) [verbal] exchange; (*nuklear*) conflict; (*beim Boxen*) exchange of blows; **Schlagader** *f* artery; **Schlaganfall** *m* stroke; **schlagartig** *adj* sudden, without warning; **Schlagbaum** *m* barrier; **Schlagbohrmaschine** *f* percussion drill.

schlagen <**schlug, geschlagen** > 1. *vt. vi* strike, hit; (*wiederholt ~, besiegen*) beat; (*Glocke*) ring; (*Stunde*) strike; (*Sahne*) whip; (*Schlacht*) fight; (*einwik-*

keln) wrap; **2.** vr: **sich ~** fight; **sich gut ~** (fig) do well; **nach jdm ~** (fig) take after sb; **schlagend** adj (Beweis) convincing; **~e Wetter** pl (MIN) firedamp.
Schlager m <-s, -> hit; **Schlagersänger(in** f) m pop singer.
Schläger m <-s, -> (SPORT) bat; (TENNIS) racket; (GOLF) [golf] club; (Hockey~) hockey stick; (Waffe) rapier; **Schläger(in** f) m <-s, -> brawler; **Schlägerei** f fight, punch-up.
schlagfertig adj quick-witted; **Schlagfertigkeit** f ready wit, quickness of repartee; **Schlaginstrument** nt percussion instrument; **Schlagloch** nt pothole; **Schlagrahm** m, **Schlagsahne** f [whipped] cream; **Schlagseite** f (NAUT) list; **Schlagwort** nt slogan, catch phrase; **Schlagzeile** f headline; **Schlagzeug** nt drums pl; (in Orchester) percussion; **Schlagzeuger(in** f) m <-s, -> drummer.
Schlamassel m o nt <-s, -> (fam) mess.
Schlamm m <-[e]s, -e> mud; **schlammig** adj muddy.
Schlampe f <-, -n> (fam) slattern, slut; **schlampen** vi (fam) be sloppy; **Schlamper(in** f) m <-s, -> sloppy person; **Schlamperei** f (fam) disorder, untidiness; sloppy work; **schlampig** adj (fam) slovenly, sloppy.
schlang pt von **schlingen**.
Schlange f <-, -n> snake; (Menschen~) queue Brit, line-up US; **~ stehen** [form a] queue, line up; **schlängeln** vr: **sich ~** twist, wind; (Fluß) meander; **Schlangenbiß** m snake bite; **Schlangengift** nt snake venom; **Schlangenlinie** f wavy line.
schlank adj slim, slender; **Schlankheit** f slimness, slenderness; **Schlankheitskur** f diet.
schlapp adj limp; (locker) slack.
Schlappe f <-, -n> (fam) setback.
Schlappheit f limpness; slackness.
Schlapphut m slouch hat; **schlappmachen** vi (fam) wilt, droop.
Schlaraffenland nt land of milk and honey.
schlau adj crafty, cunning.
Schlauch m <-[e]s, Schläuche> hose; (in Reifen) inner tube; (fam) grind; **Schlauchboot** nt rubber dinghy; **schlauchen** vt (fam) tell on, exhaust; **schlauchlos** adj (Reifen) tubeless.
Schläue f <-> cunning; **Schlaukopf** m clever dick.
schlecht adj bad; **~ und recht** after a fashion; **jdm ist ~** sb feels sick [o bad];

etw **~ machen** do sth badly; **schlechtgehen** irr vi impers: **jdm geht es schlecht** sb is in a bad way; **Schlechtheit** f badness; **schlechthin** adv simply; **der Dramatiker ~** THE playwright; **Schlechtigkeit** f badness; (Tat) bad deed; **schlechtmachen** vt run down.
schlecken vt, vi lick.
Schlegel m <-s, -> [drum]stick; (Hammer) mallet, hammer; (GASTR) leg.
Schleie f <-, -n> tench.
schleichen <schlich, geschlichen> vi creep, crawl; **schleichend** adj creeping; (Krankheit, Gift) insidious.
Schleier m <-s, -> veil; **schleierhaft** adj: **jdm ~ sein** (fam) be a mystery to sb.
Schleife f <-, -n> (auch COMPUT) loop; (Band) bow.
schleifen 1. vt (ziehen, schleppen) drag; (MIL: Stadt) raze; **2.** vi drag; **3.** <schliff, geschliffen> vt (schärfen) grind; (Edelstein) cut; (MIL: Soldaten) drill; **Schleifstein** m grindstone.
Schleim m <-[e]s, -e> slime; (MED) mucus; (GASTR) gruel; **schleimig** adj slimy.
schlemmen vi feast; **Schlemmer(in** f) m <-s, -> gourmet; **Schlemmerei** f gluttony, feasting.
schlendern vi stroll.
Schlendrian m <-[e]s> sloppy way of working.
schlenkern vt, vi swing, dangle.
Schleppe f <-, -n> train.
schleppen vt drag; (Auto, Schiff) tow; (tragen) lug; **schleppend** adj dragging, slow; **Schlepper** m <-s, -> tractor; (Schiff) tug; **Schlepplift** m ski tow; **Schleppnetzfahndung** f dragnet search; **Schlepptau** nt towrope; **jdn ins ~ nehmen** (fig) take sb in tow.
Schleuder f <-, -n> catapult; (Wäsche~) spin-drier; (Butter~) centrifuge; **schleudern 1.** vt hurl; (Wäsche) spin-dry; **2.** vi (AUT) skid; **Schleuderpreis** m give-away price; **Schleudersitz** m (AVIAT) ejector seat; (fig) hot seat; **Schleuderware** f cheap [o cut-price] goods.
schleunigst adv straight away.
Schleuse f <-, -n> lock; (~ntor) sluice.
schlich pt von **schleichen**.
Schlich m <-[e]s, -e> dodge, trick.
schlicht adj simple, plain.
schlichten vt smooth, dress; (Streit) settle; **Schlichter(in** f) m <-s, -> mediator, arbitrator; **Schlichtung** f settlement; arbitration.
Schlick m <-[e]s, -e> mud; (Öl~)

slick.

schlief pt von **schlafen**.

Schließe f <-, -n> fastener.

schließen <schloß, geschlossen> vt, vi, vr: **sich ~** close, shut; (beenden) close; (Freundschaft, Bündnis, Ehe) enter into; (folgern) infer (aus from); **etw in sich ~** include sth; **Schließfach** nt locker.

schließlich adv finally; (~ doch) after all.

schliff pt von **schleifen**; **Schliff** m <-(e)s, -e> cut[ting]; (fig) polish.

schlimm adj bad; **schlimmer** adj worse; **schlimmste(r, s)** adj worst; **schlimmstenfalls** adv at [the] worst.

Schlinge f <-, -n> loop; (bes. Henkers~) noose; (Falle) snare; (MED) sling.

Schlingel m <-s, -> rascal.

schlingen <schlang, geschlungen> 1. vt wind; 2. vt, vi (essen) bolt [one's food], gobble.

schlingern vi roll.

Schlips m <-es, -e> tie.

Schlitten m <-s, -> sledge, sleigh; **Schlittenbahn** f toboggan run; **Schlittenfahren** nt <-s> tobogganing.

schlittern vi slide.

Schlittschuh m skate; **~ laufen** skate; **Schlittschuhbahn** f skating rink; **Schlittschuhläufer(in** f) m skater.

Schlitz m <-es, -e> slit; (für Münze) slot; (Hosen~) flies pl; **schlitzäugig** adj slant-eyed.

schlohweiß adj snow-white.

schloß pt von **schließen**.

Schloß nt <-sses, "sser> lock; (an Schmuck etc) clasp; (Bau) castle; chateau.

Schlosser(in f) m <-s, -> (AUT) fitter; (für Schlüssel etc) locksmith; **Schlosserei** f metal [working] shop.

Schlot m <-(e)s, -e> chimney; (NAUT) funnel.

schlottern vi shake, tremble; (Kleidung) be baggy.

Schlucht f <-, -en> gorge, ravine.

schluchzen vi sob.

Schluck m <-(e)s, -e> swallow; (Menge) drop; **Schluckauf** m <-s>, **Schlucken** m <-s> hiccups pl; **schlucken** vt, vi swallow.

schludern vi skimp, do sloppy work.

schlug pt von **schlagen**.

Schlummer m <-s> slumber; **schlummern** vi slumber.

Schlund m <-(e)s, "e> gullet; (fig) jaw.

schlüpfen vi slip; (Vogel etc) hatch [out].

Schlüpfer m <-s, -> panties pl.

Schlupfloch nt hole; (Versteck) hide-out; (fig) loophole.

schlüpfrig adj slippery; (fig) lewd; **Schlüpfrigkeit** f slipperiness; (fig) lewdness.

schlurfen vi shuffle.

schlürfen vt, vi slurp.

Schluß m <-sses, "sse> end; (~ folgerung) conclusion; **am ~** at the end; **~ machen mit** finish with.

Schlüssel m <-s, -> (auch fig) key; (Schrauben~) spanner, wrench; (MUS) clef; **Schlüsselbein** nt collarbone; **Schlüsselblume** f cowslip; **Schlüsselbund** m bunch of keys; **Schlüsselkind** nt latchkey child; **Schlüsselloch** nt keyhole; **Schlüsselposition** f key position.

schlüssig adj conclusive.

Schlußlicht nt taillight; (fig) tailender; **Schlußstrich** m (fig) final stroke; **Schlußverkauf** m clearance sale; **Schlußwort** nt concluding words pl.

Schmach f <-> disgrace, ignominy.

schmachten vi languish; (sich sehnen) long (nach for).

schmächtig adj slight.

schmachvoll adj ignominious, humiliating.

schmackhaft adj tasty.

schmählich adj ignominious, shameful.

schmal adj narrow; (Mensch, Buch etc) slender, slim; (karg) meagre; **schmälern** vt diminish; (fig) belittle; **Schmalfilm** m cine film; **Schmalspur** f narrow gauge.

Schmalz nt <-es, -e> dripping, lard; (fig) sentiment, schmaltz; **schmalzig** adj (fig) schmaltzy, slushy.

schmarotzen vi sponge; (BOT) be parasitic; **Schmarotzer(in** f) m <-s, -> parasite; (Mensch auch) sponger.

Schmarren m <-s, -> small piece of pancake; (fig) rubbish, tripe.

schmatzen vi smack one's lips; eat noisily.

Schmaus m <-es, Schmäuse> feast; **schmausen** vi feast.

schmecken vt, vi taste; **es schmeckt ihm** he likes it.

Schmeichelei f flattery; **schmeichelhaft** adj flattering; **schmeicheln** vi flatter (jdm sb).

schmeißen <schmiß, geschmissen> vt (fam) throw, chuck.

Schmeißfliege f bluebottle.

Schmelz m <-es, -e> enamel; (Glasur) glaze; (von Stimme) melodiousness.

schmelzen <**schmolz, geschmolzen**> vt, vi melt; (*Erz*) smelt; **Schmelzpunkt** m melting point; **Schmelzwasser** nt melted snow.

Schmerz m <-es, -en> pain; (*Trauer*) grief; **schmerzempfindlich** adj sensitive to pain; **schmerzen** vt, vi hurt; **Schmerzensgeld** nt compensation; **schmerzhaft, schmerzlich** adj painful; **schmerzlos** adj painless; **schmerzstillend** adj soothing.

Schmetterling m butterfly.

schmettern vt, vi smash; (*Melodie*) sing loudly, bellow out; (*Trompete*) blare.

Schmied(in f) m <-[e]s, -e> blacksmith; **Schmiede** f <-, -n> smithy, forge; **Schmiedeeisen** nt wrought iron; **schmieden** vt forge; (*Pläne*) devise, concoct.

schmiegen 1. vt press, nestle; 2. vr: **sich ~** cling, nestle [up] (an + akk to); **schmiegsam** adj flexible, pliable.

Schmiere f <-, -n> grease; (*THEAT*) greasepaint, make-up; **schmieren** 1. vt smear; (*ölen*) lubricate, grease; (*bestechen*) bribe; 2. vt, vi (*schreiben*) scrawl; **Schmierfett** nt grease; **Schmierfink** m messy person; **Schmiergeld** nt bribe; **schmierig** adj greasy; **Schmiermittel** nt lubricant; **Schmierseife** f soft soap.

Schminke f <-, -n> make-up; **schminken** vt, vr: **sich ~** make up.

schmirgeln vt sand [down]; **Schmirgelpapier** nt emery paper.

schmiß pt von **schmeißen**.

Schmöker m <-s, -> (*fam*) book; **schmökern** vi (*fam*) browse.

schmollen vi sulk, pout; **schmollend** adj sulky.

schmolz pt von **schmelzen**.

Schmorbraten m stewed [o braised] meat; **schmoren** vi stew, braise.

Schmuck m <-[e]s, -e> jewellery; (*Verzierung*) decoration; **schmücken** vt decorate; **schmucklos** adj unadorned, plain; **Schmucksachen** pl jewels pl.

schmunzeln vi smile benignly.

Schmutz m <-es> dirt, filth; **schmutzen** vi get dirty; **Schmutzfink** m filthy creature; **Schmutzfleck** m stain; **schmutzig** adj dirty.

Schnabel m <-s, ⁼> beak, bill; (*Ausguß*) spout.

Schnake f <-, -n> cranefly; (*Stechmücke*) gnat.

Schnalle f <-, -n> buckle, clasp; **schnallen** vt buckle.

schnalzen vi snap; (*mit Zunge*) click.

schnappen 1. vt grab, catch; 2. vi snap.

Schnäppchen nt (*fam*) bargain, snip.

Schnappschloß nt spring lock; **Schnappschuß** m (*FOT*) snapshot.

Schnaps m <-es, ⁼e> spirits pl, schnapps.

schnarchen vi snore.

schnattern vi chatter; (*zittern*) shiver.

schnauben 1. vi snort; 2. vr: **sich ~** blow one's nose.

schnaufen vi puff, pant.

Schnauzbart m moustache; **Schnauze** f <-, -n> snout, muzzle; (*Ausguß*) spout; (*fam*) gob.

Schnecke f <-, -n> snail; **Schneckenhaus** nt snail's shell.

Schnee m <-s> snow; (*Ei~*) beaten egg white; **~ von gestern** old hat; **Schneeball** m snowball; **Schneeflocke** f snowflake; **Schneegestöber** nt snowstorm; **Schneeglöckchen** nt snowdrop; **Schneekette** f (*AUT*) snow chain; **Schneepflug** m snowplough; **Schneeschmelze** f <-, -n> thaw; **Schneewehe** f snowdrift; **Schneewittchen** nt Snow White.

Schneid m <-[e]s> (*fam*) pluck.

Schneide f <-, -n> edge; (*Klinge*) blade; **schneiden** <**schnitt, geschnitten**> vt, vr: **sich ~** cut [oneself]; (*kreuzen*) cross, intersect; **schneidend** adj cutting.

Schneider m <-s, -> tailor; **Schneiderin** f dressmaker; **schneidern** 1. vt make; 2. vi be a tailor/dressmaker.

Schneidezahn m incisor.

schneidig adj dashing; (*mutig*) plucky.

schneien vi snow.

Schneise f <-, -n> clearing.

schnell 1. adj quick, fast; 2. adv quickly, fast; **Schnelldrucker** m high-speed printer.

schnellen vi shoot, fly.

Schnellgaststätte f fast-food restaurant; **Schnellhefter** m <-s, -> loose-leaf binder; **Schnelligkeit** f speed; **schnellstens** adv as quickly as possible; **Schnellstraße** f expressway; **Schnellzug** m fast [o express] train.

schneuzen vr: **sich ~** blow one's nose.

schnippisch adj sharp-tongued.

schnitt pt von **schneiden**; **Schnitt** m <-[e]s, -e> cut[ting]; (*~punkt*) intersection; (*Quer~*) [cross] section; (*Durch~*) average; (*~muster*) pattern; (*Ernte*) crop; (*an Buch*) edge; (*fam: Gewinn*) profit; **Schnittblumen** pl cut

flowers *pl*.
Schnitte *f* <-, -n> slice; (*belegt*) sandwich.
Schnittfläche *f* section; **Schnittlauch** *m* chives *pl*; **Schnittmuster** *nt* pattern; **Schnittpunkt** *m* [point of] intersection; **Schnittstelle** *f* (*COMPUT. fig*) interface; **Schnittwunde** *f* cut.
Schnitzel *nt* <-s, -> chip; (*GASTR*) escalope.
schnitzen *vt* carve; **Schnitzer(in** *f*) *m* <-s, -> carver; (*fam*) blunder; **Schnitzerei** *f* carving; (*Gegenstand*) carved woodwork.
schnodderig *adj* (*fam*) snotty.
schnöde *adj* base, mean.
Schnorchel *m* <-s, -> snorkel.
Schnörkel *m* <-s, -> flourish; (*ARCHIT*) scroll.
schnorren *vt, vi* cadge.
schnüffeln *vi* sniff; **Schnüffler(in** *f*) *m* <-s, -> snooper.
Schnuller *m* <-s, -> dummy, comforter *US*.
Schnupfen *m* <-s, -> cold.
schnuppern *vi* sniff.
Schnur *f* <-, ⸚e> string, cord; (*ELEC*) flex; **schnurgerade** *adj* straight [as a die], straight as an arrow.
schnüren *vt* tie.
Schnurrbart *m* moustache.
schnurren *vi* purr; (*Kreisel*) hum.
Schnürschuh *m* lace-up [shoe]; **Schnürsenkel** *m* shoelace.
schnurstracks *adv* straight [away].
schob *pt von* **schieben**.
Schock *m* <-[e]s, -e> shock; **schokkieren** *vt* shock, outrage.
Schöffe *m* <-n, -n> lay magistrate; **Schöffengericht** *nt* magistrates' court; **Schöffin** *f* lay magistrate.
Schokolade *f* chocolate.
Scholle *f* <-, -n> clod; (*Eis*~) ice floe; (*Fisch*) plaice.
schon *adv* already; (*zwar*) certainly; **warst du** ~ **einmal da?** have you ever been there?; **ich war** ~ **einmal da** I've been there before; **das ist** ~ **immer so** that has always been the case; **das wird** ~ [**noch**] **gut** that'll be OK; **wenn ich das** ~ **höre…** I only have to hear that…; ~ **der Gedanke** the very thought.
schön *adj* beautiful; (*nett*) nice; ~**e Grüße** best wishes; ~**en Dank** [many] thanks.
schonen 1. *vt* look after; **2.** *vr*: **sich** ~ take it easy; **schonend** *adj* careful, gentle.
schönen *vt* dress up, cosmeticize.
Schöngeist *m* aesthete; **Schönheit** *f*

beauty; **Schönheitsfehler** *m* blemish, flaw; **Schönheitsoperation** *f* cosmetic surgery; **schönmachen** *vr*: ~ make oneself look nice; **Schönschreibdrucker** *m* letter-quality printer.
Schonung *f* good care; (*Nachsicht*) consideration; (*Forst*) plantation of young trees; **schonungslos** *adj* unsparing, harsh.
Schonzeit *f* close season.
schöpfen *vt* scoop, ladle; (*Mut*) summon up; (*Luft*) breathe in.
Schöpfer(in *f*) *m* <-s, -> creator; **schöpferisch** *adj* creative.
Schöpfkelle *f*, **Schöpflöffel** *m* ladle.
Schöpfung *f* creation.
schor *pt von* **scheren**.
Schorf *m* <-[e]s, -e> scab.
Schornstein *m* chimney; (*NAUT*) funnel; **Schornsteinfeger(in** *f*) *m* <-s, -> chimney sweep.
schoß *pt von* **schießen**.
Schoß *m* <-es, ⸚e> lap; (*Rock*~) coat tail; **Schoßhund** *m* pet dog, lapdog.
Schote *f* <-, -n> pod.
Schotte *m* <-n, -n> Scot, Scotsman; **die** ~**n** *pl* the Scots *pl*.
Schotter *m* <-s> broken stone, road metal; (*EISENB*) ballast.
Schottin *f* Scot, Scotswoman; **schottisch** *adj* Scottish, Scots; **Schottland** *nt* Scotland; **in** ~ in Scotland; **nach** ~ **fahren** go to Scotland.
Schrankkoffer *m* trunk.
schraffieren *vt* hatch.
schräg *adj* slanting, not straight; **etw** ~ **stellen** put sth at an angle; ~ **gegenüber** diagonally opposite; **Schräge** *f* <-, -n > slant; **Schrägschrift** *f* italics *pl*; **Schrägstreifen** *m* bias binding; **Schrägstrich** *m* oblique [stroke].
Schramme *f* <-, -n> scratch; **schrammen** *vt* scratch.
Schrank *m* <-[e]s, ⸚e> cupboard; (*Kleider*~) wardrobe.
Schranke *f* <-, -n> barrier; **schrankenlos** *adj* boundless; (*zügellos*) unrestrained; **Schrankenwärter(in** *f*) *m* (*EISENB*) level crossing attendant.
Schrankkoffer *m* trunk.
Schraube *f* <-, -n> screw; **schrauben** *vt* screw; **Schraubenschlüssel** *m* spanner; **Schraubenzieher** *m* <-s, -> screwdriver.
Schraubstock *m* (*TECH*) vice.
Schraubverschluß *m* screw top, screw cap.
Schrebergarten *m* allotment.
Schreck *m* <-[e]s, -e>, **Schrecken** *m* <-s, -> terror; fright; **schrecken** *vt*

frighten, scare; **Schreckgespenst** nt spectre, nightmare; **schreckhaft** adj jumpy, easily frightened.

schrecklich adj terrible, dreadful.

Schreckschuß m warning shot; **Schreckschußpistole** f blank gun.

Schrei m <-[e]s, -e> scream; (Ruf) shout.

Schreibblock m writing pad; **schreiben** <schrieb, geschrieben> vt, vi write; (buchstabieren) spell; **Schreiben** nt <-s, -> letter, communication; **Schreiber(in** f) m <-s, -> writer; (Büro~) clerk; **schreibfaul** adj bad about writing letters; **Schreibfehler** m spelling mistake; **Schreibmaschine** f typewriter; **Schreibpapier** nt notepaper; **Schreibstelle** f (COMPUT) character position; **Schreibstellenmarke** f (COMPUT) cursor; **Schreibtisch** m desk; **Schreibung** f spelling; **Schreibwaren** pl stationery; **Schreibweise** f spelling; way of writing; **Schreibzeug** nt writing materials pl.

schreien <schrie, geschrie[e]n> vt, vi scream; (rufen) shout; **schreiend** adj (fig) glaring; (Farbe) loud.

Schreiner(in f) m <-s, -> joiner; (Zimmermann) carpenter; (Möbel~) cabinetmaker; **Schreinerei** f joiner's workshop.

schreiten <schritt, geschritten> vi stride.

schrie pt von schreien.

schrieb pt von schreiben.

Schrift f <-, -en> writing; (Hand~) handwriting; (~art) typeface; (Gedrucktes) pamphlet, work; **Schriftdeutsch** nt written German, standard German; **Schriftführer(in** f) m secretary; **schriftlich** 1. adj written; 2. adv in writing; **Schriftsetzer(in** f) m compositor; **Schriftsprache** f written language; **Schriftsteller(in** f) m <-s, -> writer; **Schriftstück** nt document.

schrill adj shrill; **schrillen** vi sound [o ring] shrilly.

schritt pt von schreiten; **Schritt** m <-[e]s, -e> step; (Gangart) walk; (Tempo) pace; (von Hose) crutch; **Schrittempo** nt: im ~ at a walking pace; **Schrittmacher** m <-s, -> (auch MED) pacemaker.

schroff adj steep; (zackig) jagged; (fig) brusque; (ungeduldig) abrupt.

schröpfen vt (fig) fleece.

Schrot m o nt <-[e]s, -e> (Blei~) [small] shot; (Getreide) coarsely ground grain, [whole]meal; **Schrotflinte** f shotgun.

Schrott m <-[e]s, -e> scrap metal; (fig) useless stuff; **Schrotthaufen** m scrap heap; **schrottreif** adj ready for the scrap heap.

schrubben vt scrub; **Schrubber** m <-s, -> scrubbing brush.

Schrulle f <-, -n> eccentricity, queer idea/habit.

schrumpfen vi shrink; (Apfel) shrivel.

Schubkarren m wheelbarrow.

Schublade f drawer.

schüchtern adj shy; **Schüchternheit** f shyness.

schuf pt von schaffen.

Schufa f <-> credit rating company.

Schuft m <-[e]s, -e> scoundrel.

schuften vi (fam) graft, slave away.

Schuh m <-[e]s, -e> shoe; **Schuhband** nt, pl <-bänder> shoelace; **Schuhcreme** f shoe polish; **Schuhlöffel** m shoehorn; **Schuhmacher(in** f) m <-s, -> shoemaker.

Schulaufgaben pl homework; **Schulbesuch** m school attendance.

schuld adj: ~ sein [o haben] be to blame (an + dat for); **er ist** [o hat] ~ it's his fault; **jdm** ~ **geben** blame sb; **Schuld** f <-, -en> guilt; (FIN) debt; (Verschulden) fault.

schulden vt owe.

Schulden pl debts pl; **schuldenfrei** adj free from debt.

Schuldgefühl nt feeling of guilt.

schuldig adj guilty (an + dat of); (gebührend) due; **jdm etw** ~ **sein** owe sb sth; **jdm etw** ~ **bleiben** not provide sb with sth.

schuldlos adj innocent, without guilt.

Schuldner(in f) m <-s, -> debtor.

Schuldschein m promissory note, IOU; **Schuldspruch** m verdict of guilty; **Schuldzuweisung** f accusation, assignment of guilt.

Schule f <-, -n> school; **schulen** vt train, school.

Schüler(in f) m <-s, -> pupil.

Schulferien pl school holidays pl; **schulfrei** adj: ~er Tag holiday; ~ **sein** be a holiday; **Schulfunk** m schools' broadcasts pl; **Schulgeld** nt school fees pl; **Schulhof** m playground; **Schuljahr** nt school year; **Schuljunge** m schoolboy; **Schulmädchen** nt schoolgirl; **schulpflichtig** adj of school age; **Schulschiff** nt training ship; **Schulstunde** f period, lesson; **Schultasche** f satchel.

Schulter f <-, -n> shoulder; **Schulterblatt** nt shoulder blade; **schultern** vt shoulder; **Schulterschluß** m

shoulder-to-shoulder stance, solidarity.
Schulung f education, schooling; **Schulungsdiskette** f training diskette, didactic disk.
Schulwesen nt educational system; **Schulzeugnis** nt school report.
Schund m <-[e]s> trash, garbage; **Schundroman** m trashy novel.
Schuppe f <-, -n> scale; **schuppen 1.** vt scale; **2.** vr: **sich ~** peel; **Schuppen** pl (Haar~) dandruff.
Schuppen m <-s, -> shed.
schuppig adj scaly.
Schur f <-, -en> shearing.
schüren vt rake; (fig) stir up.
schürfen vt, vi scrape, scratch; (MIN) prospect, dig; **Schürfung** f abrasion; (MIN) prospecting.
Schürhaken m poker.
Schurke m <-n, -n>, **Schurkin** f rogue.
Schurz m <-es, -e> loincloth; (von Schmied, süddeutsch: Schürze) apron.
Schürze f <-, -n> apron.
Schuß m <-sses, -sse> shot; (WEBEN) woof.
Schüssel f <-, -n> bowl.
Schußlinie f line of fire; **Schußverletzung** f bullet wound; **Schußwaffe** f firearm.
Schuster(in f) m <-s, -> cobbler, shoemaker.
Schutt m <-[e]s> rubbish; (Bau~) rubble; **Schuttabladeplatz** m refuse dump.
Schüttelfrost m shivering; **schütteln** vt, vr: **sich ~** shake.
schütten 1. vt pour; (Zucker, Kies etc) tip; (ver~) spill; **2.** vi impers pour [down].
schütter adj (Haare) sparse, thin.
Schutz m <-es> protection; (Unterschlupf) shelter; **jdn in ~ nehmen** stand up for sb; **Schutzanzug** m overalls pl; **Schutzbefohlene(r)** mf charge; **Schutzblech** nt mudguard; **Schutzbrille** f goggles pl.
Schütze m <-n, -n> marksman; (SPORT) rifleman; (beim Fußball) scorer; (JAGD) hunter; (Bogen~) archer; (ASTR) Sagittarius.
schützen vt protect.
Schutzengel m guardian angel; **Schutzgebiet** nt protectorate; (Natur~) reserve; **Schutzhaft** f protective custody; **Schutzimpfung** f immunisation; **schutzlos** adj defenceless; **Schutzmann** m, pl <-leute o -männer> policeman; **Schutzmaßnahme** f precaution; **Schutzpatron(in** f) m

patron saint; **Schutzumschlag** m [book] jacket; **Schutzvorrichtung** f safety device.
schwach adj weak, feeble; **Schwäche** f <-, -n> weakness; **schwächen** vt weaken; **schwächlich** adj weakly, delicate; **Schwächling** m weakling; **Schwachsinn** m imbecility; (fig) nonsense; **schwachsinnig** adj mentally deficient; (Idee) idiotic; **Schwachstelle** f weak point; **Schwachstrom** m weak current; **Schwächung** f weakening.
Schwaden m <-s, -> cloud.
schwafeln vt, vi blather, drivel.
Schwager m <-s, :> brother-in-law; **Schwägerin** f sister-in-law.
Schwalbe f <-, -n> swallow.
Schwall m <-[e]s, -e> surge; (Worte) flood, torrent.
schwamm pt von **schwimmen**.
Schwamm m <-[e]s, :e> sponge; (Pilz) fungus; **schwammig** adj spongy; (Gesicht) puffy.
Schwan m <-[e]s, :e> swan; **schwanen** vi impers: **jdm schwant etw** sb has a foreboding of sth.
schwand pt von **schwinden**.
schwang pt von **schwingen**.
schwanger adj pregnant; **schwängern** vt make pregnant; **Schwangerschaft** f pregnancy; **Schwangerschaftsabbruch** m termination of pregnancy.
Schwank m <-[e]s, :e> funny story.
schwanken vi sway; (taumeln) stagger, reel; (Preise, Zahlen) fluctuate; (zögern) hesitate, vacillate; **Schwankung** f fluctuation.
Schwanz m <-es, :e> tail.
schwänzen 1. vt (fam) skip, cut; **2.** vi play truant.
Schwarm m <-[e]s, :e> swarm; (fam) heart-throb, idol; **schwärmen** vi swarm; **~ für** be mad [o wild] about; **Schwärmerei** f enthusiasm; **schwärmerisch** adj impassioned, effusive.
Schwarte f <-, -n> hard skin; (Speck~) rind.
schwarz adj black; **ins S~e treffen** (auch fig) hit the bull's eye; **Schwarzarbeit** f illicit work, moonlighting; **Schwarzbrot** nt black bread; **Schwärze** f <-, -n> blackness; (Farbe) blacking; (Drucker~) printer's ink; **schwärzen** vt blacken; **schwarzfahren** irr vi travel without paying; (ohne Führerschein) drive without a licence; **Schwarzhandel** m black-market [trade]; **schwarzhören** vi listen to the

radio without a licence; **Schwarzmarkt** m black market; **schwarzsehen** irr vi (fam) see the gloomy side of things; (TV) watch TV without a licence; **Schwarzseher(in** f) m pessimist; (TV) viewer without a licence; **schwarzweiß** adj black and white.

schwatzen, schwätzen vi chatter; **Schwätzer(in** f) m <-s, -> (Schwafler) gasbag; (Klatschmaul) chatterbox, gossip; **schwatzhaft** adj talkative, gossipy.

Schwebe f: in der ~ (fig) in abeyance; **Schwebebahn** f overhead railway; **Schwebebalken** m (SPORT) beam; **schweben** vi drift, float; (hoch) soar; (unentschieden sein) be in the balance.

Schwede m <-n, -n> Swede; **Schweden** nt Sweden; **Schwedin** f Swede; **schwedisch** adj Swedish.

Schwefel m <-s> sulphur; **schwefelig** adj sulphurous; **Schwefelsäure** f sulphuric acid.

Schweif m <-[e]s, -e> tail.

Schweigegeld nt hush money; **schweigen** <schwieg, geschwiegen> vi be silent; stop talking; **Schweigen** nt <-s> silence; **schweigsam** adj silent, taciturn; **Schweigsamkeit** f taciturnity, quietness.

Schwein nt <-[e]s, -e> pig; (fig fam) luck; **Schweinefleisch** nt pork; **Schweinehund** m (fam) stinker, swine; **Schweinerei** f mess; (Gemeinheit) dirty trick; **Schweinestall** m pigsty; **schweinisch** adj filthy; **Schweinsleder** nt pigskin.

Schweiß m <-es> sweat, perspiration. **schweißen** vt, vi weld; **Schweißer(in** f) m <-s, -> welder.

Schweißfüße pl sweaty feet pl.

Schweißnaht f weld.

Schweiz f: die ~ Switzerland; in der ~ in Switzerland; in die ~ fahren go to Switzerland; **Schweizer(in** f) m <-s, -> pl die Swiss pl; **Schweizerdeutsch** nt Swiss German; **schweizerisch** adj Swiss.

schwelen vi smoulder.

schwelgen vi indulge.

Schwelle f <-, -n> doorstep; (auch fig) threshold; (EISENB) sleeper.

schwellen <schwoll, geschwollen> vi swell.

Schwellenangst f (fig) fear of embarking on something new; **Schwellenland** nt advanced developing country.

Schwellung f swelling.

schwenkbar adj swivel-mounted;

schwenken 1. vt swing; (Fahne) wave; (abspülen) rinse; 2. vi turn, swivel; (MIL) wheel.

schwer 1. adj heavy; (schwierig) difficult, hard; (schlimm) serious, bad; 2. adv (sehr) very [much]; (verletzt etc) seriously, badly; **Schwerarbeiter(in** f) m labourer; **Schwere** f <-, -n> weight, heaviness; (PHYS) gravity; **schwerelos** adj weightless; (Kammer) zero-G.

Schwerenöter m <-s, -> casanova, ladies' man.

schwererziehbar adj difficult [to bring up], maladjusted; **schwerfallen** irr vi: jdm ~ be difficult for sb; **schwerfällig** adj ponderous; **Schwergewicht** nt heavyweight; (fig) emphasis; **schwerhörig** adj hard of hearing; **Schwerindustrie** f heavy industry; **Schwerkraft** f gravity; **Schwerkranke(r)** mf person who is seriously ill; **schwerlich** adv hardly; **schwermachen** vt: jdm/sich etw ~ make sth difficult for sb/oneself; **Schwermetall** nt heavy metal; **schwermütig** adj melancholy; **schwernehmen** irr vt take to heart; **Schwerpunkt** m centre of gravity; (fig) emphasis, crucial point.

Schwert nt <-[e]s, -er> sword; **Schwertlilie** f iris.

schwertun irr vi: sich dat o akk ~ have difficulties; **Schwerverbrecher(in** f) m criminal, serious offender; **schwerverdaulich** adj indigestible, heavy; **schwerverletzt** adj badly injured; **schwerverwundet** adj seriously wounded; **schwerwiegend** adj weighty, important.

Schwester f <-, -n> sister; (MED) nurse; **schwesterlich** adj sisterly.

schwieg pt von **schweigen**.

Schwiegereltern pl parents-in-law pl; **Schwiegermutter** f mother-in-law; **Schwiegersohn** m son-in-law; **Schwiegertochter** f daughter-in-law; **Schwiegervater** m father-in-law.

Schwiele f <-, -n> callus.

schwierig adj difficult, hard; **Schwierigkeit** f difficulty.

Schwimmbad nt swimming baths pl; **Schwimmbecken** nt swimming pool; **schwimmen** <schwamm, geschwommen> vi swim; (treiben, nicht sinken) float; (fig: unsicher sein) be all at sea; **Schwimmer(in** f) m <-s, -> swimmer; (beim Angeln) float; **Schwimmsport** m swimming; **Schwimmweste** f life jacket.

Schwindel m <-s> giddiness; (~anfall) dizzy spell; (Betrug) swindle, fraud;

(*Zeug*) stuff; **schwindelfrei** *adj* free from giddiness; **schwindeln** *vi* (*fam: lügen*) fib; **jdm schwindelt es** sb feels giddy.

schwinden <**schwand, geschwunden**> *vi* disappear; (*sich verringern*) decrease; (*Kräfte*) decline.

Schwindler(in *f*) *m* <**-s, ->** swindler; (*Lügner*) liar.

schwindlig *adj* giddy; **mir ist ~** I feel giddy.

schwingen <**schwang, geschwungen**> *vt, vi* swing; (*Waffe etc*) brandish; (*vibrieren*) vibrate; (*klingen*) sound.

Schwinger *m* <**-s, ->** (*BOXEN*) swing.

Schwingtür *f* swing door[s].

Schwingung *f* vibration; (*PHYS*) oscillation.

Schwips *m* <**-es, -e>**: **einen ~ haben** be tipsy.

schwirren *vi* buzz.

schwitzen *vi* sweat, perspire.

schwoll *pt von* **schwellen**.

schwören <**schwor, geschworen**> *vt, vi* swear.

schwul *adj* (*fam*) gay, queer.

schwül *adj* sultry, close; **Schwüle** *f* <**->** sultriness, closeness.

schwülstig *adj* pompous.

Schwund *m* <**-[e]s>** loss; (*Schrumpfen*) shrinkage.

Schwung *m* <**-[e]s, ⸚e>** swing; (*Triebkraft*) momentum; (*fig: Energie*) verve, energy; (*fam: Menge*) batch; **schwunghaft** *adj* brisk, lively; **Schwungrad** *nt* flywheel; **schwungvoll** *adj* vigorous.

Schwur *m* <**-[e]s, ⸚e>** oath; **Schwurgericht** *nt* court with a jury.

SDI *nt abk von* **stategic defence initiative** SDI.

sechs *num* six; **sechfach 1.** *adj* sixfold; **2.** *adv* six times; **sechshundert** *num* six hundred; **sechsjährig** *adj* (*6 Jahre alt*) six-year-old; (*6 Jahre dauernd*) six-year; **sechsmal** *adv* six times.

sechste(r, s) *adj* sixth; **der ~ Mai** the sixth of May; **Bonn, den 6. Mai** Bonn, May 6th; **Sechste(r)** *mf* sixth.

Sechstel *nt* <**-s, ->** (*Bruchteil*) sixth.

sechstens *adv* in the sixth place.

sechzehn *num* sixteen.

sechzig *num* sixty.

Secondhandladen *m* secondhand shop.

See 1. *f* <**-, -n>** sea; **2.** *m* <**-s, -n>** lake; **Seebad** *nt* seaside resort; **Seefahrt** *f* seefaring; (*Reise*) voyage; **Seegang** *m* [motion of the] sea; **Seegras** *nt* seaweed; **Seehund** *m* seal; **Seeigel** *m* sea urchin; **seekrank** *adj* seasick; **Seekrankheit** *f* seasickness; **Seelachs** *m*

rock salmon.

Seele *f* <**-, -n>** soul; **seelenruhig** *adv* calmly.

Seeleute *pl* seamen *pl*.

seelisch *adj* mental.

Seelsorge *f* pastoral duties *pl*; **Seelsorger(in** *f*) *m* <**-s, ->** pastor.

Seemacht *f* naval power; **Seemann** *m*, *pl* <**-männer** *o* **-leute>** seaman, sailor; **Seemeile** *f* nautical mile; **Seenot** *f* distress; **Seepferd[chen]** *nt* sea horse; **Seeräuber(in** *f*) *m* pirate; **Seerose** *f* water lily; **Seestern** *m* starfish; **seetüchtig** *adj* seaworthy; **Seeweg** *m* sea route; **auf dem ~** by sea; **Seezunge** *f* sole.

Segel *nt* <**-s, ->** sail; **Segelboot** *nt* yacht; **Segelfliegen** *nt* <**-s>** gliding; **Segelflieger(in** *f*) *m* glider pilot; **Segelflugzeug** *nt* glider; **segeln** *vt, vi* sail; **Segelschiff** *nt* sailing vessel; **Segelsport** *m* sailing; **Segeltuch** *nt* canvas.

Segen *m* <**-s, ->** blessing; **segensreich** *adj* beneficial.

Segler(in *f*) *m* <**-s, ->** sailor, yachtsman/-woman; (*Boot*) sailing boat.

segnen *vt* bless.

sehen <**sah, gesehen**> *vt, vi* see; (*in bestimmte Richtung*) look; **sehenswert** *adj* worth seeing; **Sehenswürdigkeiten** *pl* sights *pl* [of a town]; **Seher(in** *f*) *m* <**-s, ->** seer; **Sehfehler** *m* sight defect.

Sehne *f* <**-, -n>** sinew; (*an Bogen*) string.

sehnen *vr*: **sich ~** long, yearn (*nach* for); **sehnlich** *adj* ardent; **Sehnsucht** *f* longing; **sehnsüchtig** *adj* longing.

sehr *adv* (*vor Adjektiv, Adverb*) very; (*mit Verben*) a lot, [very] much; **zu ~** too much.

seicht *adj* shallow.

Seide *f* <**-, -n>** silk.

Seidel *nt* <**-s, ->** tankard, beer mug.

seiden *adj* silk; **Seidenpapier** *nt* tissue paper; **seidig** *adj* silky.

Seife *f* <**-, -n>** soap; **Seifenlauge** *f* soapsuds *pl*; **Seifenoper** *f* soap opera; **Seifenschale** *f* soap dish; **Seifenschaum** *m* lather; **seifig** *adj* soapy.

seihen *vt* strain, filter.

Seil *nt* <**-[e]s, -e>** rope; cable; **Seilbahn** *f* cable railway; **Seilhüpfen** *nt* <**-s>**, **Seilspringen** *nt* skipping; **Seiltänzer(in** *f*) *m* tightrope walker.

sein <**war, gewesen**> *vi. Hilfsverb* be; **laß das ~!** leave that!; stop that!; **es ist an dir zu ...** it's up to you to ...

sein 1. *pron possessiv von* **er** (*adjektivisch*)

his; **2.** *pron possessiv von* **es** (*adjektivisch*) its; **seine(r, s) 1.** *pron possessiv von* **er** (*substantivisch*) his; **2.** *pron possessiv von* **es** (*substantivisch*) its; **seiner 1.** *pron gen von* **er** of him; **2.** *pron gen von* **es** of it; **seinerseits 1.** *adv bezüglich auf* **er** as far as he is concerned; **2.** *adv bezüglich auf* **es** as far as it is concerned; **seinerzeit** *adv* in those days, formerly; **seinesgleichen 1.** *pron bezüglich auf* **er** people like him; (*gleichrangig*) his equals; **2.** *pron bezüglich auf* **es** things like it; (*gleichrangig*) its equals; **seinetwegen** *adv bezüglich auf* **er/es** (*wegen ihm*) because of him/it; (*ihm zuliebe*) for his/its sake; (*um ihn/es*) about him/it; (*für ihn/es*) on his/its behalf; (*von ihm aus*) as far as he/it is concerned.

Seismograph *m* <**-en, -en**> seismograph.

seit *conj:* **er ist ~ einer Woche hier** he has been here for a week; **~ langem** for a long time; **seitdem** *adv, conj* since.

Seite *f* <**-, -n**> side; (*Buch~*) page; (*MIL*) flank; **Seitenansicht** *f* side view; **Seitenhieb** *m* (*fig*) passing shot, dig; **Seitenruder** *nt* (*AVIAT*) rudder; **seitens** *prep* +*gen* on the part of; **Seitenschiff** *nt* aisle; **Seitensprung** *m* extramarital escapade; **Seitenstechen** *nt* [a] stitch; **Seitenstraße** *f* side road; **Seitenwagen** *m* sidecar; **Seitenzahl** *f* page number; number of pages.

seither *adv* since [then].

seitlich *adj* on one [*o* the] side; side.

Sekretär *m* (*Möbel*) bureau; **Sekretär(in** *f*) *m* secretary; **Sekretariat** *nt* secretary's office, secretariat.

Sekt *m* <**-[e]s, -e**> sparkling wine.

Sekte *f* <**-, -n**> sect.

sekundär *adj* secondary.

Sekunde *f* <**-, -n**> second.

selber *pron siehe* **selbst**.

selbst 1. *pron* myself; yourself; himself; herself; itself; ourselves; yourselves; themselves; **2.** *adv* even; **von ~** by itself; **Selbst** *nt* <**-**> self; **Selbstachtung** *f* self-respect;

selbständig *adj* independent; (*arbeitend*) self-employed; **Selbständigkeit** *f* independence; self-employment.

Selbstauslöser *m* (*FOT*) delayed-action shutter release; **Selbstbedienung** *f* self-service; **Selbstbefriedigung** *f* masturbation; **Selbstbeherrschung** *f* self-control; **selbstbewußt** *adj* [self-]confident; **Selbstbewußtsein** *nt* self-confidence; **Selbsterhaltung** *f* self-preservation; **Selbsterkenntnis** *f* self-knowledge; **selbstgefällig** *adj* smug,

self-satisfied; **selbstgemacht** *adj* home-made; **Selbstgespräch** *nt* conversation with oneself; **Selbsthilfegruppe** *f* self-help group; **Selbstkostenpreis** *m* cost price; **selbstlos** *adj* unselfish, selfless.

Selbstmord *m* suicide; **Selbstmörder(in** *f*) *m* suicide; **selbstmörderisch** *adj* suicidal.

Selbstreinigungskraft *f* self-purifying power; **selbstsicher** *adj* self-assured; **selbstsüchtig** *adj* selfish; **selbsttätig** *adj* automatic; **selbstverständlich 1.** *adj* obvious; **2.** *adv* naturally; **ich halte das für ~** I take that for granted; **Selbstvertrauen** *nt* self-confidence; **Selbstverwaltung** *f* autonomy, self-government; **Selbstzweck** *m* end in itself.

selig *adj* happy, blissful; (*REL*) blessed; (*tot*) late; **Seligkeit** *f* bliss.

Sellerie *m* <**-s, -[s]**>, *f* <**-, -n**> celeriac; (*Stangen~*) celery.

selten 1. *adj* rare; **2.** *adv* seldom, rarely; **Seltenheit** *f* rarity.

Selterswasser *nt* soda water.

seltsam *adj* strange, curious; **seltsamerweise** *adv* curiously, strangely; **Seltsamkeit** *f* strangeness.

Semester *nt* <**-s, -**> semester.

Semikolon *nt* <**-s, -s**> semicolon.

Seminar *nt* <**-s, -e**> (*der Universität*) department; (*~übung*) seminar; (*Priester~*) seminary; (*Lehrer~*) college of education.

Semmel *f* <**-, -n**> roll.

Senat *m* <**-[e]s, -e**> senate, council.

Sendebereich *m* range of transmission; **Sendefolge** *f* (*Serie*) series *sing:* **senden 1.** <**sandte, gesandt**> *vt* send; **2.** *vt, vi* (*RADIO, TV*) transmit, broadcast; **Sender** *m* <**-s, -**> station; (*Anlage*) transmitter; **Sendereihe** *f* series *sing* [of broadcasts]; **Sendung** *f* consignment; (*Aufgabe*) mission; (*RADIO, TV*) transmission; (*Programm*) programme.

Senf *m* <**-[e]s, -e**> mustard.

sengen 1. *vt* singe; **2.** *vi* scorch.

Seniorenpaß *m* senior citizen's travel pass.

Senkblei *nt* plumb.

Senke *f* <**-, -n**> depression.

Senkel *m* <**-s, -**> [shoe]lace.

senken 1. *vt* lower; **2.** *vr:* **sich ~** sink, drop gradually; **Senkfuß** *m* flat foot; **Senkfußeinlage** *f* arch support.

senkrecht *adj* vertical, perpendicular; **Senkrechte** *f* <**-n, -n**> perpendicular; **Senkrechtstarter(in** *f*) *m* (*AVIAT*) vertical take-off plane; (*fig*)

high-flier.
Sensation *f* sensation; **sensationell** *adj* sensational.
Sense *f* <-, -n> scythe.
sensibel *adj* sensitive; (*heikel*) sensitive, problematic.
sensibilisieren *vt* sensitize.
Sensibilität *f* sensitivity.
Sensor *m* <-s, -en> sensor.
sentimental *adj* sentimental; **Sentimentalität** *f* sentimentality.
separat *adj* separate.
September *m* <-[s], -> September; **im ~** in September; **11. ~ 1948** September 11th, 1948, 11th September 1948.
septisch *adj* septic.
sequentiell *adj* (*COMPUT*) sequential.
Serie *f* series *sing*.
seriell *adj* (*COMPUT*) serial.
Serienherstellung *f* mass production; **serienweise** *adv* in series.
seriös *adj* serious, bona fide.
Serpentine *f* hairpin [bend].
Serum *nt* <-s, Seren> serum.
Service 1. *nt* <-[s], -> (*Geschirr*) set, service; **2.** *m* <-, -s> service.
servieren *vt*, *vi* serve.
Serviette *f* napkin, serviette.
Servolenkung *f* power-assisted steering.
Sessel *m* <-s, -> armchair; **Sessellift** *m* chairlift.
seßhaft *adj* settled; (*ansässig*) resident.
Sets *pl* tablemats *pl*.
setzen 1. *vt* put, set; (*Baum etc*) plant; (*Segel*) set; **2.** *vr*: **sich ~** settle; (*Mensch*) sit down; **3.** *vi* leap.
Setzer(in *f) m* <-s, -> (*TYP*) compositor; **Setzerei** *f* caseroom; (*Betrieb*) typesetter's.
Setzling *m* young plant.
Seuche *f* <-, -n> epidemic; **Seuchengebiet** *nt* infected area.
seufzen *vt*, *vi* sigh; **Seufzer** *m* <-s, -> sigh.
Sex *m* <-[es]> sex.
Sexismus *m* sexism; **Sexist(in** *f)* *m* sexist; **sexistisch** *adj* sexist.
Sexualität *f* sex, sexuality.
Sexualobjekt *nt* sex object.
sexuell *adj* sexual.
sezieren *vt* dissect.
sich *pron* himself; herself; itself; oneself; yourself; yourselves themselves; each other.
Sichel *f* <-, -n> sickle; (*Mond~*) crescent.
sicher *adj* safe (*vor + dat* from); (*gewiß*) certain (*gen* of); (*zuverlässig*) secure, reliable; (*selbst~*) confident; **sichergehen** *irr vi* make sure.

Sicherheit *f* safety; (*auch FIN*) security; (*Gewißheit*) certainty; (*Selbst~*) confidence; **Sicherheitsabstand** *m* safe distance; **Sicherheitsbehälter** *m* (*von Kernkraftwerk*) containment; **Sicherheitsglas** *nt* safety glass; **sicherheitshalber** *adv* for safety; to be on the safe side; **Sicherheitsnadel** *f* safety pin; **Sicherheitsschloß** *nt* safety lock; **Sicherheitsverschluß** *m* safety clasp; **Sicherheitsvorkehrung** *f* safety precaution.
sicherlich *adv* certainly, surely.
sichern *vt* secure; (*schützen*) protect; (*Waffe*) put the safety catch on; (*COMPUT*) protect, safeguard; (*Daten*) back up; **jdm/sich etw ~** secure sth for sb/ [for oneself].
sicherstellen *vt* impound.
Sicherung *f* (*Sichern*) securing; (*Vorrichtung*) safety device; (*an Waffen*) safety catch; (*ELEC*) fuse; (*COMPUT*) backup.
Sicht *f* <-> sight; (*Aus~*) view; **auf** [*o* **nach] ~** (*FIN*) at sight; **auf lange ~** on a long-term basis; **sichtbar** *adj* visible; **sichten** *vt* sight; (*auswählen*) sort out; **Sichtgerät** *nt* monitor; (*COMPUT*) visual display unit, VDU; **sichtlich** *adj* evident, obvious; **Sichtverhältnisse** *pl* visibility; **Sichtvermerk** *m* visa; **Sichtweite** *f* visibility.
sickern *vi* trickle, seep.
sie 1. *pron* (*3. Person Singular*) she; **2.** *pron* (*3. Person Plural*) they; **3.** *pron akk von sing* sie her; **4.** *pron akk von pl* sie them.
Sie *pron* (*Höflichkeitsform, Nominativ und akk*) you.
Sieb *nt* <-[e]s, -e> sieve; (*GASTR*) strainer; **sieben** *vt* sift; (*Flüssigkeit*) strain.
sieben *num* seven; **siebenfach 1.** *adj* sevenfold; **2.** *adv* seven times; **siebenhundert** *num* seven hundred; **siebenjährig** *adj* (*7 Jahre alt*) seven-year-old; (*7 Jahre dauernd*) seven-year; **siebenmal** *adv* seven times; **Siebensachen** *pl* belongings *pl*.
siebte(r, s) *adj* seventh; **der ~ Mai** the seventh of May; **Bonn, den 7. Mai** Bonn, May 7th; **Siebte(r)** *mf* seventh.
Siebtel *nt* <-s, -> (*Bruchteil*) seventh.
siebzehn *num* seventeen.
siebzig *num* seventy.
sieden *vt*, *vi* boil, simmer; **Siedepunkt** *m* boiling point; **Siedewasserreaktor** *m* boiling water reactor.
Siedler(in *f) m* <-s, -> settler; **Siedlung** *f* settlement; (*Häuser~*) housing estate, housing development *US*.

Sieg m <-[e]s, -e> victory.
Siegel nt <-s, -> seal; **Siegellack** m sealing wax; **Siegelring** m signet ring.
siegen vi be victorious; (SPORT) win; **Sieger(in** f) m <-s, -> victor; (SPORT) winner; **siegessicher** adj sure of victory; **Siegeszug** m triumphal procession; **siegreich** adj victorious.
siehe Imperativ see; ~ **da** behold.
siezen vt use the formal form of address to, address as 'Sie'.
Signal nt <-s, -e> signal; **signalisieren** vt signal.
Signatur f signature.
Silbe f <-, -n> syllable.
Silber nt <-s> silver; **Silberbergwerk** nt silver mine; **Silberblick** m: einen ~ **haben** have a slight squint; **silbern** adj silver; **Silberpapier** nt silver paper.
Silhouette f silhouette.
Silo m <-s, -s> silo.
Silvester nt <-s, ->, **Silvesterabend** m New Year's Eve, Hogmanay Scot.
Simbabwe nt Zimbabwe.
simpel adj simple; **Simpel** m <-s, -> (fam) simpleton.
Sims nt o m <-es, -e> (Kamin~) mantlepiece; (Fenster~) [window]sill.
simulieren vt, vi simulate; (vortäuschen) feign.
simultan adj simultaneous.
Sinfonie f symphony.
singen <sang, gesungen> vt, vi sing.
Single f <-, -s> (Schallplatte) single.
Single m <-s, -s>, f <-, -s> (Mensch) single.
Singular m singular.
Singvogel m songbird.
sinken <sank, gesunken> vi sink; (Preise etc) fall, go down.
Sinn m <-[e]s, -e> mind; (Wahrnehmungs~) sense; (Bedeutung) sense, meaning; ~ **machen** make sense; ~ **für etw** sense of sth; **von** ~**en sein** be out of one's mind; **Sinnbild** nt symbol; **sinnbildlich** adj symbolic.
sinnen <sann, gesonnen> vi ponder; **auf etw** akk ~ contemplate sth.
Sinnenmensch m sensualist; **Sinnestäuschung** f illusion.
sinngemäß adj faithful; (Wiedergabe) in one's own words.
sinnig adj clever.
sinnlich adj sensual, sensuous; (Wahrnehmung) sensory; **Sinnlichkeit** f sensuality.
sinnlos adj (unsinnig) meaningless; (Verhalten) senseless; (zwecklos) pointless, senseless; **Sinnlosigkeit** f meaningless-

ness; pointlessness; senselessness; **sinnvoll** adj meaningful; (vernünftig) sensible.
Sintflut f Flood.
Sinus m <-, - o -se> sinus; (MATH) sine.
Siphon m <-s, -s> siphon.
Sippe f <-, -n> clan, kin; **Sippschaft** f (pej) relations pl; (Bande) gang.
Sirene f <-, -n> siren.
Sirup m <-s, -e> syrup.
Sitte f <-, -n> custom; ~**n** pl morals pl; **Sittenpolizei** f vice squad.
sittlich adj moral; **Sittlichkeit** f morality; **Sittlichkeitsverbrechen** nt sex offence.
sittsam adj modest, demure.
Situation f situation.
Sitz m <-es, -e> seat; **der Anzug hat einen guten** ~ the suit is a good fit; **Sitzblockade** f sit-in; **sitzen** <saß, gesessen> vi sit; (Bemerkung, Schlag) strike home, tell; (Gelerntes) have sunk in; ~ **bleiben** remain seated; **sitzenbleiben** irr vi (SCH) have to repeat a year; **auf etw** dat ~ be lumbered with sth; **sitzend** adj (Tätigkeit) sedentary; **sitzenlassen** irr vt (SCH) make [sb] repeat a year; (Mädchen) jilt; (Wartenden) stand up; **etw auf sich** dat ~ take sth lying down; **Sitzgelegenheit** f place to sit down; **Sitzplatz** m seat; **Sitzstreik** m sit-down strike; **Sitzung** f meeting.
Skala f <-, Skalen> scale.
Skalpell nt <-s, -e> scalpel.
Skandal m <-s, -e> scandal; **skandalös** adj scandalous.
Skateboard nt <-s, -s> skateboard.
Skelett nt <-[e]s, -e> skeleton.
Skepsis f <-> scepticism; **skeptisch** adj sceptical.
Ski m <-s, -er> ski; ~ **laufen** [o **fahren**] ski; **Skianzug** m ski suit; **Skibrille** f ski glasses pl; **Skifahrer(in** f) m, **Skiläufer(in** f) m skier; **Skilehrer(in** f) m ski instructor; **Skilift** m ski-lift.
Skinhead m <-s, -s> skinhead.
Skischuh m ski boot; **Skischule** f ski school; **Skispringen** nt ski-jumping; **Skiträger** m ski rack.
Skizze f <-, -n> sketch.
skizzieren vt sketch.
Sklave m <-n, -n>, **Sklavin** f slave; **Sklaverei** f slavery.
Skonto <-s, -s> discount.
Skorpion m <-s, -e> (ZOOL) scorpion; (ASTR) Scorpio.
Skrupel m <-s, -> scruple; **skrupellos** adj unscrupulous.

Slalom *m* <-s, -s> slalom.
Slip *m* <-s, -s> [pair of] briefs *pl*; **Slip-einlage** *f* panty-liner.
Smaragd *m* <-[e]s, -e> emerald.
Smog *m* <-s> smog; **Smogalarm** *m* smog alert.
Smoking *m* <-s, -s> dinner jacket, tuxedo *US*.
so 1. *adv* so; (*auf diese Weise*) like this; (*etwa*) roughly; **2.** *conj* so; (*vor Adjektiv*) as; ~ **ein** such a; ~, **das ist fertig** well, that's finished; ~ **etwas!** well, well!; ~ ... **wie** ... as ... as ...; ~ **daß** so that, with the result that.
Socke *f* <-, -n> sock.
Sockel *m* <-s, -> pedestal, base.
Sodawasser *nt* soda water.
Sodbrennen *nt* <-s> heartburn.
soeben *adv* just [now].
Sofa *nt* <-s, -s> sofa.
sofern *conj* if, provided [that].
soff *pt von* **saufen**.
sofort *adv* immediately, at once; **Sofort-bildkamera** *f* instant-picture camera; **sofortig** *adj* immediate.
Softie *m* <-s, -s> softy.
Software *f* <-, -s> software; **Soft-warepaket** *nt* package.
sog *pt von* **saugen**.
Sog *m* <-[e]s, -e> suction.
sogar *adv* even; **sogenannt** *adj* so-called; **sogleich** *adv* straight away, at once.
Sohle *f* <-, -n> sole; (*Tal~ etc*) bottom; (*MIN*) level.
Sohn *m* <-[e]s, ⁻e> son.
solang[e] *conj* as, so long as.
Solarium *nt* solarium.
Solarzelle *f* solar cell.
Solbad *nt* saltwater bath.
solch *pron* such; **ein** ~**e(r, s)** ... such a ...
Sold *m* <-[e]s, -e> pay.
Soldat(in *f*) *m* <-en, -en> soldier; **soldatisch** *adj* soldierly.
Söldner(in *f*) *m* <-s, -> mercenary.
solid[e] *adj* solid; (*Leben, Mensch*) staid, respectable.
solidarisch *adj* in/with solidarity; **sich** ~ **erklären** declare one's solidarity.
Solist(in *f*) *m* soloist.
Soll *m* <-[e]s, -[s]> (*FIN*) debit [side]; (*Arbeitsmenge*) quota, target.
sollen *vi* be supposed to; (*Verpflichtung*) shall, ought to; **du hättest nicht gehen** ~ you shouldn't have gone; **soll ich?** shall I?; **was soll das?** what's that supposed to mean?
Solo *nt* <-s, -s *o* **Soli**> solo.
somit *conj* and so, therefore.

Sommer *m* <-s, -> summer; **im** ~ in summer; **sommerlich** *adj* summery; summer; **Sommerloch** *nt* summer gap, silly season; **Sommersprossen** *pl* freckles *pl*.
Sonate *f* <-, -n> sonata.
Sonde *f* <-, -n> probe.
Sonder- *in Zusammensetzungen* special; **Sonderangebot** *nt* special offer; **sonderbar** *adj* strange, odd; **Sonderfahrt** *f* special trip; **Sonderfall** *m* special case.
sondergleichen *adj inv* without parallel, unparalleled.
sonderlich *adj* particular; (*außergewöhnlich*) remarkable; (*eigenartig*) peculiar.
Sonderling *m* eccentric.
Sondermüll *m* special waste.
sondern 1. *conj* but; **nicht nur** ..., ~ **auch** not only ..., but also; **2.** *vt* separate.
Sonderzeichen *nt* special character; **Sonderzug** *m* special train.
sondieren *vt* suss out; (*Gelände*) scout out.
Sonett *nt* <-[e]s, -e> sonnet.
Sonnabend *m* Saturday; **[am]** ~ on Saturday; **sonnabends** *adv* on Saturdays, on a Saturday.
Sonne *f* <-, -n> sun; **sonnen** *vr*: **sich** ~ sun oneself; **Sonnenaufgang** *m* sunrise; **sonnenbaden** *vi* sunbathe; **Sonnenbrand** *m* sunburn; **Sonnen-brille** *f* sunglasses *pl*; **Sonnenfinster-nis** *f* solar eclipse; **Sonnenkollektor** *m* solar panel; **Sonnenschein** *m* sunshine; **Sonnenschirm** *m* parasol, sunshade; **Sonnenstich** *m* sunstroke; **Sonnenuhr** *f* sundial; **Sonnenunter-gang** *m* sunset; **Sonnenwende** *f* solstice; **sonnig** *adj* sunny.
Sonntag *m* Sunday; **[am]** ~ on Sunday; **sonntags** *adv* on Sundays, on a Sunday.
sonst *adv, conj* otherwise; (*mit pron, in Fragen*) else; (*zu anderer Zeit*) at other times, normally; ~ **noch etwas?** anything else?; ~ **nichts** nothing else; **sonstig** *adj* other; **sonstjemand** *pron* anybody [at all]; **sonstwo[hin]** *adv* somewhere else; **sonstwoher** *adv* from somewhere else.
sooft *conj* whenever.
Sopran *m* <-s, -e> soprano; **Soprani-stin** *f* soprano.
Sorge *f* <-, -n> care, worry; **sorgen 1.** *vi*: **für jdn** ~ look after sb; **für etw** ~ take care of sth, see to sth; **2.** *vr*: **sich** ~ worry (*um* about); **sorgenfrei** *adj* carefree; **Sorgenkind** *nt* problem child; **sorgenvoll** *adj* troubled, worried; **Sor-**

gerecht *nt* custody [of a child].
Sorgfalt *f* <-> care[fulness]; **sorgfältig** *adj* careful; **sorglos** *adj* careless; *(ohne Sorgen)* carefree; **sorgsam** *adj* careful.
Sorte *f* <-, -n> sort; *(Waren~)* brand; **Sorten** *pl* *(FIN)* foreign currency.
sortieren *vt* sort [out]; *(COMPUT)* sort; **Sortierlauf** *m* *(COMPUT)* sort run.
Sortiment *nt* assortment.
sosehr *conj* as much as.
Soße *f* <-, -n> sauce; *(Braten~)* gravy.
Souffleur *m*, **Souffleuse** *f* prompter; **soufflieren** *vt, vi* prompt.
souverän *adj* sovereign; *(überlegen)* superior.
soviel 1. *conj* as far as; **2.** *pron* as much *(wie* as); **rede nicht ~** don't talk so much.
soweit 1. *conj* as far as; **2.** *adj*: **~ sein** be ready; **~ wie** [o **als**] **möglich** as far as possible; **ich bin ~ zufrieden** by and large I'm quite satisfied.
sowenig 1. *conj* little as; **2.** *pron* as little *(wie* as).
sowie *conj* *(sobald)* as soon as; *(ebenso)* as well as; **sowieso** *adv* anyway.
Sowjetunion *f*: **die ~** the Soviet Union.
sowohl *conj*: **~ ... als** [o **wie**] **auch** both ... and.
sozial *adj* social; **Sozialabgaben** *pl* national insurance contributions *pl*; **Sozialdemokrat(in** *f)* *m* social democrat; **Sozialhilfe** *f* supplementary benefit.
Sozialismus *m* socialism; **Sozialist(in** *f)* *m* socialist; **sozialistisch** *adj* socialist.
Sozialplan *m* social compensation plan; **Sozialpolitik** *f* social welfare policy; **Sozialprodukt** *nt* (gross/net) national product; **Sozialstaat** *m* welfare state; **Sozialversicherung** *f* national insurance *Brit*, social security *US*; **Sozialwohnung** *f* council flat *Brit*.
Soziologe *m* <-n, -n>, **-login** *f* sociologist; **Soziologie** *f* sociology; **soziologisch** *adj* sociological.
Sozius *m* *(COM)* partner; *(auf Motorrad)* pillion rider; **Soziussitz** *m* pillion [seat].
sozusagen *adv* so to speak.
Spachtel *m* <-s, -> spatula.
spähen *vi* peep, peek.
Spalier *nt* <-s, -e> *(Gerüst)* trellis; *(Leute)* guard of honour.
Spalt *m* <-[e]s, -e> crack; *(Tür~)* chink; *(fig: Kluft)* split.
Spalte *f* <-, -n> crack, fissure; *(Gletscher~)* crevasse; *(in Text)* column.
spalten *vt, vr*: **sich ~** split; **Spaltmaterial** *nt* fission material; **Spaltung** *f*

splitting.
Span *m* <-[e]s, ⸚e> shaving; **Spanferkel** *nt* sucking-pig.
Spange *f* <-, -n> clasp; *(Haar~)* hair slide; *(Schnalle)* buckle; *(Armreif)* bangle.
Spanien *nt* Spain; **Spanier(in** *f)* *m* <-s, -> Spaniard; **die ~** *pl* the Spanish *pl*; **spanisch** *adj* Spanish; **das kommt mir ~ vor** that seems odd to me.
spann *pt von* **spinnen**.
Spannbeton *m* pre-stressed concrete.
Spanne *f* <-, -n> *(Zeit~)* space; *(Differenz)* gap.
spannen 1. *vt* *(straffen)* tighten, tauten; *(befestigen)* brace; **2.** *vi* be tight.
spannend *adj* exciting, gripping; **Spannung** *f* tension; *(ELEC)* voltage; *(fig)* suspense; *(unangenehm)* tension; **Spannungsprüfer** *m* voltage detector.
Sparbuch *nt* savings book; **Sparbüchse** *f* moneybox; **sparen** *vt, vi* save; **sich** *dat* **etw ~** save oneself sth; *(Bemerkung)* keep sth to oneself; **mit etw ~** be sparing with sth; **an etw** *dat* **~** economize on sth; **Sparer(in** *f)* *m* <-s, - > saver.
Spargel *m* <-s, -> asparagus.
Sparkasse *f* savings bank; **Sparkonto** *nt* savings account.
spärlich *adj* meagre; *(Bekleidung)* scanty.
Sparmaßnahme *f* economy measure, cut; **sparsam** *adj* economical; **Sparsamkeit** *f* thrift, economizing; **Sparschwein** *nt* piggy bank.
Sparte *f* <-, -n> field; *(beruflich)* line of business; *(PRESSE)* column.
Spaß *m* <-es, ⸚e> joke; *(Freude)* fun; **jdm ~ machen** be fun [for sb]; **spaßen** *vi* joke; **mit ihm ist nicht zu ~** you can't take liberties with him; **spaßeshalber** *adv* for the fun of it; **spaßhaft, spaßig** *adj* funny, droll; **Spaßmacher(in** *f)* *m* <-s, -> joker, funny person; **Spaßverderber(in** *f)* *m* <-s, -> spoilsport.
spät *adj, adv* late; **später** *adj, adv* later; **spätestens** *adv* at the latest.
Spaten *m* <-s, -> spade.
Spatz *m* <-en, -en> sparrow.
spazieren *vi* stroll, walk; **spazierenfahren** *irr vi* go for a drive; **spazierengehen** *irr vi* go for a walk; **Spaziergang** *m* walk; **Spazierstock** *m* walking stick; **Spazierweg** *m* path, walk.
Specht *m* <-[e]s, -e> woodpecker.
Speck *m* <-[e]s, -e> bacon.
Spediteur *m* carrier; *(Möbel~)* furniture remover.
Spedition *f* carriage; *(~ sfirma)* road haulage contractor; *(für Umzug)* removal

firm.

Speer m <-[e]s, -e> spear; (SPORT) javelin.

Speiche f <-, -n> spoke.

Speichel m <-s> saliva, spit[tle].

Speicher m <-s, -> storehouse; (Dach~) attic, loft; (Korn~) granary; (Wasser~) tank; (TECH) store; (COMPUT) memory, store; **Speicherfunktion** f (COMPUT) memory function; **Speicherkapazität** f (COMPUT) memory capacity; **speichern** vt (auch COMPUT) store; (ab~) file; **Speicherplatz** m (COMPUT) storage space; (bestimmter Ort) slot; **Speicherschreibmaschine** f memory typewriter; **Speicherschutz** m (COMPUT) memory protection.

speien <spie, gespie[e]n> vt, vi spit; (erbrechen) vomit; (Vulkan) spew.

Speise f <-, -n> food; **Speiseeis** nt ice-cream; **Speisekammer** f larder, pantry; **Speisekarte** f menu; **speisen** 1. vt feed; (essen) eat; 2. vi dine; **Speiseröhre** f gullet, oesophagus; **Speisesaal** m dining room; **Speisewagen** m dining car; **Speisezettel** m menu.

Spektakel 1. m <-s, -> (fam: Krach) row; 2. nt <-s, -> (Schauspiel) spectacle.

Spekulant(in f) m speculator; **Spekulation** f speculation; **spekulieren** vi (auch fig) speculate; **auf etw** akk ~ have hopes of sth.

Spelunke f <-, -n> dive.

Spende f <-, -n> donation; **spenden** vt donate, give; **Spender(in** f) m <-s, -> donor, donator.

spendieren vt pay for, buy; **jdm etw** ~ treat sb to sth, stand sb sth.

Sperling m sparrow.

Sperma nt <-s, Spermen> sperm.

sperrangelweit adv: ~ **offen** wide open.

Sperre f <-, -n> barrier; (Verbot) ban; **sperren** 1. vt block; (SPORT) suspend, bar; (vom Ball) obstruct; (einschließen) lock; (verbieten) ban; 2. vr: **sich** ~ baulk, jib[e]; **Sperrgebiet** nt prohibited area.

Sperrholz nt plywood.

sperrig adj bulky.

Sperrmüll m bulky refuse; **Sperrsitz** m (THEAT) stalls pl; **Sperrstunde** f, **Sperrzeit** f closing time.

Spesen pl expenses pl.

Spezial- in Zusammensetzungen special.

spezialisieren vr: **sich** ~ specialize (auf +akk in); **Spezialisierung** f specialization.

Spezialist(in f) m specialist.

Spezialität f speciality.

speziell adj special.

spezifisch adj specific.

Sphäre f <-, -n> sphere.

spicken 1. vt lard; 2. vi (SCH) copy, crib.

spie pt von **speien**.

Spiegel m <-s, -> mirror; (Wasser~) level; **Spiegelbild** nt reflection; **spiegelbildlich** adj reversed; **Spiegelei** nt fried egg; **spiegeln** 1. vt mirror, reflect; 2. vr: **sich** ~ be reflected; 3. vi gleam; (wider~) be reflective; **Spiegelreflexkamera** f reflex camera; **Spiegelschrift** f mirror-writing; **Spiegelung** f reflection.

Spiel nt <-[e]s, -e> game; (Schau~) play; (Tätigkeit) play[ing]; (KARTEN) deck; (TECH) [free] play; **spielen** vt, vi play; (um Geld) gamble; (THEAT) perform, act; **spielend** adv easily; **Spieler(in** f) m <-s, -> player; (um Geld) gambler; **Spielerei** f trifling pastime; **spielerisch** adj playful; (Leichtigkeit) effortless; ~ **es Können** skill as a player; (THEAT) acting ability; **Spielfeld** nt pitch, field; **Spielfilm** m feature film; **Spielhalle** f amusement hall, amusement centre; **Spielplan** m (THEAT) programme; **Spielplatz** m playground; **Spielraum** m room to manoeuvre, scope; **Spielsachen** pl toys pl; **Spielverderber(in** f) m <-s, -> spoilsport; **Spielwaren** pl, **Spielzeug** nt toys pl.

Spieß m <-es, -e> spear; (Brat~) spit; **Spießbürger(in** f) m bourgeois; **Spießrutenlaufen** nt running the gauntlet.

Spikes pl spikes pl; (AUT) studs pl.

Spinat m <-[e]s, -e> spinach.

Spind m <-[e]s, -e> locker.

Spinne f <-, -n> spider.

spinnen <spann, gesponnen> vt, vi spin; (fam) talk rubbish; (verrückt sein) be crazy, be mad; **Spinnerei** f spinning mill.

Spinn[en]gewebe nt cobweb.

Spinnrad nt spinning-wheel.

Spinnwebe f <-, -n> cobweb.

Spion(in f) m <-s, -e> spy; (in Tür) spyhole; **Spionage** f <-, -n> espionage; **spionieren** vi spy.

Spirale f <-, -n> spiral; (MED) coil, loop.

Spirituosen pl spirits pl.

Spiritus m <-, -se> [methylated] spirit.

Spital nt <-s, ⁇er> hospital.

spitz adj pointed; (Winkel) acute; (fig: Zunge) sharp; (Bemerkung) caustic.

Spitz m <-es, -e> spitz.

Spitzbogen *m* pointed arch.
Spitzbube *m*, **-bübin** *f* rogue.
Spitze *f* <-, **-n**> point, tip; (*Berg~*) peak; (*Bemerkung*) taunt, dig; (*erster Platz*) lead, top; (*Gewebe*) lace.
Spitzel *m* <-s, -> police informer.
spitzen *vt* sharpen.
Spitzen- *in Zusammensetzungen* top; **Spitzenleistung** *f* top performance; **Spitzenlohn** *m* top wages *pl*; **Spitzensportler(in** *f)* *m* <-s, -> top-class sportsman/-woman.
spitzfindig *adj* [over]subtle.
spitzig *adj siehe* **spitz**.
Spitzname (*m*) nickname.
Splitter *m* <-s, -> splinter; **splitternackt** *adj* stark naked.
Spoiler *m* <-s, -> (*AUT*) spoiler.
sponsern *vt* sponsor; **Sponsor(in** *f)* *m* <-s, -en> sponsor.
spontan *adj* spontaneous.
Sport *m* <-[e]s, -e> sport, (*fig*) hobby; **Sportlehrer(in** *f)* *m* games [*o* P.E.] teacher; **Sportler(in** *f)* *m* <-s, -> sportsman/-woman; **sportlich** *adj* sporting; (*Mensch*) sporty; **Sportplatz** *m* playing [*o* sports] field; **Sportverein** *m* sports club; **Sportwagen** *m* sports car; (*für Kinder*) pushchair *Brit*, stroller *US*; **Sportzeug** *nt* sports gear.
Spott *m* <-[e]s> mockery, ridicule; **spottbillig** *adj* dirt-cheap; **spotten** *vi* mock (*über* +*akk* at), ridicule; **spöttisch** *adj* mocking.
sprach *pt von* **sprechen**.
sprachbegabt *adj* good at languages; **Sprache** *f* <-, **-n**> language; **Sprachfehler** *m* speech defect; **Sprachführer** *m* phrasebook; **Sprachgebrauch** *m* [linguistic] usage; **Sprachgefühl** *nt* feeling for language; **sprachlich** *adj* linguistic; **sprachlos** *adj* speechless; **Sprachregelung** *f* [policy] line; **Sprachrohr** *nt* megaphone; (*fig*) mouthpiece.
sprang *pt von* **springen**.
Spray *m o nt* <-s, -s> spray.
Sprechanlage *f* intercom; **sprechen** <sprach, gesprochen> **1.** *vi* speak, talk (*mit* to); **2.** *vt* say; (*Sprache*) speak; (*jdn*) speak to; **das spricht für ihn** that's a point in his favour; **Sprecher(in** *f)* *m* <-s, -> speaker; (*für Gruppe*) spokesperson; (*RADIO, TV*) announcer; **Sprechstunde** *f* consultation [hour]; [doctor's] surgery; **Sprechstundenhilfe** *f* [doctor's] receptionist; **Sprechzimmer** *nt* consulting room; (*von Arzt*) surgery.
spreizen **1.** *vt* spread; **2.** *vr*: **sich ~** put

on airs.
Sprengarbeiten *pl* blasting operations *pl*; **sprengen** *vt* sprinkle; (*mit Sprengstoff*) blow up; (*Gestein*) blast; (*Versammlung*) break up; **Sprengladung** *f* explosive charge; **Sprengstoff** *m* explosive[s].
Spreu *f* <-> chaff.
Sprichwort *nt* proverb; **sprichwörtlich** *adj* proverbial.
Springbrunnen *m* fountain.
springen <sprang, gesprungen> *vi* jump; (*Glas*) crack; (*mit Kopfsprung*) dive; **Springer(in** *f)* *m* <-s, -> (*Mensch*) jumper; (*SCHACH*) knight.
Sprit *m* <-[e]s, -e> (*fam*) petrol, fuel.
Spritze *f* <-, **-n**> syringe; injection; (*an Schlauch*) nozzle; **spritzen 1.** *vt* spray; (*MED*) inject; **2.** *vi* splash; (*heraus~*) spurt; (*MED*) give injections; **Spritzpistole** *f* spray gun.
spröde *adj* brittle; (*Mensch*) reserved, coy.
Sproß *m* <-sses, -sse> shoot; (*Kind*) scion.
Sprosse *f* <-, **-n**> rung; **Sprossenfenster** *nt* lattice window.
Sprößling *m* offspring.
Spruch *m* <-[e]s, ~e> saying, maxim; (*JUR*) judgement.
Sprudel *m* <-s, -> mineral water; (*süßer ~*) lemonade.
sprudeln *vi* bubble.
Sprühdose *f* aerosol [can]; **sprühen** *vt, vi* spray; (*fig*) sparkle; **Sprühregen** *m* drizzle.
Sprung *m* <-[e]s, ~e> jump; (*Riß*) crack; **Sprungbrett** *nt* springboard; **sprunghaft** *adj* erratic; (*Aufstieg*) rapid; **Sprungschanze** *f* skijump.
Spucke *f* <-> spit; **spucken** *vt, vi* spit.
Spuk *m* <-[e]s, -e> haunting; (*fig*) nightmare; **spuken** *vi* (*Geist*) walk; **hier spukt es** this place is haunted.
Spule *f* <-, **-n**> spool; (*ELEC*) coil.
Spüle *f* <-, **-n**> [kitchen] sink; **spülen** *vt, vi* rinse; (*Geschirr*) wash up; (*Toilette*) flush; **Spülmaschine** *f* dishwasher; **Spülmittel** *nt* washing-up liquid; **Spülstein** *m* sink; **Spülung** *f* rinsing; flush; (*MED*) irrigation.
Spur *f* <-, **-en**> trace; (*Fuß~, Rad~, Tonband~*) track; (*Fährte*) trail; (*Fahr~*) lane; **spurlos** *adv* without [a] trace.
spürbar *adj* noticeable, perceptible; **spüren** *vt* feel; **Spürhund** *m* tracker dog; (*fig*) sleuth.
Spurt *m* <-[e]s, -s *o* -e> spurt.
sputen *vr*: **sich ~** make haste.

Squash nt <-> squash.
Sri Lanka nt Sri Lanka.
Staat m <-[e]s, -en> state; (Prunk) show; (Kleidung) finery; **mit etw ~ machen** show sth off, parade sth; **staatenlos** adj stateless; **staatlich** adj state[-]; (vom Staat betrieben) state-run; **Staatsangehörigkeit** f nationality; **Staatsanwalt** m, **-anwältin** f public prosecutor; **Staatsbürger(in** f) m citizen; **Staatsdienst** m civil service; **staatseigen** adj state-owned; **Staatsexamen** nt degree; **staatsfeindlich** adj subversive; **Staatsmann** m, pl <-männer> statesman; **Staatssekretär(in** f) m secretary of state.
Stab m <-[e]s, ⁼e> rod; (Gitter~) bar; (Menschen) staff; **Stäbchen** nt (Eß~) chopstick; **Stabhochsprung** m pole vault.
stabil adj stable; (Möbel) sturdy; **stabilisieren** vt stabilize.
Stabreim m alliteration.
stach pt von **stechen**.
Stachel m <-s, -n> spike; (von Tier) spine; (von Insekten) sting; **Stachelbeere** f gooseberry; **Stacheldraht** m barbed wire; **stachelig** adj prickly; **Stachelschwein** nt porcupine.
Stadion nt <-s, Stadien> stadium.
Stadium nt stage, phase.
Stadt f <-, ⁼e> town; **Städtchen** nt small town; **Städtebau** m town planning; **Städtepartnerschaft** f twinning; **Städter(in** f) m <-s, -> town dweller; **städtisch** adj municipal; (nicht ländlich) urban; **Stadtmauer** f city wall[s]; **Stadtplan** m [street] map; **Stadtrand** m outskirts pl; **Stadtteil** m district, part of town.
Staffel f <-, -n> rung; (SPORT) relay [team]; (AVIAT) squadron.
Staffelei f easel.
staffeln vt graduate; **Staffelung** f graduation.
stahl pt von **stehlen**.
Stahl m <-[e]s, ⁼e> steel; **Stahlhelm** m steel helmet.
Stall m <-[e]s, ⁼e> stable; (Kaninchen~) hutch; (Schweine~) sty; (Hühner~) henhouse.
Stamm m <-[e]s, ⁼e> (Baum~) trunk; (Menschen) tribe; (LING) stem; **Stammbaum** m family tree; (von Tier) pedigree; **Stammdaten** pl master data pl.
stammeln vt, vi stammer.
stammen vi: ~ von, ~ aus come from.
Stammgast m regular [customer]; **Stammhalter** m <-s, -> son and

heir.
stämmig adj sturdy; (Mensch) stocky.
stampfen vt, vi stamp; (stapfen) tramp; (mit Werkzeug) pound.
stand pt von **stehen**.
Stand m <-[e]s, ⁼e> position; (Wasser~, Benzin~ etc) level; (Stehen) standing position; (Zustand) state; (Spiel~) score; (Messe~ etc) stand; (Klasse) class; (Beruf) profession.
Standard m <-s, -s> standard.
Ständchen nt serenade.
Ständer m <-s, -> stand.
Standesamt nt registry office; **Standesbeamte(r)** m, **-beamtin** f registrar; **Standesunterschied** m social difference.
standhaft adj steadfast; **Standhaftigkeit** f steadfastness; **standhalten** irr vi stand firm (jdm/etw against sb/sth), resist (jdm/etw sb/sth).
ständig adj permanent; (ununterbrochen) constant, continual.
Standlicht nt sidelights pl, parking lights pl US; **Standort** m location; (MIL) garrison; **Standpunkt** m standpoint; **Standspur** f (AUT) hard shoulder.
Stange f <-, -n> stick; (Stab) pole, bar; (Gardinen~) rod; (Zigaretten~) carton; **von der ~** (COM) off the peg; **eine ~ Geld** quite a packet.
stank pt von **stinken**.
Stanniol nt <-s, -e> tinfoil.
stanzen vt stamp.
Stapel m <-s, -> pile; (NAUT) stocks pl; **Stapellauf** m launch; **stapeln** vt pile [up].
Star 1. m <-[e]s, -e> starling; (MED) cataract; 2. m <-s, -s> (Film~ etc) star.
starb pt von **sterben**.
stark adj strong; (heftig, groß) heavy; (Maßangabe) thick; **sich für etw ~ machen** stand up for sth; **Stärke** f <-, -n> strength, heaviness; (Dicke) thickness; (GASTR. Wäsche~) starch; **stärken** vt strengthen; (Wäsche) starch; **Starkstrom** m heavy current; **Stärkung** f strengthening; (Essen) refreshment.
starr adj stiff; (unnachgiebig) rigid; (Blick) staring.
starren vi stare; ~ **vor** [o **von**] be covered in; (Waffen) be bristling with.
Starrheit f rigidity; **starrköpfig** adj stubborn; **Starrsinn** m obstinacy.
Start m <-[e]s, -e> start; (AVIAT) take-off; **Startautomatik** f (AUT) automatic choke; **Startbahn** f runway; **starten** vt, vi start; (AVIAT) take off;

Starter *m* <-s, -> starter; **Starter-laubnis** *f* takeoff clearance; **Starthil-fekabel** *nt* jump leads *pl*; **Startzei-chen** *nt* start signal.

Station *f* station; (*im Krankenhaus*) [hospital] ward; **stationieren** *vt* station.

Statist(in *f*) *m* extra, super-numerary.

Statistik *f* statistics *sing*; **Statistiker(in** *f*) *m* <-s, -> statistician; **statistisch** *adj* statistical.

Stativ *nt* tripod.

statt *conj, prep* + *gen o dat* instead of.

Stätte *f* <-, -n> place.

stattfinden *irr vi* take place.

statthaft *adj* admissible.

stattlich *adj* imposing, handsome.

Statue *f* <-, -n> statue.

Statur *f* stature.

Status *m* <-, -> status; **Statussym-bol** *nt* status symbol.

Stau *m* <-[e]s, -e> blockage; (*Ver-kehrs~*) [traffic] jam.

Staub *m* <-[e]s> dust; **stauben** *vi* be dusty; **Staubfaden** *m* stamen; **stau-big** *adj* dusty; **Staubsauger** *m* vacuum cleaner; **Staubtuch** *nt* duster.

Staudamm *m* dam.

Staude *f* <-, -n> shrub.

stauen 1. *vt* (*Wasser*) dam up; (*Blut*) stop the flow of; 2. *vr*: **sich ~** (*Wasser*) become dammed up; (*MED*) become congested; (*Menschen*) collect together; (*Gefühle*) build up.

staunen *vi* be astonished; **Staunen** *nt* <-s> amazement.

Stauung *f* (*von Wasser*) damming-up; (*von Blut, Verkehr*) congestion.

stdl. *adv abk von* **stündlich** every hour.

stechen <stach, gestochen> *vt, vi* (*mit Nadel etc*) prick; (*mit Messer*) stab; (*mit Finger*) poke; (*Biene*) sting; (*Mücke*) bite; (*Sonne*) burn; (*KARTEN*) take; (*KUNST*) engrave; (*Torf, Spargel*) cut; **in See ~** put to sea; **Stechen** *nt* <-s, -> (*SPORT*) play-off; jump-off; **stechend** *adj* piercing; (*Schmerz*) sharp; (*Geruch*) pungent; **Stechginster** *m* gorse; **Stechpalme** *f* holly; **Stechuhr** *f* time clock.

Steckbrief *m* 'wanted' poster; **Steck-dose** *f* [wall] socket; **stecken** 1. *vt* put, insert; (*Nadel*) stick; (*Pflanzen*) plant; (*beim Nähen*) pin; 2. *vi* be; (*festsitzen*) be stuck; (*Nadeln*) stick; **steckenbleiben** *irr vi* get stuck; **steckenlassen** *irr vt* leave in.

Steckenpferd *nt* hobby-horse.

Stecker *m* <-s, -> plug.

Stecknadel *f* pin; **Steckrübe** *f* swede, turnip; **Steckzwiebel** *f* bulb.

Steg *m* <-[e]s, -e> small bridge; (*Anle-ge~*) landing stage.

Stegreif *m*: **aus dem ~** just like that.

stehen <stand, gestanden> 1. *vi* stand (*zu* by); (*sich befinden*) be; (*in Zei-tung*) say; (*still~*) have stopped; 2. *vi impers*: **es steht schlecht um** things are bad for; **wie steht's?** how are things?; (*SPORT*) what's the score?; **jdm ~** suit sb; **~ bleiben** remain standing; **stehen-bleiben** *irr vi* (*Uhr*) stop; (*Fehler*) stay as it is; **stehenlassen** *irr vt* leave; (*Bart*) grow.

stehlen <stahl, gestohlen> *vt* steal.

steif *adj* stiff; **Steifheit** *f* stiffness.

Steigbügel *m* stirrup; **Steigeisen** *nt* crampon; **steigen** <stieg, gestie-gen> *vi* rise; (*klettern*) climb; **~ in/auf** + *akk* get in/on.

steigern 1. *vt* raise; (*LING*) compare; 2. *vi* (*bei Auktion*) bid; 3. *vr*: **sich ~** increase; **Steigerung** *f* raising; (*LING*) comparison.

Steigung *f* incline, gradient, rise.

steil *adj* steep.

Stein *m* <-[e]s, -e> stone; (*in Uhr*) jewel; **steinalt** *adj* ancient; **Steinbock** *m* (*ZOOL*) ibex; (*ASTR*) Capricorn; **Steinbruch** *m* quarry; **Steinbutt** *m* <-s, -e> turbot; **steinern** *adj* [made of] stone; (*fig*) stony; **Steinfraß** *m* <-es> stone erosion; **Steingut** *nt* stoneware; **steinhart** *adj* hard as stone; **steinig** *adj* stony; **steinigen** *vt* stone; **Steinkohle** *f* mineral coal; **Stein-metz(in** *f*) *m* <-es, -e> stonemason.

Steiß *m* <-es, -e> rump.

Stelle *f* <-, -n> place; (*Arbeit*) post, job; (*Amt*) office.

stellen 1. *vt* put; (*Uhr etc*) set; (*zur Ver-fügung ~*) supply; (*fassen: Dieb*) appre-hend; 2. *vr*: **sich ~** (*sich aufstellen*) stand; (*sich einfinden*) present oneself; (*bei Polizei*) give oneself up; (*vorgeben*) pretend [to be]; **sich zu etw ~** have an opinion on sth.

Stellenangebot *nt* offer of a post; (*in Zeitung*) vacancies *pl*; **Stellengesuch** *nt* application for a post; **Stellennach-weis** *m*, **Stellenvermittlung** *f* em-ployment agency; **Stellenwert** *m* (*COMPUT*) place value; (*fig*) status; **einen hohen ~ haben** play an important role.

Stellung *f* position; (*MIL*) line; **~ nehmen zu** comment on; **Stellung-nahme** *f* <-, -n> comment.

stellvertretend *adj* deputy, acting; **Stellvertreter(in** *f*) *m* deputy.

Stellwerk *nt* (*EISENB*) signal box.

Stelze f <-, -n> stilt.
Stemmbogen m (SKI) stem turn.
stemmen vt lift [up]; (drücken) press; **sich ~ gegen** (fig) resist, oppose.
Stempel m <-s, -> stamp; (BOT) pistil; **Stempelkissen** nt inkpad; **stempeln** vt stamp; (Briefmarke) cancel; **~ gehen** (fam) be/go on the dole.
Stengel m <-s, -> stalk.
Stenogramm nt <-s, -e> shorthand report; **Stenographie** f shorthand; **stenographieren** vt, vi write [in] shorthand; **Stenotypist(in** f) m shorthand typist.
Steppdecke f quilt.
Steppe f <-, -n> steppe.
steppen 1. vt stitch; **2.** vi (tanzen) tapdance.
Sterbebett nt deathbed; **Sterbefall** m death; **Sterbehilfe** f active euthanasia; **sterben <starb, gestorben>** vi die; **Sterbeurkunde** f death certificate.
sterblich adj mortal; **Sterblichkeit** f mortality; **Sterblichkeitsziffer** f death rate.
stereo- adj in Zusammensetzungen stereo[-]; **Stereoanlage** f stereo; **stereotyp** adj stereotype.
steril adj sterile; **sterilisieren** vt sterilize; **Sterilisierung** f sterilization.
Stern m <-[e]s, -e> star; **Sternbild** nt constellation; **Sternchen** nt asterisk; **Sternschnuppe** f <-, -n> shooting star; **Sternstunde** f great moment.
stet adj steady; **stetig** adj constant, continual; **stets** adv always.
Steuer 1. nt <-s, -> (NAUT) helm; (~ruder) rudder; (AUT) steering wheel; **2.** f <-, -n> tax; **Steuerberater(in** f) m tax consultant; **Steuerbord** nt starboard; **Steuergerät** nt (RADIO) tuneramplifier; (COMPUT) control unit; **Steuererklärung** f tax return; **Steuerklasse** f tax group; **Steuerknüppel** m control column; (AVIAT, COMPUT) joystick; **Steuermann** m, pl <-männer u -leute> helmsman; **steuern** vt, vi steer; (Flugzeug) pilot; (Entwicklung, Tonstärke, COMPUT) control; **steuerpflichtig** adj taxable; (Mensch) liable to pay tax; **Steuerrad** nt steering wheel; **Steuerung** f (auch AUT) steering; (AVIAT) piloting; (fig) control; (Vorrichtung) controls pl; **Steuerwerk** nt (COMPUT) control unit; **Steuerzahler(in** f) m <-s, -> taxpayer; **Steuerzeichen** nt (COMPUT) control character, function character.
Steward m <-s, -s> steward; **Stewardeß** f <-, -essen> stewardess, air

hostess.
stibitzen vt (fam) pilfer, steal.
Stich m <-[e]s, -e> (Insekten~) sting; (Messer~) stab; (beim Nähen) stitch; (Färbung) tinge; (KARTEN) trick; (KUNST) engraving; **jdn im ~ lassen** leave sb in the lurch.
Stichel m <-s, -> engraving tool, style.
Stichelei f jibe, taunt; **sticheln** vi jibe.
stichhaltig adj sound, tenable; **Stichprobe** f spot check; **Stichsäge** f fretsaw; **Stichwahl** f final ballot; **Stichwort** nt cue; (in Wörterbuch) headword; (für Vortrag) note; **Stichwortverzeichnis** nt index.
sticken vt, vi embroider; **Stickerei** f embroidery.
stickig adj stuffy, close.
Stickoxid nt nitrogen oxide; **Stickstoff** m nitrogen.
Stiefel m <-s, -> boot.
Stief- in Zusammensetzungen step; **Stiefkind** nt stepchild; (fig) Cinderella; **Stiefmutter** f stepmother; **Stiefmütterchen** nt pansy.
stieg pt von **steigen**.
Stiel m <-[e]s, -e> handle; (BOT) stalk.
stier adj (Blick) staring, fixed.
Stier m <-[e]s, -e> (ZOOL) bull; (ASTR) Taurus.
stieß pt von **stoßen**.
Stift 1. m <-[e]s, -e> peg; (Nagel) tack; (Farb~) crayon; (Blei~) pencil; **2.** nt <-[e]s, -e> [charitable] foundation; (REL) religious institution.
stiften vt found; (Unruhe) cause; (spenden) contribute; **Stifter(in** f) m <-s, -> founder; **Stiftung** f donation; (Organisation) foundation.
Stiftzahn m post crown.
Stil m <-[e]s, -e> style; **Stilblüte** f howler.
still adj quiet; (unbewegt) still; (heimlich) secret; **Stille** f <-, -n> stillness, quietness; **in aller ~** quietly.
stillen vt stop; (befriedigen) satisfy; (Säugling) breast-feed.
stillegen vt close down; **stillgestanden** interj attention; **stillhalten** irr vi keep still; **Stillschweigen** nt silence; **stillschweigend** adj, adv silent[ly]; (Einverständnis) tacit[ly]; **Stillstand** m standstill; **stillstehen** irr vi stand still.
Stimmabgabe f voting; **Stimmbänder** pl vocal chords pl; **stimmberechtigt** adj entitled to vote.
Stimme f <-, -n> voice; (Wahl~) vote.
stimmen 1. vt (MUS) tune; **2.** vi be right; **~ für/gegen** vote for/against; **das stimmte ihn traurig** that made him feel

sad.

Stimmenmehrheit f majority [of votes]; **Stimmenthaltung** f abstention; **Stimmgabel** f tuning fork; **stimmhaft** adj voiced; **Stimmlage** f register; **stimmlos** adj voiceless; **Stimmrecht** nt right to vote.

Stimmung f mood; atmosphere; **stimmungsvoll** adj enjoyable; full of atmosphere.

Stimmzettel m ballot paper.

stinken <**stank, gestunken**> vi stink.

Stipendium nt grant.

Stirn f <-, -en> forehead, brow; (Frechheit) impudence; **Stirnhöhle** f sinus; **Stirnrunzeln** nt <-s> frown[ing].

stöbern vi rummage.

stochern vi poke [about].

Stock 1. m <-[e]s, ¨e> stick; (BOT) stock; 2. m, pl <-werke> floor, storey.

stocken vi stop, pause; **stockend** adj halting.

stocktaub adj stone-deaf.

Stockung f stoppage.

Stockwerk nt storey, floor.

Stoff m <-[e]s, -e> (Gewebe) material, cloth; (Materie) matter; (von Buch etc) subject [matter]; **stofflich** adj material; with regard to subject matter; **Stoffwechsel** m metabolism.

stöhnen vi groan.

stoisch adj stoical.

Stollen m <-s, -> (MIN) gallery; (GASTR) cake eaten at Christmas; (von Schuhen) stud.

stolpern vi stumble, trip.

stolz adj proud; **Stolz** m <-es> pride.

stolzieren vi strut.

stopfen 1. vt (hinein~) stuff; (voll~) fill [up]; (nähen) darn; 2. vi (MED) cause constipation; **Stopfgarn** nt darning thread.

Stoppel f <-, -n> stubble.

stoppen vt, vi stop; (mit Uhr) time; **Stoppschild** nt stop sign; **Stoppuhr** f stopwatch.

Stöpsel m <-s, -> plug; (für Flaschen) stopper.

Stör m <-[e]s, -e> sturgeon.

Storch m <-[e]s, ¨e> stork.

stören 1. vt disturb; (behindern) interfere with; 2. vr: **sich an etw** dat ~ let sth bother one; **störend** adj disturbing, annoying; **Störenfried** m <-[e]s, -e> troublemaker; **Störfall** m disruptive incident, malfunction.

störrisch adj stubborn, perverse.

Störsender m jammer; **Störung** f disturbance; (RADIO) interference; (TECH)

fault; (Verkehrs~) hold-up; (MED) disorder; **Störungsanzeige** f (COMPUT) fault indication, fault display.

Stoß m <-es, ¨e> (Schub) push; (Schlag) blow; knock; (mit Schwert) thrust; (mit Fuß) kick; (Erd~) shock; (Haufen) pile; **Stoßdämpfer** m <-s, -> shock absorber; **stoßen** <**stieß, gestoßen**> 1. vt (mit Druck) shove, push; (mit Schlag) knock, bump; (mit Fuß) kick; (zerkleinern) pulverize; 2. vr: **sich** ~ get a knock; 3. vi: ~ **an** [o auf] + akk bump into; (finden) come across; (angrenzen) be next to; **sich** ~ **an** + dat (fig) take exception to; **Stoßstange** f (AUT) bumper.

Stotterer(in f) m <-s, -> stutterer; **stottern** vt, vi stutter.

Stövchen nt warmer.

Str. abk von **Straße** St.

stracks adv straight.

Strafanstalt f penal institution; **Strafarbeit** f (SCH) punishment; (schriftlich) lines pl; **strafbar** adj punishable; **Strafbarkeit** f criminal nature.

Strafe f <-, -n> punishment; (JUR) penalty; (Gefängnis~) sentence; (Geld~) fine; **strafen** vt punish.

straff adj tight; (streng) strict; (Stil etc) concise; (Haltung) erect; **straffen** vt tighten, tauten.

Strafgefangene(r) mf prisoner, convict; **Strafgesetzbuch** nt penal code; **Strafkolonie** f penal colony.

sträflich adj criminal; **Sträfling** m convict.

Strafporto nt excess postage [charge]; **Strafpredigt** f severe lecture; **Strafraum** m (SPORT) penalty area; **Strafrecht** nt criminal law; **Strafstoß** m (SPORT) penalty [kick]; **Straftat** f punishable act; **Strafzettel** m ticket.

Strahl m <-s, -en> ray, beam; (Wasser~) jet; **strahlen** vi radiate; (fig) beam; **Strahlenbehandlung** f, **Strahlentherapie** f radiotherapy; **Strahlenbelastung** f [exposure to] radiation; **Strahlendosis** f dose of radiation; **Strahlenkrankheit** f radiation sickness; **strahlenverseucht** adj contaminated [by radiation]; **Strahlung** f radiation.

Strähne f <-, -n> strand; (weiß, gefärbt) streak.

stramm adj tight; (Haltung) erect; (Mensch) robust; **strammstehen** irr vi (MIL) stand to attention.

strampeln vi kick [about].

Strand m <-[e]s, ⁼e> shore; (mit Sand) beach; **Strandbad** nt open-air swimming pool, lido; **stranden** vi run aground; (fig: Mensch) fail; **Strandgut** nt flotsam; **Strandkorb** m beach chair.

Strang m <-[e]s, ⁼e> cord, rope; (Bündel) skein; (Schienen~) track; **über die ⁼ e schlagen** kick over the traces.

Strapaze f <-, -n> strain, exertion; **strapazieren** vt (Material) treat roughly, punish; (Mensch, Kräfte) wear out, exhaust; **strapazierfähig** adj hardwearing; **strapaziös** adj exhausting, tough.

Straße f <-, -n> street, road; **Straßenbahn** f tram, streetcar US; **Straßenbeleuchtung** f street lighting; **Straßenfeger(in** f) m <-s, ->, **Straßenkehrer(in** f) m <-s, -> roadsweeper; **Straßensperre** f roadblock; **Straßenverkehrsordnung** f highway code.

Strategie f strategy; **strategisch** adj strategic.

Stratosphäre f stratosphere.

sträuben 1. vt ruffle; **2.** vr: **sich ~** bristle; (Mensch) resist (gegen etw sth).

Strauch m <-[e]s, Sträucher> bush, shrub.

straucheln vi stumble, stagger.

Strauß m <-es, Sträuße> bunch; (als Geschenk) bouquet; **2.** m, pl <-e> (Vogel) ostrich.

Strebe f <-, -n> strut; **Strebebalken** m buttress.

streben vi strive (nach for), endeavour; **~ zu, ~ nach** make for; **Streber(in** f) m <-s, -> (pej) pusher, climber; (SCH) swot; **strebsam** adj industrious.

Strecke f <-, -n> stretch; (Entfernung) distance; (EISENB) line; (MATH) line.

strecken 1. vt stretch; (Waffen) lay down; (GASTR) eke out; **2.** vr: **sich ~** stretch [oneself]; **3.** vi (SCH) put one's hand up.

Streich m <-[e]s, -e> trick, prank; (Hieb) blow.

Streicheleinheiten pl caresses pl; **ich brauche ein paar ~** I need attention; **streicheln** vt stroke.

streichen <strich, gestrichen> **1.** vt (berühren) stroke; (auftragen) spread; (anmalen) paint; (durch~) delete; (nicht genehmigen) cancel; **2.** vi (berühren) brush; (schleichen) prowl; **Streichholz** nt match; **Streichinstrument** nt string instrument.

Streife f <-, -n> (Polizei~) patrol.

streifen 1. vt (leicht berühren) brush against, graze; (Blick) skim over;

(Thema, Problem) touch on; (ab~) take off; **2.** vi (gehen) roam.

Streifen m <-s, -> (Linie) stripe; (Stück) strip; (Film) film.

Streifendienst m patrol duty; **Streifenwagen** m patrol car.

Streifschuß m graze, grazing shot; **Streifzug** m scouting trip.

Streik m <-[e]s, -s> strike; **Streikbrecher(in** f) m <-s, -> blackleg, strikebreaker; **streiken** vi strike; **Streikkasse** f strike fund; **Streikposten** m picket.

Streit m <-[e]s, -e> argument; (Auseinandersetzung) dispute; **streiten** <stritt, gestritten> vi, vr: **sich ~** argue; dispute; **Streitfrage** f point at issue; **streitig** adj: **jdm etw ~ machen** dispute sb's right to sth; **Streitigkeiten** pl quarrel, dispute; **Streitkräfte** pl (MIL) armed forces pl; **streitlustig** adj quarrelsome; **Streitsucht** f quarrelsomeness.

streng adj severe; (Lehrer, Maßnahme) strict; (Geruch etc) sharp; **Strenge** f <-> severity; strictness; sharpness; **strenggenommen** adv strictly speaking; **strenggläubig** adj orthodox, strict.

Streß m <-sses, -sse> stress; **stressen** vt stress, put under stress; **streßfrei** adj free of stress; **streßgeplagt** adj under stress; **stressig** adj (fam) stressful.

Streu f <-, -en> litter, bed of straw.

streuen vt scatter; (Sand, Stroh, Dünger) spread; (Straße) grit; (Gewürz, Zucker) sprinkle; **Streuung** f (in Statistik) mean variation; (PHYS) scattering.

strich pt von **streichen**.

Strich m <-[e]s, -e> (Linie) line; (Feder~, Pinsel~) stroke; (von Geweben) nap; (von Fell) pile; **auf den ~ gehen** (fam) walk the streets; **jdm gegen den ~ gehen** rub sb up the wrong way; **einen ~ machen durch** cross out (fig) foil; **Strichkode** m <-s, -s> bar code; **Strichjunge** m, **Strichmädchen** nt streetwalker; **Strichpunkt** m semicolon; **strichweise** adv here and there.

Strick m <-[e]s, -e> rope; (fam: Kind) rascal.

stricken vt, vi knit; **Strickjacke** f cardigan; **Strickleiter** f rope ladder; **Stricknadel** f knitting needle; **Strickwaren** pl knitwear.

Strieme f <-, -n>, **Striemen** m <-s-> weal.

strikt adj strict.

stritt pt von **streiten**.

strittig adj disputed, in dispute.

Stroh nt <-[e]s> straw; **Strohblume** f everlasting flower; **Strohdach** nt thatched roof; **Strohhalm** m [drinking] straw; **Strohmann** m, pl <-männer> dummy, straw man; **Strohwitwe(r)** mf grass widow/widower.

Strolch m <-[e]s, -e> layabout, bum.

Strom m <-[e]s, ⁀e> river; (fig) stream; (ELEC) current; **stromabwärts** adv downstream; **stromaufwärts** adv upstream.

strömen vi stream, pour.

Stromkreis m circuit; **stromlinienförmig** adj streamlined; **Stromrechnung** f electricity bill; **Stromsperre** f power cut; **Stromstärke** f amperage.

Strömung f current.

Strontium nt strontium.

Strophe f <-, -n> verse.

strotzen vi: ~ vor, ~ von abound in, be full of.

Strudel m <-s, -> whirlpool, vortex; (GASTR) strudel; **strudeln** vi swirl, eddy.

Struktur f structure; **strukturell** adj structural; **Strukturierung** f (auch COMPUT) structuring; **Strukturkrise** f structural crisis; **strukturschwach** adj economically weak, economically depressed; **Strukturwandel** m structural change.

Strumpf m <-[e]s, ⁀e> stocking; **Strumpfband** nt, pl <-bänder> garter; **Strumpfhose** f [pair of] tights pl.

Strunk m <-[e]s, ⁀e> stump.

struppig adj shaggy, unkempt.

Stube f <-, -n> room; **Stubenhocker(in** f) m <-s, -> (fam) stay-at-home; **stubenrein** adj house-trained.

Stuck m <-[e]s> stucco.

Stück nt <-[e]s, -e> piece; (etwas) bit; (THEAT) play; **Stückchen** nt little piece; **Stücklohn** m piecework wages pl; **stückweise** adv bit by bit, piecemeal; (COM) individually.

Student(in f) m student; **studentisch** adj student, academic.

Studie f study.

studieren vt, vi study.

Studio nt <-s, -s> studio.

Studium nt studies pl.

Stufe f <-, -n> step; (Entwicklungs~) stage; **Stufenleiter** f (fig) ladder; **Stufenplan** m graduated plan; **stufenweise** adv gradually.

Stuhl m <-[e]s, ⁀e> chair; **Stuhlgang** m bowel movement.

stülpen vt (umdrehen) turn upside down;

(bedecken) put.

stumm adj silent; (MED) dumb.

Stummel m <-s, -> stump; (Zigaretten~) stub.

Stummfilm m silent film; **Stummheit** f silence; (MED) dumbness.

Stümper(in f) m <-s, -> incompetent, duffer; **stümperhaft** adj bungling, incompetent; **stümpern** vi (fam) bungle.

stumpf adj blunt; (teilnahmslos, glanzlos) dull; (Winkel) obtuse.

Stumpf m <-[e]s, ⁀e> stump.

Stumpfsinn m tediousness; **stumpfsinnig** adj dull.

Stunde f <-, -n> hour; **stunden** vt: jdm etw ~ give sb time to pay sth; **Stundengeschwindigkeit** f average speed per hour; **Stundenkilometer** pl kilometres pl per hour; **stundenlang** adj for hours; **Stundenlohn** m hourly wage; **Stundenplan** m timetable; **stundenweise** adv, adj by the hour; (stündlich) every hour.

stündlich adj hourly.

Stuntman m <-s, -men> stuntman.

Stups m <-es, -e> (fam) push; **Stupsnase** f snub nose.

stur adj obstinate, pigheaded.

Sturm m <-[e]s, ⁀e> storm, gale; (MIL) attack, assault; **stürmen** 1. vi (Wind) blow hard, rage; (rennen) storm; 2. vt (MIL, fig) storm; 3. vi impers: es stürmt there's a gale blowing; **Stürmer(in** f) m <-s, -> (SPORT) forward, striker; **stürmisch** adj stormy; (fig) tempestuous; (Zeit) turbulent; (Liebhaber) passionate; (Beifall, Begrüßung) tumultuous; **Sturmwarnung** f gale warning.

Sturz m <-es, ⁀e> fall; (POL) overthrow; **stürzen** 1. vt (werfen) hurl; (POL) overthrow; (umkehren) overturn; 2. vr: sich ~ rush; (hinein~) plunge; 3. vi fall; (AVIAT) dive; (rennen) dash; **Sturzflug** m nose-dive; **Sturzhelm** m crash helmet.

Stute f <-, -n> mare.

Stützbalken m brace, joist; **Stütze** f <-, -n> support; help; (fam: Arbeitslosenunterstützung) dole.

stutzen 1. vt trim; (Ohr, Schwanz) dock; (Flügel) clip; 2. vi hesitate; become suspicious.

stützen vt support; (Ellbogen etc) prop up.

stutzig adj perplexed, puzzled; (mißtrauisch) suspicious.

Stützmauer f supporting wall; **Stützpunkt** m point of support; (von Hebel) fulcrum; (MIL, fig) base.

Styropor® nt <-s> polystyrene.

Subjekt nt <-[e]s, -e> subject.
subjektiv adj subjective; **Subjektivität** f subjectivity.
Substantiv nt noun.
Substanz f substance.
subtil adj subtle.
subtrahieren vt subtract.
Subvention f subsidy; **subventionieren** vt subsidize.
subversiv adj subversive.
Suche f (auch COMPUT) search; **suchen** vt, vi look [for], seek; (COMPUT) search; (ver~) try; **Sucher(in** f) m <-s, -> seeker, searcher; (FOT) viewfinder; **Suchlauf** m (COMPUT) search operation.
Sucht f <-, ̈e> mania; (MED) addiction, craving; **süchtig** adj addicted; **Süchtige(r)** mf addict; **Suchtkranke(r)** mf addict.
Südafrika nt South Africa; **Südamerika** nt South America; **süddeutsch** adj South German; **Süddeutschland** nt South[ern] Germany; **Süden** m <-s> south; (von Land) South; **Südfrüchte** pl Mediterranean fruit; **südlich 1.** adj southern; (Kurs. Richtung) southerly; **2.** adv [to the] south; ~ **von** Ulm south of Ulm; **Südosten** m southeast; (von Land) South-East; **Südpol** m South Pole; **Südsee** f South Seas pl; **Südstaaten** pl (von USA) Southern States pl, South; **Südwesten** m southwest; (von Land) South-West.
süffig adj (Wein) pleasant to the taste.
süffisant adj smug.
suggerieren vt suggest (jdm etw sth to sb).
Sühne f <-, -n> atonement, expiation; **sühnen** vt atone for, expiate.
Sulfonamid nt <-[e]s, -e> (MED) sulphonamide.
Sultan(in f) m <-s, -e> sultan/sultana.
Sultanine f sultana.
Sülze f <-, -n> brawn.
summarisch adj summary.
Summe f <-, -n> sum, total.
summen vt, vi buzz; (Lied) hum.
summieren vt, vr: **sich** ~ add up.
Sumpf m <-[e]s, ̈e> swamp, marsh; **sumpfig** adj marshy.
Sünde f <-, -n> sin; **Sündenbock** m (fam) scapegoat; **Sündenfall** m Fall [of man]; **Sünder(in** f) m <-s, -> sinner.
Super nt <-s> (Benzin) four star [petrol].
Superlativ m superlative.
Supermarkt m supermarket.
Suppe f <-, -n> soup.
Surfbrett nt surf board; **surfen** vi surf;

Surfen nt <-s> surfing; **Surfer(in** f) m <-s, -> surfer.
surren vi buzz, hum.
Surrogat nt substitute, surrogate.
suspekt adj suspect.
süß adj sweet; **Süße** f <-> sweetness; **süßen** vt sweeten; **Süßigkeit** f sweetness; (Bonbon etc) sweet, candy US; **süßlich** adj sweetish; (fig) sugary; **Süßspeise** f pudding, sweet; **Süßstoff** m sweetening agent; **Süßwasser** nt fresh water.
Sweatshirt nt <-s, -s> sweatshirt.
Sylvester nt <-s, -> siehe **Silvester**.
Symbol nt <-s, -e> symbol; **Symbolfigur** f symbol, symbolic figure; **symbolisch** adj symbolic[al].
Symmetrie f symmetry; **Symmetrieachse** f symmetric axis; **symmetrisch** adj symmetrical.
Sympathie f liking; (Mitgefühl) sympathy; **sympathisch** adj likeable, congenial; **er ist mir** ~ I like him; **sympathisieren** vi sympathize.
Symptom nt <-s, -e> symptom; **symptomatisch** adj symptomatic.
Synagoge f <-, -n> synagogue.
synchron adj synchronous; **Synchrongetriebe** nt synchromesh; **synchronisieren** vt synchronize; (Film) dub.
Syndikat nt syndicate.
synonym adj synonymous; **Synonym** nt <-s, -e> synonym.
Syntax f <-, -en> (LING. COMPUT) syntax.
Synthese f <-, -n> synthesis.
Synthesizer m <-s, -> (MUS) synthesizer.
synthetisch adj synthetic.
Syphilis f <-> syphilis.
Syrien nt Syria.
System nt <-s, -e> system; **Systemanalyse** f (COMPUT) systems analysis; **Systemanalytiker(in** f) m <-s, -> system analyst; **systematisch** adj systematic; **systematisieren** vt systematize; **Systemfehler** m (COMPUT) system error.
Szene f <-, -n> scene; **Szenerie** f scenery.

T

T, t nt T, t.
Tabak m <-s, -e> tobacco.
tabellarisch adj tabular.
Tabelle f table; **Tabellenführer** m top of the table, league leader.
Tabernakel m <-s, -> tabernacle.
Tablette f tablet, pill.
Tabulator m tabulator, tab.
Tachometer m <-s, -> (AUT etc) speedometer.
Tadel m <-s, -> censure, scolding; (Fehler) fault, blemish; **tadellos** adj faultless, irreproachable; **tadeln** vt scold; **tadelnswert** adj blameworthy.
Tafel f <-, -n> (auch MATH) table; (Anschlag~) board; (Wand~) blackboard; (Schiefer~) slate; (Gedenk~) plaque; (Illustration) plate; (Schalt~) panel; (Schokolade etc) bar.
täfeln vt panel; **Täfelung** f panelling.
Tag m <-[e]s, -e> day; (Tageslicht) daylight; **unter/über** ~e (MIN) underground/on the surface; **an den** ~ **kommen** come to light; **guten** ~! good morning/afternoon!; **tagaus tagein** adv day in day out; **Tagdienst** m day duty; **Tagebuch** nt diary; **Tagedieb(in** f) m idler; **Tagegeld** nt daily allowance; **tagelang** adv for days; **tagen 1.** vi sit, meet; **2.** vi impers: es tagt dawn is breaking; **Tagesablauf** m course of the day; **Tagesanbruch** m dawn; **Tageskarte** f day ticket; (Speisekarte) menu of the day; **Tageslicht** nt daylight; **Tageslichtprojektor** m overhead projector; **Tagesmutter** f child minder; **Tagesordnung** f agenda; **Tagessatz** m daily rate; **Tageszeit** f time of the day; **Tageszeitung** f daily [paper].
tägl. adv abk von **täglich** daily.
täglich adj, adv daily.
tagsüber adv during the day.
Tagung f conference.
Taille f <-, -n> waist.
Takel nt <-s, -> tackle; **takeln** vt rig.
Takt m <-[e]s, -e> tact; (MUS) time; **Taktfrequenz** f (COMPUT) clock [pulse] frequency; **Taktgefühl** nt tact.
Taktik f tactics pl; **taktisch** adj tactical.
taktlos adj tactless; **Taktlosigkeit** f tactlessness.
Taktstock m [conductor's] baton; **taktvoll** adj tactful.
Tal nt <-[e]s, ¨er> valley.
Talar m (JUR) robe; (SCH) gown.
Talent nt <-[e]s, -e> talent; **talentiert**

adj talented, gifted.
Taler m <-s, -> (HIST) taler, florin.
Talg m <-[e]s, -e> tallow; **Talgdrüse** f sebaceous gland.
Talisman m <-s, -e> talisman.
Talkshow f <-, -s> talkshow.
Talsohle f bottom of a valley; **Talsperre** f dam.
Tamburin nt <-s, -e> tambourine.
Tampon m <-s, -s> tampon.
Tang m <-[e]s, -e> seaweed.
Tangente f <-, -n> tangent.
tangieren vt be tangent to; (fig) affect.
Tank m <-s, -s> tank; **tanken** vi fill up with petrol [o gas US]; (AVIAT) [re]fuel; **Tanker** m <-s, ->, **Tankschiff** nt tanker; **Tankstelle** f petrol station, gas station US; **Tankwart(in** f) m <-s, -e > petrol pump attendant, gas station attendant US.
Tanne f <-, -n> fir; **Tannenbaum** m fir tree; **Tannenzapfen** m fir cone.
Tante f <-, -n> aunt.
Tanz m <-es, ¨e> dance; **Tänzer(in** f) m <-s, -> dancer; **tanzen** vt, vi dance; **Tanzfläche** f [dance] floor; **Tanzschule** f dancing school.
Tapete f <-, -n> wallpaper; **Tapetenwechsel** m (fig) change of scenery; **tapezieren** vt [wall]paper; **Tapezierer(in** f) m <-s, -> [interior] decorator.
tapfer adj brave; **Tapferkeit** f courage, bravery.
tappen vi walk uncertainly [o clumsily].
täppisch adj clumsy.
Tarif m <-s, -e> tariff, [scale of] fares/charges pl; **Tariflohn** m standard wage rate.
tarnen vt camouflage; (jdn, Absicht) disguise; **Tarnfarbe** f camouflage paint; **Tarnung** f camouflaging; disguising.
Tasche f <-, -n> pocket; (Hand~ etc) bag; **Taschen-** in Zusammensetzungen pocket; **Taschenbuch** nt paperback; **Taschendieb(in** f) m pickpocket; **Taschengeld** nt pocket money; **Taschenlampe** f [electric] torch, flashlight US; **Taschenmesser** nt penknife; **Taschenrechner** m pocket calculator; **Taschenspieler(in** f) m conjurer; **Taschentuch** nt handkerchief.
Tasse f <-, -n> cup.
Tastatur f keyboard.
Taste f <-, -n> push-button control; (von Klavier, an Schreibmaschine, Computer) key.
tasten 1. vt feel, touch; **2.** vi feel, grope; **3.** vr: sich ~ feel one's way.
Tastentelefon nt push-button telephone.
Tastsinn m sense of touch.

tat pt von **tun**.

Tat f <-, -en> act, deed, action; **in der** ~ indeed, as a matter of fact; **Tatbestand** m facts pl of the case; **tatenlos** adj inactive.

Täter(in f) m <-s, -> perpetrator, culprit; **Täterschaft** f guilt.

tätig adj active; **in einer Firma** ~ **sein** work for a firm; **Tätigkeit** f activity; (Beruf) occupation.

tätlich adj violent; **Tätlichkeit** f violence; ~ **en** pl blows pl.

tätowieren vt tattoo.

Tatsache f fact; **tatsächlich 1.** adj actual; **2.** adv really.

Tatze f <-, -n> paw.

Tau 1. nt <-[e]s, -e> (Seil) rope; **2.** m <-[e]s> dew.

taub adj deaf; (Nuß) hollow; **Taubheit** f deafness; **taubstumm** adj deaf-and-dumb.

Taube f <-, -n> pigeon; (Turtel~. fig) dove; **Taubenschlag** m dovecote.

tauchen 1. vt dip; **2.** vi dive; (NAUT) submerge; **Taucher(in** f) m <-s, -> diver; **Taucheranzug** m diving suit; **Tauchsieder** m <-s, -> portable immersion heater.

tauen vt, vi, vb impers thaw.

Taufbecken nt font; **Taufe** f <-, -n> baptism; **taufen** vt christen, baptize; **Taufname** m Christian name; **Taufpate** m godfather; **Taufpatin** f godmother; **Taufschein** m certificate of baptism.

taugen vi be of use; ~ **für** do [o be] good for; **nicht** ~ be no good, be useless; **Taugenichts** m <-es, -e> good-for-nothing; **tauglich** adj suitable; (MIL) fit [for service]; **Tauglichkeit** f suitability; fitness.

Taumel m <-s> dizziness; (fig) frenzy; **taumeln** vi reel, stagger.

Tausch m <-[e]s, -e> exchange; **tauschen** vt exchange, swap; **Tauschhandel** m barter.

täuschen 1. vt deceive; **2.** vi be deceptive; **3.** vr: **sich** ~ be wrong; **täuschend** adj deceptive; **Täuschung** f deception; (optisch) illusion.

tausend num [a] thousand; **Tausendfüßler** m <-s, -> centipede, millipede.

Tautropfen m dew drop; **Tauwetter** nt thaw; **Tauziehen** nt <-s, -> tug-of-war.

Taxi nt <-[s], -[s]> taxi; **Taxifahrer(in** f) m taxi driver.

Technik f technology; (Methode, Kunstfertigkeit) technique; **Techniker(in** f) m <-s, -> technician; **technisch** adj technical.

Technologie f technology; **Technologiepark** m technology park; **Technologietransfer** m <-s, -s> transfer of technology, technology transfer; **technologisch** adj technological.

Tee m <-s, -s> tea; **Teekanne** f teapot; **Teelöffel** m teaspoon.

Teer m <-[e]s, -e> tar; **teeren** vt tar.

Teesieb nt tea strainer; **Teewagen** m tea trolley.

Teich m <-[e]s, -e> pond.

Teig m <-[e]s, -e> dough; **teigig** adj doughy; **Teigwaren** pl pasta sing.

Teil m o nt <-[e]s, -e> part; (An~) share; (Bestand~) component; **zum** ~ partly; **teilbar** adj divisible; **Teilbetrag** m instalment; **Teilchen** nt [atomic] particle; (Gebäck) cake, pastry.

teilen vt, vr: **sich** ~ divide; (mit jdm ~) share [with sb].

teilhaben irr vi share (an + dat in); **Teilhaber(in** f) m <-s, -> partner.

Teilkaskoversicherung f third party, fire and theft insurance.

Teilnahme f <-, -n> participation; (Mitleid) sympathy; **teilnahmslos** adj disinterested, apathetic; **teilnehmen** irr vi take part (an + dat in); **Teilnehmer(in** f) m <-s, -> participant.

teils adv partly.

Teilung f division.

teilweise adv partially, in part; **Teilzahlung** f payment by instalments; **teilzeitbeschäftigt** adj part-time [employed].

Teint m <-s, -s> complexion.

Telebrief m telemessage, mailgram US.

Telefax nt <-es, -e> fax; **telefaxen** vi, vt fax, send by fax; **Telefaxgerät** n telecopier, fax terminal, facsimile terminal.

Telefon nt <-s, -e> telephone; **Telefonamt** nt telephone exchange; **Telefonanruf** m, **Telefonat** nt [telephone] call; **Telefonbuch** nt telephone directory; **telefonieren** vi telephone; **telefonisch** adj telephone; (Benachrichtigung) by telephone; **Telefonist(in** f) m telephonist; **Telefonkarte** f phonecard; **Telefonnummer** f [tele]phone number; **Telefonverbindung** f telephone connection; **Telefonzelle** f telephone kiosk, callbox; **Telefonzentrale** f telephone exchange, switchboard.

Telegraf m <-en, -en> telegraph; **Telegrafenleitung** f telegraph line; **Telegrafenmast** m telegraph pole; **Telegrafie** f telegraphy; **telegrafieren** vt, vi telegraph, wire; **telegrafisch** adj telegraphic.

Telegramm *nt* <-s, -e> telegram, cable; **Telegrammadresse** *f* telegraphic address; **Telegrammformular** *nt* telegram form.

Telekolleg *nt* university of the air, Open University *Brit.*

Telekopie *f* fax; **Telekopierer** *m* telecopier, fax terminal, facsimile terminal.

Teleobjektiv *nt* telephoto lens.

Telepathie *f* telepathy; **telepathisch** *adj* telepathic.

Teleskop *nt* <-s, -e> telescope.

Telespiel *nt* video game.

Telex *nt* <-es, -e> telex; **telexen** *vt* telex.

Teller *m* <-s, -> plate.

Tempel *m* <-s, -> temple.

Temperafarbe *f* distemper.

Temperament *nt* temperament; (*Schwung*) vivacity, liveliness; **temperamentlos** *adj* spiritless; **temperamentvoll** *adj* high-spirited, lively.

Temperatur *f* temperature.

Tempo 1. *nt* <-s, -s> speed, pace; **2.** *nt, pl* <**Tempi** (*MUS*) tempo; ~ ! get a move on!; **Tempolimit** *nt* <-s, -s> speed limit.

temporär *adj* temporary.

Tempotaschentuch ® *nt* paper handkerchief.

Tendenz *f* tendency; (*Absicht*) intention; **tendenziös** *adj* biased, tendentious; **tendieren** *vi* show a tendency, incline (*zu* to[wards]).

Tenne *f* <-, -n> threshing floor.

Tennis *nt* <-> tennis; **Tennisplatz** *m* tennis court; **Tennisschläger** *m* tennis racket; **Tennisspieler(in** *f*) *m* tennis player.

Tenor *m* <-s, ⁼e> tenor.

Teppich *m* <-s, -e> carpet; **Teppichboden** *m* wall-to-wall carpeting; **Teppichkehrmaschine** *f* carpet sweeper; **Teppichklopfer** *m* carpet beater.

Termin *m* <-s, -e> (*Zeitpunkt*) date; (*Frist*) time limit, deadline; (*Arzt~ etc*) appointment.

Terminal *nt* <-s, -s> (*COMPUT. AVIAT*) terminal.

Terminkalender *m* diary, appointments book.

Terminologie *f* terminology.

Termite *f* <-, -n> termite.

Terpentin *nt* <-s, -e> turpentine, turps.

Terrasse *f* <-, -n> terrace.

Terrine *f* tureen.

Territorium *nt* territory.

Terror *m* <-s> terror; reign of terror;

Terroranschlag *m* terrorist attack; **terrorisieren** *vt* terrorize; **Terrorismus** *m* terrorism; **Terrorist(in** *f*) *m* terrorist.

Terz *f* <-, -en> (*MUS*) third.

Terzett *nt* <-[e]s, -e> trio.

Tesafilm ® *m* sellotape ®.

Testament *nt* will, testament; (*REL*) Testament; **testamentarisch** *adj* testamentary; **Testamentsvollstrecker(in** *f*) *m* <-s, -> executor [of a will].

Testbild *nt* (*TV*) test card; **testen** *vt* test.

Tetanus *m* <-> tetanus; **Tetanusimpfung** *f* [anti-]tetanus injection.

teuer *adj* dear, expensive; **Teuerung** *f* increase in prices; **Teuerungszulage** *f* cost of living bonus.

Teufel *m* <-s, -> devil; **Teufelei** *f* devilry; **Teufelsaustreibung** *f* exorcism; **teuflisch** *adj* fiendish, diabolical.

Text *m* <-[e]s, -e> text; (*Lieder~*) words *pl*; **texten** *vi* write the words.

textil *adj* textile; **Textilien** *pl* textiles *pl*; **Textilindustrie** *f* textile industry; **Textilwaren** *pl* textiles *pl*.

Textsystem *nt* (*COMPUT*) text system; **Textverarbeitung** *f* word processing; **Textverarbeitungsprogramm** *nt* word processor.

Thailand *nt* Thailand.

Theater *nt* <-s, -> theatre; (*fam*) fuss; ~ **spielen** (*auch fig*) playact; **Theaterbesucher(in** *f*) *m* playgoer; **Theaterkasse** *f* box office; **Theaterstück** *nt* [stage-]play; **theatralisch** *adj* theatrical.

Theke *f* <-, -n> (*Schanktisch*) bar; (*Ladentisch*) counter.

Thema *nt* <-s, **Themen** > theme, topic, subject; **kein** ~ **sein** be no subject for discussion, be a dead topic, be of no interest.

Theologe *m* <-n, -n>, **-login** *f* theologian; **Theologie** *f* theology; **theologisch** *adj* theological.

Theoretiker(in *f*) *m* <-s, -> theorist; **theoretisch** *adj* theoretical; **Theorie** *f* theory.

Therapeut(in *f*) *m* <-en, -en> therapist; **therapeutisch** *adj* therapeutic; **Therapie** *f* therapy.

Thermalbad *nt* thermal bath; (*Ort*) thermal spa.

Thermodrucker *m* thermal printer; **Thermohose** *f* insulated trousers *pl*.

Thermometer *nt* <-s, -> thermometer.

Thermosflasche *f* Thermos ®.

Thermostat *m* <-[e]s *o* -en, -e[n]> thermostat.

These *f* <-, -n> thesis.

Thrombose *f* <-, -n> thrombosis.

Thron m <-[e]s, -e> throne; **Thronbe-**
steigung f accession [to the throne];
Thronerbe m, **-erbin** f heir/heiress to
the throne; **Thronfolge** f succession [to
the throne].

Thunfisch m tuna.

Thymian m <-s, -e> thyme.

Tick m <-[e]s, -s> tic; (*Eigenart*) quirk;
(*Fimmel*) craze; **ticken** vi tick; **Peter**
tickt nicht ganz richtig Peter is off his
rocker.

Tiebreak m <-s, -s> (SPORT) tie
breaker.

tief adj deep; (*tiefsinnig*) profound;
(*Ausschnitt, Ton*) low; **Tief** nt <-s, -s>
(METEO) depression; **Tiefdruck** m low
pressure; **Tiefe** f <-, -n> depth; **Tief-**
ebene f plain; **Tiefenpsychologie** f
depth psychology; **Tiefenschärfe** f
(FOT) depth of focus; **tiefernst** adj very
grave [o solemn]; **Tiefgang** m (NAUT)
draught; (*geistig*) depth; **tiefgekühlt**
adj frozen; **tiefgreifend** adj far-reaching; **Tiefkühlfach** nt deep-freeze compartment; **Tiefkühlkost** f frozen food;
Tiefkühltruhe f deep-freeze, freezer;
Tiefland nt lowlands pl; **Tiefpunkt** m
low point; (*fig*) low ebb; **Tiefschlag** m
(BOXEN. fig) blow below the belt; **tief-**
schürfend adj profound; **Tiefsee** f
deep sea; **Tiefsinn** m profundity; **tief-**
sinnig adj profound; **Tiefstand** m low
level; **tiefstapeln** vi be overmodest;
Tiefstart m (SPORT) crouch start;
Tiefstwert m minimum [o lowest]
value.

Tiegel m <-s, -> saucepan; (CHEM)
crucible.

Tier nt <-[e]s, -e> animal; **Tierarzt** m,
-ärztin f vet[erinary surgeon]; **Tiergar-**
ten m zoo[logical gardens]; **tierisch** adj
animal; (*auch fig*) brutish; (*fig: Ernst etc*)
deadly; **Tierkreis** m zodiac; **Tier-**
kunde f zoology; **tierliebend** adj fond
of animals; **Tierquälerei** f cruelty to
animals; **Tierschützer(in** f) m <-s, -
> animal protector; **Tierschutzverein**
m society for the prevention of cruelty to
animals; **Tierversuch** m animal experiment.

Tiger m <-s, -> tiger; **Tigerin** f tigress.

tilgen vt erase; (*Sünden*) expiate;
(*Schulden*) pay off; **Tilgung** f erasing;
expiation; repayment.

Timing nt <-s> timing.

Tinktur f tincture.

Tinte f <-, -n> ink; **Tintenfaß** nt ink-
well; **Tintenfisch** m cuttlefish; (*klein*)
squid; (*achtarmig*) octopus; **Tinten-**
fleck m ink stain, blot; **Tintenstift** m

copying [o indelible] pencil; **Tinten-**
strahldrucker m ink jet printer.

tippen vt, vi tap, touch; (*fam: schreiben*)
type; (*fam: raten*) guess; **auf jdn/etw ~**
put one's money on sb/sth; (*im Lotto etc*)
bet on sb/sth; **Tippfehler** m (*fam*) typing error; **Tippse** f <-, -n> (*fam*) typist.

tipptopp adj (*fam*) tip-top.

Tippzettel m [pools] coupon.

Tisch m <-[e]s, -e> table; **bei ~** at
table; **vor/nach ~** before/after eating;
unter den Tisch fallen (*fig*) be dropped;
vom ~ sein be cleared out of the way;
jdn über den ~ ziehen take sb in;
Tischdecke f tablecloth.

Tischler(in f) m <-s, -> carpenter,
joiner; **Tischlerei** f joiner's workshop;
(*Arbeit*) carpentry, joinery; **tischlern** vi
do carpentry.

Tischrechner m desktop calculator;
Tischrede f after-dinner speech;
Tischtennis nt table tennis.

Titel m <-s, -> title; **Titelanwär-**
ter(in f) m (SPORT) challenger; **Titel-**
bild nt cover [picture]; (*von Buch*) fron-
tispiece; **Titelrolle** f title role; **Titel-**
seite f cover; (*von Buch*) title page; **Ti-**
telverteidiger(in f) m defending
champion, title holder.

titulieren vt entitle; (*anreden*) address.

Toast m <-[e]s, -s -o -e> toast; **Toa-**
ster m <-s, -> toaster.

toben vi rage; (*Kinder*) romp about;
Tobsucht f raving madness; **tobsüch-**
tig adj maniacal; **Tobsuchtsanfall** m
maniacal fit.

Tochter f <-, ¨> daughter.

Tod m <-[e]s, -e> death; **todernst 1.**
adj (*fam*) deadly serious; **2.** adv in dead
earnest; **Todesangst** f mortal fear; **To-**
desanzeige f obituary [notice]; **Todes-**
fall m death; **Todeskampf** m throes pl
of death; **Todesstoß** m death-blow;
Todesstrafe f death penalty; **Todes-**
tag m anniversary of death; **Todesur-**
sache f cause of death; **Todesurteil** nt
death sentence; **Todesverachtung** f
utter disgust; **todkrank** adj dangerously
ill.

tödlich adj deadly, fatal.

todmüde adj dead tired; **todschick** adj
(*fam*) smart, classy; **todsicher** adj
(*fam*) absolutely [o dead] certain; **Tod-**
sünde f deadly sin.

Toilette f toilet, lavatory, restroom US;
(*Frisiertisch*) dressing table; (*Kleidung*)
outfit; **Toilettenartikel** pl toiletries pl;
Toilettenpapier nt toilet paper; **Toi-**
lettentisch m dressing table.

toi, toi, toi *interj* touch wood.
tolerant *adj* tolerant; **Toleranz** *f* tolerance; **tolerieren** *vt* tolerate.
toll *adj* mad; (*Treiben*) wild; (*fam*) terrific; **tollen** *vi* romp; **Tollkirsche** *f* deadly nightshade; **tollkühn** *adj* daring; **Tollwut** *f* rabies *sing*.
Tölpel *m* <-s, -> oaf, clod.
Tomate *f* <-, -n> tomato; **Tomatenmark** *nt* tomato puree.
Tomograph *m* <-en, -en> tomograph.
Ton 1. *m* <-[e]s, -e> (*Erde*) clay; **2.** *m*, *pl* <"̈e> (*Laut*) sound; (*MUS*) note; (*Redeweise*) tone; (*Farb~*, *Nuance*) shade; (*Betonung*) stress; **Tonabnehmer** *m* <-s, -> pick-up; **tonangebend** *adj* leading; **Tonart** *f* [musical] key; **Tonband** *nt*, *pl* <-bänder> tape; **Tonbandgerät** *nt* tape recorder.
tönen 1. *vi* sound; **2.** *vt* shade; (*Haare*) tint.
tönern *adj* clay.
Tonfall *m* intonation; **Tonfilm** *m* sound film; **Tonhöhe** *f* pitch; **tonlos** *adj* soundless.
Tonne *f* <-, -n> barrel; (*Gewicht*) ton.
Tonspur *f* soundtrack; **Tontaube** *f* clay pigeon; **Tonwaren** *pl* pottery, earthenware.
Top *nt* <-s, -s> top.
Topf *m* <-[e]s, "̈e> pot; **Topfblume** *f* pot plant.
Töpfer(in *f*) *m* <-s, -> potter; **Töpferei** *f* potter's workshop; (*Gegenstand*) piece of pottery; **Töpferscheibe** *f* potter's wheel.
topographisch *adj* topographic.
Tor *nt* <-[e]s, -e> gate; (*SPORT*) goal; **Torbogen** *m* archway.
Torf *m* <-[e]s> peat.
Torheit *f* foolishness; foolish deed.
Torhüter(in *f*) *m* <-s, -> goalkeeper.
töricht *adj* foolish.
torkeln *vi* stagger, reel.
torpedieren *vt* torpedo; **Torpedo** *m* <-s, -s> torpedo.
Torte *f* <-, -n> cake; (*Obst~*) flan, tart.
Tortur *f* ordeal.
Torwart(in *f*) *m* <-[e]s, -e> goalkeeper.
tosen *vi* roar.
tot *adj* dead; **einen ~en Punkt haben** be at one's lowest.
total *adj* total.
totalitär *adj* totalitarian.
Totalschaden *m* complete write-off.
totarbeiten *vr*: **sich ~** work oneself to death; **totärgern** *vr*: **sich ~** (*fam*) get really annoyed.
töten *vt, vi* kill.

Tote(r) *mf* dead person; **Totenbett** *nt* death bed; **totenblaß** *adj* deathly pale, white as a sheet; **Totengräber(in** *f*) *m* <-s, -> gravedigger; **Totenhemd** *nt* shroud; **Totenkopf** *m* skull; **Totenschein** *m* death certificate; **Totenstille** *f* deathly silence; **Totentanz** *m* danse macabre.
totfahren *irr vt* run over; **totgeboren** *adj* stillborn; **totlachen** *vr*: **sich ~** (*fam*) laugh one's head off.
Toto *m o nt* <-s, -s> pools *pl*; **Totoschein** *m* pools coupon.
totschlagen *irr vt* (*auch fig*) kill; **Totschläger** *m* killer; (*Waffe*) cosh; **totschweigen** *irr vt* hush up; **totstellen** *vr*: **sich ~** pretend to be dead.
Tötung *f* killing.
Toupet *nt* <-s, -s> toupee.
toupieren *vt* back-comb.
Tour *f* <-, -en> tour, trip; (*Umdrehung*) revolution; (*Verhaltensart*) way; **in einer ~** incessantly; **Tourenzahl** *f* number of revolutions; **Tourenzähler** *m* rev counter.
Tourismus *m* tourism; **Tourist(in** *f*) *m* tourist; **Touristenklasse** *f* tourist class.
Tournee *f* <-, -n> (*THEAT etc*) tour; **auf ~ gehen** go on tour.
toxikologisch *adj* toxicological.
Trab *m* <-[e]s> trot.
Trabant *m* satellite; **Trabantenstadt** *f* satellite town.
traben *vi* trot.
Tracht *f* <-, -en> (*Kleidung*) costume, dress; **eine ~ Prügel** a sound thrashing.
trachten *vi* strive (*nach* for), endeavour; **jdm nach dem Leben ~** seek to kill sb.
trächtig *adj* (*Tier*) pregnant; (*fig*) rich, fertile.
Tradition *f* tradition; **traditionell** *adj* traditional.
traf *pt von* **treffen**.
Tragbahre *f* stretcher; **tragbar** *adj* (*Gerät*) portable; (*Kleidung*) wearable; (*erträglich*) bearable.
träge *adj* sluggish, slow; (*PHYS*) inert.
tragen <trug, getragen> **1.** *vt* carry; (*Kleidung*, *Brille*) wear; (*Namen*, *Früchte*) bear; (*erdulden*) endure; **2.** *vi* (*schwanger sein*) be pregnant; (*Eis*) hold; **sich mit einem Gedanken ~** have an idea in mind; **zum T~ kommen** have an effect.
Träger *m* <-s, -> (*an Kleidung*) strap; (*Hosen~*) braces *pl*; (*ARCHIT*) beam; (*Stahl~*, *Eisen~*) girder; (*Flugzeug~*) carrier; **Träger(in** *f*) *m* <-s, -> (*Lasten~*) bearer, porter; (*Namens~*) bearer; (*Ordens~*, *Titel~*) holder,

bearer; (*von Kleidung*) wearer; (*Preis~*) winner; (*der Staatsgewalt etc*) representative; (*einer Veranstaltung*) sponsor; ~ **des Vereins** those responsible for the club; **Trägerrakete** *f* booster; **Trägerrock** *m* pinafore dress.

Tragetasche *f* carrier bag.

Tragfähigkeit *f* load-carrying capacity; **Tragfläche** *f* (AVIAT) wing; **Tragflügelboot** *nt* hydrofoil.

Trägheit *f* laziness; (PHYS) inertia.

Tragik *f* tragedy; **tragikomisch** *adj* tragicomical; **tragisch** *adj* tragic; **Tragödie** *f* tragedy.

Tragweite *f* range; (*fig*) scope; **Tragwerk** *nt* wing assembly.

Trainer(in *f*) *m* <-s, -> (SPORT) trainer, coach; (*Fußball~*) manager; **trainieren** *vt, vi* train; (*jdn auch*) coach; (*Übung*) practise; **Fußball ~** do football practice; **Training** *nt* <-s, -s> training; **Trainingsanzug** *m* track suit.

Traktor *m* tractor.

trällern *vt, vi* trill, sing.

trampeln *vt, vi* trample, stamp.

trampen *vi* hitch-hike.

Tran *m* <-[e]s, -e> train oil, blubber.

tranchieren *vt* carve; **Tranchierbesteck** *nt* [pair of] carvers *pl*.

Träne *f* <-, -n> tear; **tränen** *vi* water; **Tränengas** *nt* teargas.

trank *pt von* trinken.

Tränke *f* <-, -n> watering place; **tränken** *vt* (*naß machen*) soak; (*Tiere*) water.

Transformator *m* transformer.

Transfusion *f* transfusion.

Transistor *m* transistor.

Transit *m* <-s> transit.

transitiv *adj* transitive.

transparent *adj* transparent; **Transparent** *nt* <-[e]s, -e> (*Bild*) transparency; (*Spruchband*) banner.

transpirieren *vi* perspire.

Transplantation *f* transplantation; (*Haut~*) graft[ing].

Transport *m* <-[e]s, -e> transport; **transportieren** *vt* transport; **Transportkosten** *pl* transport charges *pl*; **Transportmittel** *nt* means *sing* of transportation; **Transportunternehmen** *nt* carrier.

Trapez *nt* <-es, -e> trapeze; (MATH) trapezium.

Traube *f* <-, -n> (*einzelne Beere*) grape; (*ganze Frucht*) bunch of grapes; **Traubenlese** *f* vintage; **Traubenzucker** *m* glucose.

trauen 1. *vi:* jdm/einer Sache ~ trust sb/sth; 2. *vr:* sich ~ dare; 3. *vt* marry.

Trauer *f* <-> sorrow; (*für Verstorbene*)

mourning; **Trauerfall** *m* death, bereavement; **Trauermarsch** *m* funeral march; **trauern** *vi* mourn (*um* for); **Trauerrand** *m* black border; **Trauerspiel** *nt* tragedy.

Traufe *f* <-, -n> eaves *pl*.

träufeln *vt, vi* drip.

traulich *adj* cosy, intimate.

Traum *m* <-[e]s, Träume> dream.

Trauma *nt* <-s, -men *o* -ta> trauma.

träumen *vt, vi* dream; **Träumer(in** *f*) *m* <-s, -> dreamer; **Träumerei** *f* dreaming; **träumerisch** *adj* dreamy.

traumhaft *adj* dreamlike; (*fig*) wonderful.

traurig *adj* sad; **Traurigkeit** *f* sadness.

Trauschein *m* marriage certificate; **Trauung** *f* wedding ceremony; **Trauzeuge** *m*, **-zeugin** *f* witness [to a marriage].

treffen <traf, getroffen> 1. *vt, vi* strike, hit; (*Bemerkung*) hurt; (*begegnen*) meet; (*Entscheidung etc*) make; (*Maßnahmen*) take; 2. *vr:* sich ~ meet; ~ **auf** + *akk* come across, meet with; **es traf sich, daß…** it so happened that…; **es trifft sich gut** it's convenient; **wie es sich so trifft** as these things happen; **er hat es gut getroffen** he was fortunate; **Treffen** *nt* <-s, -> meeting; **treffend** *adj* pertinent, apposite; **Treffer** *m* <-s, -> hit; (*Tor*) goal; (*Los*) winner; **Treffpunkt** *m* meeting place.

Treibeis *nt* drift ice.

treiben <trieb, getrieben> 1. *vt* drive; (*Studien etc*) pursue; (SPORT) go in for; 2. *vi* (*Schiff etc*) drift; (*Pflanzen*) sprout; (GASTR) rise; (*Tee, Kaffee*) be diuretic; **Unsinn ~** fool around; **Treiben** *nt* <-s> activity.

Treibgas *nt* propellant; **Treibhaus** *nt* hothouse; **Treibstoff** *m* fuel.

trennbar *adj* separable; **trennen** 1. *vt* separate; (*teilen*) divide; 2. *vr:* sich ~ separate; sich ~ **von** part with; **Trennschärfe** *f* (RADIO) selectivity; **Trennung** *f* separation; **Trennwand** *f* partition [wall].

treppab *adv* downstairs; **treppauf** *adv* upstairs; **Treppe** *f* <-, -n> staircase, stairs *pl*; (*im Freien*) steps *pl*; **Treppengeländer** *nt* banister; **Treppenhaus** *nt* staircase.

Tresor *m* <-s, -e> safe.

treten <trat, getreten> 1. *vi* step; (*Tränen, Schweiß*) appear; 2. *vt* kick; (*nieder~*) tread, trample; ~ **nach** kick at; ~ **in** + *akk* step in[to]; **in Verbindung** ~ get in contact; **in Erscheinung** ~ appear.

treu adj faithful, true; **Treue** f < -> loyalty, faithfulness; **Treuhänder(in** f) m < -s, -> trustee; **Treuhandgesellschaft** f trust company; **treuherzig** adj innocent; **treulich** adv faithfully; **treulos** adj faithless.

Tribüne f <-, -n> grandstand; (Redner~) platform.

Trichter m < -s, -> funnel; (in Boden) crater.

Trick m < -s, -e o -s > trick; **Trickfilm** m cartoon.

trieb pt von **treiben.**

Trieb m < -[e]s, -e > urge, drive; (Neigung) inclination; (an Baum etc) shoot; **Triebfeder** f (fig) motivating force; **triebhaft** adj impulsive; **Triebkraft** f (fig) drive; **Triebtäter(in** f) m sex offender; **Triebwagen** m (EISENB) diesel railcar; **Triebwerk** nt engine.

triefen vi drip.

triftig adj good, convincing.

Trigonometrie f trigonometry.

Trikot 1. nt < -s, -s > vest; (SPORT) shirt; 2. m < -s, -s > (Gewebe) tricot.

Triller m < -s, -> (MUS) trill; **trillern** vi trill, warble; **Trillerpfeife** f whistle.

trinkbar adj drinkable; **trinken** < trank, getrunken > vt, vi drink; **Trinker(in** f) m < -s, -> drinker; **Trinkgeld** nt tip; **Trinkhalm** m [drinking] straw; **Trinkspruch** m toast; **Trinkwasser** nt drinking water.

Tripper m < -s, -> gonorrhoea.

Tritt m < -[e]s, -e > step; (Fuß~) kick; **Trittbrett** nt (EISENB) step; (AUT) running-board.

Triumph m < -[e]s, -e > triumph; **Triumphbogen** m triumphal arch; **triumphieren** vi triumph; (jubeln) exult.

trivial adj trivial.

trocken adj dry; **Trockendock** nt dry dock; **Trockenelement** nt dry cell; **Trockenhaube** f hair-dryer; **Trockenheit** f dryness; **trockenlegen** vt (Sumpf) drain; (Kind) put a clean nappy on; **Trockenmilch** f dried milk; **trocknen** vt, vi dry.

Troddel f < -, -n > tassel.

Trödel m < -s > (fam) junk.

trödeln vi (fam) dawdle.

Trödler(in f) m < -s, -> secondhand dealer, junk dealer.

trog pt von **trügen.**

Trog m < -[e]s, ⁼e > trough.

Trommel f < -, -n > drum; **Trommelfell** nt eardrum; **trommeln** vt, vi drum; **Trommelwaschmaschine** f drum washing machine; **Trommler(in** f) m < -s, -> drummer.

Trompete f < -, -n > trumpet; **Trompeter(in** f) m < -s, -> trumpeter.

Tropen pl tropics pl; **tropenbeständig** adj suitable for the tropics; **Tropenhelm** m topee, sun helmet.

Tropf m < -[e]s, ⁼e > (fam) rogue; (Infusion) drip; **armer** ~ poor devil.

tröpfeln vi drop, trickle.

tropfen 1. vt, vi drip; 2. vb impers: **es tropft** a few raindrops are falling; **Tropfen** m < -s, -> drop; **tropfenweise** adv in drops; **Tropfsteinhöhle** f stalactite cave.

tropisch adj tropical.

Trost m < -es > consolation, comfort; **trösten** vt console, comfort; **Tröster(in** f) m < -s, -> comfort[er]; **tröstlich** adj comforting; **trostlos** adj bleak; (Verhältnisse) wretched; **Trostpreis** m consolation prize; **Tröstung** f comfort; consolation.

Trott m < -[e]s, -e > trot; (Routine) routine.

Trottel m < -s, -> (fam) fool, dope.

trotten vi trot.

Trottoir nt < -s, -s o -e > pavement, sidewalk US.

trotz prep + gen o dat in spite of; **Trotz** m < -es > pigheadedness; **etw aus ~ tun** do sth just to show them; **jdm zum ~** in defiance of sb; **Trotzalter** nt obstinate phase.

trotzdem 1. adv nevertheless; 2. conj although.

trotzig adj defiant, pig-headed; **Trotzkopf** m obstinate child; **Trotzreaktion** f fit of pique.

trüb adj dull; (Flüssigkeit, Glas) cloudy; (fig) gloomy; **trüben** 1. vt cloud; 2. vr: **sich** ~ become clouded; **Trübsal** f < -, -e > distress; **trübselig** adj sad, melancholy; **Trübsinn** m depression; **trübsinnig** adj depressed, gloomy.

trudeln vi (AVIAT) [go into a] spin.

Trüffel f < -, -n > truffle.

trug pt von **tragen.**

trügen < trog, getrogen > 1. vt deceive; 2. vi be deceptive; **trügerisch** adj deceptive.

Trugschluß m false conclusion.

Truhe f < -, -n > chest.

Trümmer pl wreckage; (Bau~) ruins pl; **Trümmerhaufen** m heap of rubble.

Trumpf m < -[e]s, ⁼e > (auch fig) trump.

Trunk m < -[e]s, ⁼e > drink; **trunken** adj intoxicated; **Trunkenbold** m < -[e]s, -e > drunkard; **Trunkenheit** f intoxication; ~ **am Steuer** drunken driving; **Trunksucht** f alcoholism.

Truppe f < -, -n > troop; (Waffengat-

tung) force; (*Schauspiel~*) troupe; **~n** *pl* troops *pl*; **Truppenübungsplatz** *m* military training area.

Truthahn *m* turkey.

Tscheche *m* <-n, -n>, **Tschechin** *f* Czech; **tschechisch** *adj* Czech; **Tschechoslowakei** *f*: **die ~** Czechoslovakia; **tschechoslowakisch** *adj* Czechoslovak[ian].

T-Shirt *nt* <-s, -s> T-shirt, tee-shirt.

Tube *f* <-, -n> tube.

Tuberkulose *f* <-, -n> tuberculosis.

Tuch *nt* <-[e]s, ¨er> cloth; (*Hals~*) scarf; (*Kopf~*) headscarf; (*Hand~*) towel.

tüchtig *adj* efficient, [cap]able; (*fam: kräftig*) good, sound; **Tüchtigkeit** *f* efficiency, ability.

Tücke *f* <-, -n> (*Arglist*) malice; (*Trick*) trick; (*Schwierigkeit*) difficulty, problem; **seine ~n haben** be temperamental; **tückisch** *adj* treacherous; (*böswillig*) malicious.

Tugend *f* <-, -en> virtue; **tugendhaft** *adj* virtuous.

Tüll *m* <-s, -e> tulle.

Tulpe *f* <-, -n> tulip.

tummeln *vr*: **sich ~** romp, gambol; (*sich beeilen*) hurry.

Tumor *m* <-s, -en> tumour.

Tümpel *m* <-s, -> pool, pond.

Tumult *m* <-[e]s tumult.

tun <tat, getan> **1.** *vt* (*machen*) do; (*legen*) put; **2.** *vi* act; **3.** *vr* impers: **es tut sich etwas/viel** something/a lot is happening; **so ~, als ob** act as if; **jdm etw ~** (*antun*) do sth to sb; **etw tut es auch** sth will do; **das tut nichts** that doesn't matter; **das tut nichts zur Sache** that's neither here nor there.

Tünche *f* <-, -n> whitewash; **tünchen** *vt* whitewash.

Tuner *m* <-s, -> tuner-amplifier.

Tunke *f* <-, -n> sauce; **tunken** *vt* dip, dunk.

Tunesien *nt* Tunesia.

tunlichst *adv* if at all possible; **~ bald** as soon as possible.

Tunnel *m* <-s, -s o -> tunnel.

Tüpfelchen *nt* [small] dot.

tupfen *vt, vi* dab; (*mit Farbe*) dot; **Tupfen** *m* <-s, -> dot, spot.

Tür *f* <-, -en> door.

Turbine *f* turbine.

Turbolader *m* <-s, -> (*AUT*) turbocharger; **Turbomotor** *m* turbo engine.

turbulent *adj* turbulent.

Türke *m* <-n, -n> Turk; **Türkei** *f*: **die ~** Turkey; **Türkin** *f* Turk, Turkish woman.

türkis *adj* turquoise; **Türkis** *m* <-es, -e> turquoise.

türkisch *adj* Turkish.

Turm *m* <-[e]s, ¨e> tower; (*Kirch~*) steeple; (*Sprung~*) diving platform; (*SCHACH*) castle, rook.

Türmchen *nt* turret.

türmen 1. *vr*: **sich ~** tower up; **2.** *vt* heap up; **3.** *vi* (*fam*) scarper, bolt.

turnen 1. *vi* do gymnastic exercises; **2.** *vt* perform; **Turnen** *nt* <-s> gymnastics *sing*; (*SCH*) physical education, P.E.; **Turner(in** *f*) *m* <-s, -> gymnast; **Turnhalle** *f* gym[nasium]; **Turnhose** *f* gym shorts *pl*.

Turnier *nt* <-s, -e> tournament.

Turnschuh *m* gym shoe.

Turnus *m* <-, -se> rota; **im ~** in rotation.

Turnverein *m* gymnastics club; **Turnzeug** *nt* gym things *pl*.

Tusche *f* <-, -n> Indian ink.

tuscheln *vt, vi* whisper.

Tuschkasten *m* paintbox.

Tüte *f* <-, -n> bag.

tuten *vt, vi* toot; (*AUT*) hoot.

TÜV *m* <-s, -s> *Akronym von* **Technischer Überwachungsverein** MOT; **TÜV-Plakette** *f* German MOT sticker.

Twen *m* <-s, -s> person in her/his twenties.

Typ *m* <-s, -en> type.

Type *f* <-, -n> (*TYP*) type; **Typenrad** *nt* daisy wheel; **Typenradschreibmaschine** *f* daisy-wheel typewriter.

Typhus *m* <-> typhoid [fever].

typisch *adj* typical (*für* of).

Tyrann(in *f*) *m* <-en, -en> tyrant; **Tyrannei** *f* tyranny; **tyrannisch** *adj* tyrannical; **tyrannisieren** *vt* tyrannize.

U

U, u *nt* U, u.

U.A.w.g. *abk von* **Um Antwort wird gebeten** RSVP.

U-Bahn *f* underground, tube.

übel *adj* bad; (*moralisch auch*) wicked; **jdm ist ~** sb feels sick; **Übel** *nt* <-s, -> evil; (*Krankheit*) disease; **übelgelaunt** *adj* bad-tempered, ill-humoured; **Übelkeit** *f* nausea; **übelnehmen** *irr vt*: **jdm eine Bemerkung ~** be offended at sb's remark; **Übelstand** *m* bad state of affairs, abuse.

üben *vt, vi* exercise, practise.

über 1. *prep* +*dat/akk* over; (*hoch ~ auch*) above; (*quer ~ auch*) across; (*Route*) via; (*betreffend*) about; **2.** *adv* over; **den ganzen Tag ~** all day long; **jdm in etw** *dat* **~ sein** (*fam*) be superior to sb in sth; **~ und ~** all over.

überall *adv* everywhere.

überanstrengen *vr*: **sich ~** overexert oneself.

überarbeiten 1. *vt* revise, rework; **2.** *vr*: **sich ~** overwork [oneself].

überaus *adv* exceedingly.

überbelichten *vt* (FOT) overexpose.

überbieten *irr vt* outbid; (*übertreffen*) surpass; (*Rekord*) break.

Überbleibsel *nt* residue, remainder.

Überblick *m* view; (*fig: Darstellung*) survey, overview; (*Fähigkeit*) overall view, grasp (*über* + *akk* of); **überblicken** *vt* survey.

überbringen *irr vt* deliver, hand over; **Überbringer(in** *f*) *m* <-s, -> bearer.

überbrücken *vt* bridge [over].

überdenken *irr vt* think over.

überdies *adv* besides.

überdimensional *adj* oversize.

Überdruß *m* <-sses> weariness; **bis zum ~** ad nauseam; **überdrüssig** *adj* tired, sick (*gen* of).

übereifrig *adj* overkeen, overzealous.

übereilen *vt* hurry; **übereilt** *adj* [over]-hasty, premature.

übereinander *adv* one upon the other; (*sprechen*) about each other.

übereinkommen *irr vi* agree; **Übereinkunft** *f* <-, -künfte> agreement; **übereinstimmen** *vi* agree; **Übereinstimmung** *f* agreement.

überempfindlich *adj* hypersensitive.

überfahren *irr vt* (AUT) run over; (*fig*) walk all over; **Überfahrt** *f* crossing.

Überfall *m* (*Bank~*, MIL) raid; (*auf jdn*) assault; **überfallen** *irr vt* attack; (*Bank*) raid; (*besuchen*) surprise.

überfällig *adj* overdue.

überfliegen *irr vt* fly over, overfly; (*Buch*) skim through.

Überfluß *m* [super]abundance, excess (*an* + *dat* of); **Überflußgesellschaft** *f* affluent society; **überflüssig** *adj* superfluous.

überfordern *vt* demand too much of; (*Kräfte etc*) overtax.

Überfremdung *f* foreign infiltration.

überführen *vt* (*Leiche etc*) transport; (*Täter*) have convicted (*gen* of); **Überführung** *f* transport; conviction; (*Brücke*) bridge, overpass.

Übergabe *f* handing over; (MIL) surrender.

Übergang *m* crossing; (*Wandel, Überleitung*) transition; **Übergangserscheinung** *f* transitory phenomenon; **Übergangslösung** *f* provisional solution, stopgap; **Übergangsstadium** *nt* state of transition; **Übergangszeit** *f* transitional period.

übergeben *irr vt* **1.** *vt* hand over; (MIL) surrender; **2.** *vr*: **sich ~** be sick; **dem Verkehr ~** open to traffic.

übergehen *irr vt* **1.** *vi* (*Besitz*) pass; (*zum Feind etc*) go over, defect; (*überleiten*) go on (*zu* to); (*sich verwandeln*) turn (*in* + *akk* into); **2.** *vt* pass over, omit.

Übergewicht *nt* excess weight; (*fig*) preponderance.

überglücklich *adj* overjoyed.

überhaben *irr vt* (*fam*) be fed up with.

überhandnehmen *irr vi* gain the ascendancy.

überhaupt *adv* at all; (*im allgemeinen*) in general; (*besonders*) especially; **~ nicht** not at all.

überheblich *adj* arrogant; **Überheblichkeit** *f* arrogance.

überholen *vt* overtake; (TECH) overhaul; **überholt** *adj* out-of-date, obsolete.

überhören *vt* not hear; (*absichtlich*) ignore.

überirdisch *adj* supernatural, unearthly.

überkompensieren *vt* overcompensate for.

überladen 1. *irr vt* overload; **2.** *adj* (*fig*) cluttered.

überlassen *irr vt* **1.** *vt*: **jdm etw ~** leave sth to sb; **2.** *vr*: **sich einer Sache** *dat* **~** give oneself over to sth.

überlasten *vt* overload; (*jdn*) overtax.

Überlaufanzeige *f* (*bei Rechner*) overflow indicator; **überlaufen** *irr vt* **1.** *vi* (*Flüssigkeit*) flow over; (*zum Feind etc*) go over, defect; **2.** *vt* (*Schauer etc*) come over; **~ sein** be inundated; **Überläufer(in** *f*) *m* deserter.

überleben *vt* survive; **Überlebende(r)** *mf* survivor.

überlegen 1. *vt* consider; **2.** *adj* superior; **Überlegenheit** *f* superiority; **Überlegung** *f* consideration, deliberation.

überliefern *vt* hand down, transmit; **Überlieferung** *f* tradition.

überlisten *vt* outwit.

überm = über dem.

Übermacht *f* superior force, superiority; **übermächtig** *adj* superior [in strength]; (*Gefühl etc*) overwhelming.

übermannen *vt* overcome.

Übermaß *nt* excess (*an* + *dat* of); **übermäßig** *adj* excessive.

Übermensch m superman; **übermenschlich** adj superhuman.

übermitteln vt convey.

übermorgen adv the day after tomorrow.

Übermüdung f fatigue, overtiredness.

Übermut m exuberance; **übermütig** adj exuberant, high-spirited; ~ **werden** get overconfident.

übernachten vi spend the night (bei jdm at sb's place).

übernächtigt adj tired, sleepy.

Übernahme f <-, -n> taking over [o on], acceptance; **übernehmen** irr 1. vt take on, accept; (Amt, Geschäft) take over; 2. vr: **sich ~** take on too much.

überprüfen vt examine, check; **Überprüfung** f examination.

überqueren vt cross.

überraschen vt surprise; **Überraschung** f surprise.

überreden vt persuade.

überreichen vt present, hand over.

überreizt adj overwrought.

Überreste pl remains pl, remnants pl.

überrumpeln vt take by surprise.

überrunden vt lap.

übers = **über das**.

übersättigen vt satiate.

Überschallflugzeug nt supersonic jet; **Überschallgeschwindigkeit** f supersonic speed.

überschätzen vt overestimate.

überschäumen vi froth over; (fig) bubble over.

Überschlag m (FIN) estimate; (SPORT) somersault; **überschlagen** irr 1. vt (berechnen) estimate; (auslassen: Seite) omit; (Beine) cross; 2. vr: **sich ~** somersault; (Stimme) crack; (AVIAT) loop the loop; 3. adj lukewarm, tepid.

überschnappen vi (Stimme) crack; (fam: Mensch) flip one's lid.

überschneiden irr vr: **sich ~** (auch fig) overlap; (Linien) intersect.

überschreiben irr vt provide with a heading; (Daten, Diskette) overwrite; **jdm etw ~** transfer [o make over] sth to sb.

überschreiten irr vt cross over; (fig) exceed; (verletzen) transgress.

Überschrift f heading, title.

Überschuß m surplus (an + dat of); **überschüssig** adj surplus, excess.

überschütten vt: **jdn/etw mit etw ~** pour sth over sb/sth; **jdn mit etw ~** (fig) shower sb with sth.

Überschwang m <-s> exuberance, excess.

überschwemmen vt flood; **Überschwemmung** f flood.

überschwenglich adj effusive; **Überschwenglichkeit** f effusion.

Übersee f: nach/in ~ overseas; **überseeisch** adj overseas.

übersehen irr vt (Gelände) look [out] over; (fig: Folgen) see, get an overall view of; (nicht beachten) overlook.

übersenden irr vt send.

übersetzen vt translate; **Übersetzer(in** f) m <-s, -> translator; **Übersetzung** f translation; (TECH) gear ratio.

Übersicht f overall view; (Darstellung) survey; **übersichtlich** adj clear; (Gelände) open; **Übersichtlichkeit** f clarity.

überspannt adj eccentric; (Idee) wild, crazy.

überspitzt adj exaggerated.

überspringen irr vt jump over; (fig) skip.

übersprudeln vi bubble over.

überstehen irr 1. vt (durchstehen) overcome, get over; (Winter etc) survive, get through; 2. vi (vorstehen) project.

übersteigen irr vt climb over; (fig) exceed.

überstimmen vt outvote.

Überstunden pl overtime.

überstürzen 1. vt rush; 2. vr: **sich ~** follow [one another] in rapid succession; **überstürzt** adj [over]hasty.

übertölpeln vt dupe.

übertönen vt drown [out].

Übertrag m <-[e]s, -träge> (COM) amount brought forward; **übertragbar** adj transferable; (MED) infectious; **übertragen** irr 1. vt transfer (auf + akk to); (RADIO) broadcast; (übersetzen) render; (Krankheit) transmit; 2. vr: **sich ~** spread (auf + akk to); 3. adj figurative; **jdm etw ~** assign sth to sb; **Übertragung** f transfer[ence]; (RADIO) broadcast; rendering; transmission.

übertreffen irr vt surpass.

übertreiben irr vt exaggerate; **Übertreibung** f exaggeration.

übertreten irr 1. vt (Gebot etc) break; 2. vi (über Linie, Gebiet) step [over]; (SPORT) overstep; (in andere Partei) go over (in + akk to); (zu anderem Glauben) be converted.

übertrieben adj exaggerated, excessive.

übervorteilen vt dupe, cheat.

überwachen vt supervise; (Verdächtigen) keep under surveillance; **Überwachung** f supervision; surveillance; **Überwachungsstaat** m Big Brother state, surveillance state.

überwältigen vt overpower; **überwältigend** adj overwhelming.

überweisen irr vt transfer; (Patienten) refer (an +akk to); **Überweisung** f transfer; referral.

überwiegen irr vi predominate; **überwiegend** adj predominant.

überwinden irr 1. vt overcome; 2. vr: **sich** ~ make an effort, force oneself; **Überwindung** f effort, strength of mind.

Überzahl f superiority, superior numbers pl; **in der** ~ **sein** outnumber sb, be numerically superior; **überzählig** adj surplus.

überzeugen vt convince; **überzeugend** adj convincing; **Überzeugung** f conviction; **Überzeugungskraft** f power of persuasion.

überziehen irr 1. vt (Mantel etc) put on; 2. vt (beziehen) cover; (Konto) overdraw; **Überzug** m cover; (Belag) coating.

üblich adj usual.

U-Boot nt submarine.

übrig adj remaining; **für jdn etwas ~ haben** (fam) be fond of sb; **die ~en** pl the rest; **im ~en** besides; **übrigbleiben** irr vi remain, be left [over]; **übrigens** adv besides; (nebenbei bemerkt) by the way; **übriglassen** irr vt leave [over].

Übung f practice; (Turn~, Aufgabe etc) exercise; ~ **macht den Meister** practice makes perfect.

UdSSR f abk von Union der Sozialistischen Sowjetrepubliken USSR.

Ufer nt <-s, -> bank; (Meeres~) shore.

Ufo nt <-[s], -s> Akronym von unbekanntes Flugobjekt Ufo.

Uhr f <-, -en> clock; (Armband~) watch; **wieviel ~ ist es?** what time is it?; **1** ~ 1 o'clock; **20** ~ 8 o'clock, 8 p.m., 20.00 (twenty hundred) hours; **Uhrband** nt, (o -bänder) watch strap; **Uhrmacher(in** f) m <-s, -> watchmaker; **Uhrwerk** nt clockwork, works pl of a watch; **Uhrzeiger** m hand; **Uhrzeigersinn** m: **im** ~ clockwise; **entgegen dem** ~ anti-clockwise; **Uhrzeit** f time [of day].

Uhu m <-s, -s> eagle owl.

UKW abk von Ultrakurzwelle[n] VHF.

Ulk m <-s, -e> lark; **ulkig** adj funny.

Ulme f <-, -n> elm.

Ultimatum nt <-s, Ultimaten> ultimatum.

Ultrakurzwelle f very high frequency.

Ultraschallaufnahme f (MED) scan Brit, ultrasound US; **Ultraschallgerät** nt (MED) ultrasonic receiver.

ultraviolett adj ultraviolet.

um 1. prep +akk [a]round; (zeitlich) at; (mit) by; (für) for; **2.** conj (damit) [in order] to; **3.** adv (ungefähr) about; **zu klug** ~ **zu...** clever too...; **er schlug** ~ **sich** he hit about him; **Stunde** ~ **Stunde** hour after hour; **Auge** ~ **Auge** an eye for an eye; ~ **vieles [besser]** [better] by far; ~ **nichts besser** not in the least better; ~ **so besser** so much the better; ~ **... willen** for the sake of.

umadressieren vt readdress.

umändern vt alter.

umarmen vt embrace.

Umbau m <-[e]s, -e o -ten> reconstruction, alteration[s]; **umbauen** vt rebuild, reconstruct.

umbenennen irr vt rename.

umbilden vt reorganize; (POL) reshuffle.

umbinden irr vt (Krawatte etc) put on.

umblättern vt turn over.

umblicken vr: **sich** ~ look around.

umbringen irr vt kill.

Umbruch m radical change; (TYP) make-up.

umbuchen vi change one's reservation/flight.

umdenken irr vi adjust one's views.

umdrehen vt, vr: **sich** ~ turn [round]; (Hals) wring; **Umdrehung** f turn; (PHYS) revolution, rotation; (AUT) revolution.

umeinander adv round one another; (füreinander) for one another.

umfallen irr vi fall down, fall over.

Umfang m extent; (von Buch) size; (Reichweite) range; (Fläche) area; (MATH) circumference; **umfangreich** adj extensive; (Buch etc) voluminous.

Umfeld nt associated area, associated field.

umformen vi transform; **Umformer** m <-s, -> (ELEC) transformer, converter.

Umfrage f poll.

umfüllen vt transfer; (Wein) decant.

umfunktionieren vt convert, transform.

Umgang m company; (mit jdm) dealings pl; (Behandlung) way of behaving.

umgänglich adj sociable.

Umgangsformen pl manners pl; **Umgangssprache** f colloquial language.

umgeben irr vt surround; **Umgebung** f surroundings pl; (Milieu) environment; (Personen) people in one's circle.

umgehen irr 1. vi (herumgehen) go [a]round; 2. vt (Gebiet etc) bypass; (Gesetz etc) circumvent; (vermeiden) avoid; **im Schlosse** ~ (Gespenst) haunt the castle; **mit jdm grob** ~ treat sb roughly; **mit Geld sparsam** ~ be careful with one's money; **umgehend** adj immediate; **Umgehungsstraße** f bypass.

umgekehrt 1. adj reverse[d]; (gegen-

teilig) opposite; **2.** _adv_ the other way [a]round; **und ~** and vice versa.
umgraben _irr vt_ dig up.
umgruppieren _vt_ regroup.
Umhang _m_ wrap, cape.
umhauen _irr vt_ fell; (_fig_) bowl over.
umher _adv_ about, around; **umhergehen** _irr vi_ walk about; **umherreisen** _vi_ travel about; **umherziehen** _irr vi_ wander from place to place.
umhinkönnen _irr vi_: **ich kann nicht umhin, das zu tun** I can't help doing it.
umhören _vr_: **sich ~** ask around.
Umkehr _f_ <-> turning back; (_Änderung_) change; **umkehren 1.** _vi_ turn back; **2.** _vt_ turn round, reverse; (_Tasche etc_) turn inside out; (_Gefäß etc_) turn upside down.
umkippen 1. _vt_ tip over; **2.** _vi_ overturn; (_fig_) change one's mind; (_fam: ohnmächtig werden_) keel over, pass out; (_Gewässer_) become polluted (_to the point where organic life is no longer possible_).
Umkleideraum _m_ changing- [_o_ dressing] room.
umkommen _irr vi_ die, perish; (_Lebensmittel_) go bad.
Umkreis _m_ neighbourhood; (_MATH_) circumcircle; **im ~ von** within a radius of; **umkreisen** _vt_ circle [round]; (_Satellit_) orbit.
umladen _irr vt_ transfer, reload.
Umlage _f_ share of the costs.
Umlauf _m_ circulation; (_von Gestirn_) revolution; (_Schreiben_) circular; **Umlaufbahn** _f_ orbit.
Umlaut _m_ umlaut.
umlegen _vt_ put on; (_verlegen_) move, shift; (_Kosten_) share out; (_umkippen_) tip over; (_fam: töten_) bump off.
umleiten _vt_ divert; **Umleitung** _f_ diversion.
umlernen _vi_ learn something new; (_umdenken_) adjust one's views.
umliegend _adj_ surrounding.
Umnachtung _f_ [mental] derangement.
umranden _vt_ border, edge.
umrechnen _vt_ convert; **Umrechnung** _f_ conversion; **Umrechnungskurs** _m_ rate of exchange.
umreißen _irr vt_ outline, sketch.
umringen _vt_ surround.
Umriß _m_ outline.
umrühren _vt, vi_ stir.
ums = **um das**.
umsatteln _vi_ (_fam_) change one's occupation; switch.
Umsatz _m_ turnover.
umschalten _vt_ switch.
Umschau _f_ look[ing] round; **~ halten**

nach look around for; **umschauen** _vr_: **sich ~** look round.
Umschlag _m_ cover; (_Buch~ auch_) jacket; (_MED_) compress; (_Brief~_) envelope; (_Wechsel_) change; (_von Hose_) turn-up; **Umschlagplatz** _m_ (_COM_) distribution centre.
umschreiben _irr_ **1.** _vt_ (_anders schreiben_) rewrite; (_übertragen_) transfer (_auf + akk_ to); **2.** _vt_ (_anders ausdrücken_) paraphrase; (_abgrenzen_) circumscribe, define.
umschulen _vt_ retrain; (_Kind_) send to another school.
umschwärmen _vt_ swarm round; (_fig_) surround, idolize.
Umschweife _pl_: **ohne ~** without beating about the bush, straight out.
Umschwung _m_ change [around], revolution.
umsehen _irr vr_: **sich ~** look around [_o_ about]; (_suchen_) look out (_nach_ for).
umseitig _adv_ overleaf.
Umsicht _f_ prudence, caution; **umsichtig** _adj_ cautious, prudent.
umsonst _adv_ in vain; (_gratis_) for nothing.
umspringen _irr vi_ change; (_Wind auch_) veer; **mit jdm ~** treat sb badly.
Umstand _m_ circumstance; **Umstände** _pl_ (_fig_) fuss; **in anderen Umständen sein** be pregnant; **Umstände machen** go to a lot of trouble; **unter Umständen** possibly; **mildernde Umstände** (_JUR_) extenuating circumstances _pl_.
umständlich _adj_ (_Methode_) cumbersome, complicated; (_Ausdrucksweise_) long-winded; (_Mensch_) ponderous.
Umstandskleid _nt_ maternity dress; **Umstandswort** _nt_ adverb.
umsteigen _irr vi_ (_EISENB_) change [trains/buses].
umstellen 1. _vt_ (_an anderen Ort_) change round, rearrange; (_TECH_) convert; **2.** _vr_: **sich ~** adapt oneself (_auf + akk_ to); **3.** _vt_ (_umgeben_) surround; **Umstellung** _f_ change; (_Umgewöhnung_) adjustment; (_TECH_) conversion.
umstimmen _vt_ (_MUS_) retune; **jdn ~** make sb change his mind.
umstritten _adj_ disputed.
Umsturz _m_ overthrow; **umstürzlerisch** _adj_ revolutionary.
Umtausch _m_ exchange; **umtauschen** _vt_ exchange.
Umtriebe _pl_ machinations _pl_.
umtun _irr vr_: **sich ~** see; **sich nach etw ~** look for sth.
umwandeln _vt_ change, convert; (_ELEC_) transform.
umwechseln _vt_ change.
Umweg _m_ detour, roundabout way.

Umwelt f environment; **Umweltbelastung** f ecological damage; **Umweltengel** m environment angel *(hallmark of the German Federal environment office)*; **umweltfeindlich** adj ecologically harmful; **umweltfreundlich** adj ecologically beneficial, non-polluting; **umweltgefährdend** adj damaging to the environment; **Umweltgift** nt substance toxic to the environment; **Umweltkatastrophe** f environmental catastrophe; **Umweltschutz** m environmental protection [o conservation]; **Umweltschützer(in** f) m < -s, -> conservationist; **Umweltschutzpapier** nt recycling paper; **Umweltverschmutzung** f [environmental] pollution.

umwenden irr vt, vr: **sich ~** turn [round].

umwerben irr vt court, woo.

umwerfen irr vt upset, overturn; (*Mantel*) throw on; (*fig: ändern*) upset; (*fig fam: jdn*) bowl over.

umziehen irr 1. vt, vr: **sich ~** change; 2. vi move.

umzingeln vt surround, encircle.

Umzug m procession; (*Wohnungs~*) move, removal.

unabänderlich adj irreversible, unalterable.

unabhängig adj independent; **Unabhängigkeit** f independence.

unabkömmlich adj indispensable; **zur Zeit ~** not free at the moment.

unablässig adj incessant, constant.

unabsehbar adj immeasurable; (*Folgen*) unforeseeable; (*Kosten*) incalculable.

unabsichtlich adj unintentional.

unachtsam adj careless; **Unachtsamkeit** f carelessness.

unangebracht adj uncalled-for.

unangemessen adj inadequate.

unangenehm adj unpleasant; **Unannehmlichkeit** f inconvenience; **~en** pl trouble.

unansehnlich adj unsightly.

unanständig adj indecent, improper; **Unanständigkeit** f indecency, impropriety.

unappetitlich adj unsavoury.

Unart f bad manners pl; (*Angewohnheit*) bad habit; **unartig** adj naughty, badly behaved.

unauffällig adj unobtrusive; (*Kleidung*) inconspicuous.

unauffindbar adj undiscoverable, not to be found.

unaufgefordert 1. adj unasked; 2. adv spontaneously.

unaufhaltsam adj irresistible.

unaufhörlich adj incessant, continuous.

unaufmerksam adj inattentive.

unaufrichtig adj insincere.

unausgeglichen adj volatile.

unaussprechlich adj inexpressible.

unausstehlich adj intolerable.

unausweichlich adj inescapable, ineluctable.

unbändig adj extreme, excessive.

unbarmherzig adj pitiless, merciless.

unbeabsichtigt adj unintentional.

unbeachtet adj unnoticed, ignored.

unbedenklich 1. adj unhesitating; (*Plan*) unobjectionable; 2. adv without hesitation.

unbedeutend adj insignificant, unimportant; (*Fehler*) slight.

unbedingt 1. adj unconditional; 2. adv absolutely; **mußt du ~ gehen?** do you really have to go?

unbefangen adj impartial, unprejudiced; (*ohne Hemmungen*) uninhibited; **Unbefangenheit** f impartiality; uninhibitedness.

unbefriedigend adj unsatisfactory; **unbefriedigt** adj unsatisfied, dissatisfied.

unbefugt adj unauthorized.

unbegabt adj untalented.

unbegreiflich adj (*unverständlich*) incomprehensible; (*Leichtsinn, Dummheit*) inconceivable.

unbegrenzt adj unlimited.

unbegründet adj unfounded.

Unbehagen nt discomfort; **unbehaglich** adj uncomfortable; (*Gefühl*) uneasy.

unbeholfen adj awkward, clumsy.

unbekannt adj unknown.

unbekümmert adj unconcerned.

unbeliebt adj unpopular; **Unbeliebtheit** f unpopularity.

unbequem adj (*Stuhl*) uncomfortable; (*Mensch*) bothersome; (*Regelung*) inconvenient.

unberechenbar adj incalculable; (*Mensch, Verhalten*) unpredictable.

unberechtigt adj unjustified; (*nicht erlaubt*) unauthorized.

unberufen interj touch wood.

unberührt adj untouched, intact; **sie ist noch ~** she is still a virgin.

unbescheiden adj presumptuous.

unbeschreiblich adj indescribable.

unbesonnen adj unwise, rash, imprudent.

unbeständig adj (*Mensch*) inconstant; (*Wetter*) unsettled; (*Lage*) unstable.

unbestechlich adj incorruptible.

unbestimmt adj indefinite; (*Zukunft auch*) uncertain; **Unbestimmtheit** f vagueness.

unbeteiligt *adj* unconcerned, indifferent.
unbeugsam *adj* inflexible, stubborn; (*Wille auch*) unbending.
unbewacht *adj* unguarded.
unbeweglich *adj* immovable.
unbewußt *adj* unconscious.
unbrauchbar *adj* (*Arbeit*) useless; (*Gerät auch*) unusable.
und *conj* and; ~ **so weiter** and so on.
Undank *m* ingratitude; **undankbar** *adj* ungrateful; **Undankbarkeit** *f* ingratitude.
undefinierbar *adj* indefinable.
undenkbar *adj* inconceivable.
undeutlich *adj* indistinct.
undicht *adj* leaky.
Unding *nt* absurdity.
unduldsam *adj* intolerant.
undurchführbar *adj* impracticable.
undurchlässig *adj* waterproof, impermeable.
undurchsichtig *adj* opaque; (*fig*) obscure.
uneben *adj* uneven.
unehelich *adj* illegitimate.
uneigennützig *adj* unselfish.
uneinig *adj* divided; ~ **sein** disagree; **Uneinigkeit** *f* discord, dissension.
uneins *adj* at variance, at odds.
unempfindlich *adj* insensitive; **Unempfindlichkeit** *f* insensitivity.
unendlich *adj* infinite; **Unendlichkeit** *f* infinity.
unentbehrlich *adj* indispensable.
unentgeltlich *adj* free [of charge].
unentschieden *adj* undecided; ~ **enden** (*SPORT*) end in a draw.
unentschlossen *adj* undecided; (*entschlußlos*) irresolute.
unentwegt *adj* unswerving; (*unaufhörlich*) incessant.
unerbittlich *adj* unyielding, inexorable.
unerfahren *adj* inexperienced.
unerfreulich *adj* unpleasant.
unergründlich *adj* unfathomable.
unerhört *adj* unheard-of; (*Bitte*) outrageous.
unerläßlich *adj* indispensable.
unerlaubt *adj* unauthorized.
unermeßlich *adj* immeasurable, immense.
unermüdlich *adj* indefatigable.
unersättlich *adj* insatiable.
unerschöpflich *adj* inexhaustible.
unerschütterlich *adj* unshakeable.
unerschwinglich *adj* exorbitant; too expensive.
unerträglich *adj* unbearable; (*Frechheit*) insufferable.
unerwartet *adj* unexpected.

unerwünscht *adj* undesirable, unwelcome.
unerzogen *adj* ill-bred, rude.
unfähig *adj* incapable (*zu* of); (*untüchtig*) incompetent; **Unfähigkeit** *f* (*Nichtkönnen*) inabilityy; (*Untüchtigkeit*) incompetence.
unfair *adj* unfair.
Unfall *m* accident; **Unfallflucht** *f* hit-and-run [driving]; **Unfallstelle** *f* scene of the accident; **Unfallversicherung** *f* accident insurance.
unfaßbar *adj* inconceivable.
unfehlbar 1. *adj* infallible; **2.** *adv* inevitably; **Unfehlbarkeit** *f* infallibility.
unflätig *adj* rude.
unfolgsam *adj* disobedient.
unfrankiert *adj* unfranked.
unfreiwillig *adj* involuntary, against one's will.
unfreundlich *adj* unfriendly; **Unfreundlichkeit** *f* unfriendliness.
Unfriede[n] *m* dissension, strife.
unfruchtbar *adj* infertile; (*Gespräche*) unfruitful; **Unfruchtbarkeit** *f* infertility; unfruitfulness.
Unfug *m* <-s> (*Benehmen*) mischief; (*Unsinn*) nonsense; (*JUR*) gross misconduct; malicious damage.
Ungar(in *f*) *m* <-n, -n> Hungarian; **ungarisch** *adj* Hungarian; **Ungarn** *nt* Hungary.
ungeachtet *prep* + *gen* notwithstanding.
ungeahnt *adj* unsuspected, undreamt-of.
ungebeten *adj* uninvited.
ungebildet *adj* uneducated, uncultured.
ungebräuchlich *adj* unusual, uncommon.
ungedeckt *adj* (*Scheck*) uncovered.
Ungeduld *f* impatience; **ungeduldig** *adj* impatient.
ungeeignet *adj* unsuitable.
ungefähr *adj* rough, approximate; **das kommt nicht von** ~ that's hardly surprising.
ungefährlich *adj* not dangerous, harmless.
ungehalten *adj* indignant.
ungeheuer 1. *adj* huge; **2.** *adv* (*fam*) enormously; **Ungeheuer** *nt* <-s, -> monster; **ungeheuerlich** *adj* monstrous.
ungehobelt *adj* (*fig*) uncouth.
ungehörig *adj* impertinent, improper.
ungehorsam *adj* disobedient; **Ungehorsam** *m* disobedience; **ziviler** ~ civil disobedience.
ungeklärt *adj* not cleared up; (*Rätsel*) unsolved; (*Abwasser*) untreated.
ungeladen *adj* not loaded; (*ELEC*) un-

charged; (*Gast*) uninvited.
ungelegen *adj* inconvenient.
ungelernt *adj* unskilled.
ungelogen *adv* really, honestly.
ungemein *adj* uncommon.
ungemütlich *adj* uncomfortable; (*Mensch*) disagreeable.
ungenau *adj* inaccurate; **Ungenauigkeit** *f* inaccuracy.
ungeniert 1. *adj* free and easy, unceremonious; **2.** *adv* without embarrassment, freely.
ungenießbar *adj* inedible; (*Getränk*) undrinkable; (*fam: Mensch*) unbearable.
ungenügend *adj* insufficient, inadequate.
ungepflegt *adj* (*Garten etc*) untended; (*Mensch*) unkempt; (*Hände*) neglected.
ungerade *adj* uneven, odd.
ungerecht *adj* unjust; **ungerechtfertigt** *adj* unjustified; **Ungerechtigkeit** *f* injustice, unfairness.
ungern *adv* unwillingly, reluctantly.
ungeschehen *adj*: ~ **machen** undo.
Ungeschicklichkeit *f* clumsiness; **ungeschickt** *adj* awkward, clumsy.
ungeschminkt *adj* without make-up; (*fig*) unvarnished.
ungesetzlich *adj* illegal.
ungestempelt *adj* (*Briefmarke*) unfranked, uncancelled.
ungestört *adj* undisturbed.
ungestraft *adv* with impunity.
ungestüm *adj* impetuous; **Ungestüm** *nt* <-[e]s> impetuosity.
ungesund *adj* unhealthy.
ungetrübt *adj* clear; (*fig*) untroubled; (*Freude*) unalloyed.
Ungetüm *nt* <-[e]s, -e> monster.
ungewiß *adj* uncertain; **Ungewißheit** *f* uncertainty.
ungewöhnlich *adj* unusual.
ungewohnt *adj* unaccustomed.
Ungeziefer *nt* <-s> vermin.
ungezogen *adj* rude, impertinent; **Ungezogenheit** *f* rudeness, impertinence.
ungezwungen *adj* natural, unconstrained.
ungläubig *adj* unbelieving; **ein ~er Thomas** a doubting Thomas; **die U ~en** *pl* the infidel[s].
unglaublich *adj* incredible.
unglaubwürdig *adj* untrustworthy, unreliable; (*Geschichte*) improbable.
ungleich 1. *adj* dissimilar; (*nicht vergleichbar*) unequal; **2.** *adv* incomparably; ~ **besser** much better; **ungleichartig** *adj* different; **Ungleichheit** *f* dissimilarity; inequality.
Unglück *nt* <-[e]s, -e> misfortune;

(*Pech*) bad luck; (~ *sfall*) calamity, disaster; (*Verkehrs~*) accident; **unglücklich** *adj* unhappy; (*erfolglos*) unlucky; (*unerfreulich*) unfortunate; **unglücklicherweise** *adv* unfortunately; **unglückselig** *adj* calamitous; (*Mensch*) unfortunate; **Unglücksfall** *m* accident.
ungültig *adj* invalid; **Ungültigkeit** *f* invalidity.
ungünstig *adj* unfavourable.
ungut *adj* (*Gefühl*) uneasy; **nichts für ~** no offence.
unhaltbar *adj* untenable.
Unheil *nt* evil; (*Unglück*) misfortune; ~ **anrichten** cause mischief; **unheilvoll** *adj* disastrous.
unheimlich 1. *adj* weird, uncanny; **2.** *adv* (*fam*) tremendously.
unhöflich *adj* impolite; **Unhöflichkeit** *f* impoliteness.
unhygienisch *adj* unhygienic.
uni *adj inv* self-coloured.
Uni *f* <-, -s> university.
Uniform *f* <-, -en> uniform; **uniformiert** *adj* uniformed.
uninteressant *adj* uninteresting.
Universität *f* university.
unkenntlich *adj* unrecognizable.
Unkenntnis *f* ignorance.
unklar *adj* unclear; **im ~en sein über** + *akk* be in the dark about; **Unklarheit** *f* unclarity; (*Unentschiedenheit*) uncertainty.
unklug *adj* unwise.
Unkosten *pl* expense[s].
Unkraut *nt* weed; weeds *pl*; **Unkrautvernichtungsmittel** *nt* herbicide, weed killer.
unlängst *adv* not long ago.
unlauter *adj* unfair.
unleserlich *adj* illegible.
unlogisch *adj* illogical.
unlösbar, unlöslich *adj* insoluble.
Unlust *f* lack of enthusiasm; **unlustig** *adj* unenthusiastic.
unmäßig *adj* immoderate.
Unmenge *f* tremendous number, hundreds *pl* (*von* of).
Unmensch *m* ogre, brute; **unmenschlich** *adj* inhuman, brutal; (*ungeheuer*) awful.
unmerklich *adj* imperceptible.
unmißverständlich *adj* unmistakable.
unmittelbar *adj* immediate.
unmöbliert *adj* unfurnished.
unmöglich *adj* impossible; **Unmöglichkeit** *f* impossibility.
unmoralisch *adj* immoral.
Unmut *m* ill humour.
unnachgiebig *adj* unyielding.

unnahbar *adj* unapproachable.
unnötig *adj* unnecessary; **unnötigerweise** *adv* unnecessarily.
unnütz *adj* useless.
unordentlich *adj* untidy; **Unordnung** *f* disorder.
unparteiisch *adj* impartial; **Unparteiische(r)** *mf* umpire; (*beim Fußball*) referee.
unpassend *adj* inappropriate; (*Zeit*) inopportune.
unpäßlich *adj* unwell.
unpersönlich *adj* impersonal.
unpolitisch *adj* apolitical.
unpraktisch *adj* unpractical.
unproduktiv *adj* unproductive.
unproportioniert *adj* out of proportion.
unpünktlich *adj* unpunctual.
unrationell *adj* inefficient.
unrecht *adj* wrong; **Unrecht** *nt* wrong; **zu ~** wrongly; **~ haben, im ~ sein** be wrong; **unrechtmäßig** *adj* unlawful, illegal.
unregelmäßig *adj* irregular; **Unregelmäßigkeit** *f* irregularity.
unreif *adj* (*Obst*) unripe; (*fig*) immature.
unrentabel *adj* unprofitable.
unrichtig *adj* incorrect, wrong.
Unruh *f* <-, -en> (*von Uhr*) balance.
Unruhe *f* <-, -n> unrest; **Unruhestifter(in** *f*) *m* troublemaker; **unruhig** *adj* restless.
uns 1. *pron akk von* **wir** us; **2.** *pron dat von* **wir** [to] us.
unsachlich *adj* not to the point, irrelevant; (*persönlich*) personal.
unsagbar, unsäglich *adj* indescribable.
unsanft *adj* rough.
unsauber *adj* unclean, dirty; (*fig*) crooked; (*MUS*) fuzzy.
unschädlich *adj* harmless; **jdn/etw ~ machen** render sb/sth harmless.
unscharf *adj* indistinct; (*Bild etc*) out of focus, blurred.
unscheinbar *adj* insignificant; (*Aussehen, Haus etc*) unprepossessing.
unschlagbar *adj* unbeatable.
unschlüssig *adj* undecided.
Unschuld *f* innocence; **unschuldig** *adj* innocent.
unselbständig *adj* dependent, over-reliant on others.
unser 1. *pron* (*adjektivisch*) our; **2.** *pron gen von* **wir** of us; **unsere(r, s)** *pron* (*substantivisch*) ours; **unsererseits** *adv* as far as we are concerned; **unseresgleichen** *pron* people like us; (*gleichrangig*) our equals; **unseretwegen** *adv* (*wegen uns*) because of us; (*uns zuliebe*) for our sake; (*um uns*) about us; (*für uns*

on our behalf; (*von uns aus*) as far as we are concerned.
unsicher *adj* uncertain; (*Mensch*) insecure; **Unsicherheit** *f* uncertainty; insecurity.
unsichtbar *adj* invisible; **Unsichtbarkeit** *f* invisibility.
Unsinn *m* nonsense; **unsinnig** *adj* nonsensical.
Unsitte *f* deplorable habit.
unsittlich *adj* indecent.
unsportlich *adj* unathletic, unfit; (*Verhalten*) unsporting.
unsre = unsere.
unsterblich *adj* immortal; **Unsterblichkeit** *f* immortality.
Unstimmigkeit *f* inconsistency; (*Streit*) disagreement.
unsympathisch *adj* unpleasant; **er ist mir ~** I don't like him.
untätig *adj* idle.
untauglich *adj* unsuitable; (*MIL*) unfit; **Untauglichkeit** *f* unsuitability; unfitness.
unteilbar *adj* indivisible.
unten *adv* below; (*im Haus*) downstairs; (*an der Treppe etc*) at the bottom; **nach ~** down; **~ am Berg** at the bottom of the mountain; **ich bin bei ihm ~ durch** (*fam*) he's through with me.
unter 1. *prep* *+akk/dat* under, below; (*bei Menschen*) among; (*während*) during; **2.** *adv* under.
Unterabteilung *f* subdivision.
Unterarm *m* forearm.
unterbelichten *vt* (*FOT*) underexpose.
Unterbewußtsein *nt* subconscious.
unterbezahlt *adj* underpaid.
unterbieten *irr vt* (*COM*) undercut; (*Rekord*) lower, reduce.
unterbinden *irr vt* stop, call a halt to.
Unterbodenschutz *m* (*AUT*) underseal.
unterbrechen *irr vt* interrupt; **Unterbrechung** *f* interruption; **Unterbrechungsbefehl** *m* (*COMPUT*) break instruction.
unterbringen *irr vt* (*in Koffer*) stow; (*in Zeitung*) place; (*jdn: in Hotel etc*) accommodate, put up; (*beruflich*) fix up.
unterdessen *adv* meanwhile.
Unterdruck *m, pl* <-drücke> low pressure.
unterdrücken *vt* suppress; (*Leute*) oppress.
untere(r, s) *adj* lower.
untereinander *adv* with each other; among themselves.
unterentwickelt *adj* underdeveloped.
unterernährt *adj* undernourished, underfed; **Unterernährung** *f* malnutri-

tion.

Unterführung f subway, underpass.

Untergang m [down]fall, decline; (*NAUT*) sinking; (*von Gestirn*) setting.

untergeben adj subordinate.

untergehen irr vi go down; (*Sonne auch*) set; (*Staat*) fall; (*Volk*) perish; (*Welt*) come to an end; (*im Lärm*) be drowned.

Untergeschoß nt basement.

untergliedern vt subdivide.

Untergrund m foundation; (*POL*) underground; **Untergrundbahn** f underground, tube, subway *US*; **Untergrundbewegung** f underground [movement].

unterhalb adv, prep + gen below; ~ **von** below.

Unterhalt m maintenance; **unterhalten** irr 1. vt maintain; (*belustigen*) entertain; 2. vr: sich ~ talk; (*sich belustigen*) enjoy oneself; **unterhaltend** adj entertaining; **Unterhaltung** f maintenance; (*Belustigung*) entertainment, amusement; (*Gespräch*) talk.

Unterhändler(in f) m negotiator.

Unterhemd nt vest, undershirt *US*.

Unterhose f underpants pl.

unterirdisch adj underground.

Unterkiefer m lower jaw.

unterkommen irr vi find shelter; find work; **das ist mir noch nie untergekommen** I've never met with that.

Unterkunft f <-, **-künfte**> accommodation.

Unterlage f foundation; (*Beleg*) document; (*Schreib~ etc*) pad.

unterlassen irr vt (*versäumen*) fail [to do]; (*sich enthalten*) refrain from.

unterlaufen irr vi happen; 2. adj: **mit Blut** ~ suffused with blood; (*Augen*) bloodshot.

unterlegen 1. vt lay [o put] under; 2. adj inferior (*dat* to); (*besiegt*) defeated.

Unterleib m abdomen.

unterliegen irr vi be defeated [o overcome] (*jdm* by sb); (*unterworfen sein*) be subject to.

Untermiete f: **zur** ~ **wohnen** be a subtenant [o lodger]; **Untermieter(in** f) m subtenant, lodger.

unternehmen irr vt undertake; **Unternehmen** nt <-s, -> undertaking; (*auch COM*) enterprise; **Unternehmensberater(in** f) m management consultant; **Unternehmer(in** f) m <-s, -> employer, entrepreneur; **unternehmungslustig** adj enterprising.

Unterredung f discussion, talk.

Unterricht m <-[e]s, -e> instruction, lessons pl; **unterrichten** 1. vt instruct;

(*SCH*) teach; (*informieren*) inform; 2. vr: sich ~ inform oneself (*über* + akk about).

Unterrock m petticoat, slip.

untersagen vt forbid (*jdm etw* sb to do sth).

unterschätzen vt underestimate.

unterscheiden irr 1. vt distinguish; 2. vr: sich ~ differ; **Unterscheidung** f (*Unterschied*) distinction; (*Unterscheiden*) differentiation.

Unterschied m <-[e]s, -e> difference, distinction; **im** ~ **zu** as distinct from; **unterschiedlich** adj varying, differing; (*diskriminierend*) discriminatory; **unterschiedslos** adj indiscriminately.

unterschlagen irr vt embezzle; (*verheimlichen*) suppress; **Unterschlagung** f embezzlement.

Unterschlupf m <-[e]s, -schlüpfe> refuge.

unterschreiben irr vt sign.

Unterschrift f signature.

Unterseeboot nt submarine.

Untersetzer m <-s, -> tablemat; (*für Gläser*) coaster.

untersetzt adj stocky.

unterste(r, s) adj lowest, bottom.

unterstehen irr 1. vi be under (*jdm* sb); 2. vr: sich ~ dare; 3. vi (*zum Schutz*) shelter; **untersteh dich!** don't you dare!

unterstellen 1. vt (*rangmäßig*) subordinate (*dat* to); (*fig*) impute (*jdm etw* sth to sb); 2. vt (*Auto*) garage, park; 3. vr: sich ~ take shelter.

unterstreichen irr vt (*auch fig*) underline.

Unterstufe f lower grade.

unterstützen vt support; **Unterstützung** f support, assistance.

untersuchen vt (*MED*) examine; (*Polizei*) investigate; **Untersuchung** f examination; investigation, inquiry; **Untersuchungsausschuß** m committee of inquiry; **Untersuchungshaft** f imprisonment on remand.

Untertan(in f) m <-s, -en> subject; **untertänig** adj submissive, humble.

Untertasse f saucer.

untertauchen vi dive; (*fig*) disappear, go underground.

Unterteil nt or m lower part, bottom.

unterteilen vt divide up.

Unterwäsche f underwear.

unterwegs adv on the way.

unterweisen irr vt instruct.

unterwerfen irr 1. vt subject; (*Volk*) subjugate; 2. vr: sich ~ submit (*dat* to); **unterwürfig** adj obsequious, servile.

unterzeichnen vt sign.

unterziehen *irr* 1. *vt* subject (*dat* to); 2. *vr*: **sich ~** undergo (*einer Sache dat* sth); (*einer Prüfung*) take.

untreu *adj* unfaithful; **Untreue** *f* unfaithfulness.

untröstlich *adj* inconsolable.

Untugend *f* vice, failing; (*schlechte Angewohnheit*) bad habit.

unüberlegt 1. *adj* ill-considered; 2. *adv* without thinking.

unübersehbar *adj* incalculable.

unumgänglich *adj* absolutely necessary.

unumwunden 1. *adj* candid; 2. *adv* straight out.

ununterbrochen *adj* uninterrupted.

unveränderlich *adj* unchangeable.

unverantwortlich *adj* irresponsible; (*unentschuldbar*) inexcusable.

unverbesserlich *adj* incorrigible.

unverbindlich 1. *adj* not binding; (*Antwort*) curt; 2. *adv* (*COM*) without obligation.

unverbleit *adj* unleaded, lead-free.

unverblümt *adv* plainly, bluntly.

unverdaulich *adj* indigestible.

unverdorben *adj* unspoilt.

unvereinbar *adj* incompatible.

unverfänglich *adj* harmless.

unverfroren *adj* impudent.

unverkennbar *adj* unmistakable.

unvermeidlich *adj* unavoidable.

unvermutet *adj* unexpected.

unvernünftig *adj* foolish.

unverschämt *adj* impudent; **Unverschämtheit** *f* impudence, insolence.

unversöhnlich *adj* irreconcilable.

unverständlich *adj* unintelligible.

unverträglich *adj* quarrelsome; (*Meinungen, MED*) incompatible.

unverwüstlich *adj* indestructible; (*Mensch*) irrepressible.

unverzeihlich *adj* unpardonable.

unverzüglich *adj* immediate.

unvollkommen *adj* imperfect; **unvollständig** *adj* incomplete.

unvorbereitet *adj* unprepared.

unvoreingenommen *adj* unbiased.

unvorhergesehen *adj* unforeseen.

unvorsichtig *adj* careless, imprudent.

unvorstellbar *adj* inconceivable.

unvorteilhaft *adj* disadvantageous.

unwahr *adj* untrue.

unwahrscheinlich 1. *adj* improbable, unlikely; 2. *adv* (*fam*) incredibly; **Unwahrscheinlichkeit** *f* improbability, unlikelihood.

unweigerlich 1. *adj* unquestioning; 2. *adv* without fail.

Unwesen *nt* nuisance; (*Unfug*) mischief; **sein ~ treiben** wreak havoc.

unwesentlich *adj* inessential, unimportant; **~ besser** marginally better.

Unwetter *nt* thunderstorm.

unwichtig *adj* unimportant.

unwiderlegbar *adj* irrefutable; **unwiderruflich** *adj* irrevocable; **unwiderstehlich** *adj* irresistible.

Unwille[n] *m* indignation; **unwillig** *adj* indignant; (*widerwillig*) reluctant.

unwillkürlich 1. *adj* involuntary; 2. *adv* instinctively; (*lachen*) involuntarily.

unwirklich *adj* unreal.

unwirsch *adj* cross, surly.

unwirtlich *adj* inhospitable.

unwirtschaftlich *adj* uneconomical.

unwissend *adj* ignorant; **Unwissenheit** *f* ignorance.

unwissenschaftlich *adj* unscientific.

unwohl *adj* unwell, ill; **Unwohlsein** *nt* <-s> indisposition.

unwürdig *adj* unworthy (*jds* of sb).

unzählig *adj* innumerable, countless.

unzerbrechlich *adj* unbreakable.

unzertrennlich *adj* inseparable.

Unzucht *f* sexual offence.

unzüchtig *adj* indecent.

unzufrieden *adj* dissatisfied; **Unzufriedenheit** *f* discontent.

unzulänglich *adj* inadequate.

unzulässig *adj* inadmissible.

unzurechnungsfähig *adj* not responsible; **jdn für ~ erklären lassen** have sb certified.

unzusammenhängend *adj* disconnected; (*Äußerung*) incoherent.

unzutreffend *adj* inapplicable; (*unwahr*) incorrect.

unzuverlässig *adj* unreliable.

unzweideutig *adj* unambiguous.

üppig *adj* (*Frau*) curvaceous; (*Busen*) full, ample; (*Essen*) sumptuous, lavish; (*Vegetation*) luxuriant, lush.

Ur- *in Zusammensetzungen* original; **uralt** *adj* ancient, very old.

Uran *nt* <-s> uranium.

Uraufführung *f* first performance; **Ureinwohner(in** *f*) *m* original inhabitant; **Urenkel(in** *f*) *m* great-grandchild; **Urgroßmutter** *f* great-grandmother; **Urgroßvater** *m* great-grandfather.

Urheber(in *f*) *m* <-s, -> originator; (*Autor*) author.

Urin *m* <-s, -e> urine.

urkomisch *adj* (*fam*) incredibly funny.

Urkunde *f* <-, -n> document, deed; **urkundlich** *adj* documentary.

Urlaub *m* <-[e]s, -e> holiday[s], vacation *US*; (*MIL*) leave; **Urlauber(in** *f*) *m* <-s, -> holiday-maker, vacationist *US*.

Urmensch *m* primitive man.

Urne *f* <-, -n> urn; (*Wahl~*) ballot-box.

Ursache *f* cause.

Ursprung *m* origin, source; (*von Fluß*) source.

ursprünglich *adj, adv* original[ly].

Urteil *nt* <-s, -e> opinion; (*JUR*) sentence, judgement; **urteilen** *vi* judge; **Urteilsspruch** *m* sentence, verdict.

Urwald *m* jungle.

Urzeit *f* prehistoric times *pl*.

USA *pl* USA *sing*.

usw *abk von* **und so weiter** etc.

Utensilien *pl* utensils *pl*.

Utopie *f* pipedream; **utopisch** *adj* utopian.

V

V, v *nt* V, v.

vag[e] *adj* vague.

Vagina *f* <-, **Vaginen**> vagina.

Vakuum *nt* <-s, **Vakua** *o* **Vakuen**> vacuum; **vakuumverpackt** *adj* vacuum-packed.

Vandalismus *m* vandalism.

Vanille *f* <-> vanilla.

Variation *f* variation; **variieren** *vt, vi* vary.

Vase *f* <-, -n> vase.

Vater *m* <-s, ⁀er> father; **Vaterland** *nt* native country; Fatherland; **Vaterlandsliebe** *f* patriotism; **väterlich** *adj* fatherly; **väterlicherseits** *adv* on the father's side; **Vaterschaft** *f* paternity; **Vaterunser** *nt* <-s, -> Lord's prayer.

Vegetarier(in *f*) *m* <-s, -> vegetarian.

Veilchen *nt* violet.

Velo *nt* <-s, -s > (*schweizerisch*) bicycle.

Vene *f* <-, -n> vein.

Ventil *nt* <-s, -e> valve.

Ventilator *m* ventilator.

verabreden 1. *vt* agree, arrange; 2. *vr*: **sich ~** arrange to meet (*mit jdm* sb); **Verabredung** *f* arrangement; (*Treffen*) appointment.

verabscheuen *vt* detest, abhor.

verabschieden 1. *vt* (*Gäste*) say goodbye to; (*entlassen*) discharge; (*Gesetz*) pass; 2. *vr*: **sich ~** take one's leave (*von* of); **Verabschiedung** *f* leave-taking; discharge; passing.

verachten *vt* despise; **verächtlich** *adj* contemptuous; (*verachtenswert*) contemptible; **jdn ~ machen** run sb down; **Verachtung** *f* contempt.

verallgemeinern *vt* generalize; **Verallgemeinerung** *f* generalization.

veralten *vi* become obsolete [*o* out-of-date].

Veranda *f* <-, **Veranden**> veranda.

veränderlich *adj* changeable; **Veränderlichkeit** *f* variability, instability; **verändern** *vt, vr*: **sich ~** change, alter; **Veränderung** *f* change, alteration.

veranlagt *adj* with a... nature; **Veranlagung** *f* (*körperlich*) predisposition; (*charakterlich*) disposition; (*Hang*) tendency; (*Fähigkeiten*) abilities *pl*.

veranlassen *vt* cause; **Maßnahmen ~** take measures; **sich veranlaßt sehen** feel prompted; **Veranlassung** *f* cause; **auf jds ~ [hin]** at the instance of sb.

veranschaulichen *vt* illustrate.

veranschlagen *vt* estimate.

veranstalten *vt* organize, arrange; **Veranstalter(in** *f*) *m* <-s, -> organizer; **Veranstaltung** *f* (*Veranstalten*) organizing; (*Veranstaltetes*) event, function.

verantworten 1. *vt* answer for; 2. *vr*: **sich ~** justify oneself; **verantwortlich** *adj* responsible; **Verantwortung** *f* responsibility; **verantwortungsbewußt** *adj* responsible; **verantwortungslos** *adj* irresponsible.

verarbeiten *vt* process; (*geistig*) assimilate; **etw zu etw ~** make sth into sth; **Verarbeitung** *f* processing; assimilation.

verärgern *vt* annoy.

verausgaben *vr*: **sich ~** run out of money; (*fig*) exhaust oneself.

veräußern *vt* dispose of, sell.

Verb *nt* <-s, -en> verb.

Verband *m, pl* <-**bände**> (*MED*) bandage, dressing; (*Bund*) association, society; (*MIL*) unit; **Verband[s]kasten** *m* medicine chest, first-aid box; **Verband[s]zeug** *nt* dressing material.

verbannen *vt* banish; **Verbannung** *f* exile.

verbergen *irr vt, vr*: **sich ~** hide (*vor* + *dat* from).

verbessern *vt, vr*: **sich ~** improve; (*berichtigen*) correct [oneself]; **Verbesserung** *f* improvement; correction.

verbeugen *vr*: **sich ~** bow; **Verbeugung** *f* bow.

verbiegen *irr vi* bend.

verbieten *irr vt* forbid (*jdm etw* sb to do sth).

verbilligt *adj* reduced.

verbinden *irr* 1. *vt* connect; (*kombinieren*) combine; (*MED*) bandage; 2. *vr*: **sich ~** combine, join; **jdm die Augen ~** blindfold sb.

verbindlich adj binding; (freundlich) friendly; **Verbindlichkeit** f obligation; (Höflichkeit) civility.

Verbindung f connection; (Zusammensetzung) combination; (CHEM) compound; (an Universität) club, fraternity.

verbissen adj grim, dogged.

verbitten irr vt: sich dat etw ~ not tolerate sth, not stand for sth.

verbittern 1. vt embitter; 2. vi get bitter.

verblassen vi fade.

Verbleib m <-[e]s> whereabouts pl; **verbleiben** irr vi remain; **wir sind so verblieben, daß wir...** we arranged to...

verbleit adj leaded.

Verblendung f (fig) delusion.

verblöden vi get stupid.

verblüffen vt stagger, amaze; **Verblüffung** f stupefaction.

verblühen vi wither, fade.

verbluten vi bleed to death.

verborgen adj hidden.

Verbot nt <-[e]s, -e> prohibition, ban; **verboten** adj forbidden; **Rauchen ~!** no smoking; **verbotenerweise** adv though it is forbidden; **Verbotsschild** nt prohibitory sign.

Verbrauch m <-[e]s> consumption; **verbrauchen** vt use up; **Verbraucher(in** f) m <-s, -> consumer; **Verbraucherzentrale** f consumer advice centre; **verbraucht** adj used up, finished; (Luft) stale; (Mensch) worn-out.

verbrechen irr vt perpetrate; **Verbrechen** nt <-s, -> crime; **Verbrecher(in** f) m <-s, -> criminal; **verbrecherisch** adj criminal.

verbreiten vt, vr: sich ~ spread; **sich über etw** akk ~ expound on sth.

verbreitern vt broaden.

Verbreitung f spread[ing], propagation.

verbrennbar adj combustible; **verbrennen** irr vt burn; (Leiche) cremate; **Verbrennung** f burning; (in Motor) combustion; (von Leiche) cremation; **Verbrennungsmotor** m internal combustion engine.

verbringen irr vt spend.

Verbrüderung f fraternization.

verbrühen vt scald.

verbuchen vt (FIN) register; (Erfolg) enjoy; (Mißerfolg) suffer.

verbunden adj connected; **jdm ~ sein** be obliged [o indebted] to sb; **falsch ~** (TEL) wrong number; **Verbundenheit** f bond, relationship.

verbünden vr: sich ~ ally oneself; **Verbündete(r)** mf ally.

verbürgen vr: sich ~ für vouch for.

verbüßen vt: **eine Strafe ~** serve a sentence.

verchromt adj chromium-plated.

Verdacht m <-[e]s> suspicion; **verdächtig** adj suspicious, suspect; **verdächtigen** vt suspect.

verdammen vt damn, condemn; **Verdammnis** f perdition, damnation.

verdampfen vi vaporize, evaporate.

verdanken vt: **jdm etw** ~ owe sb sth.

verdarb pt von **verderben.**

verdauen vt (auch fig) digest; **verdaulich** adj digestible; **das ist schwer ~** that is hard to digest; **Verdauung** f digestion.

Verdeck nt <-[e]s, -e> (AUT) hood; (NAUT) deck.

verdecken vt cover [up]; (verbergen) hide.

verdenken irr vt: **jdm etw** ~ blame sb for sth, hold sth against sb.

verderben <verdarb, verdorben> 1. vt spoil; (schädigen) ruin; (moralisch) corrupt; 2. vi (Essen) spoil, rot; (Mensch) go to the bad; **es mit jdm** ~ get into sb's bad books; **Verderben** nt <-s> ruin; **verderblich** adj (Einfluß) pernicious; (Lebensmittel) perishable; **verderbt** adj depraved; **Verderbtheit** f depravity.

verdeutlichen vt make clear.

verdichten vt, vr: sich ~ condense.

verdienen vt earn; (moralisch) deserve; **Verdienst** 1. m <-[e]s, -e> earnings pl; 2. nt <-[e]s, -e> merit; (Leistung) service (um to); **verdient** adj well-earned; (Mensch) deserving of esteem; **sich um etw** ~ **machen** do a lot for sth.

verdoppeln vt double; **Verdopp[e]lung** f doubling.

verdorben 1. pp von **verderben**; 2. adj spoilt; (geschädigt) ruined; (moralisch) corrupt.

verdrängen vt oust; (auch PHYS) displace; (PSYCH) repress; **Verdrängung** f displacement; (PSYCH) repression.

verdrehen vt (auch fig) twist; (Augen) roll; **jdm den Kopf** ~ (fig) turn sb's head.

verdreifachen vt treble.

verdrießlich adj peevish, annoyed.

verdrossen adj cross, sulky.

verdrücken 1. vt (fam) put away, eat; 2. vr: sich ~ (fam) disappear.

Verdruß m <-sses, -sse> annoyance, worry.

verduften 1. vi evaporate; 2. vi, vr: sich ~ (fam) disappear.

verdummen 1. vt make stupid; 2. vi grow stupid.

verdunkeln vt, vr: sich ~ darken; (fig) obscure; **Verdunk[e]lung** f blackout;

(fig) obscuring.
verdünnen *vt* dilute.
verdunsten *vi* evaporate.
verdursten *vi* die of thirst.
verdutzt *adj* nonplussed, taken aback.

verehren *vt* venerate; *(auch REL)* worship; **jdm etw** ~ present sb with sth; **Verehrer(in** *f*) *m* <**-s, ->** admirer; *(auch REL)* worshipper; **verehrt** *adj* esteemed; **Verehrung** *f* respect; *(REL)* worship.
vereidigen *vt* put on oath; **Vereidigung** *f* swearing in.
Verein *m* <**-[e]s, -e** > club, association.
vereinbar *adj* compatible.
vereinbaren *vt* agree upon; **Vereinbarung** *f* agreement.
vereinfachen *vt* simplify.
vereinheitlichen *vt* standardize.
vereinigen *vt, vr:* **sich** ~ unite; **Vereinigtes Königreich** United Kingdom; **Vereinigte Staaten [von Amerika]** *pl* United States [of America] *pl*; **Vereinigung** *f* union; *(Verein)* association.
vereinsamen *vi* become lonely.
vereint *adj* united.
vereinzelt *adj* isolated.
vereisen 1. *vi* freeze, ice over; **2.** *vt* *(MED)* freeze.
vereiteln *vt* frustrate.
vereitern *vi* suppurate, fester.
verengen *vr:* **sich** ~ narrow.
vererben 1. *vt* bequeath; *(BIO)* transmit; **2.** *vr:* **sich** ~ be hereditary; **vererblich** *adj* hereditary; **Vererbung** *f* bequeathing; *(BIO)* transmission; *(Lehre)* heredity.
verewigen 1. *vt* immortalize; **2.** *vr:* **sich** ~ *(fam)* leave one's name.
verfahren 1. *vi* act; **2.** *vr:* **sich** ~ get lost; **3.** *adj* tangled; ~ **mit** deal with; **Verfahren** *nt* <**-s, ->** procedure; *(TECH)* process; *(JUR)* proceedings *pl*.
Verfall *m* <**-[e]s** > decline; *(von Haus)* dilapidation; *(FIN)* expiry; **verfallen** *irr* *vi* decline; *(Haus)* be falling down; *(FIN)* lapse; ~ **in** lapse into; ~ **auf** + *akk* hit upon; **einem Laster** ~ **sein** be addicted to a vice.
verfänglich *adj* awkward, tricky.
verfärben *vr:* **sich** ~ change colour.
Verfasser(in *f*) *m* <**-s, ->** author, writer.
Verfassung *f* *(auch POL)* constitution; **Verfassungsgericht** *nt* constitutional court; **verfassungsmäßig** *adj* constitutional; **verfassungswidrig** *adj* unconstitutional.
verfaulen *vi* rot.
Verfechter(in *f*) *m* <**-s, ->** champion.

verfehlen *vt* miss; **etw für verfehlt halten** regard sth as mistaken.
verfeinern *vt* refine.
verfliegen *irr* *vi* evaporate; *(Zeit)* pass, fly.
verflossen *adj* past, former.
verfluchen *vt* curse.
verflüchtigen *vr:* **sich** ~ vaporize, evaporate; *(Geruch)* fade.
verfolgen *vt* pursue; *(gerichtlich)* prosecute; *(grausam, bes. POL)* persecute; **Verfolger(in** *f*) *m* <**-s, ->** pursuer; **Verfolgung** *f* pursuit; prosecution; persecution; **Verfolgungswahn** *m* persecution mania.
verfremden *vt* alienate, distance.
verfrüht *adj* premature.
verfügbar *adj* available; **verfügen 1.** *vt* direct, order; **2.** *vi:* ~ **über** + *akk* have at one's disposal; **Verfügung** *f* direction, order; **zur** ~ at one's disposal; **jdm zur** ~ **stehen** be available to sb.
verführen *vt* tempt; *(sexuell)* seduce; **Verführer(in** *f*) *m* tempter; seducer; **verführerisch** *adj* seductive; **Verführung** *f* seduction; *(Versuchung)* temptation.
vergammeln *vi* *(fam)* go to seed; *(Nahrung)* go off.
vergangen *adj* past; **Vergangenheit** *f* past; **Vergangenheitsbewältigung** *f* process of coming to terms with the past.
vergänglich *adj* transitory; **Vergänglichkeit** *f* transitoriness, impermanence.
vergasen *vt* gasify; *(töten)* gas; **Vergaser** *m* <**-s, ->** *(AUT)* carburettor.
vergaß *pt von* **vergessen**.
vergeben *irr* *vt* forgive *(jdm etw* sb for sth*)*; *(weggeben)* give away; ~ **sein** be occupied; *(fam: Mädchen)* be spoken for.
vergebens *adv* in vain; **vergeblich 1.** *adv* in vain; **2.** *adj* vain, futile.
Vergebung *f* forgiveness.
vergegenwärtigen *vt:* **sich** *dat* **etw** ~ recall [*o* visualize] sth.
vergehen *irr* **1.** *vi* pass by, pass away; **2.** *vr:* **sich** ~ commit an offence *(gegen etw* against sth*)*; **sich an jdm** ~ [sexually] assault sb; **jdm vergeht etw** sb loses sth; **Vergehen** *nt* <**-s, ->** offence.
vergelten *irr* *vt* pay back *(jdm etw* sb for sth*)*, repay; **Vergeltung** *f* retaliation, reprisal; **Vergeltungsschlag** *m* *(MIL)* reprisal.
vergessen <**vergaß, vergessen** > *vt* forget; **Vergessenheit** *f* oblivion; **vergeßlich** *adj* forgetful; **Vergeßlichkeit** *f* forgetfulness.
vergeuden *vt* squander, waste.
vergewaltigen *vt* rape; *(fig)* violate;

Vergewaltigung f rape.
vergewissern vr: **sich** ~ make sure.
vergießen irr vt shed.
vergiften vt poison; **Vergiftung** f poisoning.
Vergißmeinnicht nt <-[e]s, -e> forget-me-not.
verglasen vt glaze.
Vergleich m <-[e]s, -e> comparison; (JUR) settlement; **im** ~ **mit** [o zu] compared with [o to]; **vergleichbar** adj comparable; **vergleichen** irr 1. vt compare; **2.** vr: **sich** ~ reach a settlement.
vergnügen vr: **sich** ~ enjoy [o amuse] oneself; **Vergnügen** nt <-s, -> pleasure; **viel** ~ ! enjoy yourself!; **vergnügt** adj cheerful; **Vergnügung** f pleasure, amusement; **Vergnügungspark** m amusement park; **vergnügungssüchtig** adj pleasure-loving.
vergolden vt gild.
vergöttern vt idolize.
vergraben irr vt bury.
vergrätzen vt vex.
vergreifen irr vr: **sich an jdm** ~ lay hands on sb; **sich an etw** ~ misappropriate sth; **sich im Ton** ~ adopt the wrong tone.
vergriffen adj (Buch) out of print; (Ware) out of stock.
vergrößern vt enlarge; (mengenmäßig) increase; (Lupe) magnify; **Vergrößerung** f enlargement; increase; magnification; **Vergrößerungsglas** nt magnifying glass.
Vergünstigung f privilege; (Preis~) reduction.
vergüten vt: **jdm etw** ~ compensate sb for sth; **Vergütung** f compensation.
verh. adj abk von **verheiratet** married.
verhaften vt arrest; **Verhaftete(r)** mf prisoner; **Verhaftung** f arrest.
verhallen vi die away.
verhalten irr 1. vr: **sich** ~ be, stand; (sich benehmen) behave; (MATH) be in proportion to; **2.** vt hold [o keep] back; (Schritt) check; **Verhalten** nt <-s> behaviour; **Verhaltensforschung** f behavioural science; **Verhaltensmaßregel** f rule of conduct.
Verhältnis nt relationship; (MATH) proportion, ratio; **~se** pl conditions pl; **über seine ~se leben** live beyond one's means; **verhältnismäßig** adj, adv relative[ly], comparative[ly].
verhandeln 1. vi negotiate (über etw akk sth); (JUR) hold proceedings; **2.** vt discuss; (JUR) hear; **Verhandlung** f negotiation; (JUR) proceedings pl.
verhängen vt (fig) impose, inflict.

Verhängnis nt fate, doom; **jdm zum** ~ **werden** be sb's undoing; **verhängnisvoll** adj fatal, disastrous.
verharmlosen vt make light of, play down.
verharren vi remain; (hartnäckig) persist.
verhaßt adj odious, hateful.
verheerend adj disastrous, devastating.
verhehlen vt conceal.
verheilen vi heal.
verheimlichen vt keep secret (jdm from sb).
verheiratet adj married.
verheißen irr vt: **jdm etw** ~ promise sb sth.
verhelfen irr vi: **jdm** ~ **zu** help sb to get.
verherrlichen vt glorify.
verhexen vt bewitch; **es ist wie verhext** it's jinxed.
verhindern vt prevent; **verhindert sein** be unable to make it.
verhöhnen vt mock, sneer at.
Verhör nt <-[e]s, -e> interrogation; (gerichtlich) [cross-]examination; **verhören** 1. vt interrogate, [cross-]examine; **2.** vr: **sich** ~ misunderstand, mishear.
verhungern vi starve, die of hunger.
verhüten vt prevent, avert; **Verhütung** f prevention; **Verhütungsmittel** nt contraceptive.
verirren vr: **sich** ~ get lost.
verjagen vt drive away.
verjüngen 1. vt rejuvenate; **2.** vr: **sich** ~ taper.
verkabeln vt cable; **Verkabelung** f cabling.
verkalken vi calcify; (fam) become senile.
verkalkulieren vr: **sich** ~ miscalculate.
verkannt adj unappreciated.
Verkauf m sale; **verkaufen** vt sell; **Verkäufer(in** f) m seller; (beruflich) salesperson; (in Laden) shop assistant; **verkäuflich** adj saleable.
Verkehr m <-s, -e> traffic; (Umgang, bes. sexuell) intercourse; (Umlauf) circulation; **verkehren** 1. vi (Fahrzeug) ply, run; (besuchen) visit regularly (bei jdm sb); **2.** vt, vr: **sich** ~ turn, transform; ~ **mit** associate with; **Verkehrsampel** f traffic lights pl; **Verkehrsberuhigung** f traffic reduction; **Verkehrsdelikt** nt traffic offence; **Verkehrsinsel** f traffic island; **Verkehrsstockung** f traffic jam, stoppage; **Verkehrsunfall** m traffic accident; **Verkehrsverbund** m combined transport authority; **verkehrswidrig** adj contrary to traffic regulations; **Verkehrszeichen** nt traffic sign.

verkehrt adj wrong; (umgekehrt) the wrong way round.

verkennen irr vt misjudge, not appreciate.

verklagen vt take to court.

verklappen vt dump [in the sea]; **Verklappung** f dumping [into the sea].

verklären vt transfigure; **verklärt lächeln** smile radiantly.

verkleiden vt, vr: **sich** ~ disguise [oneself], dress up; **Verkleidung** f disguise; (ARCHIT) wainscoting.

verkleinern vt make smaller, reduce in size.

verklemmt adj (fig) inhibited.

verklingen irr vi die away.

verkneifen irr vt: **sich** dat **etw** ~ (Lachen) stifle sth; (Schmerz) hide sth; (sich versagen) do without sth; **verkniffen** adj strained; (Ansichten) narrow.

verknüpfen vt tie [up], knot; (fig) connect.

verkohlen 1. vt, vi carbonize; 2. vt (fam) fool.

verkommen 1. irr vi deteriorate, decay; (Mensch) go downhill, come down in the world; 2. adj (moralisch) dissolute, depraved; **Verkommenheit** f depravity.

verkörpern vt embody, personify.

verkraften vt cope with.

verkriechen irr vr: **sich** ~ creep away, creep into a corner.

verkrümmt adj crooked; **Verkrümmung** f bend, warp; (ANAT) curvature.

verkrüppelt adj crippled.

verkrustet adj encrusted.

verkühlen vr: **sich** ~ get a chill.

verkümmern vi waste away.

verkünden vt proclaim; (Urteil) pronounce.

verkürzen vt shorten; (Wort) abbreviate; **sich** dat **die Zeit** ~ while away the time; **Verkürzung** f shortening; abbreviation.

verladen vt load.

Verlag m <-[e]s, -e> publishing firm.

verlangen 1. vt (fordern) demand; (wollen) want; (Preis) ask; (Qualifikation, erfordern) require; (erwarten) ask (von of); (fragen nach) ask for; (Paß etc) ask to see; 2. vi: ~ **nach** ask for, desire; ~ **Sie Herrn X** ask for Mr X; **Sie werden am Telefon verlangt** you are wanted on the phone; **Verlangen** nt <-s, -> desire (nach for); **auf jds** ~ [hin] at sb's request.

verlängern vt extend; (länger machen) lengthen; **Verlängerung** f extension; (SPORT) extra time; **Verlängerungsschnur** f extension cable.

verlangsamen vt, vr: **sich** ~ decelerate, slow down.

Verlaß m: **auf ihn/das ist kein** ~ he/it cannot be relied upon.

verlassen irr 1. vt leave; 2. vr: **sich** ~ depend (auf + akk on); 3. adj desolate; (Mensch) abandoned; **Verlassenheit** f loneliness.

verläßlich adj reliable.

Verlauf m course; **verlaufen** irr 1. vi (zeitlich) pass; (Farben) run; 2. vr: **sich** ~ get lost; (Menschenmenge) disperse.

verlauten vi: **etw** ~ **lassen** disclose sth; **wie verlautet** as reported.

verleben vt spend.

verlebt adj dissipated, worn out.

verlegen 1. vt move; (verlieren) mislay; (abspielen lassen) set (nach in); (Buch) publish; 2. vr: **sich auf etw** akk ~ take up [o to] sth; 3. adj embarrassed; **nicht** ~ **um** never at a loss for; **Verlegenheit** f embarrassment; (Situation) difficulty, scrape; **Verleger(in)** m <-s, -> publisher.

Verleih m <-[e]s, -e> hire service; **verleihen** irr vt lend; (Kraft, Anschein) confer, bestow; (Preis, Medaille) award; **Verleihung** f lending; bestowal; award.

verleiten vt lead astray; ~ **zu** talk into, tempt into.

verlernen vt forget, unlearn.

verlesen irr 1. vt read out; (aussondern) sort out; 2. vr: **sich** ~ make a mistake in reading.

verletzen vt (auch fig) injure, hurt; (Gesetz etc) violate; **verletzend** adj (fig) hurtful; **verletzlich** adj vulnerable, sensitive; **Verletzte(r)** mf injured person; **Verletzung** f injury; (Verstoß) violation, infringement.

verleugnen vt deny; (Menschen) disown.

verleumden vt slander; **verleumderisch** adj slanderous; **Verleumdung** f slander, libel.

verlieben vr: **sich** ~ fall in love (in jdn with sb); **verliebt** adj in love; **Verliebtheit** f being in love.

verlieren <verlor, verloren> 1. vt, vi lose; 2. vr: **sich** ~ get lost; (verschwinden) disappear.

verloben vr: **sich** ~ get engaged (mit to); **Verlobte(r)** mf fiancé/fiancée; **Verlobung** f engagement.

Verlockung f temptation, attraction.

verlogen adj untruthful; **Verlogenheit** f untruthfulness.

verlor pt von **verlieren**; **verloren** 1. pp von **verlieren**; 2. adj lost; (Eier) poached; **der** ~ **e Sohn** the prodigal son; **etw** ~ **geben** give sth up for lost; **verlorengehen** irr vi get lost.

verlosen vt raffle, draw lots for; **Verlosung** f raffle, lottery.

verlottern, verludern vi (fam) go to the dogs.

Verlust m <-[e]s, -e> loss; (MIL) casualty.

vermachen vt bequeath, leave; **Vermächtnis** nt legacy.

vermählen vr: sich ~ marry; **Vermählung** f wedding, marriage.

vermehren vt, vr: sich ~ multiply; (Menge) increase; **Vermehrung** f multiplying; increase.

vermeiden irr vt avoid.

vermeintlich adj supposed.

Vermerk m <-[e]s, -e> note; (in Ausweis) endorsement; **vermerken** vt note.

vermessen irr **1.** vt survey; **2.** vr: sich ~ (falsch messen) measure incorrectly; **3.** adj presumptuous, bold; **Vermessenheit** f presumptuousness; **Vermessung** f survey[ing].

vermieten vt let, rent [out]; (Auto) hire out, rent; **Vermieter(in** f) m landlord/-lady; **Vermietung** f letting, renting [out]; (von Autos) hiring [out].

vermindern vt, vr: sich ~ lessen, decrease; (Preise) reduce; **Verminderung** f reduction.

vermischen vt, vr: sich ~ mix, blend.

vermissen vt miss; **vermißt** adj missing.

vermitteln 1. vi mediate; **2.** vt (Gespräch) connect; **jdm etw** ~ help sb to obtain sth; **Vermittler(in** f) m <-s, -> (Schlichter) agent, mediator; **Vermittlung** f procurement; (Stellen~) agency; (TEL) exchange; (Schlichtung) mediation.

Vermögen nt <-s, -> wealth; (Fähigkeit) ability; **ein** ~ **kosten** cost a fortune; **vermögend** adj wealthy.

vermummen vr: sich ~ disguise oneself, make oneself unrecognizable; **Vermummung** f disguising oneself, making oneself unrecognizable.

vermuten vt suppose, guess; (argwöhnen) suspect; **vermutlich 1.** adj supposed, presumed; **2.** adv probably; **Vermutung** f supposition; (Verdacht) suspicion.

vernachlässigen vt neglect.

vernarben vi heal up.

vernehmen irr vt perceive, hear; (erfahren) learn; (JUR) [cross-]examine; **dem V~ nach** from what I/we hear; **vernehmlich** adj audible; **Vernehmung** f [cross-]examination; **vernehmungsfähig** adj in a condition to be [cross-]examined.

verneigen vr: sich ~ bow.

verneinen vt (Frage) answer in the negative; (ablehnen) deny; (LING) negate; **Verneinung** f negation.

vernetzen vt connect (mit up to); (COMPUT) integrate into a network; **Vernetzung** f connecting up; (COMPUT) networking.

vernichten vt annihilate, destroy; **vernichtend** adj (fig) crushing; (Blick) withering; (Kritik) scathing; **Vernichtung** f destruction, annihilation.

verniedlichen vt play down.

Vernunft f <-> reason, understanding; **vernünftig** adj sensible, reasonable.

veröffentlichen vt publish; **Veröffentlichung** f publication.

verordnen vt (MED) prescribe; **Verordnung** f order, decree; (MED) prescription.

verpachten vt lease [out].

verpacken vt pack; **Verpackung** f packing; **Verpackungsmaterial** nt packaging.

verpassen vt miss; **jdm eine Ohrfeige** ~ (fam) give sb a clip round the ear.

verpesten vt pollute.

verpflanzen vt transplant; **Verpflanzung** f transplant[ing].

verpflegen vt feed, cater for; **Verpflegung** f feeding, catering; (Kost) food; (in Hotel) board.

verpflichten 1. vt oblige, bind; (anstellen) engage; **2.** vr ~ undertake; (MIL) sign on; **3.** vi carry obligations; **jdm zu Dank verpflichtet sein** to be obliged to sb; **Verpflichtung** f obligation, duty.

verpfuschen vt (fam) bungle, make a mess of.

verplempern vt (fam) waste.

verpönt adj frowned upon.

verprassen vt squander.

verprügeln vt (fam) beat up, do over.

Verputz m plaster, roughcast; **verputzen** vt plaster; (fam: essen) put away.

verquollen adj swollen; (Holz) warped.

Verrat m <-[e]s> treachery; (POL) treason; **verraten** irr **1.** vt betray; (Geheimnis) divulge; **2.** vr: sich ~ give oneself away; **Verräter(in** f) m <-s, -> traitor/traitress; **verräterisch** adj treacherous.

verrechnen 1. vt: ~ **mit** set off against; **2.** vr: sich ~ miscalculate; **Verrechnungsscheck** m crossed cheque.

verregnet adj spoilt by rain, rainy.

verreisen vi go away [on a journey].

verreißen irr vt pull to pieces.

verrenken vt contort; (MED) dislocate;

sich *dat* den Knöchel ~ sprain one's ankle; **Verrenkung** *f* contortion; (*MED*) dislocation, sprain.

verrichten *vt* do, perform.

verriegeln *vt* bolt up, lock.

verringern 1. *vt* reduce; **2.** *vr*: sich ~ diminish; **Verringerung** *f* reduction; (*Abnahme*) lessening.

verrosten *vi* rust.

verrotten *vi* rot.

verrücken *vt* move, shift.

verrückt *adj* crazy, mad; **Verrückte(r)** *mf* lunatic; **Verrücktheit** *f* madness, lunacy.

Verruf *m*: in ~ geraten/bringen fall/ bring into disrepute; **verrufen** *adj* notorious, disreputable.

Vers *m* <-es, -e> verse.

versagen 1. *vt*: jdm/sich etw ~ deny sb/oneself sth; **2.** *vi* fail; **Versagen** *nt* <-s> failure; **menschliches** ~ human error; **Versager(in** *f*) *m* <-s, -> failure.

versalzen *irr vt* put too much salt in; (*fig*) spoil.

versammeln *vt*, *vr*: sich ~ assemble, gather; **Versammlung** *f* meeting, gathering.

Versand *m* <-[e]s> dispatch; (~ *abteilung*) dispatch department; **Versandhaus** *nt* mail-order firm.

versäumen *vt* miss; (*unterlassen*) neglect, fail; **Versäumnis** *nt* neglect; (*Unterlassung*) omission.

verschaffen *vt*: jdm/sich etw ~ get [*o* procure] sth for sb/oneself.

verschämt *adj* bashful.

verschandeln *vt* (*fam*) spoil.

verschanzen *vr*: sich hinter etw *dat* ~ dig in behind sth; (*fig*) take refuge behind sth.

verschärfen *vt*, *vr*: sich ~ intensify; (*Lage*) aggravate.

verschätzen *vr*: sich ~ be out in one's reckoning.

verschenken *vt* give away.

verscherzen *vt*: sich *dat* etw ~ lose sth, throw sth away.

verscheuchen *vt* frighten away.

verschicken *vt* send off; (*Sträfling*) transport, deport.

verschieben *irr vt* shift; (*EISENB*) shunt; (*Termin*) postpone; (*COM*) push.

verschieden *adj* (*unterschiedlich*) different; (*attributiv: mehrere*) various; **sie sind ~ groß** they are of different sizes; **~e** *pl* various people/things *pl*; **~es** various things *pl*; **etwas V~es** something different; **verschiedenartig** *adj* various, of different kinds; **zwei so ~e...** two such

differing...; **Verschiedenheit** *f* difference; **verschiedentlich** *adv* several times.

verschimmeln *vi* go mouldy.

verschlafen *irr* **1.** *vt* sleep through; (*fig*) miss; **2.** *vi*, *vr*: sich ~ oversleep; **3.** *adj* sleepy.

verschlampen 1. *vi* fall into neglect; **2.** *vt* lose, mislay.

verschlechtern 1. *vt* make worse; **2.** *vr*: sich ~ deteriorate, get worse; **Verschlechterung** *f* deterioration.

Verschleiß *m* <-es, -e> wear and tear; (*österreichisch*) retail trade; **verschleißen** <**verschliß, verschlissen**> **1.** *vt* wear out; retail; **2.** *vi*, *vr*: sich ~ wear out.

verschleppen *vt* carry off, abduct; (*zeitlich*) drag out, delay.

verschleudern *vt* squander; (*COM*) sell dirt-cheap.

verschließbar *adj* lockable; **verschließen** *irr* **1.** *vt* close; (*mit Schlüssel*) lock; **2.** *vr*: sich einer Sache *dat* ~ close one's mind to sth.

verschlimmern 1. *vt* make worse, aggravate; **2.** *vr*: sich ~ get worse, deteriorate; **Verschlimmerung** *f* deterioration.

verschlingen *irr vt* devour, swallow up; (*Fäden*) twist.

verschliß *pt* von **verschleißen**; **verschlissen** *pp* von **verschleißen**.

verschlossen *adj* locked; (*fig*) reserved; **Verschlossenheit** *f* reserve.

verschlucken 1. *vt* swallow; **2.** *vr*: sich ~ choke.

Verschluß *m* lock; (*von Kleid etc*) fastener; (*FOT*) shutter; (*Stöpsel*) plug; **unter ~ halten** keep under lock and key.

verschlüsseln *vt* encode.

verschmähen *vt* disdain, scorn.

verschmelzen *irr vt*, *vi* merge, blend.

verschmerzen *vt* get over.

verschmutzen *vt* soil; (*Umwelt*) pollute.

verschneit *adj* snowed up, covered in snow.

verschollen *adj* lost, missing.

verschonen *vt* spare (jdn mit etw sb sth).

verschönern *vt* decorate; (*verbessern*) improve.

verschreiben *irr* **1.** *vt* (*Papier*) use up; (*MED*) prescribe; **2.** *vr*: sich ~ make a mistake [in writing]; **sich einer Sache** *dat* ~ devote oneself to sth.

verschrien *adj* notorious.

verschroben *adj* eccentric, odd.

verschrotten *vt* scrap.

verschüchtert *adj* subdued, intimidated.

verschulden *vt* be guilty of; **Verschulden** *nt* <-s> fault, guilt; **verschuldet**

adj in debt; **Verschuldung** *f* fault; (*Geldschulden*) debts *pl*.

verschütten *vt* spill; (*zuschütten*) fill; (*unter Trümmer*) bury.

verschweigen *irr vt* keep secret; **jdm etw** ~ keep sth from sb.

verschwenden *vt* squander; **Verschwender(in** *f) m* <**-s, ->** spendthrift; **verschwenderisch** *adj* wasteful, extravagant; **Verschwendung** *f* waste; extravagance.

verschwiegen *adj* discreet; (*Ort*) secluded; **Verschwiegenheit** *f* discretion; seclusion.

verschwimmen *irr vi* grow hazy, become blurred.

verschwinden *irr vi* disappear, vanish; **Verschwinden** *nt* <**-s>** disappearance.

verschwitzen *vt* stain with sweat; (*fam*) forget.

verschwommen *adj* hazy, vague.

verschwören *irr vr*: **sich** ~ plot, communicate; **Verschwörer(in** *f) m* <**-s, ->** conspirator; **Verschwörung** *f* conspiracy, plot.

versehen *irr* **1.** *vt* supply, provide; (*Pflicht*) carry out; (*Amt*) fill; (*Haushalt*) keep; **2.** *vr*: **sich** ~ make a mistake; **ehe er [es] sich** ~ **hatte...** before he knew it...; **Versehen** *nt* <**-s, ->** oversight; **aus** ~ by mistake; **versehentlich** *adv* by mistake.

Versehrte(r) *mf* disabled person.

versenden *irr vt* send, dispatch.

versenken **1.** *vt* sink; **2.** *vr*: **sich** ~ become engrossed (*in* + *akk* in).

versessen *adj*: ~ **auf** + *akk* mad about.

versetzen **1.** *vt* transfer; (*verpfänden*) pawn; (*fam: bei Verabredung*) stand up; **2.** *vr*: **sich in jdn** [*o* **jds Lage**] ~ put oneself in sb's place; **jdm einen Tritt/Schlag** ~ kick/hit sb; **etw mit etw** ~ mix sth with sth; **jdn in gute Laune** ~ put sb in a good mood; **Versetzung** *f* transfer.

verseuchen *vt* contaminate.

versichern **1.** *vt* assure; (*mit Geld*) insure; **2.** *vr*: **sich** ~ make sure (*gen* of); **Versicherung** *f* assurance; insurance; **Versicherungskarte** *f*: **grüne** ~ green card; **Versicherungspolice** *f* insurance policy.

versiegeln *vt* seal [up].

versiegen *vi* dry up.

versinken *irr vi* sink.

versöhnen **1.** *vt* reconcile; **2.** *vr*: **sich** ~ become reconciled; **Versöhnung** *f* reconciliation.

versorgen **1.** *vt* provide, supply (*mit* with); (*Familie etc*) look after; **2.** *vr*: **sich**

~ look after oneself; **Versorgung** *f* provision; (*Unterhalt*) maintenance; (*Alters*~ *etc*) benefit, assistance.

verspäten *vr*: **sich** ~ be late; **Verspätung** *f* delay; ~ **haben** be late.

versperren *vt* bar, obstruct.

verspielen *vt, vi* lose; **verspielt** *adj* playful; **bei jdm** ~ **haben** be in sb's bad books.

verspotten *vt* ridicule, scoff at.

versprechen *irr vt* promise; **sich** *dat* **etw von etw** ~ expect sth from sth; **Versprechen** *nt* <**-s, ->** promise.

verstaatlichen *vt* nationalize.

Verstand *m* intelligence; mind; **den** ~ **verlieren** go out of one's mind; **über jds** ~ **gehen** go beyond sb; **verstandesmäßig** *adj* rational; intellectual; **verständig** *adj* sensible.

verständigen **1.** *vt* inform; **2.** *vr*: **sich** ~ communicate; (*sich einigen*) come to an understanding; **Verständigung** *f* communication; (*Benachrichtigung*) informing; (*Einigung*) agreement.

verständlich *adj* understandable, comprehensible; **Verständlichkeit** *f* clarity, intelligibility.

Verständnis *nt* understanding; **verständnislos** *adj* uncomprehending; **verständnisvoll** *adj* understanding, sympathetic.

verstärken **1.** *vt* strengthen; (*Ton*) amplify; (*erhöhen*) intensify; **2.** *vr*: **sich** ~ intensify; **Verstärker** *m* <**-s, ->** amplifier; **Verstärkung** *f* strengthening; (*Hilfe*) reinforcements *pl*; (*von Ton*) amplification.

verstauchen *vt* sprain.

verstauen *vt* stow away.

Versteck *nt* <**-[e]s, -e >** hiding [place]; **verstecken** *vt, vr*: **sich** ~ hide; **Versteckspiel** *nt* hide-and-seek; **versteckt** *adj* hidden.

verstehen *irr* **1.** *vt* understand; **2.** *vr*: **sich** ~ get on.

versteifen *vr*: **sich** ~ (*fig*) insist (*auf* + *akk* on).

versteigern *vt* auction; **Versteigerung** *f* auction.

verstellbar *adj* adjustable, variable; **verstellen** **1.** *vt* move, shift; (*Uhr*) adjust; (*versperren*) block; (*fig*) disguise; **2.** *vr*: **sich** ~ pretend, put on an act; **Verstellung** *f* pretence.

verstimmt *adj* out of tune; (*fig*) cross, put out.

verstockt *adj* stubborn.

verstohlen *adj* stealthy.

verstopfen *vt* block, stop up; (*MED*) constipate; **Verstopfung** *f* obstruction;

(*MED*) constipation.

verstorben adj deceased, late.

verstört adj (*Mensch*) distraught.

Verstoß m infringement, violation (*gegen* of); **verstoßen** irr **1.** vt disown, reject; **2.** vi: ~ **gegen** offend against.

verstrahlt adj contaminated [by radiation].

verstreichen irr **1.** vt spread; **2.** vi elapse.

verstreuen vt scatter [about].

verstümmeln vt maim; (*auch fig*) mutilate.

verstummen vi go silent; (*Lärm*) die away.

Versuch m <-[e]s, -e> attempt; (*wissenschaftlich*) experiment; **versuchen 1.** vt try; (*verlocken*) tempt; **2.** vr: **sich an etw** dat ~ try one's hand at sth; **Versuchskaninchen** nt guinea-pig; **versuchsweise** adv on a trial basis; **Versuchung** f temptation.

versunken adj sunken; ~ **sein in** + akk be absorbed [o engrossed] in.

versüßen vt: **jdm etw** ~ (*fig*) make sth more pleasant for sb.

vertagen vt, vi adjourn.

vertauschen vt exchange; (*versehentlich*) mix up.

verteidigen vt defend; **Verteidiger(in** f) m <-s, -> defender; (*JUR*) defence counsel; **Verteidigung** f defence; **Verteidigungsinitiative** f defense initiative.

verteilen vt distribute; (*Rollen*) assign; (*Salbe*) spread; **Verteilung** f distribution, allotment.

vertiefen 1. vt deepen; **2.** vr: **sich in etw** akk ~ become engrossed [o absorbed] in sth; **Vertiefung** f depression.

vertikal adj vertical.

vertilgen vt exterminate; (*fam*) eat up, consume.

vertippen vr: **sich** ~ make a typing mistake.

vertonen vt set to music.

Vertrag m <-[e]s, ⸚e> contract, agreement; (*POL*) treaty.

vertragen irr **1.** vt tolerate, stand; **2.** vr: **sich** ~ get along; (*sich aussöhnen*) become reconciled.

vertraglich adj contractual.

verträglich adj good-natured, sociable; (*Speisen*) easily digested; (*MED*) easily tolerated; **Verträglichkeit** f sociability; good nature; digestibility.

Vertragsbruch m breach of contract; **vertragsbrüchig** adj in breach of contract; **Vertragspartner(in** f) m party to a contract; **Vertragsspieler(in** f) m

(*SPORT*) contract professional; **vertragswidrig** adj contrary to contract.

vertrauen vi trust (*jdm* sb), rely on; **Vertrauen** nt <-s> confidence; **vertrauenerweckend** adj inspiring trust; **vertrauensselig** adj too trustful; **vertrauensvoll** adj trustful; **vertrauenswürdig** adj trustworthy.

vertraulich adj familiar; (*geheim*) confidential; **Vertraulichkeit** f familiarity; confidentiality.

vertraut adj familiar; **Vertraute(r)** mf confidant, close friend; **Vertrautheit** f familiarity.

vertreiben irr vt drive away; (*aus Land*) expel; (*COM*) sell; (*Zeit*) pass; **Vertreibung** f expulsion.

vertreten irr vt represent; (*Ansicht*) hold, advocate; **sich** dat **die Beine** ~ stretch one's legs; **Vertreter(in** f) m <-s, -> representative; (*Verfechter*) advocate; **Vertretung** f representation; advocacy.

Vertrieb m <-[e]s, -e> marketing.

vertrocknen vi dry up.

vertrödeln vt (*fam*) fritter away.

vertrösten vt put off.

vertun irr **1.** vt (*fam*) waste; **2.** vr: **sich** ~ make a mistake.

vertuschen vt hush up, cover up.

verübeln vt: **jdm etw** ~ be cross [o offended] with sb on account of sth.

verüben vt commit.

verunglücken vi have an accident; **tödlich** ~ be killed in an accident.

verunreinigen vt soil; (*Umwelt*) pollute.

verunsichern vt rattle.

verunstalten vt disfigure; (*Gebäude etc*) deface.

veruntreuen vt embezzle.

verursachen vt cause; **Verursacher(in** f) m <-s, -> cause; **Verursacherprinzip** nt polluter pays principle.

verurteilen vt condemn; **Verurteilung** f condemnation; (*JUR*) sentence.

vervielfältigen vt duplicate, copy; **Vervielfältigung** f duplication, copying.

vervollkommnen vt perfect.

vervollständigen vt complete.

verwackeln vt (*Foto*) blur.

verwählen vr: **sich** ~ (*am Telefon*) dial the wrong number.

verwahren vt keep, lock away; **2.** vr: **sich** ~ protest.

verwahrlosen vi become neglected; (*moralisch*) go to the bad; **verwahrlost** adj neglected.

verwaist adj orphaned.

verwalten vt manage; (*behördlich*) administer; **Verwalter(in** f) m <-s, -> manager; (*Vermögens* ~) trustee; **Ver-**

waltung f management; (*amtlich*) administration; **Verwaltungsbezirk** m administrative district.

verwandeln vt, vr: sich ~ change, transform; **Verwandlung** f change, transformation.

verwandt adj related (*mit* to); **Verwandte(r)** mf relative, relation; **Verwandtschaft** f relationship; (*Menschen*) relations pl.

verwarnen vt caution; **Verwarnung** f caution.

verwaschen adj faded; (*fig*) vague.

verwässern vt dilute, water down.

verwechseln vt confuse (*mit* with), mistake (*mit* for); **zum V ~ ähnlich** as like as two peas; **Verwechslung** f confusion, mixing up.

verwegen adj daring, bold; **Verwegenheit** f daring, audacity, boldness.

Verwehung f snow-/sanddrift.

verweichlichen vt mollycoddle; **verweichlicht** adj effeminate, soft.

verweigern vt refuse (*jdm etw* sb sth); **den Gehorsam/die Aussage** ~ refuse to obey/testify; **Verweigerung** f refusal.

verweilen vi stay; (*fig*) dwell (*bei* on).

Verweis m <-es, -e> reprimand, rebuke; (*Hinweis*) reference; **verweisen** irr vt refer; **jdm etw** ~ (*tadeln*) scold sb for sth; **jdn von der Schule** ~ expel sb [from school]; **jdn des Landes** ~ deport sb, expel sb.

verwelken vi fade.

verwenden 1. vt use; (*Mühe, Zeit, Arbeit*) spend; 2. vr: sich ~ intercede; **Verwendung** f use.

verwerfen irr vt reject.

verwerflich adj reprehensible.

verwerten vt utilize; **Verwertung** f utilization.

verwesen vi decay; **Verwesung** f decomposition.

verwickeln 1. vt tangle [up]; (*fig*) involve (*in* + akk in); 2. vr: sich ~ get tangled [up]; **sich** ~ **in** + akk (*fig*) get involved in.

verwildern vi run wild.

verwinden irr vt get over.

verwirklichen vt realize, put into effect; **Verwirklichung** f realization.

verwirren vt tangle [up]; (*fig*) confuse; **Verwirrung** f confusion.

verwittern vi weather.

verwitwet adj widowed.

verwöhnen vt spoil.

verworfen adj depraved; **Verworfenheit** f depravity.

verworren adj confused.

verwundbar adj vulnerable; **verwun-**

den vt wound.

verwunderlich adj surprising; **Verwunderung** f astonishment.

Verwundete(r) mf injured [person]; **Verwundung** f wound, injury.

verwünschen vt curse.

verwüsten vt devastate; **Verwüstung** f devastation.

verzagen vi despair.

verzählen vr: sich ~ miscount.

verzehren vt consume.

verzeichnen vt list; (*Niederlage, Verlust*) register; **Verzeichnis** nt list, catalogue; (*in Buch*) index.

verzeihen < **verzieh, verziehen** > vt, vi forgive (*jdm etw* sb for sth); **verzeihlich** adj pardonable; **Verzeihung** f forgiveness, pardon; ~ ! sorry!, excuse me!

verzerren vt distort.

Verzicht m <-[e]s, -e> renunciation (*auf* + akk of); **verzichten** vi forgo, give up (*auf etw akk* sth).

verzieh pt von **verzeihen**; **verziehen** pp von **verzeihen**.

verziehen irr 1. vi move; 2. vt put out of shape; (*Kind*) spoil; (*Pflanzen*) thin out; 3. vr: sich ~ go out of shape; (*Gesicht*) contort; (*verschwinden*) disappear; **das Gesicht** ~ pull a face.

verzieren vt decorate, ornament.

verzinsen vt pay interest on.

verzögern vt delay; **Verzögerung** f delay, time-lag; **Verzögerungstaktik** f delaying tactics pl.

verzollen vt declare, pay duty on.

verzückt adj enraptured; **Verzückung** f ecstasy.

verzweifeln vi despair; **verzweifelt** adj desperate; **Verzweiflung** f despair.

verzweigen vr: sich ~ branch out.

verzwickt adj (*fam*) awkward, complicated.

Veto nt <-s, -s> veto.

Vetter m <-s, -n> cousin; **Vetternwirtschaft** f nepotism.

vibrieren vi vibrate.

Video nt <-s, -s> video; **Videoclip** m <-s, -s> video clip; **Videogerät** nt video [set]; **Videoplayer** m video player; **Videokamera** f video camera; **Videokassette** f video cassette; **Videorecorder** m <-s, -> video recorder; **Videospiel** nt video game; **Videothek** f <-, -en> videotape library.

Vieh nt <-[e]s> cattle; **viehisch** adj bestial.

viel pron, adj (*im Singular, adjektivisch*) a lot of, a great deal of; (*fragend, verneint*) much; (*substantivisch*) a lot, a great deal; (*fragend, verneint*) much; (*adverbial*) a lot, a gread deal; much; ~ **zuwenig** much too little; ~ **größer** much bigger; **das** ~ **e Geld** all this money; **viele** *pron, adj (im Plural, adjektivisch)* many, a lot of; (*substantivisch*) many, a lot [of people/things]; **vielerlei** *adj inv* a great variety of; **vieles** *pron* a lot of things; **vielfach** *adj, adv:* **auf** ~ **n Wunsch** at the request of many people; **Vielfalt** *f* <-> variety; **vielfältig** *adj* varied, many-sided.

vielleicht *adv* perhaps.

vielmal[s] *adv* many times; **danke** ~ **s** many thanks; **vielmehr** *adv* rather, on the contrary; **vielsagend** *adj* significant; **vielseitig** *adj* many-sided; **vielversprechend** *adj* promising.

vier *num* four; **Viereck** *nt* <-[e]s, -e> four-sided figure; (*gleichseitig*) square; **viereckig** *adj* four-sided; square; **vierfach 1.** *adj* fourfold; **2.** *adv* four times; **vierhundert** *num* four hundred; **vierjährig** *adj* (*4 Jahre alt*) four-year-old; (*4 Jahre dauernd*) four-year; **viermal** *adv* four times; **Viertaktmotor** *m* four-stroke engine.

vierte(r, s) *adj* fourth; **der** ~ **Juli** the fourth of July; Portland, **den 4. Juli** Portland, July 4th; **Vierte(r)** *mf* fourth.

vierteilen *vt* quarter.

Viertel *nt* <-s, -> (*Stadt~*) quarter, district; (*Bruchteil*) quarter; (~*liter*) quarter-liter; (*Uhrzeit*) quarter; **[ein]** ~ **vor/nach drei** [a] quarter to/past three; **vierteljährlich** *adj* quarterly; **Viertelnote** *f* crotchet; **Viertelstunde** *f* quarter of an hour.

viertens *adv* in the fourth place.

vierzehn *num* fourteen; **in** ~ **Tagen** in a fortnight; **vierzehntägig** *adj* fortnightly.

vierzig *num* forty.

Vietnam *nt* Vietnam.

Vignette *f* (*Autobahn~*) [motorway] vignette.

Vikar(in *f*) *m* curate.

Villa *f* <-, **Villen**> villa; **Villenviertel** *nt* [prosperous] residential area.

violett *adj* violet.

Violinbogen *m* violin bow; **Violine** *f* violin; **Violinkonzert** *nt* violin concerto; **Violinschlüssel** *m* treble clef.

Virus *m o nt* <-, **Viren**> virus.

Visier *nt* <-s, -e> gunsight; (*am Helm*) visor.

Visite *f* <-, -n> (*MED*) visit; **Visitenkarte** *f* visiting card.

visuell *adj* visual.

Visum *nt* <-s, **Visa** *o* **Visen**> visa.

vital *adj* lively, full of life, vital.

Vitamin *nt* <-s, -e> vitamin.

Vogel *m* <-s, ⸙> bird; **einen** ~ **haben** (*fam*) have bats in the belfry; **jdm den** ~ **zeigen** (*fam*) tap one's forehead (*to indicate that one thinks sb stupid*); **Vogelbauer** *nt* birdcage; **Vogelbeerbaum** *m* rowan tree; **Vogelschau** *f* bird's-eye view; **Vogelscheuche** *f* <-, -n> scarecrow.

Vokabel *f* <-, -n> word; **Vokabular** *nt* <-s, -e> vocabulary.

Vokal *m* <-s, -e> vowel.

Volk *nt* <-[e]s, ⸙er> people; nation.

Völkerbund *m* League of Nations; **Völkerrecht** *nt* international law; **völkerrechtlich** *adj* according to international law; **Völkerverständigung** *f* international understanding; **Völkerwanderung** *f* migration.

Volkshochschule *f* adult education classes *pl*; **Volkslied** *nt* folksong; **Volksrepublik** *f* people's republic; **Volksschule** *f* elementary school; **Volkstanz** *m* folk dance; **volkstümlich** *adj* popular; **Volkswirtschaft** *f* economics *sing*; **Volkszählung** *f* [national] census.

voll *adj* full; ~ **und ganz** completely; **jdn für** ~ **nehmen** (*fam*) take sb seriously; **vollauf** *adv* amply.

Vollbeschäftigung *f* full employment; **vollblütig** *adj* full-blooded.

vollbringen *irr vt* accomplish.

vollenden *vt* finish, complete.

vollends *adv* completely.

Vollendung *f* completion.

voller *adj:* ~ **Fehler/Probleme** full of mistakes/problems.

Volleyball *m* volleyball.

Vollgas *nt:* **mit** ~ at full throttle; ~ **geben** step on it.

völlig *adj, adv* complete[ly].

volljährig *adj* of age; **Vollkaskoversicherung** *f* fully comprehensive insurance.

vollkommen *adj* perfect; **Vollkommenheit** *f* perfection.

Vollkornbrot *nt* wholemeal bread.

vollmachen *vt* fill [up].

Vollmacht *f* <-, -en> authority, full powers *pl*.

Vollmilch *f* full-cream milk; **Vollmond** *m* full moon; **Vollpension** *f* full board.

vollständig *adj* complete.

vollstrecken *vt* execute.

volltanken *vt, vi* fill up.

Vollwertkost *f* wholefood.

vollzählig *adj* complete; in full number.

Volt *nt* <- *o* -[e]s, -> volt.

Volumen *nt* <-s, - *o* **Volumina**> volume.

vom = von dem.

von *prep* +*dat* from; (*statt Genitiv, bestehend aus*) of; (*im Passiv*) by; **ein Freund ~ mir** a friend of mine; **~ mir aus** (*fam*) OK by me; **~ wegen!** no way!; **voneinander** *adv* from each other.

vor *prep* +*dat*/*akk* before; (*räumlich*) in front of; **~ Wut/Liebe** with rage/love; **~ 2 Tagen** 2 days ago; **~ allem** above all.

Vorabend *m* evening before, eve.

voran *adv* before, ahead; **vorangehen** *irr vi* go ahead; **einer Sache** *dat* **~** precede sth; **vorangehend** *adj* previous; **vorankommen** *irr vi* come along, make progress.

Voranschlag *m* estimate; **Vorarbeiter(in** *f*) *m* foreman/-woman.

voraus *adv* ahead; (*zeitlich*) in advance; **jdm ~** **sein** be ahead of sb; **im ~** in advance; **vorausbezahlen** *vt* pay in advance; **vorausgehen** *irr vi* go [on] ahead; (*fig*) precede; **voraushaben** *irr vt*: **jdm etw ~** have the edge on sb in sth; **Voraussage** *f* prediction; **voraussagen** *vt* predict; **voraussehen** *irr vt* foresee; **voraussetzen** *vt* assume; **vorausgesetzt, daß...** provided that...; **Voraussetzung** *f* requirement, prerequisite; **Voraussicht** *f* foresight; **aller ~ nach** in all probability; **in der ~, daß...** anticipating that...; **voraussichtlich** *adv* probably.

Vorbehalt *m* <-[e]s, -e> reservation, proviso; **vorbehalten** *irr vt*: **sich/jdm etw ~** reserve sth [to oneself]/to sb; **vorbehaltlos** *adj, adv* unconditional[ly].

vorbei *adv* by, past; **vorbeigehen** *irr vi* pass by, go past; **vorbeischrammen** *vi* scrape past (*an etw* dat).

vorbelastet *adj* (*fig*) handicapped.

vorbereiten *vt* prepare; **Vorbereitung** *f* preparation.

vorbestraft *adj* previously convicted, with a record.

vorbeugen 1. *vt, vr*: **sich ~** lean forward; 2. *vi* prevent (*einer Sache* dat sth); **vorbeugend** *adj* preventive; **Vorbeugung** *f* prevention; **zur ~ gegen** for the prevention of.

Vorbild *nt* model; **sich** *dat* **jdn zum ~ nehmen** model oneself on sb; **vorbildlich** *adj* model, ideal.

vorbringen *irr vt* advance, state; (*fam*) bring to the front.

Vordenker(in *f*) *m* guru; chief theoretician; (*POL*) party guru.

Vorderachse *f* front axle; **Vorderansicht** *f* front view; **vordere(r, s)** *adj*

front; **Vordergrund** *m* foreground; **Vordermann** *m, pl* <-**männer**> man in front; **jdn auf ~ bringen** (*fam*) tell sb to pull his socks up; **Vorderseite** *f* front [side]; **vorderste(r, s)** *adj* front.

vordrängen *vr*: **sich ~** push to the front.

vorehelich *adj* premarital.

voreilig *adj* hasty, rash.

voreingenommen *adj* biased; **Voreingenommenheit** *f* bias.

vorenthalten *irr vt*: **jdm etw ~** withhold sth from sb.

vorerst *adv* for the moment.

Vorfahr(in *f*) *m* <-**en, -en**> ancestor/ancestress.

vorfahren *irr vi* drive [on] ahead; (*vors Haus etc*) drive up.

Vorfahrt *f* (*AUT*) right of way; **~ achten!** give way!, yield! *US*; **Vorfahrtsregel** *f* right of way; **Vorfahrtsschild** *nt* give way sign; **Vorfahrtsstraße** *f* major road.

Vorfall *m* incident; **vorfallen** *irr vi* occur.

Vorfeld *nt*: **im ~ der Wahlen/Verhandlungen** as a run-up to the elections/in the primary stages of the negotiations.

vorfinden *irr vt* find.

vorführen *vt* show, display; **dem Gericht ~** bring before the court.

Vorgabe *f* (*SPORT*) start, handicap.

Vorgang *m* course of events; (*bes. wissenschaftlich*) process; **der ~ von etw** how sth happens.

Vorgänger(in *f*) *m* <-**s, -**> predecessor.

vorgeben *irr vt* pretend, use as a pretext; (*SPORT*) give an advantage [*o* a start] of.

vorgefaßt *adj* preconceived.

vorgefertigt *adj* prefabricated.

Vorgefühl *nt* presentiment, anticipation.

vorgehen *irr vi* (*voraus~*) go [on] ahead; (*nach vorn*) go up front; (*handeln*) act, proceed; (*Uhr*) be fast; (*Vorrang haben*) take precedence; (*passieren*) go on; **Vorgehen** *nt* <-**-**> action.

Vorgeschmack *m* foretaste.

Vorgesetzte(r) *mf* superior.

vorgestern *adv* the day before yesterday.

vorgreifen *irr vi* anticipate, forestall.

vorhaben *irr vt* intend; **hast du schon was vor?** have you got anything on?; **Vorhaben** *nt* <-**s, -**> intention.

vorhalten *irr* 1. *vt* hold [*o* put] up; (*fig*) reproach (*jdm etw* sb for sth); 2. *vi* last; **Vorhaltung** *f* reproach.

vorhanden *adj* existing; (*erhältlich*) available; **Vorhandensein** *nt* <-**s**> existence, presence.

Vorhang *m* curtain.

Vorhängeschloß nt padlock.

Vorhaut f (MED) foreskin.

vorher adv before[hand]; **vorherbestimmen** vt (Schicksal) preordain; **vorhergehen** irr vi precede; **vorherig** adj previous.

Vorherrschaft f predominance, supremacy; **vorherrschen** vi predominate.

Vorhersage f forecast; **vorhersagen** vt forecast, predict; **vorhersehbar** adj predictable; **vorhersehen** irr vt foresee.

vorhin adv not long ago, just now; **vorhinein** adv: **im ~** beforehand.

vorig adj previous, last.

Vorkehrung f precaution.

vorkommen irr vi come forward; (geschehen, sich finden) occur; (scheinen) seem [to be]; **sich** dat **dumm ~** feel stupid; **Vorkommen** nt <-s, -> occurrence; **Vorkommnis** nt occurrence.

Vorkriegs- pref prewar.

Vorladung f summons sing.

Vorlage f model, pattern; (Gesetzes~) bill; (SPORT) pass.

vorlassen irr vt admit; (vorgehen lassen) allow to go in front.

vorläufig adj temporary, provisional.

vorlaut adj impertinent, cheeky.

vorlegen vt put in front; (fig) produce, submit; **jdm etw ~** put sth before sb.

Vorleger m <-s, -> mat.

vorlesen irr vt read [out]; **Vorlesung** f lecture.

vorletzte(r, s) adj last but one.

Vorliebe f preference, partiality.

vorliebnehmen irr vi: **~ mit** make do with.

vorliegen irr vi be [here]; **etw liegt jdm vor** sb has sth; **vorliegend** adj present, at issue.

vormachen vt: **jdm etw ~** show sb how to do sth; (fig) fool sb, have sb on.

Vormachtstellung f supremacy, hegemony.

Vormarsch m advance.

vormerken vt book.

Vormittag m morning; **vormittags** adv in the morning, before noon.

Vormund m <-[e]s, -e o -münder> guardian.

vorn[e] adv in front; **von ~ anfangen** start at the beginning; **nach ~** to the front.

Vorname m first [o Christian] name.

vornan adv at the front.

vornehm adj (von Rang) distinguished; (Benehmen) refined; (fein, elegant) elegant.

vornehmen irr vt (fig) carry out; **sich** dat **etw ~** start on sth; (beschließen) decide

to do sth; **sich** dat **jdn ~** tell sb off.

vornehmlich adv chiefly, specially.

vornherein adv: **von ~** from the start.

Vorort m suburb; **Vorortzug** m commuter train.

Vorrang m precedence, priority; **vorrangig** adj of prime importance, primary.

Vorrat m stock, supply; **Vorratskammer** f pantry; **vorrätig** adj in stock.

Vorrecht nt privilege.

Vorrichtung f device, contrivance.

vorrücken 1. vi advance; **2.** vt move forward.

vorsagen vt recite, say out loud; (SCH) tell secretly, prompt.

Vorsatz m intention; (JUR) intent; **einen ~ fassen** make a resolution; **vorsätzlich** adj (JUR) premeditated.

Vorschau f [programme] preview; (Film) trailer.

vorschieben irr vt push forward; (vor etw) push across; (fig) put forward as an excuse; **jdn ~** use sb as a front.

Vorschlag m suggestion, proposal; **vorschlagen** irr vt suggest, propose.

vorschnell adv hastily, too quickly.

vorschreiben irr vt prescribe, specify.

Vorschrift f regulation[s]; rule[s]; (Anweisungen) instruction[s]; **Dienst nach ~** work-to-rule; **vorschriftsmäßig** adj as per regulations/instructions.

Vorschub m <-s, ⁼e> (COMPUT: Papier~) feed.

Vorschuß m advance.

vorschweben vi: **jdm schwebt etw vor** sb has sth in mind.

vorsehen irr **1.** vt provide for, plan; **2.** vr: **sich ~** take care, be careful; **3.** vi be visible; **Vorsehung** f providence.

vorsetzen vt move forward; (vor etw) put in front; (anbieten) offer.

Vorsicht f caution, care; **~!** look out!, take care!; (auf Schildern) caution!, danger!; **~ Stufe!** mind the step!; **vorsichtig** adj cautious, careful; **vorsichtshalber** adv just in case; **Vorsichtsmaßnahme** f precaution.

Vorsilbe f prefix.

Vorsitz m chair[manship]; **Vorsitzende(r)** mf chairperson.

Vorsorge f precaution[s], provision[s]; **vorsorgen** vi: **~ für** make provision[s] for; **vorsorglich** adv as a precaution.

Vorspeise f hors d'oeuvre, appetizer.

Vorspiel nt prelude.

vorsprechen irr **1.** vt say out loud, recite; **2.** vi: **bei jdm ~** call on sb.

Vorsprung m projection, ledge; (fig) advantage, start.

Vorstadt f suburbs pl.

Vorstand m executive committee; (COM) board [of directors]; (Mensch) director, head.

vorstehen irr vi project; **einer Sache** dat ~ (fig) be the head of sth.

vorstellbar adj conceivable; **vorstellen** vt put forward; (vor etw) put in front; (bekannt machen) introduce; (darstellen) represent; **sich** dat etw ~ imagine sth; **Vorstellung** f (Bekanntmachen) introduction; (THEAT) performance; (Gedanke) idea, thought; **Vorstellungsgespräch** nt interview.

Vorstoß m advance.

Vorstrafe f previous conviction.

vorstrecken vt stretch out; (Geld) advance.

Vorstufe f first step[s].

Vortag m day before (einer Sache sth).

vortäuschen vt feign, pretend.

Vorteil m <-s, -e> advantage (gegenüber over); **im** ~ **sein** have the advantage; **vorteilhaft** adj advantageous.

Vortrag m <-[e]s, -träge> talk, lecture; (~ sart) delivery, rendering; (COM) balance carried forward; **vortragen** irr vt carry forward; (auch fig) recite; (Rede) deliver; (Meinung) express.

vortrefflich adj excellent.

vortreten irr vi step forward; (Augen etc) protrude.

vorüber adv past, over; **vorübergehen** irr vi pass [by]; ~ **an** + dat (fig) pass over; **vorübergehend** adj temporary, passing.

Vorurteil nt prejudice.

Vorverkauf m advance booking.

Vorwahl f preliminary election; (TEL) dialling code, dial code US.

Vorwand m <-[e]s, -wände> pretext.

vorwärts adv forward; **Vorwärtsgang** m (AUT etc) forward gear; **vorwärtsgehen** irr vi progress; **vorwärtskommen** irr vi get on, make progress.

vorweg adv in advance; **Vorwegnahme** f <-, -n> anticipation; **vorwegnehmen** irr vt anticipate.

vorweisen irr vt show, produce.

vorwerfen irr vt: **jdm etw** ~ reproach sb for sth, accuse sb of sth; **sich** dat **nichts vorzuwerfen haben** have nothing to reproach oneself with.

vorwiegend adj, adv predominant[ly].

Vorwitz m cheek; **vorwitzig** adj saucy, cheeky.

Vorwort nt preface.

Vorwurf m reproach; **jdm/sich Vorwürfe machen** reproach sb/oneself; **vorwurfsvoll** adj reproachful.

vorzeigen vt show, produce.

vorzeitig adj premature.

vorziehen irr vt pull forward; (Gardinen) draw; (lieber haben) prefer.

Vorzug m preference; (gute Eigenschaft) merit, good quality; (Vorteil) advantage; (EISENB) relief train.

vorzüglich adj excellent, first-rate.

vulgär adj vulgar.

Vulkan m <-s, -e> volcano; **vulkanisieren** vt vulcanize.

W

W, w nt W, w.

Waage f <-, -n> scales pl; (ASTR) Libra; **waagerecht** adj horizontal.

wabb[e]lig adj wobbly.

Wabe f <-, -n> honeycomb.

wach adj awake; (fig) alert; **Wache** f <-, -n> guard, watch; ~ **halten** keep watch; ~ **stehen** stand guard; **wachen** vi be awake; (Wache halten) guard.

Wacholder m <-s, -> juniper.

Wachs nt <-es, -e> wax.

wachsam adj watchful, vigilant, alert; **Wachsamkeit** f vigilance.

wachsen 1. <wuchs, gewachsen> vi grow; **2.** vt (Skier) wax.

Wachstuch nt oilcloth.

Wachstum nt <-s> growth.

Wächter(in f) m <-s, -> guard, warder/wardress, keeper; (Parkplatz~) attendant.

Wachtmeister(in f) m officer; **Wachtposten** m guard, sentry.

wackelig adj shaky, wobbly; **Wackelkontakt** m loose connection; **wackeln** vi shake; (fig) be shaky.

wacker 1. adj valiant, stout; **2.** adv well, bravely.

Wade f <-, -n> (ANAT) calf.

Waffe f <-, -n> weapon.

Waffel f <-, -n> waffle (Keks, Eis~) wafer.

Waffenschein m gun licence; **Waffenstillstand** m armistice, truce.

Wagemut m daring.

wagen vt venture, dare.

Wagen m <-s, -> vehicle; (AUTO) car; (EISENB) carriage; (Pferde~) cart; **Wagenführer(in** f) m driver; **Wagenheber** m <-s, -> jack; **Wagenrücklauf** m carriage return.

Waggon m <-s, -s> carriage; (Güter~) goods van, freight truck US.

waghalsig adj foolhardy.

Wagnis *nt* risk.

Wahl *f* <-, -en> choice; (*POL*) election; zweite ~ seconds *pl*; **wahlberechtigt** *adj* entitled to vote.

wählbar *adj* eligible; **wählen** *vt, vi* choose; (*POL*) elect, vote [for]; (*TEL*) dial; **Wähler(in** *f*) *m* <-s, -> voter; **wählerisch** *adj* fastidious, particular; **Wählerschaft** *f* electorate.

Wahlfach *nt* optional subject; **Wahlgang** *m* ballot; **Wahlkabine** *f* polling booth; **Wahlkampf** *m* election campaign; **Wahlkreis** *m* constituency; **Wahllokal** *nt* polling station; **wahllos** *adv* at random; **Wahlrecht** *nt* franchise; **Wahlspruch** *m* motto; **Wahlurne** *f* ballot box.

Wahn *m* <-[e]s> delusion; **Wahnsinn** *m* madness; **wahnsinnig 1.** *adj* insane, mad; **2.** *adv* (*fam*) incredibly.

wahr *adj* true.

wahren *vt* maintain, keep.

während 1. *prep* +gen during; **2.** *conj* while; **währenddessen** *adv* meanwhile.

wahrhaben *irr vt:* etw nicht ~ wollen refuse to admit sth.

wahrhaftig 1. *adj* true, real; **2.** *adv* really.

Wahrheit *f* truth.

wahrnehmen *irr vt* perceive, observe; **Wahrnehmung** *f* perception.

wahrsagen *vi* prophesy, tell fortunes; **Wahrsager(in** *f*) *m* <-s, -> fortune teller.

wahrscheinlich 1. *adj* probable; **2.** *adv* probably; **Wahrscheinlichkeit** *f* probability; **aller** ~ **nach** in all probability.

Wahrzeichen *nt* emblem.

Währung *f* currency.

Waise *f* <-, -n> orphan; **Waisenhaus** *nt* orphanage; **Waisenkind** *nt* orphan.

Wal *m* <-[e]s, -e> whale.

Wald *m* <-[e]s, ⁀er> wood[s]; (*groß*) forest; **Wäldchen** *nt* copse, grove; **waldig** *adj* wooded; **Waldsterben** *nt* dying of the forests.

Wales *nt* Wales.

Walfisch *m* whale.

Waliser(in *f*) *m* <-s, -> Welshman/ Welsh woman; **die** ~ *pl* the Welsh *pl*; **walisisch** *adj* Welsh.

Walkie-talkie *nt* <-[s], -s> walkie-talkie.

Walkman® *m* <-s, -s> walkman®, personal stereo.

Wall *m* <-[e]s, ⁀e> embankment; (*Bollwerk*) rampart.

wallfahren *vi* go on a pilgrimage; **Wallfahrer(in** *f*) *m* pilgrim; **Wallfahrt** *f* pilgrimage.

Walnuß *f* walnut.

Walroß *nt* walrus.

Walze *f* <-, -n> (*Gerät*) cylinder; (*Fahrzeug*) roller; **walzen** *vt* roll [out].

wälzen 1. *vt* roll [over]; (*Bücher*) hunt through; (*Probleme*) deliberate on; **2.** *vr:* **sich** ~ wallow; (*vor Schmerzen*) roll about; (*im Bett*) toss and turn.

Walzer *m* <-s, -> waltz.

Wälzer *m* <-s, -> (*fam*) tome.

wand *pt von* **winden**.

Wand *f* <-, ⁀e> wall; (*Trenn~*) partition; (*Berg~*) [rock] face.

Wandel *m* <-s> change; **wandelbar** *adj* changeable, variable; **wandeln 1.** *vt, vr:* **sich** ~ change; **2.** *vi* (*gehen*) walk.

Wanderer *m* <-s, ->, **Wand[r]erin** *f* hiker, rambler; **wandern** *vi* hike; (*Blick*) wander; (*Gedanken*) stray; **Wanderschaft** *f* travelling; **Wanderung** *f* walking tour, hike.

Wandlung *f* change, transformation; (*REL*) transubstantiation.

Wandschrank *m* cupboard.

wandte *pt von* **wenden**.

Wandteppich *m* tapestry.

Wange *f* <-, -n> cheek.

wankelmütig *adj* vacillating, inconstant.

wanken *vi* stagger; (*fig*) waver.

wann *adv* when.

Wanne *f* <-, -n> tub.

Wanze *f* <-, -n> bug.

Wappen *nt* <-s, -> coat of arms, crest; **Wappenkunde** *f* heraldry.

war *pt von* **sein**.

warb *pt von* **werben**.

Ware *f* <-, -n> ware; **Warenhaus** *nt* department store; **Warenlager** *nt* stock, store; **Warenprobe** *f* sample; **Warenzeichen** *nt* trademark.

warf *pt von* **werfen**.

warm *adj* warm; (*Essen*) hot.

Wärme *f* <-, -n> warmth; **Wärmedämmung** *f* insulation; **wärmen** *vt, vr:* **sich** ~ warm, heat; **Wärmepumpe** *f* heat pump; **Wärmetauscher** *m* <-s, -> heat exchanger; **Wärmflasche** *f* hot-water bottle.

warmherzig *adj* warm-hearted; **warmlaufen** *irr vi* (*AUT*) warm up; **Warmstart** *m* (*COMPUT*) warm start; **Warmwassertank** *m* hot-water tank.

Warndreieck *nt* (*AUT*) warning triangle; **warnen** *vt* warn; **Warnlichtanlage** *f* hazard warning lights *pl*; **Warnung** *f* warning.

warten 1. *vi* wait (*auf* + *akk* for); **2.** *vt* (*TECH*) maintain, service; **auf sich** ~ **lassen** take a long time.

Wärter(in f) m <-s, -> attendant.
Wartesaal m (EISENB) waiting room;
Wartezimmer nt waiting room.
Wartung f servicing; service.
warum adv why.
Warze f <-, -n> wart.
was pron what; (fam: etwas) something.
waschbar adj washable; **Waschbek-ken** nt washbasin; **waschecht** adj colourfast; (fig) genuine.
Wäsche f <-, -n> wash[ing]; (Bett~) linen; (Unter~) underclothing; **Wä-scheklammer** f clothes peg, clothespin US; **Wäscheleine** f washing line.
waschen <wusch, gewaschen> 1. vt, vi wash; 2. vr: sich ~ [have a] wash; **sich** dat **die Hände waschen** wash one's hands; ~ **und legen** shampoo and set.
Wäscherei f laundry; **Wäscheschleu-der** f spin-drier; **Wäschetrockner** m <-s, -> tumble-drier.
Waschküche f laundry room; **Wasch-lappen** m face flannel, washcloth US; (fam) sissy; **Waschmaschine** f washing machine; **Waschmittel** nt, **Waschpulver** nt detergent, washing powder; **Waschtisch** m washhand basin.
Wasser nt <-s, -> water; **wasser-dicht** adj watertight, waterproof; **Was-serfall** m waterfall; **Wasserfarbe** f watercolour; **wassergekühlt** adj (AUT) water-cooled; **Wasserhahn** m tap, faucet US.
wässerig adj watery.
Wasserkraftwerk nt hydroelectric power station; **Wasserleitung** f water pipe; **Wassermann** m (ASTR) Aquarius; **Wassermelone** f water melon.
wassern vi land on the water; (Raumschiff) splash down.
wässern vt, vi water.
wasserscheu adj afraid of the water; **Wasserschi** nt water-skiing; **Wasser-stand** m water level; **Wasserstoff** m hydrogen; **Wasserstoffbombe** f hydrogen bomb; **Wasserwaage** f spirit level; **Wasserwelle** f shampoo and set; **Wasserwerfer** m water cannon; **Was-serzeichen** nt watermark.
waten vi wade.
watscheln vi waddle.
Watt 1. nt <-[e]s, -en> mud flats pl; 2. nt <-s, -> (ELEC) watt.·
Watte f <-, -n> cotton wool, absorbent cotton US; **wattieren** vt pad.
weben <webte o wob, gewebt o gewoben> vt weave; **Weber(in** f) m <-s, -> weaver; **Weberei** f (Betrieb) weaving mill; **Webstuhl** m loom.

Wechsel m <-s, -> change; (COM) bill of exchange; **Wechselbeziehung** f correlation; **Wechselgeld** nt change; **wechselhaft** adj (Wetter) variable; **Wechseljahre** pl change of life; **Wechselkurs** m rate of exchange, exchange rate; **wechseln** 1. vt change; (Blicke) exchange; 2. vi change; (unterschiedlich sein) vary; (Geld ~) have change; **Wechselstrom** m alternating current; **Wechselwirkung** f interaction.
wecken vt wake [up].
Wecker m <-s, -> alarm clock.
wedeln vi (mit Schwanz) wag; (mit Fächer) fan; (SKI) wedel.
weder conj neither; ~ ... noch... neither... nor...
weg adv away, off; **über etw** akk ~ **sein** be over sth; **er war schon** ~ he had already left; **Finger** ~ ! hands off!
Weg m <-[e]s, -e> way; (Pfad) path; (Route) route; **sich auf den** ~ **machen** be on one's way; **jdm aus dem** ~ **gehen** keep out of sb's way.
wegbleiben irr vi stay away.
wegen prep + gen o fam dat because of.
wegfahren irr vi drive away; leave; **wegfallen** irr vi be left out; (Ferien, Bezahlung) be cancelled; (aufhören) cease; **weggehen** irr vi go away; leave; **weg-lassen** irr vt leave out; **weglaufen** irr vi run away, run off; **weglegen** vt put aside; **wegmachen** vt (fam) get rid of; **wegmüssen** irr vi (fam) have to go; **wegnehmen** irr vt take away; **weg-räumen** vt clear away; **wegschaffen** vt get rid of; (wegräumen) clear away; (wegtragen, wegfahren) remove; (Arbeit) get done; **wegschnappen** vt snatch away (jdm etw sth from sb); **wegtun** irr vt put away.
Wegweiser m <-s, -> road sign, signpost.
wegwerfen irr vt throw away; **weg-werfend** adj disparaging; **Wegwerf-gesellschaft** f throwaway society.
wegziehen irr vi move away.
weh adj sore; ~ **tun** hurt, be sore; **jdm/sich** ~ **tun** hurt sb/oneself.
weh[e] interj: ~[e], wenn du... woe betide you if...; **o** ~ ! oh dear!
Wehe f <-, -n> drift; ~**n** pl (MED) labour pains pl.
wehen vt, vi blow; (Fahnen) flutter.
wehklagen vi wail; **wehleidig** adj whiny, whining; **Wehmut** f <-> melancholy; **wehmütig** adj melancholy.
Wehr 1. nt <-[e]s, -e> weir; 2. f: **sich zur** ~ **setzen** defend oneself.

Wehrdienst m military service; **Wehrdienstverweigerer** m <-s, -> conscientious objector.

wehren vr: sich ~ defend oneself.

wehrlos adj defenceless.

Wehrpflicht f compulsory military service; **wehrpflichtig** adj liable for military service.

Weib nt <-[e]s, -er> woman, female; **Weibchen** nt female; **weibisch** adj sissyish; **weiblich** adj feminine.

weich adj soft.

Weiche f <-, -n> (EISENB) points pl.

weichen <wich, gewichen> vi yield, give way.

Weichheit f softness; **weichlich** adj soft, namby-pamby; **Weichling** m weakling; **Weichspüler** m <-s, -> (für Wäsche) [fabric] softener, conditioner.

Weide f <-, -n> (Baum) willow; (Gras) pasture; **weiden 1.** vi graze; **2.** vr: sich an etw dat ~ delight in sth.

weidlich adv thoroughly.

weigern vr: sich ~ refuse; **Weigerung** f refusal.

Weihe f <-, -n> consecration; (Priester~) ordination; **weihen** vt consecrate; (Priester) ordain.

Weiher m <-s, -> pond.

Weihnacht f <->, **Weihnachten** nt <-, -> Christmas; **weihnachtlich** adj Christmas, festive; **Weihnachtsabend** m Christmas Eve; **Weihnachtslied** nt Christmas carol; **Weihnachtsmann** m, pl <-männer> Father Christmas, Santa Claus; **zweiter Weihnachtstag** m Boxing Day.

Weihrauch m incense; **Weihwasser** nt holy water.

weil conj because.

Weile f <-> while, short time.

Wein m <-[e]s, -e> wine; (Pflanze) vine; **Weinbau** m cultivation of vines; **Weinbeere** f grape; **Weinberg** m vineyard; **Weinbergschnecke** f snail; (auf Speisekarte) escargot; **Weinbrand** m brandy.

weinen vt, vi cry; **das ist zum W ~** it's enough to make you cry [o weep]; **weinerlich** adj tearful.

Weingeist m spirits pl of wine; **Weinlese** f vintage; **Weinrebe** f vine; **Weinstein** m tartar; **Weinstock** m vine; **Weintraube** f grape.

weise adj wise; **Weise(r)** mf wise old man/woman, sage.

Weise f <-, -n> manner, way; (Lied) tune; **auf diese ~** in this way.

weisen <wies, gewiesen> vt show;

Weisheit f wisdom; **Weisheitszahn** m wisdom tooth.

weiß adj white; **Weißblech** nt tinplate; **Weißbrot** nt white bread; **weißen** vt whitewash; **Weißglut** f (TECH) incandescence; **jdn bis zur ~ bringen** make sb see red; **Weißkohl** m [white] cabbage; **Weißwein** m white wine.

Weisung f instruction.

weit 1. adj wide; (Begriff) broad; (Reise, Wurf) long; **2.** adv far; **wie ~ ist es...?** how far is it...?; **in ~er Ferne** in the far distance; **das geht zu ~** that's going too far; **weitaus** adv by far; **weitblickend** adj far-seeing; **Weite** f <-, -n> width; (Raum) space; (von Entfernung) distance; **weiten** vt, vr: sich ~ widen.

weiter 1. adj wider; broader; farther [away]; (zusätzlich) further; **2.** adv further; **ohne ~es** without further ado; just like that; **~ nichts/niemand** nothing/nobody else; **weiterarbeiten** vi go on working; **weiterbilden** vr: sich ~ continue one's education; **weiterempfehlen** irr vt recommend [to others]; **Weiterfahrt** f continuation of the journey; **weitergehen** irr vi go on; **weiterhin** adv: **etw ~ tun** go on doing sth; **weiterleiten** vt pass on; **weitermachen** vt, vi continue; **weiterreisen** vi continue one's journey.

weitgehend 1. adj considerable; **2.** adv largely; **weitläufig** adj (Gebäude) spacious; (Erklärung) lengthy; (Verwandter) distant; **weitschweifig** adj longwinded; **weitsichtig** adj long-sighted; (fig) far-sighted; **Weitsprung** m long jump; **weitverbreitet** adj widespread; **Weitwinkelobjektiv** nt (FOT) wide-angle lens.

Weizen m <-s, -> wheat.

welch pron: ~ **ein(e)...** what a...; **welche** pron (fam: einige) some; **welche(r, s) 1.** pron (für Personen) who; (für Sachen) which; **2.** pron (interrogativ, adjektivisch) which; (substantivisch) which one.

welk adj withered; **welken** vi wither.

Wellblech nt corrugated iron.

Welle f <-, -n> wave; (TECH) shaft; **Wellenbereich** m waveband; **Wellenbrecher** m <-s, -> breakwater; **Wellenlänge** f (auch fig) wavelength; **Wellenlinie** f wavy line.

Wellensittich m <-s, -e> budgerigar.

Wellpappe f corrugated cardboard.

Welt f <-, -en> world; **Weltall** nt universe; **Weltanschauung** f philosophy of life; **weltberühmt** adj world-famous; **weltfremd** adj unworldly;

Weltkrieg m world war; **weltlich** adj worldly; (nicht kirchlich) secular; **Weltmacht** f world power; **weltmännish** adj sophisticated; **Weltmeister(in** f) m world champion; **Weltraum** m space; **Weltraumrüstung** f space armament; **Weltraumwaffe** f space weapon; **Weltreise** f trip round the world; **Weltstadt** f metropolis; **weltweit** adj world-wide; **Weltwunder** nt wonder of the world.

wem pron dat von **wer** [to] whom.

wen pron akk von **wer** whom.

Wende f <-, -n> turn; (Veränderung) change; **Wendekreis** m (GEO) tropic; (AUT) turning circle.

Wendeltreppe f spiral staircase.

wenden <wendete o wandte, gewendet o gewandt> vt, vi, vr: **sich ~** turn; **sich an jdn ~** go/come to sb; **Wendepunkt** m turning point; **Wendung** f turn; (Rede~) idiom.

wenig adj, adv little; **wenige** pron pl few pl; **Wenigkeit** f trifle; **meine ~** yours truly, little me; **wenigste(r, s)** adj least; **wenigstens** adv at least.

wenn conj if; (zeitlich) when; **~ auch...**, even if...; **~ ich doch...** if only I...; **wennschon** adv: na ~ so what? ~, **dennschon!** if a thing's worth doing, it's worth doing properly.

wer pron who.

Werbefernsehen nt commercial television; **Werbekampagne** f advertising campaign; **werben** <warb, geworben> 1. vt win; (Mitglied) recruit; 2. vi advertise; **um jdn/etw ~** try to win sb/sth; **für jdn/etw ~** promote sb/sth; **werbewirksam** adj effective; **Werbung** f advertising; (von Mitgliedern) recruitment; (von Kunden) winning, attracting; (um Mädchen) courting; **für etw ~ machen** advertise sth.

Werdegang m development; (beruflich) career.

werden <wurde, geworden> 1. vi become; 2. Hilfsverb (Futur) shall, will; (Passiv) be; **was ist aus ihm/aus der Sache geworden?** what became of him/it?; **es ist nichts/gut geworden** it came to nothing/turned out well; **mir wird kalt** I'm getting cold; **das muß anders ~** that will have to change; **zu Eis ~** turn to ice.

werfen <warf, geworfen> vt throw.

Werft f <-, -en> shipyard, dockyard.

Werk nt <-[e]s, -e> work; (Tätigkeit) job; (Fabrik, Mechanismus) works pl; **ans ~ gehen** set to work; **Werkstatt** f <-, -en> workshop; (AUT) garage; **Werkstudent(in** f) m self-supporting student;

Werktag m working day; **werktags** adv on working days; **Werkzeug** nt tool; **Werkzeugschrank** m tool chest.

Wermut m <-[e]s> wormwood; (Wein) vermouth.

wert adj worth; (geschätzt) dear; **das ist nichts/viel ~** it's not worth anything/it's worth a lot; **das ist es/er mir ~** it's/he's worth that to me.

Wert m <-[e]s, -e> worth; (FIN) value; **~ legen auf** + akk attach importance to; **es hat doch keinen ~** it's useless; **Wertangabe** f declaration of value.

werten vt rate.

Wertgegenstand m article of value; **wertlos** adj worthless; **Wertlosigkeit** f worthlessness; **Wertpapier** nt security; **wertvoll** adj valuable; **Wertzuwachs** m appreciation.

Wesen nt <-s, -> being; (Natur, Charakter) nature.

wesentlich adj significant; (beträchtlich) considerable.

weshalb adv why.

Wespe f <-, -n> wasp.

wessen pron gen von **wer** whose.

Westberlin nt West Berlin.

Weste f <-, -n> waist coat, vest US; (Woll~) cardigan.

Westen m <-s> west; (von Land) West; **westlich** 1. adj western; (Kurs, Richtung) westerly; 2. adv [to the] west; **~ von Ulm** west of Ulm.

weswegen adv why.

wett adj even; **Wettbewerb** m competition; **Wette** f <-, -n> bet, wager; **Wetteifer** m rivalry; **wetten** vt, vi bet.

Wetter nt <-s, -> weather; **Wetterbericht** m weather report; **Wetterdienst** m meteorological service; **Wetterlage** f [weather] situation; **Wettervorhersage** f weather forecast; **Wetterwarte** f <-, -n> weather station; **wetterwendisch** adj capricious.

Wettkampf m contest; **Wettlauf** m race; **wettlaufen** irr vi race; **wettmachen** vt make good; **Wettstreit** m contest.

wetzen vt sharpen.

WG f <-, -s> abk von **Wohngemeinschaft**.

Whirlpool m <-s, -s> whirlpool bath.

wich pt von **weichen**.

Wicht m <-[e]s, -e> titch; (pej) worthless creature.

wichtig adj important; **Wichtigkeit** f importance.

wickeln vt wind; (Haare) set; (Kind) change; **jdn/etw in etw** akk **~** wrap sb/ sth in sth.

Widder m <-s, -> (*ZOOL*) ram; (*ASTR*) Aries *sing.*

wider *prep* + *akk* against; **widerfahren** *irr vi* happen (*jdm* to sb); **widerlegen** *vt* refute.

widerlich *adj* disgusting, repulsive; **Widerlichkeit** *f* repulsiveness.

widerrechtlich *adj* unlawful.

Widerrede *f* contradiction.

Widerruf m retraction; revocation; countermanding; **widerrufen** *irr vt* retract; (*Anordnung*) revoke; (*Befehl*) countermand.

widersetzen *vr*: **sich ~** oppose (*jdm/etw* sb/sth).

widerspenstig *adj* wilful, unruly; **Widerspenstigkeit** *f* wilfulness, unruliness.

widerspiegeln *vt* reflect.

widersprechen *irr vi* contradict (*jdm* sb); **widersprechend** *adj* contradictory; **Widerspruch** m contradiction; **widerspruchslos** *adv* without arguing.

Widerstand m resistance; **Widerstandsbewegung** *f* resistance [movement]; **widerstandsfähig** *adj* resistant, tough; **widerstandslos** *adj* unresisting.

widerstehen *irr vi* withstand (*jdm/etw* sb/sth).

widerwärtig *adj* nasty, horrid.

Widerwille m aversion (*gegen* to); **widerwillig** *adj* unwilling, reluctant.

widmen 2. *vt, vr*: **sich ~** devote [oneself]; **Widmung** *f* dedication.

widrig *adj* (*Umstände*) adverse; (*Mensch*) repulsive.

wie 1. *adv* how; 2. *conj* as I said; [so] **schön ~** ... as beautiful as...; **~ du** like you; **singen ~ ein...** sing like a...

wieder *adv* again; **~ da sein** be back [again]; **gehst du schon ~?** are you off again?; **~ ein(e)...** another...

Wiederaufarbeitung *f* reprocessing; **Wiederaufarbeitungsanlage** *f* reprocessing plant.

Wiederaufbau m rebuilding.

Wiederaufnahme *f* resumption; **wiederaufnehmen** *irr vt* resume.

wiederbekommen *irr vt* get back.

wiedererkennen *irr vt* recognize.

Wiedergabe *f* reproduction; **wiedergeben** *irr vt* (*zurückgeben*) return; (*Erzählung etc*) repeat; (*Gefühle etc*) convey.

wiedergutmachen *vt* make up for; (*Fehler*) put right; **Wiedergutmachung** *f* reparation.

wiederherstellen *vt* restore.

wiederholen *vt* repeat; **Wiederholung** *f* repetition.

Wiederhören *nt*: **auf ~** (*TEL*) goodbye.

Wiederkehr *f* <-> return; (*von Vorfall*) repetition, recurrence.

wiedersehen *irr vt* see again; **auf W~** goodbye.

wiederum *adv* again; (*andererseits*) on the other hand.

wiedervereinigen *vt* reunite.

Wiederwahl *f* re-election.

Wiege *f* <-, -n> cradle; **wiegen** 1. *vt* (*schaukeln*) rock; 2. <**wog, gewogen**> *vt, vi* (*Gewicht*) weigh; **Wiegenfest** *nt* birthday.

wiehern *vi* neigh, whinny.

Wien *nt* Vienna.

wies *pt von* **weisen.**

Wiese *f* <-, -n> meadow.

Wiesel *nt* <-s, -> weasel.

wieso *adv* why.

wieviel *adj* how much; **~ Menschen** how many people; **wievielmal** *adv* how often; **wievielte(r, s)** *adj*: **zum ~n Mal?** how many times?; **den W~n haben wir?** what's the date?; **an ~r Stelle?** in what place?; **der ~ Besucher war er?** how many visitors were there before him?

wieweit *adv* to what extent.

wild *adj* wild.

Wild *nt* <-[e]s> game.

wildern *vi* poach.

wildfremd *adj* (*fam*) quite strange [*o* unknown]; **Wildheit** *f* wildness; **Wildleder** *nt* suede.

Wildnis *f* wilderness.

Wildschwein *nt* [wild] boar.

Wille m <-ns, -n> will.

willen *prep* + *gen*: **um... ~** for the sake of...

willenlos *adj* weak-willed; **willensstark** *adj* strong-willed.

willig *adj* willing.

willkommen *adj* welcome; **jdn ~ heißen** welcome sb; **Willkommen** *nt* <-s, -> welcome.

willkürlich *adj* arbitrary; (*Bewegung*) voluntary.

wimmeln *vi* swarm (*von* with).

wimmern *vi* whimper.

Wimper *f* <-, -n> eyelash; **Wimperntusche** *f* mascara.

Wind m <-[e]s, -e> wind; **Windbeutel** m cream puff; (*fig*) windbag.

Winde *f* <-, -n> (*TECH*) winch, windlass; (*BOT*) bindweed.

Windel *f* <-, -n> nappy, diaper US.

winden 1. *vi impers* be windy; 2. <**wand, gewunden**> *vt* wind;

(*Kranz*) weave; (*ent~*) twist; 3. *vr*: **sich ~ wind**; (*Mensch*) writhe.
Windhose f whirlwind; **Windhund** m greyhound; (*pej: Mensch*) fly-by-night; **windig** *adj* windy; (*fig*) dubious; **Windmühle** f windmill; **Windpokken** *pl* chickenpox; **Windschutzscheibe** f(*AUT*) windscreen, windshield *US*; **Windstärke** f wind force; **Windstille** f calm; **Windstoß** m gust of wind; **Windsurfbrett** *nt* windsurfer, surfboard; **Windsurfen** *nt* windsurfing; **Windsurfer(in** f) m wind surfer.
Wink m <-[e]s, -e > hint; (*mit Kopf*) nod; (*mit Hand*) wave.
Winkel m <-s, -> (*MATH*) angle; (*Gerät*) set square; (*in Raum*) corner.
winken *vt*, *vi* wave.
winseln *vi* whine.
Winter m <-s, -> winter; **im ~** in winter; **winterlich** *adj* wintry; **Wintersport** m winter sports *pl*.
Winzer(in f) m <-s, -> wine-grower.
winzig *adj* tiny.
Wipfel m <-s, -> treetop.
wir *pron* we; **~ alle** all of us, we all.
Wirbel m <-s, -> whirl, swirl; (*Trubel*) hurly-burly; (*Aufsehen*) fuss; (*ANAT*) vertebra; **wirbeln** *vi* whirl, swirl; **Wirbelsäule** f spine; **Wirbeltier** *nt* vertebrate; **Wirbelwind** m whirlwind.
wirken 1. *vi* have an effect; (*erfolgreich sein*) work; (*scheinen*) seem; 2. *vt* (*Wunder*) work.
wirklich *adj* real; **Wirklichkeit** f reality.
wirksam *adj* effective; **Wirksamkeit** f effectiveness, efficacy.
Wirkung f effect; **wirkungslos** *adj* ineffective; **~ bleiben** have no effect; **wirkungsvoll** *adj* effective.
wirr *adj* confused, wild; **Wirren** *pl* disturbances *pl*; **Wirrwarr** m <-s > disorder, chaos.
Wirsing[kohl] m <-s > savoy cabbage.
Wirt m <-[e]s, -e > landlord; **Wirtin** f landlady.
Wirtschaft f (*Gaststätte*) pub; (*Haushalt*) housekeeping; (*eines Landes*) economy; (*fam: Durcheinander*) mess; **wirtschaftlich** *adj* economical; (*POL*) economic; **Wirtschaftsflüchtling** m economic refugee; **Wirtschaftskriminalität** f white collar crimes *pl*; **Wirtschaftskrise** f economic crisis; **Wirtschaftsprüfer(in** f) m chartered accountant; **Wirtschaftswunder** *nt* economic miracle.
Wirtshaus *nt* inn.
Wisch m <-[e]s, -e > scrap of paper.

wischen *vt* wipe; **Wischer** m <-s, -> (*AUT*) wiper.
wispern *vt*, *vi* whisper.
Wißbegier[de] f thirst for knowledge; **wißbegierig** *adj* inquisitive, eager for knowledge.
wissen <**wußte, gewußt**> *vt* know; **Wissen** *nt* <-s > knowledge.
Wissenschaft f science; **Wissenschaftler(in** f) m <-s, -> scientist; **wissenschaftlich** *adj* scientific.
wissenswert *adj* worth knowing.
wissentlich *adj* knowing.
wittern *vt* scent; (*fig*) suspect.
Witterung f weather; (*Geruch*) scent.
Witwe f <-, -n > widow; **Witwer** m <-s, -> widower.
Witz m <-[e]s, -e > joke; **Witzblatt** *nt* comic [paper]; **Witzbold** m <-[e]s, -e > joker; **witzeln** *vi* joke; **witzig** *adj* funny.
wo 1. *adv* where; (*fam*) somewhere; 2. *conj* (*wenn*) if; **im Augenblick, ~ ...** the moment [that]...; **die Zeit, ~ ...** the time when...; **woanders** *adv* elsewhere.
wob *pt von* **weben**.
wobei *adv* (*relativ*) by/with which; (*interrogativ*) what... in/by/with.
Woche f <-, -n > week; **Wochenende** *nt* weekend; **wochenlang** *adj*, *adv* for weeks; **Wochenschau** f newsreel.
wöchentlich *adj*, *adv* weekly.
wodurch *adv* (*relativ*) through which; (*interrogativ*) what... through; **wofür** *adv* (*relativ*) for which; (*interrogativ*) what... for.
wog *pt von* **wiegen**.
Woge f <-, -n > wave; **wogen** *vi* heave, surge.
wogegen *adv* (*relativ*) against which; (*interrogativ*) what... against; **woher** *adv* where... from; **wohin** *adv* where... to.
wohl *adv* well; (*behaglich*) at ease, comfortable; (*vermutlich*) I suppose, probably; (*gewiß*) certainly; **er weiß das ~** he knows that perfectly well; **Wohl** *nt* <-[e]s > welfare; **zum ~!** cheers!; **wohlauf** *adv* well; **Wohlbehagen** *nt* feeling of well-being; **wohlbehalten** *adv* safe and sound.
Wohlfahrt f welfare; **Wohlfahrtsstaat** m welfare state.
wohlhabend *adj* wealthy.
wohlig *adj* contented, comfortable.
Wohlklang m melodious sound; **wohlschmeckend** *adj* delicious.
Wohlstand m prosperity; **Wohlstandsgesellschaft** f affluent society.

Wohltat f relief; **Wohltäter(in** f) m benefactor; **wohltätig** adj charitable.

wohlverdient adj well-earned, well-deserved; **wohlweislich** adv prudently; **Wohlwollen** nt <-s> goodwill; **wohlwollend** adj benevolent.

wohnen vi live; **Wohngemeinschaft** f shared flat; **wohnhaft** adj resident; **wohnlich** adj comfortable; **Wohnmobil** nt <-s, -e> dormobile ®, camping car; **Wohnort** m domicile; **Wohnsitz** m place of residence; **Wohnung** f house; (Etagen~) flat, apartment; **Wohnungsnot** f housing shortage; **Wohnwagen** m caravan; **Wohnzimmer** nt living room.

wölben vt, vr: sich ~ curve; **Wölbung** f curve.

Wolf m <-[e]s, ¨e> wolf; **Wölfin** f she-wolf.

Wolke f <-, -n> cloud; **Wolkenkratzer** m skyscraper; **wolkig** adj cloudy.

Wolle f <-, -n> wool; **wollen** adj woollen.

wollen vt, vi want.

wollüstig adj lusty, sensual.

womit adv (relativ) with which; (interrogativ) what... with; **womöglich** adv probably, I suppose; **wonach** adv (relativ) after/for which; (interrogativ) what... for/after.

Wonne f <-, -n> joy, bliss.

woran adv (relativ) on/at which; (interrogativ) what... on/at; **worauf** adv (relativ) on which; (interrogativ) what... on; **woraus** adv (relativ) from/out of which; (interrogativ) what... from/out of; **worin** adv (relativ) in which; (interrogativ) what... in.

Workshop m <-s, -s> workshop.

Wort nt <-[e]s, ¨er o -e> word; **jdn beim** ~ **nehmen** take sb at his word; **wortbrüchig** adj not true to one's word.

Wörterbuch nt dictionary.

Wortführer(in f) m spokesman/-woman, spokesperson; **wortkarg** adj taciturn; **Wortlaut** m wording.

wörtlich adj literal.

wortlos adj mute; **wortreich** adj wordy, verbose; **Wortschatz** m vocabulary; **Wortspiel** nt play on words, pun; **Wortwechsel** m dispute.

worüber adv (relativ) over/about which; (interrogativ) what... over/about; **worum** adv (relativ) about/round which; (interrogativ) what... about/round; **worunter** adv (relativ) under which; (interrogativ) what... under; **wovon** adv (relativ) from which; (interro-

gativ) what... from; **wovor** adv (relativ) in front of/before which; (interrogativ) in front of/before what; of what; **wozu** adv (relativ) to/for which; (interrogativ) what... for/to; (warum) why.

Wrack nt <-[e]s, -s> wreck.

wringen <wrang, gewrungen> vt wring.

Wucher m <-s> profiteering; **Wucherer(in** f) m <-s, -> profiteer; **wucherisch** adj profiteering.

wuchern vi (Pflanzen) grow wild; **Wucherung** f (MED) growth, tumour.

wuchs pt von **wachsen**; **Wuchs** m <-es> growth; (Statur) build.

Wucht f <-> force; **wuchtig** adj solid, massive.

wühlen vi scrabble; (Tier) root; (Maulwurf) burrow; (fam: arbeiten) slave away.

Wulst m <-es, ¨e> bulge; (an Wunde) swelling.

wund adj sore, raw.

Wunde f <-, -n> wound.

Wunder nt <-s, -> miracle; **es ist kein** ~ it's no wonder; **wunderbar** adj wonderful, marvellous; **Wunderkind** nt infant prodigy; **wunderlich** adj odd, peculiar; **wundern 1.** vr: sich ~ be surprised (über + akk at); **2.** vt surprise; **wunderschön** adj beautiful; **wundervoll** adj wonderful.

Wundstarrkrampf m tetanus, lockjaw.

Wunsch m <-[e]s, ¨e> wish; **wünschen** vt wish; **jdn dat etw** ~ want sth, wish for sth; **wünschenswert** adj desirable.

wurde pt von **werden**.

Würde f <-, -n> dignity; (Stellung) honour; **Würdenträger(in** f) m dignitary; **würdevoll** adj dignified; **würdig** adj worthy; (würdevoll) dignified; **würdigen** vt appreciate; **jdn keines Blickes** ~ not so much as look at sb.

Wurf m <-s, ¨e> throw; (Junge) litter.

Würfel m <-s, -> (MATH) cube; **Würfelbecher** m [dice] cup; **würfeln 1.** vi play dice; **2.** vt throw; (in Würfel schneiden) dice, cut into cubes; **Würfelspiel** nt game of dice; **Würfelzucker** m lump sugar.

würgen vt, vi choke.

Wurm m <-[e]s, ¨er> worm; **wurmen** vt (fam) rile, nettle; **Wurmfortsatz** m (MED) appendix; **wurmig** adj worm-eaten; **wurmstichig** adj worm-ridden.

Wurst f <-, ¨e> sausage; **das ist mir** ~ (fam) I don't care, I don't give a damn.

Würze f <-, -n> seasoning, spice.

Wurzel f <-, -n> root.

würzen vt season, spice; **würzig** adj

spicy.
wusch *pt von* **waschen**.
wußte *pt von* **wissen**.
wüst *adj* untidy, messy; *(ausschweifend)* wild; *(öde)* waste; *(fam: heftig)* terrible.
Wüste *f* <-, -n> desert.
Wüstling *m* rake.
Wut *f* <-> rage, fury; **Wutanfall** *m* fit of rage.
wüten *vi* rage.
wütend *adj* furious, mad.

X

X, x *nt* X, x.
X-Beine *pl* knock-knees *pl*.
x-beliebig *adj* any [whatever].
xerokopieren *vt* xerox.
x-mal *adv* any number of times, n times.
Xylophon *nt* <-s, -e> xylophone.

Y

Y, y *nt* Y, y.
Ypsilon *nt* <-[s], -s> the letter Y.
Yuppie *m* <-s, -s>, *f* <-, -s> yuppy, yuppie.

Z

Zacke *f* <-, -n> point; *(Berg~)* jagged peak; *(Gabel~)* prong; *(Kamm~)* tooth; **zackig** *adj* jagged; *(fam)* smart; *(Tempo)* brisk.
zaghaft *adj* timid; **Zaghaftigkeit** *f* timidity.
zäh *adj* tough; *(Mensch)* tenacious; *(Flüssigkeit)* thick; *(schleppend)* sluggish; **Zähigkeit** *f* toughness; tenacity.
Zahl *f* <-, -en> number.
zahlbar *adj* payable; **zahlen** *vt, vi* pay; ~ **bitte!** the bill please!
zählen *vi, vt* count *(auf + akk* on); ~ **zu** be numbered among.
zahlenmäßig *adj* numerical.
Zahler(in *f) m* <-s, -> payer.
Zähler *m* <-s, -> *(TECH)* meter; *(MATH)* numerator.

zahllos *adj* countless; **zahlreich** *adj* numerous.
Zahltag *m* payday.
Zahlung *f* payment; **zahlungsfähig** *adj* solvent; **Zahlungsverkehr** *m* payment transactions *pl*.
Zahlwort *nt* numeral.
zahm *adj* tame; **zähmen** *vt* tame; *(fig)* curb.
Zahn *m* <-[e]s, ¨e> tooth; **Zahnarzt** *m*, **-ärztin** *f* dentist; **Zahnbürste** *f* toothbrush; **zahnen** *vi* cut one's teeth; **Zahnfäule** *f* <-> tooth decay, caries; **Zahnfleisch** *nt* gums *pl*; **Zahnpasta**, **Zahnpaste** *f* toothpaste; **Zahnrad** *nt* cog[wheel]; **Zahnradbahn** *f* rack railway; **Zahnschmelz** *m* [tooth] enamel; **Zahnschmerzen** *pl* toothache; **Zahnseide** *f* dental floss; **Zahnstein** *m* tartar; **Zahnstocher** *m* <-s, -> toothpick.
Zange *f* <-, -n> pliers *pl*; *(Zucker~ etc)* tongs *pl*; *(Beiß~, ZOOL)* pincers *pl*; *(MED)* forceps *pl*; **Zangengeburt** *f* forceps delivery.
Zankapfel *m* bone of contention; **zanken** *vi, vr:* **sich** ~ quarrel; **zänkisch** *adj* quarrelsome.
Zäpfchen *nt* *(ANAT)* uvula; *(MED)* suppository.
zapfen *vt* tap.
Zapfen *m* <-s, -> plug; *(BOT)* cone; *(Eis~)* icicle.
Zapfenstreich *m* *(MIL)* tattoo.
Zapfsäule *f* petrol pump, gas pump *US*.
zappelig *adj* wriggly; *(unruhig)* fidgety; **zappeln** *vi* wriggle; fidget.
zart *adj* *(weich, leise)* soft; *(Braten etc)* tender; *(fein, schwächlich)* delicate; **Zartgefühl** *nt* tact; **Zartheit** *f* softness; tenderness; delicacy.
zärtlich *adj* tender, affectionate; **Zärtlichkeit** *f* tenderness; ~ **en** *pl* caresses *pl*.
Zauber *m* <-s, -> magic; *(~bann)* spell; **Zauberei** *f* magic; **Zauberer** *m* <-s, ->, *(Zauberkünstler auch)* conjuror; **zauberhaft** *adj* magical, enchanting; **Zauberkünstler(in** *f) m* conjuror; **zaubern** *vi* conjure, practise magic; **Zauberspruch** *m* [magic] spell.
zaudern *vi* hesitate.
Zaum *m* <-[e]s, Zäume> bridle; **etw im** ~ **halten** keep sth in check.
Zaun *m* <-[e]s, Zäune> fence; **vom** ~[e] **brechen** *(fig)* start; **Zaunkönig** *m* wren; **Zaunpfahl** *m:* **ein Wink mit dem** ~ a broad hint.
z.B. *abk von* **zum Beispiel** e.g.

Zebra nt <-s, -s> zebra; **Zebrastreifen** m zebra crossing, pedestrian crosswalk US.

Zeche f <-, -n> (Rechnung) bill; (MIN) mine.

Zecke f <-, -n> tick.

Zehe f <-, -n> toe; (Knoblauch~) clove.

zehn num ten; **zehnfach 1.** adj tenfold; **2.** adv ten times; **zehnjährig** adj (10 Jahre alt) ten-year-old; (10 Jahre dauernd) ten-year; **zehnmal** adv ten times.

zehnte(r, s) adj tenth; **der ~ Mai** the tenth of May; **Freiburg, den 10. Mai** Freiburg, May 10th; **Zehnte(r)** mf tenth.

Zehntel nt <-s, -> (Bruchteil) tenth.

zehntens adv in the tenth place.

Zeichen nt <-s, -> sign.

zeichnen vt draw; (kenn~) mark; (unter~) sign; **Zeichner(in)** m <-s, -> artist; **technischer ~** draughtsman; **Zeichnung** f drawing; (Markierung) markings pl.

Zeigefinger m index finger; **zeigen 1.** vt show; **2.** vi point (auf + akk to, at); **3.** vr: **sich ~** show oneself; **es wird sich ~** time will tell; **es zeigte sich, daß . . .** it turned out that . . .

Zeiger m <-s, -> pointer; (Uhr~) hand.

Zeile f <-, -n> line; (Häuser~) row; **Zeilenabstand** m line spacing.

Zeit f <-, -en> time; (LING) tense; **zur ~** at the moment; **sich** dat **~ lassen** take one's time; **von ~ zu ~** from time to time; **Zeitalter** nt age; **zeitgemäß** adj in keeping with the times; **Zeitgenosse** m, **-genossin** f contemporary; **zeitig** adj early; **zeitlebens** adv all one's life; **zeitlich** adj temporal; **Zeitlupe** f slow motion; **Zeitraffer** m <-s, -> time-lapse photography; **zeitraubend** adj time-consuming; **Zeitraum** m period; **Zeitrechnung** f time, era; **nach/vor unserer ~** A.D./B.C.

Zeitschrift f periodical.

Zeitung f newspaper.

Zeitverschwendung f waste of time; **Zeitvertreib** m pastime, diversion; **zeitweilig** adj temporary; **zeitweise** adv for a time; **Zeitwort** nt verb; **Zeitzeichen** nt (RADIO) time signal; **Zeitzünder** m time fuse.

Zelle f <-, -n> cell; (Telefon~) callbox; **Zellkern** m cell, nucleus; **Zellstoff** m cellulose; **Zellteilung** f cell division.

Zelt nt <-[e]s, -e> tent; **Zeltbahn** f tarpaulin; groundsheet; **zelten** vi camp.

Zement m <-[e]s, -e> cement; **zementieren** vt cement.

zensieren vt censor; (SCH) mark; **Zensur** f censorship; (SCH) mark.

Zentimeter m o nt centimetre.

Zentner m <-s, -> ≈ hundredweight.

zentral adj central; **Zentrale** f <-, -n> central office; (TEL) exchange; **Zentraleinheit** f (COMPUT) central processing unit, CPU; **Zentralheizung** f central heating; **zentralisieren** vt centralize; **Zentralrechner** m host computer; **Zentralspeicher** m (COMPUT) main memory, core; **Zentralverriegelung** f (AUT) central [door] locking.

zentrieren vt (TYP) centre.

Zentrifugalkraft f centrifugal force.

Zentrifuge f <-, -n> centrifuge; (für Wäsche) spin-dryer.

Zentrum nt <-s, Zentren> centre.

Zepter nt <-s, -> sceptre.

zerbrechen irr vt, vi break; **zerbrechlich** adj fragile.

zerbröckeln vt, vi crumble [to pieces].

zerdrücken vt squash, crush; (Kartoffeln) mash.

Zeremonie f ceremony.

Zerfall m decay; **zerfallen** irr vi disintegrate, decay; (sich gliedern) fall (in + akk into).

zerfetzen vt tear to pieces.

zerfließen irr vi dissolve, melt away.

zergehen irr vi melt, dissolve.

zerkleinern vt reduce to small pieces.

zerlegbar adj able to be dismantled; **zerlegen** vt take to pieces; (Fleisch) carve; (Satz) analyse; (Gerät, Maschine) dismantle.

zerlumpt adj ragged.

zermalmen vt crush.

zermürben vt wear down.

zerquetschen vt squash.

Zerrbild nt caricature, distorted picture.

zerreden vt (Problem) flog to death.

zerreißen irr **1.** vt tear to pieces; **2.** vi tear, rip.

zerren 1. vt drag; **2.** vi tug (an + dat at).

zerrinnen irr vi melt away.

Zerrissenheit f tattered state; (POL) disunion, discord; (innere ~) conflict.

zerrütten vt wreck, destroy; **zerrüttet** adj wrecked, shattered; (Ehe, Familie) broken.

zerschlagen irr **1.** vt shatter, smash; **2.** vr: **sich ~** fall through.

zerschneiden irr vt cut up.

zersetzen vt, vr: **sich ~** decompose, dissolve.

zerspringen irr vi shatter, burst.

Zerstäuber m <-s, -> atomizer.

zerstören vt destroy; **Zerstörung** f destruction.

zerstoßen irr vt pound, pulverize.

zerstreiten irr vr: **sich ~** fall out, break up.

zerstreuen vt, vr: **sich ~** disperse, scatter; (unterhalten) divert; (Zweifel etc) dispel; **zerstreut** adj scattered; (Mensch) absent-minded; **Zerstreutheit** f absent-mindedness; **Zerstreuung** f dispersion; (Ablenkung) diversion.

zerstückeln vt cut into pieces.

zertreten irr vt crush underfoot.

zertrümmern vt shatter; (Gebäude etc) demolish.

Zerwürfnis nt dissension, quarrel.

zerzausen vt (Haare) ruffle up, tousle.

zetern vi shout, shriek.

Zettel m <-s, -> piece of paper; slip; (Notiz~) note; (Formular) form; **Zettelkasten** m card index [box].

Zeug nt <-[e]s, -e> (fam) stuff (Ausrüstung) gear; **dummes ~** [stupid] nonsense; **das ~ haben zu** have the makings of; **sich ins ~ legen** put one's shoulder to the wheel.

Zeuge m <-n, -n>, **Zeugin** f witness; **zeugen 1.** vi bear witness, testify; **2.** vt (Kind) father; **es zeugt von ... it** testifies to ...; **Zeugenaussage** f evidence; **Zeugenstand** m witness box.

Zeugnis nt certificate; (SCH) report; (Referenz) reference; (Aussage) evidence, testimony; **~ geben von** be evidence of, testify to.

Zeugung f procreation; **zeugungsunfähig** adj sterile.

z.H. abk von **zu Händen von** att.

Zickzack m <-[e]s, -e> zigzag.

Ziege f <-, -n> goat; **Ziegenleder** nt kid.

Ziegel m <-s, -> brick; (Dach~) tile; **Ziegelei** f brickworks sing o pl.

ziehen <zog, gezogen> **1.** vt draw; (zerren) pull; (SCHACH etc) move; (züchten) rear; **2.** vi draw; (um~, wandern) move; (Rauch, Wolke etc) drift; (reißen) pull; **3.** vi impers: **es zieht** there is a draught, it's draughty; **4.** vr: **sich ~** (Gummi) stretch; (Grenze etc) run; (Gespräche) be drawn out; **etw nach sich ~** lead to sth, entail sth.

Ziehharmonika f concertina; accordion.

Ziehung f (Los~) drawing.

Ziel nt <-[e]s, -e> (einer Reise) destination; (SPORT) finish; (MIL) target; (Absicht) goal, aim; **zielen** vi aim (auf + akk at); **Zielfernrohr** nt telescopic sight; **ziellos** adj aimless; **Zielscheibe** f target; **zielstrebig** adj purposeful.

ziemlich 1. adj quite a; fair; **2.** adv rather; quite a bit.

zieren vr: **sich ~** act coy.

zierlich adj dainty; **Zierlichkeit** f daintiness.

Zierstrauch m flowering shrub.

Ziffer f <-, -n> figure, digit; **Zifferblatt** nt dial, clock-face.

zig adj (fam) umpteen.

Zigarette f cigarette; **Zigarettenautomat** m cigarette machine; **Zigarettenschachtel** f cigarette packet; **Zigarettenspitze** f cigarette holder.

Zigarillo nt o m <-s, -s> cigarillo.

Zigarre f <-, -n> cigar.

Zigeuner(in f) m <-s, -> gipsy.

Zimbabwe nt Zimbabwe.

Zimmer nt <-s, -> room; **Zimmerantenne** f indoor aerial; **Zimmerdecke** f ceiling; **Zimmerherr** m lodger; **Zimmerlautstärke** f reasonable volume; **Zimmermädchen** nt chambermaid; **Zimmermann** m, pl <-leute> carpenter; **zimmern** vt make, carpenter; **Zimmerpflanze** f indoor plant.

zimperlich adj squeamish; (pingelig) fussy, finicky.

Zimt m <-[e]s, -e> cinnamon; **Zimtstange** f cinnamon stick.

Zink nt <-[e]s> zinc.

Zinke f <-, -n> (Gabel~) prong; (Kamm~) tooth; **zinken** vt (Karten) mark.

Zinksalbe f zinc ointment.

Zinn nt <-[e]s> (Element) tin; (in ~ waren) pewter.

zinnoberrot adj vermilion.

Zinnsoldat m tin soldier; **Zinnwaren** pl pewter.

Zins m <-es, -en> interest; **Zinseszins** m compound interest; **Zinsfuß** m, **Zinssatz** m rate of interest; **zinslos** adj interest-free.

Zipfel m <-s, -> corner; (spitz) tip; (Hemden~) tail; (Wurst~) end; **Zipfelmütze** f stocking cap; nightcap.

zirka adv [round] about.

Zirkel m <-s, -> circle; (MATH) pair of compasses; **Zirkelkasten** m geometry set.

Zirkus m <-, -se> circus.

Zirrhose f <-, -n> cirrhosis.

zischeln vt, vi whisper.

zischen vi hiss.

Zitat nt quotation, quote; **zitieren** vt quote.

Zitronat nt candied lemon peel.

Zitrone f <-, -n> lemon; **Zitronenlimonade** f lemonade; **Zitronensaft** m lemon juice; **Zitronenscheibe** f lemon slice.

zittern vi tremble.

Zitze f <-, -n> (bei Tieren) teat, dug.

zivil adj civil; (Preis: billig) moderate; **Zivil** nt <-s> plain clothes pl; (MIL) civilian clothing; **Zivilbevölkerung** f civilian population; **Zivilcourage** f courage of one's convictions; **Zivildienst** m community service, alternative service.

Zivilisation f civilization; **Zivilisationserscheinung** f phenomenon of civilization; **Zivilisationskrankheit** f disease peculiar to civilization; **zivilisieren** vt civilize.

Zivilist(in f) m civilian.

Zivilrecht nt civil law.

zocken vi (fam) gamble; **Zocker(in** f) m <-s, -> (fam) gambler.

Zoff m <-s> (fam) trouble.

zog pt von ziehen.

zögern vi hesitate.

Zölibat nt o m <-[e]s> celibacy.

Zoll m <-[e]s, ⁻e> customs pl; (Abgabe) duty; **Zollabfertigung** f customs clearance; **Zollamt** nt customs office; **Zollbeamte(r)** m, **-beamtin** f customs official; **Zollerklärung** f customs declaration; **zollfrei** adj duty-free; **zollpflichtig** adj liable to duty, dutiable.

Zombie m <-s, -s> (fig) zombie.

Zone f <-, -n> zone.

Zoo m <-s, -s> zoo.

Zoologe m <-n, -n>, **-login** f zoologist; **Zoologie** f zoology; **zoologisch** adj zoological.

Zopf m <-[e]s, ⁻e> plait; (nicht geflochten) pigtail; **alter** ~ antiquated custom.

Zorn m <-[e]s> anger; **zornig** adj angry.

Zote f <-, -n> smutty joke/remark.

zottig adj shaggy.

zu 1. conj (mit Infinitiv) to; **2.** prep +dat (bei Richtung, Vorgang) to; (bei Orts-, Zeit-, Zweckangabe) at; (Zweck) for; **3.** adv (~ sehr) too; (in Richtung) towards [sb/sth]; **4.** adj (fam) shut; ~m Fenster herein through the window; ~ meiner Zeit in my time.

zuallererst adv first of all; **zuallerletzt** adv last of all.

Zubehör nt <-[e]s, -e> accessories pl.

Zuber m <-s, -> tub.

zubereiten vt prepare.

zubilligen vt grant.

zubinden irr vt tie up.

zubleiben irr vi (fam) stay shut.

zubringen irr vt spend; (fam: Tür) get shut.

Zubringer m <-s, -> (TECH) feeder, conveyor; **Zubringerstraße** f approach road.

Zucchini pl courgettes pl.

Zucht f <-, -en> (von Tieren) breed[ing]; (von Pflanzen) cultivation; (Rasse) breed; (Erziehung) raising; (Disziplin) discipline; **züchten** vt (Tiere) breed; (Pflanzen) cultivate, grow; **Züchter(in** f) m <-s, -> breeder; grower.

Zuchthaus nt prison, penitentiary US.

Zuchthengst m stallion, stud.

züchtig adj modest, demure.

züchtigen vt chastise; **Züchtigung** f chastisement.

zucken 1. vi jerk, twitch; (Strahl etc) flicker; **2.** vt shrug.

zücken vt (Schwert) draw; (Geldbeutel) pull out.

Zucker m <-s, -> sugar; (MED) diabetes sing; **Zuckerdose** f sugar bowl; **Zuckerguß** m icing; **zuckerkrank** adj diabetic; **zuckern** vt sugar; **Zuckerrohr** nt sugar cane; **Zuckerrübe** f sugar beet.

Zuckung f convulsion, spasm; (leicht) twitch.

zudecken vt cover [up].

zudrehen vt turn off.

zudringlich adj forward, pushing.

zudrücken vt close; **ein Auge** ~ turn a blind eye.

zueinander adv to one another; (in Verbindung) together.

zuerst adv first; (zu Anfang) at first; ~ **einmal** first of all.

Zufahrt f approach; **Zufahrtsstraße** f approach road; (von Autobahn etc) slip road.

Zufall m chance; (Ereignis) coincidence; **durch** ~ by accident; **so ein** ~ what a coincidence.

zufallen irr vi close, shut itself; (Anteil, Aufgabe) fall (jdm to sb).

zufällig 1. adj chance; **2.** adv by chance; (in Frage) by any chance.

Zuflucht f recourse; (Ort) refuge.

Zufluß m (Zufließen) inflow, influx; (GEO) tributary; (COM) supply.

zufolge prep +dat o gen judging by; (laut) according to.

zufrieden adj content[ed], satisfied; **Zufriedenheit** f satisfaction, contentedness; **zufriedenstellen** vt satisfy.

zufrieren irr vi freeze up [o over].

zufügen vt add (dat to); (Leid) cause (jdm etw sth to sb).

Zufuhr f <-, -en> (Herbeibringen) supplying; (METEO) influx.

zuführen 1. vt (leiten) bring, conduct; (transportieren) convey to; (versorgen) supply; **2.** vi: **auf etw** akk ~ lead to sth.

Zug m < -[e]s, ˝e > (EISENB) train; (Luft~) draught; (Ziehen) pull[ing]; (Gesichts~) feature; (SCHACH etc) move; (Klingel~) pull; (Atem~) breath; (Charakter~) trait; (an Zigarette) puff, pull, drag; (Schluck) gulp; (Menschengruppe) procession; (von Vögeln) flight; (MIL) platoon; **etw in vollen ˝en genießen** enjoy sth to the full.

Zugabe f extra; (in Konzert etc) encore.

Zugang m access, approach.

zugänglich adj accessible; (Mensch) approachable.

Zugabteil nt train compartment; **Zugbrücke** f drawbridge.

zugeben irr vt (beifügen) add, throw in; (zugestehen) admit; (erlauben) permit.

zugehen irr 1. vi (schließen) shut; 2. vi impers (sich ereignen) go on, proceed; **auf jdn/etw ~** walk towards sb/sth; **dem Ende ~** be finishing.

Zugehörigkeit f membership (zu of), belonging (zu to); **Zugehörigkeitsgefühl** nt feeling of belonging.

zugeknöpft adj (fam) reserved, stand-offish.

Zügel m < -s, - > rein[s]; (fig auch) curb; **zügellos** adj unrestrained, licentious; **Zügellosigkeit** f lack of restraint, licentiousness; **zügeln** vt curb; (Pferd auch) rein in.

Zugeständnis nt concession; **zugestehen** irr vt admit; (Rechte) concede (jdm to sb).

Zugführer(in f) m (EISENB) inspector; (MIL) platoon commander.

zugig adj draughty.

zügig adj speedy, swift.

Zugluft f draught; **Zugmaschine** f traction engine, tractor.

zugreifen irr vi seize [o grab] it; (helfen) help; (beim Essen) help oneself; **Zugriff** m (COMPUT) access; **Zugriffszeit** f (COMPUT) access time.

zugrunde adv: **~ gehen** collapse; (Mensch) perish; **einer Sache** dat **etw ~ legen** base sth on sth; **einer Sache** dat **~ liegen** be based on sth; **~ richten** ruin, destroy.

zugunsten prep + gen o dat in favour of.

zugute adv: **jdm etw ~ halten** concede sth; **jdm ~ kommen** be of assistance to sb.

Zugverbindung f train connection; **Zugvogel** m migratory bird.

zuhalten irr 1. vt hold shut; 2. vi: **auf jdn/etw ~** make for sb/sth.

Zuhälter m < -s, - > pimp.

Zuhause nt < -s > home.

Zuhilfenahme f: **unter ~ von** with the help of.

zuhören vi listen (dat to); **Zuhörer(in** f) m listener; **Zuhörerschaft** f audience.

zujubeln vi cheer (jdm sb).

zukleben vt paste up.

zuknöpfen vt button up, fasten.

zukommen irr vi come up (auf + akk to); (sich gehören) be fitting (jdm for sb); **das kommt ihr zu** (Recht haben auf) she is entitled to that; **jdm etw ~ lassen** give sb sth; **etw auf sich ~ lassen** wait and see.

Zukunft f < -, Zukünfte > future; **zukünftig** 1. adj future; 2. adv in future; **mein ~ er Mann** my husband to be; **Zukunftsaussichten** pl future prospects pl; **Zukunftsmusik** f (fam) pie in the sky; **Zukunftsroman** m science-fiction novel.

Zulage f bonus, allowance.

zulassen irr vt (hereinlassen) admit; (erlauben) permit; (Auto) license; (fam: nicht öffnen) [keep] shut; **zulässig** adj permissible, permitted.

zulaufen irr vi run (auf + akk towards); (Tier) adopt (jdm sb); **spitz ~** come to a point.

zulegen vt add; (Geld) put in; (Tempo) accelerate, quicken; **sich** dat **etw ~** (fam) get oneself sth.

zuleide adj: **jdm etw ~ tun** hurt [o harm] sb.

zuletzt adv finally, at last.

zuliebe adv: **jdm ~** to please sb.

zum = zu dem: **~ dritten Mal** for the third time; **~ Scherz** as a joke; **~ Trinken** for drinking.

zumachen 1. vt shut; (Kleidung) do up, fasten; 2. vi shut; (fam: sich beeilen) hurry up.

zumal conj especially [as].

zumindest adv at least.

zumutbar adj reasonable.

zumute adv: **wie ist ihm ~ ?** how does he feel?

zumuten vt expect, ask (jdm of sb); **Zumutung** f unreasonable expectation [o demand], impertinence.

zunächst adv first of all; **~ einmal** to start with.

zunähen vt sew up.

Zunahme f < -, -n > increase.

Zuname m surname.

zünden vi (Feuer) light, ignite; (Motor) fire; (begeistern) fire [with enthusiasm] (bei jdm sb); **zündend** adj fiery; **Zünder** m < -s, - > fuse; (MIL) detonator; **Zündholz** nt match; **Zündkerze** f (AUT) spark[ing] plug; **Zündschlüssel** m ignition key; **Zündschnur** f fuse wire; **Zündstoff** m (fig) dynamite;

Zündung f ignition.
zunehmen irr vi increase, grow; (Mensch) put on weight.
Zuneigung f affection.
Zunft f <-, -̈e> guild.
zünftig adj proper, real; (Handwerk) decent.
Zunge f <-, -n> tongue; (Fisch) sole.
zunichte adv: ~ **machen** ruin, destroy; ~ **werden** come to nothing.
zunutze adv: **sich** dat **etw** ~ **machen** make use of sth.
zuoberst adv at the top.
zupackend adj vigorous, energetic.
zupfen vt pull, pick, pluck; (Gitarre) pluck.
zur = **zu der.**
zurechnungsfähig adj responsible, accountable; **Zurechnungsfähigkeit** f responsibility, accountability.
zurechtfinden irr vr: **sich** ~ find one's way [about]; **zurechtkommen** irr vi [be able to] deal (mit with), manage; **zurechtlegen** vt get ready; (Ausrede etc) have ready; **zurechtmachen 1.** vt prepare; **2.** vr: **sich** ~ get ready; **zurechtweisen** irr vt reprimand; **Zurechtweisung** f reprimand, rebuff.
zureden vi persuade, urge (jdm sb).
zurichten vt (beschädigen) batter, bash up.
zürnen vi be angry (jdm with sb).
zurück adv back.
zurückbehalten irr vt keep back.
zurückbekommen irr vt get back.
zurückbezahlen vt repay, pay back.
zurückbleiben irr vi (Mensch) remain behind; (nicht nachkommen) fall behind, lag; (Schaden) remain.
zurückbringen vt bring back.
zurückdrängen vt (Gefühle) repress; (Feind) push back.
zurückdrehen vt turn back.
zurückerobern vt reconquer.
zurückfahren irr **1.** vi travel back; (vor Schreck) recoil, start; **2.** vt drive back.
zurückfallen irr vi fall back; (in Laster) relapse.
zurückfinden irr vi find one's way back.
zurückfordern vt demand back.
zurückführen vt lead back; **etw auf etw** akk ~ trace sth back to sth.
zurückgeben irr vt give back; (antworten) retort with.
zurückgeblieben adj retarded.
zurückgehen irr vi go back; (zeitlich) date back (auf + akk to).
zurückgezogen adj retired, withdrawn.
zurückhalten irr **1.** vt hold back; (Mensch) restrain; (hindern) prevent; **2.**

vr: **sich** ~ (reserviert sein) be reserved; (im Essen) hold back; **zurückhaltend** adj reserved; **Zurückhaltung** f reserve.
zurückkehren irr vi return.
zurückkommen irr vi come back; **auf etw** akk ~ return to sth.
zurücklassen irr vt leave behind.
zurücklegen vt put back; (Geld) put by; (reservieren) keep back; (Strecke) cover.
zurücknehmen irr vt take back.
zurückrufen irr vt, vi call back; **etw ins Gedächtnis** ~ recall sth.
zurückschrecken vi shrink (vor + dat from).
zurückstecken 1. vt put back; **2.** vi (fig) moderate [one's wishes].
zurückstellen vt put back, replace; (aufschieben) put off, postpone; (MIL) turn down; (Interessen) defer; (Ware) keep.
zurücktreten irr vi step back; (von Amt) retire; **gegenüber** [o **hinter**] **etw** ~ diminish in importance in view of sth.
zurückweisen irr vt turn down; (jdn) reject.
Zurückzahlung f repayment.
zurückziehen irr **1.** vt pull back; (Angebot) withdraw; **2.** vr: **sich** ~ retire.
Zuruf m shout, cry.
Zusage f <-, -n> promise; (Annahme) consent; **zusagen 1.** vt promise; **2.** vi accept; **jdm** ~ (gefallen) please sb.
zusammen adv together.
Zusammenarbeit f cooperation; **zusammenarbeiten** vi cooperate.
zusammenbeißen irr vt (Zähne) clench.
zusammenbleiben irr vi stay together.
zusammenbrechen irr vi collapse; (Mensch auch) break down.
zusammenbringen irr vt bring [o get] together; (Geld) get; (Sätze) put together.
Zusammenbruch m collapse.
zusammenfahren irr vi collide; (erschrecken) start.
zusammenfassen vt summarize; (vereinigen) unite; **zusammenfassend 1.** adj summarizing; **2.** adv to summarize; **Zusammenfassung** f summary, résumé.
Zusammenfluß m confluence.
zusammengehören vi belong together; (Paar) match.
zusammengesetzt adj compound, composite.
zusammenhalten irr vi stick together.
Zusammenhang m connection; **im/aus dem** ~ in/out of context; **zusammenhängen** irr vi be connected, be linked; **zusammenhang[s]los** adj incoherent, disconnected.
zusammenkommen irr vi meet, as-

semble; (*sich ereignen*) occur at once [*o* together]; **Zusammenkunft** *f* <-, -künfte > meeting.

zusammenlegen *vt* put together; (*stapeln*) pile up; (*falten*) fold; (*verbinden*) combine, unite; (*Termine, Fest*) amalgamate; (*Geld*) collect.

zusammennehmen *irr* **1.** *vt* summon up; **2.** *vr*: **sich** ~ pull oneself together; **alles zusammengenommen** all in all.

zusammenpassen *vi* go well together, match.

zusammenschlagen *irr* *vt* (*jdn*) beat up; (*Dinge*) smash up; (*falten*) fold; (*Hände*) clap; (*Hacken*) click.

zusammenschließen *irr* *vt*, *vr*: **sich** ~ join [together]; **Zusammenschluß** *m* amalgamation.

zusammenschreiben *irr* *vt* write together; (*Bericht*) put together.

Zusammensein *nt* <-s> get-together.

zusammensetzen 1. *vt* put together; **2.** *vr*: **sich** ~ be composed of; **Zusammensetzung** *f* composition.

zusammenstellen *vt* put together; (*Bericht, Programm, Daten*) compile; **Zusammenstellung** *f* list; (*Vorgang*) compilation.

Zusammenstoß *m* collision; **zusammenstoßen** *irr* *vi* collide.

zusammentreffen *irr* *vi* coincide; (*Menschen*) meet; **Zusammentreffen** *nt* meeting; coincidence.

zusammenwachsen *irr* *vi* grow together.

zusammenzählen *vt* add up.

zusammenziehen *irr* *vt* **1.** *vt* (*verengen*) draw together; (*vereinigen*) bring together; (*addieren*) add up; **2.** *vr*: **sich** ~ shrink; (*sich bilden*) form, develop.

Zusatz *m* addition; **Zusatzantrag** *m* (*POL*) amendment; **Zusatzgerät** *nt* attachment; (*COMPUT*) ancillary equipment; **zusätzlich** *adj* additional.

zuschauen *vi* watch, look on; **Zuschauer(in** *f*) *m* <-s, -> spectator; **die** ~ *pl* (*THEAT*) the audience.

zuschicken *vt* send, forward (*jdm etw* sth to sb).

zuschießen *irr* **1.** *vt* fire (*dat* at); (*Geld*) put in; **2.** *vi*: ~ **auf** + *akk* rush towards.

Zuschlag *m* extra charge, surcharge.

zuschlagen *irr* **1.** *vt* (*Tür*) slam; (*Ball*) hit (*jdm* to sb); (*bei Auktion*) knock down; (*Steine etc*) knock into shape; **2.** *vi* (*Fenster, Tür*) shut; (*Mensch*) hit, punch.

Zuschlagskarte *f* (*EISENB*) surcharge ticket; **zuschlagspflichtig** *adj* subject to surcharge.

zuschließen *irr* *vt* lock [up].

zuschneiden *irr* *vt* cut out, cut to size.

zuschnüren *vt* tie up.

zuschrauben *vt* screw down [*o* up].

zuschreiben *vt* (*fig*) ascribe, attribute.

Zuschrift *f* letter, reply.

zuschulden *adv*: **sich** *dat* **etw** ~ **kommen lassen** make oneself guilty of sth.

Zuschuß *m* subsidy, allowance.

zuschütten *vt* fill up.

zusehen *irr* *vi* watch (*jdm/etw* sb/sth); (*dafür sorgen*) take care; **zusehends** *adv* visibly.

zusenden *irr* *vt* forward, send on (*jdm etw* sth to sb).

zusetzen 1. *vt* (*beifügen*) add; (*Geld*) lose; **2.** *vi*: **jdm** ~ harass sb; (*Krankheit*) take a lot out of sb.

zusichern *vt* assure (*jdm etw* sb of sth).

zuspielen *vt*, *vi* pass (*jdm* to sb).

zuspitzen 1. *vt* sharpen; **2.** *vr*: **sich** ~ (*Lage*) become critical.

zusprechen *irr* **1.** *vt* (*zuerkennen*) award (*jdm etw* sb sth, sth to sb); **2.** *vi* speak (*jdm* to sb); **jdm Trost** ~ comfort sb; **dem Essen/Alkohol** ~ eat/drink a lot; **Zuspruch** *m* encouragement; (*Anklang*) appreciation, popularity.

Zustand *m* state, condition; (*COMPUT*) state.

zustande *adv*: ~ **bringen** bring about; ~ **kommen** come about.

zuständig *adj* competent, responsible; **Zuständigkeit** *f* competence, responsibility.

zustehen *irr* *vi*: **jdm** ~ be sb's right.

zustellen *vt* (*verstellen*) block; (*Post etc*) send.

zustimmen *vi* agree (*dat* to); **Zustimmung** *f* agreement, consent.

zustoßen *irr* *vi* (*fig*) happen (*jdm* to sb).

zutage *adv*: ~ **bringen** bring to light; ~ **treten** come to light.

Zutaten *pl* ingredients *pl*.

zuteilen *vt* allocate, assign.

zutiefst *adv* deeply.

zutragen *irr* **1.** *vt* bring (*jdm etw* sth to sb); (*Klatsch*) tell; **2.** *vr*: **sich** ~ happen.

zuträglich *adj* beneficial.

zutrauen *vt* credit (*jdm etw* sb with sth); **Zutrauen** *nt* <-s> trust (*zu* in); **zutraulich** *adj* trusting, friendly; **Zutraulichkeit** *f* trust.

zutreffen *irr* *vi* be correct; (*gelten*) apply; **Z**~**des bitte unterstreichen** please underline where applicable.

Zutritt *m* access, admittance.

Zutun *nt* <-s> assistance; **es geschah ohne mein** ~ I didn't have a hand in it.

zuverlässig *adj* reliable; **Zuverlässigkeit** *f* reliability.

Zuversicht f <-> confidence; **zuversichtlich** adj confident; **Zuversichtlichkeit** f confidence, hopefulness.
zuviel adv too much.
zuvor adv before, previously; **zuvorkommen** irr vi anticipate (jdm sb), beat [sb] to it; **zuvorkommend** adj obliging, courteous.
Zuwachs m <-es, -wächse> increase, growth; (fam: Baby) addition to the family.
zuwachsen irr vi become overgrown; (Wunde) heal [up].
Zuwachsrate f rate of increase.
zuwege adv: etw ~ bringen accomplish sth; mit etw ~ kommen manage sth; gut ~ sein be [doing] well.
zuweilen adv at times, now and then.
zuweisen irr vt assign, allocate (jdm to sb).
zuwenden irr vt (dat towards); 2. vr: sich ~ devote oneself, turn (dat, to); jdm seine Aufmerksamkeit ~ give sb one's attention.
zuwenig adv too little.
zuwerfen irr vt throw (jdm to sb).
zuwider 1. adv: etw ist jdm ~ sb loathes sth, sb finds sth repugnant; 2. prep + dat contrary to; **zuwiderhandeln** vi act contrary (dat to); **einem Gesetz** ~ contravene a law; **Zuwiderhandlung** f contravention; **zuwiderlaufen** irr vi run counter (dat to).
zuziehen irr 1. vt (schließen: Vorhang) draw, close; (herbeirufen: Experten) call in; 2. vi move in, come; **sich** dat **etw** ~ catch sth; (Zorn) incur sth.
zuzüglich prep + gen plus, with the addition of.
zwang pt von **zwingen**; **Zwang** m <-[e]s, ¨e> compulsion, coercion.
zwängen vt, vr: sich ~ squeeze.
zwanglos adj informal; **Zwanglosigkeit** f informality.
Zwangsarbeit f forced labour; (Strafe) hard labour; **Zwangsernährung** f force feeding; **Zwangsjacke** f straightjacket; **Zwangslage** f predicament, tight corner; **zwangsläufig** adj necessary, inevitable; **Zwangsmaßnahme** f sanction, coercive measure; **zwangsweise** adv compulsorily.
zwanzig num twenty.
zwar adv to be sure, indeed; **das ist** ~ ..., **aber**... that may be... but...; **und** ~ **am Sonntag** on Sunday to be precise; **und** ~ **so schnell, daß**... in fact so quickly that...
Zweck m <-[e]s, -e> purpose, aim.
Zwecke f <-, -n> hobnail; (Heft~)

drawing pin, thumbtack US.
Zweckentfremdung f misuse; **zwecklos** adj pointless; **zweckmäßig** adj suitable, appropriate; **Zweckmäßigkeit** f suitability.
zwei num two; **zweideutig** adj ambiguous; (unanständig) suggestive; **zweierlei** adj inv: ~ **Stoff** two different kinds of material; ~ **Meinung** of differing opinions; ~ **zu tun haben** have two different things to do; **zweifach** adj, adv double.
Zweifel m <-s, -> doubt; **zweifelhaft** adj doubtful, dubious; **zweifellos** adj doubtless; **zweifeln** vi doubt (an etw dat sth); **Zweifelsfall** m: **im** ~ in case of doubt.
Zweig m <-[e]s, -e> branch; **Zweigstelle** f branch [office].
zweihundert num two hundred; **zweijährig** adj (2 Jahre alt) two-year-old; (2 Jahre dauernd) two-year; **Zweikampf** m duel; **zweimal** adv twice; **zweimotorig** adj twin-engined; **zweireihig** adj (Anzug) double-breasted; **zweischneidig** adj (fig) two-edged; **Zweisitzer** m <-s, -> two-seater; **zweisprachig** adj bilingual; **zweispurig** adj (AUT) two-lane; **zweistimmig** adj for two voices; **Zweitaktmotor** m two-stroke engine.
zweite(r, s) adj second; **der** ~ **Mai** the second of May; **Freiburg, den 2. Mai** Freiburg, May 2nd; **Zweite(r)** mf second.
zweitens adv secondly; (bei Aufzählungen) second.
zweitgrößte(r, s) adj second largest; **zweitklassig** adj second-class; **zweitletzte(r, s)** adj last but one, penultimate; **zweitrangig** adj second-rate; **Zweitwagen** m second car.
Zwerchfell nt diaphragm.
Zwerg(in f) m <-[e]s, -e> dwarf.
Zwetschge f <-, -n> plum.
Zwickel m <-s, -> gusset.
zwicken vt pinch, nip.
Zwieback m <-[e]s, -e> rusk.
Zwiebel f <-, -n> onion; (Blumen~) bulb.
Zwiegespräch nt dialogue; **Zwielicht** nt twilight; **zwielichtig** adj shady, dubious; **Zwiespalt** m conflict, split; **zwiespältig** adj (Gefühle) conflicting; (Charakter) contradictory; **Zwietracht** f discord, dissension.
Zwilling m <-s, -e> twin; ~**e** pl (ASTR) Gemini sing.
zwingen <zwang, gezwungen> vt force; **zwingend** adj (Grund etc) compelling.

zwinkern *vi* blink; (*absichtlich*) wink.
Zwirn *m* <-[e]s, -e> thread.
zwischen *prep* + *akk/dat* between; **Zwischenbemerkung** *f* [incidental] remark; **zwischenblenden** *vt* (*TV*) insert; **Zwischending** *nt* cross; **zwischendurch** *adv* in between; (*räumlich*) here and there; **Zwischenergebnis** *nt* intermediate result; **Zwischenfall** *m* incident; **Zwischenfrage** *f* question; **Zwischengas** *nt:* ~ geben double-declutch; **Zwischenhandel** *m* middlemen *pl*; middleman's trade; **Zwischenhändler(in** *f*) *m* middleman, agent; **Zwischenlager** *nt* interim storage; **zwischenlagern** *vt* put into interim storage; **Zwischenlagerung** *f* interim storage; **Zwischenlandung** *f* stopover; **zwischenmenschlich** *adj* interpersonal; **Zwischenraum** *m* space; **Zwischenruf** *m* interruption; **Zwischenspiel** *nt* interlude; **zwischenstaatlich** *adj* interstate; international; **Zwischenstation** *f* intermediate stop; **wir machten in London** ~ we stopped off in London; **Zwischenstecker** *m* adaptor [plug]; **Zwischenzeit** *f* interval; **in der** ~ in the interim, meanwhile.
Zwist *m* <-es, -e> dispute, feud.
zwitschern *vt, vi* twitter, chirp.
Zwitter *m* <-s, -> hermaphrodite.
zwölf *num* twelve.
Zyklus *m* <-, Zyklen> cycle.
Zylinder *m* <-s, -> cylinder; (*Hut*) top hat; **zylinderförmig** *adj* cylindrical.
Zyniker(in *f*) *m* <-s, -> cynic; **zynisch** *adj* cynical; **Zynismus** *m* cynicism.
Zypern *nt* Cyprus.
Zyste *f* <-, -n> cyst.
z.Z[t]. *abk von* **zur Zeit** at present.

Kurzgrammatik

1 Verb forms   Verbformen

	regular	*irregular*
infinitive	work	go
present simple	work/works	go/goes
past simple	worked	went
past participle	worked	gone
-ing-Form	working	going

I wanted to **work**.	Ich wollte arbeiten.
I must **go**.	Ich muß gehen.
He **goes** to the cinema every week.	Er geht jede Woche ins Kino.
We **went** to the cinema yesterday.	Wir sind gestern ins Kino gegangen.
She's always **worked** hard.	Sie hat immer hart gearbeitet.
They'd **gone** on holiday.	Sie waren in Urlaub gefahren.
I'm not **working** tomorrow.	Ich arbeite morgen nicht.

2 Tenses   Zeitformen

	simple		
present	I/we/you/they she/he/it		work works
past	I/she/he/it/ we/you/they		worked
present perfect	I/we/you/they she/he/it	've / have 's / has	worked
past perfect	I/she/he/it/ we/you/they	'd / had	worked

	continuous		
present	I she/he/it we/you/they	'm / am 's / is 're / are	working
past	I/she/he/it we/you/they	was were	working
present perfect	I/we/you/they she/he/it	've / have 's / has	been working
past perfect	I/she/he/it/ we/you/they	'd / had	been working

3 Simple forms and continuous forms
Einfache Formen und Verlaufsformen

- Die Verlaufsform wird aus einer Form von *be* + Verb + *-ing* gebildet.

- Im Gegensatz zu den einfachen Formen verleihen die Verlaufsformen einer Handlung oder einem Ereignis die Eigenschaft der (begrenzten) **Dauer.**

  I **work** in Manchester.   Ich arbeite in Manchester.
  I'**m working** late tonight.   Heute abend arbeite ich lange.

- Folgende Verben werden kaum oder überhaupt nicht in der Verlaufsform verwendet:

  believe, belong, have („besitzen"), *know, mean, prefer, remember, seem, suppose, think* („glauben"), *understand*

4 Short forms   Kurzformen

- Im gesprochenen Englisch sind die Kurzformen die üblichen Formen, weil sie neutral sind.

  I'**m** going home.   Ich gehe jetzt nach Hause.

  – Is that your new car?   – Ist das dein neues Auto?
  – No, it **isn't;** it'**s** my brother's.   – Nein, es gehört meinem Bruder.

- Wenn im gesprochenen Englisch lange Formen benutzt werden, sind sie meist besonders betont und fügen einer Äußerung zusätzliche Information hinzu (z. B. Widerspruch des Sprechers).

  – Of course I'm right!   – Natürlich hab ich recht!
  – You **are** right in this case,   – In diesem Fall hast du recht,
  but that doesn't mean   aber das heißt nicht, daß du
  you're always right.   immer recht hast.

- Im geschriebenen Englisch werden im allgemeinen die langen Formen bevorzugt.

5 Important forms of *be*   Wichtige Formen von *be*

		bejaht	verneint
present simple	I	'm / am	'm not / am not
	she/he/it	's / is	isn't / 's not / is not
	we/you/they	're / are	aren't / 're not / are not
past simple	I/she/he/it	was	wasn't / was not
	we/you/they	were	weren't / were not
present perfect simple	I/we/you/they	've / have	haven't / 've not / have not
		been	been
	she/he/it	's / has	hasn't / 's not / has not
past perfect simple	I/she/he/it/ we/you/they	'd / had been	hadn't / 'd not / been had not

		Frage bejaht	Frage verneint
present simple	I	am I?	aren't I?
	she/he/it	is she?	isn't she?
	we/you/they	are we?	aren't we?
past simple	I/she/he/it	was I?	wasn't I?
	we/you/they	were we?	weren't we?
present perfect simple	I/we/you/they	have I been?	haven't I been?
	she/he/it	has she	hasn't she
past perfect simple	I/she/he/it/ we/you/they	had I been?	hadn't I been?

Is he in the office today?
He **was** sure he **had been** there before.

Ist er heute im Büro?
Er war sich sicher, daß er schon einmal dort gewesen war.

● *there + be*

There's a famous castle near here.
Es gibt eine berühmte Burg hier in der Nähe.

Is there a telephone box near here?
Gibt es hier in der Nähe eine Telefonzelle?

There are a lot of people here tonight.
Es sind heute abend viele Leute hier.

Weren't there any tickets left?
Gab es keine Karten mehr?

● Formen von *be* werden zur Bildung von Zeitformen verwendet.

– **Is** Fred leaving tomorrow?
– No, he **isn't**.

– Reist Fred morgen ab?
– Nein.

The plane **was** hit by lightning.
Das Flugzeug wurde vom Blitz getroffen.

6 Important forms of *have*   Wichtige Formen von *have*

		be-jaht	verneint	Frage bejaht	Frage verneint
present simple	I/we/you/they	've / have	haven't / 've not / have not	have I?	haven't I?
	she/he/it	's / has	hasn't / 's not / has not	has she?	hasn't she?
past simple	I/she/he/it/ we/you/they	'd / had	hadn't / 'd not / had not	had I?	hadn't I?

- Formen von *have* werden zur Bildung von Zeitformen *(present perfect, past perfect)* verwendet.

They **haven't sold** their house yet.	Sie haben ihr Haus noch nicht verkauft.
Has she **checked** the results?	Hat sie die Ergebnisse überprüft?
I'**d** never **done** anything like that before.	So etwas hatte ich noch nie gemacht.

7 Important forms of *do*   Wichtige Formen von *do*

		be-jaht	verneint	Frage bejaht	Frage verneint
present simple	I/we/you/they	do	don't / do not	do you?	don't you?
	she/he/it	does	doesn't / does not	does she?	doesn't she?
past simple	I/she/he/it/ we/you/they	did	didn't / did not	did you?	didn't you?

● Formen von *do* werden zur Bildung von Verneinung und Frage
verwendet.

I **don't like** it.	Ich mag das nicht.
Do you **come** here often?	Kommst du öfter hierher?
What time **did** you **get** home last night?	Wann bist du gestern nacht nach Hause gekommen?

8 Negative statements   Verneinte Aussagesätze

		bejaht		verneint	
present simple	I/we/you/they		work	don't / do not	work
	she/he/it		works	doesn't / does not	work
past simple	I/she/he/it/ we/you/they		worked	didn't / did not	work
present perfect simple	I/we/you/they	've / have	worked	haven't / have not	worked
	she/he/it	's / has	worked	hasn't / has not	worked
past perfect simple	I/she/he/it/ we/you/they	'd / had	worked	hadn't / had not	worked

● Verneinung im *present* und *past: do + not* + Verb
Verneinung im *present perfect* und *past perfect: have + not* + Verb

9 Questions Fragebildung

	Aussage		Frage
present simple	I/we/you/they she/he/it	work works	do you work? does she work?
past simple	I/she/he/it/ we/you/they	worked	did she work?
present perfect simple	I/we/you/they	've / have worked	have you worked?
	she/he/it	's / has worked	has she worked?
past perfect simple	I/she/he/it/ we/you/they	'd / had worked	had she worked?

● Grundsätzlich gilt:
Fragebildung **mit** *do* → kein anderes Hilfsverb im Satz
Fragebildung **ohne** *do* → ein oder mehrere Hilfsverben im Satz

– **Do** you work part-time?	– Arbeitest du Teilzeit?
– Yes, I do. You too?	– Ja, und du?
– No, I don't. I've got a full-time job now.	– Nein, ich habe jetzt eine Ganztagsarbeit.

Has she always worked for Brown's?	Hat sie immer schon bei Brown's gearbeitet?
Can you bring me the menu, please?	Können Sie mir bitte die Speisekarte bringen?
Have you got lamb chops today?	Gibt es heute Lammkoteletts?

● Die wichtigsten Fragewörter: *who, whose, what, which, where, why, how, when*

Who'd like a cup of tea?	Wer möchte eine Tasse Tee?
How many children have you got?	Wie viele Kinder haben Sie?

10 Imperative   Aufforderungen

- Diese Form wird verwendet, um Anweisungen, Aufforderungen, Einladungen oder Warnungen auszudrücken.

Turn left at the next traffic lights.	Biegen Sie an der nächsten Ampel links ab.
Come in! Lovely to see you!	Kommt 'rein! Schön, euch zu sehen!
Mind your head!	Paß auf – dein Kopf!
Don't be afraid!	Hab keine Angst!
Let's go and see that new film!	Laß uns den neuen Film anschauen!

11 Present simple

Diese Zeitform wird benutzt, um aus der Sicht des Sprechers

- auszudrücken, daß Handlungen/Ereignisse regelmäßig stattfinden.

I **go** to the cinema quite often.	Ich gehe relativ oft ins Kino.

- Fakten auszudrücken.

London **is** the capital of Britain.	London ist die Hauptstadt Großbritanniens.
I **don't like** spaghetti.	Ich mag keine Spaghetti.

- über die Zukunft bekannte Tatsachen auszudrücken, insbesondere bei Fahrplänen und feststehenden Terminen.

The train **leaves** at 3 o'clock.	Der Zug fährt um 3 Uhr.

12 Present continuous

Diese Zeitform wird verwendet, um aus der Sicht des Sprechers

- auszudrücken, daß Handlungen/Ereignisse sich auf den Moment des Sprechens beziehen.

Somebody**'s stealing** your car.	Da stiehlt jemand Ihr Auto.

● auszudrücken, daß Handlungen, Zustände usw. nur vorübergehend sind.

I usually cycle to work but **I'm going** by bus at the moment because it's so cold.	Normalerweise fahre ich mit dem Rad zur Arbeit, aber zur Zeit fahre ich mit dem Bus, weil es so kalt ist.
Aren't you **feeling** very well?	Fühlst du dich nicht wohl?

● Verabredungen, Pläne und Absichten für die Zukunft auszudrücken.

I'm having dinner with Tom on Thursday.	Am Donnerstag bin ich zum Abendessen mit Tom verab-redet.
Where **are** you **going** on holi-day next year?	Wohin fährst du nächstes Jahr in Urlaub?

13 Past simple

● Diese Zeitform wird häufig verwendet, wenn es sich aus der Sicht
des Sprechers um punktuelle Handlungen/Ereignisse handelt, die
vor dem Moment des Sprechens abgeschlossen sind.

My grandfather **died** before I **was born.**	Mein Großvater starb noch vor meiner Geburt.
Did you **see** Fred when you **were** in London?	Hast du Fred gesehen, als du in London warst?

● Zeitangaben mit *last* (*last week, year,* etc.) und *ago* (*2 seconds ago,
2 centuries ago,* etc.) verlangen in der Regel *past tense.*

My neighbours **emigrated** to Canada last month.	Meine Nachbarn sind letzten Monat nach Kanada ausgewan-dert.
I **met** a remarkably attractive man two days ago.	Vor zwei Tagen habe ich einen ziemlich attraktiven Mann ken-nengelernt.

14 Past continuous

Diese Zeitform wird verwendet, um

● vergangene Handlungen/Ereignisse von begrenzter Dauer auszudrücken.

I **was waiting** for you in front of the post office, but you didn't come.	Ich habe vor dem Postamt auf dich gewartet, aber du bist nicht gekommen.

● ein Ereignis auszudrücken, das schon im Gange war, als eine weitere Handlung einsetzte.

When we left the house, the sun **was shining.**	Als wir aus dem Haus kamen, schien die Sonne.

15 Present perfect simple

Diese Zeitform wird häufig verwendet, wenn

● der Sprecher auf Handlungen/Ereignisse zurückschaut und deren Auswirkungen auf die Gegenwart oder Zukunft in den Mittelpunkt stellt.

I **haven't done** it yet.	Ich habe es noch nicht gemacht. (Die Arbeit liegt immer noch unerledigt da.)
The children **have made** a terrible mess.	Die Kinder haben eine furchtbare Schweinerei veranstaltet (und ich werde jetzt aufräumen müssen).

● Handlungen/Ereignisse in der Vergangenheit angefangen haben und noch andauern.

He**'s been** unemployed for 2 years.	Er ist seit 2 Jahren arbeitslos (und ist es immer noch).
vgl.:	
He was unemployed for 2 years.	Er war 2 Jahre arbeitslos (und hat jetzt wieder Arbeit).

● Fragen sich auf einen Zeitraum bis hin zum Moment des Sprechens beziehen.

Have you ever **been** to Texas?	Waren Sie schon mal in Texas?

vgl.:

Did you see the Alamo when you were in Texas?	Haben Sie das Alamo gesehen, als Sie in Texas waren?

16 Present perfect continuous

● Diese Zeitform wird verwendet, wenn der Sprecher auf Handlungen/Ereignisse zurückschaut und zusätzlich (begrenzte) Dauer betonen will.

– How long **have** you **been living** in Germany?	– Wie lange lebst du schon in Deutschland?
– I**'ve been living** here for 15 years.	– Ich lebe seit 15 Jahren hier.

– Why are you crying?	– Warum weinst du?
– I**'ve been chopping** onions for the last half hour.	– Weil ich seit einer halben Stunde dabei bin, Zwiebeln kleinzuhacken.

vgl.:

– Why are you crying?	– Warum weinst du?
– I've just cut my finger with the kitchen knife.	– Ich habe mich gerade mit dem Küchenmesser in den Finger geschnitten.

17 Past perfect simple

● Diese Zeitform wird verwendet, wenn der Sprecher von einem Punkt in der Vergangenheit auf einen noch früheren Zeitpunkt zurückschaut.

When I got home I found that the children **had made** a terrible mess.	Als ich nach Hause kam, entdeckte ich, daß die Kinder eine furchtbare Schweinerei veranstaltet hatten.

He **had been** unemployed for 2 years when the accident happened.	Er war schon 2 Jahre arbeitslos, als der Unfall passierte.

18 Past perfect continuous

- Diese Zeitform wird verwendet, wenn der Sprecher von einem Punkt in der Vergangenheit auf einen noch früheren Zeitpunkt zurückschaut und zusätzlich die (begrenzte) Dauer einer Handlung betonen will.

When I got home he was crying because he**'d been chopping** onions.	Als ich nach Hause kam, weinte er, weil er Zwiebeln kleingehackt hatte.

19 Talking about the future   Zukunft ausdrücken

Im Englischen gibt es mehrere Möglichkeiten, über die Zukunft zu sprechen.

- *be + going to + infinitive*
  Diese Form wird häufig verwendet, wenn

  – es für den Sprecher deutliche Hinweise gibt, daß etwas geschehen wird.

I**'m going to be** sick.	Ich muß mich gleich übergeben.
It**'s going to snow** any time now.	Es wird jeden Moment schneien.

  – es um eine längerfristige oder überlegte Entscheidung geht.

When I grow up I**'m going to be** a doctor.	Wenn ich erwachsen bin, möchte ich Arzt werden.
What **are** you **going to do** to improve the sales figures?	Was werden Sie tun, um die Absatzzahlen zu verbessern?

- *'ll/will*
  Diese Form wird häufig verwendet, um über die Zukunft bekannte Tatsachen oder Vorhersagen auszudrücken.

We**'ll be** on holiday next week.	Wir werden nächste Woche im Urlaub sein.
We **won't be** in this evening.	Wir sind heute abend nicht zu Hause.
Do you think I**'ll pass** the exam?	Meinen Sie, daß ich die Prüfung bestehen werde?
It**'ll** probably **rain** tomorrow.	Morgen wird es wahrscheinlich regnen.

- *present continuous*
  Diese Form wird häufig verwendet, um Verabredungen, Pläne und Absichten für die Zukunft auszudrücken.

I'm having dinner with Tom on Thursday.	Am Donnerstag bin ich zum Abendessen mit Tom verabredet.
Where **are** you **going** on holiday next year?	Wohin fährst du nächstes Jahr in Urlaub?

- *present simple*
  Diese Form wird verwendet, um über die Zukunft bekannte Tatsachen auszudrücken, insbesondere bei Fahrplänen und feststehenden Terminen.

The train **leaves** at 3 o'clock.	Der Zug fährt um 3 Uhr.

20 Passive forms   Passivformen

- Die Passivformen werden aus einer Form von *be* + *past participle* des Verbs gebildet.

present	I she/he/it we/you/they		am is are	needed
past	I/we/you/they she/he/it		were was	needed
present perfect	I/we/you/they she/he/it	have has	been	needed
past perfect	I/she/he/it/ we/you/they	had	been	needed

- Die Passivformen werden verwendet, wenn aus der Sicht des Sprechers der Handelnde unbekannt oder weniger interessant ist als die Handlung selbst.

English **is spoken** all over the world.	Englisch wird auf der ganzen Welt gesprochen.
My bike **has been stolen**.	Mein Fahrrad ist gestohlen worden.

- Der Handelnde wird nur erwähnt, wenn es aus der Sicht des Sprechers um eine wichtige Zusatzinformation geht.

English **is spoken by** millions of people.	Englisch wird von Millionen von Menschen gesprochen.
My bike **was stolen by** a young girl.	Mein Fahrrad wurde von einem jungen Mädchen gestohlen.

21 Modal verbs   Modale Hilfsverben

Diese Verben weisen einige Besonderheiten auf:

– Sie haben für alle Personen (*I, she, he, it, we,* etc.) die gleiche Form, d. h. sie haben in der 3. Person Singular kein -*s.*
– Sie können keine -*ing*-Form bilden.
– Einige kommen nur in der Zeitform *present,* einige nur im *past* vor.
– Sie bilden Frage und Verneinung ohne *do.*

Zu den modalen Hilfsverben gehören:

will/would	*ought to*	*can/could*	*must*
shall/should	*had better*	*may/might*	*need (not)* *used to*

22 *will*

bejaht	verneint
'll will	won't will not

- Absicht/Versprechen

I'll get it for you.	Ich hol's dir.
We'll bring something to eat.	Wir bringen etwas zu essen mit.
Will you be in on Sunday?	Seid ihr am Sonntag zu Hause?
I won't do it again.	Ich tu's nicht wieder.

- spontane Entscheidung

I'll have the chicken.	Ich nehme das Hähnchen.
I've got a headache – I think I'll take an aspirin.	Ich habe Kopfschmerzen, ich nehme mal ein Aspirin.

● Bitte

Will you help me finish this? | Hilfst du mir, das hier fertig zu machen?

● über die Zukunft bekannte Fakten/Vorhersagen

We'll be on holiday next week. | Wir werden nächste Woche im Urlaub sein.
It'll probably rain tomorrow. | Morgen wird es wahrscheinlich regnen.

● in Bedingungssätzen
Muster: *if*-Satz →*present*
Hauptsatz →*'ll/will*

If you start now, you'll have plenty of time. | Wenn du jetzt losfährst, wirst du noch viel Zeit haben.

23 *would*

bejaht	verneint
'd	wouldn't
would	would not

● Angebot/Einladung

– Would you like a cup of coffee? | – Möchten Sie eine Tasse Kaffee?
– Yes, I'd love a cup. | – Ja, gerne.

● Wünsche

I'd like a map of London. | Ich hätte gern einen Stadtplan von London.

● Bitte

Would you hold this for a moment, please? | Würdest du das bitte einen Moment halten?

- Ratschlag

  - What would you do? — Was würdest du machen?
  - I wouldn't go if I were you. — An deiner Stelle würde ich nicht hingehen.

- in Bedingungssätzen
  Muster: *if*-Satz →*past*   *if*-Satz →*past perfect*
         Hauptsatz →*would*   Hauptsatz →*would have*

  I wouldn't drink so much if I were you. | Ich würde nicht so viel trinken, wenn ich du wäre.

  If they played better, they'd win more games. | Wenn sie besser spielten, würden sie auch mehr Spiele gewinnen.

  If they'd played better, they'd have won. | Wenn sie besser gespielt hätten, dann hätten sie auch gewonnen.

  You'd have loved the food! | Das Essen hätte dir geschmeckt! (wenn du da gewesen wärst)

24 *shall*

bejaht	verneint
shall	(shan't) (shall not)

- Vorschlag

  Shall we go to the cinema? | Wollen wir ins Kino gehen?
  Shall I meet you at the station? | Soll ich dich am Bahnhof abholen?

25 *should*

bejaht	verneint
should	shouldn't should not

● Ratschlag

You should see a doctor.	Du solltest zum Arzt gehen.
You shouldn't smoke so much.	Du solltest nicht so viel rauchen.
Shouldn't you have come earlier?	Hättest du nicht früher kommen sollen?
– Should we have it repaired?	– Sollten wir es reparieren lassen? – Ich glaube schon.
– I think we should.	

26 *ought to*

bejaht	verneint
ought to	ought not to

● (moralische) Verpflichtung/Ratschlag

We ought to write and thank them.	Wir sollten ihnen eigentlich schreiben und uns bedanken.
People ought not to dump rubbish in the woods.	Die Leute sollten ihren Müll nicht im Wald abladen.

● *ought to* kann als Ersatzverb für *should* verwendet werden.

You should see a doctor.	Du solltest zum Arzt gehen.
You ought to see a doctor.	

27 *had better*

bejaht	verneint
'd better	'd better not
had better	had better not

● Ratschlag/Warnung

I think you'd better go.	Ich glaube, du solltest jetzt gehen.
You'd better not be late.	Komm ja nicht zu spät!
Hadn't we better meet well in advance?	Sollten wir uns nicht rechtzeitig vorher treffen?

28 *can*

bejaht	verneint
can	can't cannot

- Fähigkeit/Möglichkeit

I can swim.	Ich kann schwimmen.
I can't come on Friday.	Ich kann am Freitag nicht kommen.
Can't they tell her what's wrong?	Können sie ihr nicht sagen, was los ist?

- Erlaubnis/Verbot

You can smoke here.	Sie können hier rauchen.
You can't park here.	Sie können hier nicht parken.

- Bitte/Angebot

Can I use your phone?	Kann ich Ihr Telefon benutzen?
Can I give you a lift?	Kann ich Sie mitnehmen?

29 *could*

bejaht	verneint
could	couldn't could not

- Fähigkeit/Möglichkeit

When I was young I could dance all night.	Als ich jung war, konnte ich die Nacht durchtanzen.
I could come on Friday if necessary.	Falls nötig könnte ich am Freitag kommen.
It couldn't have been better!	Das hätte nicht besser sein können!

● höfliche Bitte/Vorschlag

Could you tell me the way to the station, please? | Könnten Sie mir bitte sagen, wie ich zum Bahnhof komme?
Couldn't we talk about this later? | Könnten wir nicht später darüber reden?

30 *be able to*

● Fähigkeit/Möglichkeit

He wasn't able to come last night. | Er konnte gestern abend nicht kommen.
When I was young I was able to dance all night. | Als ich jung war, konnte ich die Nacht durchtanzen.

● *be able to* kann als Ersatzverb für *can/could* verwendet werden.

Will you be able to visit me next week? | Kannst du mich nächste Woche besuchen?

31 *may*

bejaht	verneint
may	may not

● Wahrscheinlichkeit

We may see you next week. | Vielleicht sehen wir Sie nächste Woche.
They may not have heard the news. | Vielleicht haben sie die Neuigkeit noch nicht gehört.

● höfliche Bitte/Erlaubnis

May I open the window? | Darf ich vielleicht das Fenster aufmachen?

Merke: „du darfst nicht" = *you mustn't/must not*

32 *might*

bejaht	verneint
might	mightn't might not

● Wahrscheinlichkeit (weniger sicher als *may*)

We might be a little bit late.   Es könnte sein, daß wir ein bißchen später kommen.

33 *be allowed to*

● Erlaubnis/Verbot

For many years women were not allowed to study at a university.
Viele Jahre lang durften Frauen nicht an der Universität studieren.

Are you allowed to do that?   Darf man das?

● *be (not) allowed to* kann als Ersatzverb für *may* und *can* verwendet werden.

May I smoke in this room?
Am I allowed to smoke in this room?
Darf ich in diesem Zimmer rauchen?

You can't smoke in this room.
You are not allowed to smoke in this room.
In diesem Zimmer kannst du nicht rauchen.

34 *must*

bejaht	verneint
must	mustn't must not

● Notwendigkeit

I must get my hair cut.   Ich muß mir die Haare schneiden lassen.

- Verbot

You mustn't tell anybody. Du darfst niemandem davon erzählen.

Merke: „du mußt nicht" = *you needn't/don't need to*

- logische Schlußfolgerung

We must have taken the Wir müssen falsch abgebogen
wrong turning. sein.

35 *need not*

	verneint
(need)	needn't need not

- fehlende Notwendigkeit (Gegenteil von *must*)

We needn't go yet. Wir müssen noch nicht weg.
We needn't be there till Wir brauchen nicht vor 8 Uhr da
8 o'clock. zu sein.

Merke: Neben dem Hilfsverb *need (not)* existiert das Vollverb
need.
We don't need to go yet.

36 *have (got) to*

	present		past	
	bejaht	verneint	bejaht	verneint
I/we/you/they	've / have got to	haven't got to	had to	didn't have to
she/he/it	's / has	hasn't		did not have to
I/we/you/they	have to	don't / do not have to		
she/he/it	has to	doesn't / does not have to		

● äußere Notwendigkeit

In this job you have to know English.	In diesem Beruf muß man Englisch können.
Is it free or have we got to pay?	Ist es umsonst, oder müssen wir zahlen?
Doesn't he have to do shift work now?	Muß er jetzt nicht Schicht arbeiten?
We didn't have to wait long.	Wir mußten nicht lange warten.
We'll have to report it to the police.	Das werden wir der Polizei melden müssen.

● *have to* und *have got to* können als Ersatzverb für *must* verwendet werden.

Next week I'll have to get my hair cut.	Nächste Woche muß ich mir die Haare schneiden lassen.

37 *used to*

bejaht	verneint
used to	didn't used to

● frühere Gewohnheiten/Zustände

We used to come here quite often. (We don't now.)	Früher waren wir oft hier. (jetzt nicht mehr)
There didn't used to be a factory here.	Früher war hier keine Fabrik.

38 Noun plurals   Mehrzahl von Nomen

regelmäßig	Einzahl	Mehrzahl
+-*s*	arm brother	arm**s** brother**s**
+-*es*	bus dress chur**ch** box	bus**es** dress**es** church**es** box**es**
-*y* →-*ies*	lad**y** secretar**y**	lad**ies** secretar**ies**
-*o* →-*oes***	tomat**o** potat**o**	tomat**oes** potat**oes**
-*f* → -*ves***	hal**f** lea**f**	hal**ves** lea**ves**
unregelmäßig*	child foot man woman	children feet men women

* Es handelt sich hier um häufige Beispiele; für Abweichungen und
weitere Beispiele vgl. die Einzeleinträge im Wörterbuch.

39 Countable and uncountable nouns
Zählbare und nicht zählbare Nomen

● zählbar:
   one child →**two** children/**a** country →**several** countries/
   one man →**many** men
   Merke: *how many children, countries, men ...?*

● nicht zählbar:
   Stoffe: *bread, butter, coffee, earth, steel*
   Eigenschaften: *humour, intelligence, pride*
   abstrakte Begriffe: *fun, health, politics, weather*
   Nicht zählbare Nomen haben keine Mehrzahl und können nicht
   mit *a(n)* verwendet werden.
   Merke: *how much bread, butter ...?*

- Manche Wörter können je nach Bedeutung zählbar oder nicht zählbar sein:
  rubber = Gummi / *a rubber* = ein Radiergummi
  iron = Eisen / *an iron* = ein Bügeleisen
  coffee = Kaffee / *a coffee* = eine Tasse Kaffee

- Abweichend vom Deutschen sind einige Wörter im Englischen nicht zählbar, z. B.: *advice, furniture, information, news*
  Merke: **eine** Information/Nachricht = *a(n) bit/item/piece of information/news*

40 's-genitive   's-Genitiv

- Diese Form wird bei Menschen und Tieren verwendet, um Besitz oder Zugehörigkeit auszudrücken:

  Caroline**'s** bike/St. Mary**'s** church/the children**'s** room/my uncle**'s** car
  Merke: at the butcher's (= at the butcher's shop)/at the doctor's/ at Pat's (= bei Pat)

- In der Mehrzahl bei schon vorhandenem *s*:

  rabbit**s'** noses (Einzahl: a rabbit**'s** nose)
  spider**s'** webs (Einzahl: a spider**'s** web)

- Statt *'s*-Genitiv wird meist *of* benutzt
  – wenn es nicht um Menschen/Tiere geht
  – bei Mengenangaben

  the roof of the house/the taste of coffee/a kilo of tomatoes

41 Use of the article in English and German
Gebrauch des Artikels im Englischen und Deutschen

- unbestimmter Artikel: *an* vor *a/e/i/o/u* (an electrician, an orange)
  und vor stummem *h* (an hour)
  a vor allen anderen Buchstaben (a book, a man)

- bestimmter Artikel: *the* (the electrician/the hour [ðɪ]
  the book/the man [ðə])

● Der Gebrauch des Artikels ist in beiden Sprachen weitgehend ähnlich. Folgende Unterschiede sollte man sich aber merken:

She's **a** doctor/**an** engineer.	Sie ist Ärztin/Ingenieurin.
twice **a** week/once **a** year	zweimal **die** Woche/einmal **im** Jahr
It costs 60 p **a** pound.	Es kostet 60 p **das** Pfund.
play **the** piano/**the** flute	Klavier/Flöte spielen
I live in London Road.	Ich wohne in **der** London Road.
by bike/by bus	mit **dem** Rad/mit **dem** Bus

42 Personal, possessive and reflexive pronouns
Personal-, Possessiv- und Reflexivpronomen

Personalpronomen		Possessivpronomen		Reflexivpronomen
(1)	(2)	(3)	(4)	(5)
I	me	my	mine	myself
she	her	her	hers	herself
he	him	his	his	himself
it	it	its		itself
we	us	our	ours	ourselves
you	you	your	yours	yourself*/yourselves**
they	them	their	theirs	themselves

*Einzahl   **Mehrzahl

She[1] saw **me**[2] coming.	Sie sah mich kommen.
I[1] wanted to give **him**[2] **his**[3] book back.	Ich wollte ihm sein Buch zurückgeben.
He[1] thought **it**[1] was **mine**[4] but actually **it**[1] belongs to a friend of **ours**[4], so I'm afraid **you**[1] can't have **it**[2].	Er hat gedacht, es sei meins, aber in Wirklichkeit gehört es einem Freund von uns, deshalb kannst du es leider nicht haben.
Their[3] son had an accident and cut **himself**[5] badly.	Ihr Sohn hatte einen Unfall und hat sich eine ziemlich große Schnittverletzung zugezogen.

43 *this – that/these – those* Demonstrativpronomen

● *this/these:* nahe aus der Sicht des Sprechers
  that/those: nicht so nahe aus der Sicht des Sprechers

– Have you got a pullover like this but in blue?	– Haben Sie so einen Pullover in Blau?
– Have a look at those over there, madam.	– Schauen Sie sich die da drüben an.

These apples are very nice. I think I'll have another one.	Diese Äpfel schmecken sehr gut. Ich glaube, ich nehme noch einen.

Those apples we had last week were very nice.	Die Äpfel letzte Woche haben sehr gut geschmeckt.
This is Bruce Pye speaking.	Hier spricht Bruce Pye.
Who was that on the phone just now?	Wer war das gerade am Telefon?

44 *who, which, that* Relativpronomen

● *who* bezieht sich auf Personen, *which* auf Sachen.
  that kann sich auf beides beziehen.

Something for **the man who/ that** has everything.	Etwas für den Mann, der alles hat.
There are a lot of **things which/that** annoy me.	Es gibt viele Dinge, die mich ärgern.

● *who/which/that* als Objekt des Relativsatzes fallen oft weg.

What's the name of that American (who/that) you used to work with?	Wie heißt der Amerikaner, mit dem du früher zusammengearbeitet hast?
What's the name of the company (which/that) you used to work for?	Wie heißt die Firma, bei der Sie früher gearbeitet haben?

45 *one(s)*

one(s) wird verwendet, um eine Wiederholung eines vorher genannten oder bekannten Nomens zu vermeiden.

– Would you like **a cup of coffee?**	– Möchten Sie eine Tasse Kaffee?
– Thanks, I'd love **one.**	– Ja, gerne.

These **jeans** are too tight. Have you got any larger **ones?**	Diese Jeans sind zu eng. Haben Sie größere?

46 *some, any*

- Bei *some* hat der Sprecher einen Teil aus einer größeren Menge im Auge.
  Das gleiche gilt für *somebody, someone, something, somewhere.*

- Bei *any* hat der Sprecher die Vorstellung ‚alles oder nichts‘.
  Das gleiche gilt für *anybody, anyone, anything, anywhere.*

We need some sugar.	Wir brauchen (etwas) Zucker.
We haven't got any tea.	Wir haben keinen Tee.
There must be someone who can help us.	Es muß doch jemanden geben, der uns helfen kann.
Anyone can do that – it's easy!	Das kann doch jeder, so einfach ist das!
There's something I'd like to discuss with you.	Ich möchte da gern etwas mit Ihnen diskutieren.
I'll do anything to help her.	Ich tue alles, um ihr zu helfen.

47 Comparison of adjectives
Adjektive: Steigerung und Vergleich

- Für die Steigerung gilt im allgemeinen diese Regel:

einsilbig	long	long**er**	long**est**
einsilbig mit -*y*	happy	happ**ier**	happ**iest**
2 oder mehr Silben	charming expensive	**more** charming **more** expensive	**most** charming **most** expensive

- Unregelmäßig:

good	better	best
bad	worse	worst

- Vergleiche mit *than:*

The Rhine is **longer than** the Thames.

Der Rhein ist länger als die Themse.

The train is **more expensive than** the bus.

Die Bahn ist teurer als der Bus.

- Vergleiche mit *as ... as:*

The Rhine is not **as long as** the Mississippi.

Der Rhein ist nicht so lang wie der Mississippi.

Charter flights are not **as expensive as** ordinary flights.

Charterflüge sind nicht so teuer wie Linienflüge.

48 Formation of adverbs   Adverbien: Bildung

	adjective	adverb
regelmäßig	bad	bad**ly**
	careful	careful**ly**
	slow	slow**ly**
unregelmäßig	good	well
	better	better
	early	early
	fast	fast
	hard	hard

I got **bad marks** in the exam.

Ich habe eine schlechte Note in der Prüfung bekommen.

I **did badly** in the exam.

Ich habe schlecht abgeschnitten bei der Prüfung.

Her French is very **good.**
She **speaks** French **well.**

Ihr Französisch ist sehr gut.
Sie spricht gut französisch.

49 **Comparison of adverbs**   Adverbien: Vergleiche

- Vergleiche mit *than:*

He walks even **more slowly than** me.	Er läuft noch langsamer als ich.
The driver was **less badly** hurt **than** the passengers.	Der Fahrer wurde weniger schwer verletzt als die Mitfahrer.

- Vergleiche mit *as ... as:*

He did not do **as well as** he expected in the exam.	Er schnitt bei der Prüfung nicht so gut ab, wie er erwartet hatte.
Men do not drive **as carefully as** women.	Männer fahren nicht so vorsichtig wie Frauen.

50 **Spelling notes**
Anmerkungen zur Rechtschreibung

- Mitlaut + *-y → i*

hap**py**	→ happier/happiest/happily/happiness
try	→ trial/tried

- Mitlaut + *-y* + *-s → ie*

ba**by**	→ babies
myste**ry**	→ mysteries
try	→ tries

- Mitlaut + *-y* + *-ing:* keine Änderung

cry	→ crying
try	→ trying

- *-ie* + *-ing → -y*

die	→ dying
lie	→ lying

● Mitlaut + stummes *-e* + Selbstlaut → *-e* entfällt (z. B. bei *-ed*, *-ing*)

decide	→ decided, deciding
love	→ loved, lover, loving
smile	→ smiled, smiling

● Bei Ableitungen mit den folgenden Endungen wird der Mitlaut verdoppelt, wenn der vorangehende Selbstlaut mit **einem** Buchstaben geschrieben wird.
Zu diesen Endungen gehören: *-ed, -en, -er, -est, -ing, -ish, -y.*

fit	→ fitter/fittest/fitted/fitting
hot	→ hotter/hottest/hottish
rot	→ rotted/rotten/rotting
run	→ runner/running/runny
shop	→ shopped/shopper/shopping
begin	→ beginner/beginning
travel	→ travelled/travelling

Merke: keine Verdoppelung im amerikanischen Englisch!
travel → traveler, traveled, traveling

51 Word formation Wortbildung

verb → noun

-ment	→ advertisement, agreement, employment
-ion	→ connection, abolition, recognition, invitation occupation, decision, discussion
-ence/-ance	→ difference, disappearance, tolerance
-ing	→ camping, singing, washing
-er	→ driver, employer, manager
-or/-ress	→ actor, actress, waitor, waitress
-ee	→ employee, payee
-dom	→ boredom, freedom

noun → noun

-ian	→ musician, politician
-ist	→ guitarist, soloist
-man/-woman	→ businessman, businesswoman

adjective → noun

>   *-ness* → cleverness, darkness, illness
>   *-ence/-ance* → confidence, independence, importance
>   *-y/-ity* → difficulty, equality, simplicity

noun → adjective

>   *-y* → dirty, rainy, sunny
>   *-al* → industrial, national, official
>   *-ous* → dangerous, furious, mysterious
>   *-ish* → English, Irish, Scottish
>   *-ese* → Chinese, Japanese, Siamese
>   *-less* → careless, joyless, speechless
>   *-ful* → careful, skilful, thoughtful
>   *-able/-ible* → drinkable, washable, edible

verb → adjective

>   *-ive* → attractive, creative, inventive
>   *-ed* → (un)employed, loved, wanted
>   *-en* → broken, hidden, rotten
>   *-ing* → boring, loving, developing

adjective → adverb

>   *-ly* → badly, carefully, lovingly

Prefixes

>   *de-* → depopulate, derail
>   *dis-* → disabled, disbelieve, dissatisfied
>   *ex-* → expatriate, ex-wife
>   *im-/in-* → impossible, insensitive, invariable
>   *mis-* → misspell, mistake
>   *pre-* → prefabricated, prefix, premature
>   *re-* → redecorate, redo, regain
>   *semi-* → semicircle, semidetached, semifinal
>   *un-* → unemployed, unknown, unseen

Unregelmäßige englische Verben

present	pt	pp	present	pt	pp
arise (arising)	arose	arisen	dream	dreamed o dreamt	dreamed o dreamt
awake (awaking)	awoke	awaked	drink	drank	drunk
			drive (driving)	drove	driven
be (am, is are; being)	was, were	been	dwell	dwelt	dwelt
bear	bore	born[e]	eat	ate	eaten
beat	beat	beaten	fall	fell	fallen
become (becoming)	became	become	feed	fed	fed
			feel	felt	felt
begin (beginning)	began	begun	fight	fought	fought
			find	found	found
bend	bent	bent	flee	fled	fled
beseech	besought	besought	fling	flung	flung
bet (betting)	bet (also betted)	bet (also betted)	fly (flies)	flew	flown
			forbid (forbidding)	forbade	forbidden
bid (bidding)	bid	bid	forecast	forecast	forecast
bind	bound	bound	foresee	foresaw	foreseen
bite (biting)	bit	bitten	foretell	foretold	foretold
bleed	bled	bled	forget (forgetting)	forgot	forgotten
blow	blew	blown	forgive (forgiving)	forgave	forgiven
break	broke	broken			
breed	bred	bred	forsake (forsaking)	forsook	forsaken
bring	brought	brought			
build	built	built	freeze (freezing)	froze	frozen
burn	burnt o burned	burnt (also burned)	get (getting)	got	got, (US) gotten
burst	burst	burst			
buy	bought	bought	give (giving)	gave	given
can	could	(been able)	go (goes)	went	gone
cast	cast	cast	grind	ground	ground
catch	caught	caught	grow	grew	grown
choose (choosing)	chose	chosen	hang	hung (also hanged)	hung (also hanged)
cling	clung	clung			
come (coming)	came	come			
cost	cost	cost	have (has; having)	had	had
creep	crept	crept	hear	heard	heard
cut (cutting)	cut	cut	hide (hiding)	hid	hidden
deal	dealt	dealt	hit (hitting)	hit	hit
dig (digging)	dug	dug	hold	held	held
do (does)	did	done	hurt	hurt	hurt
draw	drew	drawn			

present	pt	pp	present	pt	pp
keep	kept	kept	say	said	said
kneel	knelt	knelt	see	saw	seen
	(*also*	(*also*	seek	sought	sought
	kneeled)	kneeled)	sell	sold	sold
know	knew	known	send	sent	sent
lay	laid	laid	set (setting)	set	set
lead	led	led	shake	shook	shaken
lean	leant	leant	(shaking)		
	(*also*	(*also*	shall	should	– –
	leaned)	leaned)	shear	sheared	shorn
leap	leapt	leapt			(*also*
	(*also*	(*also*			sheared)
	leaped)	leaped)	shed	shed	shed
learn	learnt	learnt	(shedding)		
	(*also*	(*also*	shine	shone	shone
	learned)	learned)	(shining)		
leave	left	left	shoot	shot	shot
(leaving)			show	showed	shown
lend	lent	lent	shrink	shrank	shrunk
let (letting)	let	let	shut	shut	shut
lie (lying)	lay	lain	(shutting)		
light	lit (*also*	lit (*also*	sing	sang	sung
	lighted)	lighted)	sink	sank	sunk
lose (losing)	lost	lost	sit (sitting)	sat	sat
make	made	made	slay	slew	slain
(making)			sleep	slept	slept
may	might	– –	slide	slid	slid
mean	meant	meant	(sliding)		
meet	met	met	sling	slung	slung
mistake	mistook	mistaken	slit (slitting)	slit	slit
(mistaking)			smell	smelt	smelt
mow	mowed	mown		(*also*	(*also*
		(*also*		smelled)	smelled)
		mowed)	sow	sowed	sown
must	(had to)	(had to)			(*also*
pay	paid	paid			sowed)
put (putting)	put	put	speak	spoke	spoken
quit	quit (*also*	quit (*also*	speed	sped	sped
(quitting)	quitted)	quitted)		(*also*	(*also*
read	read	read		speeded)	speeded)
rend	rent	rent	spell	spelt	spelt
rid (ridding)	rid	rid		(*also*	(*also*
ride (riding)	rode	ridden		spelled)	spelled)
ring	rang	rung	spend	spent	spent
rise (rising)	rose	risen	spill	spilt	spilt
run (running)	ran	run		(*also*	(*also*
saw	sawed	sawn		spilled)	spilled)

present	pt	pp	present	pt	pp
spin (spinning)	spun	spun	swim (swimming)	swam	swum
spit (spitting)	spat	spat	swing	swung	swung
split (splitting)	split	split	take (taking)	took	taken
			teach	taught	taught
spoil	spoiled (*also* spoilt)	spoiled (*also* spoilt)	tear	tore	torn
			tell	told	told
			think	thought	thought
spread	spread	spread	throw	threw	thrown
spring	sprang	sprung	thrust	thrust	thrust
stand	stood	stood	tread	trod	trodden
steal	stole	stolen	wake (waking)	woke (*also* waked)	woken (*also* waked)
stick	stuck	stuck			
sting	stung	stung	wear	wore	worn
stink	stank	stunk	weave (weaving)	wove (*also* weaved)	woven (*also* weaved)
stride (striding)	strode	stridden			
strike (striking)	struck	struck (*also* stricken)	weep	wept	wept
			win (winning)	won	won
strive (striving)	strove	striven	wind	wound	wound
			withdraw	withdrew	withdrawn
swear	swore	sworn	withhold	withheld	withheld
sweep	swept	swept	withstand	withstood	withstood
swell	swelled	swollen (*also* swelled)	wring	wrung	wrung
			write (writing)	wrote	written

Zahlwörter – Numerals

1. Grundzahlen – Cardinal numbers

0 nought, cipher, zero	40 forty
1 one	41 forty-one
2 two	50 fifty
3 three	51 fifty-one
4 four	60 sixty
5 five	61 sixty-one
6 six	70 seventy
7 seven	71 seventy-one
8 eight	80 eighty
9 nine	81 eighty-one
10 ten	90 ninety
11 eleven	91 ninety-one
12 twelve	100 one hundred
13 thirteen	101 hundred and one
14 fourteen	102 hundred and two
15 fifteen	110 hundred and ten
16 sixteen	200 two hundred
17 seventeen	300 three hundred
18 eighteen	451 four hundred and fifty-one
19 nineteen	1000 a (*o* one) thousand
20 twenty	2000 two thousand
21 twenty-one	10000 ten thousand
22 twenty-two	1000000 a (*o* one) million
23 twenty-three	2000000 two million
30 thirty	1000000000 *(Brit)* a (*o* one)
31 thirty-one	milliard, *(US)* a (*o* one) billion
32 thirty-two	1000000000000 *(Brit)* a (*o* one)
33 thirty-three	billion, *(US)* a (*o* one) trillion

2. Ordnungszahlen – Ordinal numbers

1st first	31st thirty-first
2nd second	40th fortieth
3rd third	41st forty-first
4th fourth	50th fiftieth
5th fifth	51st fifty-first
6th sixth	60th sixtieth
7th seventh	61st sixty-first
8th eighth	70th seventieth
9th ninth	71st seventy-first
10th tenth	80th eightieth
11th eleventh	81st eighty-first
12th twelfth	90th ninetieth
13th thirteenth	100th (one) hundredth
14th fourteenth	101st hundred and first
15th fifteenth	200th two hundredth
16th sixteenth	300th three hundredth
17th seventeenth	451st four hundred and fifty-first
18th eighteenth	1000th (one) thousandth
19th nineteenth	1100th (one) thousand and
20th twentieth	(one) hundredth
21st twenty-first	2000th two thousandth
22nd twenty-second	100000th (one) hundred thousandth
23rd twenty-third	1000000th (one) millionth
30th thirtieth	10000000th ten millionth

3. Bruchzahlen – Fractions

$\frac{1}{2}$ one (*o a*) half	$\frac{2}{3}$ two thirds
$\frac{1}{3}$ one (*o a*) third	$\frac{3}{4}$ three fourths, three quarters
$\frac{1}{4}$ one (*o a*) fourth (*o a* quarter)	$\frac{2}{5}$ two fifths
$\frac{1}{5}$ one (*o a*) fifth	$\frac{3}{10}$ three tenths
$\frac{1}{10}$ one (*o a*) tenth	$1\frac{1}{2}$ one and a half
$\frac{1}{100}$ one hundredth	$2\frac{1}{2}$ two and a half
$\frac{1}{1000}$ one thousandth	$5\frac{3}{8}$ five and three eighths
$\frac{1}{1000000}$ one millionth	1,1 one point one (1.1)

4. Vervielfältigungszahlen – Multiples

single *einfach*	fourfold, quadruple *vierfach*
double *zweifach*	fivefold *fünffach*
threefold, treble, triple *dreifach*	(one) hundredfold *hundertfach*

Uhrzeit – Time

Wieviel Uhr ist es?, wie spät ist es?   *What time is it? It is ...*
Es ist ...

Mitternacht/zwölf Uhr nachts;   midnight/twelve p.,.;
ein Uhr (morgens *o* früh)   one o'clock (in the morning)/
   one (a.m.)

fünf nach eins/ein Uhr fünf;   five past one
Viertel nach eins/   a quarter past one/
ein Uhr fünfzehn;   one fifteen;
fünf vor halb zwei/   twenty-five past one/
ein Uhr fünfundzwanzig;   one twenty-five;
halb zwei/   half past one/
ein Uhr dreißig;   one thirty;
fünf nach halb zwei/   twenty-five to two/
ein Uhr fünfunddreißig;   one thirty-five;
zwanzig vor zwei/   twenty to two/
ein Uhr vierzig;   one forty;
Viertel vor zwei/   a quarter to two/
ein Uhr fünfundvierzig;   one forty-five;
zehn vor zwei/   ten to two/
ein Uhr fünfzig;   one fifty;
zwölf Uhr (mittags),   twelve o'clock,
Mittag   midday, noon
halb eins (mittags *o* nach-   half past twelve/twelve thirty
mittags/zwölf Uhr dreißig;   (p.m.);
zwei Uhr (nachmittags)/   two o'clock (in the afternoon)/
vierzehn Uhr;   two (p.m.);
halb acht (abends)/   half past seven (in the evening)/
neunzehn Uhr dreißig   seven thirty (p.m.)

Um wieviel Uhr?   *At what time?*
um Mitternacht   at midnight
um sieben Uhr   at seven o'clock
in zwanzig Minuten   in twenty minutes
vor fünfzehn Minuten   fifteen minutes ago

Maße und Gewichte – Weights and Measures

Längenmaße – Linear measures

1 inch (in) 1″		= 2,54 cm
1 foot (ft) 1′	= 12 inches	= 30,48 cm
1 yard (yd)	= 3 feet	= 91,44 cm
1 furlong (fur)	= 220 yards	= 201,17 m
1 mile (m)	= 1760 yards	= 1,609 km
1 league	= 3 miles	= 4,828 km

Nautische Maße – Nautical measures

1 fathom	= 6 feet	= 1,829 m
1 cable	= 608 feet	= 185,31 m
1 nautical, sea mile	= 10 cables	= 1,852 km
1 sea league	= 3 nautical miles	= 5,550 km

Feldmaße – Surveyors' measures

1 link	= 7,92 inches	= 20,12 cm
1 rod, perch, pole	= 25 links	= 5,029 m
1 chain	= 4 rods	= 20,12 m

Flächenmaße – Square measures

1 square inch		= 6,452 cm^2
1 square foot	= 144 sq inches	= 929,029 cm^2
1 square yard	= 9 sq feet	= 0,836 m^2
1 square rod	= 30,25 sq yards	= 25,29 m^2
1 acre	= 4840 sq yards	= 40,47 Ar
1 square mile	= 640 acres	= 2,59 km^2

Raummaße – Cubic measures

1 cubic inch		$= 16,387 \text{ cm}^3$
1 cubic foot	= 1728 cu inches	$= 0,028 \text{ m}^3$
1 cubic yard	= 27 cu feet	$= 0,765 \text{ m}^3$
1 register ton	= 100 cu feet	$= 2,832 \text{ m}^3$

Britische Hohlmaße – Measures of capacity

Flüssigkeitsmaße – Liquid measures of capacity

1 gill		$= 0,142 \text{ l}$
1 pint (pt)	= 4 gills	$= 0,568 \text{ l}$
1 quart (qt)	= 2 pints	$= 1,136 \text{ l}$
1 gallon (gal)	= 4 quarts	$= 4,546 \text{ l}$
1 barrel	= *(für Öl)* 35 gallons	$= 159,106 \text{ l}$
	(Bierbrauerei) 36 gallons	$= 163,656 \text{ l}$

Trockenmaße – Dry measures of capacity

1 peck	= 2 gallons	$= 9,092 \text{ l}$
1 bushel	= 4 pecks	$= 36,348 \text{ l}$
1 quarter	= 8 bushels	$= 290,781 \text{ l}$

Amerikanische Hohlmaße – Measures of capacity

Flüssigkeitsmaße – Liquid measures of capacity

1 gill		$= 0,118 \text{ l}$
1 pint	= 4 gills	$= 0,473 \text{ l}$
1 quart	= 2 pints	$= 0,946 \text{ l}$
1 gallon	= 4 quarts	$= 3,785 \text{ l}$
1 barrel	= *(für Öl)* 42 gallons	$= 159,106 \text{ l}$

Handelsgewichte – Avoirdupois weights

1 grain (gr)		$= 0,0648 \text{ g}$
1 dram (dr)	= 27,3438 grains	$= 1,772 \text{ g}$
1 ounce (oz)	= 16 drams	$= 28,35 \text{ g}$
1 pound (lb)	= 16 ounces	$= 453,59$

1 stone	= 14 pounds	= 6,348 kg
1 quarter	= 28 pounds	= 12,701 kg
1 hundredweight	= *(Brit long cwt)* 112 pounds	= 50,8 kg
(cwt)	*(US short cwt)* 100 pounds	= 45,36 kg
1 ton	= *(Brit long ton)* 20 cwt	= 1016 kg
	(US short ton) 2000 pounds	= 907,185 kg

Temperaturumrechnung – Temperature conversion

Fahrenheit – Celsius   **Celsius – Fahrenheit**

°F	°C	°C	°F
0	−17,8	−10	14
32	0	0	32
50	10	10	50
70	21,1	20	68
90	32,2	30	86
98,4	37	37	98,4
212	100	100	212

zur Umrechnung 32 abziehen und mit ⅝ multiplizieren   zur Umrechnung mit ⅝ multiplizieren und 32 addieren

Notizen

Notizen

Notizen

Notizen

Inhalt und Aufbau
Deutsch – Englisch

EDV *f* < - > *abk von* **elektronische Datenverarbeitung** EDP; **EDV-Anlage** *f* EDP equipment.

Alle deutschen **Stichwörter** sind durch Fettdruck hervorgehoben.

passen *vi* fit; (*Farbe*) go (*zu* with); (*auf Frage*) pass; **das paßt mir nicht** that doesn't suit me; **er paßt nicht zu dir** he's not right for you; **passend** *adj* suitable; (*zusammen~*) matching; (*angebracht*) fitting; (*Zeit*) convenient.

Wendungen sind halbfett.

andere(r, s) *adj* other; (*verschieden*) different; **am ~n Tage** the next day; **ein ~s Mal** another time; **kein ~r** nobody else; **von etwas ~m sprechen** talk about something else; **andererteils, andererseits** *adv* on the other hand.

Die **Tilde** ~ ersetzt in den Wendungen das unveränderte Stichwort; bei Stichwörtern mit Buchstaben in runden Klammern steht die Tilde für die Form außerhalb der runden Klammern.

essen <**aß, gegessen**> *vt, vi* eat; **gegessen sein** (*fig fam*) be history; **Essen** *nt* < **-s, -** > meal; food; **Essenszeit** *f* mealtime; dinner time.

In **Spitzklammern** < > stehen bei unregelmäßigen Verben die Imperfekt- und Partizip-Perfekt-Form; bei Substantiven Angaben zum Genitiv und Plural.

Haft *f* < - > custody; **haftbar** *adj* liable, responsible; **Haftbefehl** *m* warrant [of arrest]; **haften** *vi* stick , cling; ~ **für** be liable [*o* responsible] for; **haftenbleiben** *irr vi* stick (*an + dat* to); **Haftnotiz** *f* [removable] self-stick note; **Haftpflicht** *f* liability; **Haftpflichtversicherung** *f* third party insurance; **Haftung** *f* liability.

In **eckigen Klammern** [ ] stehen Teile eines Wortes oder Satzes, die beliebig weggelassen werden können. In Verbindung mit *o* geben sie eine alternative Möglichkeit an.

aufsetzen 1. *vt* put on; (*Flugzeug*) put down; (*Dokument*) draw up; **2.** *vr:* **sich** ~ sit upright; **3.** *vi* (*Flugzeug*) touch down.

Arabische Ziffern differenzieren verschiedende Wortarten und Substantive, die verschiedene Genitiv- und Pluralformen haben.

Bank 1. *f* < **-, ¨e** > (*Sitz~*) bench; (*Sand~*) [sand]bank, sandbar; **2.** *f* < **-, -en** > (*Geld~*) bank; **Bankanweisung** *f* banker's order; **Bandbeamte(r)** *m*, **-beamtin** *f* bank clerk.